2001 YEARBOOK

臨汾年鑒

赵望进署

2001

临汾年鉴编纂委员会 编

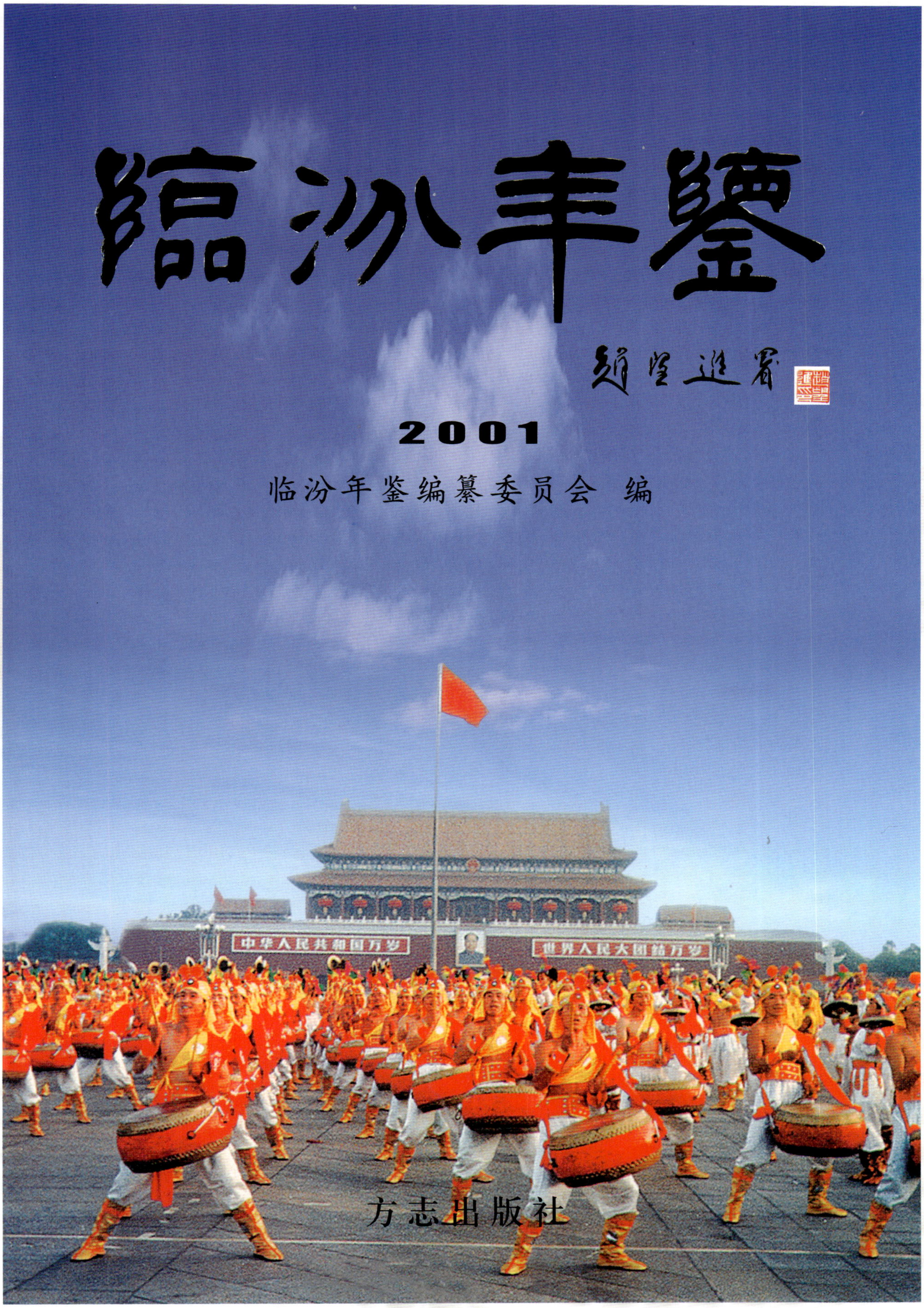

方志出版社

临汾年鉴编纂委员会

编 纂 人 员

编辑说明

一、《临汾年鉴》是中共临汾市委、市政府组织编纂的大型史册性工具书，是临汾市惟一的综合性年鉴，旨在逐年全面记载临汾政治、经济、文化、社会等各方面的新成就、新进展、新经验，充分反映临汾地方特色，为社会各界了解临汾、认识临汾、研究临汾、建设临汾提供丰富、准确、实用的地情信息。

二、本年鉴的记事断限为2000年1月1日至2000年12 月31日。个别条目追溯了2000年以前的内容，意在增强事物的完整性。

三、本年鉴采用分类编排法，设栏目、类目、条目，少数在类目和条目之间增设分目，不同层次的标题用不同的字号、字体和辅助标志区别。条目为全书基本记述实体，其标题统一加“【】”号表示。个别栏目，由于资料原因，暂作归并处理。

四、2000年11月1日临汾撤地设市。本年鉴中“临汾市”、“全市”、“市委”均加“(地级)”或“注”以示区别。地区人大工委、行署、政协工委称谓沿用。

五、本年鉴的稿件，均由市直各有关部门、驻临单位和各县（市、区）政府提供，专人撰写，并经各单位负责人审核。所用数据由于统计的来源、口径、方法、时间不同而有差异的，均以统计局提供的统计资料为准。

六、本年鉴有详细中文目录、英文目录、彩页目录、索引等多种检索系统。卷末索引，款目按汉语拼音字母顺序排列。

七、本年鉴采用的稿件，作者署名在文尾，彩页图片不署作者。有的图片、资料作者不详，未作署名，谨表歉意。

八、本年鉴的编纂出版工作，得到全市各有关单位的大力支持，在此深表谢忱。编辑中的问题，敬请各界人士批评指正。

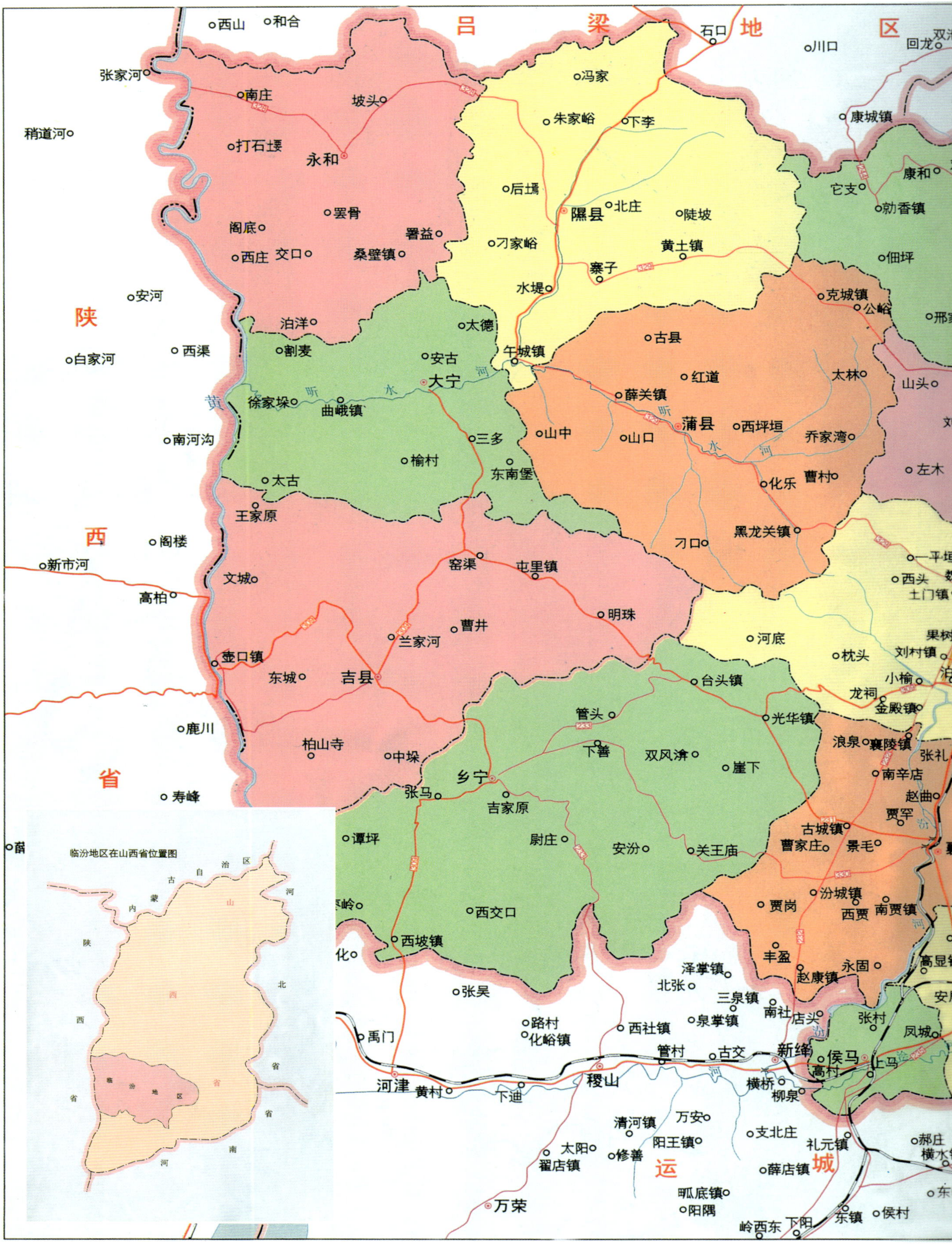

吕
梁
地
区
陕
西
省
黄
河
昕
水
河
运
城
西山
和合
石口
川口
回龙
张家河
稍道河
南庄
坡头
冯家
朱家峪
下李
康城镇
打石塄
永和
后堝
隰县
北庄
陡坡
它支
康和
勍香镇
罢骨
阁底
署益
刁家峪
黄土镇
西庄
交口
桑壁镇
寨子
佃坪
安河
水堤
克城镇
公峪
泊洋
太德
古县
邢家
白家河
西渠
割麦
安古
午城镇
红道
太林
山头
大宁
薛关镇
徐家垛
曲峨镇
蒲县
西坪垣
乔家湾
南河沟
三多
山中
山口
榆村
东南堡
化乐
曹村
左木
太古
王家原
黑龙关镇
阎楼
刁口
新市河
窑渠
屯里镇
一平垣
文城
西头
土门镇
高柏
明珠
曹井
兰家河
河底
果树
刘村镇
壶口镇
枕头
东城
吉县
台头镇
小榆
龙祠
金殿镇
管头
光华镇
鹿川
柏山寺
下善
双凤渰
浪泉
襄陵镇
张礼
中垛
崖下
南辛店
省
寿峰
乡宁
张马
赵曲
吉家原
贾罕
古城镇
谭坪
尉庄
安汾
关王庙
曹家庄
景毛
汾城镇
贾岗
西贾
南贾镇
西交口
西坡镇
丰盈
永固
化
泽掌镇
赵康镇
高显镇
张吴
北张
三泉镇
安周
南社
店头
张村
路村
西社镇
泉掌镇
禹门
化峪镇
凤城
管村
古交
新绛
侯马
高村
上马
河津
黄村
稷山
下迪
横桥
柳泉
清河镇
万安
支北庄
太阳
阳王镇
礼元镇
郝庄
翟店镇
修善
薛店镇
横水镇
畖底镇
万荣
阳隅
岭西东
下阳
东镇
侯村
临汾地区在山西省位置图
内
蒙
古
自
治
区
河
北
省
山
西
省
陕
西
省
河
南
省
临
汾
地
区

临汾地区行政区划图

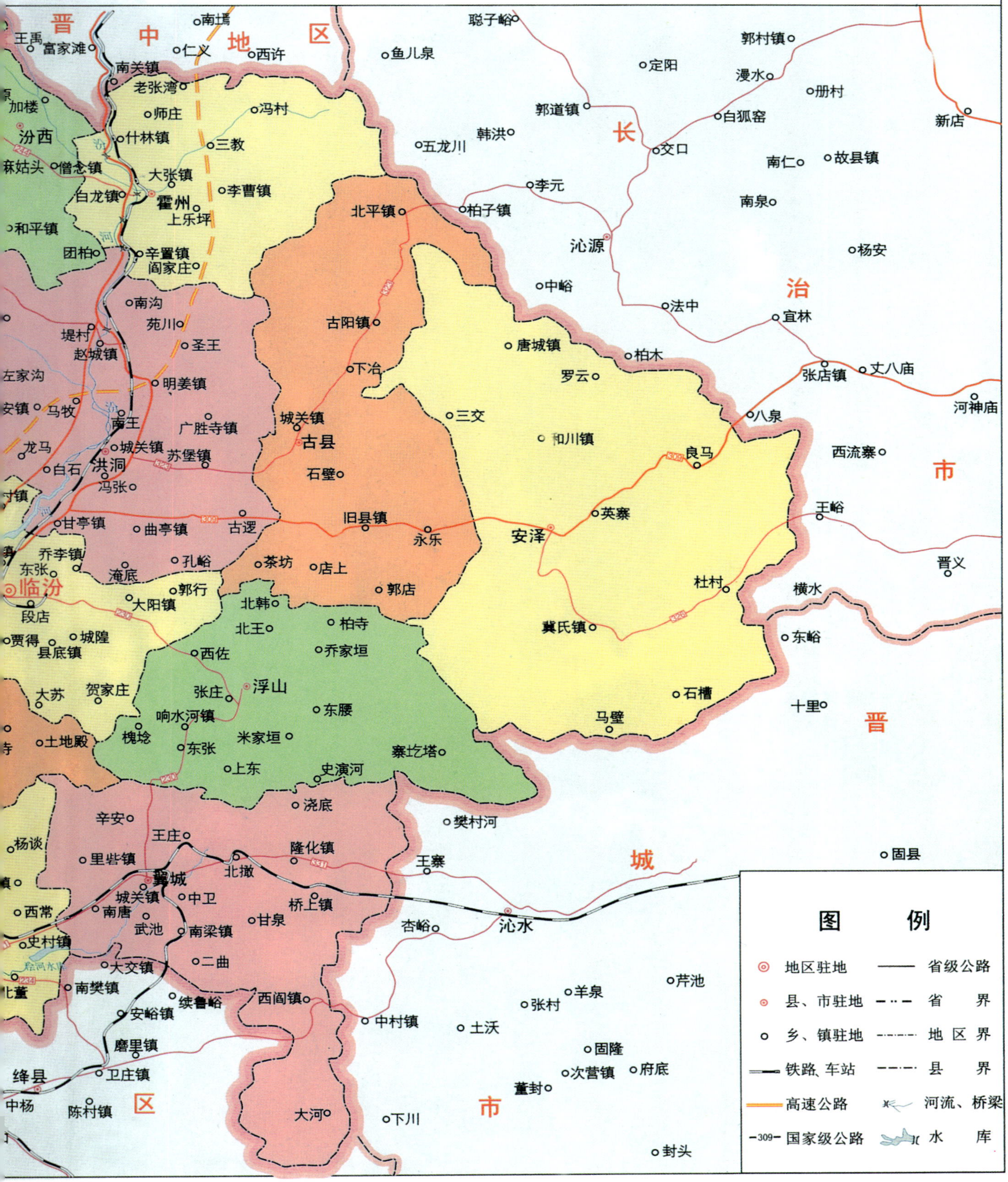

晋
中
地
区
长
治
市
晋
城
市
区
王禹
富家滩
南关镇
南堡
仁义
西许
鱼儿泉
聪子峪
定阳
郭村镇
漫水
册村
新店
加楼
汾西
老张湾
师庄
冯村
郭道镇
白狐窑
什林镇
三教
五龙川
韩洪
交口
南仁
故县镇
麻姑头
僧念镇
大张镇
李曹镇
李元
白龙镇
霍州
上乐坪
北平镇
柏子镇
南泉
和平镇
沁源
杨安
团柏
辛置镇
阎家庄
中峪
南沟
法中
宜林
苑川
古阳镇
堤村
圣王
唐城镇
柏木
赵城镇
张店镇
丈八庙
左家沟
明姜镇
下冶
罗云
安镇
马牧
八泉
河神庙
南王
三交
城关镇
广胜寺镇
古县
和川镇
龙马
城关镇
良马
西流寨
白石
洪洞
苏堡镇
石壁
冯张
王峪
甘亭镇
曲亭镇
古逻
旧县镇
英寨
安泽
永乐
晋义
乔李镇
孔峪
茶坊
店上
东张
淹底
杜村
横水
临汾
郭行
郭店
大阳镇
段店
北韩
柏寺
冀氏镇
贾得
城隍
北王
东峪
县底镇
西佐
乔家垣
张庄
浮山
石槽
大苏
贺家庄
东腰
十里
响水河镇
马壁
槐埝
米家垣
土地殿
东张
寨圪塔
上东
史演河
浇底
辛安
樊村河
杨谈
王庄
里砦镇
隆化镇
王寨
固县
翼城
北撖
城关镇
中卫
桥上镇
西常
南唐
武池
杏峪
沁水
南梁镇
甘泉
史村镇
二曲
大交镇
南樊镇
羊泉
芹池
续鲁峪
西阎镇
张村
安峪镇
中村镇
土沃
磨里镇
固隆
绛县
卫庄镇
次营镇
府底
董封
中杨
陈村镇
大河
下川
封头
图 例
地区驻地
县、市驻地
乡、镇驻地
铁路、车站
高速公路
309 国家级公路
省级公路
省 界
地 区 界
县 界
河流、桥梁
水 库

中国旅游胜地四十佳 — 黄河壶口瀑布

2000年11月1日中共临汾市委(地级)成立揭牌仪式

2000年9月27日省委书记田成平(左二)在侯马市晋光制药厂视察，地委书记杜玉林(右二)陪同

2000年8月9日省长刘振华(右二)在安泽县与农民亲切交谈，地委书记杜玉林(右三)、专员樊纪亨(右一)陪同

中共临汾地区委员会

中共临汾地委书记 杜玉林

樊纪亨副书记（左一）在翼城明亮钢铁厂检查指导工作

杜玉林书记（左二）在汾西县访贫问寒

张岗望副书记（左一）在襄汾县调研

刘合心副书记（左三）在农业综合开发项目区调研

张茂才副书记（左一）在全区公开选拔副县级年轻领导干部考场巡视

临汾地区人大工作委员会

LIN FEN DI QU REN DA GONG ZUO WEI YUAN HUI

临汾地区人大工委主任 陈长禄

高光挺副主任(左一)到农村慰问贫困户

陈长禄主任(左二)在侯马市乔村考察

李建民副主任(右一)在襄汾县有色公司考察

张伟舫副主任(左一)在吉县王家原村慰问

张作明副主任(右二)在吉县考察

临汾地区行政公署

LIN FEN DI QU XING ZHENG GONG SHU

临汾地区行署专员 樊纪亨

任俊发副专员(左二)在洪洞县农业综合开发项目区调研

樊纪亨专员(左一)在临汾日报大厦建设工地上

安永全副专员(左二)参观交通成果展

郝忠礼副专员(右四)会见丹麦DISA公司副总裁

高清亮副专员(左二)在省人才交流会上

刘传旺副专员(左一)在永和县调研

董彩霞副专员(右一)在福利院看望孤儿

成洪才副专员(左一)在中国中西部合作与投资贸易洽谈会上

ZHENG XIE LIN FEN DI QU GONG ZUO WEI YUAN HUI

政协临汾地区工作委员会

政协工委主任　侯建华

陈保堂副主任(右一)在霍州陶唐峪考察

侯建华主任(左一)在洪洞县三交河煤矿考察

李秉泰副主任（右二）在隰县调研林果业发展情况

现代蒲剧《土坑上的女人》在京首演引起轰动

古县建成全省最大的双孢菇生产栽植基地

洪洞大运公司建成全省最大的离心球墨铸管生产线

山西焦化(集团)公司——
全省第一大焦炉建成投产

全省最大的生物
肥厂—霍州绿光生物
肥厂建成投产

扩建后的平阳广场

临汾市 LINFENSHI

纪律检查委员会、监察委员会

JILÜJIANCHAWEIYUANHUI JIANCHAWEIYUANHUI

临汾市委常委 纪委书记、监委主任 张继庆

省委副书记、纪委书记金银焕(右三)、副省长宋北杉(右五)在本市检查反腐败源头治理工作 市领导樊纪亨、郝忠礼、张继庆陪同

省委副书记、纪委书记金银焕(左一)在本市检查工作 市领导张茂才、张继庆陪同

目　录

政　治

机关事务管理工作

政协工委工作

民主党派与工商联

中国国民党革命委员会

中国民主同盟

中国民主建国会

中国民主促进会

九三学社

工商业联合会

群众团体

地区工会

共青团地委

地区妇女联合会

经济管理

计划管理

矿产资源管理

土地资源管理

气象

防震减灾

地质矿产勘察

军　事

山西省临汾军分区

中国人民解放军武装警察临汾支队

交通战备

人民防空

政　法

政法委工作

公安工作

临汾行署公安处交通警察支队

检察工作

人民法院工作

司法工作

教育体育

教育

山西师范大学

体育

文　化

文化工作

文联工作

文化研究

文物

博物

档案

新闻出版

地委通讯组

临汾日报社

广播电视

临汾电视台

出版工作

卫生医药

卫生

妇幼保健所

中心血站

医药

社会生活

劳动和社会保障

计划生育

民政事业

老龄工作

民族宗教

旅游饮食服务

旅游

饮食服务

人　物

人物传

人物简介

县（市）简介

临汾市（11月1日更名尧都区）

侯马市

附　录

统计资料

CONTENTS

彩 页 目 录

彩页编辑说明

本版年鉴彩页为四个部分（专栏）。

第一部分为省委、省政府领导来临汾检查工作和原地委、人大工委、行署、政协工委领导活动专栏。因属本市重要史实记录，图片所反映的事物均在“编辑说明”规定的记事断限之内。

第二部分为四大班子以外及市直各部门活动专栏；第三部分为县市活动专栏；第四部分为企业、事业、基层单位活动专栏。

第二、三、四部分的专栏，因属宣传性质，图片所反映的事物不受本年鉴记事断限的限制；单位称谓用现名称。

第二、三、四部分专栏中反映本市重要事件的图片，将在以后的年鉴中重新录入，作史实记录处理。

特　　载

山西省人民政府关于撤销临汾地区和县级临汾市设立地级临汾市和尧都区的批复

晋政函［2000］210

临汾地区行政公署：

你署《关于撤地设市实行市领导县体制的请示》（临署请示［1999］11 号）及补充报告收悉。经省人民政府研究并报国务院批准，现批复如下：

一、同意撤销临汾地区和县级临汾市，设立地级临汾市。市人民政府驻新设立的尧都区。

二、临汾市设立尧都区，以原县级临汾市的行政区域为尧都区的行政区域。区人民政府驻鼓楼东大街。

三、临汾市辖原临汾地区的曲沃县、翼城县、襄汾县、洪洞县、古县、安泽县、浮山县、吉县、乡宁县、大宁县、隰县、永和县、蒲县、汾西县和新设立的尧都区。原临汾地区的县级侯马市和霍州市由临汾市代管。

临汾市的各类机构要按照“精简、效能”的原则设置，所需人员编制和经费自行解决。

山西省人民政府
2000 年 8 月 14 日

临汾地区行政公署关于撤地设市实行市领导县体制的请示

临署请示[1999]11 号

省人民政府：

根据国务院关于设置地级市的有关标准，结合我区国民经济和社会发展的实际，为适应改革开放的不断深入，推动城乡经济的进一步协调发展，建设经济强市，经地委、行署反复研究、论证，我们请求撤销临汾地区和县级临汾市，设立地级临汾市，实行市领导县（市）的行政体制。

一、临汾地区的基本情况

临汾地区位于山西省西南部，黄河中游，汾水之滨，东倚太岳，西靠吕梁，中部是富饶的盆地。北与晋中、吕梁地区毗邻，东与长治、晋城市相连，南与运城地区接壤，西与陕西省隔河相望。地理座标为北纬 35° 23′—36° 37′，东径 110° 22′—112° 34′之间，东西长 200 千米，南北宽 170 千米，总面积 20510 平方公里。全区现辖 3 市 14 县，168 个乡，74 个镇，14 个街道办事处，3373 个村民委员会，总人口 387.25 万人。

党的十一届三中会以来，全区生产力得到了很大发展，成为全省的农业大区、工业大区、经济大区。1998 年，全区工农业总产值 2819300 万元，其中工业总产值 2364700 万元，国内生产总值 1688000 万元；地方预算内财政收入 126200 万元；全区从事非农产业的人口 112.88 万人，其中行署所在地现临汾市从事非农产业的人口 31.72 万人，具有非农业户口的从事非农产业的人口 25.77 万人，外来流动、暂住人口 6 万人。市区工农业总值 517500 万元，其中工业产值 465700 万元，占 90%，国内生产总值 36600 万元，第三产业达 171000 万元，产值超过第一产业，在国内生产总值中比例达 46.7%；地方本级预算内财政收入 31500 万元。临汾历史悠久，是中华民族的发祥地之一，早在 4300 多年前尧王就建都于此地。汉以后隋、唐、宋、元、明清都在此设有平阳治所，统管所属册城县邑。1949 年 2 月成立晋南区，1954 年与运城专区合并为晋南专区，专署均设在临汾，1971 年与运城地区分治设立临汾地区，为历代山西南部政治、军事、经济、文化中心，已达到了国务院规定的设立地级市的标准。

二、撤地设市的指导思想

以建立适应社会主义市场经济体制要求为核心，以建设现代化中心城市，实现行政管理的精简高效为目标，立足现实，着眼未来，强化中心城市的辐射功能，带动周围县（市）和周边农村经济的整体协调发展。

三、设立地级临汾市的必要性

1. 临汾地区矿产资源丰富，能源工业发展潜力巨大，是山西南部乃至晋陕豫三边地区的重要中心城市。目前已探明的矿种有 30 余种，其中燃料矿产 2 种，金属矿产 12 种，非金属矿产 24 种，煤、铁、石膏、石灰岩、白云岩、膨润土、花岗石、大理石、油页岩、耐火粘土等在全省乃至全国均占重要地位。煤炭储藏面积 1.54 万平方公里，总储量 960 亿吨，其中乡宁煤田主焦煤为全国三大主焦煤基地之一；铁矿总储量 4.2 亿吨，且富矿比例高，占全省富矿的 70%。1998 年，全区原煤总产量占全省 8.9%，洗精煤产量占全省 27.1%，生铁产量占全省 27.3%，钢产量占全省 11.3%，是山西省重要的能源重化工基地之一。随着侯西、侯月铁路的相继开通和 209、309 国道高等级公路的建设，以及国家中西部开发战略的实施，做为中西部沿海地区的连接地区，国家梯度开发战略中的枢纽地区，新的发展契机已经来临，现临汾市已被省政府批准为台商投资试点市、省级经济技术开发区，未来的临汾将成为山西南部乃至晋陕豫三边地区的重要中心城市。

2. 临汾地区是山西省棉麦生产基地，其中小麦产量占全省 30%。临汾地区还盛产玉米、豆子、谷子、蓖麻、烟叶、西瓜以及红枣、核桃、苹果、梨、杏、花椒等干鲜果。全区还有极为丰富的野生资源和珍贵药材。近年来，在地委、行署的引导下，农民的商品观念，商品意识增强，农业商品率不断提高。1998年，全区农林牧渔业产值454600万元，商品转化销售收入达255400万元。根据地委、行署调整产业结构，实施农业产业化的工作思路，全区农村商品经济将得到更大发展，大量的农林牧副商品需通过临汾这一中心城市集散，走向国内、外市场。撤销临汾地区设立地级临汾市将能更好地发挥这一作用。

3. 临汾地区交通便利，通讯快捷，投资环境日臻完善。南同蒲铁路贯穿南北，侯西铁路与侯月铁路交叉，成为我国东西方向的第二条大动脉和晋南境内惟一十字交叉的铁路枢纽，209国道、309国道纵贯全境，霍侯一级公路年内通车，高速公路即将动工，县乡公路四通八达。1998年全区公路通车里程6222千米，其中一级公路6千米，二级公路471千米，三级公路2599千米，四级公路2874千米。临汾、侯马、曲沃、翼城、襄汾、洪洞实现了村村通油路，其它县（市）实现了乡乡镇镇通油路，环区公路正在建设之中。全区与国际接轨的现代化综合通信网络已经建成，形成了数字微波、光缆等手段的传输干线。截至目前，全区本地网交换机总容量达到20万门，并可提供众多的新业务，如智能网业务（300号）、虚拟网业务以及窄带的综合数字业务；全区移动电话交换机容量达到12万门，建成了100多个基站。移动通信平川可以覆盖到乡镇，山区可覆盖到每个县城；建成了四通八达的分组交换网、因特网。因特网与多媒体用户端口分别达到60个，可提供2000余个用户需求。市内电话用户已发展到12万户，移动电话用户发展到4万户，数据用户达到500户。投资环境的日臻完善，必将加快临汾的改革开放和招商引资，为促进临汾国民经济和社会各项事业的发展起到巨大的推动作用。

4. 城市建设迅速发展，各种设施配套完备，社会事业较为发达，已成为具有相当规模的中等城市。现临汾市土地面积1299平方公里，其中城区建成面积21.4平方公里。根据临汾市的经济发展潜力，经省人民政府批准，临汾市到2000年城区规划面积为34.8平方公里。目前，市区内五纵四横的主要大街全部拓宽改造完毕，其它街巷纵横交错、规划合理，路面全部沥青化、水泥化。城市公共交通发达，十余条市内公交路线贯通全市。辖区内有中型火电厂两座，并与华北电网联网，电力充裕。闻名全省的第一大岩溶泉—祠泉，足以保证全市的日常生活和生产用水，与全区经济发展相配套的引沁入汾工程正在进行之中。市区基本实现集中供热、集中供气。商业发达，市场活跃，1998年有批发业网点10588个，零售业网点42019个，餐饮业网点9556个，其中大型商场9个，大型专业市场6个，商品销售总额487200万元。市内有大学本科院校2所，高等专科学校4所，拥有教授、副教授238人，讲师255人，在校学生6767人；中等专业学校10所，拥有高级讲师107人，讲师436人，在校学生7425人；完全中学25所，在校学生22788人；市内综合医院6个，拥有主任、副主任医师164人，主治医师617人，床位2969张。市内有20千瓦中波转播电台一座，1千瓦电视台4座；有影剧院14座，艺术表演团体5个，体育场4座，游泳池5个，已成为具有相当规模的中等城市。而且，随着改革开放的深入，目前临汾市的第三产业人数已达16.23万人，超过第一、第二产业从业人数；两年前开通的外环路，店铺、企业林立，成为新的经济发展带。

与此同时，在临汾市的带动和辐射下，以临汾为中心的小城镇发展迅速。1998年，全区有小城镇74个，其中5～10万人的6个，3～5万人的10个，1～3万人的21个，以临汾为中心半径50千米范围内就有42个，且布局合理。第二、第三产业都很发达，如辛置镇、赵城镇、广胜寺镇、魏村镇、小榆镇、襄陵镇、邓庄镇、光华镇、台头镇等，镇上或有国家大中型厂矿企业、或有新兴的乡镇企业集团公司，都已成为我区经济发展的新增长点，对推进城乡一体化，推动全区商品经济发展，作用越来越突出。但由于行政体制，隶属关系种种原因，现县级临汾市，无论在城市管理、协调，还是带动周围县（市）和小城镇发展上都受到很大制约，而现临汾行署作为省政府派出机构，管理、调整力度有限。因此，从这方面讲，撤销临汾地区设立地级临汾市非常必要。

5. 临汾地区旅游资源丰富，旅游业蓬勃兴起。全区现有各级文物保护单位2594处，其中：国家级9处，省级56处。位于吉县的全国四十佳旅游风景区之一的黄河壶口瀑布，是仅次于黄果树瀑布的我国第二大瀑布，世界第一大黄色瀑布。特别是亚洲第一飞人柯受良在此成功飞越黄河后，壶口已为全世界注目，令无数中外游客向往。洪洞大槐树处是中原各省人民寻根祭祖之圣地，每年都有成千上万的游客到此凭吊先人。尧庙、尧陵是全国纪念尧王的最大建筑，广胜寺飞虹塔是国内罕见的七彩琉璃塔，苏三监狱是明代至今保留最完整的古代囚牢，隰县小西天是全国少见的悬塑珍品，蒲县东岳庙地狱为全国之最，襄汾丁村文化遗址、丁村民俗博物馆，陶寺遗址、侯马晋国遗址、临汾魏村元代戏台、霍州明代署衙都是我国不同历史时期的文化珍品，姑射山、霍山、人祖山、五鹿山、云邱山风景优美，无不令游人驻足忘返。近年来，在地委、行署的重视下，临汾旅游业已形成了以临汾为中心，南同蒲铁路和大运公路为轴线的东线旅游区；以壶口瀑布为中心，自然风光和黄河文化为特色的西线旅游区。加之，临汾位于北京、西安两大旅游热点城市之间，优美的人文历史、自然地理景观，便利的交通条件，已被确定为中国旅游业第三大重点旅游区，开始走向国际旅游市场，现已有日本、东南亚各国及港、台地区旅行社同国旅临汾支社签订旅游协定。随着海内外游客的日益增多，临汾的国际知名度将日益增强，临汾的国际知名度将获更大发展。

总之，撤销临汾地区设立地级临汾市的各项指标均达到国务院规定的设立地级市的标准，而且撤地设市有利于临汾的改革开放，有利于推动临汾经济的迅速发展，有利于带动现有贫困县的脱贫致富，同时也符合国家行政管理精减、高效的要求。

四、设立地级临汾市，实行市领导县（市）体制的方案

1. 撤销临汾地区设立地级临汾市，市人民政府驻市区解放路，即现行署所在地。

临汾因汾河纵贯南北，从城西流过而得名，隋开皇年间始设临汾县，后一直沿用此名，沿用“临汾”作市名，

指位性强，符合历史习惯，易为群众和社会接受。

2. 撤销县级临汾市设立平阳区，平阳区人民政府驻鼓楼东大街，即现临汾市政府机关所在地，以原临汾市的行政区域为平阳区的行政区域。

平阳因帝尧曾在此建都于平水之阳而得名，汉朝始置平阳县，后或称“平阳郡”、“平阳府”，一直延续至清朝。用平阳做区名，符合历史习惯，指位性强，群众欢迎。

3. 设立地级临汾市后，县级行政单位总数不变仍为17个，分别是：平阳区、侯马市、霍州市、曲沃县、翼城县、襄汾县、洪洞县、古县、安泽县、浮山县、吉县、乡宁县、大宁县、隰县、永和县、蒲县、汾西县。

特此请示，请予以审核，如无不妥，请上报国务院。

1999年3月10日

文　献

突出结构调整　推进“三件大事”　为实现率先发展的目标而努力奋斗

——2000年2月21日在全区三级干部大会上的讲话

中共临汾地委书记　杜玉林

同志们：

新千年伊始，龙年春节刚过，全区三级干部大会隆重召开了。首先我代表地委、行署向大家表示亲切的问候，并致以良好的祝愿！

我们召开这次会议，就是要深入贯彻党的十五大和十五届三中、四中全会精神，按照中央经济工作会议和省委七届九次会议的部署和要求，在认真总结去年工作的基础上，动员全区广大干部群众，认清形势，明确任务，坚定信心，团结奋斗，全力推进以调整结构为中心的“三件大事”，在世纪交替之年，为实现建设中西部经济强区、在全省率先发展的目标，奠定良好的基础。

一、认真总结经验，进一步增强加快发展的信心

1999年是很不寻常的一年。在这一年里，我们团结奋斗，克服困难，较好地完成了各项主要任务。经济保持平稳增长态势，除粮食因灾减产外，国内生产总值、工业增加值、乡镇企业增加值、财政总收入、固定资产投资总额、社会消费品零售总额等主要经济指标均比上年增长，综合经济指标完成情况处于全省前列。“三件大事”顺利启动，“项目年”活动卓有成效。一年来，全区共展开各类建设项目469个，投资规模达1320000万元，已落实资金460000万元，完成投资425000万元。地委、行署考核的198个项目，据统计完成和基本完成的有134项。在打基础方面，霍侯一级公路于建国50周年前夕胜利通车，汾河百公里石坝去年6月底全线贯通。这两大工程的建成，对培育沿河沿路经济增长带，进而带动全区经济振兴，具有十分重要的意义。农田水利建设扎实推进，全省山区农田水利建设现场会议在我区召开。城市改造、小城镇建设和市场建设起点高、进展快、重点工程多，是我区多年来少有的。在调结构方面，以煤焦铁为主的传统产业改造有新的进展，一批新技术装备的改扩建项目正在抓紧实施。农业产业化进一步推进，经济作物种植面积明显扩大，以高产、优质、高效为特色的种植养殖业形成新的规模。乡镇企业在调整中积极寻求新的发展领域。在农副产品深加工上，各县市都有新项目，有的已初见成效。在发展新兴产业和高新技术方面，出现了一批龙头企业和潜力产品，包括精密铸造、生物制品、化工产品和新型材料等。全省选定的115项重点扶持的潜力产品中，我区有13项，占1/10多。在治理环境方面，重点抓了工业污染达标排放和城市烟尘治理，重点污染企业有的完成初步治理，有的已经关停，对一些污染大户正在采取有效措施。据环保部门监测，我区一些重点污染区的大气质量和水质量，与上年同期相比，已经有所改善。各项改革继续全面推进，对外开放进一步扩大，对外经贸活动与经济文化交流更加活跃。我们注意把握大局，正确处理改革、发展、稳定的关系，始终坚持“两手抓”，坚定地与党中央保持高度一致。党的建设、精神文明建设、思想宣传、反腐败斗争、依法治区、维护稳定等方面的工作进一步加强。教育、科技、文化、卫生、社会保障、下岗职工再就业等都取得了新的成绩。可以说，目前全区总的形势是好的，形成了经济稳步发展，政治社会稳定，人心思变、人心思上的局面。

这些成绩的取得，是来之不易的。过去的一年，大事多，喜事多，困难多，压力大。在政治上，我们经历了喜迎建国50周年和澳门回归两件大事，取得了与法轮功的斗争、抗议以美国为首的北约轰炸我驻南使馆以及反对李登辉“两国论”斗争的重大胜利。在维护稳定大局上，我们经受住了考验。在经济上，我们遇到了多方面的困难和不利因素，农业灾情严重，工业传统支柱产业煤焦铁由于市场变化，销售不畅，价格下跌；多数企业特别是国有企业经营仍不景气，下岗职工增多；煤炭关井压产和取缔污染严重的小炼焦、小炼铁，对产值利税增长带来直接影响。在这种情况下，农民要保增产增收，职工要保基本生活，财政要保基本平衡，我们还要启动“三件大事”，工作难度确实很大。但是，全区各级党委、政府和全区人民在困难面前没有退却，变压力为动力，迎难而上，团结奋斗，为圆满完成年初确定的各项任务，为推进“三件大事”，巩固和推进改革、发展、稳定的良好局面，付出了大量心血和艰苦的努力，做出了积极的贡献。这再一次证明我们临汾地区的各级干部素质是高的，广大群众是勤劳朴实、奋发向上的，这是我们事业进步最坚实的保证。这里我代表地委、行署向全区广大工人、农民、知识分子和各级干部，向关心支持临汾改革发展的驻临单位、驻临部队、武警官兵、公安干警、新闻单位及社会各界人士，表示衷心的感谢！

在一年来的工作中，我们取得了可喜的成绩，也积累了宝贵的经验，得到了许多深刻的启示。

第一，思想统一是加快发展的基础。没有思想上的统一，就没有行动上的一致。要实现兴临富民的宏伟目标，要集中力量办大事，首先必须统一思想，统一意志，进一步把各级领导干部的精力集中到经济建设上来，把方方面面的力量凝聚到加快临汾发展上来，使落实“三件大事”真正成为全区人民的自觉实践。一年来，我们坚持按照邓小平理论和党的十五大精神，统一大家的认识，加深对“发展才是硬道理”的理解，引导干部群众认清差距，增强加快发展的紧迫感。思想认识的统一，成为推动“三件大事”的巨大力量。各经济部门积极发挥职能作用，为完成各项指标，落实“三件大事”做出了很大努力；非经济部门紧紧围绕中心，主动加强服务，积极协调配合；全区上下跑项目、上项目的积极性空前提高，抓经济、促发展的合力明显增强。实践使我们更深切地体会到，思想统一才能开拓进取，团结一致才能战胜困难，齐心协力才能办成大事。面对新的机遇和严峻的挑战，要把临汾的事情办好，要实现率先发展的目标，我们更需要进一步统一思想和认识，统一步调和行动。

第二，思路正确是加快发展的先导。去年初，地委、行署经过认真研究论证，提出了抓好“三件大事”，建设中西部经济强区的发展思路。这个思路的提出，适应了形势发展变化的内在要求，符合中央的方针政策，抓住了影响我区发展的关键问题，因而得到了全区广大干部群众的拥护，也得到了省委的肯定。通过一年来的努力，我们在推进“三件大事”上收效是明显的，完成了一批重点工程，办成了一些事情，一些严重困扰我区发展的问题，开始出现了转机，广大干部群众通过落实“三件大事”，增强了信心，看到了希望。实践证明，思路就是出路，有了正确的思路，才能抓住主要矛盾，解决关键问题，较好地把握发展的主动权；才能凝聚人心，统一意志，调动各方面的积极因素；才能明确方向和目标，实施重点突破，加快发展进程。只要我们抓住“三件大事”不放松，坚持不懈地干下去，临汾的面貌就一定会有一个大的变化。

第三，确保稳定是加快发展的前提。加快改革与发展，必须有稳定的社会政治环境作保证。各种不稳定因素不排除，集中精力抓经济、求发展必然受影响。特别是去年大事多，喜事多，要事多，维护稳定的问题显得更为突出。根据中央精神和省委要求，在全年工作中我们努力处理好改革、发展、稳定之间的关系，始终坚持把维护稳定作为头等大事来抓，层层建立和落实稳定工作责任制，集中解决影响稳定的突出问题和群众反映强烈的热点问题，不断推进依法治区，及时化解各种矛盾，有效地维护了全区的政治稳定和社会安定。实践告诉我们，在体制转轨的历史时期，在改革、发展任务十分繁重的情况下，对维护稳定的工作更要高度重视，在这个事关大局的问题上我们一定要时刻保持清醒的政治头脑。要通过更加扎实的工作，巩固发展这种大好局面，以稳定保发展，以发展促稳定。

第四，增强团结是加快发展的关键。团结出成绩，团结出经验，团结出生产力。在过去的一年中，我们之所以能够战胜困难，夺取新的成绩，重要的一条就是全区各级领导班子能够团结一致、齐心协力抓工作，从而影响和带动了广大干部群众。尤其是地区几套领导班子团结，受到了省委、省政府领导的肯定。如果没有各级班子团结，没有广大干部群众的团结奋斗，我们就难以开拓新的发展局面，就难以全面启动“三件大事”。这就再一次启示我们，团结就是胜利之本。用科学理论武装头脑，坚定理想信念，是增强团结的思想基础；识大体，顾大局，同党中央保持高度一致，同心同德地抓工作，是增强团结的本质要求；加强班子成员的互相支持、互相谅解，认真贯彻民主集中制原则，经常开展批评与自我批评，是增强团结的有效方法。在今后的工作中，我们就是要从改革、发展、稳定的大局出发，以临汾的振兴和全区人民的利益为重，进一步增强团结，与拨弄是非、破坏团结的人作坚决的斗争，再创团结奋进的新局面。

第五，搞好“三讲”是加快发展的保证。在跨世纪发展的重要历史时期，中央决定以县级以上领导班子和领导干部为重点，以整风的精神开展“讲学习、讲政治、讲正气”的教育。这是完全必要和十分重要的。根据中央的要求和我区班子队伍的现状，在去年全区三级干部大会上，我们就对开展“三讲”作出了初步安排，提出从加强学习入手，搞好自我教育和自我提高。通过讲学习，班子的思想、政治、作风、纪律和精神面貌等方面都有了明显变化，凝聚力、战斗力进一步增强。地级班子“三讲”教育开始后，各县（市）、各部门的同志提出了许多好的意见和建议，对地级班子搞好“三讲”给予了热情帮助和积极支持。可以说，我区地级班子的“三讲”发展是健康的，进展是顺利的，达到了解决突出问题、增进班子团结、提高整体素质的预期目的。这对加强县级班子建设，也产生了积极的影响，对搞好各项工作都起到了重要的作用。

认真回顾去年的工作，我们对战胜各种困难、加快临汾发展更加充满了信心。在去年那种困难大、矛盾多的情况下，我们迎难而上，闯了过来。尽管我们仍会面临许多不利因素和各种困难，但是，只要我们认真落实中央的方针政策和省委的决策，只要我们紧紧依靠广大干部群众，调动一切积极因素，只要我们坚持大胆改革，维护稳定大局，再鼓干劲，努力拼搏，就一定能够夺取“三件大事”和各项工作新的更大胜利。

二、扭住调整结构，奋力争取“三件大事”的新突破

世纪之交，千年更替，刚刚开始的2000年在我们建设有中国特色社会主义事业的历史进程中，无疑是极为重要的一年，是承前启后、继往开来的关键一年。在这关键之年，我们要圆满完成经济社会发展“九五”计划，要认真落实省委提出的“一个中心、五项创新、三个提高”的发展思路，要完成各项任务，全面推进“三件大事”。可以说，做好今年的各项工作，不仅关系到当年任务指标的完成，更关系到今后的长远发展。我们一定要认清形势，明确任务，以必胜的信念做好全年工作。全区整个工作的指导思想是：高举邓小平理论伟大旗帜，深入贯彻党的十五大、十五届三、四中全会精神，认真落实省委七届九次全会决策，进一步深化改革，扩大开放，维护稳定，以经济结构调整为中心，全面推进“三件大事”，切实加强党的建设和精神文明建设，努力实现建设中西部经济强区、在全省率先发展的目标。关于去年全区经济工作，纪亨同志在报告中还要作具体的安排部署，各县市、各部门一定要认真贯彻落实。总的要求是，今年确定的主要经济指标必须坚决完成，围绕“三件大事”确定的重点建设工程必须全力突破，各项工作都要争取上一个新台阶。这里，我着重就搞好结构调整，讲几点意见：围绕经济结构调整这个中心，全面推进“三件大事”，必须进一步认清形势，把握机遇。我们应当看到，当前经济发展中面临的困难和问题很多，这些问题主要是，结构性矛盾突出，严重制约着发展；农业基础薄弱，农业增产、农民增收面临困难；国有企业改革进入决战阶段，各种矛盾增加，下岗职工增多；环境污染仍威胁着人们的生存健康，而且影响到发展的环境；有效需求不足，经济增长乏力；市场竞争压力加大，在国有经济调整和西部大开发的新一轮发展热潮中，我们的竞争对手更多更强；财政收支平衡难度加大，经济发展的软环境不够宽松等等。同时我们更要看到，当前国际国内形势为我们加快发展提供了许多条件和机遇，大趋势、大背景对我们十分有利。一是世界经济一体化进程日益加快，已经和正在对各国经济带来深刻的影响，特别是我国即将加入世贸组织，这会促使区域经济进一步融入国内大市场，并逐步融入国际大市场。世界范围内正在进行经济结构大调整，国际性的大公司、大财团资产重组、跨国兼并形成了一股新的浪潮。我们的周边国家特别是东南亚地区，也在反思危机的教训，积极在调整中寻找出路，经济复苏的势头开始形成，在增加市场竞争的同时，将展现出更为广阔的发展空间，必然会促进我们进一步加快改革开放，加速经济结构调整，更多更好地利用国际资源发展自己。二是知识经济时代初见端倪，科技进步与科技创新成为生产力发展的决定因素，成为经济社会发展的主导力量。知识更新的加快，新技术、新成果的不断推出，对于抓好“三件大事”特别是调整结构将带来很大的推动作用，我们必须注意把握这个时代特征，把知识创新、科技创新作为促进发展的关键来抓；三是中央对国内经济战略作出重大部署，西部大开发战略将全面启动。当前和今后着重要加快基础设施建设步伐，加强生态环境保护和建设，积极调整产业结构，大力发展科技和教育。中央提出的几个重点与我区的“三件大事”完全吻合，这对我们推进以调结构为中心的“三件大事”非常有利。我们要主动出击，把积极参与西部大开发作为发展自己的最好时机；四是中央和省委都把结构调整提到了重要位置。围绕结构调整、扩大内需，中央采取了积极的财政、货币和消费政策，省委、省政府也制定了一系列具体的扶持办法，各方面力量都要向调整结构倾斜，这对我区产业结构的调整，将产生直接的推动。总之，当前的国际国内经济形势和政策环境，对我们推进以调整结构为中心的“三件大事”，对我们引进项目、资金、技术、人才提供了难得的历史机遇。总的说，确实是挑战与机遇并存，困难与希望同在。我们决不能重犯历史性的错误。如果失去这次机遇，以调整结构为中心的“三件大事”就难以取得实质性突破，我们的经济就难以与国际接轨，在市场上更没有竞争力，甚至出现明显的倒退和滑坡。拉下的不仅是发展速度上的差距，而且是经济整体素质的差距。为了临汾的未来，为了我们的子孙后代，我们必须以强烈的时代紧迫感和高度的历史使命感，抓住机遇，励精图治，全力推进“三件大事”，加快临汾经济发展。

围绕经济结构调整这个中心，全面推进“三件大事”，必须进一步明确任务，突出重点。

继续强化基础设施建设。根据国家产业政策和我区经济发展的要求，今后重点要抓好农林水利、交通设施、城镇建设等基础设施建设。具体讲，要以霍侯路为主线，抓好中小城镇建设和通道绿化等，并把高效农业示范园区建设和新产品、新项目适当集中布局，快速形成规模，产生集聚效应，真正建成具有相当实力和规模的经济增长带，辐射带动东西两山。要以祁临、阳侯、临运三条高速公路和壶口旅游路为重点，搞好公路建设，进一步改善我区交通状况。要以平川节水工程、山区人字闸工程、机修梯田、引沁入汾工程为重点，推进农田水利基本建设。同时，在电力、邮电、通讯、广播、教育、科技、信息、文化、卫生、体育等方面都要争取上一批新项目，使全区基础设施在整体上有一个大的改观。

加大环境治理力度。目前，我区环境污染的问题仍然十分突出，已经成为全省乃至全国污染最为严重的地区之一。必须痛下决心，进一步加大执法力度，采取坚决有效的措施，使全区环境状况在年内有一个大的改变。要严格控制污染物排放总量，以大气污染和水污染治理为重点，进行集中整治，全区工业企业要全部实现达标排放。特别要下大力气抓好汾河沿线重点工业区及风景区的污染治理，抓好焦化、冶金、建材、造纸等行业的污染防治工作。对一些浪费资源、污染严重的企业和设施，要坚决关停、取缔、淘汰。要启动一批重点环保项目，加快临汾、侯马等县市集中供热和集中供气工程建设。要抓好生态环境保护及东西两山绿化，推进生态农业和生态环境工程重点县建设。

大力推进结构调整。总的讲，抓好产业结构调整，要把着力点放在改造传统支柱产业，发展新兴产业，培育和开发潜力产品上。根据比较优势和竞争优势原则，我们要在积极改造煤焦铁的基础上，重点培育六大优势产业，扶持八大企业集团，狠抓一批潜力产品。一是农副产品加工业。我区是农业大区，目前农业产业化的发展势头不错，农产品需求趋旺，市场潜力很大，搞好农副产品加工大有可为，要重点发展粮食、蔬菜、果品、畜产品等主要农产品加工，在增加科技含量、提高生产规模和扩大营销上下功夫，搞出特色，创出名牌，抢占市场。二是铸造业。发展铸造市场前景较好，又能发挥我区的优势，要加快应用新技术、新工艺，提高精密铸造、特种铸件的比重，努力增加出口。要集中力量把这块蛋糕做大，使之真正成为我区经济的一大支柱。三是新型建材业。要把发展以石膏为主的轻型墙体材料、装饰材料和塑料建材、特种水泥作为主攻方向，上档次、上规模、增品种，真正形成气候。四是化学工业。要在医药化工、精细化工、生物化工和煤化工等方面多上项目。五是高新技术产业。要加快通讯信息、高效节能和环保技术等产业的发展。临汾、侯马两个经济技术开发区在引进资金、技术、人才方面要有所作为，真正发挥示范引路作用。六是旅游业。要抓住我区旅游资源得天独厚的优势，加快开发建设，尽快形成以临汾尧庙、吉县壶口瀑布、曲沃晋国遗址、洪洞大槐树为重点的旅游热线。围绕产业开发，地区要重点扶持临汾染化等一批产品有市场、有较强竞争力的骨干企业集团。同时，集中力量抓好省委、省政府确定的我区 13 项潜力产品，实行重点倾斜，加大扶持力度。各县市也要根据市场情况的变化，对新开发、新引进的产品优中选优，重点扶持，迅速做大、做优、做强，形成新的经济增长点。

围绕经济结构调整这个中心，全面推进“三件大事”，必须抓住关键，采取得力措施。

第一，必须大胆改革创新。改革是加快发展的动力，是解决发展中深层次问题的根本措施。围绕抓好以调结构为中心的“三件大事”，我们必须进一步解放思想，大胆改革，在改革中找出路，在创新中求发展，在实际运作上狠下功夫。根据省委提出的改革创新的要求，结合我区实际，我们要在以下几方面加大改革力度，加快创新步伐。

——国有企业改革要有新突破。根据党的十五届四中全会的《决定》，地委、行署已经制定了推进国有企业改革与发展的具体实施意见，各县（市）、各部门要认真落实。要始终坚持“三个有利于”的标准，大胆利用一切有利于搞活国企的机制、政策、办法和措施，创造性地开展工作。要坚持走抓大放小、有进有退、制度创新的路子，对产品潜力大、发展前景好的骨干企业，要大力培育和扶持，并通过多种融资投资方式，壮大规模，强化国有资产功能；对产品有市场，但负债过重、经营困难的企业，要积极寻求兼并、联合伙伴，进行资产重组和扩股经营，千方百计盘活存量资产；对产品需求差、扭亏又无望的企业，以及技术落后、资源浪费和污染严重的企业，要坚决依法实行关闭破产。对于虽改制但不规范的企业要抓紧规范，有遗留问题的要抓紧解决。地营 9 户企业要作为今年的改革重点，在认真调查研究、深入进行分析的基础上，一厂一策，对症下药，什么办法能解决问题就坚决采取什么办法。

——个体私营经济要有新发展。发展个体私营经济是全区经济发展和结构调整的重要组成部分，一定要正确引导，使其在落实三件大事中发挥重要作用。凡是放开的产业和行业领域，都要积极引导个体私营经济进入。要大胆扶持个体私营户领办、创办或参股新兴产业项目，开发潜力产品，组建优势企业和企业集团；大力支持个体私营经济通过项目投资、嫁接改造、联合重组等形式，参与国有企业改革，参股或控股国有企业；积极鼓励个体私营经济参股或主办基础建设项目。各级各部门都要从大局出发，从具体事情做起，既要提供政策支持，又要提供优质服务，对影响个体私营经济发展的一些实际问题，要作为职责内的重要工作，认真对待，及时帮助解决。

——解决融资问题要有新成效。除了继续积极争取国家投资外，必须转变观念，拓展新的融资渠道。一是通过上市公司融资。对我区有发展潜力、市场前景好的大型企业集团如染化等，通过包装上市发行股票，吸纳社会资金。二是有效调动银行资金。政府要拿出可用财力，对潜力产品进行贴息入股，优势企业之间可以建立信用担保联合体，建立银行贷款中介担保组织，进一步降低银行风险，促进银行贷款投放。地区工商联已建立担保中心，在融资方面捷足先登，开了个好头。三是积极开展招商引资活动，更多地争取国内外资金投入。四是大胆利用民营资本和民间资金。我区城乡居民的储蓄存款达到 1360000 万元，可利用的潜力是很大的。要有意识地选择一些好项目，引导群众自觉自愿地把闲置资金投向生产经营领域。与此同时，要攥紧拳头，集中资金，真正办成几件大事，搞出几个大项目。

——搞活人才机制要有新举措。要加快我区的发展，资金、技术、资源等条件固然重要，但最重要的还是人才。解决人才问题，教育培训是基础，创新机制是关键，加强科技队伍和企业家队伍建设是重点。要把教育放在优先发展的战略地位，为我区经济和社会发展提供更多更优秀的后续人才。就近期来讲，要抓好各类职业技术培训、岗位技能培训和各种实用技术人才培训。要深化科技体制改革，搞活科研机构，放活科技人员，促使各类专业技术人员投身经济建设主战场，积极参与新技术项目、民营科技实体、潜力产品开发等具体实践。同时，要千方百计引进人才，引进技术。各县市都要根据需要，同一两个科研院所、专业机构或技术实体挂钩，采取技术入股、利润分成、联合开发或高薪聘用等形式，吸收人才，推动我区发展。地区要设立有权威、有影响的科技奖励基金，对做出突出贡献的科技人员实行重奖。企业家队伍在加快发展中的作用尤为重要。要建立完善的企业家选择机制、激励机制和约束机制，打破地域、行业、所有制和个人身份的限制，在更大范围选择人才，促进企业家合理流动。积极引入竞争机制，对国有及国有控股企业，要把组织推荐和竞聘结合起来选择经营者，逐步推行年薪制和持有股权制。非公有经济的企业和经营者，只要符合要求就应该分别列入优势企业和优秀企业家名单，享受相关优惠政策和荣誉。民营企业家可以依法进入国有或国有控股企业的董事会或经营班子。要重视企业家社会地位的提高，吸收优秀企业家参政议政，协助政府制定决策。

——干部人事制度改革要有新进展。去年以来，我们在这方面进行了有益探索，先后公开选拔了 3 名煤炭副县长、10 名县（市）长后备人选和 3 名民意政绩突出的人选。这一举措社会反映良好，对于端正用人导向具有积极的作用。我们要积极探索、逐步深化干部人事制度改革。实际运作中，一要拓宽用人渠道，打破论资排辈、求全责备的观念，放宽选人视野，采取组织推荐、民主推荐、个人自荐等多种方式，促进优秀人才的脱颖而出。二要逐步建立公开、公正、平等、竞争、能上能下、能进能出的用人制度，通过考试、答辩、考核以及看实绩、比贡献等办法，大胆启用优秀人才。重要岗位的干部在使用之前要进行公示，让群众评议。要进一步研究搞好民主推荐的办法，防止民主推荐和民意测评失真。同时要认真探索新形势下衡量干部实绩的有效办法。总之，在新形势下要选好用好干部，杜绝用人上的不正之风，必须靠制度来保证，靠改革来实现，希望各级党委在这方面大胆实践，走出一条新的路子来。

第二，必须围绕潜力产品引深“项目年”活动。如何进行产业结构调整，省委已经明确提出了以“一增三优”为方向、以潜力产品为切入点的调产思路，这是调产战略的科学创新，对我们理清思路、明确方向具有很强的指导意义。调结构从何处下手？就是抓潜力产品、优势产品，抓住了这些产品就抓住了根本，就找准了切入点。从市场运行规律来看，市场竞争总是直接体现在产品竞争上，缺乏竞争力强的产品，一切都无从谈起。我区产业结构调整推进缓慢的要害问题，就是没有抓住潜力产品，更没有培植新的优势产业。如果我们真正抓住一批潜力产品，下决心重点培育扶持，努力做强做大做优，我区的产业结构就能较快地实现优化升级。省里已确定的我区 13 项潜力产品，要逐项落实工作责任，落实到县市，落实到部门，落实到人头，集中力量联合攻关。银行、土地、环保以及主管部门都要围绕潜力产品，充分发挥职能作用，认识上要再提高，服务上要再周到，力度上要再加大，有什么问题解决什么问题，有什么困难要帮助解决什么困难，要使这些潜力产品尽快启动，抓紧建设，早日见到成效。根据我们的实际情况，还要进一步分析研究，再选择一批潜力产品。今年，要继续引深“项目年”活动，重点就是狠抓潜力产品，围绕潜力产品跑资金、引技术、上项目。这里，我要特别强调指出的是，在抓潜力产品、开发新项目上，各级党委、政府一把手是第一责任者，各县市、各部门都必须抓住一批规模较大、投资较大的新项目、新产品，平川每个县市至少要有 1 - 3 个年产值亿元以上、利税千万元以上的骨干项目，山区县也要结合各自实际，通过积极努力，上一批具有较强辐射力和带动力的项目，培植新的增长点。在这个问题上，地委、行署态度是坚决的，要求是明确的，衡量一个县市、一个部门的工作如何，衡量一个领导干部的政绩如何，就是要看有没有新产品，有没有新项目，有没有新的增长点。年终要严格考核，认真交账，要实地看项目建设，银行看资金到位，财政看新增财源。对于做出重大贡献的，要给予表彰奖励，政绩突出的优秀干部要提拔重用；对于工作不力，行动迟缓，在开发新项目、新产品上无所作为的要严肃批评，或者给予组织调整。总之，产业结构调整本身就是一场革命，我们必须上下一心，认准目标，坚决打好打胜这场攻坚战。

第三，必须创造宽松的发展环境。硬环境不优越，软环境不宽松，是影响我区加快发展、扩大开放的一大障碍。特别是改善软环境上，必须采取强有力的措施，从解决突出问题入手，实现环境创新。一是要把整治“三乱”作为重点工作和重要任务来抓。进一步规范政府行为，强化执法监督，严格依法行政。全面清理收费项目，该调整的调整，该精简的精简，并将收费项目公之于众，接受群众监督，坚决惩治“三乱”现象。要转变政府职能，实行联合办公，落实公开办事制度，严格实行预算外资金收支两条线的管理办法，从源头上根治“三乱”。二是要坚决反对部门利益至上的不良倾向。不管是什么部门、什么单位，都要摆正各自的位置，各级各部门特别是权力部门和执法执纪部门，都要进一步强化中心意识、发展意识、大局意识和服务意识，坚决反对各自为政、条块分割，自觉把各自的工作同临汾的发展大局结合起来，同调整产业结构的要求结合起来，形成抓经济、促发展的合力。三是要用足用活各项政策。只要对加快发展有利，只要不违反法律法规，能放开的要放开，能放宽的尽量放宽。对于重点企业要推行封闭式管理，提供有效的支持和保护。要切实减轻企业的各种负担，加强社会保障制度建设，积极为企业提供良好的社会化服务。对改善发展环境的重点问题，要强化社会监督，好的典型要宣传推广，差的典型要公开曝光，影响较大造成严重后果的要追究责任，严肃查处。

三、加强党的建设，更加扎实地推进各项工作

我们发展的思路和目标任务都已经明确。要抓好落实，加强领导是关键，党的建设是保证。为此，我们必须扎扎实实地做好以下几项工作。

（一）进一步加强各级领导班子建设

把各级领导班子建设好，是我们抓好“三件大事”，实现跨世纪发展的重要保证。加强领导班子建设，一个重要的任务，就是要认真搞好“三讲”教育。地区领导班子和领导干部的“三讲”集中教育，虽已告一段落，还要以“三讲”精神严格要求，进一步解放思想，振奋精神，增强团结，更好地带领全区人民努力奋斗。根据中央和省委的统一部署，县级领导班子和领导干部“三讲”集中教育即将全面展开，各县（市）、各部门一定要高度重视，加强领导，坚持高标准、严要求，充分借鉴省地两级开展“三讲”教育的经验，结合本地、本部门的实际，使“三讲”扎实有效地进行。通过“三讲”教育，要努力提高理论素养，进一步坚定理想和信念，不断增强政治意识、大局意识和宗旨意识，提高政治敏锐性与政治鉴别力，提高贯彻执行党的路线方针政策的自觉性；通过“三讲”教育，要更加自觉地坚持民主集中制，更好地维护班子团结，提高解决班子自身问题的能力。要健全完善集体领导和个人分工负责相结合的制度，坚持重大问题集体讨论决定。要严格党内生活，提高民主生活会的质量，认真开展批评和自我批评，认真剖析和纠正党性党风方面存在的突出问题，解决好班子内部矛盾，使班子成员之间统一思想、消除误解，在更高的基础上达到新的团结；通过“三讲”教育，要进一步增强廉洁自律意识，提高防腐拒变的自觉性，遵守廉洁自律各项规定，经常检点自己，管好配偶和子女，管好身边工作人员，自觉接受群众监督，坚决防止和反对以权谋私现象。同时还要抓好本地、本部门的党风廉政建设，落实好党风廉政建设责任制，按照江泽民“治国必先治党、治党务必从严”的精神，继续引深反腐败斗争。要加大案件查处力度，对那些社会危害大、群众反映强烈的案件，要集中力量，重点查处，毫不手软。各级领导干部要以“三讲”为契机，使自己在迈向新世纪的征途中“加好油”、“充好电”，进一步振奋精神，激励斗志，增强加快发展的责任感和紧迫感，增强工作责任心和主动性，把思想作风上的收获，转化为求真务实、开拓进取的动力，促进改革开放，推动经济发展。

乡镇（街道）一级，是基层工作的龙头和联系群众的桥梁纽带。因此，抓好乡镇班子建设十分关键。总的讲，我区多数乡镇班子是好的，在落实措施、完成任务、推进“三件大事”上做出了很大贡献。但是在理论素质、政策水平、法制观念、工作能力和工作作风等方面也确实存在不小的差距，与当前形势任务的要求，与人民群众的期望相差甚远。按照中央的安排，“三讲”的重点是县级以上班子和干部。但乡镇一级也要按照“三讲”的精神，重点围绕思想作风方面的问题，进行集中整顿。要通过整顿，提高乡镇班子和干部的整体素质，真正使乡镇这一级班子活起来，强起来，更好地发挥基层工作的龙头作用。要继续加强基层组织建设。农村党建要重点抓好后进支部的整顿转化工作，按照分类指导、整体推进的原则，对后进支部实行限期整顿达标，使农村基层组织在推动农村各项工作中发挥积极作用。企业党建要适应深化改革的要求，重点抓好企业领导班子建设与管理。全区各级党组织开展“创建党建先进单位”活动，今年要继续推进，全面引深，以此促进经济强区建设。

（二）切实加强和改进思想政治工作

在当前新的形势下，做好思想政治工作，是全党的一件大事，是深化改革、扩大开放、发展社会主义市场经济的客观需要，也是改进干部群众思想状况的迫切要求。从总体上讲，目前全区广大干部群众的思想是健康的，主流是好的，人心是思上的。但是也要清醒地看到，随着改革的深入，市场经济的发展，经济成分、生活方式、就业方式的多样化，对外开放的扩大以及各种文化思潮的相互作用，必然对人们思想观念形成强烈冲击，带来一系列负面影响，滋生各种不良倾向。比如，封建迷信、伪科学以及形形色色的落后文化伺机抬头，“法轮功”影响还没有完全消除，邪教组织仍有活动；正确的世界观、人生观、价值观受到挑战，在一些人身上出现了理想信念动摇、思想迷惘，甚至见利忘义、是非不分的倾向；特别是一些党员干部政治意识和宗旨观念淡化，贪图升官发财，追求个人享受，听信小道消息，传播流言蜚语，甚至自甘堕落。这些问题的存在，已经严重影响到党的形象和威望，影响到群众的情绪，影响到改革、发展、稳定大局，到了非抓不可的地步。去年年底，中央下发了《加强和改进思想政治工作的意见》，召开了专门会议，对做好思想政治工作作了全面部署。江泽民总书记最近又作出重要批示，指出宣传思想工作和精神文明建设，要在全党特别是领导干部中经常讲、反复讲。我们一定要认真学习和贯彻，从巩固党的执政地位的高度，从维护改革发展稳定大局的高度，进一步扎实、深入地开展思想政治工作。要深入研究人们思想活动的新情况、新特点，积极探索新形势下做好思想政治工作的规律和办法。当前要突出抓好四个教育：一是要加强马列主义、毛泽东思想特别是邓小平理论的教育。用科学的理论武装干部群众，引导人们树立正确的世界观、人生观、价值观。二是要加强群众观点、以民为本的教育。把群众利益作为一切工作的出发点和落脚点，正确对待名、位、权，多考虑群众利益，少考虑个人利益，多做得人心、暖人心、稳人心的工作，以实际行动赢得群众的信任。三是要加强振兴临汾、人人有责的教育。无论是党员干部还是一般群众，都要以临汾的经济建设为重，以改革和发展的大局为重，把临汾的振兴和个人的抱负紧密结合起来，增强责任意识和奉献意识，积极投身建设经济强区的伟大实践，为实现率先发展的目标献计献策，出力流汗。四是要加强维护党的形象和各级领导班子权威的教育。社会上对我们的一些领导干部有种种议论和看法，一方面是党性党风上存在问题或者工作有失误，引起了群众的不满；另一方面也有个别党员干部不负责任地听谣、信谣、传谣，甚至诋毁领导干部，这无异于自己丑化自己，自己损害自己。对这种怪现象每个党员干部都要坚决抵制。形象要靠自己来维护，威信要靠自己来树立。作为党员领导干部要努力改进作风，多为群众办好事，更要时刻检点自己的言行，珍惜自己的形象，维护党的政府权威。与此同时，要继续加强精神文明建设，坚持正确的舆论导向，弘扬正气，鞭挞邪恶，倡导健康文明新风，营造良好的社会风尚。继续广泛开展各类群众性的精神文明创建活动，集中宣传体现时代精神的先进典型，使物质文明和精神文明相互促进，协调发展，推动经济社会全面进步。

（三）高度负责地做好稳定工作

总的讲，当前稳定状况是好的。但也要看到，不安定、不稳定的因素还不少。从国际上讲，西方敌对势力加紧对我们实施“西化”、“分化”图谋，不断向我们进行思想文化渗透。在国内，以“法轮功”为代表的非法组织仍在暗地里活动，向我们争夺群众、争夺阵地。还有许多新矛盾和新问题，比如农村干群关系问题、宗教问题、企业下岗职工问题、老干部待遇问题以及司法腐败问题、社会治安问题等等。这些问题不解决，必然会引起群众不满，影响经济发展，影响安定团结的大局。各级党委、政府务必高度重视，对当前形势保持清醒头脑，做到思想上不麻痹，工作上不松懈，切实把维护稳定作为头等大事来抓。要坚持党政一把手负总责，落实稳定工作责任制，按照“谁主管，谁负责”的原则，哪一级出了问题，追究哪一级领导的责任。要把维护稳定和解决群众生产生活中的困难结合起来，把化解矛盾同服务群众结合起来，满腔热情地解决人民群众关心的热点、难点问题，特别要做好下岗职工再就业和基本生活保障工作，做好特困户群众工作。要认真探索新形势下做好信访工作的新途径、新办法，正确处理人民内部矛盾，妥善协调各方面的利益关系。对热点、难点问题要主动出击，超前研究，把问题想到前头，工作做到前头，把可能出现的矛盾解决在萌芽状态；对一些突发性事件，要分清性质，迅速果断地处置，决不能拖延推诿；对人民内部矛盾，要多做思想政治工作，多做说服工作；对一些动机不良、无理取闹的不安定分子，要坚决打击，严肃处理，旗帜鲜明地给基层干部撑腰壮胆，决不能姑息纵容，任其胡作非为。要充分发挥政法部门在维护稳定中的职能作用，继续深入开展“严打”斗争，依法打击那些严重刑事犯罪分子、经济犯罪分子和危害国家安全的犯罪行为，依法管理好宗教组织，坚决取缔“法轮功”等非法组织，坚决扫除黄、赌、毒等丑恶现象。继续搞好社会治安综合治理，实行标本兼治。总之，要通过方方面面的努力，确保社会稳定，确保全区大局稳定。

（四）切实转变工作作风

今年我们各项工作任务很重，压力很大。各级领导干部必须进一步改进工作作风，真抓实干，狠抓落实，提高工作效率和工作质量，确保各项目标任务的全面落实和圆满完成。各级主要领导要率先垂范，作出榜样，每个党员干部都要身体力行，努力工作。要以“三讲”教育为契机，努力使各级各部门的工作作风有一个明显转变。这里，向大家提几点要求：一是要坚持实事求是，一切从实际出发，坚决反对说大话、说空话，搞花架子和形式主义，做到言必信，行必果，靠实干取信于民。二是要深入实际解决具体问题，多到基层、多到经济建设第一线调查研究，掌握真实情况，增强工作主动性。多到问题多、困难大的地方开展工作，脚踏实地解决实际问题。三是要继续保持艰苦奋斗的本色，厉行节约，勤俭办事，反对拜金主义、享乐主义和奢侈浪费，始终与人民群众同甘共苦。四是要大胆开拓，勇于创新，用改革的精神认真研究市场经济条件下的新情况、新问题，积极探索做好工作的新途径、新办法。思想要解放，精神要振奋，工作要大胆，不能因循守旧、萎靡不振、缩手缩脚。五是要强化责任，狠抓落实。各级各部门都要建立严格的工作责任制，围绕落实“三件大事”特别是推进结构调整，把各项工作任务和目标分解细化，落实到各级干部头上。每个领导干部都要切实担当起自己应负的责任，要以对党和人民的事业高度负责的态度，创造性地开展工作，保证各项任务到年底落实兑现。

同志们，今年是世纪之交的重要一年，也是我们抓好“三件大事”的关键之年。任务是艰巨的，前景是美好的。我们一定要高举邓小平理论伟大旗帜，认真贯彻党的十五大和十五届三中、四中全会精神，全面落实中央经济工作会议精神和省委、省政府的总体部署，解放思想，抓住机遇，坚定信心，开拓进取，为全面推进“三件大事”、实现率先发展的目标、早日跨入中西部经济强区行列而努力奋斗！

正视困难　坚定信心　突出重点　狠抓落实　为保持全区经济持续快速健康发展开拓奋进

——2000年2月21日在全区三级干部大会上的讲话

临汾地区行署专员　　樊纪亨

同志们：

上午，杜玉林书记就今年的工作作了重要报告，大家要认真学习领会，抓好贯彻落实。下面，我就全区的经济工作讲三点意见：

一、1999年全区经济工作的基本估价

去年，我区经济工作是在极为复杂、相当艰难的环境中进行的。面对国内有效需求不足，市场对经济拉动乏力以及我区资源经济结构矛盾突出和环境治理压力加大，农业生产自然灾害严重等诸多矛盾和困难，各县（市）、各部门认真贯彻落实中央的宏观经济政策和省委、省政府的战略部署，按照地委、行署抓好“三件大事”的决定和全年经济工作的总体要求，统一思想，坚定信心，集中精力，狠抓落实，以调整结构为突破口，以项目建设为切入点，以科技进步为主旋律，使“三件大事”全面启动，主要经济指标保持了适度增长，重点工作取得了突破性进展。可以说，过去的一年，是我们理清思路、形成发展共识的一年，是我们克服困难、不断开拓前进的一年，也是我们重点突破、取得较好成绩的一年。

（一）综合经济实力继续增强，各项主要经济指标适度增长

保持经济的稳定增长，是推进“三件大事”，有效缓解矛盾、克服困难，确保社会稳定的根本所在。去年一开始，地委、行署就把确保完成各项主要经济指标作为经济工作的重中之重来抓。年初，同各县市、各部门签订了目标责任书，逐月排出重点工作进程表，将任务、目标和责任人公布于众，追踪督查。年中，针对农业生产旱情严重，工业生产效益下滑，财税收入不达进度的情况，组织统计部门及时分析预测经济形势，找准问题，寻求突破。农业、工业、财贸、乡镇企业、民政、劳动等部门按照全区统一部署，分兵把口，适时开展了抗旱救灾、促产保税和劳务输出等活动，使各项主要经济指标在面临较多困难的情况下，继续保持了适度增长。到年底，全区国内生产总值完成1743000万元，增长5.8%；全部工业增加值完成817000万元，增长4.5%。其中，地营以下工业增长7.4%，位居全省第二。工业销售产值完成1036000万元，增长1.39%，产销率达98.28%。地方国有工业企业实现利税10600万元，增长76.1%。亏损企业亏损额4829万元，减亏41%；财政总收入完成134000万元，增长6.19%，位居全省第四。其中一般预算收入增长8.9%，位居全省第三；全年粮食总产量达15.3亿千克，超省定目标2.06个百分点；乡镇企业实现增加值461000万元，增长20.04%，位居全省第二；农民人均纯收入完成2012元，城镇居民人均可支配收入达3760元，增长10.7%，位居全省第二。安泽、临汾、古县、曲沃、蒲县5县（市）目标责任制综合考评在全区名列前茅。

（二）基础设施建设取得重大成就，重点工程建设继续在全省领先

改善基础设施，突破“瓶颈”制约，是推进经济发展步入快车道的战略性措施。去年，各县（市）及地区计委、财政、交通、电力、城建、水利、开发办等部门以贯彻中央12号文件为契机，以″项目年″活动为载体，主动出击，多方努力，争取项目资金112500万元，地区五大银行积极配合，使全区基础设施建设高潮迭起，重点工程进展顺利。霍侯一级公路、临汾马务、洪洞城西汾河大桥、乡韩黄河公路大桥和洪洞甘亭中直粮库等一批重点工程相继竣工；汾河百公里石坝全线贯通，40万亩汾河滩涂农业综合开发第二阶段任务圆满完成，被评为全省优质工程。侯马、临汾两市荣获全省汾河治理“红旗县市”，省委、省政府决定今年3月下旬在我区召开全省汾河治理现场会；东西两山生态农业建设完成治理面积85万亩。特别是隰县、吉县农建工程规模大、标准高、效益好，省委田成平书记视察后予以充分肯定，省政府在我区召开了全省农建现场会；城市基础设施建设先后完成了临汾市贡院街拓宽改造、平阳广场及解放路街景改造、襄汾县中心广场改造和曲沃县西大街拓宽改造等6项工程，霍侯路沿线16个重点小城镇和9个经济适用住宅小区建设取得进展，10大专业批发市场初具规模，电网建设与改造成绩显著，完成了临汾乔北220千伏、翼城中卫110千伏和曲沃曲村35千伏输变电工程，改造10千伏线路422.8千米。其它各项基础设施建设也有了新进展。全年共完成固定资产投资369000万元，比上年增长28.1%，是建国以来本区投资额最

多的一年，对全区经济增长产生了明显拉动作用。

（三）经济结构调整迈开了步伐，环境治理力度不断加大调整优化经济结构是推进两个“根本性转变”，保持国民经济快速发展的必然要求。去年，我们把调整结构作为推进“三件大事”的突破口，以市场为导向，以第二产业为重点，着力推进三次产业结构调整。年初，全区确定的 67 个调产重点项目已有 56 项完成或基本完成。在传统产业改造上，结合环境治理，关闭非法和布局不合理煤矿 735 座，取缔土焦炉 6000 多座，关停治理小炼铁厂 487 家；建成了临汾豁口、乡宁毛则渠、霍州宋庄和洪洞吉家山等 8 个年产量 21 万吨以上矿井，以及侯马大李焦化厂 21 万吨、乡宁煤焦实业公司、茂源焦化公司 21 万吨一期 3 个机焦项目。在新兴产业开发上，狠抓了铸造、医药、化工、新型建材、农副产品加工五项产业的培育和发展。先后完成临汾华翔铸造公司 3 万吨铸件、曲沃乔山铸管公司 3 万吨离心铸管配套、翼城华尔铸造公司 3 万吨柴油机配件等 6 个铸造项目；临汾染化集团 1.5 万吨硫化黑、100 吨桃红，汾河制药厂 1 万吨柠檬酸，襄汾油漆厂生产线扩建等 5 个医药、化工项目；侯马汇丰水泥厂、翼城翔宇建材公司水泥扩改、临汾金座塑胶管道公司塑钢门窗异型材生产以及宏远公司 2 万立方米商品砼等 12 个建材项目；吉县壶口酒业公司 2000 吨苹果干白、干红，隰县天天饮料公司 5000 吨金梨汁配套，临汾宝林烧鸡公司 1200 吨屠宰加工线等 6 个农副产品加工项目。全区开发了 20 余种新产品，其中硫化黑、桃红、柠檬酸、L-乳酸、球墨离心铸管等 13 种产品，被列入全省首批潜力产品，成为全区经济增长的亮点。

在所有制结构调整方面，我们以个体、私营经济为重点，大力发展非公有制经济。浮山柏松庄园、蒲县伟兴农庄、侯马建邦实业、襄汾有色冶炼、临汾五洲酒店等一批规模大、效益好的个体私营企业已成为非公有制经济发展的排头兵。去年，全区非公有制经济上缴税金 55600 万元，占财政总收入的 41.5%，占工商税收的 59.7%。非公有制经济已成为促进全区经济增长的重要力量。

（四）各项改革继续深入，对外开放成效显著

加快改革和扩大开放是促进经济发展的强大动力。去年，我们坚持一手抓深化改革，一手抓扩大开放。在国有企业改革上，全区共完成 60 户国有企业剥离不良资产的申报工作，推荐了临汾造纸厂等 7 户企业申请"债转股"。地属 10 户大中型企业改制迈开了步伐，临汾染料厂完成了分司制改组，山西橡胶厂实施了租赁经营、平钢、电控厂、临纸等其它困难企业也都采取了切块租赁承包、分块搞活的办法，特别是侯马纺织厂整体实现了扭亏增盈，成为全国纺织行业国企走出困境的先进典型。已改制小企业得到进一步规范完善，有 50%以上的工业企业保持了两位数增长，经济效益明显好转。在农村改革上，全区有 3247 个村完成了土地延包工作，完成农村水利设施股份制改造 2192 处，拍卖 1933 处，位居全省第一；粮食流通体制改革进一步深化，“三项政策、一项改革”取得显著成效，粮食收储企业一举扭亏，实现了全年盈利；在社会保障体制改革上，下岗职工再就业工作和以养老、失业保险为主的社会保障制度改革顺利推进。全区共筹集资金 25000 万元，按时足额发放了下岗职工基本生活保障费和企业离退休人员养老保险金。

在扩大对外开放上，一方面，我们通过实施出口商品结构和国际市场“两个调整”，扩大对外贸易。在国际市场疲软、产品出口受阻的情况下，全年进出口总额达 1743 万美元，基本完成省定目标。另一方面，我们成功地举办了壶口漂流月、大槐树寻根祭祖节及大型祭尧活动，组团参加了西安、厦门、广州、乌鲁木齐和山西经贸洽谈会，深圳高新技术成果交易会等促销引资活动，共签订各类经济技术合作项目 67 项，合同资金 4627 万美元，协议外资 1.89 亿美元，商品成交额 114000 万元人民币。特别是国家生产力协会召开的沿海城市与中西部地区经贸委主任联席会上，我区被确定为沿海与中西部地区结合的试点示范区之一，为进一步扩大与东部地区合作奠定了良好基础。

（五）科技教育和其它各项社会事业进一步发展

市场的竞争是技术和人才的竞争，说到底是素质的竞争。为了把全区经济发展转移到依靠科技进步和提高劳动者素质的轨道上来，我们坚持把科技教育及其它各项社会事业的进步同经济建设同步推进，协调发展。去年以来，地、县两级普遍建立了科技工作目标责任制，加大了科技投入。全区组织实施了 75 项科技计划，重点推广了百余项科技实用技术，科技对经济的贡献率明显提高；基础教育、职业教育和成人教育全面发展。有 15 个县（市）实现了“两基”达标，全区“普九”人口覆盖率达 96.7%。侯马、霍州职业中专和临汾卫校顺利通过国家级验收。特别是以宏昌国际学校和侯马通盛学校为代表的私立、民办学校蓬勃发展，为全区深化办学体制改革提供了有益经验；乡镇卫生院建设取得突破性进展，全区现已有 210 所乡镇卫生院完成新改建任务，有 85%的县级医院达到了二级标准，人口出生率控制在了 15.45‰以内。文化、体育、广播电视等其它社会事业也取得了长足发展，社会治安状况进一步好转。

同志们，去年在十分困难的情况下，我区的经济建设和社会发展取得了来之不易的成绩，这是省

委、省政府正确领导、大力支持的结果，是全区各级干部群众艰苦奋斗、努力工作的结果。在此，我代表地委、行署，向为全区经济发展和社会进步做出突出贡献的先进集体和模范个人，向奋战在各条战线的干部职工以及全区 387 万人民致以崇高的敬意和衷心的感谢！

在肯定成绩的同时，我们还必须清醒地认识到去年全区经济运行中存在的一些主要问题：一是经济增长速度没有达到年初预期目标。二是产业结构性矛盾日益突出，传统产业仍处于适应性调整阶段，新兴产业还没有发展壮大起来，经济增长缺乏后劲。三是受严重自然灾害和农副产品价格持续走低影响，农民收入出现负增长，同比下降 1.3%。四是经济发展的环境仍不宽松，某些地方、个别部门“三乱”现象屡禁不止。从主观方面看，有的地方和部门领导还存在着思想涣散、精神不振、精力不集中、作风不实等问题。所有这些问题，都需要我们引起高度重视，在今后工作中认真加以解决。

二、2000 年全区经济工作的总体要求、发展目标和工作重点

今年是世纪交替之年，是完成“九五”计划的最后一年，也是全面推进“三件大事”的关键一年。做好今年的各项经济工作具有承上启下、继往开来的重要意义。当前，我区经济发展面临着诸多矛盾和困难，多年来形成的畸重型结构性矛盾将会较长时期地影响经济运行的质量，有效需求不足，投资、消费、出口对经济拉动乏力，将继续制约经济发展的速度，人才、资金、技术匮乏和经济发展环境不宽松等问题继续约束经济增长的后劲。特别是既要推进结构调整，又要保证整体经济适度增长，既要进行环境治理，又要确保财政收入完成，既要解决基础设施建设的资金不足，又要考虑生产项目的投入等等，需要我们正视困难，保持冷静，统筹兼顾，正确把握。同时，我们也要充分地认识到加快发展的许多有利条件：一是国家继续实行积极的财政政策和适当的货币政策，实施西部大开发战略，加大对中西部地区和老工业基地的投资力度，对我区经济发展同样提供了良好机遇。二是省委七届九次全会和省九届人大三次会议，都把经济结构调整作为全省经济工作的中心，不仅为我们指明了发展方向，也将为我们提供新的政策和资金支持，必将对全区经济结构调整起到促进作用。三是一年来全区“三件大事”全面启动，“项目年”活动顺利推进，使我区基础设施条件进一步改善，一些新的经济增长点正在成长，为今后的发展打下了一定的物质基础。四是随着地、县两级领导班子“三讲”教育的深入开展，将使我们思路更加清晰，目标更加明确，精神更加振奋，有利于激发全区干部群众的政治热情，为经济发展奠定良好的思想基础。总之，机遇与挑战并存，困难和希望同在。正视困难和矛盾，可以使我们保持清醒的头脑，认识和把握有利条件，可以增强我们的信心。各级、各部门领导一定要正视困难，坚定信心，突出重点，狠抓落实，努力夺取今年经济工作的新胜利。

2000 年全区经济工作的总体要求是：高举邓小平理论伟大旗帜，以党的十五大、十五届三中、四中全会精神为指针，认真贯彻落实省委七届九次全会和省九届人大三次会议精神，坚持以调整经济结构为中心，继续加大基础设施建设和环境治理力度，加强农业基础，深化国企改革，扩大对外开放，强化财税征管，实施科教兴临战略，确保全区经济持续快速健康发展和社会全面进步，使我区成为全省率先发展的地区之一。

今年全区国民经济和社会发展的主要预期目标是：国内生产总值 1850000 万元，增长 7%；粮食总产量稳定在 15 亿公斤左右；全部工业增加值增长 7%，产销率达 97%。地方国有工业企业实现利税增长 8%，减亏 30%；乡镇企业增加值增长 16%；财政总收入 142700 万元，增长 6.5%；全社会固定资产投资总额完成 315000 万元；社会消费品零售总额实现 597000 万元，增长 10%；外贸进出口总额 1600 万美元，协议外资 1500 万美元；农民人均纯收入 2200 元，增长 9.3%；城镇居民人均可支配收入达到 4000 元，增长 6%；人口出生率控制在 16.5‰以内。

根据全区经济工作的总体要求，为了确保完成上述目标，今年我们要重点抓好以下八项工作：

（一）以优化经济结构为中心，积极推进产业结构和所有制结构调整

调整优化经济结构，是适应世界进入新经济时代的客观要求，也是保持国民经济持续快速健康发展的必然选择。今后，全区一切经济工作都要围绕调整经济结构这个中心，坚持“以企业为主体，市场需求为导向，科技创新为动力，培育新经济增长点为目标”的原则，把潜力产品开发作为切入点，大力扶持优势产业、优势企业和优势产品，使全区的经济结构调整工作快速启动，健康推进。

在产业结构调整上，要坚持三大产业同步推进，协调发展。

1. 大力推进农业结构的战略性调整，构筑农村经济发展新格局。在今后较长时间内，调整农业结构的重点是，发挥区位比较优势，优化农业生产布局，推进农业产业化经营，全面提高农业、农村经济素质和效益。要着力突破规模小、布局散、数量多、质量低、加工少、效益差的旧格局，加快创建适度规模型、集约经营型、优质特色化、加工商品

化的新模式。一是实施规模经营，发展特色农业。在调整和优化农业生产结构上，要坚持“适应市场，因地制宜，突出特色，优化布局，规模经营，提高效益”的原则，对全区农业生产布局进行科学地区域定位和特色定型。平川县市要实施农业立体综合开发，调整种养结构，变单一化为多元化。要适当调减粮食种植面积，优化品质，提高单产，稳定总产，把全区粮食总产量稳定在 15 亿公斤左右；要适当增加经济作物面积，今年要新增经济作物 25 万亩，无公害和反季节蔬菜 6 万亩，多渠道地增加农民收入；要大力发展畜牧、水产和特种养殖业，加快高科技示范园区建设。突出抓好襄汾邓庄、曲沃太子滩无公害蔬菜，临汾屯里、洪洞甘亭芦笋，洪洞冯张、临汾尧庙、襄汾张礼优质小麦，襄汾永固、曲沃高显水产养殖等 9 个种养小区建设。山区县要扬长避短，充分发挥区域比较优势，坚持生态农业、特色产业和龙头企业协调发展的思路，打破区划界限，实施“一县一业”和“几县一业”，连片种养，集中发展，规模经营，走出一条生态效益和经济效益并重，长远发展和近期收益并举的可持续发展之路。要有计划地退耕还林、还草，发展林果业和畜牧业，重点抓好永和、大宁红枣、绒山羊，安泽、蒲县黄牛，隰县酥梨，吉县苹果，浮山元宝枫，古县、汾西核桃等特色产业基地建设。通过平川“两高一优”农业和山区特色产业基地建设，带动全区优质粮食、林果、畜牧、蔬菜四大优势产业发展。二是实施品牌战略，培育优势产品。只有品种优质化，才能产品优势化。要以粮食“种子工程”、林果“苗子工程”、畜牧业“品种改良工程”为重点，加速淘汰劣质品种，积极引进、选育和推广优良品种，开发优质专用小麦、玉米、小杂粮、红枣、核桃、苹果、酥梨、食用菌、精细蔬菜等特色产品，提高农产品的质量和效益。三是壮大龙头企业，强化产品加工。要按照产供销一条龙、贸工农一体化的要求，把农副产品加工业作为推进农业产业化经营的重点，在农户和市场之间架起桥梁，形成市场牵龙头、龙头带基地、基地连农民的经营格局。农副产品加工企业要走多种联合、扩张规模、改造升级、提高效益的路子，发展高档粮食制品、果蔬制品、奶制品、肉制品加工。

2．加快工业结构调整，推进产业改造升级。要正确处理好资源优势和其它生产要素之间的关系，既不能背着资源优势的包袱不放，更不能丢掉优势找优势。要逐步把资源优势转化为产品优势和产业优势，最终形成经济优势。要继续坚持“调整、优化、整顿、提高”的方针，在传统产业改造和新兴产业开发上寻求新突破。一是要改造传统产业。煤炭行业要坚持“压产增效，规模经营，延伸加工，扩大营销”的方针，继续关闭未取得经营许可证的煤矿，突出抓好 30 万吨以上的矿井生产，把全区煤炭产量控制在 1700 万吨以内。同时，要依托我区煤炭品质优、品种全、用途广的优势，发展煤炭深加工。年内乡宁长咀湾、蒲县东胜、临汾石凹河等 5 座 30 万吨以上洗煤厂要投产达效。焦化行业要按照“治理整顿，总量控制，发展机焦，延伸加工，形成基地”方针，在抓好去年已开工的 20 万吨机焦项目的同时，今年要突出抓好 40 万吨以上的机焦生产。年内，侯马华舜焦化公司 40 万吨、临汾海姿焦化公司 45 万吨和侯马大李焦化厂 50 万吨机焦 3 个项目要竣工投产。冶炼行业要走“改进工艺，防治污染，扩大规模，提高品位”的路子，逐步淘汰 50 立方米以下的小高炉，重点扶持现有 120 立方米以上的高炉，使全区生铁产量保持在 400 万吨左右。同时，要积极发展有色冶炼，年内襄汾有色金属公司新增 1 万吨金属锌扩建改造要投产达效。纺织行业要按照“压锭重组，减员增效，加快改造，提高档次”的方针，完成临纺 100 台无梭织机、200 台布机改造任务，侯纺 306 台织机年内要达产达效。造纸行业要按照“调整原料结构，改进生产工艺，加快产品换代”的方针，发展集中制浆，分散造纸，重点抓好晋芳纸业公司 6000 吨高档卫生纸、荟源纸业公司 1 万吨高档薄页纸、襄汾邓庄纸厂 1 万吨油封纸等产品的生产。二是要发展新兴产业。选择和开发新兴产业，要坚持以“高技术含量、高附加值、高市场占有率”为基准的方针，重点抓好铸造、化工、医药、建材等行业的培育和发展。铸造业要瞄准建设华北乃至全国铸造基地的目标，通过多种形式的联合包装，筹建铸造集团。今年要重点扶持年产量 3 吨以上的铸件生产企业，使全区铸件产量达到 50 万吨。年内，已建成的临汾华翔铸造公司、翼城华尔铸造公司、曲沃乔山铸管公司、临汾华盛铸造公司等 5 个年产量达 3 万吨的铸造企业要全部达产达效。同时，完成曲沃光彩铁业公司、洪洞大运实业公司 2 万吨铸管、地区重工铸造集团 1 万吨消失膜铸造等 3 个新建项目。化工行业要以开发新产品，提高附加值，增强竞争力为目标，完成临汾染化集团 2000 吨直接染料、霍州化工公司 10 万吨尿素、洪洞鼎立化工公司 5 万吨复合肥 3 个改扩建项目，力争年内竣工投产。医药行业要实施品牌战略，重点抓好汾河制药厂柠檬酸、临汾染化集团医药中间体、平阳制药厂男康片和晋光制药厂猴头健胃灵 4 个改扩项目，确保按期建成投产。建材行业要坚持改造与开发并举，重点发展轻型墙体材料、装饰材料、特种水泥和新型塑料建材。年内临汾宏远砼制品公司 500 万块砼砌块、金座塑胶管道公司 1000 吨钢门窗要投产达效。三是积极培育和开发潜力产品，对已列入省重点扶持范围的 13 个潜力产品，各级政府要进一步加大扶持力度，主要领导要牵头组织调产办、经委、计委、科委、乡镇局及金融、工商、财税、土地等部门召开项目计划落实会、银行贷款协调会，解决好企业在立项、资金、技术、用地、建设、运营等方面的问题。今年，地区将要拿出一定资金，重点支持这些企业加快技术创新。各有关县市也要拿出一块资金来，用于这方面的投入。潜力产品生产企业要抓住机遇，积极争取银行贷款，多方筹集资本金，加紧项目组织实施，使潜力产品尽快成长为优势产品，同时，要积极筛选、申报锌锭、鱼油、男康片等产品列入全省第二批潜力产品。

3. 加速第三产业结构调整，开拓新的服务领域。要提高传统服务业档次，拓宽新的产业领域，突出发展信息、旅游、流通三项产业。一是发展信息业。依托地区计委计算机中心，尽快组建信息中心，发布经济技术信息，开展电子商务，架起政府和企业对外沟通的桥梁。二是发展旅游业。要坚持自然景观和人为景观并举，突出地方特色，增添旅游项目，开发旅游产品。重点抓好曲沃晋侯墓群、尧庙、洪洞寻根祭祖园，翼城舜王坪生态旅游，霍州署衙开发等 5 个旅游景点建设，使我区跻身全国旅游热线之中。三是发展流通业。以大中型批发市场为重点，继续抓好市场体系建设。新建临汾经济技术开发区顺峰副食批发市场、农科市场、广奇家俱市场、翼城农资批发市场、曲沃建材批发市场和洪洞莲花城第二农副产品批发市场等 6 个市场，培育临汾钢材、普国装饰城、顺峰副食品、侯马副食品等 4 个年交易额上亿元，临汾百汇、尧丰、侯马新田、新港等 4 个年交易额上 50000 万元的市场。

在所有制结构调整上，要坚持“有所为，有所不为”、“不求所有，但求所在”的原则，继续以个体工商户和私营业为重点，大力发展非公有制经济。今年，地区重点扶持临汾柏松有限公司、华盛铸造有限责任公司、侯马建邦集团、侯马大李焦化厂、襄汾有色金属冶炼公司、翼城华尔铸造有限公司等十大私营企业发展。各县市要确立非公有制经济在经济结构调整中应有的位置，加强对非公有制经济的组织、服务和引导，选择一批重点私营企业在政策、资金、技术等方面予以倾斜。个体私营企业的经营者，只要符合要求就应列入优势企业和优势企业家名单，与国有企业享受同等优惠政策。广大个体工商户和私营企业家要强化全局意识，提高适应市场经济的应变能力。要打破所有制界限，鼓励公有制企业和非公有制企业之间，在界定产权的前提下，大胆进行企业的资产重组和联合，实现生产要素合理流动。今后，全区原则上下不再新上国有独资企业，现在的国有企业也要尽快转换机制，积极吸引个体工商户、私营企业参股、控股，提高非公有制经济在全区经济增量中的比重。

（二）继续加快基础设施建设，创建经济快速发展新优势

加快基础设施建设是拉动经济增长的有效措施，也是创建经济快速发展新优势的基础工程。今年，我们要抓住国家实行积极财政政策，扩大内需的机遇，继续加大跑项目、争资金的力度，突出抓好以农林水利、交通、城镇、电力、通信为重点的基础设施建设。

1. 农林水利建设平川县（市）要突出农业节水和汾河治理，山区县要突出以机修梯田、小流域治理、旱井、人字闸、农村供水为重点的生态农业建设，集中精力抓好投资在 100 万元以上或面积在万亩以上的 50 处农建精品工程。沿汾 6 县（市）要抓紧完成 223 千米汾河石坝加高加宽、坝顶硬化、防洪林带及生带护坡任务，迎接全省汾河治理现场会召开；40 万亩汾河滩涂农业综合开发，要实现种植区域化，完成中低产田改造 13.5 万亩，新发展节水面积 11 万亩；引沁入汾工程要完成主洞掘进、衬砌各 2000 米，争取马房沟引水工程在国家立项；汾西灌区改扩建、山区农建、世行水保等重点工程也要加快组织实施，今年要新建旱井 5000 眼，人字闸 60 座，新增水地 2 万亩，改善水地 30 万亩，综合治理面积 60 万亩，解决 3.5 万人的吃水问题；林业建设要以霍侯一级路通道绿化为重点，抓好五项工程。沿线 6 县市要抓住春季植树造林的大好时机，早动员、早部署、早上马，力争一季完成 127 千米的绿化任务。同时要继续抓好永和、古县干果经济示范工程，安泽、浮山太行山生态绿化示范工程，汾西、隰县林业世行工程，昕水河流域 6 县天然林保护工程等重点工程建设。

2. 交通建设要新建吉县-壶口 52 千米旅游公路，完成大宁-永和 26 千米扶贫公路和 4 个乡 80 千米通乡油路。积极配合省交通厅搞好祁临高速公路的征地、拆迁和建设。进一步加强商品公路特别是霍侯一级公路的养护管理和规费征收工作，以费养路，滚动发展。

3. 城镇建设要以实施“一河两路”规划为重点，抓好平川县（市）城市街道、经济适用住房小区、小城镇和供排水配套设施建设。按照街道两旁绿化美化，沿街建筑新颖别致，光电设备、供排水设施齐全配套的标准，加快侯马东风路、翼城绛源路、霍州永安大街 3 条新街建设，年内要形成框架；完成临汾市建设路、青狮南街、襄汾南大街拓宽改造和三跨大桥建设任务。霍州滨河小区、洪洞涧南小区、侯马文锦苑小区、襄汾怡祥苑小区和翼城翼鹏

小区等 5 个经济适用住房小区要完成主体工程；要继续抓好小城镇的规划和建设，推进农村城市化进程。已完成规划的里村、凤城、屯里、尧庙、张礼 5 个小城镇要加快建设步伐，力争年内初具规模。其余 11 个小城镇上半年要全部完成总体规划和评审工作，争取早日开工建设。其它城市配套设施建设，年内要完成霍州、侯马、隰县、乡宁四县（市）供水及古县排水防洪等 5 项重点工程，开工建设临汾、洪洞两县（市）供水工程。

4. 电力及邮电通信设施建设年内完成太原侯村-侯马 500 千伏输变电工程和侯马、曲沃、襄汾、洪洞 1838 千米中低压电网改造任务，开工建设洪洞明姜 220 千伏、临汾泊庄、土门、蒲县黑龙关 110 千伏、翼城王庄、襄汾永固、霍州辛置、侯马新港 35 千伏等 9 座变电站。邮电通信方面，要完成市话扩容 2 万门，农话扩容 1.8 万门，移动电话扩容 10 万门，开工建设临汾因特网站。

（三）加大综合整治力度，不断改善环境质量

去年，我区以大气污染和水污染治理为重点，不断加大环境治理力度，在一些重点区域和重点行业取得了突破。但总体上看，全区环境污染状况仍没有得到根本好转，不仅损害了我区对外开放的形象，也极大地危及到人民群众的身心健康。治理环境污染是形势所迫，刻不容缓。一是要取缔霍侯路和大运公路两侧 1 千米范围内的 155 家 2604 座改良型焦炉；关停不符合国家产业政策的 2 家 5 万千瓦以下小火电机组、34 家立窑直径 2.2 米以下的小水泥；治理改造、逐步淘汰 50 立方米以下的小铁炉。对已经取缔的土小企业要加强监控，防止死灰复燃；同时杜绝新的污染源产生。今后，各县（市）新上工业生产性项目，必须符合国家产业政策要求，并报环保部门审批。二是要按照限期治理，逾期关停的原则，对尚未达标的 615 家企业下达限期治理任务，重点抓好三维集团电石炉改造、山焦集团废水治理、临钢烧结废气、地区医院废水治理等 13 个治理项目。年底所有工业企业废气、废水要全部实现达标排放；三是要进行城市环境综合整治。平川县（市）特别是污染严重的“三市一县”，要加强污染源监管，城区内锅炉、茶浴炉禁止使用散装煤，推广使用电、油、煤气、液化气等清洁燃料。同时，还要加强汽车尾气治理工作。四是要加快城市环境设施建设。年内临汾市污水处理厂主体工程要基本完成，临汾、侯马两市集中供热，曲沃、侯马、襄汾、乡宁等 4 县（市）集中供气，临汾市垃圾处理以及洪洞、霍州污水处理等 9 个项目要做好前期工作，争取开工建设。

（四）深化国有企业改革，建立有利于经济发展和社会稳定的新机制

我区国有企业资产负债率高，亏损严重，改革任务非常艰巨。今年是实现国有企业走出困境的决战之年，我们要认真贯彻落实党的十五届四中全会精神和地委、行署关于《推进全区国企改革和发展的实施意见》，加大国企改革力度。一是对 10 户地营企业及 3 户军队移交企业，要按照″分类指导，因企制宜，一厂一策″的原则，采取股票上市、资产重组、联合兼并、租赁经营等多种形式，加快产权制度改革。同时，要认真落实扭亏目标责任制，以全区 12 户地方国有亏损企业为重点，逐户分析原因，采取对策，做好扭亏脱困工作。要继续用足用活国家减债政策，抓紧已申报的 7 户企业″债转股″和 60 户企业剥离不良资产落实，减轻企业负担，搞活生产经营。二是对 489 户已改制企业要进一步做好规范完善工作，严格规范程序，完善改制手续，处理好资产、土地、保险、人员等遗留问题。以临汾染化集团、洪洞飞马集团、乡宁台头煤矿等 6 户大中型企业为重点，加快建立产权清晰、责权明确、政企分开、管理科学的现代企业制度，力争到年底实现大多数亏损企业基本走出困境，大多数骨干企业初步建立现代企业制度的目标。

做好下岗职工再就业工作，建立健全各项社会保障制度，是深化国有企业改革的重要保证。今年，预计全区有下岗职工 18000 人（含上年结转），需要基本生活保障金 3850 万元，各级财政、社保机构和企业要按照″三三制″的原则，确保资金按时足额到位。要依法加大对社会保险费的征缴力度，坚决清理和追缴企业拖欠的保险费，力争全年上缴率、清欠率分别达到 90%和 50%以上。要拓宽再就业渠道，从根本上解决下岗职工的困难，力争下岗职工再就业率达到 70%以上，城镇失业率控制在 3%以内。要继续扩大养老保险和失业保险的覆盖范围，全面启动医疗保险制度改革，初步建立起完善的下岗职工基本生活保障、失业保险制度和城镇居民最低生活保障制度。

（五）围绕两大目标，搞好农业和农村工作

农民增收和农村稳定是农业和农村工作的根本目标。今年，我们要突出抓好三项工作。一是积极发展乡镇企业，拓宽农民增收渠道。乡镇企业是我区经济最具活力的增长点，是产业结构调整的主战场，也是农民增收的主要来源。必须尽快摆脱单纯依赖矿产资源，进行煤焦铁初加工的格局，大力发展新兴产业，加快结构调整，做到“四个为主”，即以发展股份制、股份合作制和个体私营经济为主，以农副产品加工业和为农业提供产前、产中、产后服务为主，以培育各具特色的工贸小区为主，以促进产业、产品升级和技术、机制创新为主，增强乡镇企业自身发展能力。同时要大力发展多种经营，

开展劳务输出，推动劳动力向二、三产业转移，扩大农民增收和就业空间。二是进一步做好扶贫工作。要加大开发式扶贫、科技扶贫、移民扶贫和机关定点扶贫的力度，依靠贫困地区的干部群众，动员社会各方面力量，打好扶贫攻坚战，力争使23.5万返贫人口恢复温饱，新解决6万人稳定温饱问题。三是落实党的农村政策，继续深化农村改革。上半年，要搞好剩余61个村的土地延包扫尾工作，实现地、证、合同"三到户"；要鼓励和支持农民成立各类流通中介服务组织，发展壮大农民营销队伍，使农产品运得出、销得了，货畅其流；粮食流通体制改革坚持"四分开一完善"，在搞活主营业务的同时，抓好辅营业务的扭亏增盈；小型水利设施产权改革要完成1425处，拍卖"四荒"85万亩；要全面推行村务公开，坚决制止农村"三乱"，切实减轻农民负担，对农民的"三提五统"要按照政策，该提的提，该统的统。四是加强农村基层组织、民主法制和精神文明建设。以提高农村基层干部队伍整体素质为重点，加强对农村基层干部培训，深入开展文化、科技、卫生"三下乡"活动和创建文明村、文明户活动。推进村民自治，进行农村社会治安综合治理，及时发现和化解矛盾，减少群众性事件发生，维护农村社会稳定。

（六）实施"科教兴临"战略，推动社会事业全面进步

科技进步与创新是发展生产力的决定因素和经济与社会发展的主导力量。今年，我们要认真贯彻中央和省《关于加强技术创新发展高科技实现产业化的决定》和《关于深化改革全面推进素质教育，大力振兴教育事业的决定》，加快实施"科教兴临"战略。科技工作要以推进科技体制改革为突破口，加速科技与经济有机结合。要积极引导科技人员走出机关、走向生产一线，建立铸造、建材、化工、林果、蔬菜、畜牧等多门类的专业技术协会；要进一步完善地、县、乡、村四级科技网络和企业技术创新体系，并以此为依托，大力推广优良品种、有机旱作、节水农业、立体种植等十大类农业实用技术和负压铸造、精细化工、生物工程、新型建材、食品加工等五类工业高新技术，抓好20个科技型企业和10个科技项目建设，力争全年新增销售收入20000万元，新增利税3000万元；要深入开展创建全国科技先进县活动，年内侯马、曲沃、翼城、乡宁4县（市）要争取通过国家验收。

教育工作要面向经济建设，大力推进素质教育和职业教育。要以减轻中小学课业负担为突破口，强化德育，着力培养学生创新能力和实践能力。要进一步巩固提高"两基"水平，大宁、永和两县今年要通过地区组织的"普九"达标验收。要加快学校"四化"建设，改善办学条件，完成100所"四化"学校、50所薄弱学校改造任务。要积极筹建临汾地区经济技术学院和高等示范专科学校，完成汾西、蒲县、浮山3县职教中心建设，大力开展实用技术培训，从根本上解决劳动技能与实际需求相脱节的问题。要进一步完善科技教育投入机制和激励机制。各县（市）要按照国家有关法律、法规要求，进一步加大对科技、教育和其它各项社会事业的投入。今年地区要拿出专项资金设立科技成果奖、技术推广奖和奖教、助学、中小学教师继续教育资金，对在"科教兴临"工作中做出突出贡献的有功人员予以重奖，在全社会形成重视科技、重视教育的良好氛围。

卫生工作要把重点放在农村医疗体系建设上，完成40所乡镇卫生院、地区骨科医院住院楼和地区传染病医院门诊大楼建设任务，创建10所等级医院。要实施"农民健康"工程，加强农村中医工作，争取顺利通过国家级农村中医工作试点地区验收，年底全区农村合作医疗覆盖率要达到60%。计生工作要继续实行"党政一把手"工程，加强网络建设。年内，全区要有90%的乡镇达到"四有三落实"标准，新创建10个高标准"三为主"县市、30个无计划外生育乡镇、300个无计划外生育的单位和村，坚决把我区人口出生率控制在16.5‰以内。要认真抓好民政、司法工作，维护社会稳定，全面搞好文化、体育、广播电视、地震监测等工作，使各项社会事业与经济建设协调发展。

（七）依法强化财税征管，确保全年财政主动

财政收入是经济发展最直接的体现，事关改革、发展、稳定的大局，也是解决经济和社会生活中一些深层次矛盾的前提。要保证财政收入稳定增长，首先必须保证整体经济适度增长。我们讲完成各项经济指标要实事求是，是指不能弄虚作假，虚报瞒报，绝不是说速度越低，越是实事求是，在这个问题上，我们要有正确的认识，我们不仅要速度，而且要有质量和效益的速度。为此，各级、各部门从现在起就要按照国内生产总值增长7%，财政总收入增长6.5%的要求，逐月分解任务，落实责任，确保各项主要经济指标圆满完成。今年，全区财税部门要按照市场经济规律，依照国家有关财政、财税法律法规，探索建立速度、结构、效益相统一的财源建设体系和规范的收支管理体系，使财政始终保持稳定的增长速度和增长规模，建立起良性循环的法制财政。今年要继续围绕"保收入、保预算、保平衡"的"三保"目标，着力做好三项工作。一是要着眼发展，优化财源结构，抓好财源建设，培植财政收入新的增长点。要组织专门力量对去年竣工投产的50户企业（项目）和要求今年竣工投产的42

户企业（项目）进行跟踪服务，及时发现和解决问题，使其早日发挥效益。今年，地区要从预算内外筹集资金 3000 万元，重点扶持产品有市场、有效益而资金缺短的企业搞好生产和经营，使其尽快成为财政收入新的增长点。二是要强化依法治税，加大征管力度，保证全年税收任务圆满完成。各级财税部门要按照“加强征管、堵塞漏洞、惩治腐败、清缴欠税”的方针，积极采取得力措施。一方面要对税收大户，特别是停产、半停产企业的生产经营、税款实现情况加强监控；另一方面，要对农业税、农业特产税、车船税、区外建筑工程所得税等税种加大稽查力度，严厉打击偷、逃、骗、抗税等违法行为，实行依法治税，确保全年财政收入稳定增长。三是要依法理财，强化预算管理，优化支出结构，确保财政收支平衡。要按照“调整结构、确保重点、压缩一般、加强管理”的原则，强化预算约束。各县（市）财政在年初预算时决不能打赤字，要压缩人、车、会、话、差旅费等一般性支出，保证人员工资、科技教育、扶持优势企业三项重点支出，确保全年财政实现收支平衡。

（八）大力发展外向型经济，开创对外开放的新局面

一是要继续实施出口产品结构和国际市场“两个调整”。认真落实国家出口贴息、封闭贷款、出口退税等优惠政策，积极争取民营企业进出口自营权，发展代理出口和独立出口业务。要巩固焦炭出口，依托我区进出口总额在 300 万美元以上的新临钢、染化集团、华翔铸造公司、汾河制药厂等骨干出口企业，发展纺织品、医药原料、化工原料、铸件等优势产品出口，巩固亚洲市场，开拓拉美、非洲和欧洲市场，确保全年进出口总额达到 1600 万美元；二是要实行对国外和东西部地区“双向开放”，扩大招商引资。要紧紧抓住国际经济复苏、东部产业西移和实施西部大开发战略的有利时机，积极组团参加国家和区域性商贸洽谈会，狠抓项目和资金落实，完成全年协议外资 1500 万美元；三是要加快临汾、侯马两个省级经济技术开发区和壶口国家级风景名胜区的建设。三个开发区要尽快建立起开发总公司，明确开发主体，广泛吸纳社会资金，加快区内基础设施建设，吸引国内外客商和高新技术企业入区发展，逐步把这三个区域建成我区对外开放的“窗口”，展示形象的“亮点”和新的经济增长点。

三、完成全年经济工作的五项主要措施

为了全面完成今年的各项经济工作任务，各县（市）、各部门特别是主要领导，一定要树立大局观念和敬业意识，在工作中勇于开拓进取，努力实现“五个突破”。

（一）在思想观念上实现新突破

没有思想的大解放和观念的大更新，就难有经济的大发展。要保持我区经济持续快速健康发展，全区各级领导干部都必须认真学习、深刻领会邓小平理论的精髓，进一步解放思想，更新观念，坚持把“三个有利于”和“发展是硬道理”作为评判工作政绩、是非得失的标准。具体讲，要努力做到“五破五立”，即在政府行为上，破除计划经济体制下形成的那种对企业统得过死，管得过多的旧思想，树立运用市场经济规律和手段管理经济，发展经济的新观念；在工作思维上，破除按部就班，循规蹈矩，四平八稳，因循守旧的惰性思维，树立抢抓机遇，主动出击，敢为人先，快速发展的新观念；在发展思路上，破除坐井观天，固步自封，患得患失，优柔寡断的旧思想，树立开放搞活，放手发展，有所为、有所不为的新观念；在精神状态上，破除麻木不仁，萎靡不振，得过且过的旧思想，树立勤于工作，敢于负责，勇于开拓的新观念；在用人机制上，破除任人唯亲，论资排辈，嫉贤妒能的旧思想，树立任人唯贤，人尽其才，才尽其用的新观念。解放思想，更新观念是一项长期的任务，今年我们要继续采取“走出去，请进来”的方法，组织党政领导干部、企业家到经济发达地区考察学习，邀请外地专家、学者、教授来临讲课，新闻单位要加大宣传力度，发挥舆论导向作用，以新一轮的思想大解放，促进经济大发展。

（二）在融资方式上实现新突破

抓好“三件大事”，保持全区经济快速健康发展，需要强大的资金支持。为了解决资金短缺的难题，我们必须进一步拓宽融资渠道，创新融资方式。一是积极争取上级投资。今年国家在投资方向上将向西部和老工业基地倾斜，在投资重点上向基础设施建设和中小企业技术改造倾斜。我们要认真研究政策，抢抓发展机遇，作好各类项目的前期工作，争取中央和省更多的资金支持。二是鼓励企业直接融资。各县（市）及地直有关部门要大力支持和帮助有条件的企业发展成为上市公司，进行直接融资。其它企业也要积极创造条件“攀亲结贵”，与区内外优势企业开展联合，多渠道融通资金。三是发挥财政杠杆作用，调动银行投资。今年，地级财政将拿出 3000 万元资金，采用贷款贴息的方式，用于支持企业技术改造和创新。各县（市）财政也要拿出一定资金，专项用于扶持优势企业和产品。同时，要推广地区工商联组建“正和小企业贷款担保有限公司”的做法，鼓励有经济实力的企业家联手，为企业融通资金提供支持；四是启动民间投资。要继续大力发展个体、私营以及股份制、股份合作制经济，吸引社会资金投向生产建设领域。五是大力引进外

资。要以培育“一增三优”为重点，向外推出一批好项目，加强与外国政府、世行、亚行以及境外大公司、大财团的合作，最大限度地吸引和利用外资。

（三）在人才队伍建设上实现新突破

人是生产力中的决定性要素，人才是现代经济发展中最宝贵的资源。今年，我们要采取三项措施，加大人才培养力度，加快建设一支“留得下、靠得住、用得上”的高素质人才队伍。一是加强区内现有人才的培养。各级组织人事部门要利用集中培训、外出考察学习等多种形式，加强企业家和科技人员继续教育，不断提高他们的知识水平和自身素质；二是加快区外优秀人才的引进。要认真贯彻地委、行署《关于加强知识分子工作的意见》，依靠优惠政策，依托地、县两级人才交流中心，广泛开展人才交流。要打破地域、行业和个人身份的界限，鼓励党政机关、企事业单位、科研机构的工作人员到经济建设的第一线建功立业；三是建立人才脱颖而出的激励机制。对企业家可实行年薪制和持大股经营，科技人员可将技术成果作为股份入股，直接参与企业的经营和管理。要科学界定企业家和科技人员的工作成绩，拿出专项资金，对有突出贡献的人员实行重奖，在全区营造一个尊重知识、重视人才的良好社会氛围。

（四）在创造宽松发展环境上实现新突破

未来经济的竞争，实质上是发展环境的竞争。只有努力创造一个宽松的经济环境，才能产生“洼地”效应，使项目、资金、技术、人才流进来，借助外力，发展自己。各级政府要坚持“政企分开”，加快转变政府职能，把主要精力放在提供政策导向、搞好协调服务和创造发展环境上来。各经济职能部门要开展上门服务活动，及时为企业排忧解难。各县（市）要认真学习和借鉴临汾市“一站式”办公和襄汾县地税局“阳光作业”的经验，进一步简化办事手续，提高工作效率。要继续贯彻地委、行署制定的关于制止“三乱”的《实施意见》和《处分规定》，全面清理各种收费项目，从严控制对企业的各类检查、评比活动。今年，行署将对全区治理“三乱”的情况进行定期汇总，以企业法人为主体，对政府职能部门有无增加企业负担、扶持企业程度如何进行测评。对有令不行、有禁不止的人和事将严肃查处。

（五）在完善工作机制上实现新突破

完善工作机制，理顺工作程序，健全规章制度，是做好各项工作的保证。今年，我们一是要严格考核督查，实行工作目标责任制。各县（市）、各部门要按照地委、行署的要求，结合各自实际，明确任务，分解指标，落实责任，强化督查，确保各项任务指标落到实处；二是要是坚持依法行政，广泛推行执法责任制。各级政府及其职能部门要继续深入开展以公开工作制度、公开工作程序、公开办事进度，接受群众监督为主要内容的“三公开一监督”活动，推进依法行政；三是要明确职责范围，建立完善行政管理机制。各县（市）、各部门要进一步明晰每个班子成员的职责权限，要把行政首长负责制同集体领导制有机结合起来，既分工负责，又密切协作，充分调动每个班子成员的工作积极性；四是要改进工作作风，树立良好的政府形象。各级领导干部要从“文山会海”中走出来，从日常事务中解脱出来，集中时间和精力，深入基层调查研究，及时发现、解决经济和社会生活中的热点、难点问题，密切党群、干群关系，树立勤政、廉洁、务实、高效的政府形象。

同志们，在新世纪即将到来之际，我区经济和社会发展进入了一个关键时期。全面推进“三件大事”，完成今年的各项任务，需要我们付出艰辛的努力。让我们在省委、省政府和地委、行署的正确领导下，正视困难，坚定信心，突出重点，狠抓落实，为保持全区经济持续快速健康发展开拓奋进！

在中共临汾市委（地级）成立大会上的讲话

（2000年11月1日）

中共临汾市委书记　杜玉林

同志们：

千禧之年，世纪之交，我们临汾的撤地建市工作全面铺开了，临汾的发展就要翻开崭新的一页。今天，我们隆重举行中共临汾市委成立大会，这是地级临汾市诞生的一个重要标志，是临汾人民政治生活中的一件大事。对临汾的撤地建市工作，省委、省政府十分重视，省委组织部副部长吴锦文等省有关部门领导今天专程前来参加大会，这对我们是有力的指导、支持和鼓舞。兄弟地市连日来也纷纷发来贺电，为三晋大地又一个地级市的诞生表示祝贺。在这里，请允许我代表新的临汾市委，向各位领导和同志们的到来表示热烈的欢迎！向来电祝贺的兄弟地市表示衷心的感谢！

临汾是华夏文明的重要发祥地，产生于这里的丁村文化、尧文化、晋国和三晋文化，以及仓颉造字、金元戏曲等，曾开中华文明之先河；临汾又是历代王朝的要都重镇，帝尧建都于平阳，其后又有战国时期的韩国、西魏、西晋汉王等曾建都于这里，境内还有晋国国都、洪洞古大槐树移民址等遗迹，这些都反映了临汾昔日的繁华、历史的久远和经济社会战略位置的重要。革命战争年代，临汾是党领导下的重要革命根据地，在抗日战争和解放战争中，临汾人民同仇敌忾，浴血奋战，为全国的解放做出了巨大牺牲。临汾攻坚战的炮声震天撼地，奏响了解放战争战略大转变的序曲。建国五十年来，临汾人民发扬艰苦奋斗、自强不息、勇往直前的革命精神，致力于社会主义革命和建设，在全省发挥了农业大区和工业基地的重要作用，取得经济建设和社会发展的重大成就。特别是改革开放二十年来，临汾靠党的政策的威力，立足本地优势，坚持以经济建设为中心，不断深化改革，扩大开放，一批支柱产业迅速兴起，生产力发展水平明显提高，综合经济实力明显增强，人民的物质文化生活明显改善。与此同时，全区的基础设施建设大为改观，城市化发展速度不断加快，精神文明建设和社会各项事业发展取得了丰硕成果，党的建设为推进两个文明提供了切实保证，全区出现了经济与社会协调发展的良好局面。我们完全可以自信地说，临汾撤地设市的各方面条件已经具备。经过一段时间的积极准备和筹措，我们决定召开今天的中共临汾市委成立大会。在这个承前启后的交替时刻，作为新的临汾市委，我们深受鼓舞，深感自豪，同时也倍觉责任重大。过去，临汾是山西的人口大区，资源大区，也是经济大区。地改市以后，既给我们提供了新的发展机遇，又给我们提出新的挑战。面对新的形势和任务，我们要继承和发扬革命老区的光荣传统，认清形势，团结和带领 390 万临汾人民，改革创新，艰苦奋斗，向着新世纪的宏伟目标继续前进；我们要积极探索和创造年轻地级市的后发优势，着眼于国际国内大背景，精心规划设计临汾的未来，在新一轮经济结构大调整中，抢占先机，勇立潮头，善于竞争，为实现强市富民、率先发展的目标不懈奋斗；我们要纵观形势，总揽全局，始终坚持“两手抓”，改革、发展、稳定同时并举，经济社会发展协调推进，再创临汾的新形象；我们要以地改市为新起点，上不负重托，下不负众望，认清使命，励精图治，在搞好当前撤地建市工作的同时，认真贯彻落实党的十五大和十五届五中全会精神，卓有成效地开展工作，为临汾的振兴奠定坚实的基础。下一步，新的市委将在原有基础上，突出抓好以下工作重点：

一、坚持发展是硬道理，狠抓“三件大事” 不放松。贯彻十五届五中全会精神，就是要以发展为主题，以结构调整为主线，以改革开放和科技进步为动力，以提高人民生活水平为根本出发点；就是要进一步抓好“三件大事”，努力实现率先发展目标。我们于 1999 年初确定了抓好“三件大事”、建设中西部经济强区的发展思路，经过全区上下近两年的努力，我们实现了全面启动、重点突破、整体推进的阶段性目标，霍侯一级公路、汾河百公里石坝等一批重点工程项目相继建成，环境治理取得有效进展，尤其是省委七届九次全会以后，我们进一步完善思路，以经济结构调整为中心，狠抓“三件大事”，改革与发展出现了新的态势。从平川沿线到东西两山，传统产业改造加快了步伐，新兴产业发展初见成效，区域性特色经济已露端倪，一批骨干调产项目、重点工程、龙头企业已经涌现，临汾经济正在孕育着重大突破。撤地设市后，我们的奋斗目标由“强区富民”变为“强市富民”，但基本内涵不能变，集中干部群众智慧，经过反复论证而形成的发展思路不能变。我们相信，只要坚持把以结构调整为中心的“三个大事”抓下去，再经过两三年的努力，新的临汾市就一定会以良好的基础条件、合理的结构布局、清新优美的生态环境出现在三晋大地。

二、以加快城市建设为龙头，牵动临汾经济社会发展整体上水平。撤地设市无疑将在整个管理体制和发展战略定位上，进行一些新的调整，产生一些重大变化，市委必须认真解决由此带来的一系列新课题。积极适应改革开放的新形势，尽快构建符合社会主义市场经济的市管县新体制，确立以城市建设为重点、带动城乡一体化的发展格局，是市委必须坚持的发展战略。为把新的临汾市建设好、发展好，市委初步确定了近期内的基本工作框架。一是搞好新规划。建设好临汾，首先必须制定一个科学的、符合时代要求的发展规划。随着新世纪的到来，我们的建市工作将要与制定和实施“十五”计划同步进行。为此，我们一定要认真贯彻落实党的十五届五中全会精神，按照中央提出的制定“十五”计划的建议，认真安排部署研究制定临汾“十五”计划的工作。要组织专门力量，组织得力班子，迅速展开工作。各有关部门要积极配合，通力协作，切实把搞好规划工作为各自的重要职责，作为转变政府职能的重要方面，作为地改市以后的第一项重要任务。跨入新世纪后的第一个五年计划，也是我们地改市后的第一个五年计划，制定和实施这个计划的过程，就是我们精心设计临汾、努力建设临汾的过程。通过计划的制定，我们的发展思路要更清晰，发展目标要更明确，发展重点要更突出，确保临汾市在新世纪开始的时候，开好头，定好位，起好步，有一个良好的“开端”。二是建立新体制。我们要顺应发展大趋势，尽快构建起市管县的新体制，确立起以加快城市建设为龙头、带动城乡一体化全面发展的新战略。大力推进城市化，将要作为我们今后的重要工作目标。为实现这个目标，我们要继续坚持以经济结构调整为中心，进一步加大产业结构调整力度，充分发挥本地优势，积极借鉴外地经验，全面实施“强市富民”系统工程。在体制创新上，坚持市、县、乡三级联动，本着“小政府、大社会”的原则，建立起精干、高效、低成本的各级政权机构和行政管理机构，在发挥政府调控作用的同时，更好地发挥市场配置资源的作用，为加快临汾的发展创造体制条件。在城市建设上，我们要贯彻分层推进、体现特色的方针，一方面要突出临汾中心城市的作用，进一步扩大城市规模，提高建设水平，加强配套设施，完善城市功能；另一方面要抓好侯马、霍州、襄汾、洪洞等几个重点城市、县城和一批小城镇的建设，尽快使临汾形成一个以中心城市为依托，重点城市和重点乡镇共同繁荣的新型城市群，大力度地拓展城乡一体化的发展空间。三是构建新格局。结合抓好“三件大事”，突出经济结构调整，不断加大“五项创新”力度，紧紧扭住潜力产品项目和优势企业项目，大力发展特色经济，放手发展非公有制经济，切实转变经济增长方式。在经济发展的总体布局上，要大力实施“一线两翼”发展战略，充分发挥“一河两路”为纽带的平川区位优势，建设一批技术密集型、产业集约型、发展高起点企业群体，形成明显的经济隆起带，实现有条件的地方先发展一步的战略目标。与此同时，以东西山为两翼，大力扶持和培育区域特色经济，搞好生态建设工程，完成扶贫攻坚任务，尽快实现由重点突破和区域温饱型向整体小康型的转变。四是创造新环境。继续抓机遇、抢速度，加强基础设施建设，水、电、路、通讯和城市配套设施要创新投入机制，加大投入力度，全面解决瓶颈制约的问题。城乡环境污染治理和生态建设工程要抓紧实施，工业污染达标排放的措施要限期落实。要在全体市民中加强思想品德、社会公德和职业道德教育，不断提高市民素质，努力创建政通人和、秩序良好、环境优美的新临汾，树立起临汾的崭新形象。

三、贯彻“三个代表”重要思想，建设坚强有力的干部队伍。去年以来，我们根据中央精神和省委部署，以县级以上领导班子和领导干部为重点进行了“三讲”集中教育，同时，以公开选拔县级领导干部为重点，积极推进干部制度改革，取得了明显成效。但是，面对形势的迅速发展和地改市以后更为艰巨的任务，我们还必须改进目前 仍然存在的一些不适应状况。为此，我们一定要认真学习贯彻江总书记关于“三个代表”的重要思想，继续引深“三讲”教育，不断深化干部制度改革，进一步加强党建工作，为迎接新世纪、接受新挑战做好思想上和组织上的充分准备。首先要提高思想政治素质，抓好理论武装工程。着眼于新的发展，特别是撤地设市后新的实际，我们要把各级干部的理论学习和思想教育抓得更紧。通过学习和教育，进一步统一思想，提高政治素质，同党中央和省委保持思想上、行动上的高度一致；进一步解放思想，强化发展意识，带领全市人民开创改革发展的新局面；进一步廉洁勤政，加大反腐倡廉工作力度，树立干部队伍良好形象；进一步增强大局意识和责任意识，从代表人民群众根本利益的要求出发，为全市人民努力工作，多办实事。其次，要结构机构改革，加大干部制度改革力度。继续坚持公开、公平、竞争、择优原则，完善选人用人机制，确立正确的用人导向，匡正整个干部队伍的风气，真正选用一批能够担当强市富民重任的优秀干部。这里需要特别强调的是，在撤地设市和下一步机构改革过程中，希望大家都要以党的事业为重、以临汾改革发展的需要为重，坚决克服思想上的各种不稳定情绪，做到讲党性，讲大局，坚守岗位，安心工作，努力为振兴临汾多做贡献。

四、积极推进依法治市进程，为临汾的经济和社会发展提供充分保障。我们要深入贯彻落实党的十五大确定的依法治国基本方略，始终把依法治市摆在全市工作的重要位置。要进一步推进民主法制建设，不断健全和完善依法行政、公正司法、法律监督、法律服务、法制宣传教育和加强基层民主政治建设的运行机制，加强市县各级人大机构的基本职能，把各项工作纳入法制化轨道。地改市以后，一个显著变化是人大、政府、政协都将由过去的省派出机构正式成为代表大会选举产生的工作机构，其职能将得到进一步强化。这既对依法治市的工作提出了新的更高的要求，也必将对这项系统工程产生强有力的推动。尤其是市人大作为一级权力机关，对全市各级单位的执法活动将进行更全面、更直接的监督，人民代表大会每年都将对“一府两院”工作和其他部门工作做出审议和评价，这都会把依法治市工作提到一个新的高度。市委将投入更多的精力，加强对这项工作的领导，督促各有关部门履行自己的职责，抓好各项法律的落实。同时要在全社会加强法制宣传教育，努力培养全体干部、全体市民的法制意识，养成依法办事的习惯，为临汾经济建设和社会生活提供一个良好的法治环境。

五、加快改革开放步伐，建设富有时代特征的新临汾。临汾的发展要实现新的跨越，必须靠深化改革和扩大对外开放，尽快让临汾走向世界，让世界了解临汾。坚定不移地走改革开放之路，是我们在新的时代背景和发展大趋势下的必然选择。临汾目前还是一个地处内陆的欠发达地区，要彻底打破封闭落后的状态，就必须在扩大开放上创新思想观念，拿出更加有效的状态，就必须在扩大开放上创新思想观念，拿出更加有效的新举措，创造出更有吸引力的新环境。围绕扩大开放，近期内我们要抓好三个重点：一是抓住机遇，寻找契机。在我国即将加入世贸组织、西部大开发已经启动的重要时刻，我们要动员全市各级，强化机遇意识和时效观念，着眼于经济全球化、知识经济化和资源的市场化，正确选择临汾的发展定位，科学设计临汾的发展蓝图，认真确定临汾的发展特色。二是在进一步改善硬环境的同时，努力创造良好的发展软环境。通过更有吸引力的政策、更富成效的工作和更加优质的服务，把外部更多的人才、资金、技术等吸引到临汾，凝聚到临汾，借各路英才为我所用，借天下大势助我赶超。三是要加大临汾的对外宣传力度，采取多种形式，利用各种途径，把临汾宣传出去。我们不仅要提高临汾在国内的知名度，而且要以临汾的经济、文化为载体，在国际范围内打出临汾的影响。

同志们，从今天起，新市委的各项工作就要全面铺开了，市委有信心、有决心，一定要团结和带领全市广大干部群众努力创造临汾的美好未来，同时也希望全市上下大力支持市委的工作，团结一致，开拓进取，强市富民，再展宏图，为实现我们的奋斗目标而努力奋斗！

大 事 记

1 月

1日　地委书记杜玉林、行署专员樊纪亨以“昂首跨入新千年”为题，在《临汾日报》发表元旦献辞。

3日　山西焦化股份有限公司90万吨焦炉易地改造项目——全省第一大炉JN60—89型双联立火道、煤气下喷复热式大容积焦炉落成。

4日　地委召开四套班子联席会议，研究地级领导班子、领导干部“三讲”教育整改方案。

5日　洪洞县国税局赵城分局被中央精神文明建设指导委员会授予“创建精神文明行业先进单位”称号。

8日　地区烹饪代表团在第四届全国烹饪技能大赛上，个人项目获金牌1块、银牌3块、铜牌3块，团体获金奖，是建国50年来山西省餐饮业首获最高殊荣。

11日　地委召开地级领导班子、全区副县级以上领导干部“三讲”教育总结大会。地委书记杜玉林作总结报告，省委巡视组组长李拴纣作总结讲话。行署专员樊纪亨对做好当前经济工作进行了安排。

12日　全区卫生工作会议召开。

15日　侯马市被全国双拥工作领导小组授予“全国双拥模范城”称号。

16日　全区工业经济工作会议召开。

17日　副省长王昕带领省工会、省民政厅有关负责人深入襄汾县陶寺乡、地区建筑工程公司、地区电控厂访贫问寒。

18日　地委召开会议，传达省委书记田成平在省四套班子党员领导干部和地市党员负责同志会议上的讲话。地区四套班子领导、各县（市）委书记，县（市）长，地直有关部门负责人参加会议。

19日　陈长禄、樊纪亨带领临汾代表团赴并参加山西省九届人大三次会议。

26日 地委、行署举行各界人士迎新春座谈会。

28日 公布李占德、马希贤、张瑜庆、王彩萍、张百管、王震、朱朝辉、王黎鹏、张运民、黄万信被评为“1999年全区十大新闻人物”。成洪才、宋茂林被推举为特别新闻人物。

2 月

1日　行署召开国有企业暨省条管单位迎新春座谈会。

△杜玉林、樊纪亨带领有关部门负责人走访慰问从地级领导岗位上退下来的老同志。

3日　全区县市委书记、组织部长会议召开，安排部署县市“三讲”教育工作。

5日　地区四大班子领导到地区医院、电视台、临汾日报社等单位慰问一线干部职工。

11日　高级园林农艺师，临汾市城建局副局长、园林局副局长，全国绿化劳模、花果城建设开创功臣，山西省第五、六届人大代表郭贵成同志病逝，终年72岁。

14日　古县石壁河流域被国家水利部列入全国千条河流域治理行列。

18日　地委、行署印发《关于加快基础设施建设的实施意见》、《关于调整经济结构的实施意见》、《关于治理环境的实施意见》、《关于贯彻十五届四中全会〈决定〉推进全区国有企业改革和发展的实施意见》、《关于进一步实施科教兴区战略促进经济社会发展的实施意见》。

18日~19日　地区潜力产品开发协调会议召开。

21日　全区三级干部大会召开，地委书记杜玉林作《突出结构调整，推进三件大事，为实现率先发展的目标而努力奋斗》的报告，行署专员樊纪亨作《正视困难，坚定信心，突出重点，狠抓落实，为保持全区经济建设快速健康发展开拓奋进》讲话。大会对1999年先进集体和模范个人进行表彰。

23日　全区科技、教育、计生工作会议召开。

25日　地委召开全区机关单位定点扶贫总结表彰会议。

26日　临汾市“畅通工程”启动。

28日　临汾市第三次荣获国家建设部组织的全国城市环境综合整治“优秀县市”称号。

3 月

1日　全国人大代表杜玉林、耿根喜、卢金城赴京出席九届全国人大第三次会议。

4日　翼城县建成全省最大的气调冷藏库。

8日　全区庆“三八”暨三八红旗手（集体）表彰大会召开，7名重视妇女工作的领导干部、32个“三八”红旗集体、249名“三八”红旗手分别受到表彰。

△地区在全省抗旱服务组织建设经验交流暨表彰会上，获得8项奖励，居全省各地市第一。

9日　全区党风廉政建设工作会议召开。

10 日　地委召开地直县级领导班子、领导干部“三讲”教育动员大会。

12 日　中国共产党临汾经济技术开发区工作委员会正式成立。

13 日　全区政法工作会议召开。

14 日　全区宣传工作会议召开。

△地区铸造业协会正式成立。

16 日　省人大科教文委员会主任魏凯、省档案局局长石浒龙等组成巡视组对全区综合档案馆进行执法检查。

19 日　中央综治办常务副主任、护路办主任徐伟华一行检查指导临汾护路联防工作。

23 日　临汾市荣获“全国广播电视先进市”称号。

28 日　地委、行署召开大会，传达贯彻九届全国人大三次会议精神。全国人大代表、地委书记杜玉林讲话，行署专员樊纪亨主持。

29 日　2000 年祭尧暨海峡两岸尧文化研讨会开幕式在临汾市尧都广场举行。

30 日　全省水利工作暨汾河治理现场会议在临汾召开，省委副书记刘泽民、副省长范堆相讲话，行署专员樊纪亨作经验介绍。

31 日　全区煤矿安全生产现场会在乡宁县台头煤矿召开。

4　月

1 日　临汾市公安局第五次连续荣获“全国优秀公安局”称号。

2 日　列入 1999 年全区十大高新科技项目之一的洪洞县大运实业有限公司离心球墨铸管工程建成投产。

4 日　全区加强思想政治工作座谈会召开。

5 日　全区建设、建材工作会议召开。

6 日　副省长杜五安检查指导临汾交通建设和环保工作所。

7 日　全省干部制度改革研讨会在临汾召开。中组部研究室副主任时希平出席并讲话。

8 日　《山西青年报》临汾工作站成立。

9 日　省委副书记、省委组织部部长李景田在襄汾、曲沃、吉县、隰县调研。

12 日　全区落实《党员干部大操大办借机敛财对单位领导实行责任追究规定》动员大会在临汾宾馆召开。

14 日　临汾市法院获“全国优秀青少年维权岗”称号。

15 日　古县永乐乡永乐煤矿发生瓦斯爆炸，44 名矿工被困井下。地委、行署领导赶赴现场，指挥抢险救护工作。

16 日　行署在古县召开紧急安全生产会议，吸取“4·15”特大事故教训，加强煤矿安全生产。

17 日　全省安全生产、巩固关井压产成果现场会在临汾召开。国家煤炭工业局副局长王显政、副省长杨志明出席会议并讲话。

18 日　临汾经济技术开发区与上海南汇工业园区正式建立友好开发区关系。

20 日　在 2000 年中国旅游风景区、度假区博览会（大连）上，临汾地区荣获最佳展台奖、最佳组织奖和精神风貌奖。

25 日　全国劳模、省“五一”劳动奖状集体代表、省“五一”劳动奖章获得者赴北京、太原参加“五一”表彰大会。

△省委副书记、省长刘振华在蒲县、隰县、大宁、吉县、乡宁、襄汾、洪洞等地调研。

26 日　全区信访工作会议召开。

27 日　全省最大的生物肥生产企业——霍州市绿光生物肥厂建成投产。

5　月

9 日　古县建成全省最大的双孢菇生产栽植基地。

10 日　行署发出紧急通知，号召全区干部群众全民动员，奋起抗旱，保麦保春播。

△全省私营经济界妇女友好促进会在临汾召开。

11 日　地委召开 2000 年度议军会议。

△全省果业产业化经营现场会在吉县召开。

12 日　全区“三讲”教育拉开序幕。省委派驻地区“三讲”教育巡视组抵达临汾。

16 日　第 11 届华北输血协作组工作会议在临汾召开。

17 日　山西焦化集团有限公司获我国 IS014001 环境管理体系认证书，获英国皇家认可委员会颁发的 IS014001 认证书。

△临汾市举行临汾解放 52 周年纪念活动。

18 日　省人大副主任张秉法在蒲县、隰县、襄汾、曲沃、翼城检查指导工作。

19 日　全国公安系统“南铁杯”篮球赛在侯马市开哨。

△省委常委、副省长薛军出席古县县级领导班子，领导干部“三讲”教育动员会。

20 日　地区召开县（市）“三讲”教育工作会议。

25 日　地区农村专业技术协会成立。

30 日　樊纪亨等地区领导到地委幼儿园、地区聋儿康复中心慰问儿童。

31 日　中行临汾分行营业部获全国“巾帼文明示范岗”称号。

6　月

2 日　永和、隰县、大宁、吉县等 15 个县（市）人工增雨成功。

6 日　全省小麦秸秆覆盖还田现场会在临汾召开。

7 日　吉县祖师庙村发生大山塌崩事故，8 户村民的 20 孔窑洞 4 间平房全部埋没，县委、县政府及时抢险救护，无一人伤亡。

8 日　副省长薛荣哲在临汾就文物保护和旅游开发工作进行调研。

9 日　行署召开防讯工作电话会议。

12 日　地委召开制止大操大办，整顿基层站所电话会议。

△地委、行署召开驻临部队护林救火表彰大会，对 4 月底 5 月初安泽、蒲县等地几起山林火灾救护中涌现出的 5 个先进集体和 100 名模范个人进行表彰奖励。

13 日　省委督查组对全区安全生产和第五届村委会换届选举工作进行检查指导。

14 日　焦化工业清理整顿改造升级会议召开。

△中央赴山西省“三讲”教育检查组对侯马、翼城、吉县“三讲”教育工作进行检查指导。

16 日　地委、行署召开落实“三件大事”领导组及办公室会议。

△襄汾陶寺发现尧舜古城遗址。

17 日　行署召开“西气东输”专家论证会。

18 日　地区骨科医院首例游离皮瓣修复全手脱套伤修复手术成功。

19 日　临汾市市长热线电话开通。

23 日　全区组织工作会议召开。

24 日　三晋环保行记者团抵临。

△全省预防青少年违法犯罪工作经验交流会在临汾召开，省政法委副书记、省综治办主任宋秉文、团省委书记高健民及地区领导张岗望、李平郎、董彩霞出席了会议。全省各地（市）的综治办、司法局、教委、团委负责人共 100 余人参加会议。

△中国·临汾政府网站和临汾经济信息网站同时在国际互联网上开通。

26 日　地区焦炭协会成立。

28 日　全区 2000 年创建四化学校观摩会召开。

30 日　地委召开纪念中国共产党成立 79 周年暨学习贯彻“三个代表”重要思想座谈会。

7　月

1 日　行署召开全区夏季爱国卫生防疫防病大会战动员大会。

△地区非公有制经济发展协调领导组成立。

4 日　副省长王昕在汾西、霍州、洪洞、临汾市检查指导工作。

10 日　首届“产学研”高新技术项目发布洽谈会开幕，来自全国各地的专家、教授、科研人员近百人应邀出席了洽谈会。

△全省实施“畅通工程”，创建“平安大道”工作汇报会在侯马市召开。

11 日　全区农业结构调整流动现场会召开。

14 日　全区职工思想政治工作经验交流会在临汾纺织厂召开。

17 日　副省长范堆相在吉县、乡宁就农村饮水解困工程进行调研。

18 日　中国 2000 年委员会在北京钓鱼台国宾馆举行隆重仪式，向尧都临汾赠献 0001 号世纪华表。

20 日　由全国政协常委吴文英、路明等十余人组成的全国政协视察团抵临，视察农业发展情况及文物保护旅游开发工作。

21 日　地区整顿矿业秩序领导组会议召开。

22 日　水利部副部长崔浩辉在隰县、吉县、乡宁检查指导工作。省水利厅厅长李英明、地委副书记刘合心、行署副专员任俊发陪同。

24 日　中央军委委员、总参谋长傅全有上将来临汾军分区视察工作。省委常委、省军区司令员刘荫超、政委陈德毅陪同。杜玉林汇报工作，樊纪亨及军分区领导参加汇报会。

26 日　全区乡镇企业家培训班开学。

29 日　行署专员樊纪亨被北京军区授予“重视民兵武器安全工作的好领导”称号。

8　月

3 日　贯彻“三个代表”思想，实现率先发展目标动员大会召开。

△省军区在临汾市人武部召开兵役登记现场观摩会。

4 日　地委召开人大工作会议。

8 日　省人大副主任白陞及原省人大副主任吴达才带领的省人大旅游专题视察团抵临。

9 日　省委副书记、省长刘振华在安泽、临汾、襄汾、曲沃、乡宁就农村产业结构调整进行调研。

△省委常委、副省长薛军出席古县县级领导班子，领导干部“三讲”教育总结大会。

10 日　全省实施农村饮水解困工程现场会在乡宁、吉县召开，省长刘振华、副省长范堆相出席并讲话，省水利厅厅长李英明主持，杜玉林致欢迎辞，樊纪亨作经验介绍。

12 日　中铁十五局四处承建的侯月铁路侯北机务段电力机车检修库被团中央命名为“全国青年文明号工程”。

15 日　全区第五次全国人口普查宣传工作会议召开。

16 日　国家环保总局局长解振华，副省长杜五安，省环保局局长薄越亮，由地区领导杜玉林、樊纪亨等陪同，在临汾地区调研。

17 日　副省长申联彬到侯马、临汾、洪洞就重点工程和城市建设进行调研。

△全国中等卫校药理学科校际委员会第六届学术年会在临汾卫校召开。

△中国银河证券有限责任公司临汾证券营业部成立。

18 日　中国联通临汾分公司开业，洪洞、临汾、襄汾、曲沃、侯马 130 数字移动电话数字网正式开通。

22 日　建设中西部经济强区研讨会召开。

23 日　侯（太原市阳曲县侯村）——侯（侯马）500 千伏输变电工程临汾段全面启动。

24 日　地区第四届归侨侨眷代表大会召开，省侨联主席周运宁、地委副书记程满仓出席并讲话。

△泰王国富豪（国际）有限公司董事、常务副总经理黄培德先生代表泰国工商总会副主席，该公司董事会主席林文彬与地区签订合作备忘录，并与侯马中药厂、平阳制药厂、临汾中药厂、侯马晋光制药厂、翼城尧森农工商实业总公司五家企业签订合作意向书，合作金额 1825 万美元。行署专员樊纪亨出席签字仪式。

25 日　全区基层站所治理整顿现场会召开。

28 日　在全区范围内公开选拔 17 名县市年轻副县级领导干部，动员暨新闻发布会召开。

△中铁十二局集团第一工程处改制为中铁十二局集团第一工程有限公司，并举行揭牌仪式。

30 日　行署召开贯彻落实省委、省政府关于全面开展五项创新、推进经济结构调整工作汇报座谈会樊纪亨作重要讲话。

△香港“健康快车”成功施行全区第一例白内障手术。

9　月

2 日　中共中央委员、中直工委副书记伍绍祖在隰县为中直机关工委赴该县扶贫支教的 8 名青年志愿者送行。

3 日　电影《生死决择》在临汾首映，地区四套班子领导观看影片。

4 日　中秋节前夕，地委、行署组成两个慰问团，到霍州矿务局、山焦、山维、临钢、霍矿、洪洞煤焦总公司慰问。

9 日　地区第五次人口普查在侯马市侯马乡垤上村进行城乡综合试点。

10 日　全区经济工作分析会议召开，樊纪亨主持会议并讲话。

11 日　地委书记杜玉林、行署专员樊纪亨在《临汾日报》发表《全社会都来关心支持教育事业》的教师节致辞。

12 日　全区第十届老年门球赛在山西师大举行。

13 日　省委常委、省纪委书记金银焕在洪洞、临汾、襄汾检查指导工作。杜玉林、樊纪亨等领导陪同。

△西气东输管道工程临汾座谈会在绿苑酒店举行。

14 日　全区思想政治工作会议召开。地委书记杜玉林作重要讲话。

16 日　全区工业调产流动现场会召开，会议观摩了平川七县市的工业调产项目。

18 日　以世界银行官员优格乐为团长的世行水保项目检查团在乡宁县检查世行项目工程实施情况。

20 日　全区“村村通”广播电视任务圆满完成。

21 日　全区计划生育领导组工作会议召开。樊纪亨出席并讲话。

23 日　山西省加快大运高速公路（太原—运城段）建设现场办公会在临汾召开。省长刘振华、副省长薛军、杜五安出席并讲话。地委书记杜玉林出席，行署专员樊纪亨代表地委、行署作表态发言。省直有关单位、太原、晋中、吕梁、运城等地（市）主要负责人参加了会议。

25 日　行署办公室紧急通知，要求各有关单位切实做好全国第五次人口普查准备工作。

△全区公开选拔副县（市）年轻副县级领导干部笔试在临汾市进行。

27 日　省委书记田成平在侯马、曲沃调研，杜玉林、樊纪亨等领导陪同。

28 日　中镇霍山·华夏州署旅游月开幕。全国政协副主席任建新题词。

29 日　山西省委常委会议研究决定：撤销中国共产党山西省临汾地区委员会、临汾地区纪律检查委员会、临汾地区党校、原县级中国共产党临汾市委员会。成立中国共产党山西省临汾市委员会，中国共产党山西省临汾市纪律检查委员会、临汾市委党校和中国共产党临汾市尧都区委员会。

10　月

1 日　临汾市平阳广场、解放路、平阳北街、青狮南街四大重点工程竣工典礼在平阳广场举行，地区领导杜玉林、樊纪亨等出席。

6 日　“九九”重阳节大型文艺演唱会在平阳广场举行。

10 日　全国旅行社经理霍州考察恳谈会在霍州市举行。

省委企工委副书记李生仁率省委督查组督查 地区贯彻执行《中国共产党地方委员会工作条例》和经济结构调整、“五项创新”工作情况。樊纪亨、张茂才等领导作了工作汇报。

15 日　省人大环保执法检查团抵达临汾。

18 日　地委、行署召开县级领导干部紧急会议，传达中办秘书局白头（2000）7 号文件精神，并对后两月经济工作进行安排。

△地委印发《关于全面推进干部人事制度改革和意见》。

20 日　全区见义勇为表彰大会召开，4 个先进集体和 37 名先进个人受到表彰。

△全区2000年征兵工作会议召开。

21日　副省长杨志明在曲沃、襄汾、临汾、洪洞调研。

22日　“中国四大古代官衙　”国际旅游专线霍州州署踩线仪式在霍州举行，

24日　现代蒲剧《土坑上的女人》在北京首演，引起轰动。

25日　地区召开纪念抗美援朝，50周年座谈会。

26日　省委副书记刘泽民在洪洞、乡宁检查指导秋冬季农田水利基本建设和生态农业建设工作。

28日　2000年山西摩托车越野公开赛在侯马浍河二库举行。

30日　省委依法治省领导组“三五”普法验收考核小组验收普法工作。

11　月

1日　中国共产党临汾市(地级)委员会成立大会在军分区举行。

中国共产党临汾市委(地级)举行成立揭牌仪式。

中国共产党临汾市(地级)纪律检查委员会举行成立揭牌仪式。

临汾市尧都区在平阳广场举行尧都区成立庆祝大会。

中国共产党临汾市尧都区委举行揭牌仪式。

尧都区人大举行揭牌仪式。

尧都区政协举行揭牌仪式。

尧都区纪律检查委员会举行揭牌仪式。

尧都区人民政府举行揭牌仪式。

3日　临汾市委(地级)党校举行挂牌仪式。

△市委(地级)、行署在蒲县召开秋冬季农田水利基本建设现场动员大会，樊纪亨出席并讲话，刘合心主持会议。

6日　市委(地级)、行署在洪洞召开计划生育“三为主”工作现场会，樊纪亨、高清亮等领导出席并讲话，张茂才主持会议。

7日　津冀晋蒙金融学会秘书长暨学术研讨会在临汾举行。

8日　全省重点调产项目现场办公会在临汾召开。刘振华省长主持，杨志明副省长讲话。

国家环保总局副局长王玉庆检查指导贯彻《国务院关于环境保护若干问题的决定》和实施“一控双达标”工作情况。

10日　市委(地级)宣传部、市(地级)新闻工作者协会联合举办庆祝首届中国记者节“记者之歌”联欢晚会。

12日　临汾市(地级)果品在山西省第三届优质水果展评会上获3金5银7个优秀奖，团体第二名的好成绩。

15日　市委(地级)召开四套班子联席会议，听取市委(地级)书记杜玉林考察浙江省经济发展情况介绍，并讨论《中共山西省委关于制定国民经济和社会发展第十个五年计划的建议》。

17日　市委(地级)、行署印发《关于进一步改善环境质量努力实现“一控双达标”的通知》。

18日　“一控双达标”攻坚动员大会召开。杜玉林、樊纪亨等领导出席并讲话。

20日　全市(地级)科技人员座谈会召开，杜玉林、樊纪亨出席并讲话，高清亮主持。

21日　全省“一控双达标”攻坚工作会议在临汾召开，副省长杜五安讲话，省环保局局长薄越亮主持。

24日　山西煤矿安全监察局临汾煤矿安全监察办事处成立。

27日　市(地级)青少年科技教育协会获“全国青少年科技活动先进集体”称号。

28日　市委(地级)、行署召开学习浙江经验报告会。杜玉林作《实践“三个代表”学习浙江经验，加快临汾经济发展》专题报告。

12　月

2日　临汾中药厂的“晋临”牌“三金胶囊”和“骨质增生丸”荣获第46届盛尤里卡发明、研究及新技术博览会“尤里卡金奖”。

5日　全省广播电视网络技术研讨会在临汾市召开。

△省“三讲”集中教育“回头看”检查组在尧都区、吉县、浮山等县调研。

△地区人大工委在曲沃召开现场会，全面推进农村民主政治建设。

△市(地级)纪委、行署监委举行反腐败案件公处新闻发布会。

△永和、吉县、乡宁三县饮水解困工程通过省级检查验收。

△市委(地级)、行署临汾消防支队成功处置“7·24”翼城县液化石油气泄露事故参战官兵庆功会，临汾消防支队7名同志受到记功表彰。省公安厅政治部副主任张泽民、省消防总队政委张秀全、省消防总队政治部主任王爱国、市(地级)政法委书记李平郎、行署副专员董彩霞出席。

6日　省委书记田成平、副省长杨志明在洪洞、古县调研。杜玉林、樊纪亨等陪同。

临汾市(地级)见义勇为表彰会在霍州市政府礼堂召开，表彰霍州市人事局干部张耀华同志，大会追授他为省“见义勇为英雄”、临汾市(地级)“见义勇为先进分子”荣誉称号。

7日　驻临某部“红一连”受到解放军总参谋部、总政部、总后勤部、总装备部的联合表彰。

△临汾打假投诉举报热线电话96315开通。

△临汾铁路分局运输收入完成191550万元，占年计划的100.1%，创建局以来历史最高水平。

8 日　副省长王显政在临汾(地级)就煤焦企业工作进行调研。

10 日　全市(地级)国税系统累计完成税收收入81536 万元，占全年计划的 100.39%，提前超额完成任务。

11 日　全市(地级)“一控双达标”攻坚行动取得阶段性成果，15 天共炸掉烟囱 335 根。

15 日　全省中专生“迎接新世纪的曙光”演讲大赛在临汾卫校举行。

18 日　省人民政府以晋政函[2002]291 号文件批示，同意由临汾地区教育学院、临汾师范学校、隰县师范学校和临汾地区体育运动学校合并组建山西师范大学临汾学院。

19 日　省长刘振华在永和县调研，樊纪亨、张茂才等陪同。

21 日　政协第一届临汾市(地级)委员会筹委会召开第一次会议。

23 日　全市(地级)关井压产完成关井 168 座任务，并通过验收。

26 日　中国福利彩票“三晋风采”电脑福利彩票在临汾开卖。

27 日　撤并乡镇工作会议召开。

30 日　《临汾市煤炭志》出版发行。

概　况

基本情况

自然环境

【位置面积】 临汾地区地处山西省西南部,黄河中游，地理座标为北纬 35° 23′～36° 57′，东经 110° 22′～112° 34′之间，南北最大纵距 170 多千米，东西最大横距约 200 千米，全区总面积 20275 平方公里，占全省的 13%。临汾“东临雷霍，西控河汾，南通秦蜀，北达幽并”，整个地区大致呈不规则的梯形，东倚巍巍太岳长治、晋城为邻，西隔滔滔黄河与陕西相望，北起韩信岭与晋中、吕梁地区毗邻，南与运城地区接壤。

【地形地貌】 临汾地区境内有山地、丘陵、盆地等多种地貌类型。山地丘陵面积约占全区总面积的80%，地势起伏，高低悬殊。最高处太岳山霍山主峰，海拔 2346.8 米，最低处乡宁县师家滩，海拔 385.1 米。临汾盆地纵贯全区中部，把整体隆起的高原分为东西两部分山地。东部由北向南有太岳山、中条山，西部是吕梁山脉，海拔多在 1000 米以上，与临汾断隐盆地界线分明，全区主体轮廓呈“凹”字型分布。

【气候】 临汾地区地处半干旱、半湿润季风气候区，属温带大陆性气候，四季分明，雨热同期。但由于受地形影响，山区平川气候差异较大，气候特征迥异。全区气温的一般特点是冬寒夏热，气温的年较差和日较差均大。光照时数全年为 2417 小时～2714 小时，积温有效性高，是华北地区光能资源高值区。全区年平均气温介于 8.6° C～12.6° C 之间，气温的分布趋势是，自平川向两侧递减，自南向北递减。东西两山年均气温一般在 8.6° C～11.2° C之间,中部盆地年均气温在 11.7° C～12.6° C 之间，全区极端最高气温为 42.0° C，极端最低气温为-25.6° C。全区无霜期平川长，山区短。无霜期介于 156 天～227 天之间。中部盆地无霜期为 193～227 天，东西山区为 163 天～194 天。全区降水量常年在 454 天～688 毫米之间，各地分布不均，山区多于平川，东西山区为 590 毫米～610 毫米，中部盆地为 500 毫米～550 毫米。

【土地资源】 全区土地总面积 2027.5 千公顷，受水热条件影响，临汾地区土壤发育较完全，形成深重粘化层，养分含量较为丰富。全区普遍分布的地带性土壤类型为褐土，此外还有草原草甸土、棕壤土、沼泽土等几种类型。1998 年末，全区已利用土地面积 1523.3 千公顷，占土地总面积的 75.1%，其中，耕地面积 520.2 千公顷，占总面积的 25.8%；宜林面积 585.2 千公顷，约占 28.9%；宜牧草面积 224.1 千公顷，占 11.1%；水域面积 31.8 千公顷，占 1.6%园地面积 38.5 千公顷，占 1.9%；城镇村及工矿用地 92.5 千公顷，占 4.6%；交通用地 20.4 千公顷，占 1%；水域 31.8 千公顷，占 1.6%；未利用土地 504.2 千公顷，占总面积的 24.9%，其中荒草地 162.4 千公顷，盐碱地、沼泽地、沙地 1.8 千公顷，田坎 85.34 千公顷，裸土地、裸岩石砾地、陡崖等暂不能利用用地 254.7 千公顷。耕地中水田、水浇地面积约占 24%。临汾地区后备土地资源较为丰富，大量的盐碱荒地、沙荒地、沼泽地可改良开垦为农林牧用地，但需要排水、治河、修建护岸工程，开发投资很大。全区土地开发利用率 75.1%，土地垦殖率 26.2%，耕地复种指数 126%，农业用地率 68%，建设用地率 5.6%。

【矿产资源】 临汾地区物华天宝，矿产丰富，不仅矿种多，分布广，且开采历史悠久。目前已探明的矿种有 38 种，主要有煤、油页岩、铁、铜、锌、铝、金、钴、稀有元素、石膏、石灰岩、白云岩、耐火粘土、硫铁矿、膨润土、大理石、花岗岩、重晶石、长石、石英、硅石、磷、硅线石等。其中煤、铁、石膏、石灰岩、白云岩、膨润土、花岗岩、大理石、油页岩、耐火粘土等在省内及全国均占重要地位。临汾地区矿产资源综合优势度为 0.73，在全省各地市中居第二位，矿产潜在价值量居全省之首。煤炭资源是临汾地区首屈一指的矿产资源，在全省占有重要地位，有河东、霍西、沁水三大煤田。全区含煤面积 1.54 万平方公里，占全区总面积的 56%，铁矿是临汾地区的第二大矿产资源，富矿比例高，占全省富矿的 70%以上，大部分开采条件较好。铜矿主要分布在塔儿山—二峰山一带的襄汾、翼城、曲沃等县，铅、锌矿分布在洪洞、翼城、蒲县、古县的部分区域，金矿分布于塔儿山—二峰山一带，均为岩金矿。铝土矿分布于霍州什林和汾西店底一带。临汾地区的稀有元素矿产主要有锂、铷、稀土、铌、钽等几种，其中翼城石姑娘山的锂铷矿是省内独一无二的。现已发现的 24 种非金属矿产中，石膏、电石灰岩、白云岩等在全省或全国具有重要优势，其余如水泥灰岩、膨润土、花岗岩、耐火粘土、麦饭石等则可望成为国内优势矿产。

【水资源】 全区共有大小河流 200 余条，均属黄河水系。流域面积在 1000 平方公里以上的有黄河干流、汾河和沁河。其余较大的有昕水河、鄂河、浍河和清水河等。黄河中游的主要支流汾河横贯全区中部，流域面积 10286 平方公里，是本区第一大河流。黄河干流位于本区西侧，为晋、秦天然分界线，全长 174 千米，流域面积 7739 平方公里。沁河是本区含沙量最小的河系，全长 95 千米，总流域面积 2288 平方公里。河流众多，但以季节性河流为主，故形成雨季排洪，旱季断水。

全区水资源总量 18.9 亿立方米，其中：河川径流量 14.8 亿立方米（含泉水 3.14 亿立方米），地下水资源量 4.1 亿立方米。平均地面水入境量 10.2 亿立方米，泉水入境量 2.5 亿立方米。水资源总量占全省 13.9%，人均占有量 540 立方米，比全省多 71 立方米，为全国的 21.9%。亩均占有量比全省少 29 立方米，相当于全国的 10.8%，同全国相比属贫水区。

【植物资源】 临汾地区的植物资源是全省最丰富的地区之一。除农作物外，现已调查到的种子植物有 606 种，分属 97 科，386 属，占全省植物区系总种数的 62.1%，总科数的 81.7%，总属数的 79.3%。

在植物分布上，东南山地丘陵地带以油松和华山松占优势，农作物有小麦、玉米、谷子等，经济林有苹果、核桃、柿子、板栗、山楂等，土特产主要有黑木耳、猴头等，名贵中草药植物有菖蒲、竹节人参和灵芝等；东部山地以沙棘、荆条等次生灌草丛植被为主，经济林有核桃、瓦氏榛子、山楂、枣、桑、苹果、梨等，土特产有猴头、佛手和烟草，农作物以玉米、谷子为主，这一地带盛产药材，其中山芋肉、贝母享有盛名；太岳山区以油松、辽东栎林及次生灌草丛植被为主，是山西省主要的林业基地。果品主要有梨、柿。中草药种类繁多，其中以党参、贝母、山茱萸、霍香等最著名；临汾盆地以冬麦、棉花等农作物栽培为主，土特产丰富，以曲沃的烟草、临汾的红枣、洪洞的莲菜等闻名于省内外；吕梁山以油松、白皮松、辽东栎林及次生灌丛植被为主，土特产有松香、生漆、猴头、木耳等，中草药以甘草、五加皮、苍术、党参、核仁等著名；西部黄土残塬丘陵植被区以灌丛和草丛为主，土特产有隰县金梨和永和红枣，农作物以冬小麦、玉米、马铃薯为主，经济作物有棉花、大豆等。

临汾的森林资源比较贫乏，现有的天然次生林和人工总面积 244.7 千公顷，人均林地 0.07 公顷，为全国人均林的 1/2 左右。人均木材蓄积量 1.7 立方米，只占全国人均蓄积量的 $^1/_6$。临汾地区的森林不但面积小，蓄积量少，而且分布不均，林龄组成不协调，森林质量差。临汾地区的天然草地面积占全区总面积的 24.9%，现已查明的主要草种有豆科的胡枝子、草木栖状黄芪、兰花棘豆、米口袋、野豌豆，禾木科的黄茨、隐子草、早熟禾、白羊草，禾草科的苔草、蒿草等。

【野生动物资源】 临汾地区野生动物种类丰富，陆栖脊椎动物有 300 余种，占全省总种数的 74%，其中，鸟类 243 种，兽类 45 种，爬行类 8 种，两栖类 4 种，它们分别占全省种数的 81.1%、61%、44.4% 和 29%。在本区动物种类中，属国家一类保护动物的有白鹳、黑鹳和褐马鸡三种，其中褐马鸡是世界闻名的珍稀动物，是中国的国宝和特有珍禽。二类保护动物有金钱豹、原麝、大天鹅、鸳鸯。三类保护动物有青羊、大鸨、金雕、玉带海雕等。兽类主要有狼、狐、兔、果子狸、猪獾等，鸟类主要有麻雀、家燕、喜鹊、凤头杜鹃、龙班鸠、大嘴乌鸦、凤头百灵、褐马鸡、胡兀鹫、岩鸽等，西栖爬行类有黑班蛙（青蛙、田鸡）、花背蟾蜍、无趾壁虎、中华大蟾蜍等。

【风景名胜】 临汾地区历史悠久，文物古迹众多。全区现有各级文物保护单位 2594 处，其中国家级 9 处，省级 56 处。建于东汉元年经唐、元、明历代修建的洪洞广胜寺，是中国著名佛寺，上寺的飞虹塔，是中国目前最大最完整的琉璃塔。襄汾的丁村遗址、陶寺遗址、侯马的晋国遗址对研究我国原始社会、奴隶社会、封建社会各阶段的民情风俗、社会特征有重要意义。位于临汾市西南的尧庙，古柏参天，祠宇构筑精美。尧庙东北 30 千米的尧陵，高 5 米，环周 80 米，是纪念中华民族第一代贤王的胜地。洪洞古大槐树明代移民遗址是中原人民祭奠祖先、追思怀古之处，素有“问我祖先在何处，山西洪洞大槐树”之说。临汾地区还有全国少见的明代悬塑珍品隰县小西天，有全国规模最大的东岳庙地狱，有保存完整的明代囚牢“苏三监狱”，有独具特色的临汾市魏村元代牛王庙戏台、霍州署衙等。

临汾地区自然风光壮丽奇特。位于吉县的全国 40 佳旅游风景区之一的黄河壶口瀑布，是仅次于黄果树瀑布的我国第二大瀑布。滔滔黄河在此处敛水成束，由 300 米宽的河面急缩为 50 米，倾注入落差 60 米的河槽之中，惊涛拍岸，浪花飞腾，声如雷鸣，气吞日月，蔚为壮观，素有“深涧起雷、水中冒烟、彩虹通天、群龙戏浪”之说。中国人民银行发行的 50 元人民币就是以壶口瀑布作为背景图案。位于吉县境内的人祖山，林木茂盛，山势雄伟，是中国传说中的人类始祖伏羲、女娲相恋结婚而产生人类的地方。位于吕梁山南段的五鹿山层峦叠嶂、峭壁陡立、千峰竞秀、浓荫蔽日，是我国特有珍禽褐马鸡繁衍生息的优良场所。位于汾河谷地与西部山地之间的仙洞沟环境幽静，山谷幽暗，路径迂回，古代多有名士隐居于此，庄子《逍遥游》载“藐姑射之山，有神人居焉”。

临汾地区革命纪念地很多,著名的有红军东征毛泽东同志路居永和县上退干村纪念地、东征红军军事会议赵家沟会议旧址，安泽桑曲、小李村太岳军区领导机关旧址，临汾市刘村中共中央北方局旧址、刘少奇住过的刘村五同丰旧址，洪洞马牧村八路军总部旧址，浮山县山交村朱德、彭德怀路居旧址，还有侯马市垤上村彭真故居等。

历史沿革

【史前至夏商】 临汾地区是中华民族的发祥地之一。襄汾“丁村人”遗址是十万年前旧石器时代中期的代表性遗址。吉县柿子滩遗址是大约一至二万年前人类活动遗址。这一系列考古发现证明了在漫长的远古时代，临汾这块土地上就劳动、生息、繁衍着中华民族最早的原始人群和村落。

临汾一带关于人类起源和上古时代的传统特别多。如伏羲、女娲的传说，关于黄帝和尧舜禹的传说，关于仓颉造字的传说等。在古代文献中，有许多关于原始公社时代的记载。《帝王世纪》称“尧都平阳”，即今临汾。《史记、五帝本纪》及三家注载尧都平阳（今临汾），舜都蒲阪（今永济），禹都安邑（今夏县）。史家历来称晋南为夏墟。襄汾陶寺龙山文化遗址的考古发掘、使尧、舜、禹的历史传说和典籍记载得到进一步印证。陶寺遗址年代从公元前2600 年至公元前 2000 年，其早中期与尧舜时代相应，晚期则与夏代早期相当。这些都说明了临汾地区是尧、舜、禹三位原始社会后期的部落联盟首领开启华夏文明的地方。

古代中国从地理方位上分为九州，（传说禹分天下为九州），自上古至夏商临汾地区属于冀州。冀州位于天下之中，故称“中国”，“中国”一词由此而来。

【西周】 实行分封制。周成王封其弟叔虞于唐（今翼城境内），即传说中的“桐叶封弟”的故事。叔虞的儿子燮父因国内有晋水，将国号改为晋。晋国国都依次为唐（今翼城东）、鄂（今乡宁）、曲沃（今闻喜北）、绛（今翼城南）。在临汾地区范围内，除晋国外，还有许多诸侯国和食邑，如霍（今霍州南），赵（今洪洞赵城），杨（今洪洞东南），贾（今襄汾南），鄂（今乡宁）等。

【春秋时期】 诸侯兼并，晋国先后消灭了境内的戎狄国，兼并了同姓异姓国 20 多个，统一了汾河流域，并且国土跨过黄河南岸，与楚国为东周时期最大的国家，从春秋时期五霸之一的晋文公重耳当政开始，百余年间，晋国一直是华夏霸主。当时晋国国都先后在绛（今翼城南）和新田（今侯马）。

【战国时期】 以韩赵魏三家分晋为标志，历史进入战国时期，这一时期，临汾地区分属于韩国和魏国。今洪洞、临汾、襄汾（北部）、古县、安泽、浮山、翼城属韩国，平阳为韩国早期国都。今霍州、西山诸县及襄汾（南部）、侯马、曲沃属魏国。战国后期霍州、安泽、古县等东山地区曾归属赵国。

【秦代】 秦统一中国后，实行郡县制，临汾地区属河东郡。（治所在今运城之安邑）。秦末汉初楚项羽封魏豹于河东为西魏王，都平阳，临汾地区属西魏。

【汉代】 西汉实行部郡县制，临汾地区大部分属司隶部河东郡治所在运城之安邑，今安泽、古县一带属并州刺史部之上党郡。东汉、临汾地区大部分属司隶校尉部河东郡（治所在运城之安邑）。安泽、古县仍属并州刺史部之上党郡。

【三国时期】 属魏。临汾地区大部分为司州平阳郡，治所在平阳，辖永安（今霍州）、杨县（今洪洞东南）、平阳、襄陵（今临汾东南）、临汾（今襄汾赵康）、绛邑（今曲沃）、蒲子（今隰县）、狐聝（今永和南）、北屈（今吉县北）、皮氏（今河津）等县。另外，安泽、古县属并州之上党郡。

【西晋】 西晋时与三国时期大抵相同，仍为司州平阳郡，管辖范围增加端氏（今沁水）和𬀩泽（今阳城）二县。安泽、古县仍属并州上党郡。西晋后期，刘渊建立汉国，自左国城（今离石）迁蒲子（今隰县）公元 308 年自称皇帝，建都平阳（今临汾市金殿镇）至316年推翻了西晋。

【东晋十六国时期】 临汾地区相继在汉（前赵），平阳为国都。在后赵、冉魏和前燕，为平阳郡，属并州（治所在晋阳，今太原）。在前秦，为平阳郡，属并州后改称雍州（治所在蒲坂，今永济之蒲州）。在后秦，为平阳郡，属并州后改称冀州（治所在蒲坂，今永济之蒲州）。

【南北朝时期】 临汾地区在北朝，先后属北魏、东魏、西魏、北齐、北周。北魏初期，临汾地区为东雍州平阳郡（州郡同治平阳县）。北魏中期，临汾为平阳郡，治禽昌县白马城（今临汾市乔李镇）属司州（州治洛阳）。西山诸县属汾州（州治蒲子城，今隰县）、五城郡（今大宁南）、定阳郡（今吉县北）、中阳郡（今乡宁、吉县间）、北魏后期为晋州平阳郡（州郡同治平阳）。东魏、西魏对峙时，临汾地区大部分属东魏，仍为晋州平阳郡（郡、州同治平阳），又设永安郡（今霍州、属晋州）。而五城郡（今大宁、吉县、乡宁）属西魏之南汾州（治高凉郡，在今稷山县汾南）。北齐、北周对峙时，临汾地区均属北齐，境内有晋州平阳郡（州郡同治平阳今临汾市）、临汾郡（今汾西县）、南汾州定阳郡（今吉县）、五城郡（今大宁南）、东雍州（今新绛）北绛郡（今翼城西南）。北周灭北齐，临汾全境归北周，因袭旧制，仅4年被隋所灭。

【隋代】 临汾地区各县市分属临汾郡、龙泉郡、文城郡、绛郡。临汾郡（治临汾县）有临汾、襄陵、杨县、翼氏（和川县属上党郡）、岳阳、霍邑、汾西诸县。龙泉郡（治隰州）有隰川、楼山、永和、蒲县及石楼（今属吕梁地区）诸县。文城郡（治吉昌）有吉昌、昌宁、伍城、文城诸县。绛郡有太平、曲沃、翼城及今运城的几个县。

【唐代】 前期实行道、府、州县制，临汾地区分属河东道的晋州、隰州、慈州和绛州。晋州（治临汾）有临汾、襄陵、神山、冀氏（和川属沁州）洪洞、岳阳、赵城、汾西、霍邑诸县。隰州（治隰川）有隰川、永和、大宁、蒲县以及今属吕梁地区的石楼、温泉诸县。慈州（治吉昌）有吉昌、昌宁、吕香（今乡宁西坡镇）、文城、仵城诸县。绛州有太平、曲沃、翼城以及今运城的几个县。唐自安史之乱后以“方镇”统辖府州，“道”只作为地理区域名继续使用。故此后晋州、隰州、慈州、绛州虽仍属河东道但实际属河中节度使管辖，治所在河中府（今永济之蒲州）。

【五代十国时期】 五个朝代时间都很短，行政区划因袭唐代后期建制没有什么大变化。后梁时晋州属护国节度使（治河中府，今永济蒲州）管辖。而隰州、慈州属于晋（后唐）河东节度史（治太原府）管辖。后唐时设建雄节度使（驻晋州）管辖晋州、隰州、慈州、绛州。后晋、后汉、后周均因之。

【北宋】 临汾地区属河东路（治太原府）范围内有晋州、隰州、慈州、绛州（部分），晋州又称平阳府包括临汾、襄陵、神山、冀氏、和川、岳阳、洪洞、赵城、霍邑、汾西诸县。隰州包括隰川、大宁、蒲县、永和及属吕梁地区的石楼、温泉诸县。慈州只辖吉乡（今吉县）一县。绛州包括太平（含今乡宁）曲沃、翼城及今运城的几个县。

【金代】 临汾地区属河东南路（治平阳府）。其范围内有平阳府，隰州、耿州、绛州（部分）。平阳府所辖与北宋晋州所辖同。隰州所辖温泉县归河东北路之石州，其它与北宋时同。耿州又称吉州，即北宋时慈州，辖吉乡、乡宁二县。太平、曲沃、翼城仍属绛州。

【元代】 属中书省山西宣慰司晋宁路（治临汾）辖今临汾、运城、长治、晋城以及晋中之灵石，榆社、辽州、和顺和吕梁之石楼诸县。临汾地区范围内有霍州、隰州、吉州及永和、大宁、蒲县、乡宁、曲沃、太平、翼城、襄陵、临汾、浮山、洪洞、赵城、岳阳、汾西诸县。

【明代】 属山西布政使司（驻太原）平阳府（治临汾）辖今临汾、运城及晋中之灵石和吕梁之石楼。临汾地区范围内州县与元代相同。

【清代】 清前期属山西省（省会太原）平阳府（治临汾）辖今临汾、运城及晋中灵石共 34 州县，其中今属临汾地区 17 州县：霍州、隰州、吉州、临汾、襄陵、太平、曲沃、翼城、浮山、岳阳、洪洞、赵城、汾西、永和、蒲县、大宁、乡宁。

清后期又设分守、分巡道作为省的派遣机构，临汾地区属山西省河东道（分巡）（驻安邑之运城）。临汾地区范围内分别为平阳府、霍州、隰州。平阳府辖临汾、襄陵、太平、曲沃、翼城、浮山、岳阳、洪洞、汾西、吉州、乡宁 11 州县。霍州领、赵城和灵石（今属晋中）2 县。隰州领永和、大宁、蒲县 3 县。

【中华民国】 民国初期整顿行政区划、废道、府，改州为县，县直属省。民国 3 年（1914 年）前后又设道，以道辖县，临汾地区各县市属河东道观察使署（驻安邑运城镇）。民国 16 年（1927）裁道，县直属于省。民国 26 年（1937 年）闫锡山将山西省划为 7 个行政区，临汾地区大部分属第六行政区。古县、安泽属第三行政区。侯马、曲沃、翼城属第七行政区。

抗日战争时期（1937 年 7 月～1945 年 9 月）1937 年 11 月 8 日，日本侵略军占领太原。此前中共中央北方局、中共山西省委、八路军驻晋办事处相继迁到临汾。八路军总部也来到洪洞、安泽一带。此时，临汾成为山西和华北抗战的政治、军事中心，成为领导、组织和指挥抗战的前沿阵地之一。1938 年 2 月临汾失陷，日本侵略者占领了同蒲铁路沿线汾河两岸平川地区，并一度占领各县城及交通沿线。共产党、八路军挺进敌后依托太行山、太岳山和吕梁山创建抗日根据地。闫锡山的山西省政府和第二战区司令长官部等军政机构驻在临汾所辖的吉县一带，并于 1939 年 12 月发动“晋西事变”，进攻八路军和山西新军，制造分裂，破坏抗战。自“十二月事变”以后形成的大体格局是，日伪占据着同蒲路沿线汾河两岸平川地区。闫锡山统治着西山诸县。共产党、八路军在汾东各县创建了抗日根据地。自 1941 年 9 月至抗战胜利先后建立的抗日民主政权有：（一）晋冀鲁豫边区第八专署，即太岳二专署（1941 年 9 月～1943 年 3 月）先后辖洪洞（路东）、赵城（路东）、安泽、岳阳、浮山、临汾（路东）和沁源等县。（二）晋豫边区条东行政办事处，即晋豫二专署（1941 年 11 月～1943 年 3 月）辖翼城、曲沃、绛县、垣曲等县。（三）晋冀鲁豫边区第二十三专署，即岳南专署（1941 年 11 月～1943 年 3 月）辖冀氏、浮山、青城、曲襄、沁西、士敏、高平、长子等县。1942 年 10 月中共中央决定，太岳区党委与晋豫区党委合并为太岳区党委，1943 年 3 月对所属行政区划做了新的调整。到 1945 年 9 月抗战胜利时，临汾地区境内延续下来的抗日政权地、县级组织，有太岳三专署下辖浮山、临汾（路东）、洪洞（路东）、曲襄、青城、冀氏六县，太岳一专署所辖霍县、赵城、安泽和太岳四专署所辖翼城共 10 个县。

解放战争时期（1945 年 9 月～1949 年 9 月）解放战争期间临汾地区西部诸县属于晋绥九专署（晋绥十专署），东部诸县属于太岳二专署。晋绥九专署成立于 1945 年 9 月初属吕梁行署领导，后由晋绥行署直接领导，后又属晋绥行署吕梁办事处领导。临汾解放后，划归晋绥行署临汾办事处领导，后改属晋南行署领导。1949 年 2 月底改称隰县专署。辖洪洞、赵城、汾西、石楼、隰县、大宁、永和、蒲县共 8 县。1949 年 5 月撤销，所辖各县划归晋南中心专署领导。其驻地先后在灵石县的泉子坪、桂贤村，汾西县它支村，隰县城北的瓦窑坡和隰县城内。晋绥十专署辖永和、大宁、隰县、石楼 4 县，只在 1946 年春存在两个月即并入九专署。

太岳二专署（1945 年 12 月～1949 年 8 月）即抗战结束时的太岳三专署改称为晋冀鲁豫边区太岳第二行政专员公署，隶属于太岳行署领导，辖临汾（河东）、洪洞（河东）、浮山、冀氏、襄汾、翼城、曲沃、沁水、绛县 9 县，1948 年 5 月临汾解放后，7 月，临、洪、襄、曲诸县划归晋绥边区政府，至 8 月二专署撤销，所辖翼、浮、沁、绛四县归新成立的翼城临时专署领导。（翼城临时专署建制沿袭至建国后）太岳二专署先后驻浮山县和尚古堆山、焦家河、李村、东郭村、河口和翼城县殷庄、北冶村。

1948 年 5 月临汾解放，晋南全境解放，晋绥行署在此设晋南办事处，同时成立临汾市人民政府，8 月改为临汾县人民政府，12 月晋南办事处撤销，1949 年 1 月成立晋南行署，隶属于陕甘宁边区领导，下辖隰县、新绛、运城专署。1949 年 6 月中共中央晋绥分局通知，经中央和西北局同意，撤销新绛、隰县、运城三个专署，并以新绛专署为基础成立晋南区行政督察专员公署（又称晋南中心专署），自新绛迁至临汾，直辖 5 个县政府，和 5 个中心县政府以及 5 个中心县代管的 19 个县政府共计 29 个县。直至建国以后。

【中华人民共和国】 建国后，临汾地区行政区划沿革经历了四个阶段。

第一阶段（1949 年 10 月 1 日～1950 年 1 月 9 日）临汾地区现辖区域仍保持建国前建制，分属于晋南中心专署和翼城临时专署。晋南中心专署（驻地由新绛县城迁临汾县城）属陕甘宁边区人民政府领导（当时晋南区为西北解放战争的后勤保障基地）下辖五个中心县，即隰县中心县（管理永和、大宁、蒲县、汾西、石楼）；新绛中心县（管理吉县、乡宁、汾城）；稷山中心县（管理河津、万泉、荣河）；运城（安邑）中心县（管理平陆、夏县、闻喜、猗氏）；永济中心县（管理永虞、芮城、解县、临晋）；专署直接管理临汾、襄陵、曲沃、洪洞、赵城、共 29 个县，除石楼于 1949 年 10 月划归汾阳专署外，包括临汾地区现辖范围内的 13 个县和运城地区范围内的 15 个县。

翼城临时专署属山西省人民政府领导，下辖今临汾地区范围的翼城、浮山、安泽、霍县四县以及分属运城地区的绛县、垣曲和晋城市的沁水三县。

第二阶段（1950 年 1 月 9 月～1954 年 9 月 10 日）临汾地区行政督察专员公署（简称临汾专署，驻临汾），属山西省人民政府领导。下辖临汾、洪洞、赵城、霍县、汾西、隰县、大宁、永和、吉县、蒲县、乡宁、汾城、襄陵、曲沃、翼城、安泽、浮山 17 个县。1951 年 3 月 21 日汾阳专署撤销后，石楼县划归临汾专区管辖，共 18 个县。

第三阶段（1954 年 9 月 10 日～1970 年 5 月 1 日）临汾、运城两专区合并为晋南专区，成立晋南专员公署作为山西省人民政府的派出机关。同时决定将洪洞与赵城合并为洪赵县；襄陵与汾城合并为襄汾县；临晋与猗氏合并为临猗县；解县和虞乡合并为解虞县；万泉与荣河合并为万荣县。晋南专区下辖由原临汾、运城两地所属 34 个县调整为 30 个县、一个镇（县级），即现临汾地区范围内的临汾、洪赵、霍县、汾西、隰县、永和、大宁、蒲县、吉县、乡宁、曲沃、襄汾、翼城、安泽、浮山 15 县及现运城地区范围内的 14 县 1 镇还有现属吕梁地区的石楼县。

1958 年 9 月在大跃进、大办人民公社形势下，实行并县，有的县几经合并，最后全专区并为 13 个县，即临汾地区范围内的临汾（含襄汾、浮山）、洪洞（含赵城、霍县、汾西）、吕梁（含石楼、永和、隰县、大宁、蒲县）、乡宁（含吉县）、侯马（含曲沃、新绛大部及汾城）、翼城、安泽 7 县及现运城地区范围内 6 县。1960 年以后各县由大分小逐步恢复原建制，至 1962 年底演变为 29 个县，即现临汾地区范围内的临汾、洪洞、霍县、汾西、隰县、永和、大宁、蒲县、吉县、乡宁、襄汾、曲沃、翼城、安泽、浮山 15 县及现运城地区的 13 县，还有现属吕梁地区的石楼县。

1966 年 5 月“文化大革命”开始，至 1967 年 3 月地县两级政权组织都是新成立的临汾权力机构——革命委员会（简称晋南地革委），期间行政区划未变。

第四阶段（1970 年 5 月 1 日～2000 年 12 月 31 日）1970 年 3 月 21 日国务院通知将晋南地区分为临汾、运城两地区。临汾地区革命委员会于 1970 年 4 月成立，上属山西省革命委员会领导，下辖 16 个县即临汾、洪洞、霍县、汾西、蒲县、隰县、大宁、永和、吉县、乡宁、安泽、浮山、曲沃、翼城、襄汾、石楼。1971 年 4 月，石楼县划归吕梁地区。1971 年 8 月新设临汾市（由临汾县析出），侯马市（由曲沃县析出）和古县（由安泽县、浮山县析出）。全区共 2 市 16 县。

1978 年 4 月临汾地区革命委员会改为临汾地区行政公署。仍为山西省人民政府派出机构下辖 2 市、16 县。1983 年 10 月临汾县并入临汾市。1989 年霍县撤县设市，称霍州市，形成了现在的 3 市 14 县的区划格局。

2000 年 11 月 1 日经上级批准，撤地设市正式挂牌，临汾地区改称临汾市（地级），原县级临汾市改为尧都区，行政区划不变，临汾市下辖 1 区 2 市 14 县。

人　口

总人口	4011609 人
男	2043824 人
女	1967785 人
性别比	（女性为 100）
出生数	89232 人
出生率	22.45‰
死亡数	27957 人
死亡率	7.04‰
自然增长数	61275 人
自然增长率	15.41‰
非农业人口	866730 人
比　重	216‰
农业人口	3144879 人
比　重	784‰

（据统计局 2000 年数字）

民族宗教

【民族】　临汾地区共有 20 个少数民族，总人数 6715 人，占全区总人口比重 0.17%。其中主要少数民族有回族、蒙古族、满族。少数民族分布在 7 个县（市），主要是翼城北关、曲沃东关、临汾市东关、吉县辛村、侯马市西街、襄汾古城、浮山响水河等 7 个少数民族居集村。

【宗教】　临汾地区现有佛教、道教、伊斯兰教、天主教和基督教等 5 种宗教，信教人数约有 17 万人。现已开放的宗教活动场所有 312 个，宗教教职人员有 523 人。其中，天主教和基督教在临汾地区影响较大。

天主教教徒人数有 5 万余人，天主教教职人员有 111 人，活动场所有 69 处；

基督教教徒人数有 9 万余人，基督教教职人员有 349 人，活动场所有 173 处；

伊斯兰教教徒人数有 1 万余人，伊斯兰教教职人员有 14 人，活动场所有 8 处；

佛教教徒人数有 1.8 万余人，佛教教职人员有 44 人，活动场所有 25 处；

道教教徒人数有 2000 余人，道教教职人员有 5 人；活动场所有 35 处。

行政区划

【概述】　全区有临汾市、侯马市、霍州市、曲沃县、翼城县、襄汾县、洪洞县、古县、安泽县、浮山县、吉县、乡宁县、蒲县、大宁县、永和县、隰县和汾西县 3 市 14 县，14 个街道办事处，77 个镇，165 个乡，265 个居民委员会，3375 个村民委员会。

附：临汾地区行政区划表

临汾地区行政区划表

全区	截至 2000 年撤地设市前，全区行政区划是：3 个县级市，14 县，14 街道办事处，77 镇，165 乡，265 居民委员会，3375 村民委员会，10698 自然村。	
临汾市	8 街道办事处，11 镇，14 乡，154 居民委员会，390 村民委员会，1011 自然村。	水塔街办事处、西街办事处、南街办事处、解放路办事处、车站街办事处、辛寺街办事处、乡贤街办事处、路东办事处。北城镇、乔李镇、大阳镇、县底镇、魏村镇、吴村镇、刘村镇、土门镇、金殿镇、屯里镇、尧庙镇、郭行乡、东张乡、段店乡、城隍乡、贺家庄乡、大苏乡、贾得乡、泊庄乡、小榆乡、龙祠乡、一平垣乡、西头乡、枕头乡、河底乡。
侯马市	5 街道办事处，5 乡，93 居民委员会，80 村民委员会，81 自然村。	路东办事处、路西办事处、浍滨办事处、浍南办事处、侯北办事处。侯马乡、上马乡、高村乡、张村乡、凤城乡。
霍州市	1 街道办事处，5 镇，7 乡，217 村民委员会，343 自然村。	东城办事处。什林镇、白龙镇、辛置镇、大张镇、李曹镇、闫家庄乡、上乐坪乡、三教乡、冯村乡、师庄乡、老张湾乡、城南乡。
曲沃县	4 镇，7 乡，156 村民委员会，195 自然村	城关镇、史村镇、曲村镇、高显镇、苏村乡、下裴乡、北董乡、西常乡、杨谈乡、里村乡、安居乡。
翼城县	6 镇，10 乡，299 村民委员会，899 自然村	城关镇、南梁镇、里砦镇、隆化镇、杨上镇、西闫镇、武池乡、中卫乡、南唐乡、辛安乡、王庄乡、北撖乡、浇底乡、甘泉乡、二曲乡、大河乡。
襄汾县	7 镇，14 乡，349 村民委员会，492 自然村	城关镇、赵康镇、汾城镇、南贾镇、古城镇、襄陵镇、邓庄镇、丰盈乡、永固乡、贾岗乡、西贾乡、曹家庄乡、景毛乡、南辛店乡、贾罕乡、浪泉乡、张礼乡、大邓乡、陶寺乡、土地殿乡、赵曲乡。
洪洞县	9 镇，16 乡，463 村民委员会，902 自然村	城关镇、甘亭镇、曲亭镇、苏堡镇、广胜寺镇、明姜镇、赵城镇、万安镇、刘家垣镇、南王乡、冯张乡、淹底乡、孔峪乡、古逻乡、圣王乡、苑川乡、南沟乡、堤村乡、马牧乡、白石乡、龙马乡、左家沟乡、双昌乡、山头乡、左木乡。
古　县	4 镇，6 乡，111 村民委员会，1098 自然村。	城关镇、北平镇、古阳镇、旧县镇、下冶乡、石壁乡、永乐乡、郭店乡、店上乡、茶坊乡。
安泽县	4 镇，7 乡，105 村民委员会，1094 自然村。	城关镇、和川镇、唐城镇、冀氏镇、英寨乡、三交乡、罗云乡、马壁乡、石槽乡、杜村乡、良马乡。
浮山县	2 镇，13 乡，264 村民委员会，870 自然村。	城关镇、响水河镇、张庄乡、西佐乡、东张乡、槐埝乡、上东乡、北王乡、乔家垣乡、柏寺乡、北韩乡、东腰乡、米家垣乡、史演河乡、寨圪塔乡。
吉县	2 镇，9 乡，107 村民委员会，567 自然村。	城关镇、屯里镇、兰家河乡、曹井乡、窑渠乡、明珠乡、文城乡、王家原乡、东城乡、柏峙乡、中垛乡。
乡宁县	4 镇，12 乡，186 村民委员会，1175 自然村。	城关镇、光华镇、台头镇、西坡镇、吉家原乡、张马乡、管头乡、下善乡、崖下乡、双凰　乡、关王庙乡、安汾乡、尉庄乡、西交口乡、枣岭乡、谭坪乡。
蒲县	4 镇，11 乡，105 村民委员会，649 自然村	城关镇、薛关镇、黑龙关镇、克城镇、山中乡、山口乡、古县乡、红道乡、西坪垣乡、刁口乡、化乐乡、曹村乡、乔家湾乡、太林乡、公峪乡。
大宁县	2 镇，8 乡，101 村民委员会，405 自然村。	城关镇、曲峨镇、安古乡、榆村乡、三多乡、东南堡乡、太德乡、割麦乡、徐家垛乡、太古乡。
永和县	2 镇，9 乡，80 村民委员会，314 自然村。	城关镇、桑壁镇、阁底乡、南庄乡、打石腰乡、西庄乡、泊洋乡、署益乡、坡头乡、罢骨乡、交口乡。
隰县	3 镇，10 乡，135 村民委员会，443 自然村。	城关镇、午城镇、黄土镇、后堨乡、刁家峪乡、水堤乡、寨子乡、陡坡乡、冯家乡、朱家峪乡、下李乡、城南乡、北庄乡。
汾西县	4 镇，10 乡，225 村民委员会，512 自然村。	城关镇、勍香镇、和平镇、僧念镇、加楼乡、桑原乡、对竹乡、康和乡、它支乡、佃坪乡、邢家要乡、团柏乡、麻姑头乡、要家岭乡。

国民经济和社会发展

【综合】 2000 年是“九五”计划的最后一年，也是本市(地级)发展进程中具有标志意义的一年。一年来，全市(地级)人民在市委(地级)、行署的正确领导下，认真贯彻落实中央宏观经济政策和省委、省政府的战略部署，以项目建设和潜力产品开发为切入点，大力实施以经济结构调整为中心的“三件大事”，全力推进“五项创新”，继续加大基础设施建设和环境治理力度，加强农业基础，深化国企改革，扩大对外开放，强化财税征管，实施科教兴临战略，积极促使有利因素的加快转化，国民经济出现积极趋好的重要转机，各项社会事业全面发展，“九五”计划主要目标顺利完成。

国民经济出现回升转机。初步统计，全年全市(地级)国内生产总值完成 1711000 万元，按可比价格计算增长 8.6%，增速比 1999 年提高 3.9 个百分点，扭转了自 1997 年以来经济增速逐年回落的局面。其中，第一产业增加值 231000 万元，下降 2.8%；第二产业增加值 888000 万元，增长 10.8%；第三产业增加值 592000 万元，增长 10.8%。三次产业在经济总量中所占份额分别为 13.5%、51.9%和 34.6%。在经济增长拉动因素中，第一产业负面影响 0.46 个百分点，第二产业拉动 6.03 个百分点，第三产业拉动 3.04 个百分点。“九五”时期，全市(地级)国内生产总值平均每年增长 10.2%，其中，第一产业年均增长 1.6%，第二产业年均增长 11.9%,第三产业年均增长 12.1%。

区域经济发生变化。城市整体经济实力继续增强，2000 年，两市一区国内生产总值总量占全市(地级)份额由 1999 年的 41.3%上升到 41.6%。平川 7 县（市、区）总量继续保持主体地位，占全市(地级)总量份额 80.3%，上升 0.4 个百分点，10 个山区县份额由 1999 年的 20.1%下降到 19.7%。

市场物价回升显现，降幅明显缩小。在经历持续两年多的下降局面后，2000 年，受经济转暖拉动，特别是国际石油价格大幅反弹和蔬菜价格明显上涨，以及非市场行为调价因素的推动，市场物价降幅呈逐步收剑态势。全年全市(地级)居民消费价格总水平比上年下降 0.4%，降幅分别比 1998 年和 1999 年缩小 1.7 和 2.2 个百分点。从分类价格看，以农副产品为主的食品类价格的持续下降和工业品价格的低位徘徊成为全市(地级)物价水平低位运行的主要原因。衣着类、家庭设备及用品、交通和通讯工具、医疗器具及保健用品、西药等工业品价格分别下降 0.2%、1.1%、4.7%和 4.9%。娱乐教育文化用品、中药材及中成药分别上升 0.5%和 0.6%，房租价格下降 0.1%。各种服务项目价格上涨 26.3%，其中学杂保育费上涨 80.9%。食品类价格下降 4.6%，其中除鲜菜、肉、奶分别上升 6.3%、6.7%和 0.3%外，粮、蛋等食品价格 1 分别下降 14%和 16.4%。全市(地级)农业生产资料零售价格下降 0.4%，其中化肥和农药价格分别下降 9.1%和 6.4%。“九五”期间全市(地级)居民消费价格总水平上升 0.6%。

各项改革全面推进，国有企业 3 年改革脱困目标基本实现。粮食流通体制、财税体制、投融制体制及住房、医疗制度和中小学内部管理体制等各项改革取得明显成效。全市(地级)市县两级 243 户国有工业企业中已有 233 户进行了改制，并得到进一步规范、完善，国有企业改制面达到 96%，染化、霍州化工公司等改制企业已初步建立了适应市场经济要求的新型企业制度。全市(地级)列入省国有工业企业靶 3 年脱困重点监控的 5 户企业，侯纺已率先脱困，实现利税 455 万元，比 1999 年增长 163%，山西电控厂、互感器厂、平阳钢铁厂扭亏为盈，临纺实现减亏，脱困面达到 80%，3 年脱困目标基本实现。

产业结构调整成功起步。全年全市(地级)共立项和开工重点调产项目 137 个，投资总规模 448000 万元，已竣工 50 个，开工在建 67 个，立项准备启动的 20 个，累计完成投资 156200 万元，完成投资总额的 34.8%。农业结构调整以区域化种植、集约化生产、产业化经营为发展方向，平川精品农业、山区特色农业的发展格局初显。工业结构以潜力产品为标志的重点项目全面启动，省定 13 项潜力产品中已有 1 个竣工投产、11 个开工建设；焦铁传统产业改造取得新突破，根据国家产业政策和环保政策，全市(地级)重点培育了 24 户 40 万吨以上机焦企业，侯马寰达实业公司、襄汾光大焦化有限公司、襄汾古城宏达焦化厂、乡宁煤焦实业有限公司等企业已部分投产，临汾海姿焦化、侯马大李焦化、茂源焦化有限公司、古县第一焦化厂等项目已开工建设。同时按照“总量控制，关小建大”的原则，全市(地级)筹建 125 立方米以上的高炉 35 座，尧都冶炼总厂、霍州什林铁厂、襄汾龙兴铁厂、襄陵焦铁公司、侯马建邦集团、浮山津神冶炼公司、浮山康达冶炼公司和曲沃光彩铁业等 8 户企业已开工建设。科技含量较高的项目开始起步，洪沿飞马集团的深海鱼油项目竣工试产，侯马瑞洁生化公司的 L-乳酸、临汾双诚变态润滑油、平阳制药厂 3000 吨杆菌钛锌等项目进入运作和筹建。以旅游和市场建设为中心的第三产业结构调整也取得新的进展。

劳动就业工作继续加强。2000 年，本市(地级)积极改革劳动管理制度，鼓励企业挖掘潜力，以非国有、非公有企业为主渠道，以基础设施建设、多种经营、第三产业和劳务输出为重点，广开就业门路，收到较好效果。年末，全市(地级)社会从业人员 176.7 万人，比 1999 年减少 0.2 万人。其中，城镇从业人员 40.6 万人，减少 1.5 万人；农村从业人员136.1万人，增加1.3万人。再就业工程取得新进展，全市(地级)有下岗职工的231户国有企业全部建立了再就业服务中心，通过企业内部分流和市场就业、自谋职业等渠道使9921名下岗职工实现了再就业，再就业率达60.8%。城镇登记失业人员4780人，城镇登记失业率1.16%。

国民经济和社会发展中存在的主要问题是：制约经济发展的一些深层次矛盾特别是体制性、结构性矛盾依然存在；农业基础仍然落后，农业产业化进程不快；城镇建设相对滞后，城镇化发展水平低；环境质量仍未从根本上得到改观；隐性下岗人员较多，社会就业压力加大，部分农民和下岗职工生活仍比较困难；社会经济秩序有待进一步整治。

【农业】 2000年，全市(地级)紧紧围绕农业增效、农民增收和农村稳定三个重点，增加农业投入，大搞农田水利基本建设，推广普及农业实用技术，积极调整农业产业结构，大打精品农业硬仗，加快农业产业化步伐，农业的基础地位得到进一步稳固和加强。

种植业生产因灾减产。2000年，全市(地级)农业遭受了65年未遇的特大旱灾，全市(地级)人民积极开展抗灾自救，努力把灾害损失减少到最低程度。全年粮食作物种植面积440.46千公顷，比1999年减少12.53千公顷。其中夏粮面积46.16千公顷，减少1.32千公顷；秋粮面积194.30千公顷，减少11.21千公顷。因种植面积调减和灾害影响，全年全市(地级)粮食总产量121万吨，比1999年减产32万吨，下降21.1%。其中夏粮产量51万吨，减产27万吨，下降34.3%；秋粮产量70万吨，减产5万吨，下降7.4%。受市场需求影响，主要经济作物种植结构得到进一步优化调整。全年棉花产量2557吨，下降33.1%；油料产量4.77万吨，增长24%；烤烟产量6226吨，增长28.1%；蔬菜产量84.76万吨，增长10.5%；水果产量19.65万吨，下降2.9%。

造林绿化工作取得新成绩。2000年，全市(地级)共完成造林面积74.75千公顷，其中营造经济林23.44千公顷；幼林抚育面积13.49千公顷。初步完成了霍侯一级公路通道绿化工程，列入省以粮代赈、退耕还林还草试点示范区的蒲县、隰县、永和、乡宁、吉县5县已完成退耕4.9千公顷，荒山造林18.5千公顷、预整地1.2千公顷。

随着饲料价格的下降和猪、牛、羊肉价格的回升趋稳，农民养殖积极性提高，畜牧业生产稳步发展。2000年，全市(地级)肉类总产量7.74万吨，增长5.1%，其中猪牛羊肉产量7.05万吨，增长5%；牛奶产量0.94万吨，增长2.72%；禽蛋产量3.94万吨，增长4.2%。年末，生猪存栏70.44万头，比1999年末增加3.63万头；羊存栏136.04万只，下降4.75%；大牲畜存栏52.8万头，下降2.6%。

渔业生产持续增长。全年全市(地级)水产品产量3220吨，增长1.9%.

农业生产条件继续改善。年末，全市(地级)农业机械总动力226.66万千瓦，增长5.8%；农用载重汽车5343辆，增长9.4%。全年化肥施用量（折纯）13.2万吨，减少0.2%；农村用电量4亿千瓦小时，与1999年持平。农田水利建设得到加强，沿汾河建成了百公里石坝、铅丝笼坝固槽、防冲林带、坝顶抢险路、坝坡防冲植被、防护林带六道治水防线，全年新建人字闸80座，山地微灌旱井、旱窑1.75万眼，治理水土流失面积6.5千公顷。年末，全市(地级)农田有效灌溉面积128.16千公顷，比1999年增加0.53千公顷，增长0.4%。

乡镇企业在“五小企业”取缔的背景下，一批规模骨干企业迅速培育壮大，逐步走向良性发展轨道。据乡镇企业管理部门统计，全年全市(地级)乡镇企业增加值542000万元，增长17.7%，上缴税金40800万元，增长18.8%。

【工业和建筑业】 工业生产回升明显。2000年，全市(地级)工业战线紧紧抓住国际、国内市场需求回升的机遇，坚持总量控制、改造升级的方针，加大工业企业改制、改造，以项目建设为重点，加快结构调整步伐，使全市(地级)工业保持了快速增长。全年全部工业增加值764000万元，增长12.3%，增速比1999年回升7.8个百分点。规模以上工业增加值392000万元，增长12.65%，增速比上年回升8.8个百分点。其中轻工业增加值31300万元，增长4.84%，重工业增加值360700万元，增长13.93%.

中央、省属企业拉动明显，国有企业增势强劲，大中型企业骨干效应显现。在规模以上工业企业中，中央企业增加值46900万元，增长27.81%；省属企业增加值119700万元，增长14.68%；地属及以下企业增加值225300万元，增长9.7%。分经济类型看，国有及国有控股企业增加值223900万元，增长15.43%，扭转了1999年下降6%的趋势。股份制企业和以私营经济为主的其他经济类型企业增加值138700万元和44100万元，分别增长13.13%和20.8%，集体企业增加值73500万元，增长3.8%，外商及港澳台投资企业企业增加值11800万元，增长5.2%，股份合作企业增加值下降1.51%。全年全市(地级)大中型工业企业完成增加值170000万元，增长16.2%。

从统计的20种主要工业产品产量看，18种增长，2种下降。能源产品中原煤增长9.09%，洗精煤增长7.13%，发电量增长5.89%，供电量增长14.79%，焦炭下降2.88%，其中，机焦增长10.29%；原材料重化工产品中，铁矿石成品矿增长32.28%，生铁增长28.56%，钢增长31.15%，成品钢材增长28.64%，硫酸、化肥、染料分别增长52.09%、10.38%和1.05%，水泥增长14.53%；轻工产品中，纱增长40.755，布增长43.45%，机制纸增长2.38%，白酒、塑料制品分别增长10.77%和3.84%，机制纸板下降8.8%。

产销衔接好于上年。全年全市(地级)工业产品销售产值1162800万元，增长20.9%，产品销售率98.95%，比上年提高1.18个百分点。工业新产品产值下降3.6%，出口交货值增长51.1%。

工业经济效益达到近三年来最好水平。全年，全市(地级)工业企业实现销售收入1077000万元，增长16.9%；实现利税109000万元，增长27.8%，其中国有及国有控股工业企业实现利税63000万元，增长52.9%；亏损企业亏损额14400万元，减亏36.4%，其中国有及国有控股工业企业亏损额11573万元，减亏43.7%，亏损面由上年的14.4%下降到10.8%。

建筑业继续发展。全年全市(地级)四级及以上施工企业建筑业增加值41000万元，增长14.7%，按增加值计算的劳动生产率14200万元，增长13.1%。

【固定资产投资】 投资总量继续保持增长。2000年，市委(地级)、行署紧紧抓住国家实行积极财政货币和扩大内需的政策，以及实施西部大开发的良好机遇，继续开展“项目年”活动，推动了投资建设的持续增长全市(地级)固定资产投资总额在1999年跃上400000万元台阶后，继续呈现增长势头，再创历史最高记录。全年全市(地级)全社会完成固定资产投资451000万元，比上年增长7.1%，其中：国有经济投资241000万元，下降17.5%；集体经济投资21000万元，增长43.2%；其他经济投资189000万元，增长64.6%。本市(地级)鼓励非国有经济主体投资的政策已初见成效。

基础设施建设取得新进展。全年全市(地级)基本建设完成投资202000万元，其中：城乡电网改造完成455000万元，完成总投资的50%；以生态农业、引沁入汾、汾西灌区节水等工程为主的农林水利建设投资22000万元，增长22.2%；住宅建设投资36000万元，竣工面积45.5万平方米；运输邮电业投资26000万元，永大公路等一批县乡公路新改建工程及霍州、曲沃、翼城等邮电生产楼相继竣工使用；尧都区、侯马、霍州等城市改造和赵城、白龙小镇建设继续进行，公共设施服务业务完成投资27000万元,增长68.8%。

投资重点转向结构调整，工业投资大幅增长。全年工业（不含电网改造）完成投资215000万元，增长43.4%。冶炼行业完成投资61000万元，增长60.6%，总投资69000万元的侯马冶炼厂3.5万吨铜冶炼投产。山西焦化、侯马寰达等25个焦化建设项目完成投资59800万元，增长93.5%，机焦建设总规模达到640万吨。临汾染化直接染料、三维集团1.4一丁二醇技改、汾河生化3万吨柠檬酸、晋光制药20亿粒猴头健胃灵、洪洞鼎立10万吨复合肥等18个新兴主导产业建设项目完成投资30000万元，增长4.4倍。

重点工程进展顺利。省首批潜力产品项目中：临汾染化直接染料生产线已竣工投产，三维集团1.4—丁二醇、汾河生化、晋光制药、洪洞鼎立及瑞洁生化等项目完成年度计划；国家项目侯马冶炼厂3.5万吨铜冶炼工程建成投产；省重点工程山焦90万吨焦炉易地改造一期工程点火出焦。

全年全市(地级)基本建设和更新改造施工项目472个，比1999年增加6个，其中：新开工341个，增加62个，投产项目300个，减少4个；新增固定资产325000万元，固定资产交付使用率96.9%，比1999年提高2.3个百分点。

全年全市(地级)新增主要生产能力：原煤开采29万吨，洗煤101万吨，焦炭197.3万吨，铁矿石开采5万吨，烧结铁矿8.5万吨，炼铁103.5万吨，铜冶炼3.5万吨，锌冶炼2.6万吨，水泥18.2万吨，硫酸12.6万吨，氮肥折合量1.3万吨，染料0.2万吨，炭黑0.3万吨，啤酒5万吨；新增变电设备（11万伏及以上）21.6千伏安，有效灌溉面积4.3万亩等。

“九五”期间，全市(地级)全社会固定资产投资累计完成168.7万元，为“八五”时期的2.7倍，平均每年增长27.4%。

【能源】 能源工业继续向加工转化调整。2000年，全市(地级)紧紧抓住能源市场不断趋好的机遇，继续贯彻落实全国煤炭工业关井压产精神，全面实施能源工业投资向加工转化倾斜的战略，加大对二次能源投入，促进了能源生产和效益的回升。全年全市(地级)能源工业投资完成142200万元，增长91.6%，其中用于煤炭工业投资16500万元，用于炼焦投资59800万元，用于电、气66000万元。全年全市(地级)一次能源生产折标准煤1814万吨，增长5.58%；二次能源生产折标准煤2899万吨，增长3.45%。

全年全市(地级)共向省外输出煤炭653.6万吨，增长13.01%，外运量占到生产量的15.9%。

【交通和邮电】 交通事业继续发展。全年全市(地级)新建、改建公路362千米，新增通油路乡3个，通油路村27个。年底,全市(地级)公路通车里程8714千米，增加359千米，增长4.3%。其中：一级公路141千米，二级公路1222千米，三级公路3186千米。全市(地级)3374个村全部通了公路，94.6%的乡镇和88.5%的村通了油路。

运输能力保持增长。全年全市(地级)全社会公路客运量4171万人次，下降8%；公路客运周转量17.53亿人千米，增长4.9%；全社会公路货运量5773万吨，公路货运周转量23.16亿吨千米，分别增长3.9%

和 2.8%。

邮电通讯事业继续快速发展。全年全市(地级)邮电业务总量 70100 万元，增长 41.4%。新增电话已装交换机容量 5.67 万门，新增住宅电话用户 6.63 万户，新增移动电话用户 1.78 万户。到年末，全市(地级)无线寻呼容量 18 万户，增长 80%，电话已装交换机容量 35.86 万元，增长 18.7%，长话电话总数 5325 路，增长 76.5%，实装电话 27.08 万部，其中，住宅用户电话 23.45 万部；农村用户电话 7.96 万部；移动用户电话 7.71 万部。全市(地级)电话普及率由上年的每百人 5.7 部上升到 7.7 部。

【国内贸易】 市场销售稳中见活。随着国民经济的加快发展和国家增加中低层收入、延长节假日刺激消费等一系列扩大内需政策效应的显现，以及一批新建和扩建骨干市场的投入运营，有效地刺激了消费需求，市场销售呈加快趋势。全年全市(地级)社会消费品零售总额 585000 万元，增长 7.7，剔除价格下降因素，实际增长 9.9%。其中，城市消费品零售 235000 万元，增长 5.9%，剔除价格下降因素，实际增长 8%；农村消费品零售额 350000 万元，增长 8.9%，剔除价格下降因素，实际增长 11.1%。全年全市(地级)批发、零售贸易业零售额 392000 万元，增长 8.3%；餐饮业零售额 45000 万元，增长 15.5%；农业零售额 89000 万元，下降 1.4%；制造业零售额 25000 万元，增长 3.8%。各类商品交易市场成交活跃。全年全市(地级)消费品市场商品成交总额 433800 万元，比 1999 年增长 14.8%；生产资料市场成交总额 24200 万元，增长 4.6%。"九五"期间全市(地级)社会消费品零售总额平均每年增长 13.3%。

企业经济效益有所改观。全年限额以上 51 户批发零售贸易企业实现商品销售收入净额 233700 万元，增长 45.7%，其中批发业增长 53%，零售业下降 6%；实现利润总额 871.7 万元，增长 38%，其中批发业增长 47.6%，零售业下降 54.8%。分行业看，石油及制品批发业较为突出，全年实现利润总额 1122 万元，增长 84.3%。

【对外经济贸易】 进出口贸易增势强劲。2000 年，在国际经济升温、出口环境好转、国家提高出口退税率以及企业自营出口扩大等综合因素作用下，全市(地级)外贸出口大幅回升，扭转了上年大幅下滑的局面。据海关统计，全年全市(地级)进出口总额 4753 万美元，增长 1.7 倍，其中进口 1019 万美元，增长 1.4 倍，出口 3734 万美元，增长 1.8 倍，进出口相抵，实现贸易顺差 2714 万美元。出口市场进一步扩大，商品出口遍及六大洲的 36 个国家和地区，改变了以亚洲为主要出口市场的格局。出口商品结构得到明显改善，全年新增出口商品占全市(地级)出口商品总值的 25%，工业制成品与初级产品比例为 6：4，改变了以焦炭出口为主商品单一的历史。出口实体出现多元化，有出口实绩的各类进出口企业达到 22 家，比 1999 年增加 10 家，特别是县市外贸及民营企业实现了零的突破，形成了国有企业、民营企业、三资企业、市（县）外贸公司共同出口创汇的新格局。

外经工作取得新成绩。2000 年，本市(地级)积极组团参加了华东、大连、昆明、厦门、深圳、广州、乌鲁木齐等各类外经贸洽谈会，进一步扩大了贸易渠道，筹建的中国国际电子商务中心山西代表处临汾分部已获国家外贸部批准。全年全市(地级)新批报三资企业 9 家，合同利用外资 4724 万美元，增长 168%。

旅游事业有新发展。2000 年，全市(地级)新增旅游星级酒店 10 家，旅行社 3 家。年末，全市(地级)星级酒店达到 18 家，旅行社 12 家。以黄河根祖文化游为主线，黄河壶口国际旅游月、洪洞古槐寻根祭祖节、中镇山州署旅游月活动取得积极成效。全年来旅游、访问、从事商务及各项活动的外国人、华侨和港、澳、台同胞 9561 人次，增长 16.4%；旅游外汇收入 171.4 万美元，增长 44.3%。

"九五"期间，全市(地级)外贸进出口总额累计 1.67 亿美元，平均每年增长 16.6%。全市(地级)新批三资企业 33 家，实际到位外资 4154 万美元，为"八五"期间的 2.2 倍。

【财政、金融和保险】 财政收入持续增加。2000 年，全市(地级)财税部门进一步深化财税体制改革，强化收入征管，完善支出管理，确保了财政收入的增长和支出预算较好执行，扭转了近年来财政收入增速逐年下滑的势头。全年全市(地级)财政总收入 149300 万元，增收 17700 万元，增长 13.5%。一般预算收入 88200 万元，增长 12.1%，其中，工商税收 57400 万元，增长 10.9%；农业四税 6966 万元，增长 2.3%；企业收入 4141 万元，增长 117.7%。全年全市(地级)一般预算支出执行 171600 万元，增长 14.7%，其中，生产建设性支出增长 2.3%，各项事业发展支出和行政管理费支出分别增长 14.2%和 17%。按现行财政体制，除霍州外，其余县（市）当年均实现收支平衡。

金融运行形势良好。与经济增长相适应，全市(地级)金融机构各项存款稳步增长，贷款投入不断加大，现金投放适度平稳。年末，全市(地级)广义货币供应量（M2）余额 2457800 万元，增长 15.34%；狭义货币（M1）余额 842900 万元，增长 15.61%；市场流通中现金（M0）余额 548700 万元，增长 11.87%。年末，全市(地级)金融机构各项存款余额 1930900 万元，比年初增加 270800 万元，增长 16.3%，其中，企业存款余额 264100 万元，增长 15.8%，城乡储蓄存款余额 1553400 万元，增长 14.5%。储蓄存款趋于短期化，活期存款增量占比上升25.93个百分点。年末全市(地级)金融机构各项贷款余额1411200万元，下降1.44%，剔除资产剥离178500万元，实际新增贷款157800万元，增长11%。在改善资金运作环境的同时，各级人民银行运用再贷款、再贴现等货币政策，加大中央银行基础货币的投放。全年人民银行累计发放再贷款125000万元，发放支农再贷款88300万元，有效缓解了企业资金紧张状况，支持了地方经济发展。全年全市(地级)金融机构现金收入489000万元，现金支出503700万元，收支相抵净投放现金14700万元，增长4.4%。

保险事业不断发展。全年全市(地级)承保总额1489000万元，增长34%。保费收入21500万元，增长13.3%，其中财产险保费收入9300万元，人身险保费收入12100万元。赔付金额9033万元，增长59.7%，其中，财产险赔款金额4787万元，人身险给付金额3711万元，赔款535万元。

【科学技术和教育】 科学技术在经济增长中的作用进一步增强。2000年，成功举办了首届“产学研”高新技术项目发布洽谈会，签定技术和项目合作意向121项。围绕“三件大事”组织实施了53项科技计划，其中火炬计划4项，星火计划5项，推广计划15项。重点培育扶持了山西华翔实业有限公司、洪洞飞马集团公司、曲沃县晋星糖制品有限公司、山西金座集团临汾塑胶管道有限公司等一批高新技术企业和龙头企业，促进了产业结构调整。在促进科技成果转化方面，全市(地级)重点实施了G101油葵新品种、食用菌、微喷节水技术等10项科技成果推广项目，大力开展了农村技术承包，安排省级农业技术承包计划11项，地区计划2项。年末全市(地级)科学研究开发机构发展到9个。

质量监测、标准化建设和天气预报服务水平进一步提高。年末，全市(地级)共有产品质量监督检查所8个，企业产品质量检验覆盖面达到38%，社会公用计量标准和企业最高计量标准受检率达95%以上。年末全市(地级)共有气象台站18个，气象警报服务网接收用户650个，121电话天气自动答询台17个，开展人工影响天气业务单位17个，增雨6.5千万立方米，利用121气象警报和气象寻呼、电视天气预报媒体等发布气象信息5100多条。

教育事业得到较大发展。2000年，全面启动了临汾职业技术学院、山西师大临汾学院的建设。通过改革，全市(地级)中、小学队伍得到优化，中、小学校长队伍的平均年龄下降到40.5岁，3166名优秀大中专毕业生充实到教师队伍。全年全市(地级)普通高等学校招收本、专科学生3218人，在校学生9435人，增加377人；中等专业技术学校在校学生14690人，增加4324人；技工学校在校学生4185人；全市(地级)高中在校学生3.7万人；初中在校学生22.91万人；小学在校学生43万人。小学学龄儿童入学率99.9%。普通初中学生入学率99.4%。“两基”达标人口覆盖率97%。职业教育和成人教育迅速发展，成人技术学校培训学员24.22万人次，扫除文盲3237人，成人中等专业学校在校生329人。社会力量办学迅速发展，年末，民办学校发展到296所，在校学生2.4万人。

【文化、卫生和体育】 文化事业健康繁荣。全市(地级)在进一步加大扫黄打非力度，坚决打击“法轮功”等邪教组织，积极清理整顿文化市场，同时组织开展多种丰富多彩、蓬勃向上的文艺表演、竞赛活动。村村通工程基本达标，建立村级有限网114个，MMDS联网113个，村级电视收看室124个，差转台41座。临汾日报新闻大楼主体工程已完工。2000年末，全市(地级)共有艺术表演团体14个，文化馆18个，公共图书馆17个，博物馆15个，档案馆22个，发射功率20KW中波转播台1座，调频发射台和转播台30座，电视发射台和转播台82座，卫星地面站995座，县级广播电台13座，有线台12座，无线电视台6座，有线电视用户21.63万户。全市(地级)广播综合人口覆盖率93.18%，电视综合人口覆盖率97.28%。《论思想政治工作虚与实》获全省第四届“五个一工程”奖。在第九届山西新闻奖评选中有10件作品获奖，在全省报业研讨会暨第三届广告作品评选会上有5件作品获奖。在全省电视节目评比地（市）4个一等奖中，本市(地级)3部获一等奖。新编现代蒲剧《土坑上的女人》进京汇报演出，获得巨大成功，并由中央、省、市电视台联合改编成四集戏曲电视剧，眉户剧《凤凰岭》荣获第八届中国人口文华奖、戏曲优秀奖。全年全市(地级)关停150家游戏厅，取缔了3家电子游戏经营场所，查获非法出版物2万册、非法音像制品5000多盘，取缔违法印刷厂20个。

卫生事业继续加强。2000年，全市(地级)顺利实现了消除碘缺乏病阶段目标，以乡镇卫生院建设为标志的农村卫生工作取得历史性突破，240个乡镇卫生院新建、扩建和维修改造任务全部完成。全市(地级)县级以上医院全部实行了病人选医生和住院病人医药费用清单制度，药品集中招标采购工作积极推进。查处了“218医院非医制售制剂案”、“铁路医院非法经营药品案”等重大案件，没收假劣药品价值120余万元。年末，全市(地级)共有医疗卫生机构418个，病床11622张，专业卫生技术人员15360人，其中医生7749人，护师、护士3524人。卫生防疫、防治机构19个，卫生技术人员969人。妇幼保健机构18个，卫生技术人员676人。乡镇卫生院240个，卫生技术人员4469人。

体育事业又有新发展。2000年，全市(地级)体育健儿在省级以上比赛中共获得金牌28枚、银牌40

枚、铜牌 52 枚。赵德宁、王波、窦燕、苏连奎、朱玉莲、赵向丽、潘墩一、郑光毅等运动员在全国十项全能冠军赛、青少年射击锦标赛、全国跆拳道锦标赛、游泳锦标赛、击剑冠军赛中分别取得前 8 名的好成绩。投资 600 万元的地区游泳健身中心主体工程已完工。继洪洞、临汾、侯马、吉县之后，翼城、隰县成为全国体育先进县，洪洞县获“全国武术之乡”称号。

【环境保护】 2000 年全市(地级)环境保护工作以落实“三件大事”为目标，以国务院确定的“一控双达标”世纪环保目标为主线，依法行政，严格执法，全方位组织实施关停达标和治理达标，环境恶化的趋势基本得到控制，部分区域的环境质量得到明显改善。

工业污染防止力度加大。相继实施了“6·5”关停、巩固关停成果、百日攻坚、年终零点行动，共查处违法企业 230 多家，722 个企业关停；炸毁烟囱 546 根，淘汰焦厂 300 家；全市(地级)581 座炼铁厂，除取缔的 153 家外，其余 428 家企业完成了治理任务。全年全市(地级)共完成环境治理投资 4 亿多元，2136 家工业企业全部实现了达标排放。

城市环境保护工作取得明显进展。投资上亿元的尧都区污水处理厂正在建设之中，侯马、霍州集中供热配套工程正在加紧进行。尧都区锅炉、茶浴炉治理率达 78%，侯马 400 多家锅炉使用了清洁燃料，襄汾县全面实行了禁烧烟煤。7～11 月平川县（市）大气环境质量中主要指标均稳定在三级标准，侯马、曲沃、襄汾等县（市）接近二级标准，尤其是在气总悬浮微粒比 1999 年全面降低，降低幅度在 1.4%~41.9%之间，环境质量恶化的趋势得到了初步扭转。

【人民生活】 城乡居民收入增加。全年城镇居民人均可支配收入 4158 元，增长 10.3%，剔除物价下降因素，实际增长 10.8%。在岗职工平均工资 6790 元，增长 12.3%，剔除物价下降因素，实际增长 12.8%。城镇居民人均消费性支出 3073 元，增长 14.7%。全年农村居民人均纯收入 2195 元，增长 9.1%，剔除价格下降因素，实际增长 9.4%。农民人均生活消费支出 1048 元，增长 8.7%，剔除物价下降因素，实际增长 9.3%。城乡居住条件继续改善。年末，农村居民人均住房面积 22.42 平方米，城镇居民人均住房面积 14.82 平方米。

职工社会保险取得较大进展。养老保险费和事业保险费收缴率分别达到 95.3%和 93%，离退休金发放率达到 99.7%。年末，全市(地级)24.9 万名城镇职工参加了基本养老保险；11.67 万名职工参加了大病医疗统筹，21.6 万人参加了失业保险。

社会福利事业继续发展。2000 年，全市(地级)围绕社会福利社会化，积极创办高标准的民办福利机构，各种社会福利院、敬老院发展到 118 个，拥有床位 1266 张，收养 754 人；农村集体供养“五保户”2346 人；全市(地级)被救济人数 29.01 万人。最低生活保障制度进一步巩固和发展，全年发放保障金 113.9 万元，2406 名城市居民和 7723 名农民享受到最低生活保障，并建立起“公费医疗与医院减免”相结合、重点医疗和大病补助相结合、“最低保障与临时救济”相结合的优抚医疗保障制度。

注：

国内生产总值和各产业增加值、产值指标绝对数按现价计算，增长速度按可比价格计算。

(据统计公报)

机构设置和领导成员名单

地级四套班子领导成员名单

中共临汾地委

书　记：杜玉林（9 月免，改任中共临汾市委书记）

副书记：樊纪亨（9 月免，改任中共临汾市委副书记）

程满仓（9 月退）

张岗望（9 月免，改任中共临汾市委副书记）

张茂才（2 月任，9 月免，改任中共临汾市委副书记）

刘合心（6 月任，9 月免，改任中共临汾市委副书记）

委　员：王万年

王春元（2 月调离）

刘传旺（2 月任）

翟维勤

耿根喜

刘兴华

李平郎

高义勋（7 月调离）

卢健清（2 月任）

张鸿斌（9 月任）

临汾地区人大工委

主　任：陈长禄

副主任：高光挺

李建民

张伟能

张作明（3 月任）

临汾地区行政公署

专　员：樊纪亨

副专员：任俊发

安永全（6 月调离）

郝忠礼

高清亮

刘传旺（2 月免）
董彩霞
成洪才（3 月任）

临汾地区政协工委

主　任：侯建华
副主任：张家骏（5 月退）
陈保堂（3 月任）
李秉泰

地直机关机构设置及领导干部名单

地委工作部门

秘书处

地委秘书长　秦瑞亮（2 月退）
卢健清（2 月任）
地委副秘书长　王中央
李玉林
王刘明
李建国
石雪爱
主　任：王中央（4 月免）
王刘明（4 月任）
副主任：闫国庆（正县级督查员）
邓彩彪
游宝善
贾俊芳
正县级督查员：郑建文（督查室主任，4 月调离）
句轶旺
助理调研员：丁楷荣
副县级保密员：柴亚萍
副县级督查员：刘智勇
正县级待遇：黄道恕（对台办主任）
柴安辛（机要处长）

组织部：

部　长：张茂才（2 月免）
刘传旺（2 月任）
副部长：李永林（2 月任，正级县）
王福盛（8 月退）
葛景梧（正县级组织员）
梁若玉（正县级组织员）
部务委员：范家赭（正县级组织员）
助理调研员：闫小元
副县级组织员：蔡玉生

宣传部

部　长：翟维勤
副部长：张玉吉（正县级）
王三星
段协平
调　研　员：黄文学
助理调研员：阴文龙
武金森
副县级支部教员：邱建屏
裴振龙（5 月任）
副县级待遇：宋俊珍（文明办副主任）

统一战线工作部

部　长：黄登高（4 月退）
赵兰田（4 月任）
副部长：陈元喜
郝焕玲（正县级）
部长助理：王晓民
助理调研员：张金莲
刘天星

政法委员会

书　记：李平郎
常务副书记：安泽民（正县级）
副书记：邢本玉（正县级）
吕正祥（正县级）
委　员：郑宝珍（副县级）

社会治安综合治理委员会办公室

主　任：董素莉
副主任：卫玉生（12 月任）
助理调研员：任亥生

直属机关工作委员会：

书　记：王志权
副书记：郭学经
陈续臻
王成松
委员：裴秀珍（副县级）
纪工委书记：黄新升

农村工作领导小组办公室

主　任：刘世全
副主任：冯　俊
王久生
马振海
陈旭光
主任助理：张小红（副县）
助理调研员：南　奇

地区纪律检查委员会、行署监察委员会

书记　主　任　王万年
副书记　副主任　师如江
韩福元
王晓春
委　员　仇　雄（正县）
冯学智（正县）
许保民（正县）
刘川民（副县）
助　理　调　研员　李学义（9 月退休）
王亚民

李延玉
陈清元
孙存仁
办公室（综合监察室）主 任 郭亚琦
政策法规研究室主 任 樊奋强
宣传教育室 主 任 何健雄
党风廉政监督室 主 任 郭 鹏
信访室（举报中心） 主 任 刘小才
纪检监察一室 主 任 朱丽明
纪检监察二室 主 任 杜志义
执法监察室 主 任 张志明
培训中心 主 任 王保安

地区人大工委、政协工委工作部门

人大工委

秘书长 办公室主任 田家彧
办公室 副主任 孙玉莲（正县）
马爱民
联络处 处 长 李 华
副处长 石宝兴
法制处 处 长 刘林海
副处长 张三森
朱耀洪

政协工委

办公室主任 宋发科
副 主 任 杜 敏
联络处副处长 庞桂英
综合处副处长 杨宝林

群众团体

地区工会办事处

主 任 王富寿（党组书记）
副主任 李玉琴（党组成员）
宋德俊（党组成员）
严吉文（党组成员）
主任助理 乾明保（副县、党组成员）

共青团临汾地委

书 记 乔建军（党组书记）
副书记 陈怀生（党组成员）
张吉昌（党组成员）

地区妇女联合会办事处

主 任 孟凤鸣（党组书记）
副主任 柴艳菊（党组成员）
于引娣（党组成员）
史玉芳（党组成员）

地区文学艺术工作者联合会

主 席 谢俊杰（党组书记）
副主席 夏全发（党组成员 11 月撤职）

地区科学技术协会

主 席 张庆珠（党组书记）
副主席 卫永泽（党组成员）
主席助理 杨全锁（副县、党组成员）

行署工作部门

办公室

行署秘书长 林泽忠
行署副秘书长 崔福瑞（兼地区对外开放办主任）
刘苏寿（正县）
王临生（正县）
柳淑芝（正县）
毛克明
副主任： 李安民
杨治平（兼调产办副主任）
姚焕章
行署机关党委副书记 郭学经
助理调研员 田寅卯
调研员 李志斌
老龄委主任 刘玉祺
正县级待遇 吴海水（人防办副主任）
正县级待遇 安永秀（无线电办副主任）
正县级待遇 王 敏（原外事办主任）
正县级待遇 郑仰景（外事办副主任）
副县级待遇 王长生（人防办副主任）
副县级待遇 荆建忠（人防办副主任）
副县级待遇 封爱军（无线电办副主任）
副县级待遇 赵 靖（宗教处处长）

计划委员会

主 任 闫家福（党组书记）
副 主 任 乔葆光（党组副书记，4 月任）
申新民（党组成员）
畅新民（党组成员）
元天恩（党组成员）
纪检组长 杨瑞盛（党组副书记）
总工程师 董福生
助理调研员 秦宝华

经济委员会

主 任 杨临生（党组书记）
副 主 任 张英瑞（党组成员）
王 超（党组成员）
纪检组长 赵奇言（党组成员）
调 研 员 武佰顺
助理调研员 许晋生
副县级待遇 马万喜

教育委员会

主 任 宁雪清（党组书记）
副主任 翟天运（正县级督学、党组成员）
张巨温（正县级督学、党组成员）

许江敏（党组成员）
张志感（党组成员）
纪检组长　陈耀文（党组成员）
副县级督学　逄锦章
调　研　员　林轩前
助理调研员　薛启达

科学技术委员会

主　　任　梁南征（党组书记）
副 主 任　闫　权（党组成员）
董秀兰（党组成员）
常立宁（党组成员）
张博生（党组成员）
纪检组长　王宝仁（党组成员）

公安处

党委书记　逄全锁
处　　长　申公元
副 处 长　王天胜（党委委员）
王丁锁（党委委员）
李　彧（党委委员）
王永清（党委委员）
史振英（党委委员）
李占德（党委委员）
段　波（党委委员）
李海潮（党委委员，12 月任）
纪委书记　陈占山（党委委员）
处长助理　崔惠民（正县、党委委员）
史　军（副县、党委委员）
调研员　李怀亮
副县级待遇　张金顺
副县级侦查员　张志启　王怀明　陈新胜
郑中午　孙文晋　李玉香
李纯平　李效生　王良贵
刘福兰　胡留根　宋小明
文泽民　左吉水　范干固
韩永昌　亓建立

国家安全局

局　　长　行守安（党委书记）

民政局

局　　长　卫兰田（党组书记）
副　局　长　张国栋（党组成员）
王　军（党组成员）
朱三六（党组成员，12 月任）
局 长 助 理　薛鹏寿（副县、党组成员）
纪 检 组 长　郭玉萍（党组成员）
助理调研员　吴双生

司法局

局　长　郑向晨（党组书记）
副局长　张斌增（党组成员）
赵天福（党组成员）
盖建忠（党组成员）
纪检组长　刘宝林（党组成员）
助理调研员　王金宝
副县级检察员　崔栋梁　孙　贵　赵宪章
晋天琨　王子辰

财政局

局　　长　张传华（党组书记）
副 局 长　孙美莲（党组成员）
孙长有（党组成员）
纪检组长　侯洪甲（党组成员）
局长助理　杨福安（党组成员）
总会计师　成凤香
调 研 员　李国胜　侯三林
国有资产管理局局长　赵敢峰

人事局

局　　长　王福盛（党组书记，4 月免）
郑文礼（党组书记，4 月任）
副 局 长　杨登元（正县、党组成员）
张翠凤（党组成员）
黄士恒（党组成员）
段忠贤（党组成员）
局长助理　黄志高（副县、党组成员）
调 研 员　乔皎琦
助理调研员　林世俊
副县级待遇　杨生龙（原岗办主任）

劳动局

局　长　葛景桂（党组书记，4 月免）
张清云（党组副书记，4 月任）
副局长　辛忠泽（党组成员）
杨俊德（党组成员）
董小俊（党组成员）
纪检组长　李朝阳（党组成员）
调研员　刘彦臣

建设局

局　长　梁　禔（党组书记，4 月免）
郑尚志（党组副书记，4 月任）
副局长　贾俊华（党组成员）
李增友（党组成员）
陈保金（党组成员）
高全锁（党组成员）
韩家增（党组成员，11 月任）
纪检组长　赵小勇（党组成员）
局长助理　孙宣东（党组成员）
总工程师　温学良

煤炭工业局

局　长　张家祯（党组书记）
副局长　杨吉春（党组成员）

王太安（党组成员）
郭凤昌（党组成员）
李明水（党组成员，12月任）
纪检组长 李双生（党组成员）
局长助理 郑　峰（党组成员）
总工程师 段有光
调 研 员 郝宏新
助理调研员 范洲宏

交通局

局　长 成洪才（党组书记，4月免）
徐信基（党组书记，4月任）
副局长 赵　起（党组成员）
华志刚（党组成员）
苏胜勇（党组成员）
纪检组长 武立新（党组成员）
局长助理 张学伟（副县、党组成员）
总工程师 张耀辉（党组成员）
助理调研员 张维钰　耿木林
副县级待遇 李书贤

水利局

局　长 张　健（党组书记）
副局长 魏三果（党组成员）
张学礼（党组成员）
局长助理 薛锦安（副县、党组成员）
总工程师 崔　峨
助理调研员 徐德生

农业局

局　长 李苏河（党组书记，4月免）
刘明贵（党组副书记，4月任）
副局长 冯文江（党组成员）
王民安（党组成员）
郭卓祥（党组成员）
纪检组长 薛敬明（党组成员）

林业局

局　长 解学斌（党组书记）
副局长 贺五生（党组成员）
董顺星（党组成员）
武卫东（党组成员）
任建英（党组成员）
纪检组长 陈根龙（党组成员）

财金贸易委员会

主　任 夏改芬（党组书记）
副主任 薛志刚(党组成员)张其林(党组成员)
主任助理 谢长有（副县、党组成员）
纪检组长 赵仁成（党组成员）
助理调研员 王喜春

文化体育运动委员会

主　任 侯北记（党组书记）
第一副主任 赵占华（正县、党组副书记）
副主任 闫运发（党组成员）
周学智（党组成员）
张先引（党组成员）
董继源（党组成员）
主任助理 兰鸿恩（副县、党组成员）
纪检组长 王　军（党组成员）
调研员 宋希祥

卫生局

局　长 段兰记（党组书记，4月免）
卢莲香（党组书记，4月任）
副局长 李莲英（党组成员）
李东阳（党组成员）
助理调研员 杨青山
副县级待遇 李清志（爱委会办公室副主任）

计划生育委员会

主　任 郭全爱（党组书记）
副主任 张国平（党组成员）
倪富强（党组成员）
范欣卯（党组成员）
纪检组长 吴珍莲（党组成员）

审计局

局　长 王千良（党组书记）
副局长 李　惠（党组成员）
张宏峰（党组成员）
郭书田（正县党组成员）
赵茂山（党组成员）
纪检组长 祁全保（党组成员）
调研员 梁学超

乡镇企业局

局　长 韩凯权（党组书记）
副局长 刘振国（党组成员）
郭永有（党组成员）
刘勇方（党组成员）
郭兆源（正县、党组成员）
郭天龙（党组成员）
局长助理 郭迎明（副县、党组成员）
助理调研员 薛明显

土地矿产资源局

局　长 王一峰（党组书记）
第一副局长 韩建国（党组副书记）
副局长 冯清海（党组成员）
高星亮（党组成员）
李　平（正县、党组成员）
吉长安（党组成员）
郝满堂（党组成员）
吴长贵（党组成员）
毛采民（党组成员）

经济体制改革委员会

主　任　　苏勤义（党组书记）
副主任　　韩家增（党组成员 11 月免）
纪检组长　王新龙（党组成员）

部门管理机构

政策研究室（地委秘书处管理）

主　任　　狐玉林
副主任　　李长保
　　　　　张世雄
副县级研究员　樊交旺

信访局（地委秘书处管理）

局　长　石雪爱（兼）
副局长　吴虎林（正县级信访员）
　　　　许景安

保密委员会办公室（地委秘书处管理）

主　任　刘月明
副主任　曹芳兰
　　　　沈国印

老干部局（地委组织部管理）

局　长　袁根有
副局长　张宏泽
　　　　王继旺
局长助理　陈竹芳（副县）

物价局（行署计委管理）

局　长　李红久（党组书记）
副局长　孙振华（党组成员）
　　　　杨　迈（党组成员）
　　　　王根荣（党组成员）
　　　　苏新平（党组成员）
纪检组长　陈存安（党组成员）
助理调研员　张作谦

统计局（行署计委管理）

局　长　李永祥（党组书记）
副局长　余文铮（党组成员）
　　　　李金柱（党组成员）

环境保护局（行署经委管理）

局　长　乔葆光（党组书记，4 月免）
　　　　李建荣（党组书记，4 月任）
副局长　刘春喜（党组成员）
　　　　许云璋（党组成员）
　　　　杨兆丰（党组成员）
　　　　王玉明（党组成员）
纪检组长　姚　祥（党组成员）
总工程师　任贵平
调研员　崔玉山

粮食局（行署财委管理）

局　长　张　胜（党组书记）
副局长　韩德清（党组成员）
　　　　王俊峰（党组成员）
　　　　贾世杰（党组成员）
　　　　曹学义（党组成员）
纪检组长　李金毅（党组成员）

机构编制委员会办公室（行署人事局管理）

主　任　黄士恒

公安处交通警察支队（地区交通管理处）（行署公安处管理）

队　长　李占德
政　委　张康敏
副县级侦察员　闫绥包　商根明　荆　波
　　　　　　　闫　戈　李汉闷　师星子
　　　　　　　郑　强
副县级待遇　宋锦堂

地区中级人民法院

院　长　王冀波（党组书记）
副院长　李文生（正县党组成员）
　　　　刘登高（党组成员）
　　　　樊胜利（党组成员）
　　　　许文海（党组成员）
调研员　董存智
助理调研员　李　谦
副县级审判员　谢银海　杜宝印　张炳星
　　　　　　　郭子航　张纪元　成奎喜
　　　　　　　卫世敏　薛宝亮　刘庆祥
　　　　　　　邓　平　王秀清　宋占胜
　　　　　　　王宏艾　林其厚　董根锁

地区检察分院

检察长　胡兴甫（党组书记）
副检察长　卢金城（正县、党组副书记）
　　　　　李嘉贵（正县、党组成员）
　　　　　王树声（正县、党组成员）
　　　　　郑占奇（党组成员）
　　　　　杨志英（党组成员）
纪检组长　辛三银（党组成员）
副县级检察员　贺庆成　谭来成　朱福生
　　　　　　　张金光　李根虎　王维玉
　　　　　　　刘同献　王振家　郭桐岗
　　　　　　　张青山　王学平

事业单位机构及领导干部名单

地委党校

校　长　刘传旺（兼）
常务副校长　付记有
副校长　韩爱珍（正县）
　　　　晋国玺　张爱国　刘树芳
　　　　卫爱民

接待处
处　长　　　李玉林（兼）
副处长　　　郭彦霞
助理调研员　张文仓
地委机关事务管理中心
主　任　　　牛俊泽
副主任　　　李生才　宋进才
主任助理　　李文玉
党史研究室
副主任　　　张建平
讲师团
团　长　　　王三星（兼）
副团长　　　贾成奎　　李春荣　　景宝庆
临汾日报社
总编　社长　孙延林
副总编　　　赵振明　　王庚星　　孙言兵
副社长　　　吴福来
广播电视中心
主　任　　　刘新德
副主任　　　刘靳锁　　王　山　　王友明
纪检组长　　曹银民
总工程师　　邓士仪
电视台
台　长　　　刘新德（兼）
总　编　　　王天郎
蒲剧院
副院长　　　任跟心　李安华
助理调研员　白麦浪
工商业联合会
党组书记　　陈元喜
归国华侨联合会
党组书记　　王晓民
主　　席　　江立开
行署机关事务管理中心
主　任　　　杨泽明
副主任　　　任和畅　杨红宇

对外开放办
主　任　　　崔福瑞（兼）
副主任　　　樊炜泽
调产办
副主任　　　杨治平（兼）
正科助理　　梁福旺
老龄委
主　任　　　刘玉祺
档案局（档案馆）
馆　长　　　陈增秀
副馆长　　　孙金亮　王成花
纪检组长　　郭亚臻

正科助理　　高树森
地方志编纂委员会办公室
主　任　　　于德全
副主任　　　张志俊　杨克让
旅游局
局　长　　　王保山
副局长　　　孙玉明　廉　鹏
局长助理　　李吉荣
残疾人联合会
党组书记　　邵玉义
理事长　　　曹学山
副理事长　　董国栋
驻北京办事处
主　任　　　李建国（兼）
副主任　　　曹　阳
驻厦门办事处
主　任　　　郭朝珍（兼）
驻海南办事处
主　任　　　甘明洋
驻太原办事处
主　任　　　樊洪平
临汾宾馆
经　理　　　祁银珠
军转培训中心
主　任　　　耿　强
人才交流中心
主　任　　　张立嘉
劳动就业局
局　长　　　姬脉涛
社会劳动保险事业所
所　长　　　王子来
公安培训中心
党支部书记　白　虎
主　任　　　郇三生
矿山救护大队
党支部书记　王荣生
队　长　　　李生太
煤炭安全纠察支队
队　长　　　李兴民
地震局
局　长　　　王汝雕
副局长　　　王保山　李青珍
助理调研员　何路梅
测绘管理处
副处长　　　杨剑青（主持工作）
物资总公司
总经理　　　宋文明
副总经理　　陈　纲
纪检组长　　卫北曝

重工工业公司
经　理　邢云彪
副经理　李庆保　武新民　王文江
纪检组长　贾景斌
化学工业公司
经　理　郭行杰
副经理　秦国敏
纪检组长　王银河
轻纺总会
会　长　张万祯
副会长　李多萍　段维让
纪检组长　吴希杰
正科助理　岳安平
城镇集体工业总会
会　长　赖保成
副会长　王福恒　傅文俊　宋成管
纪检组长　陈　庭
总工程师　郝少鹏
正科助理　王黎鹏
经济协作委员会办公室
副主任　郭朝珍　申敬增　王增福
助理调研员　王兴龙
建筑设计院
党支部书记　杜守成
院　长　许志强
外贸局
局　长　王九梅
副局长　行马良　高　鹏
纪检组长　郑书杰
局长助理　王志英
供销社
主　任　王吉月
副主任　郭德荣　樊高潮　常引根
主任助理　任希强
商贸总公司
总经理　薛续珍
副总经理　宦镜清　王长锁
正科助理　孙秀娟　张宏志
信托投资公司
经　理　师学瑾
副经理　常有国　田河来
世行贷款项目办公室
主　任　张传华（兼）
副主任　王武喜
财贸培训中心
主　任　张胜来
农机局
局　长　王志成
副局长　张孔生　李志敏
正科助理　田卫东
畜牧中心
主　任　王效孔
副主任　李青海　高尔玺　杨汝桐
主任助理　周俊林
扶贫局
局　长　马振海
副局长　杨刚杰
农业资源开发局
局　长　王增礼
副局长　陈明中
农业综合开发办公室
主　任　王久生
副主任　毕研华　刘全仁
种子站
党支部书记　李洪奎
站　长　晋　宏
沁河工程管理局
党委书记　王一峰
局　长　贾自胜
副局长　赵　谦　张红林　马管旺
汾西水利管理局
局　长　席德喜
党委书记、副局长　柴云峰
副局长　乔发家　周　波　王世杰
杨代亮
纪检书记　李香菊
浍河水库管理局
局　长　迪德俊
水利机械工程局
党支部书记　李玉龙
局　长　宋　林
防疫站
党支部书记 站长　许金金
副书记　段兆福
副站长　侯晓军　王智海
妇幼保健所
党支部书记　叶苗兴
所　长　杨惠敏
人民医院
院长 党委副书记　杜明非
副书记　冯万锁　吴幸福
副院长　贾明珠　孙　蕊　王振林
纪检书记　李青彦
卫校附属医院
党支部书记　黄峪生（兼）
院　长　马希贤（兼）
荣军康复医院
党支部书记　柴文平

院　长　　宋根元

教育学院

院　长　　王晋益
副书记　　郭龙臣
副院长　　李文学　宋振敏

电大分校

校　长　　李殿臣
副校长　　荀海生　韩祥君

卫生学校

党委书记　　武丙云
校　长　　秦国杰
副书记　　成明祥　黄峪生
副校长　　马希祥　马温才　梁培福

艺术学校

校长 书记　　董继源（兼）
副书记　　张　谦
副校长　　马杰敏　李长安
纪委书记　　李晓洪

农业机械学校

校　长　　郭运德
副校长　　王克勤　郝普安

洪洞农业学校

党总支书记　　温州安（8 月免）
党总支书记 校长　王福成（8 月任）
副校长　　董恭安　梁吉平　段宏川

人民警察学校

党委书记　校长　逯全锁
副校长　　马安喜
纪检书记　　王茹爱

体育运动学校

党支部书记　　温州安（8 月任）
校　长　　刘　坚
副校长　　韩雪梅　张新民
调研员　　王志勇（原校长）

农业干部学校

党支部书记　　杨兴旺
校　长　　李晓宇

工业干部学校

党支部书记　　周锦明
校　长　　景长胜
助理调研员　　张之斌

财经学校

党支部书记　　张夺文

劳动技校

党支部书记　　任勇夫
校　长　　宋国富

二轻会校

党支部书记 校长 张　瑕

粮食中专

党支部书记　　张玲玲
校　长　　梁　功

临汾师范

党委书记　　陈克云
校　长　　李二虎
副校长　　唐宗霖　张国平
助理调研员　　熊会光

隰县师范

党委书记　　唐文相
校　长　　张平福
副校长　　李来贵　李虹伟

临汾一中

党委书记　何悟民（8 月免）
党委书记　靳桐荫（8 月任）
校　长　靳桐荫（8 月免）
校　长　张俊荣（8 月任）
副校长　李晋平

临汾三中

党支部书记　许俊良（8 月任）
校　长　冯贵元（8 月任）
校　长　段协文（8 月免）
副书记　桑成锁

洪洞一中

党总支书记 校长　乔正顺
副校长　　李怀胜

曲沃中学

校　长　董国琛（8 月免）
副校长　郭　篠（主持工作）
副书记　卫新堂
副校长　刘建平

省直属单位及领导干部名单

国税局

局　长　郝建悌
副局长　李振纲　李万国　李海鹰
纪检组长　赵胡拴
总经济师　党杰华
稽查局长　陈长森

地税局

局　长　张天保
副局长　焦北生　张　刚　程满仓
纪检组长　贾东发

工商行政管理局

局　长　柴建新
副局长　王绍堂　丁文政　王天佑
纪检组长　祁战斗
党组成员　魏建华 郑俊华

技术监督局
党委书记　刘中良（9月任）
局　长　刘中良（9月免）
副局长　张永伟（主持工作）
王金顺　崔耀庭　潘志孝
纪检组长　景锦元

气象局
局　长　宋　宽（党组书记）
副局长　刘川生　王智娟

中国人民银行临汾地区中心支行
行　长　张转芳
副行长　贾淑萍　卢文礼　许梅英
监察室主任　冯　勋
工会主席　温水清

中国工商银行临汾分行
党委书记 行长　宋士卿（9月免）
党委书记 行长　葛广生（9月任）
副行长　葛广生（1—9月）
王庆元
贾秀斌（党委委员）
纪检书记　韩　霞
总经济师　李焕文
工会主席　宋秋花
总工程师　高代兴

中国农业银行临汾分行
行　长　师兴元（党委书记）
副行长　侯贵华（纪委书记）
任　鹏　翟红星

中国建设银行临汾分行
行　长　郭维芳
副行长　王小新　曹　琦
纪检书记　张　清
工会办主任　李涛献
行长助理　贺小兰

中国银行临汾分行
行　长　杨国英（党组书记）
副行长　裴宇森（纪检组长）
仝振军　霍临生

中国农业发展银行临汾分行
行　长　翟耀文
副行长　李俊峰　董永平
行长助理　张小平

中国人民保险公司临汾分公司
总经理　吴世相（党委书记）
副总经理　彭怡元　郭东仁　李香萍
总稽核　王建国

中国人寿保险公司临汾分公司
总经理　何永禄（党组书记）
副总经理　张明堂　李抗生　孟昭伟
梁绍华

石油公司
经　理　任保才
书　记　李小丁
副总经理　马运生　姚柏山　许维林
工会主席　乔彩峰

电力工业局
局　长　张毓哲
党委书记　赵生玉
副局长　刘　林（总工程师）
卢保喜　殷全新　王　畅
王根义
副书记兼纪委书记　关运娃
工会主席　赵国强

煤炭运销公司
经理 书记　高　伐
副书记　薛全秀
纪检书记　高延启
副经理　樊清河　温齐峻　张孟水
王协梦

烟草公司
经理 书记　郭立奎
副经理　郑建娃　任川水　柴银绒
纪检组长　王正义

邮政局
局　长　孙明旺（党委书记）
副书记　董林有
副局长　张安乐 张星海

电信公司
经理　董苏敏（党组书记，11月离）
蔡传兴（党组书记，11月任）
副经理　唐思政
弓国保（副书记 ）
李　艺 闫振庭

经济技术开发区领导成员名单

临汾经济技术开发区
主　任　杨万波（党工委书记、2月任）
副主任　刘林玉
卫永红（2月任）
党工委副书记　杜旭杰

侯马经济技术开发区
副主任　李山林（主持工作）
郐　实 王汝江
郝怀玉（12月任）

山西省临汾军分区领导干部名单

司令员：　　张鸿斌
政治委员：　李峰
副司令员：　李富才
副政治委员：吴庆良
政治部部长：陆崇相
参谋长：武高
后勤部部长：薛春荣

武警临汾地区支队领导干部名单

支队长　　　石　有
第一政委　　申公元（兼）
政　委　　　孙建宏
副支队长　　程学军　王升元
副政委　　　田池堂
参谋长　　　陈运乐
政治处主任　李志良
后勤处处长　赵卫平

政 治

党委工作

【综述】 2000年，中共临汾地委认真贯彻落实中央和省委提出的指导方针和总体部署，坚持统揽全局，加强领导，突出重点，狠抓落实，各项工作局面创新，全年奋斗目标如期实现。

1．以实现“三个提高”为基本目标，主要经济指标圆满完成

全区各级党委认真贯彻省委七届九次全会精神，坚持以经济结构调整为中心，积极推进“五项创新(观念创新、体制创新、金融创新、技术和人才创新、环境创新)”，努力实现“三个提高（综合实力提高、经济总量提高、人民生活水平提高)”，动员和带领全区人民认清形势，明确目标，迎难而上，加大落实力度，全面完成年初提出的经济工作各项任务。到年底，全区国内生产总值完成1715000万元，同比增长8.8%；限额以上工业增加值完成391600万元，同比增长12.7%；乡镇企业增加值完成585000万元，同比增长7.7%；财政总收入完成149300万元，同比增长13.5%；城镇居民人均可配收入达到4158元，同比增长10.3%；农民人均纯收达到2227元，同比增长10.7%；社会消费品零售总额达到542200万元，同比增长17.7%。主要经济指标全部完成省定任务，增幅位居全省前列。全区经济增长的质量和速度、综合经济实力、人民群众生活水平实现了新的提高，“九五”计划确定的经济社会发展主要任务圆满完成。

2．以经济结构调整为中心，全力推进“三件大事”

遵照省委七届九次全会精神，省委书记田成平同志“希望临汾成为全省率先发展起来的地区之一”的要求，地委进一步充实完善以经济结构调整为中心，抓好打基础、调结构、治环境“三件大事”，努力实现率先发展的工作思路,层层动员发动，加强引导和督促，使调结构为中心的“三件大事”成为全区力量的集中点，人心的凝聚点。以项目建设为突破口，以潜力产品为切入点，继续在全区开展“项目年”活动，通过抓龙头企业、骨干项目和重点工程，使结构调整形成重点突破、全面启动的发展态势。在注重市场机制作用的同时，充分发挥政府的推动作用，层层实行重点项目和骨干工程领导责任制，地(县)领导班子成员人人包项目、包工程，坚持经常深入一线帮助解决实际问题。通过各方面的一致努力，全区共上调产项目137个，其中农业22个，工业103个，三产12个，投资总规模449500万元，年内落实资金110000万元。这些项目达产达效后，每年可新增产值910000万元，新增利税246800万元。平川7县市重点发展精品农业、高效农业和特种养殖，有9个农业科技示范园区已初步形成；有26个工业调产项目竣工投产，提供税收5000多万元；13项省定潜力产品项目，除壶口酒业万吨苹果干白项目外，其他12项全部启动，其中有5个项目主体工程基本完成。农田水利基本建设不断取得新成效，平川以节水灌溉为重点，山区以集水工程和退耕还林还草为重点，共完成工程410处。有6个县（市）农网低压改造已基本完成，其余县（市）已完成50%以上。共取缔土小企业727家，淘汰小造纸、小水泥等落后工艺设施111家，列入考核的工业污染企业治理达标的占到63%。

3．以集中开展“三讲”教育为主要内容，党的建设取得新成效

地委始终把加强党的建设作为牵动全局的重中之重，突出抓“三讲”教育、干部队伍建设、基层组织整顿、反腐倡廉等方面的工作，在县级以上党政领导班子和领导干部中集中开展“三讲”教育。按照中央和省委对于“三讲”的部署和要求，从3月10日到6月中旬，开展了地级领导班子、领导干部“三讲”教育“回头看”，地委四套班子成员联系自己的思想和工作实际，查找工作中的差距和不足，积极整改，解决问题。县级“三讲”教育分地直机关和县（市、区）两大块进行，分别从3月10日和5月15日开始，年底前基本结束。通过“三讲”教育，全区各级干部的精神面貌和工作作风发生了很大变化，不仅解决了许多热点、难点问题，更使思想政治素质得到明显提高，领导班子的凝聚力和战斗力明显增强。

贯彻江泽民“三个代表”重要思想，基层组织建设以开展“创建党建先进单位”活动为载体，地、县、乡、村四级联动，主要抓了3项工作：一是全面实施素质工程。组织广大党员干部认真学习“三个代表”重要思想，利用分层次集中学习培训、召开学习交流座谈会、举办主题报告会等形式，使大家受到了比较系统的“三个代表”的思想教育。二是深入开展集中教育整顿。以加强乡镇党委建设为重点，对基层组织中存在的思想涣散、管理松懈、

作风不实、战斗力不强等问题进行了集中教育整顿。三是继续引深先进基层党组织创建活动。促进了基层组织建设整体上水平。

坚持把党风廉政建设作为整个党建工作的一项突出内容来抓，制定《关于四大班子及其领导干部党风廉政建设责任范围和责任追究的规定》，还制定《2000 年全区党风廉政建设和反腐败工作任务责任分解的意见》，按照谁主管、谁负责的原则，紧紧抓住责任主体，全区各级都实行了党风廉政建设责任制，严格落实责任追究制度，对 70 余名领导干部进行了责任追究，其中县级干部 13 人。纪检监察工作，狠抓执收执罚部门基层站所的集中治理整顿，狠刹党员干部大操大办、借机敛财的不正之风，还抓了农村财务和煤炭能源基金清理整顿，认真落实收支两条线措施，加强了村务、厂务、政务公开等。纪检、检察机关全年共立查案件 810 件，查结 789 件，大要案同比上升 110%；共处分 819 人，其中县处级 3 人，科级 101 人。

4．以推行“四个公开”为切入点，干部制度改革取得新突破

在干部制度改革上进行大胆探索和实践。按照党的干部政策和《条例》，采取公开条件、公开考试、公开考察、公开结果的办法选拔领导干部，进行了有益的尝试。在省委的支持下，对公开选拔的 10 名县（市）长人选和民意政绩突出的 3 名县委书记、县长人选进行调整安排。共调整县（市）委书记 13 人，其中交流 4 人，新任 9 人；县市长 14 人，其中交流 3 人，新任 11 人。调整后，县（市）党政主要领导的年龄、知识和能力结构得到进一步优化，整体素质和活力明显增强。对新选任的同志，实行试用制和激励淘汰制，确定近两年内的任期责任目标，完成任务好的表彰奖励，完不成任务的及时调整。这些做法受到中组部和省委的肯定，4 月省委在临汾召开了干部制度改革研讨会，7 月，在全国干部制度改革会议上作了经验介绍，《人民日报》、中央电视台和《山西日报》、山西电视台做了多次肯定性报道。10 月，在总结公开选拔成功经验的基础上，进一步加大公开选拔优秀年轻干部的力度，在全区范围内公开选拔 17 名 35 岁以下县（市）年轻副县级领导干部后备人选，将公开选拔向更深层次和更大范围推进，在干部队伍中形成了积极进取、奋发向上、求实创新的良好风气。各县（市）、各部门也推行了公开选拔和竞争上岗，全区共公开选拔 139 名科级干部，835 名干部公开竞争上岗。

5．坚持“两手抓”方针，保证了社会政治稳定和两个文明建设

地委总揽全局，坚持“两手抓，两手都要硬”的方针，正确处理改革、发展、稳定的关系，始终把维护稳定做为大事来抓。一是严格实行稳定工作责任制。明确各级各部门一把手为稳定工作第一责任人，全区自上而下建立了维护稳定工作责任制、责任追究制和一票否决制。向稳定任务较大的平川 7 县（市）和山区汾西县派驻稳定督查组，协助当地解决影响稳定的突出问题。二是对影响稳定的矛盾和问题进行集中排查和处理。共处置涉法上访案件 96 起 263 人，治理治安乱点 62 个，消除各类闹事苗头 80 余起。继续以“打团伙、破大案、追逃犯、治乱点”为主攻方向，以“打拐”、打击“黄赌毒”为重点，开展专项斗争，有力地震慑了犯罪分子。三是对人民内部矛盾引起的问题做好防范和疏导工作。地级领导成员实行信访接待日活动，亲自处理上访案件。对群众上访特别是群体性上访，有关方面从起始阶段就积极介入，掌握工作主动权，做到及时疏导化解。

深入开展 4 项教育，即马克思主义、毛泽东思想特别是邓小平理论的教育，群众观点、宗旨观念的教育，热爱临汾、振兴临汾的教育，维护党的形象和各级领导班子威信的教育。中央思想政治工作会议后，以“三个代表”重要思想为指导，按照“六个坚持”、“四个结合”的要求，在全区范围内开展了“举旗帜、树形象、比奉献”活动。继续广泛开展各类群众性精神文明创建活动，在农村重点开展了创建文明户、文明村镇活动，在城镇重点开展了讲“三德”、创“三优”活动和文明城镇创建活动。坚持开展科技、文化、卫生“三下乡”活动，共组织科技人员下乡 1200 余人次，发放科技资料 30 余万份，卫生部门为群众义诊 3500 余人次，文艺团体下乡演出 3000 余场次。

秘书工作

【文秘工作】 搞好文秘工作，为领导科学决策提供有效地服务，发挥参谋助手作用，是秘书工作的一项基本职能。地委秘书处充分发挥主观能动性，扎实工作，综合文秘的整体水平和质量都有了很大提高。

在政务上，能紧紧围绕地委的中心工作，跟踪领导的工作思路，及时为领导提供下步工作的预案和决策参考，为领导解决改革与发展中的重大课题，出谋划策。在制发文件上，严格把关，控制行文数量，提高文件质量。2000 年，秘书处共制发各类文件 170 多件，为领导起草重要讲话稿 50 余篇，为领导撰写的 7 篇署名文章分别在《人民日报》、《山西日报》等报刊发表。

【信息工作】 全区各级信息部门通过狠抓信息网络建设和队伍建设，突出实事求是，快速准确及对路实用等特点，紧紧围绕地委的中心工作，围绕改革、发展、稳定的大局，及时反映全区党的建设、经济建设、社会发展、社情民意等方面的情况，为中央、省委和地委提供了全方位、多领域、多角度的信息服务。全年共收集各类信息 15000 余条，整理编发各类信息 1500 余条近百万字。被中办各种信息采用 32 条，被省委各种信息刊物采用 620 条，综合排队在全省第三位，受到省委办公厅的表彰。

【督查工作】 全区各级督查部门围绕党委、政府

的中心工作，进一步加大督查力度，较好地完成了地委和省委办公厅交办的各项任务。2000 年，地委督查室组织全区性的大型督查活动 14 次，受理中央和省地领导的批示件 9 件，专项查办过程中态度认真，严格把关，保证了查办件的质量，使办结的案件未出现反复，通过抓好“三报”及时反映了地委、行署和各部门重点工作的成绩、经验和问题。向地委和省委督查报送《督查专报》30 期，编发《督查通报》6 期，其中专项《临汾“五项创新”取得新突破》被省委办公厅全文转发。同时加强自身建设，建立和完善系列督查工作制度，同 19 家地（市）委督查室建立业务交流关系，借鉴和吸取外地督查部门的大量好的经验和做法。地委督查室被评为“全省督查工作先进单位”。

【机要工作】　机要部门严格制度，认真检查，圆满完成了全年电报的译传办理任务。基本做到了迅速传输，及时办理，没有发生压误、漏发或错办等工件事故。在一些重大事件和敏感时期，都确保了联络畅通，传达及时，通迅无事故地完成了全年的通信任务。同时，加强基础设施建设，提高了信息技术水平。地委机关机要室购买安装了一批新的设备，组织力量安装了党政综合信息保密网络服务器、计算机、扫描仪、激光打印机，使省、地机要部门计算机联网，实现了明码电报的计算机传输。调试开通了省到地广电网数字电路。

（曹檣）

·地委重要文件·

临地发〔2000〕1 号 《中共临汾地委关于进一步加强地级领导班子自身建设的意见》

临地发〔2000〕2 号 《中共临汾地委关于贯彻中共中央关于加强和改进思想政治工作的若干意见的实施意见》

临地发〔2000〕3 号 《中共临汾地委、临汾地区行署关于加快基础设施建设的实施意见》

临地发〔2000〕4 号 《中共临汾地委、临汾地区行署关于调整经济结构的实施意见》

临地发〔2000〕5 号 《中共临汾地委、临汾地区行署关于治理环境的实施意见》

临地发〔2000〕6 号 《中共临汾地委、临汾地区行署关于贯彻十五届四中全会〈决定〉推进全区国有企业改革和发展的实施意见》

临地发〔2000〕7 号 《中共临汾地委、临汾地区行署关于进一步实施科教兴区战略促进经济社会发展的实施意见》

临地发〔2000〕8 号 《中共临汾地委关于地直县级领导班子、领导干部深入开展“三讲”教育的实施方案》

临地发〔2000〕9 号 《中共临汾地委关于进一步加强改进干部队伍建设的实施办法》

临地发 〔2000〕10 号 《中共临汾地委关于全区县（市）领导班子、领导干部，深入开展“三讲”教育的方案》

临地发 〔2000〕11 号 《中共临汾地委关于地区四大班子及其领导成员党风廉政建设责任范围和责任追究的规定》

临地发〔2000〕12 号 《中共临汾地委、临汾地区行署关于表彰护林救火先进集体，模范个人的决定》

临地发〔2000〕13 号 《中共临汾地委、临汾地区行署关于当前抗旱救灾工作的意见》

临地发〔2000〕14 号 《中共临汾地委关于加强人大工作的决定》

临地发〔2000〕15 号 《中共临汾地委关于认真贯彻“三个代表”重要思想广泛开展“举旗帜、树形象、比奉献”活动的决定》

临地发〔2000〕16 号 《中共临汾地委关于全面推进干部人事制度改革的意见》

·市委（地级）重要文件·

临发〔2000〕2 号 《中共临汾地委、临汾地区行署关于进一步改善环境质量努力实现“一控双达标”的通知》

组织工作

【概述】　2000 年，是组织工作面向新形势、迎接新挑战的一年，也是全区组织工作扎扎实实向纵深稳步推进的一年。全区组织部门以邓小平理论、党的十五大和十五届五中全会精神以及江泽民“三个代表”为指针，在省委组织部的有力指导和地委的正确领导下，围绕全区“实施三件大事，建设经济强区，实现率先发展”的工作大局，以强烈的使命感和责任心，突出抓好县级三讲教育、领导班子和干部队伍建设、干部人事制度改革、基层党组织和党员队伍建设、自身建设五项重点工作，使全区组织工作实现了快速发展和整体推进，为全区的改革开放和经济发展提供了坚强的组织保证。

【县级领导班子和领导干部“三讲”教育】　按照全

省“三讲”教育工作安排，全区县级“三讲”教育工作分地直机关和县（市）两大块进行。地直机关118个单位分两批，第一批93个单位，从3月10日开始；第二批25个单位，从6月29日开始；县（市）从5月15日开始集中进行，时间为两个月；随后又按中央和省委要求开展“三讲”教育“回头看”活动。总的看，全区县级领导班子和领导干部“三讲”教育取得了预期效果，基本上达到中央提出的“四个明显”的要求。主要做法：一、抓认识到位。始终把学习理论、提高认识贯穿到了“三讲”教育的全过程。特别是针对一些认识不高、剖析不深、只找工作差距、不挖思想根源的领导班子和领导干部，引导他们边学习边、反思。地委领导同志多次找一些重点单位的第一责任人谈话，帮助他们消除顾虑，提高认识，抓好“三讲”。巡视组不断扩大接触面，广泛谈话，大部分巡视组的谈话面都达到了70%以上。二、抓关键环节。确立通过程序保证质量的指导思想，在每个阶段乃至每道程序中都注重把握关键环节。特别是在搞好自我剖析、开好民主生活会和边整边改等几个环节上做了细致的工作。同时，始终把边整边改、解决实际问题贯彻始终，大部分单位对群众提出的问题、意见、建议，都采取了针对性的措施，整改成效明显，达到了取信于民的效果。三、抓分类指导。实行了地级领导包县（市）“三讲”教育联系点制，每个包县（市）领导都认真审阅了县（市）的动员报告，并参加了县（市）的动员大会，提出了指导性意见。“三讲”期间，地委派出了4个“三讲”教育督查组，由副地级领导带队，分片督查了县（市）的“三讲”教育工作。四、抓关键人物。关键人物一个是巡视组长，一个是第一责任人。县级“三讲”教育一开始，对巡视组长进行了培训，同时，强化第一责任人的职责，充分发挥第一责任人的带头作用，使他们以高度的责任心，足够的领导精力和良好的精神状态来抓这项工作，从而使大部分单位都能把“三讲”教育与推动当前工作很好地结合起来，做到“两不误、两促进”。通过开展“三讲”教育，全区各级干部的精神面貌和工作作风发生了新的转变，也使领导班子的思想政治素质有了提高，领导班子的凝聚力进一步增强。同时，由于“三讲”教育中整改配套措施在各项工作中得到全面贯彻，全区经济发展的思路更加清晰、完善，从而为全区实施“三件大事”，建设经济强区，实现率先发展创造了良好的政治氛围。

【公开选拔17名年轻副县领导干部】 认真总结近年来干部人事制度改革的成功经验，进一步扩大范围、加大力度、完善制度，推动干部人事制度改革的深入发展。为了切实加快领导班子年轻化进程，按照“公开、平等、竞争、择优”原则，采取公开条件、自愿报名、资格审查、闭卷考试、现场答辩、组织考察、全程公示、组织决定的方式，在全区范围内公开选拔了17名35岁以下的年轻领导干部，为每个县（市）党政领导班子各配备1名，使班子的年龄、知识、专业结构有了一个新的变化。将全区公开选拔工作向更深层次和更大范围推进，进一步在全区范围营造出一种用民意选干部、凭实绩用干部的用人导向，在干部队伍中形成一种积极进取、奋发向上、求实创新的良好氛围和风气。

【干部培训】 把重点放在提高一个素质、两种能力上，使干部教育培训工作得到全面加强。坚持“三支队伍”一起抓的方针，采取分级负责、分解任务、改进方式、坚持理论学习和实践锻炼相结合的办法，全面落实全国、全省和全区干部教育规划任务。一是强化党政干部队伍培训。全区共举办各级各类理论培训班40余期，培训党政干部2000余人。二是强化企业经营管理人员培训。7月25日到31日，地委组织部与乡镇局共同举办了全区乡镇企业家培训班，聘请有关专家、教授和著名企业家授课，对年营业收入在500万元以上的骨干企业、山区县重点企业的厂长、经理及分管乡镇的副县（市）长和乡镇局长进行培训；9月、10月、11月，地委组织部与经委配合，分别在翼城、乡宁、襄汾和汾河制药厂，举办了四期工商管理知识培训班，培训企业领导班子成员和中层干部共计220余人。三是强化科技工作者队伍培训。通过各种形式、各种渠道对广大科技人员和公务员进行计算机知识、外语水平和行为规范培训，参加继续教育的科技人员和公务员达2000余人，对提高全区知识分子队伍和公务员队伍的综合素质起到了积极的促进作用。

【实施“素质工程”】 以培训农村党员干部为重点，分层次、多形式、大规模集中培训基层党员干部队伍，在全区实施“素质工程”。一是强化“三个代表”重要思想的灌输教育。江泽民“三个代表”重要思想发表后，通过分层次召开座谈会、研讨会、报告会、交流会，全区各级党组织和广大党员干部加深了对“三个代表”重要思想的理解，进一步明确了基层党组织建设的工作思路，推出新举措。“七·一”前后在地区电视台、《临汾日报》，辟设“党旗在我心中”专题、专栏，推出了一批基层组织先进典型，全区党员中形成了学先进、赶先进的良好氛围。二是强化对现职农村干部实行岗位培训和分类培训。村民委员会换届选举前，市（县）两级采取集中轮训、分片集中培训等形式，培训乡镇党委书记、乡镇长700余人次，乡镇村有关选举人员1.2万人次。选举后，及时对农村支部书记和新当选的村委会主任进行专门培训，引导其正确认识党支部、村委会在村级组织建设中所处的地位和作用，明确自己的职责、任务、责任及工作权限，掌握实施村民自治的有关知识，提高党支部领导村民自治工作的能力。三是强化对农村党员的党课、冬训、实用技术培训和电化教育。从7月～9月，全区全面开展了以学习“三个代表”重要思想为主题的“党员电化教育月”活动。在全省第六届党员教育电教片观摩评比中，电教片《山村教师》荣获集体创作一等奖。

【开展集中整顿】 根据创建“党建先进单位”活

动意见和形势发展的要求，在去年全区基层组织建设情况大调查的基础上，认真分析基层党建工作的现状，对大调查后 665 个后进党组织进行了一次集中整顿教育。地委专门下发了《关于对全区党的基层组织进行集中整顿教育的意见》，确定了集中整顿的指导思想、范围、内容和方法步骤。在注重整体推进面上工作的同时，重点抓了乡镇领导班子和机关作风整顿，地委组织部以[2000]1 号文件下发了《关于集中整顿乡镇领导班子和机关作风的实施意见》。在具体方法上采取抓好试点，先行一步取得经验，然后全面推动。3 月，地委在襄汾县召开“全区乡镇领导班子和机关作风整顿现场会议”，总结推广了襄汾的经验和做法，部署安排了乡镇整顿与建设的任务和措施，推动了全区乡镇领导班子和机关作风整顿工作的全面开展。通过这次集中整顿，切实解决了不少基层党组织存在的管理松懈、要求不严、教育乏力、方法滞后，、思想涣散、精神不振、效率低下、作风不实、战斗力不强等问题。同时，结合整顿深入基层，深入实际，发现问题，掌握情况，从更深更高的层次探索和研究总结乡镇党委建设，制定了《关于进一步完善乡镇党委工作制度的意见》。

【引深创建“党建先进单位”活动】　按照“农村党支部创‘五好’、乡镇党委建‘六好’、企业党组织达‘四有’、机关党组织争‘三优’、县（市）委创建基层党组织建设先进县、全区创建党建先进市”的具体标准，不断引深“创建”活动。具体做法：一是将“创建”活动引深到贯彻“三个代表”重要思想的实践上。年初，要求各县（市）委把“三个代表”的重要思想贯穿到创建“党建先进单位”活动之中，落实到基层党组织建设的各个方面、各个环节，坚持按照“三个代表”的要求教育基层党组织和党员干部，模范地实践“三个代表”。8 月，分 6 个督查组，深入到 17 个县（市）对贯彻落实“三个代表”、开展创建“党建先进单位”活动进行了督查调研。二是将“创建”活动引深到调结构、促发展上。用经济发展的成效检验党组织建设的成果，实行“一票否决”。在全区各级党组织中牢固树立起了“围绕经济抓党建，抓好党建促发展”的指导思想。特别是中共十五届五中全会以后，各级党组织紧紧围绕发展这个主题，不断加强和改进党的基层组织建设，在全区形成了创建“党建先进单位”、“建设经济强市”的良好氛围。三是将“创建”活动引深到精心塑造先进典型上。地委组织部与临汾电视台、临汾日报社及《临汾党建》等新闻单位联手在全区范围内发现、培养和选拔一批有突出代表性的先进典型，用典型推动工作，引深创建活动。四是将“创建”活动引深到开展特色活动上。全区各级党组织结合各自实际，普遍开展了具有自己特色的“创建”活动。襄汾的“城乡共建”、曲沃的“一联四帮”、永和、蒲县的“党员示范工程”、隰县的“创星级”活动、洪洞的“党员学联带”活动、翼城的“双五”活动、临汾市的“考核评比“、浮山“兴业办实事”等活动都比较有效地促进了基层党建工作的整体发展。

（李智英）

宣传工作

【深入学习、宣传、贯彻“三个代表”重要思想】　江泽民“三个代表”重要思想发表以后，下发了《关于认真学习宣传、贯彻“三个代表”的重要思想的通知》，对学习、宣传、贯彻“三个代表”重要思想提出具体要求，全区掀起了学习、宣传、贯彻的新高潮。在此过程中召开了理论界、新闻界学习“三个代表”重要思想座谈会；组织专家对县（市）和地直部门的学习进行辅导达 150 余场次；《临汾日报》、临汾电视台开辟专栏、专题，加大了宣传力度，《临汾日报》刊发各种理论文章和报道 70 余篇。《临汾月谈》编印了“学习‘三个代表’专辑”。8 月，组织召开了“学习‘三个代表’，加强党的建设”理论研讨会，收到论文 100 余篇。地县两级中心组专题学习“三个代表”重要思想 4 次。

【思想政治工作】　全区落实中央思想政治工作会议精神，乘势而上，积极工作，全区思想政治工作呈现出良好局面。4 月 1 日，地委宣传部组织召开全区思想政治工作座谈会。从 4 月开始，用两个月的时间开展思想政治工作大调研，共分 5 个调研组，分别对全区农村、企业、学校、机关和民营经济进行调研，取得了大量第一手材料。在此基础上，组织召开全区企业思想政治工作经验交流会临纺现场会和全区思想政治工作会，出台加强和改进思想政治工作的文件，推出一批思想政治工作先进典型。组织开展“举旗帜、树形象、比奉献”活动，编印《思想政治工作读本》。通过认真贯彻中央思想政治工作会议精神，在全区营造出加强和改进思想政治工作的浓厚氛围。

【对外宣传工作】　地委外宣办与内视海外中心合拍了反映尧文化及黄河文明的电视专题片《古原寻踪》（上、下集，共 30 分钟），在央视 4 台《东方家园》栏目播出后，引起海内外观众的浓厚兴趣和广泛关注。3 月，在《今日山西》第二期刊出专页，全面介绍地区“三件大事”以及旅游事业的进展情况。9 月，山西电视台拍摄《龙子祠泉》、《汾城话古》两部电视专题片。10 月，在《今日中国》刊发反映全区旅游胜地的专栏文章。在全省外宣工作会议上，地委外宣办做“抓精品、上档次，开创外宣工作新局面”的典型发言。

【“三下乡”活动】　2 月 29 日，由地委宣传部牵头，组织文化、科技、卫生等有关部门赴襄汾县陶寺乡进行规模宏大的文化、科技、卫生“三下乡”活动。交通局、医药局、艺校等单位联合组织丰富多彩、短小精悍、群众喜闻乐见的文艺晚会，地区医院组织十名名医专家免费义诊，科委、科协送去 10 万份农业科技资料，地区计生委免费送药、送书，地区医药局赠送 5000 元常用药品，新华书店赠送图书 1000 余册。这次活动，对全区“三下乡”活动起到宣传、引导、推动的作用。

【“五个一工程”获奖作品】 在“山西省精神文明建设‘五个一工程’评选活动”中，本区申报的作品电视剧《来自尧都的报道》，戏曲眉户剧《祥林嫂》，广播剧《真情》，歌曲《前进吧，中国邮政》，理论文章《论思想政治的虚与实》，外宣品《临汾旅游指南》和《中国临汾》折页，《古原寻踪》电视专题片，获“五个一工程”优秀作品奖，地委宣传部荣获“组织奖”。

【文明村镇和文明单位创建活动】 全区创建文明村镇活动，以“十星级文明户”为主题稳步推进。各县（市）都进行了有益的探索。乡宁县实施“四一〇”育人工程的做法；洪洞县赵城镇创“文明户”建“文明村”，实施“农村城市化”工程的做法；曲沃县开展“五朵小红花”活动的做法等，都发挥了很好的作用。截至 2000 年底，“十星级文明户”活动共涉及全区 90%的行政村，85%的农户。其中：涌现出国家级文明村镇示范单位 1 个（乔李村），国家级文明村 2 个（翼城北关村、洪洞官庄村）；省级文明乡镇 6 个，省级文明村 25 个，省级文明户示范县 1 个（翼城县）、乡镇 5 个、村 10 个；地级文明乡镇 28 个、文明村 187 个、地级文明户示范县 1 个（乡宁县）、乡镇 5 个、村 10 个；县级文明乡镇 198 个，文明村 2100 个。

创建文明单位活动，是创建文明城市的重要组成部分。地委文明委出台了《全市文明单位管理条例》和相关的考核办法，在全区范围内积极开展创建活动，取得丰硕成果。涌现出国家级文明单位 4 个，省级文明单位 30 个，地级文明单位 65 个，军警民共建文明单位 7 对 14 个。

【永和县 4 个乡镇文化站竣工】 1998 年，中宣部、中央文明办和文化部从《国家八七扶贫攻坚计划》公布的 592 个贫困县中选择 100 个左右的贫困县，用 5 年时间资助建设一批乡镇宣传文化站。1999 年，经地区文明委推荐争取，省文明办批准立项在永和县建设城关镇、坡头乡、南庄乡、桑壁镇 4 个宣传文化站。每站基本建设投资和建成后购置必要设备共计投资 25 万元，采取从中央级文化事业建设费中资助 50%（12.5 万元），省、地、县分别出资 1/3（合计 12.5 万元），4 站共计投资 100 万元。永和县在该项目立项后，落实了全部资金，由县财政局立专户管理；县委宣传部全部资金，由县财政局设立专户管理。县委宣传部认真组织施工，于 2000 年底全部建成，经省文明办验收合格交由所在地乡镇党委负责管理并积极开展工作。在竣工剪彩仪式上，地区文明办安排全区 6 个国家级文明单位向永和县 4 个文化站各捐赠一台彩电和一台 VCD。建成后的文化站基本达到三项标准：1．室内实际使用面积 300 平方米；2．设有图书室（藏书 2000 册以上），多功能教室、展览室、文化活动室、室外宣传橱窗等，并配有必要设备。能够开展图书借阅、教育培训、科技推广、文化娱乐多种服务和活动；3．乡镇府派专人管理，确保工作正常开展，丰富了当地人民群众的文化生活。

（陈永江）

·讲师团工作·

【概述】 中共临汾地委讲师团，属正县级事业单位，编制 15 人，现有干部职工 17 人，其中：副教授 2 人，讲师 10 人，助教 2 人，下设办公室、理研室、教研室 3 个科室。

讲师团的主要职责是负责全区在职干部马克思主义理论教育，服务全区各级党委中心学习组的理论学习、辅导，重点是地委中心学习组的学习和辅导。结合实际撰写理论文章和调查报告，配合党委的中心工作，组织全区在职干部理论学习、考试、阅卷知识竞赛等项工作。本年度，地委中心组学习 7 次，讲师团辅导 6 次，受到地委领导好评。全区各县（市）委中心组的学习，讲师团均派人参加并辅导，有的县（市）把听辅导的范围扩大到乡镇、局级干部。全团同志一年中在基层讲课辅导达 270 余场次，听众 6 万余人次。编写一本 10 万字，涵盖党的基本理论、基本路线、基本纲领三大方面、十几个学科的《“三基”知识手册》，印发两万余册，受到好评。6 月举办全区理论骨干培训班，100 余人参训。5～6 月，对部分县（市）的理论学习进行了抽查，年终对 17 个县（市）中心组学习和一般干部理论学习进行了全面检查。10 月对全区 13000 余名科级干部进行了理论考试，占应参考人数 90%以上。

【社会科学论著】

1．贾成奎撰写的《国企改革要连续作战》发表于《中华工商时报》（2000 年 8 月 15 日）。

2．1999 年对全区“三件大事”进行专题研究形成的《研究报告》，2000 年通过专家鉴定，被收入山西人民出版社 8 月出版的《兴晋富民对策研究》一书。

3．本团集体撰写的《深刻认识思想政治工作务虚与务实的辩证关系》一文，发表于省委机关刊物《前进》第四期，并荣获山西省精神文明建设“五个一工程”优秀作品奖。

4．任炯撰写的《关于利益问题的辩证思考》一文，发表于《中共山西省委党校学报》2000 年增刊。

5．任炯撰写的《关于代表中国先进生产力发展要求的哲学思考》一文，发表于《中华社会科学文选》第五卷（《红旗出版社》出版）。

统战工作

【非党员干部选拔任用】 认真贯彻晋组字〔1996〕44 号和〔1999〕61 号文件精神，进一步把培养选拔使用党外干部纳入工作整体规划，有目标、有措施，有落实。通过多种形式予以关心和培养，选送到省或中央社院学习深造，提高党外干部的素质和上岗水平。全区实职安排副科级以上党外干部 328 人，其中：副地级 1 人，县处级 48 人（人大副主任 19 人，副县（市）长 10 人，政协副主席 18 人，侨联主席 1 人）；科级 279 人，其中（县（市）185 人，乡镇政府副职 51 人，正副局长 35 人，相当于局级的 99 人），地直 94 人，（正科 24 人，副科级 70 人）。非党干部的配备推动了全区民主政治建设的发展。

【海外联谊工作】 认真贯彻落实中央对侨务工作方针政策，召开归侨、侨眷座谈会，宣传归侨、侨眷权益保护法，落实侨务工作方针、政策。多次与霍州市委、市政府交涉，帮助巴西华侨朱彭年、澳大利亚侨眷罗奇英等落实房产问题。积极开展对台民间交流活动：热情接待台湾张耀东先生和韩兴隆先生回临探亲，为张、韩二位先生在临汾办台资企业，提供方便；还接待台湾教师“山西古文化之旅”考察团。做好在临的归侨、侨眷工作，接待归侨、侨眷来信、来访 100 余件次，帮助解决归侨、侨眷子女 100 多人上学问题。对下岗的归侨、侨眷，积极出主意、想办法，帮助他们再就业。

【举办教职人员培训班】 10 月 18 日举办教职人员培训班，来自 14 个县（市）的 60 多位三自爱国会负责人和宗教教职人员参加了培训。省基督教“两会”副主任王经文专程来临为培训班授课。培训期间，还建立了全区基督教爱国团体信息网络。同时，还举办了天主教神职人员培训班，有 80 余名神职人员参加了培训。通过培训，教职人员和信教群众提高了对党的宗教政策的认识，并能够自觉抵制邪教。还与地区宗教处联合编辑三万余字的《民族宗教法律法规知识问答》为社会各界了解民族宗教工作起到了很好的宣传作用。

【推动非公有制经济发展】 从做好非公有制经济代表人士的思想政治工作入手，引导他们“爱国、敬业、守法”，积极引导非公有制经济健康发展。协助地区工商联对全区 139 家民营企业进行摸底调查，对其基本情况、产品，市场、技术装备与科技含量，融资渠道与资金缺口，新上项目的产业方向以及非公有制经济代表人士的思想状况，企业的经营环境等方面进行深入了解，向地委、行署递交了调查报告和加强改善民营企业的意见。与地区建设银行联合确定了 39 家重点扶持企业，进行企业信誉等级评定，促进银、企之间的相互的了解与合作。成立非公有制经济发展协调领导组，向社会公布投诉、服务热线电话。在小额、定额的税户中利用基层组织开展评税工作，为非公有制经济人士换发会计证和职称评定，制定企业封闭式管理办法。

成立山西省首家企业贷款担保公司，为 16 家私营企业提供贷款担保 2840 万元。全区民营企业安置下岗职工再就业 4202 人。

【统战理论宣传教育】 建立起一支以统战工作者：统战理论研究会会员及统战信息员为主的统战理论研究和宣传、信息工作骨干队伍，为统战理论宣传教育工作的顺利开展提供了可靠的组织保证。地委统战部完成统战刊物征订 1300 份，被省委统战部评为刊物发行二等奖。信息和统战调研方面，全年刊发信息 24 期，统战论文和调查报告 46 篇，在质量和内容方面都有较大进步。

（李睿煜）

地直机关工委工作

【概述】 在抓好自身“三讲”教育的同时，不断加大地直党建工作力度，把学习与实践江总书记“三个代表”重要思想作为地直党建工作的头等大事，紧紧围绕地委、行署工作大局，充分发挥了各级党组织的战斗堡垒作用和广大党员的先锋模范作用，有力地推动了地直各部门、各单位工作任务的顺利完成。“三个代表”重要思想发表后，工委迅速发出通知，明确要求各级党组组织要高度重视“三个代表”重要思想的学习宣传，把学习“三个代表”作为理论武装工作的重中之重。“七一”前夕，工委专门就此进行一项专题检查，地直各级党组织利用多种形式和方法，掀起了学习“三个代表”的高潮。采取“星级考核、挂牌激励”的做法，在地直党组织中整体推进创建“党建先进单位”活动，以此为载体促进基层党组织增强、创造力、凝聚力和战斗力。大的工作与活动是：对基层党组织普遍进行一次集中教育整顿；集中培训和新发展党员 400 余名；为基层党支部配备了近 2000 块版面；在普遍学习的基础上组织“双学”知识竞赛；组织了 3000 余名科级干部参加“三基”理论学习与考试，组织党的十五届五中全会精神的学习宣传与贯彻；召开了“创建党建先进单位”流动现场会，首批命名了 87 个“五星级党支部”。通过开展“创建”活动，还有力地推动了换届选举、党费收缴年报统计、党刊征订等项工作。在非公有制经济中建立党组织，先后组建了合资企业华翔实业有限公司党总支，下设 4 个支部；依托市工商联组建了以民营企业为主体的工商联党总支，有 11 个民营企业成立了党支部，为非公有制经济的发展壮大创造了良好条件。

【大力推进党风廉政建设】 工委班子专题研究党风廉政建设和反腐败工作 7 次，召开所属党委、纪委书记会议 5 次，着重抓了 4 项工作：首先是狠抓了警示教育，为基层党组织订阅纪检教材达数千册，还组织观看电影、话剧、录相片，从正反两方面对广大党员干部进行警示教育，提高拒腐防变能力。其次是圆满完成“两清”任务，对地直应予清退的 7 辆小汽车和 5 部移动电话全部做了清退处理。并对涉及范围内的 113 个单位全部建立了档案。三是严格查办案件，共核查了 16 案，其中 6 案 7 人受到党纪处分。四是建立健全党风廉政建设制度，进一步形成了促进党风廉政建设的良好机制。

【抗旱救灾】 工委所包扶贫点遭到了百年不遇的特大旱灾。根据地委、行署的统一部署，工委决定以抗旱救灾的实际活动，走在地直机关实践“三个代表”的前列。6月6日地委动员会以后，7日决定由工委主要领导任组长组成工作组，8日即深入到所包重灾村蒲县公峪乡公峪村开展工作。在半年时间里多方筹措资金近6万元，解决了人畜吃水、退耕还林、调产、改善办学条件等5件实事。工委全体人员个人集资3000余元，帮助该村困难户度过灾荒，并分期分批深入该村走访农户、调查研究、参加劳动、培养感情。村两委代表群众向地委、行署送了感谢信，给工委送了“情系山区抗旱救灾，心想百姓扶贫致富”光荣匾，地区电视台做了专题报道。

（刘斐）

党校工作

【概述】 中共临汾地委党校的前身是晋绥九分区党校（吕梁）和晋南中心党校（新绛）。1950年1月两校合并，成立临汾地委党校，校址迁到临汾。1954年9月，临汾和运城两地区合并成立晋南专区，第二年5月临汾地委党校与运城地委党校合并，成立晋南地委党校。“文化大革命”期间，党校一度停办，1971年晋南专区划分为临汾、运城两个地区，1977年7月临汾地委党校重新恢复，2000年11月临汾撤地设市，临汾地委党校改名为临汾市委党校。

临汾地委党校共有教职员工121人，其中：教师33人，教辅人员13人，行政后勤人员75人。教师队伍中，有教授1人，副教授15人，讲师16人，助教2人，高级职称人数占教师总数的50%。13名教辅人员中，有副研究馆员2人，馆员7人，助理馆员4人，中高级职称人数占教辅人员总数的70%。全校占地43亩，拥有建筑面积10890平方米，其中教学楼2900平方米，读书楼1700平方米，服务楼2200平方米，学员食堂830平方米，办公楼2300平方米，校园内花草树木成行成荫，网球场、篮球场、门球场、羽毛球场分布其间。临汾地委党校承担着全区党员领导干部和理论骨干队伍的培训、轮训任务。

信访工作

【概述】 全区信访工作以邓小平理论,江泽民“三个代表”重要思想为指导，抓住“三讲”教育的有利契机，认真贯彻落实国家信访局及省信访局的信访会议精神，紧紧围绕地委、行署的中心工作，强化领导责任，畅通信访渠道，采取得力措施，努力控制集体上访，妥善解决老户上访问题，同时加强自身建设，大力开展信访调研。经过全体人员的辛勤工作，大量涉及群众切身利益的问题得到了及时有效的解决，为社会稳定做出了积极贡献。

临汾地委行署信访局在原地委信访办的基础上，于1989年2月组建，正县级建制。内设3个科室：办公室、接待科（行署接待室）、查办科（来信科），下设一个信访咨询部（事业单位）。

【全区信访工作会议】 4月26日，召开有地区信访工作领导组成员，各县（市）分管信访工作的副书记或副县市长、信访局长，地直各单位分管信访工作的领导、信访科长，各大厂矿分管信访工作的领导、信访科长，共150余人参加的全区信访工作会议。地委委员、秘书长卢健清传达了全省信访工作会议精神，地委副书记程满仓到会并作重要讲话。会议要求：全面落实信访工作领导责任制；强化信访工作责任追究制；坚持完善重要信访工作制度；高度重视群众初信初访的处理工作；努力建设一支高素质的信访干部队伍。

【认真处理群众来信来访】 地、县两级共受理群众来信来33717件次，比1999年同期的34999件次，下降了3.66%;处理群众集体上访894批21510人次，比1999年同期的882批23112人次，批数上升1.36%，人数下降6.93%。地区局受理群众来信来访6121件次，比1999年同期的7164件次下降14.56%;处理群众集体上访147批4130人次，比1999年同期的157批4848人次，分别下降6.37%，14.81%。收集信访信息259条，编发《信访信息》16期57条，撰写调研文章69篇，其中《人民信访》发表3篇，《山西信访通讯》发表9篇。编发《信访情况通报》14期。排查重要信访案件139件，省列重点案19件，自列重点案17件，全部查结上报，结案率达100%，绝大多数信访问题在基层得到妥善解决。

【妥善解决集体上访】 全区群众赴县（市）以上党政机关集体上访920批22268人次，其中：到地区的有147批4130人次，赴省的有26批758人次，与1999年同期相比都有所下降。在控制和处理群众集体上访过程中，主要采取两方面的措施：一是超前工作，及时化解矛盾。认真贯彻预测、预防为主的精神，充分利用地、县、乡、村四级信访网络，一旦发现上访苗头，立即介入，超前工作，采取措施，化解矛盾。3月14日，临钢水渣池发生冲渣爆炸事故，翟庄、冶建、电控厂三单位的223户居民住房受损，并有小女孩受伤。事故发生后，地委、行署迅速委派专人及时介入，协调处理善后事宜，经过做深入细致地思想工作，最后依法评估，公正客观地解决了群众房屋受损及人员受伤等问题。二是明确责任，妥善解决问题。一旦发生群众集体上访，坚持“分级负责，归口办理”和“谁主管，谁负责”的原则，不推不拖，及时拿出处理意见，做到不失控、不滞留、不激化。如：1月25日，省冶建公司6名退休人员到行署集体上访，反映拖欠工资问题，地区信访局不推不拖，先后数次协调经委、财政局、劳动局解决问题，最后将退休人员工资统一纳入财政和劳动保险，彻底解决了这一的问题。

【重视上访老户】 对上访老户，实行一户一策，分别不同情况进行妥善处理：对群众反映属实的问题，又有条件解决的，尽快给予解决；对一些问题因受客观条件限制暂时无法解决的，做好解释工作；对群众反映的问题部分属实的，将其合理的部分解决；对已经有了正确的处理意见，但是久拖不决的，加强督查和执行力度，尽快落实；对无理缠访经耐心教育仍不改正的，依法办事，采取相应措施，做出处理。省里通报的两个上访老户，霍州市的卫青娃和临汾市的亢青安，还有地区通报的 15 个上访老户，都分别由所在县（市）主要领导包案处理，基本上得到了合乎政策、合乎情理的解决。如乡宁县的赵金斗，是该县一名长达 16 年的老上访户，县委专门召开会议研究，决定将其转入劳动保险所，月工资额 325.4 元，使这一问题得到彻底解决。

【完成重大政治活动期间信访接待】 根据省委安排，全国“两会”期间派专人进京赴省执行现场接待任务。地委派地委副秘书长、信访局长石雪爱同志到北京，副局长许景安同志到太原，在大会现场接待本区的上访群众。“两会”期间共接待上访群众 200 余人，完成了外出信访接待任务。

【开展信访调研活动】 为了探索新时期信访工作的规律，研究解决问题的办法，在全区信访系统大力开展信访调研活动：3 月，下发了《关于深入开展信访专题调研活动的通知》，具体要求全区各级信访部门一是搞好超前性、预测性信访调研；二是带着信访反映的问题搞调研；三是进行信访工作理论方面的探讨。这次活动开展以来，共收到信访调研文章 47 篇，《山西信访通讯》发了专刊，刊登了其中 9 篇文章，还有 3 篇文章在《人民信访》上发表。

9 月，下发了《关于抓好“县（市）委书记、县（市）长谈信访”调研工作的通知》，在 3 月专题信访调研的基础上要求各县（市）党政一把手静下心来，深入调查，潜心研究，认真撰写，真正写出自己对信访工作的所想所感。《通知》下发后，各地党政一把手高度重视，认真对待，短短一个月，先后有 28 个县（市）委书记、县（市）长参与调研活动，共收到调研文章 23 篇，本局专门装订成册，上报下发，受到省局领导好评。

（梁鸿运　刘轶文）

政策研究工作

【概述】 地委政研室是地委主管综合性政策研究的工作部门，正县级建制，共有干部职工 15 人，主要职责是围绕地委中心工作，通过调查、研究为地委决策提供依据和建议。

全室人员共同努力，认真实践“三个代表”重要思想，紧紧围绕地委工作中心和“三件大事”，共撰写调查报告和文章 21 篇，计 13 余万字。其中：《关于调整经济结构的实施意见》、《农业调产的特点与对策》、《忠诚实践“三个代表”，努力推进政研工作》、《基层民主政治建设的调查研究》等文章对市委决策和全区经济发展起到了积极作用。

（贾逸先）

老干部工作

【概述】 临汾地区现有离退休干部 24072 人，其中离休 5473 人，退休 18599 人。全区老干部工作认真落实老干部工作的各项政策，加强老干部思想政治工作，落实离休干部“两费”（离休费和医药费）及建立健全“两费”保障机制，组织老干部开展活动，发挥老干部作用，取得了明显成绩，圆满完成了全年的工作计划。5 月，地委老干部局被省委组织部、省委老干部局授予“第七届为老干部‘送温暖、办实事、抓落实’深化服务百日活动先进单位”。

【加强思想政治工作】 为使全区广大老干部的思想不断适应变化的新形势，确保这支队伍的先进性，地、县两级老干部部门，从 3 个方面加强老干部的思想政治工作：一是认真组织老干部深入学习邓小平理论和江泽民“三个代表”的论述。全区各级老干部部门将组织好老干部的学习作为一项重要工作来抓，采取适合老干部特点的灵活多样的学习方法、如举办讲座、专题研讨、集中辅导、学习专栏、知识竞赛等。临汾市、翼城、襄汾、安泽、乡宁、隰县、蒲县等县（市）、还请临汾地委党校、讲师团辅导授课。二是认真组织老干部积极参加“三讲”教育。“三讲”教育开始后，各县（市、区）对任过实职的县级离退休干部统一安排，让他们参加县（市、区）四大班子和“六小班子”“三讲”教育的全过程。三是重视老干部的党组织建设，充分发挥党支部在加强思想政治工作方面的战斗堡垒作用。各县（市）根据新形势下加强老干部思想政治工作的紧迫性，建立健全了老干部党组织，选好支部书记，配齐班子人员，把思想政治工作贯穿于各种组织活动中，使离退休党员干部人人都在组织中，人人都在管理中，自觉地接受组织监督，涌现出一批比较好的老干部支部，洪洞县白石乡老干部党支部被中组部树为“全国先进离退休老干部党支部”。

【建立“两费”保障机制】 地直和县（市）将落实离休干部的“两费”作为工作的重中之重。通过财政拨专款，单位自筹资金等办法，共清理“两费”拖欠 200 余万元，使拖欠问题基本得到解决。为防止前清后欠的现象出现，狠抓了“两费”保障机制的建立，加大了企业离休干部转达财政的力度。襄汾县将 1949 年参加工作的 59 名企业离休干部“两费”转入财政开支；翼城县将 1948 年底前参加工作的 137 名企业离休干部“两费”转入财政开支。2000 年底，有 10 个县（市、区）（尧都区、洪洞县、霍州市、襄汾县、侯马市、安泽县、古县、乡宁县、蒲县、汾西县）将所有企业离休干部“两费”全部转入财政开支，有 3 个县（曲沃 、大宁、浮山）只将一费（离休费）转入财政开支，其余 4 县根据企业离休干部参加工作时间和单位的具体情况，转财政工作分步进行，积极创造条件，加快转财政的步伐。地直企业离休干部数量比较多，已于 1998 年 7 月 1 日将 128 名 1945 年 9 月 2 日前参加工作的离休干部“两费”全部转入财政开支。全区对尚未转财政的企业离休干部离休费也都纳入社会养老保险，由社保部门按时足额发放。对离休干部的医药费管理保障机制建立，各县（市）都采取积极措施，取得了明显的成效，其中霍州市的管理办法在全省得到推广，既堵塞漏洞，又节约财政开支，明确职责，强化医院责任感，方便离休干部的看病就医。

【组织开展各种活动】 地直和各县（市）结合重大节日，组织老干部开展了丰富多彩的文体活动，大大活跃了广大老干部的精神文化生活。地直于“九九”重阳节前夕，由地委组织部、老干部局、体委、老体协在体育场联合举办了“庆祝‘九九’重阳老年节”文体表演千年大会。地直各单位及区内的3000余名老同志参加了文体表演，（市、区）活动更是形式多样。尤其是汾西县元宵节及重阳节，组织老干部文艺表演队、“夕阳节”老年合唱团进行了演出，“五一”组织了老干部门球赛，“七一”举办了老干部书画展，国庆节举办了全县老年人运动会，11 月举办了老干部“金秋菊花展”，12 月举办了“百科”知识竞赛活动；临汾市 “五一”举办了“千禧之春”文体表演，“七一”举办老干部书画展，“八一”举办了老干部联欢晚会，9 月组织 25 名县级老干部赴山东参观，10 月举办了联欢会、灯谜赛、太极拳表演，12 月举办了迎接新世纪庆元旦文艺联欢会。

【充分发挥老干部的作用】 据统计，全区离退休干部从事关心下一代工作的有 4800 人；从事政治、法制科技宣传的有 1100 人；从事书画研究的有 900 人；从事物价监督、纪检人事监督、廉政监督、维持社会治安的有 1200 人；从事干部考核、考察和“三讲”教育工作的有 105 人；从事种植业、养烈士业和加工业的有 4500 人；从事对县城重点调产项目调查研究的有 110 人。在 2000 年“三讲”教育中，地委抽调了一批政治素质强，工作作风过硬的老同志担任地直和县（市）“三讲”教育的巡视组长，使老同志的政治优势得到充分发挥。临汾市关心下一代工作突出，老干部辅导员达 1050 人，建立辅导点 485 个，形成了区、乡（镇、街道）、村三级辅导网络。担任辅导员的老同志积极发动和组织青少年开展“中华魂”读书活动，狠抓对青少年的爱国主义、社会主义、集体主义、革命传统教育。全年共编写辅导材料 40 多篇，为青少年做辅导报告 1200 场，使受教育的青少年达 30 万人次，区关工委荣获全国“关心下一代工作先进集体”。曲沃县组织 172 名老干部分别担任工商、物价、土地、城建、银行、标准计量、邮电、环卫、计生、医院等部门的廉政建设督查员。永和、古县、安泽等组织担任过县级实职的和有专业特长的老干部对调产新上项目进行实地考察调研，许多老同志不仅提出了见解和建议，而且还亲自撰写论文或调查报告。

（刘月明）

·老区建设促进会·

【概述】 老区建设促进会（简称老促会），1992 年 5 月由董启民、郭勇锐、张耀庭、杨左直、宋发义、王德贵等领导同志发起筹建。经地委同意，于 1992 年 12 月 29 日召开了第一届全体理事会议，通过了章程，选举了领导班子。第一届理事会共有理事 78 人，常务理事 34 人。会长：董启民；常务副会长：郭勇锐；副会长：刘光、宋发义、陈焕章、杨左直、张耀庭、郭璞、王德贵、毛恩隆、武伯琴，秘书长王德贵（兼）。1995 年 12 月 12 日召开第二届全体理事会议，理事 98 人，常务理事 34 人，会长：董启民，常务副会长：郭勇锐、王德贵、毛恩隆、牛文山；副会长：张耀庭、郭璞、宋发义、陈焕章、刘光、樊玉龙、武伯琴、杨左直、钟汉生、杨延基、张传华、韦彬、刘世全。秘书长王德贵（兼）。

内设办事机构：第一、二届理事会内设办公室：主任李红德；农村开发部：主任陈建民；企业开发部：主任杨纲权；文教卫生部：主任张绍武；联络部：主任王伯生。

老促会是以党、政、军、企业、事业单位退下来的老领导、老同志、老专家热爱革命老区事业，自愿组成的非盈利性的社会团体。主要宗旨是：在地委、行署的领导下，努力为革命老区两个文明建设服务，全心全意为革命老区人民脱贫致富、实现小康、走向富裕献计献策，办实事，办好事，回报革命老区人民为革命事业所做出的重大贡献。遵守宪法、法律、法规和国家政策，遵守社会道德风尚。

近十年来全体理事从自身的优势出发，根据老促会的性质、特点和宗旨，紧紧围绕党委和政府的工作部署为革命老区建设事业做了大量的卓有成效的工作：

1．宣传老区历史功绩。地区老促会组织撰写了“临汾老区”一书，省老促会作为范本推荐到各市、地老促会。完成了“中国革命老区”一书的撰稿任务，推动各县（市）老促会搜集革命历史资料，编写革命优良传统教材。

2．深入调查研究。每年至少 1～2 次比较系统地调查研究，撰写的调查报告有十多篇，受到地、市委领导的好评，并批转各县（市）和市直单位。近百篇文章被有关报刊选用和丛书选入，部分理事还参加了地委组织的法制、督查、“三讲”巡视，“三个代表”学教活动等工作。

3．发挥科技优势。帮助安泽原化肥厂改建为焦厂；无烟煤炼焦试验成功，并取得国家专利证书；优种枣园 1999 年荣获省两块金牌，并建立了 20 多个示范点等等，还积极参与县市调产项目的实施和督查。

4．兴学助教。1993 年筹建了“山西平阳医学院”，培养大、中专毕业生千余人。免费培训农村医生，招收扶贫生 60 余人，对革命烈士、红军老战士后代学费全免，残疾军人、基层老党员、老干部的后代减收 500—800 元。市县老促会还组织动员企业家兴办学校，襄汾 4 所，翼城 1 所，在校生 3000 余人。

（王德贵）

·关工委·

【概述】 临汾地区关心下一代工作委员会（简称关工委），1993年3月成立。它是在各级党委、政府的领导下，以离退休老干部为主体，各有关部门在职领导参加的群众性工作组织，是开展关心下一代工作的常设工作机构。1994年3月22日，中共临汾地委任命名誉主任董启民、陈长禄、樊玉龙，主任杨佐直、第一副主任梁明，常务副主任王绍民兼秘书长。常委36人，委员74人。后来因人事变动，名誉主任增加高清亮，在职副主任多数都有变化。

关工委自成立以来与有关部门配合。在全区青少年中开展了“中华魂”读书活动。常委孙宗武编写《中华魂》一书成为中、小读本辅导教材。还组织老干部在临汾一中、三中、平阳中学做辅导演讲多次，参加读书活动的中、小学生和青年35万人。全区共订购《伟大的旗帜》读本22万余册，受到全国关工委的表彰。

关工委采用多种形式，开展青少年思想教育工作，结合香港和澳门回归，对青少年进行爱国主义教育。全区关工委共有报告团151个，报告员755名作演讲报告906场，受教育青少年达27万人次。

进行法制宣传和道德教育，在青少年中进行《未成年人保护法》和《预防未成年人犯罪法》的宣传教育。全区关工委共组织法制教育报告1587场，听讲人数达13万人次；组织帮教小组870个，参加帮教活动的老干部2903人，帮教对象1935人，经过帮教都有了明显的变化。

几年来全区各级关工委加强自身建设，各级关工委组织逐步建立、健全，全区十七个县（市）都建立了组织，大多数乡镇和部分村及企业等基层单位都建立起关工委组织并经常活动，充分发挥了老同志的作用，对青少年教育工作摸索出了不少行之有效的好方法，起到明显的作用。

（梁明、王绍民）

机要保密工作

【概述】 临汾地区保密局是辖区保守国家秘密工作的主管部门，在上级保密工作部门的指导下，根据《保密法》和国家、省有关保密法规主管和指导辖区内所有党政机关、企事业单位及军队社团等组织的保守国家秘密工作。1997年之前挂“地委保密委员会办公室”和“地区保密局”两块牌子，正县级建制。1997年机构改革中按省机构改革办批复与地委机要处合并为“地区机要保密局”（仍为正县级建制）分别履行各自业务职责。

【“三五”保密普法】 2000年是开展“三五”保密法制宣传教育工作的最后一年，在做好全体公民保密法制宣传教育的同时，重点抓了县以上党政机关领导干部、涉密岗位工作人员和各级专兼职保密干部的保密宣传教育。一是突出对领导干部的保密教育。地、县两级党校坚持把保密教育纳入教学计划，真正做到人员、时间、内容的落实。临汾、襄汾、霍矿等部分县（市）和单位举办了保密知识培训班，组织领导干部和重点涉密人员进行保密知识测试。地区保密局协同地区司法局，对地直副县级以上领导干部进行了普法考试。二是突出对涉密岗位人员的教育。对纪检、公检法系统、金融部门和出国人员，分专题派人进行了保密教育。三是突出对各级专兼职保密干部的爱岗敬业和职业道德教育。为了检验全区各级“三五”保密普法工作的效果，根据省国家保密局晋政保字〔2000〕1号文件精神，采取百分制的办法，将“三五”保密普法工作分为三大项15条内容，要求各单位先行自查。从各单位反馈回的自查情况看，平均为86.2分。在此基础上，又深入部分县（市）、企业进行抽查验收，推选出具有典型教育意义的“三五”保密普法先进单位。

【贯彻落实中办厅字58号文件】 中办、国办厅字[2000]58号文件，转发的中国中央保密委员办公室、国家保密局《关于国家秘密载体保密管理的规定》，进一步明确保密管理的原则和职责，规范保密管理行为，对秘密载体的制作、收发、传递、使用、保存、销毁等各个环节，提出了明确具体的要求。组织全体机关人员特别是县处级以上领导干部、重点涉密人员和专兼职保密干部，认真学习和领会《规定》精神，明确保密职责，熟悉保密要求。对照《规定》要求，深挖细究，查找本单位在秘密载体保密管理中存在的问题和不足，健全规章，完善制度，修正错误，规范操作，从源头上堵塞失泄密漏洞，使秘密载体切实做到规范化管理。

【依法行政】 规范定密工作。在全区党政机关和企事业单位对确定密级工作进行了检查整顿，同时对涉密单位的定密人员进行了集中培训。一些定密单位产生的国家秘密和秘密事项按规定上台帐并实行年报制度。局领导专门深入这些县（市）督促检查，狠抓落实，推动了全区规范定密工作的健康发展。确定国家秘密载体定点复制单位。根据省局的统一安排，按照《印刷、复印行业复制国家秘密载体暂行管理办法》，指定专人对全区的印刷、复印行业进行了全面检查。在此基础上，经过严格筛选，重新确定了21个国家秘密载体定点复制单位，进一步规范了复制国家秘密的工作。落实领导干部保密责任制，按照中央保密委员会《关于党政领导干部保密工作责任制规定》，地区保密局于4月对全区部分市和地直部分单位县以上党政机关干部贯彻责任制情况进行了抽查，大部分领导干部都能熟悉并自觉遵守《规定》。

（苏孟彦）

对台工作

【概述】 临汾地委台湾工作办公室，1983年12月前称“对台宣传办公室”，与“地委通讯组”一套人马、两块牌子。

1983 年 12 月正式成立中共临汾地委对台工作领导小组办公室，简称“对台办”。由地委宣传部移交地委秘书处代管，为正处级建制。1990 年改为“临汾地委台湾工作办公室”，同时挂“临汾行署台湾事务办公室”牌子。1996 年 12 月根据《临汾地区党政机构改革方案》，台湾工作办公室并入地委秘书处为内设机构。

台湾工作办公室的主要任务是，宣传贯彻中共对台工作方针、政策和法规；落实党对台胞台属及有关人士的政策以及为实现祖国统一的其它对台工作；统管全区的一切涉台事务。台湾工作办公室内设办公室、联络组、宣传组，编制 7 人，实有 6 人。

【对台经贸工作】 本着中央提出的“组织、指导、管理、协调”八字原则，积极牵线搭桥，招商引资，使全区对台经贸工作实现以下两个特点：一是发展势头好。截至 2000 年底全区大、中型台资企业已发展到 31 家，项目总投资达 4.9 亿人民币，引进台资 3500 万美元，到位资金 3100 万美元，多次受到省台办的肯定。二是经济效益好。台湾独资企业山西锦城铁业有限公司，1998 年建成投产，总投资 2000 万元人民币，2000 年产值达 5000 多万元，利税 1000 万元，成为当地纳税大户；临汾市旺安医院，购进进口先进医疗设备，聘用教授专家座诊，年利税达 200 万元人民币。并扩大床位，准备进口一流治疗设备，增加医疗项目，提高服务质量，争取把医院办成有特色的山西一流的合作医院；普乐福房地产公司不仅收回了前期投资，而且准备再投资 1 亿人民币，参与临汾旧城改造。

【搞好四项服务】 全区各级台办强化服务意识，提高服务质量。主要采取了“四项服务”：1. 牵线服务。1999 年共协助 43 位台商在临汾市、曲沃、蒲县、吉县、襄汾等地进行了农业、三产、采矿、建材等方面的考察。在“山西国际经贸旅游周”期间，组织杭州市台资企业协会经贸考察团一行 28 位台商到临汾部分企业进行实地考察，临汾行署领导和行署计委、经委、外贸、开发区、临汾市等有关部门向台商介绍投资环境和引资项目，并与 50 多个企业和项目负责人进行了洽谈，签定合同协议 5 项，总投资 1300 万美元，利用台资 800 万美元；2. 宣传服务。全区台办注意利用台湾媒体宣传本区的资源优势和投资环境。临汾地区台办率先尝试，利用台湾《工商时报》进行全方位宣传，在台湾引起了很大反响。报纸发表后，台湾各地想来临汾投资的咨询电话、电传达 100 多个；3. 维权服务。1999 年以来认真贯彻落实国务院《台湾同胞投资保护法》及《实施细则》，先后为明昌家俱有限公司、普乐福房地产公司、勤茂餐饮公司、锦成镇业公司、旺安医院和晋升彩印公司等企业排忧解难，解决各种纠纷。在地委、行署的扶持下，台办和临汾纪检委等 4 个部门，组成了联合调查组，对台商投诉案进行调查处理，有效地维护了在临汾投资的台商合法权益；4. 跟踪服务。项目签订后，各级台办经常深入到各户企业进行调查摸底，帮助企业编制可行性研究报告，协助企业办理立项、批复、名称注册、领取工商执照，办理台湾企业认定证书等。并帮助本区企业做好台湾资信和与设备价格咨询服务工作。地区各级台办共为台资企业解决扶持配套资金 1280 万元人民币，外汇 45 万美元，使签订的合同项目得到落实。

【对台宣传工作】 一是向对台对外新闻单位提供稿件和图片，如中国新闻社、海峡之声广播电台，中央台台播部、人民日报海外版、团结报等；二是向台湾新闻媒体提供稿件、图片、音像制品。1993 年以来，加强了这方面的工作，取得显著成绩。省台办、国台办给予充分肯定。新华社《对外宣传参考》杂志刊登了地区台办“利用台湾媒体，做好对台宣传”的文章；三是编制对台湾进行空飘海漂的画页、画册。画页有《壶口瀑布》、《广胜寺》、《小西天》等，画册有《黄土高原花果城》、《今日临汾》、《东岳揽胜》、《临汾名胜及投资环境》等，其中《壶口瀑布》画页获全国三等奖；四是开展对内宣传教育，通过广播电视、报纸、座谈会、报告会等形式，向广大干部群众宣传党的对台方针政策。

【赴台农业考察团】 为加强临台农业合作与交流，应台湾中华海峡经济交流协会的邀请，6 位副县级以上的农业领导干部，于 2000 年 10 月 25 日～11 月 2 日到台湾进行了为期 9 天的农业考察。考察团先后参访和考察了宜兰县玉兰茶叶农业区、北园休闲农场、桃园县紫城有机育苗中心、台北市农产品生鲜超市，以及埔里等 6 个乡镇的农会。在 9 天的考察中，考察团共接触台胞 1200 多人，多次与他们就农业技术等问题进行了交流与座谈，并深入地了解了台湾的农业生产情况，农产品开发、加工、销售、农业技术更新及农业管理经验等。在台期间，还与台湾食品机械制造公司签订了一项 300 万美元的投资协议。

（李智勇 赵兰英）

干部下乡工作

【概述】 2000 年是全区机关单位定点扶贫工作第四个年头，是实施《国家八七扶贫攻坚计划》的最后一年。地、县两级 798 支工作队、3000 多名工作队员，继续发扬艰苦奋斗的革命精神，扑下身子啃“硬骨头”，按照 2000 年扶贫攻坚的总体思路，采取缺啥补啥的积极措施，紧紧围绕“五基”建设，使贫困乡村生产和生活条件有很大改善，取得扶贫攻坚的决定性胜利。

地、县两级扶贫单位“一把手”，从讲政治、讲大局的高度，把扶贫工作纳入单位工作的议事日程，当作一件大事来抓。“一把手”到扶贫点现场办公 3600 多次、17000 多人次、全区投入扶贫攻坚资金 4582.82 万元。其中：贷款 1513.3 万元；引进外资 253.4 万元；无偿投资 2816.16 万元（其中捐款捐物 310 万元)。地直 67 个扶贫点投资金 665 万元。其中：贷款 58 万元；引进资金 24.9 万元；无偿投资 582.44 万元（其中捐款捐物 49.66 万元)。

加强了以党支部为核心的农村基层组织建设，全区先后调整支部班子 120 个，村委班子 144 个，调整支部书记 106 人，村委主任 151 人。建起党员活动室 135 个，发展党员 697 人，培养积极分子 1768 名。

改善基础设施建设：新打机井 196 眼，旱井 9851 眼，旧井配套 1883 眼，新修渠道 38.5 万米，新解决吃水自然村 198 个，人口达 5.5 万余人。新通电 63 个村，通电人口 9646 人。新修公路 1300 多千米。新增机修梯田 26100 多亩；新开发耕地 16000 多亩，其中打坝造地 6038 亩，新增水地 19000 余亩。新建学校 35 所，面积为 11797m²；建设学校 561 间，面积为 14318 m²；新增桌凳 18392 件，连同教学仪器折合资金 97.9 万元。全区共举办科技培训班 1190 期，培训群众 39840 人次，推广优种 484026 亩；地膜覆盖面积 185164 亩；新建卫生所 181 个。

按照《国家八七扶贫攻坚计划》的攻坚指标要求，全区 798 个扶贫点，人均粮食达到 480.5 千克；人均收入达到 1246.5 元；基本实现通水、通电、通路；学校实现“一无两有三配套”；人均二亩基本农田；人均一亩经济林；计划生育人口出生率均低于 12‰以下；村村建有卫生所。如期完成《国家八七扶贫攻坚计划》的各项指标，基本解决了包扶点群众的温饱问题，使扶贫开发进入一个新的阶段。

地区下乡办，始终坚持单位“一把手”责任制不动摇，坚持“四定一包”目标管理责任制不动摇。在管理上，实行“三簿一卡”制度，即：工作队会议记录簿、党员生活会纪录簿、工作队员办实事、好事登记簿；验点日志卡。坚持一月一次工作团例会制度、请假制度。半年一检查，年终一总结。平时不定期地对各个扶贫点进行现场办公。坚持办《工作简报》，一年编发 8 期简报，突出重点，增强时效性、新闻性、起到了宣传典型、推动工作的指导作用。抓好各县（市）下乡办的工作，定期召开主任会议。年度召开总结表彰会，表彰典型，宣传先进，使全区整个干部下乡工作走上了制度化、规范化、科学化的轨道。

附：

2000 年度扶贫攻坚先进单位和模范个人名单

一、受省委干部下乡领导组表彰的先进集体和模范个人

1、受省委干部下乡领导组表彰的先进单位（4 个）

行署财政局
行署交通局
行署水利局
地区工商局

2、受省委干部下乡领导组表彰的先进下乡办（3 个）

临汾地委干部下乡办公室
安泽县委干部下乡办公室
古县县委干部下乡办公室

3、受省委干部下乡领导组表彰的模范个人(31 个)

徐德生　张传华　张长有　刘智勇
王建基　解耀庭　吕超英　张娟(女)
程满仓　史振英　王天佑　李安民
王民安　陈旭光　王　军　张先引
赵　起　宁雪清（女）　李涛献　孙尧明
陈存安　孙玉明　武卫东　焦福明
马玉虎　蔡小文　葛彦良　刘迎虎
杨平虎　丁和顺　常平英（女）

二、受地委表彰的先进单位和模范个人

1、受地委表彰的先进单位（37 个）

地委秘书处　地委纪律检查委员会
行署地税局　行署审计局
行署公安处　中国人民银行临汾地区分行
地区邮政局　行署国税局
地区检察院　工行临汾地区分行
地区电业局　地区农工委
行署地矿局　农行临汾地区分行
行署统计局　行署民政局
行署物价局　行署卫生局
行署外贸局　地委组织部
地区林业局　地区中级法院
地区司法局　行署旅游局
行署教委　安泽县民政局
安泽县财政局　古县城建局
古县财政局　隰县财政局
汾西县水利局　蒲县农业资源开发局
临汾市粮食局　临汾市财委
吉县人大　浮山县城建县
大宁县扶贫办

2、受地委表彰的先进下乡办（3 个）

汾西县委干部下乡办公室
浮山县委干部下乡办公室
吉县县委干部下乡办公室

3、受地委表彰的先进工作团（3 个）

古县工作团
永和工作团
汾西工作团

4、受地委表彰的模范个人（69 人）

王天佑　王民安　李安民　孙尧明
武卫东　宁雪清（女）　陈波轶　陈永森
杨志刚　陈　盛　乔为民　罗文选
曹焕成　陈建华　王保民　赵国强
毕全喜　石建国　杜振峰　刘　俭
解　涌　田卫东　王吉月　张安平
张跃鸣　刘志刚　王启生　韩凯权
孙玉胜　阴　黎　王　廷　孙晓东
刘秋艳（女）　李军连（女）　李建华　马新胜
杨红彬　亢玉兰（女）　宗世昌　张希臣
倪富强　乔建军　曹银民　张建华
宗红继　刘宝林　樊冬云(女)　谢惠生
吕哲峰　原宁泉　王　彬(女)　宋软明
孙根柱　王秀芳（女）　田　毅　张　杰
段洪刚　席俊昌　李记生　贾春平
荀高喜　牛泳洪　葛殿德　梁秉坤
杨　庄　张禄祥　吴丰臣　李永林
于林贵

党史研究工作

【概述】　地委党史研究室按照地委统一部署，开

展了"讲学习、讲政治、讲正气"的三讲教育，集中时间，集中精力，标本兼治，解决突出问题，全面提高了全体工作人员的政治素质和业务素质。在业务工作上，认真贯彻落实山西省史志科学"九五"规划，编研课题以"党史大事记述"为主，实行重点课目分工到人的办法，全面部署，整体推进，取得了一定进展。 地委党史研究室完成的史料编纂出版的主要成果有：1995 年为纪念抗日战争胜利 50 周年编辑出版了《临汾地区抗日英烈谱》一书，任建新题写书名，徐生岚、张国彦、董启民题词，陈长禄作序，汤发奎主编，张建平副主编。1995 年为纪念建国 45 周年，编辑出版了《解放临汾各县纪实》一书，徐生岚题写书名，张国彦题词，陈长禄作序，汤发奎主编，晋国玺、张建平副主编。1998 年 4 月为纪念彭真同志逝世一周年，编辑出版了《彭真与家乡》一书，地委党史研究室与侯马、曲沃党史研究室共同编辑，张国彦作序、张建平主编、李法甲、吉振泰副主编。另外几年来不定期编辑出版了党史研究刊物《平阳党史》，推动了全区党史研究工作。

（刘远）

机关事务管理工作

【概述】 地委机关事务管理中心的前身是地委机关事务管理局，成立于 1990 年 7 月 21 日。1996 年 12 月，地区党政机构改革中改为地委机关事务管理中心，正县级事业单位。主要职能是管理市委机关的房地产、财务、车辆、环境秩序、机关安全工作，负责基建维修、医疗防治、幼儿教育、通讯联络、机关绿化卫生和水暖电的日常供应；干部职工人数共 99 人，其中干部 38 人，职工 61 人，内设 6 个科室，办公室、财务科、房管基建科、车管科、通讯科、保卫科。下设幼儿园和医疗室。

【集资建房及基础设施建设】 为缓解机关干部职工住房，集资新建住宅楼 5 栋，其中地级领导住宅 30 套，一般干部住宅 98 套，拆除旧房 230 间，当年拆迁、当年施工、当年竣工。配套新建自行车棚一个。新增变压器 3 台 1050 千瓦，机关供电容量大大增强，工作生活用电得到了保证。对机关 1～12 号住宅楼新接了空调专用线。机关北区新安装了一台 4 吨锅炉，大修一台 4 吨锅炉，新安装了一台脱硫设备。更换朝殿一巷采暖管道 450 米，铺设钢砖路面 297 米，铺设砖地面人行道 594 米。机关前大门规划设计已经完成，场地已准备就绪，正在紧张施工。鼓楼南院搬迁 23 户，施工方案、图纸设计已经完成，集资款收缴工作已展开。

（马新）

纪检监察工作

【概述】 在省纪委、监委和地委、行署的正确领导下，全区各级党委、政府和纪检监察机关以邓小平理论为指导，认真贯彻落实党中央、国务院，省委、省政府以及地委、行署关于党风廉政建设和反腐败斗争工作的精神和决策，按照中纪委四次全会、省纪委八次全会和全区党风廉政建设工作会议的部署，进一步加强领导，精心组织，强化措施，狠抓落实，在巩固以往成果的基础上，各项工作都取得了新的进展。全区党风廉政建设和反腐败斗争继续保持了健康发展的势头，有力地促进和维护了全区改革、发展、稳定的大局。临汾地区纪委、监委被省纪律检查委员会、省监察委员会评为全省纪检监察信访工作先进集体；被山西省纪委办公厅评为全省纪检监察系统信息工作和档案管理工作先进集体；临汾地区纪委、监委撰写的《农村党支部廉政建设亟待加强》，被中共山西省纪委、监委、监察学会评为二等奖；被地委授予 2000 年度扶贫攻坚先进单位。

【领导干部廉洁自律】 一是认真抓好民主生活会。全区各级领导班子廉洁自律民主生活会，是结合"三讲"民主生活会进行的，民主生活会的质量有了明显提高，党员领导干部的党性觉悟和廉洁自律意识进一步增强。二是认真开展"两清"工作。全区共查出违规车辆 88 辆，其中属于借（占）用下属和企业 23 辆、借亲戚朋友 7 辆；属于调换下属单位 2 辆；属于工作调动带走 4 辆；属于公车私挂 52 辆。全区党政机关干部、职工个人购车 69 辆。全区共清理移动电话 3435 部，单位配备 1132 部，非单位配备 2303 部。在单位配备的 1132 部中，经纪委审批的 958 部，其中地级干部 20 部，处级干部 285 部，通过清理，作价或拍卖 31 部，消号处理 3 部，共收资金 6 万余元。三是开展对党政机关和工作人员长期占用企业财物的"百日清欠"活动。经调查，全区限额以上工业企业应收帐款近 248800 万元，企业干部、职工长期拖欠资金达 5100 余万元。为此，地委、行署研究决定，由全区纪检监察机关牵头，从 8 月开始，利用 100 天时间，首先对党政机关工作人员长期占用企业的财物进行清理，而且明确要求首次清理数额必须达到 7 个亿。四是狠抓国有企业廉洁自律工作。全区国有企业认真落实业务招待费报告制度，有 90%的企业召开了报告会议，把廉洁自律工作纳入企业党风廉政建设工作责任制范围，党员领导干部层层签订廉洁自律责任状，制定下发《关于临汾地区国有企业领导干部廉洁自律若干规定的处理意见》，严格责任考核和追究。临汾市公交公司举办的"职工答疑会"，在企业廉洁自律工作中创造了新经验。通过认真开展了效能监察和廉洁经营活动，降低了成本，节约资金约 10000 万元。

【查办案件】 全区各级纪检监察机关共接受群众来信来访 1454 件（次），同比增 3.1%；核实案件 835 件，同比增长 147%；共立查案件 810 件，同比增长 2.5%，结案 789 件，同比增长 2.8%；处分党员、干部 819 人，其中县级干部 3 人，乡、科级干部 101 人，万元以上 99 人。地纪委和 17 个县（市）纪委先后召开了公处大会，共公开处理 158 案 180 人，其中县级干部5人，乡干部65人。

【纠正部门和行业不正之风】 减轻企业负担工作。由减负办和物价局成立了清理审核组，采取评审与检查相结合的办法，对发现不符合规定的收费罚款项目坚决予以取消。地委、行署第四批对13户重点企业实行挂牌保护，统一发放“重点保护企业”牌匾。聘任了维护企业合法权益监督员100名，设立了热线电话，对企业发现的“三乱”举报问题，立即查处，切实减轻了企业负担。全区共查处加重企业负担的违法违纪案件17起，涉及违法违纪金额90.82万元，受党纪处分13人，收缴罚款47.986万元。

减轻农民负担工作。根据省人大《条例》规定，地区把农民负担的“村提留、乡统筹”和“两工”的预决算纳入了乡镇人大的审批程序。全区各级减负部门和乡镇人大认真履行职责，坚持原则，从严把关，对不符合规定的67个乡镇、879个村的预算进行了修改、纠正，为农民减轻负担3250万元。全区遭受特大旱灾，依据中央的税费减免政策，共减免农业税1882.9万元，农业特产税190万元，乡统筹费1117万元、村提留1491.5万元。开仓放粮帮助农民过难关。全区对196个乡镇、972个村的农民负担情况进行了专项审计，减轻农民负担183万元。纠正医药购销中的不正之风工作。全区共取缔无证经营户62户，无证游医373余人；查获假劣药品53种，没收药品600余箱，价值70余万元；堵塞非法进药渠道21种，查处医药购销中的违法违纪案件37起，涉及违纪金额265万余元，清理取缔虚假广告929条。制止“公路三乱”和中小学乱收费工作。地区纠风办在各县（市）自查公路“三乱”的同时，5月8日，由地纪委、监委、地区纠风办、地纪委组成联合检查组分四路对全区国道、省道及公路“三乱”多发区进行了明查暗访，行程1000余千米，涉及站卡40余个，纠正不规范行为12起，并对责任人员作出了严肃处理。全区共查处公路“三乱”问题及不规范行为262起，撤销非法设置的收费点2个，查处公路“三乱”案件90件，受党政纪处分38人，涉及违纪金额12000元，与1999年同期相比下降12.5%。全区共查处中小学乱收费案件15件，涉及违规金额26.65万元，已全部清退，受党政纪处分6人，通报批评17人，进一步减轻中、小学费用负担总金额2185.88万元。

【从源头预防和治理腐败】 落实“收支两条线”规定。一是清理行政事业银行账户。通过清查，撤销违规账户175个，取消收入过渡户373个。二是票据清理年检。通过年检，全区共领取各种票据数量为23059本，发出数量为16879本，库存数量6180本，核销数量13268本，未核销数量3611本。三是严格招待罚款分离和票款分离。全区罚设收入应入国库数为8875万元，实行罚款分离实际入库数4788万元，罚缴分离率为55%。四是自查和重点检查。全区共自查出违纪金额300万元，其中应缴未缴专户或国库230万元，截留、挪用、坐支170万元，违规收费25万元，违规票据30万元，其它5万元。全区重点检查户数为436户，共查出违纪金额2516万元，其中应缴未缴财政专户1830万元；应缴未缴国库328万元；截留、坐支、挪用1502万元；公款私存或私设“小金库”51万元；违规票据86万元；违规收费220万元。对以上违纪问题共实施经济处罚81万元。

不断引深村务、厂务、政务公开工作。村务公开方面，重点抓了巩固、完善、提高、深化4个环节，全区17个县（市）、244个乡镇、3374个行政村中，有3287个行政村实行了村务公开制度，占行政村总数的98%；有3294个村建立了“两议一组”，占总数的98.2%；有235个乡镇、3180个村实行了“村账乡管、两级审核、集中办公”制度，分别占95.5%和94.8%。

厂务公开方面，全区所属企业共有725个，已实行厂务分开的企业598家，占企业总数的98%。通过厂务公开，全区企业职工提出合理化建议6000余条，已采纳3000余条，为企业增加效益300余万元。全区企业的交通费、电话费、业务招待费比1999年同期下降40%。

政务公开方面，3月15日，全区召开了有四大班子及地纪委主要领导参加的推行政务公开、开展行风评议“新闻发布会”，公开接受社会监督。9月在襄汾县召开了乡镇政务公开工作现场会，全面推进了全区的乡镇政务公开工作。全区实行政务公开的政府机构（包括乡镇、街道办事处）357个，已实行政务公开的部门和单位（省、地、县、乡级管辖的部门、办事机构）1730个，其中省级26个、县级508个、乡镇1196个。全区建立公开阵地1636个，公开内容2821项，实行办事公开、一条龙服务的窗口单位275个，被评部门和行业242个，社会各界参加评议的5.25万人，行评中解决群众反映强烈的热点问题238个，建立完善制度的整改措施823条。

积极推行会计委派工作。全区17个县（市）全部成立了会计管理机构，并制定了会计委派的实施意见、具体方案，15个县（市）实行了会计委派。全区现已委派1076个单位1353名财会人员，其中实行交流的有430人，交流面达31%。地直单位在1999年委派17个单位20名会计的基础上，2000年再次委派了21个单位的29名会计。

加强有形建筑市场的建设和管理工作。全区共检查在建工程项目126项，面积606209平方米，造价40642万元，收缴罚没款45.6万元，催缴各项规费50余万元。查处违法违纪案件4件，3人受到党政纪处分，2人移交司法机关处理。

【执法监察】 在粮食体制改革执法监察方面，加大查处打击非法收购活动的力度，共检查收购、加工、销售企业560户，取缔无照经营20余户，勒令停业整顿60余户，打击非法收购行为30余起，立案查处粮食违法案件 96 起，结案 80 起，罚没款 15 万元，查扣原粮 260 余吨。

国债资金执法监察方面，在组织各有关县（市）监委牵头、项目部门进行自查自纠的基础上，抽调财政、审计、计划等有关人员组成检查组，对各有关县（市）进行了检查。1999 年以来，全区国债资金项目共 10 项，涉及 8 个县（市）和 1 个地直部门，总金额 6909 万元，其中转贷资金 3200 万元，拨款资金 3709 万元。并对 1999 年以前大宁、永和两县各 1510 万元的生态建设项目进行了检查。

在“四项资金”管理使用情况执法监察方面，制定了实施方案，建立了联席会议制度，成立了专项检查办公室，组织了“四项资金”执法监察培训班。全区共查处违法违纪金额 86.5 万元，提出合理化建议 10 余条，发现案件线索 4 条，督促到位资金 428 万元。

【落实党风廉政建设责任制】 根据党中央、国务院和省委、省政府实行党风廉政建设责任制的规定，各级、各部门都成立了落实党风廉政建设责任制领导小组，党委书记为组长，党委副书记为副组长。地委、行署联系本区实际，制定下发了《关于四大班子及其领导干部党风廉政建设责任范围和责任追究的规定》，从 7 个方面提出了具体的追究内容。制定了《2000 年全区党风廉政建设和反腐败工作任务责任分解的意见》，按照“谁主管、谁负责”的原则，紧紧抓住责任主体。同时地直各部门、各单位和各县（市）也对自己承担的各项任务进行了分解量化，责任到人。为了保证四大班子责任制的落实，经地委、行署联席会议同意，建立了地纪委与地委、行署班子成员落实党风廉政建设责任制联系制度，即由地纪委各书记、委员每人联系 1—2 位地委、行署班子成员，根据不同时期的工作部署，及时提醒督促，保证工作有人抓、有人管，保证责任制落到实处。各县（市）也都采取相应的办法，制定了切实可行的监督保证措施。各级、各部门把责任追究作为贯彻落实党风廉政建设责任制的关键环节来抓，在严格考核测评和监督检查的基础上，对 70 余名领导干部进行了各类追究，其中县级干部 13 人，使各级领导干部的责任意识明显增强。

【整顿基层站所】 针对执收执罚部门基层站所存在的吃拿卡要、以权谋私、贪污挪用、中饱私囊等群众反映强烈的问题，地委、行署决定，从 4 月底开始，集中对基层站所进行治理整顿。通过 5 个月的工作，全区 3922 个站所、26977 人中，共查处违法违纪案件 310 件，有 323 人受到处理，其中党政纪处分 310 人，移交司法机关 13 人。共清退临时人员 3235 人，占总数的 12%，年可减轻经费开支 1110 余万元；查出违纪金额 3045 万元，已没收 168 万余元；共精简机构 183 个，占总数的 5%。为引深治理整顿工作，地委、行署决定，采取“三讲”评议和测评的方法，对每个站所进行民主评议，并以地委、行署名义印发了具体工作实施意见，要求站所长凡满意票达不到 70%的，就地免职或进行组织调整，问题严重的，由纪检监察机关立案处理。全区共评议站所 3299 个，占站所总数的 100%。通过评议，全区有 39 名站所长满意票未达到 70%，全部被免职或进行了调整。这一做法，刘振华省长专门作了批示，省纪委书记金银焕和省纪委常委会也给予了充分的肯定和鼓励。

【狠刹大操大办敛财收礼不正之风】 一是实行严格责任追究，抓单位第一把手。地纪委专门制定《关于党员干部大办婚丧喜庆事宜和借机敛财对单位主要负责人实行责任追究的规定》，并经地委 5 位书记、副书记审阅同意，下发全区执行。为保证规定落实先后召开了两次驻临各单位一把手大会，把责任当面落实给第一把手，进一步强化第一把手的责任意识。同时，又起草了《关于严查重处党员干部职工婚丧喜庆事宜和借机敛财对单位主要负责人实行责任追究的规定》，加大了处罚和处分的力度，经地委 5 位书记签发全区执行。二是加大监督检查力度一方面严把申报监督关，严格按干部管理权限进行申报，副县级以上干部在地纪委申报，科级以下干部在本单位申报；另一方面严把现场检查关，地纪委同临汾市纪委组织 4 个检查组，分 4 片坚持每天中午、晚上全天检查。全区共累计检查 2000 余场次。三是严查重处，敢用重典。经过 5 个月的集中整治，查处党员干部大操大办问题 86 件、参与操办的公车 52 辆，并全部进行了曝光，处罚金额共计 58200 元。全区共有 25 人受到党政纪处分，有 20 个单位的主要领导受到责任追究。

【反腐倡廉宣传教育工作】 1. 深入开展邓小平关于党风廉政建设和反腐败理论的学习活动。全区共发放教材 1500 余册，组织理论培训班 63 期。2. 开展警示教育活动。全区共发放《胡长清警示录》光碟、录相带 21 套，发放《胡长清警示录》和《典型案件剖析》教育读本 500 册，组织专题讨论会 91 场，95%的副县级以上领导干部写出了观后感和心得体会。3. 组织观看电影《生死抉择》。全区共放映 400 余场，观看人数达 18 万人。4. 组织观看话剧《浪淘碧海》和电视连续剧《好人》。《浪淘碧海》在本区共演出三场，观看人数达 4000 人；全区共发放《好人》录相带 28 套，全区各县（市）及厂矿企业均在晚上黄金时间进行播放，党员干部收视率达 70%。5. 将全区一年来公处的 92 案 102 人的错误事实在《临汾日报》、地区电视台和《监督时报》上公开曝光，并印发案件剖析材料 2000 份，保证全区科级以上领导干部人手一册。

【全区党风廉政建设工作会议】 全区党风廉政建设工作会议于 3 月 9 日召开。会议的主要内容是：传达贯彻中纪委四次全会、省纪委八次全会精神和全省党风廉政建设干部大会精神，全面安排 2000 年全区党风廉政建设和反腐败工作，同时对 1999 年全区党风廉政建设和反腐败工作中涌现出来的 85 个先进单位和 102 名先进个人进行了表彰。大会由地委副书记陈满仓主持，地委委员、地纪委书记王万年传达贯彻中纪委和省委、省纪委会议精神，并安排部署了 2000 年全区党风廉政建设和反腐败工作。地委副书记、行署专员樊纪亨在大会上作了重要讲话。参加大会的有：各县（市）委书记、县市长、纪委书记；地直各单位主要负责同志，各派驻纪检组长（纪委书记）；驻临省营企业、地区国营企业的党委书记、纪委书记。

（段效毅）

人大工委工作

【全区“三账”监督工作座谈会】 1 月 12 日，地区人大工委召开全区“三账”监督工作座谈会，各县（市）人大常委会主任参加了会议。会上，襄汾、翼城、吉县、曲沃、安泽、洪洞、浮山、古县等县（市）对实施“三账”（年初建账、年中查账、年底交账）监督的工作情况做介绍。地区人大工委主任陈长禄做重要讲话，提出 5 点意见：一要合理调整监督范围。二要科学确定建账内容。三要完善规范监督程序。四要不断强化内部监督。五要不断加强具体领导。

【第二次工委委员会议】 4 月 29 日，地区人大工委召开第二次工委委员会议，行署副专员董彩霞和各县（市）人大主任列席会议。会议听取并审议了行署民政局关于全区村委员会换届选举情况汇报，人大工委主任陈长禄做题为“克服自满松散情绪，善始善终搞好村委会换届工作”的重要讲话。会议认为，全区村委会换届选举工作总体情况较好，但也存在着一些需认真对待的问题。为此要求，一是加强领导，善始善终地搞好村委会换届工作。全区虽然有 92.4%的村完成村委会换届任务，但除吉县、蒲县、永和三县基本完成了村委会换届任务外，其余各县进度各不相同，因此，仅靠民政部门的力量完成好最后攻坚任务是有困难的，行署要切实加强领导，督促各县（市）政府民政部门抓好组织协调，尽快依法完成所剩村的村委会换届工作。二是依法指导，严格按选举程序办事。对村委会换届选举工作，切实加强指导，严格把住每个环节，特别是要解决好部分县、乡干部滞后于法制建设的思想认识问题，杜绝“指选”、“派遣”、“假选”等现象。支持各级民政部门对各类违法行为，理直气壮地予以查处，对不符合法定程序的选举，要依法另行选举，维护村委会组织法的尊严，保证村委会换届工作依法进行。三是搞好培训，提高新当选村委干部素质。对新当选村委干部要组织认真学习《村民委员会组织法》、《土地管理法》、《森林法》、《计划生育条例》等法律、法规，增强法制观念，提高依法办事能力。四是抓住契机，全面推进村民自治。村民自治的核心是实现“四民主”，民主选举是第一步，在完成村委换届选举之后，要抓紧时机推进民主决策、民主管理和民主监督。同时，村委会要依据有关法律法规，结合本村实际制定和修订《村民自治章程》或《村规民约》，用“小宪法”规范村干部和村民行为。五是检查验收，使村委会组织法切实落到实处。

【开展《会计法》执法检查】 下半年，地区人大工委组织开展了《中华人民共和国会计法》、《山西省会计管理条例》（以下简称“一法一例”）执法检查。这次检查按省人大的统一部署进行，地区成立了执法检查领导组，人大工委副主任张作明担任组长，法制处处长刘林海任副组长，财政、审计、国税、地税等有关部门负责人组成领导组成员。7 月 1 日，地、县（市）两级人大分别组织开展了《会计法》宣传日活动，人大工委副主任张作明在广场接受了电视台采访。8 月 7 日，举办《会计法》讲座，对地直各部、委、局、办及下属企、事业单位一把手、地区中院、检察分院及驻临中央、省属单位一把手进行了培训。9 月 18 日～27 日，地区人大执法检查组分两路先后深入到洪洞、襄汾、古县、翼城及行署教委、物价局、林业局、旅游局、中级法院、烟草专卖局、供销社、医药管理局、移动通信公司、染化集团，就会计“一法一例”执行情况进行了检查，对检查中发现的会计核算不统一、不依法设账、会计凭证不符合规定入账及会计人员不持证上岗、不按规定实行回避等问题，检查组当即责成有关部门限期整改。10 月 30 日～11 月 2 日，省人大“一法一例”执法检查组一行 4 人在本区浮山县、侯马市进行了为期 4 天的重点抽查。

【开展平阳环保行活动暨环保执法检查】 7 月 11 日，地区人大工委以临地人发[2000]15 号文件向全区各县（市）发出通知，决定在全区范围内开展平阳环保行暨环保执法检查活动，同时制定方案并成立领导组，陈长禄主任任组长，张伟能副主任、成洪才副专员任副组长。7 月 22 日～8 月 14 日，由地区人大工委法制处牵头，行署办公室、行署经委、环保局、土地局、监委、公安处、工商局、地区中级人民法院、电业局、临汾日报社、地区电视台等 11 家单位组成的采访检查团一行 22 人，行程 3000 余千米，先后深入到洪洞、霍州、汾西、临汾、襄汾、曲沃、翼城、侯马、乡宁、吉县、大宁、蒲县、浮山、古县等 14 个县市、56 个乡镇、136 家厂矿企业，进行现场检查采访。活动期间，设立举报电话，接到群众举报 67 人次；直接采访干部、群众、企业负责人 170 余人次，查处有违法行为的企业 73 家；取缔土焦炉 20 个、土烧结窝点 3 个；炸掉烟囱 15 根；对 15 个污染严重、顶风违法生产的企业采取断电、断水、收回营业执照，给予关停；对 38 个违反环保法规的企业下达了行政处罚告知通知书；责令 3 个违反国家产业政策违法兴建的企业停工拆除、恢复地容地貌；解决了 12 个突出的环境问题。

【“建立代表活动室、开展代表议政日”活动】 7 月 24 日～28 日，地区人大工委组织全区 17 个县（市）人大常委会分管人事交流活动代表工作的副主任和人事代表工作委员会主任 30 余人，对全区“建立代表活动室、开展代表议政日”的情况进行了相互学习交流。在学习交流中主要采取分组实地考察的办法，对各县（市）代表编制情况、活动室建立情况、代表活动内容及议政情况、办理代表建议、意见情况、代表参加活动情况等进行了相互观摩学习，并召开座谈会，提出了进一步做好建立代表活动室、开展代表议政日"工作的建议。"

【地委人大工作会议】 8月4日，地委人大工作会议在召开，这是本区自1981年县级人大设立常委及其办事机构以来，首次由地委召开的人大工作会议，地区领导杜玉林、樊纪亨、张岗旺、张茂才、刘合心、陈长禄、王万年、刘传旺、耿根喜、卢健清、李建民、张伟能、张作明、董彩霞、刘玉和、陈保堂、李秉泰等出席会议，各县（市）委书记、县（市）长，人大主任，地区各部、委、局、办的负责人及中级人民法院院长、检察分院检察长共200多人参加会议。会议由地委副书记张岗旺主持。地委书记杜玉林在讲话中首先肯定了近几年来地区人大工委和各县（市）人大紧紧围绕经济建设这个中心，认真履行宪法和法律赋予的职责中所取得的成绩。同时，就如何加强和改善党对人大工作的领导，支持人大依法行使职权和进一步发挥权力机关作用的问题强调了三点意见：首先，要提高和深化思想认识，进一步明确坚持和完善人民代表大会制度的重要性。要求各级领导务必确定政权要依靠党的领导，党委要尊重政权职能作用的观点。其次，要加强和改善党的领导，切实把人大工作列入党委的重要议事日程。强调地、县（市）党委要根据党的中心工作，按照人大的职权范围和工作方式，向本级人大常委会党组提出任务和要求，坚持每半年听取人大常委会党组一次工作汇报，对请示的有关问题及时研究答复，自觉尊重和支持人大及其常委会正确行使职权。党委要把人大干部的配备、培养、选拔和使用纳入干部队伍建设总体规划，积极推进人大机关干部与党政机关干部的交流。第三，要改进和发展人大工作，加速推进依法治区进程。各级人大要坚持在党委领导下开展工作的基本原则，贯彻以经济建设为中心的指导方针，发挥人大机关和人大代表密切联系群众的优势，把依法治区工作纳入规范化、制度化、程序化、法制化的轨道。会上，地区人大工委主任陈长禄，总结回顾自1993年组建地区人大工委七年来的工作情况，部署如何坚持和依靠党的领导，依法履行职责，进一步做好人大工作的具体意见。行署专员樊纪亨同志做了向人大负责，自觉接受人大监督的表态发言。会上做出《中共临汾地委关于加强人大工作的决定》。

会上还表彰了1999年度推行执法责任制工作先进县（市）人大常委会和地直机关执法责任制先进单位。

【第三次工委委员会议】 9月21日～22日，地区人大工委召开第三次工委委员会议，听取和审议地区中级人民法院关于建立完善监督制约机制、强化违法审判责任追究的情况报告。地区人大工委全体委员参加会议，中级法院院长、副院长，检察分院检察长、公安处长、行署司法局长、各县（市）人大常委会主任及人大工委聘请的法律顾问列席。参会人员结合具体案件进行以案说法，并围绕报告进行了认真审议。会上，地区人大工委主任陈长禄做了题为《加强监督制约，确保司法公正》的总结讲话，对1999年以来，中级人民法院建立和完善内部监督制约机制运行情况及错案责任追究工作做了基本估价。明确指出，中级人民法院在落实错案责任追究制方面，还存在着认识到了，但重视程度不够；制度有了，但落实力度不大；硬件上去了，但软件建设抓得不够；责任追究有成效，但追究的深度不够等突出问题，要求进一步充分认识公正司法的意义，从严治警，加强监督，努力搞好司法队伍建设。

【农村基层民主政治建设曲沃现场会】 11月20日，地区人大工委召开了全区全面推进基层民主政治建设曲沃现场会。来自全区17个县（市）的人大常委会主任和政府分管县长、副县长、民政局长等百余人参加了会议。地区人大工委主任陈长禄、副主任高光挺、李建民、张伟能、张作明、行署副专员董彩霞出席会议，会议由人大工委副主任李建民同志主持。会议特邀省人大常委会人事工委副主任曹喜明一行4人亲临会议进行指导。参会同志参观了曲沃县9个乡、镇、村、所基层民主政治建设的典型，听取了曲沃县委、人大、政府在加强农村基层民主政治建设方面各自的经验介绍；听取了城关镇、安居乡、西南街村、东关村的典型发言；行署副专员董彩霞从政府工作的角度，就加强农村基层民主政治建设做了书面发言；地区人大工委主任陈长禄做《抓住大好时机，学习曲沃经验，积极推进农村民主政治建设》的重要讲话；地委副书记刘合心对基层民主政治建设，从3个方面提出了明确要求；省人大常委会人事工作委员会副主任曹喜明对进一步搞好基层民主政治建设提出衷恳希望。大家表示一定要认真学习推广曲沃经验，真正把曲沃经验学到手，为本区基层民主政治建设取得明显进展而努力奋斗。会议强调，在推进农村基层民主政治建设的过程中，还要做好以下几方面工作：首先，加强宣传教育，切实提高对农村基层民主政治建设重大意义的认识。其次，把握关键环节，大力推进农村基层民主政治建设，农村要着重抓好村民自治，认真实行"四个民主"；乡镇当前应主要抓好政务公开；乡镇政府要认真推行执法责任制。再次，要理顺工作关系，坚持党的领导，坚持依法办事。最后，要健全监督机制，保证农村基层民主政治建设健康发展。要建立责任追究制度，民主评议考核制度；检查制度等一系列规范基层民主政治建设的制度。

【首届市人大代表选举工作会议】 12月23日，临汾市（地级）第一届人民代表大会代表选举工作会议召开。会上，临汾市（地级）第一届人民代表大会筹备组组长陈长禄讲了3点意见，一是充分认识撤地设市以及召开首届人民代表大会的重大意义，以高度的政治责任感和强烈的革命事业心选好临汾市（地级）首届人民代表大会代表；二是代表名额的分配原则和法律、政策依据；三是把好入口关，选好当家人，提高人大代表的整体素质。参加会议的有市委（地级）有关领导和各县（区、市）的人大常委会主任和组织部部长。

【全国及省人大领导同志来临汾视察及检查工作情况】 3月13日～14日，省人大常委会副主任张铭、法工委主任张计书、副主任万寿恒等一行8人检查执法责任制工作。

5月17日～21日，省人大常委会副主任张秉法、教科文卫委主任魏凯一行6人检查《义务教育法》、《文物保护法》的贯彻执行情况。

7月17日～19日，全国人大办公厅研究室调研组就“两评”工作进行调研。

7月21日～23日，省人大内司委副主任夏珍一行检查宗教政策的执行情况，并到翼城了解情况。

8月8日，省人大常委会副主任白陛、吴达才，人事工委主任蔡醒民等一行19人对旅游业进行专题视察。

（权建军、杨爱俊、王秀成）

行署工作

【综述】 认真贯彻落实省委七届九次全会和省九届人大三次会议精神，以调整经济结构为中心，加快经济发展，大力推进打基础、调结构、治环境“三件大事”，并取得显著成效。全区国民经济保持较快增长，主要经济指标超额完成。全区国内生产总值完成1711000万元，按可比价值增长8.6%。城镇居民人均可支配收入实现4158元，同比增长10.3%。大旱之年农业减产农民不减收。面对严重的旱情，一手抓抗旱自救、扶贫救灾，一手抓以副补农、以工促收和劳务输出，千方百计确保农民收入，实现农民人均纯收入2195元，同比增长9.1%。乡镇企业发展势头强劲。全区乡镇企业实现总产值2380000万元，比1999年增长38%，完成增加值650000万元，增长41%。工业生产稳步增长，企业效益明显好转。全区限额以上工业企业完成工业总产值1159000万元，比1999年增长11.54%。实现利税109000万元，比1999年增长27.8%。固定资产投资加大，结构优化，力度加大。全社会共完成固定资产投资451000万元，同比增长7.1%。其中，国有经济投资241000万元，集体经济投资21000万元，其它经济投资189000万元。全区基本建设投资完成202000万元，更新改造投资133000万元，住宅和房地产投资36000万元，其它投资55300万元。全区各类重点调产项目137个（其中投资在5000万元以上的标志性项目18个），已竣工投产26个。对外贸易和旅游业快速发展。全年完成进出口总额4753万美元，比1999年增长1.7倍。其中出口总额3734万美元，增长1.8倍，进口总额1019万美元，增长1.4倍，实现贸易顺差2714万美元。共接待旅游人数160.3万人。其中，从事旅游、商务、访问及各项活动的外国人、华侨、港澳台同胞9561人次。旅游外汇收入171.4万美元，增长44.3%。财政收入持续增长，金融信贷保持稳定。全区财政总收入完成149300万元，同比增长13.5%；一般预算收入完成88200万元，同比增长12.1%。全区金融机构年末各项存款余额1930900万元，比年初增长16.3%；各项贷款余额1411200万元，比年初减少1.44%；全区金融机构现金收入489000万元，现金支出503700万元，收支相抵净投放货币147000万元，增长4.4%。

1．大力调整产业结构。农业结构调整方面，按照因地制宜，分类指导的原则，平川7县市大力发展精品农业，高效农业和特种养殖。曲沃太子滩和襄汾邓庄无公害蔬菜、临汾屯里和洪洞甘亭芦笋，临汾尧庙和襄汾张礼小麦，襄汾永固和曲沃高显水产养殖等9个农业高科技示范园区初见雏形；山区10个县实施“一县一业”和“几县一业”连片种养、集中发展、规模经营。重点发展以苹果、酥梨、红枣、核桃、黄牛、绒山羊为主的林果业和畜牧业，加快特色产业、龙头企业和生态农业建设。全区基本形成了平川“两高一优”和山区生态经济农业协调发展的新格局。工业结构调整方面，一手抓传统产业的改造升级，一手抓新兴产业的开发培育。全区共落实调产资金105200万元(其中完成投资72200万元)。新上工业调产项目103个，其中医药化工14个、铸造8个、农副产品加工18个，传统产业改造42个。省定13项重点调产项目有12项启动。其中：临汾染化集团直接染料已有4个品种投产，晋光药业有限责任公司50亿粒猴头健胃灵、鼎立化工公司10万吨硫基复合肥、襄汾亚光集团5万吨球墨离铸管，瑞洁生化有限公司6万吨柠檬酸扩改，山西三维集团1.4—丁二醇，龙兴饮品公司莲藕汁系列食品项目已开工建设，隰县天天饮料万吨金梨汁等3个项目完成可行性研究报告。第三产业调整方面：以市场建设和旅游业开发为重点，提升传统商贸服务业档次，开拓新的服务领域。全年新增市场建设投资25000万元，新建和改建了顺峰付食品批发市场，广奇家具城、五洲超市和尧丰农副产品等12个专业批发市场。全区批发、零售贸易额达390000万元，同比增长10.1%。旅游业坚持自然景观和人文景观并举，突出地方特色，先后对曲沃晋侯墓群、尧庙洪洞寻根祭祖国、翼城舜王坪生态旅游、霍州州署和黄河壶口瀑布等5个景点进行了重点开发建设。大力发展信息产业，组建了“临汾信息中心”，发布经济技术信息，开展电子商务，架起政府和企业对外沟通的桥梁。

2．进一步推进国企改革。全区通过公司制度改革，对已改制的工业企业进一步规范和完善。同时，以困难企业为重点，采取剥离不良资产以及兼并、租赁、分块搞活、破产等多种形式，使多数企业实现了扭亏增盈，走出困境。临汾染化（集团）有限责任公司，霍州化工公司、临汾市煤气化工公司、乡宁台头煤矿等6个利税千万元以上的骨干企业初步建立了比较规范的现代企业制度；临汾电控厂、互感器厂、橡胶厂、临汾造纸厂、襄汾纺织厂剥离不良资产20800万元；侯马纺织厂加快新产品开发，强化内部管理、实现利税269万元，整体扭亏增盈，成为全国纺织行业国企走出困境的先进典型；山西橡胶厂被整体租赁后全面恢复生产；临纸、电控厂、互感器厂、平阳钢铁厂和什林煤矿等企业也分别通过切块租赁、分块经营，盘活了存量资金，激发了企业活力，提高了生产经营效益。全区亏损企业减亏幅度达65.4%。9户地营国有困难企业完成工业产值21100万元，同比增长134.3%，实现利税885万元。

3．加快基础设施建设。农田水利建设方面，加高培厚150千米铅丝笼坝457条。新栽石坝防护林103万株。护坡黄花菜668.7万苗；40万亩汾河滩涂农业综合开发区内建成28处高效农业节水示范园。山区人畜饮水解困工程开工653处，完成382处。解决了416个自然村、16.96万人的吃水困难问题。汾西灌区跃进渠改造全面完工，浍河水库、浍河二库和小河口水库的除险加固基本完成。交通建设方面：吉县—壶口52千米旅游公路、扶贫公路全线通车。城镇建设方面；按照“一河两路”总体建设规划，6条新街已有襄汾龙山路、曲沃晋都大道竣工，侯马东风路、霍州永安大厅的主体框架基本形成。霍州滨河小区、洪洞涧南小区、侯马文锦苑小区、襄汾怡祥苑和翼城翼鹏小区等9个住宅小区建设完成投资8300余万元。施工面积达15万平方米。旧城改造工程项目，已完成尧都区解放路、平阳北街、青狮南街、建设路、平阳广场二期工程竣工。曲沃西大街、中心广场、侯马文明路装饰绿化工程已过半。16个小城镇已全部完成总体规划和评审工作，进入实施阶段。

4．加大环境治理力度。本区先后实施了取缔中小企业污染，企业达标和城市环境综合整治三大战役，全区共取缔土小企业727家，淘汰小造纸、小水泥等落后工艺、设施111家。投资7400余万元，先后完成山西焦化厂、新临钢公司、临汾染化集团的“三废”处理设施改造工程。全区列入达标考核的2136个工业污染企业，治理达标的1351家，达标率位居全省前列。加大城市环境综合治理力度，禁止城市锅炉、茶浴炉使用散装烟煤，推广使用电、油、煤气、液化气等清洁燃料，并加强对汽车尾气的监测净化治理工作，全区环境质量有了明显改善。

5．实施“科技兴临”战略。加大经费投入，普遍建立健全了科技领导培训和推广网络，科技三项费用投入达1156万元，2/3的农户拥有一名“科技当家人”，80%的农村基层干部接受了技术培训。教育部门以中小学内部管理体制改革和临汾职业技术学院、山西师大临汾学院建设为重点，全面促进各项教育工作。两院已完成总体规划和勘探工作，教学楼等工程建设正在加紧进行。计生部门狠抓基层网络建设和“双服务”活动，230个乡镇达到了“四有三落实”的基层站所标准。本区人口出生率为13.9‰，自然增长率8.4‰，计生率为78.6%。全区有10个县基本实现了“三为主”。体育、卫生、广播电视等其它社会事业也取得了长足发展。

6．积极开展扶贫救灾和“两个确保”工作。面对严重的自然灾害，粮食减产，有87万人，14万头大牲畜发生饮水困难。全区上下，全力以赴抗旱自救，共动用救灾捐赠款500万元，粮食1140吨，使灾区群众基本做到了有粮吃、有水喝、有衣穿、有医治，有效维护了农村稳定。为实现“两个确保”的目标，本区积极争取省政府专项资金2100万元，彻底解决了省属15户企业5659名离退休职工历年拖欠养老金问题；地区财政拨专款200万元，地区保险所及企业筹集300万元，解决了66户地属企业5628名离退休职工55%的养老金拖欠；地区和县两级筹集1042万元，为下岗职工发放基本生活保障金977万元。全区征缴养老金11800万元，征缴率达81.5%；征缴失业保险金980万元，征缴率比上年提高12%。养老、失业保险覆盖面分别达97%和96%。医疗保险制度改革已全面启动。

7．发展外向型经济。本区以侯纺、新临钢、临汾染化集团、汾河制药厂、华翔铸造公司等出口骨干企业为重点，继续实施国际市场和出口产品结构“两个调整”战略，在巩固原有亚洲市场的同时，新拓展了意大利、保加利亚、西班牙等欧洲市场和南非市场。纺织、医药、化工、铸造等优势产品及钢坯等新产品的出口量占到全区出口总额的80%以上。据海关统计，全区出口额达3734万美元，同比增长1.8倍。新批准三资企业9户，合同外资总额4724万美元，完成全年目标1500万美元的315%。临汾、侯马两个省级经济技术开发区已理顺管理体制，吸引众多工商企业入区投资发展，为更好地发挥对外开放的“窗口”及“示范”作用奠定了良好基础。

·行署各类文告·

【通知、通告】

1月7日　印发《临汾地区抗灾自救工作安排意见》的通知。

3月10日　印发《关于加快个体私营企业发展的意见》的通知。

4月4日　《印发关于2000年全区防震减灾工作要点的通知》。

4月22日　印发《临汾地区城镇职工基本医疗保险实施方案》的通知。

6月5日　印发《临汾地区矿山企业管理办法》的通知。

7月27日　批转行署乡镇局关于《临汾地区乡镇企业结构调整实施意见》的通知。

8月9日　印发《关于进一步整顿煤焦运销秩序的实施意见》的通知。

11 月 13 日 印发关于发展农村中介经济组织进一步搞活农产品流通的意见的通知。

11 月 14 日 关于印发《临汾地区城镇职工基本医疗保险参保程序及缴费管理暂行办法》的通知。

11 月 15 日 批转行署农业局《关于全面推进水果产业化的实施意见》的通知。

11 月 28 日 批转行署农业局《关于临汾地区种植业结构调整实施意见》的通知。

12 月 25 日 关于印发《临汾地区撤并乡镇工作方案》的通知。

【报告、公告、决定】

2 月 23 日 关于表彰 1999 年度民兵预备役工作先进单位的通报。

5 月 9 日 关于筹建临汾地区师范学院的决定。

4 月 24 日 关于筹建临汾地区经济技术学院的决定。

5 月 10 日 关于我区小麦遭受特大旱灾的情况报告。

11 月 13 日 关于我区对城市居民最低生活保障对象及所需保障资金调查的情况报告。

12 月 26 日 关于表彰 2000 年度民兵预备役工作先进单位的通报。

·重要会议·

【全区工业经济工作会议】 1 月 16 日，行署召开全区工业经济会议。各县（市）分管工业的副县市长、经委主任，地直有关部门的负责人，地营企业负责人，27 户科技型小企业负责人，10 个重点项目企业和利税超 500 万元的 15 户重点企业的负责人参加会议。会议总结了 1999 年全区工业经济工作，安排部署了 2000 年全区工业经济工作。

【潜力产品汇报会】 2 月 18 日～19 日，行署召集各有关县（市、地）直有关部门负责人，以及潜力产品项目所在企业（厂长）经理、项目负责人，就本区潜力产品及项目的基本情况、工作动态、需解决的主要问题等方面组织了专题汇报讨论，并针对性地提出加快推进潜力产品发展的对策意见。

【全区乡镇企业工作会议】 2 月 24 日，行署召开全区乡镇企业工作会议。会议肯定了乡镇企业战线和广大干部职工紧紧围绕地委、行署提出的“打基础、调结构、治环境”三件大事所取得的突出成绩，总结表彰 1999 年度先进单位和个人， 就 2000 年全区乡镇企业工作做出安排部署。

【全区外经贸工作会议】 2 月 23 日，行署召集各县（市）分管外经贸工作的领导，地直有关部门负责人，承担进出口任务的生产企业、重点保护企业、部分三资企业的厂长（经理），召开全区外经贸工作会议。会议传达全国、全省外经贸工作会议，全面安排部署 2000 年外经贸工作任务。

【全区财税工作会议】 2 月 23 日，行署召开全区财税工作会议。参加会议的有各县（市）长、分管副县（市）长，财政局局长，国税、地税局局长，临汾经济技术开发区负责人，地区财委、计委、经委、农委、财政局、国税、地税局、审计局、乡镇局、人行、工行、农行、中行、建行、农发行主要负责同志。会议回顾总结 1999 年全区财税工作，安排部署 2000 年任务，并签订目标责任书。

【全区安全生产工作会议】 2 月 29 日，行署召开全区安全生产工作会议。会议通报了 1999 年全区安全生产工作情况，为进一步搞好 2000 年全区安全生产工作进行安排部署，签订安全目标责任书，各县（市）、各单位有关负责人、安委会全体成员，1999 年度安全生产工作先进单位的代表参加会议。

【全区计划工作会议】 2 月 29 日，行署召开了有关各县（市）分管计划工作的副县（市）长、计委主任、项目办主任、地直有关部门和重点项目单位法人代表参加的全区计划工作会议。会议传达了全国、全省计划会议精神，安排部署 2000 年计划工作。

【全区环境保护工作会议】 3 月 3 日，行署召集各县（市）分管领导、环保局长、地区环委会成员单位负责人、有关企业负责人召开全区环境保护工作会议。会议总结 1999 年环境治理工作，安排部署 2000 年全区环保工作主要任务和措施，表彰 1999 年度环保目标责任制和环境治理先进集体。

【全区煤炭工业工作会议】 3 月 15 日，行署召开全区煤炭工业工作会议。会议总结 1999 年全区关井压产及煤炭工业工作、表彰奖励先进单位和先进个人，为贯彻全省煤炭工作会议和地区三级干部会议精神，以及 2000 年全区煤炭工作进行了全面安排部署。各县（市）、地直有关单位和各重点产煤乡镇的领导参加会议。

【全区交通工作会议】 3 月 30 日，行署召开全区交通工作会议，各县（市）、地直有关单位的负责人参加会议。会议总结 1999 年交通工作，表彰先进、安排部署 2000 年交通生产建设任务、并签订责任书。

【全区煤矿安全生产现场工作会议】 3 月 31 日，行署在乡宁县台头煤矿召开全区煤矿安全生产工作会议。各县（市）有关负责人、地直有关单位主要负责人、年产 9 万吨以上各类煤矿长和新闻单位参加会议。会议对 2000 年全区煤矿安全生产工作进行安排部署。

【全区农村人畜饮水解困暨产业结构调整吉县现场会】 4 月 18 日，行署召集各县（市）分管农业工作的副县市长、农业局局长、山区 7 县烤烟局长、35 个列入全省饮水解困工程的乡镇和 12 个重点工程所在村的主要领导，以及地直有关部门负责人、新闻记者在吉县召开全区农村饮水解困工程暨产业结构调整现场会。通过现场示范观摩，安排部署全区人畜饮水解困，产业结构调整和当前农业生产工作。

【全区第五次人口普查工作会议】 5 月 11 日，行署召开全区第五次人口普查工作会议。传达全国全省第五次人口普查领导小组会议和国务院、省政府领导同志的讲话精神，研究部署全区第五次人口普查工作，汇报交流各县（市）第五次人口普查“三落实”情况。地区第五次人口普查领导小组成员、各县（市）主要领导、有关部门负责人参加了会议。

【全区环保“六·五”关停行动动员会议】 6月2日，行署召开全区关于对逾期未实现排污达标的工业企业采取“6·5”关停行动动员会议。传达全省采取“6·5”关停行动的通知精神，安排部署全区“6·5”关停行动实施意见。成洪才副专员做全区采取“6·5”关停行动动员报告；樊纪亨专员就全区采取“6·5”关停行动做重要讲话。各县（市）主要领导、分管领导、环保局长、地直有关单位负责人和新闻单位参加会议。

【临汾地区首届“产学研”高新技术项目洽谈发布会】 7月10日～12日召开了临汾地区首届“产学研”高新技术项目洽谈发布会，北京、上海、西安等地大专院校、科研院所的技术专家与本区的企业界人士进行了广泛的技术交流、合作洽谈。各县（市）结合本地产业特点和发展优势，组织一批潜力大、技术含量高、产品关联度大的项目参会洽谈，签订16项长期合作协议和121项项目合作意向书。

【全区收费公路秩序整顿工作会议】 7月10日，行署召开全区收费公路秩序整顿工作会议。通报收费公路目前存在问题，安排部署全区收费公路秩序大整顿工作，行署专员樊纪亨到会并做重要讲话。有关县（市）、各职能部门和临汾经济技术开发区的主要负责同志参加会议。

【全区农业暨农业综合开发工作会议】 8月22日，行署召开全区农业及农业综合开发工作会议。分析汇报农民收入情况，针对受严重旱灾影响，研究制定保证完成全年农民收入措施，深入分析秋粮生产形势，采取积极有效措施做好秋播准备工作，加快农业综合开发工程及资金到位进度。各县（市）、地直有关部门主要领导参加了会议。

【全区秋季植树造林、退耕还林、生态农业建设交流现场会】 10月23日始，行署召集山区10县分管农业的副县长、农机局局长、全区县（市）林业局局长、部分县市生态办主任、地直有关部门主要负责人和新闻单位，参观永和、大宁、吉县、乡宁退耕还林和生态农业现场，学习先进经验，安排部署全区秋季植树造林、退耕还林、生态农业建设工作。

【全区畜牧产业结构调整流动现场会】 11月15日，行署召集各县（市）分管畜牧工作的领导，地直有关部门负责人召开全区畜牧产业结构调整流动现场会。通过现场参观、经验交流、对全区畜牧业生产进行总结和安排部署。

【全区“打假”暨质量工作会议】 根据全国、全省“打假” 暨质量工作会议精神，11月16日，行署召开全区“打假”暨质量工作会议。行署与各县（市）政府签订了打假工作责任书，并安排全区“打假”与质量工作。各县（市）和地直有关单位负责同志参加了会议。

【全区城镇职工基本医疗保险制度改革工作会议】 11月30日，行署召开全区城镇职工基本医疗保险制度改革工作会议。传达全省城镇职工基本医疗保险制度改革工作会议精神，安排布置当前全区城镇职工基本医疗保险制度改革工作，各县（市）和临汾、侯马经济技术开发区，地直有关单位和驻临有关企事业单位负责人参加了会议。

人事工作

【公务员队伍建设】 针对公务员队伍超编的问题，采取了堵疏并举的优化措施。“堵”，就要严把公务员队伍进口关，坚持“凡进必考”的原则，坚决杜绝通过调动的办法进入公务员队伍。本年度，机关没有调入一人，由机关调入事业单位13人。“疏”，就是疏通公务员“出口关”，分流机关富余人员，坚持实行到龄即退制度，建立了5年内到龄干部档案；制定新一轮机构改革人员分流意见，积极探索人员分流的途径和办法。针对结构不合理的问题，采取了竞争上岗的优化措施，讨论起草了《行署机关机构改革中人员定岗的实施意见》。5月，在行署计委进行试点。针对公务员队伍质量不高的问题，全面启动了公务员素质教育工程，重点抓了公务员电脑培训、英语培训和行为规范培训等三大培训，共举办电脑培训班80余期，培训人员达3000余人。8月，集中进行了一次公务员英语考试，全区共有2140余人参加了考试，合格率达95%以上。在此基础上，还制订了《行署机关机构改革中分流人员培训实施意见》，为机构改革中人员定岗分流工作创造了条件。

【专业技术人员队伍建设】 在“考、评、聘、教、争”5个环节上找问题，在管理上下功夫。一是在“考”字上，重监督，严肃考风考纪。当年本区共有6000人次参加了职称外语等级考试和经济专业资格考试。在考试中，一方面，邀请地委、行署人大、政协、纪检等领导参与巡视监督，加大社会监督力度。在考区建立考区巡视组，考点督查员“三位一体”的分层监督机制，加大考区、考点、考场的监督力度；另一方面加大了考风考纪的宣传教育和处罚力度，坚持“教育防范和惩戒处罚相结合”的原则，对外语考试中替考的75名考生向社会和所在单位进行通报，3年内不允许其参加人事考试，社会震动很大。在“评”字上，重质量，严格评审条件。在专业技术人员资格评审推荐工作中，严格按条件、结构、程序推荐审批。同时在全区卫生、工程等系列中建立了评委专家库，开发出了评委专家库计算机软件应用系统，入库评委专家达200余人。在“聘”字上，重业绩引入竞争机制。讨论起草了《事业单位试行专业技术竞争聘任的实施意见》，组织了事业单位专业技术人员的年度考核工作，对全区750余名考核不合格的专业技术人员及时办理了解聘手续。在全区中小学人事制度改革中，全面推行了专业技术人员竞争聘任的管理办法，实行单位淘汰机制，打破了专业技术人员“职务待遇终身制”。在“教”字上，重质量，搞好专业技术人员培训，采取地、县分级培训的办法，搞好计算机、知识经济等技能和理论培训。地、县两级共举办培训班 80 余期，有 6400 多人参加培训。同时还抓了各行业学科技术带头人的选拔培养工作，全区各行业共选送 30 余名学科技术带头人外出学习和培训，其中有 8 名青年技术骨干受单位委派考取硕士研究生。在“争”字上，重激励，调动专业技术人员积极性。在全区专业技术人员中积极开展了“为三件大事争做贡献” 活动，制订了实施方案，加强了组织领导，扎实有效地开展了各项活动。调动了广大专业技术人员为“三件大事”争做贡献的积极性。

【乡土人才】 一是在政治上关心乡土人才，做到政策到位。认真贯彻地区《加强农村农业人事人才工作的意见》，从农村产业结构调整的需要出发，研究制订了农村乡土人才队伍建设的中、长期发展规划，制订出台一系列优惠政策和措施。如：在具有突出贡献的乡土人才中推荐选拔担任乡镇科技乡镇长和技术站站长。二是工作上支持乡土人才，做到市场到位。把农村乡土人才队伍建设作为各级人才市场的一项重要内容，先后在 200 多个乡镇建立乡镇农村人才服务工作站，在 1100 多个行政村建立人才信息服务点，初步形成县、乡、村三级乡土人才工作机构和网络。在全区建立乡土人才库，入库的各类乡土人才达 13000 余人。同时启动实施乡土人才开发的“百千万人才工程”。三是在技术上指导乡土人才，做到培训到位。全区各级人才交流机构同有关农业技术部门协调，有计划地采取请进来，走出去的办法，多层次、多渠道、多形式地通过组织人才下乡，举办实用技术培训，对各类乡土人才进行培训。从各农业科研院所聘请了 130 名专家教授到农村进行技术指导和技术培训，共举办农业实用技术培训班 548 期，共有 16840 余人次参加了培训。组织人才下乡 85 次。四是在管理上激励乡土人才，做到服务到位，为 502 名乡土人才评定了初级技术职称。

【军转干部安置工作】 全区共接收军转干部 160 名，其中：团职 21 名，营职 62 名，连排职 38 名，技术干部 39 名，随调随迁家属 19 户 38 人。分配到中央，省直驻临单位的 17 人，占总数的 10.6%。分配到地直单位的 72 人，占总数的 45%。分配到县市区的 88 人，占总数的 55%。安置在临汾市区范围内的 103 人，占总数的 64.4%。安置在其他县市的 57 人，占总数的 35.6%。分配到行政单位的 124 人，占总数的 77.5%。分配到事业单位的 13 人，占总数的 8.1%。做到军转干部个人、军队、接收单位三满意。

【行政事业单位养老保险】 一是继续搞好政策宣传，二是强化基金管理，加强外部协调，内部制约，加大基金收缴力度。建立了检查监督制度，严防基金流失。三是对按时上缴养老金的差额和自收自支单位，及时下拨了离退休费。全区机关事业单位投保单位 2984 个，投保人数 9.9 万人，单位、人员投保率分别达到 96.5%和 97%。全区全年共收缴基金 3650 万元，收缴率 61%。其中：地直收缴 360 万元，收缴率 75%。社保机构直接拨付离退休费 1000 万元，地直直接拨付 114 万元，地直结余 246 万元。

（景晓卫）

机构编制工作

【机构改革的准备工作】 根据机构改革的要求和撤地建市的新情况，“全面调查，重点剖析，外出取经，坐而论道”，深入细致地做好党政机构改革的准备工作。对全区党政机关的编制及人员情况进行全面摸底调查，从宏观上掌握基本情况，测算出了全区各级党政机关较为现实的编制精简比例，为机构改革提供了科学依据。全区党政群机关编制 18627 名，在职人员 30141 人，超编 11514 人，其中，地直机关编制 1471 名，在职人员 2228 人，超编 757 人；县市机关编制 11281 人，在职人员 22038 人，超编 10757 人；乡镇机关编制 5875 人，在职人员 5875 人，不超编。对全区不同类别的县市各选一个典型，进行重点剖析。从而为人员分流以及人员结构的调整与管理提供了依据。8 月下旬，编办先后到长治、邯郸、荷泽、泰安等地参观学习，对外地的做法、经验和教训，进行分析研究，拟定了《临汾市党政机构设置意见》。8 月 14 日，地委召开书记碰头会议，听取了地区编办关于地县机构改革准备工作情况汇报，对地区机构改革配套政策的准备工作进行了具体安排，统一思想认识，明确职责分工。并召集有关部门，对机构改革配套政策草案逐个进行了讨论与修改。分别制定《机构改革方案》、《人员分流意见》、《资产处理意见》等 7 个配套政策。

【机构编制管理工作】 为巩固改革成果，并使新一轮机构改革工作得以顺利进行，地区编办不断加强对地直党政群机关及事业单位机构与人员编制的管理工作。在机构设置上，从严控制，并严格按审批程序办事。不再增设新的财政开支的事业机构，不再增设党政群机关内设机构。在人员编制管理上，基本上是关闭党政机关入口，严把财政开支事业单位入口，宏观控调自收自支事业单位入口。由于不断加强管理，地区党政群机关和事业单位机构保持相对稳定，人员增减处于有序状态。

为配合教育部门对中小学进行体制改革，地县机构编制部门对各级小学的人员编制情况进行了认真调查和仔细测算，并根据省编委、省教委制定的核编标准，重新核定了编制，使教育体制改革得以顺利进行。

抽调人力，与组织、人事、财政等部门共同努力，审核地直党政群机关和全额事业单位的人员编制、工资等情况，为银行统一发放工资做好了基础性工作。

（闫少伟）

统计工作

【经济目标统计监测考核工作】 行署统计局承担了全区经济目标统计监测考核日常工作，为了使统计监督职能得到有效发挥，不断完善考核指标体系，加强考核工作力度。首先，进一步弱化了产值指标，强化了效益指标和人均指标，以促进两个根本转变，推动经济运行质量和效益的提高。注意增加反映经济增长点的培育、产业结构调整等指标，引导各地因地制宜，发展特色经济和主导产业。其次，充分发挥农村、城市和企业三支调查网络快捷，灵活的优势，围绕领导关心的热点问题，开展专项调查，提高了监测考核的灵敏度和时效性。第三，加大监督检查力度。地区考核办不定期地对基层一些主要指标随机抽查验证，保证了源头数据质量的准确可靠。

【第五次人口普查工作】 第五次全国人口普查是我国初步建立社会主义市场经济体制后进行的第一次普查，其任务之重、难度之大、要求之高都是前所未有的。为确保打胜这场攻坚战，全区各县（市）区实行了行政首长负责制和责任追究制。行署要求各县市政府“一把手”亲自参加全区人口普查工作会议，并确定其为第一责任人。在全区各级党政领导的高度重视和领导下，在各有关职能部门的通力协作下，地、县两级狠抓普查机构、人员、经费“三落实”，制定了普查工作实施方案和详细的工作流程，圆满完成了普查区域划分、地图绘制、地址编码、人员培训、调查摸底和综合试点等工作。针对大量增加的流动人口、超计划生育、人户分离等现象，普查机构同公安部门一道进行了严格的户口整顿工作，为普查正式登记奠定了基础。地县两级还克服经费等方面的困难，精心组织，周密规划，以人口普查“五个一工程”为主要内容，开展了丰富多彩、形式多样的宣传动员活动。全区各新闻媒体为人口普查的各项政策法规家喻户晓，深入人心，营造了良好的舆论氛围。人口普查正式登记和复查阶段，在区人口普查领导组的统一部署和指挥下，各县（市）普查机构和全区 2 万名普查人员以普查数据质量为中心，以“三个总量指标”为重点，本着不重不漏的原则，抱着对党和人民高度负责的工作精神，废寝忘食，认真登记。地区人口普查办兵分三路，深入 17 个县市进行督查指导。许多县市党政“一把手”高度重视，亲自上阵督战，发现问题、及时纠正。通过上下齐心协力，使全区人口普查工作的进度和质量得到保证，并于 12 月上旬通过了省级质量抽查。～

【统计信息工作】 为巩固和提高统计信息的主体地位，充分发挥信息职能，行署统计局广开信息资源，加大发布频率，在办好局内原有几种统计刊物的同时， 又新增办了《企业调查》、《情况专报》，并改进刊物的版面和刊期，以快速、简捷的形式为党政领导和有关部门报送全区经济、社会科技发展的最新动态。9 月，与《临汾日报》联合推出《数字里的“九五”》栏目，以图表形式直观反映“九五”期间全区经济建设成就和巨大变化，除及时发布《统计公报》和季度经济述评外，还在《临汾日报》以整版篇幅发布反映全区国民经济发展形势的文章，先后编发了“元旦”、“春节”、“国庆”等系列专稿。《2000 年我区经济走势如何》、《创新中突破，调整中发展——99 年全区经济形势分析及今年走势展望》、《经济景气暖意渐浓，向好基础尚待巩固》、《我区“三件大事”结出丰硕果实》，以及与《临汾日报》合作整版推出的《临汾地区经济建设十件大事》等均在社会各界产生广泛影响，被临汾日报社评为“通讯报道先进单位”。各县（市）统计部门都积极发挥信息资源优势，向社会各界发布了大量统计信息。其中永和、临汾市、襄汾、吉县、隰县、曲沃等县市区提供的统计信息数量多、采用率高。在加强统计信息工作的同时，狠抓统计报刊征订发行工作，努力扩大统计的社会影响，发行量连续多年名列全省前茅，被评为“统计宣传工作先进单位”。

附：

第五次人口普查主要数据

根据国务院决定，我国于 2000 年 11 月 1 日进行了第五次次全国人口普查。按照国务院和省第五次人口普查领导小组的部署，在行署和各级人民政府的统一领导及全区广大人民群众的积极支持配合下，通过全区 2 万余名普查人员的艰苦努力，圆满完成了人口普查的现场登记、复查补漏和质量抽查任务。目前，普查的全部资料正在用电子计算机进行数据处理。主要数据的快速汇总工作已经结束，现公布如下：

一、总人口

按照第五次全国人口普查统计口径，2000 年 11 月 1 日 0 时全区总人口 395.03 万人，同 1990 年第四次全国人口普查相比，10 年零 4 个月共增加 48.32 万人，增长 13.94%。平均每年增加 4.68 万人，年平均增长。

二、人口分布

全区人口分布如下：

临汾市	72.40 万人	曲沃县	22.23 万人
翼城县	30.33 万人	襄汾县	46.62 万人
洪洞县	69.31 万人	古　县	8.47　万人
安泽县	7.61　万人	浮山县	12.13 万人
吉　县	9.71　万人	乡宁县	21.64 万人
大宁县	5.60　万人	隰　县	9.59　万人
永和县	6.10　万人	蒲　县	9.89　万人
汾西县	13.38 万人	侯马市	22.53 万人
霍州市	27.49 万人		

三、家庭户人口

全区共有家庭户 96.66 万户，家庭户人口 385.68 万人，占总人口 97.63%，平均每个家庭户人口 3.99 人，比 1990 年第四次人口普查 4.19 人减少 0.2 人。

四、性别构成

全区总人口中，男性 202.54 万人，占总人口 51.27%；女性 192.49 万人，占总人口的 48.73%，性别比 105.22（以女性为 100，男性对女性的比例）。

五、年龄构成

全区总人口中，0～14 岁人口 110.68 万人，占总人口 28.02%；15～64 岁人口 20.83 万人，占总人口 5.27%。同 1990

年第四次人口普查相比，0～14岁人口比重下降2.37个百分点，65岁及以上人口比重上升0.54百分点。

六、民族构成

全区总人口中，汉族人口394.36万人，占总人口99.83%；各少数民族人口6715人，占总人口0.17%。同1990年第四次人口普查相比，汉族人口增加48.25万人，增长13.94%；各少数民族人口增加664人，增长10.97%。

七、各种受教育程度人口

全区总人口中，接受大学（大专以上）教育的9.91万人，占2.51%；接受高中（含中专）教育的42.37万人，占10.73%；接受初中教育的165.56万人，占41.91%；接受小学教育的123.23万人，占31.20%（以上各种教育程度的人包括各类学校的毕业生、肄业生和在校生）。

同1990年第四次人口普查相比，每10万人中拥有各种受教育程度的人数有如下变化：具有大学受教育程度的由906人上升为2508人；具有高中受教育程度的由7853人上升为10726人；具有初中受教育程度的由29348人上升为41911人；具有小学受教育程度的由36907人下降为31195人。

全区总人口中，文盲人口（15及15岁以上不识字或识字很少的人）12.97万人，同1990年第四次人口普查相比，文盲率由12.97%降到4.56%，下降9.88百分点。

八、城乡人口

全区总人口中，居住在城镇人口106.15万人，占总人口26.87%；居住在乡村人288.88万人，占总人口73.13%。同1990年第四次人口普查相比，城镇人口占总人口比重上升11.6个百分点。

注：1、本公报为初步汇总数。

2、普查登记以2000年11月1日0时（北京时间）为标准时间，普查登记的对象是具有中华人民共和国国籍并在中华人民共和国境内常住的人。

3、总人口，是指2000年11月1日0时的时点数，总人口中包括离开户口登记地半年以上的外地来临居住人员，不包括户籍人口离开本区半年以上人员，也不包括现役军人。

4、文盲率是指文盲占15及15周岁以上的人口比例。

5、家庭户人口不包括相互之间没有家庭成员关系、集体居住的人。

城乡人口按国家统计局1999年发布的《关于统计上划分城乡的规定（试行）》计算。

（蔺文珠　张晶）

民政工作

【基层民主建设】　全面完成第五届村委会换届选举工作。全区有3257个村委会依法进行了换届选举，占到村委会总数的96.5%。各县、市以县乡为主对村委会干部进行了系统培训，受培训人员达到12130余人。

深入贯彻《村委会组织法》，引深村民自治活动。曲沃、安泽、浮山、霍州等县市在完成全县（市）村委会的民主选举之后，立即开展了以“三个民主”为中心的推进村民自治的活动。全区绝大多数村完善了村民代表会议制度，实现了村务公开制度，制订了《村民自治章程》，依法治村迈出了新步伐。

开展乡镇干部民主测评、公开推荐试点，进一步强化乡镇规范化管理和乡镇政务公开工作。11月下旬，地委、地区人大工委、行署在曲沃县召开全区基层民主政治建设现场会，推行该县“三公开”（乡镇政务公开，乡镇“七站八所”业务公开，村务公开）的经验，取得了很好的效果。

强化街道居委会和社区建设工作。以居委会建设为依托，积极开展社区建设活动，把社区服务与安置下岗职工再就业和居民最低生活保障以及老龄工作结合起来，大力发展社区网点，并出台了《关于加强社区建设的实施意见》征求意见稿。

【区划地名勘界工作】　圆满完成了撤地设市的报批工作。经国务院、省政府逐级审核批准，新的临汾市委于2000年11月1日正式挂牌。

勘界工作取得大的发展。积极协调处理边界争议，一些多年遗留下来的争议较大、矛盾集中的难点问题得到圆满解决。贯通了晋陕线所涉本区界线，对县、乡（镇）勘界成果资料进行了汇总整理。统计上报了全区居委会名称及各乡镇有关指标数据和建制镇情况。

全力以赴开展撤并乡镇工作。截至12月底，全区17个县（市、区）中有13个区划调整方案报省审批。

【退役士兵和军队离休干部安置工作】　各级民政部门面对安置工作的新形势、新情况，积极探索多渠道、多形式安置退役士兵的新路子。全年共接收退役士兵2838人。农村两用人才开展使用又有了新发展，继蒲县之后，乡宁等县（市）又培养出一大批在农村建功立业的退伍士兵先进典型。军队离退休干部工作，在做好管理服务工作的同时，全面落实军休干部的“两个待遇”。先后完成了有关县、市第一、二批分散安置军休干部房改收尾工作，第三批集中管理的军休干部的房改工作，第四批军休干部和第三批无军藉退休退职职工的接收安置工作，第五批军休干部建房及接收安置工作；完成了军休干部增加离退休费工作。军休所建设得到加强，军休老同志的文体活动普遍开展。

（张海波）

地方志编纂工作

【概述】　《永和县志》稿经评审修改，出版发行。组织评审《浮山县志》、《古县志》书稿。督促未完成志书的临汾、侯马、霍州、洪洞、隰县抓紧编撰工作。组织已完成志书的襄汾、曲沃、吉县、乡宁、大宁、安泽、蒲县、翼城、汾西等县编撰综合年鉴和地方史料。为省年鉴和《山西大典》提供资料。编撰《临汾地区志》7编、30多万字。

（于德全）

机关事务管理工作

【概述】　临汾地区行署机关事务管理中心成立于1991年，原名为临汾地区行政公署机关事务管理局，1997年机构改革时，改为临汾地区行政公署机关事务管理中心，正县级建制。内设6个科室：办公室、财务科、房管基建科、车管科（车队）、通讯科、保卫科。下属 2 个事业单位，即医疗室、幼儿园。现有干部职工 114 人。

1998 年～1999 年连续两年被地直工委授予“先进党支部”称号；1998 年，机关住宅小区被临汾地区综治委授予“安全文明小区”称号，同年被行署综治委授予“安全文明小区示范单位”称号；1998 年～2000 年，连续 3 年被临汾地区综治委授予“社会治安综合治理先进单位”称号；1999 年，被临汾地委、行署授予“社会治安综合治理先进单位”称号。2000 年，被地直工委授予“五星级党支部”称号、管理中心被地区精神文明建设指导委会员授予“地级文明单位”称号。1997 年～2000 年，被省综治委授予“全省社会治安综合治理先进单位”称号。

【改善机关办公条件和环境】 在安全防范方面，以行署机关综治委为依托，责成机关保卫科为办公楼和重点消防部位及时更换了大小灭火器 100 个，存放箱 20 个，并对西办公楼二层进行了阻燃处理，从而将办公区和住宅区火灾隐患进行了彻底清理。为了保障财务、机要、档案管理的安全，对有关部门配备了“三铁一器”，并对以往旧的设施进行了更换，使“三铁一器”的安装率达到 100%。在优化美化工作、生活环境方面，突出抓了四方面工作：一是请专家规划设计，进一步完成了建造“新世纪”广场的任务，并配套建造了喷泉、灯箱广告围栏、机关食堂、地下存车棚、水冲厕所、草坪、花坛等公用设施。发动广大党员、干部、职工进行多次义务劳动，在广场和机关大院栽种花草树木。二是对办公区 3 座办公大楼全部进行了粉刷，粉刷面积达 2000 平方米，使机关办公区面貌焕然一新。三是对办公大院原有的花池进行了彻底改造，栽植了草坪和各种花草树木，并安装了华灯和草坪灯，美化了机关办公环境。四是在住宅区新建了 3 片绿地和标准较高的活动场所，达到建设高标准的花园式住宅小区的目标。在基础设施和便民服务方面，办了 8 件好事、实事：1. 采用集资建房和招投标方法，新建住宅楼 5 幢，总面积 18816 平方米，解决了 172 户干部职工“住房难”的问题。2. 彻底改造了输水管道和供热主管道，保障了住户正常供水、供热。3. 购置安装一台 10 吨热水锅炉，拆除旧有烟囱，新建一座 35 米高的烟囱，不仅解决了因住户增加，设备老化而造成的供热困难矛盾，而且高质量地达到了环保要求。4. 分别在办公区和住宅区修建了摩托车、自行车存车棚 2 处，可存放自行车、摩托车 600 余辆。5. 全面改造有线电视线路，解决了电视图像不清的问题。6. 与电业局合作，改造输电线路，新增两台 180KW 变压器，一举解决了机关办公区和住宅区电路负荷过重的窘迫局面。7. 与地区电信局合作，对行署机关通讯网络进行全面扩容，并将通讯线路全部改为地下光缆，使之较好地适应了当代通信技术和网络技术日益发展的要求，也满足了行署机关办公和居民生活的需要。8. 设立便民服务箱和承诺服务热线，实行水、暖、电、电话的 24 小时承诺服务，极大地方便了广大居民的生活。

【抓好机关和小区建设】 行署机关事务管理中心始终以综治工作为主线、为总纲。通过“三抓一拉动”、“三带一提高”、“三为一推动”、“三创一跨越”等一系列做法，不断充实内容，巩固提高，创新发展，使机关办公区和小区居民的社会治安水平，公民道德水准有了明显提高，使市行署机关的综治工作有了质的飞跃。始终坚持在观念上创新，在思路上创新，在内容上创新。首先，完善综治网络，建立综治工作领导机构。与各基层单位层层签订责任书，分解任务，完善社会治安防范体系；成立小区管委会治保、民调组织。建立健全综治制度，先后制定、完善了《市政府机关综治职责》、《市政府机关治安管理规定》、《市政府机关门卫制度》、《小区巡逻制度》、《市政府机关消防规定》、《小区暂住人口管理规定》、《安全文明小区居民公约》等 10 项制度，充实、完善了综治工作档案，做到“一图、三卡、六簿、六表”，使综治工作有章可循，有法可依。其次，开展综治活动，狠抓制度落实。坚持对机关办公区、住宅区的安全、消防、绿化、卫生、暂住人口、违章建筑等进行例行和不定期的综合检查，发现问题，及时纠正，把各种事故隐患消除在萌芽状态。坚持每年两次的环境卫生大检查制度，开展了评选文明楼、文明单元、文明住户活动。利用月报栏、黑板报广泛开展普法教育和道德教育。第三，加强基础设施建设，提高后勤工作水平。1997 年来，中心紧紧围绕安全、卫生、便民、文明 4 个重点抓了以安全防范、消防环保为主的德政工程；以水、暖、电住房为主的民心工程；以文化教育、医疗保健、电视通、环境卫生、绿化美化为主的形象工程，为机关综治工作创新环境奠定了基础。第四，注重人文环境建设，提升环境品位。围绕维护青少年合法权益的保护，中心成立了“行署机关预防青少年违法犯罪工作领导小组”；机关校外辅导站坚持 20 年如一日的青少年校外辅导；机关组织成立了“老干部协会”、“老年门球协会”、合唱队、舞蹈队，活跃丰富了老年人业余生活；机关综治委与驻地武警一支队连续 4 年开展的“警民共建”活动。通过几年来常抓不懈的努力，行署机关小区的安居功能、服务功能、文化功能、娱乐功能得到充分发挥，行署机关的综治工作连续 3 年受到临汾市、临汾地区综治委的表彰。机关住宅小区连续 3 年分别被行署综治委、临汾地区综治委和临汾地委、行署授予安全文明小区称号。

（高虹江　董建华　王李燕）

政协工委工作

【政协临汾市第一届委员会筹备工作】 11 月 1 日，以政协党组〔2000〕2 号、4 号文件，向市委（地级）做了《关于组建临汾市政协筹备报告》。随后，又以工委党组名义向中共临汾市委（地级）提交了《关于市政协第一届筹备工作的几个问题》，均得到了市委（地级）的同意。11 月 11 日，中共临汾市委（地级）以临办发〔2000〕3 号文件，下发了《关于成立临汾市第一届人民代表大会筹备组和临汾市政协第一届委员会筹备组的通知》，正式成立了政协临汾市（地级）第一届委员会筹委会，首届政协筹委会人员由党派、团体、界别和特邀四个方面的代表人士共 36 人组成。

在中共临汾市委（地级）的统一领导下，政协筹委会工作迅速铺开：一是协商确定市（地级）一届政协参加单位、界别设置和委员名额分配，协商推荐产生第一届市（地级）政协委员；二是组织协商产生政协临汾市（地级）第一届委员会第一次会议大会主席团、秘书长；三是负责组织政协临汾市（地级）第一届委员会第一次会议召开前的文件起草、宣传、会务服务等工作；四是负责中共临汾市委（地级）交办的其他工作。

为保证各项筹建工作顺利进行，协调运转，根据市（地级）政协筹委会会议决定，成立了筹委会办公室。筹委会办公室下设组织协商组、文件起草（宣传）组、会务组 3 个工作小组，共同负责落实筹委会交办的各项具体工作。在筹建市（地级）政协的过程中，政协筹委会在广泛协商，反复征求意见的基础上，于 2000 年 12 月 21 日，召开了筹委会第一次会议，协商通过了《政协临汾市第一届委员会筹建工作方案》和《关于政协临汾市第一届委员会参加单位、界别设置和委员的决定》，并经中共临汾市委（地级）常委会会议研究同意。根据《决定》精神，政协临汾市（地级）第一届委员会由党派、团体、界别、特邀 4 个方面组成，参加单位和界别分别共 27 个。委员规模为 297 人，其中：中共委员的比例为 40%，118 名；非中共委员的比例为 60%，179 名；政协常委名额为 53 名，占政协委员总数的 18.4%，其中，中共党员 35%，17 名；民主党派、无党派人士 65%，36 名。在委员推荐过程中，严格掌握委员的标准和条件。一是坚持注重政治思想素质。二是坚持突出政协的特色。三是坚持优化委员结构。特别是强调了以经济建设为中心，从经济工作部门、企事业单位和科技、文教、医疗卫生等单位推荐了一大批懂经济、会管理、有知识、有影响的人士。注意对经验丰富的老同志和做出突出成绩的优秀青年人才的推荐，以确保委员队伍有较高的整体素质和参政议政能力。

注意把好政协委员的推荐认定关。委员推荐工作由参加政协的单位、团体和个别按高于政协委员分配额 20%的人选进行推荐。中共委员的初步提名由中共临汾市委（地级）组织部负责，民主党派、无党派人士人选由中共临汾市委（地级）统战部负责，在此基础上由中共临汾市委（地级）统战部汇总。在反复协商基础上，中共临汾市委（地级）于 2001 年 1 月 4 日正式向筹委会提出委员建议名单，经广泛协商讨论，审议通过了《关于政协临汾市第一届委员会名单的决定》。在筹委会第二次会议上，审议通过了《关于政协临汾市第一届委员会名单的决定》和《关于召开中国人民政治协商会议临汾市第一届委员会第一次会议的决定》。这两个《决定》的通过，标志着第一届市（地级）政协的主体已经形成，框架已经构建，一届一次会议的召开已经提上重要议事日程。

认真确定一届一次会议主席团、秘书长建议名单和建议议程。2001 年 1 月 12 日召开了筹委会第三次会议，就中共临汾市委（地级）提出的一届一次会议大会主席团、秘书长建议名单等，进行了充分讨论，广泛协商，审议通过了《政协临汾市第一届委员会第一次会议主席团人选建议名单》、《政协临汾市第一届委员会第一次会议大会秘书长人选建议名单》、《政协临汾市第一届委员会第一次会议提案审查委员会人选建议名单》、《政协临汾市第一届委员会第一次会议议程建议》，为大会的召开提供了组织保证。通过了大会的各项建议议程，为会议按预定计划有序进行做了必要准备。

（郝爱民）

民主党派与工商联

中国国民党革命委员会

【民革临汾市委】　中国国民党革命委员会临汾市委员会（以下简称民革临汾市委会）是中国国民党革命委员会县级组织，是临汾县最早建立的民主党派组织之一，1957 年初，中共临汾县委、县政协对民革组织发展给予极大的关注，根据民革中央的组织发展要求，吸收原国民党中将副军长刘光斗加入民革并负责组建民革县筹备委员会。1957 年 4 月，举行民革临汾县党员大会，出席会议的民革党员 6 人，其中有原国民党中将副军长刘光斗、原国民党省参议员苗国梁、原国民党少将阎作霖、少将副官路焕德、原国民党抗日中将滑廷壁、原国民党少将副军长李监三。会议听取了刘光斗的筹备工作报告，选举了民革临汾县筹委会领导机构和领导人。主任委员：刘光斗（1957 年 7 月 4 日～1966 年 5 月）专职委员：李监三（1957 年 7 月 4 日～1966 年 5 月）

同年 8 月，民革临汾市筹委会发展党员 31 人，中共临汾县委委派中共党员赵维栋、张旺担任民革筹委会秘书协助工作，加强政治指导。当年组建了两个民革基层小组，民革机关小组和民革社会小组。

筹委会成立之后，民革参与政治协商，担任县政协委员特邀人士从一届到五届共 7 人，列席政协历届会议人士 1 人，刘光斗从 1955 年县政协一届到 1963 年政协五届连任政协常委。

“文革大革命”结束后，1980 年 4 月 13 日成立了民革临汾市支部委员会。出席会议民革党员共 5 人，选举产生了支部领导机构和领导人：主任委员：

申月才（1980年4月～1985年11月）

1985年底民革党员发展到55人，其中原国民党高级军政人员、起义将领7人，原归军人校级人员22人，约占总人数60%，大专院校毕业者23人，占总数45%。有28人先后担任各界政协委员，其中任政协常委5人，政协副主席1人。

1983年申月才当选为民革全国第六次代表大会代表，参加六大并与邓小平、彭真、胡耀邦等中央领导人合影留念。

1985年11月30日在临汾召开民革临汾市第一次党员大会，选举产生了民革临汾市第一届委员会，出席大会民革党员51人，社联人士28人。会议选举产生了“民革临汾市第一届委员会”。主任委员：申月才（1985年11月～1991年9月）副主任委员：段一夫（1985年11月～1991年9月）吕九成（1985年11月～1991年9月）本届民革党员担任市政协委员者31人次，市政协副主席1人，政协常委5人。

1991年9月18日，民革临汾市第二次党员大会举行。出席本次会议的民革党员62人，社联人士26人。会议选举产生了民革临汾市第二届委员会。主任委员胡淑云（1991年9月～1996年4月），副主任委员郭鸿禧（1991年9月～1996年12月），秘书长郑九云（1991年9月～1996年12月）。

1996年12月6日，民革临汾市第三次党员会议召开，出席会议民革党员64人，社会联系人士23人。会议选举产生了民革临汾市第三届委员会。主任委员郭鸿禧（1996年12月至今），副主任委员郑九云（1996年12月至今）、李安玲（1996年12月至今），秘书长郑九云（兼）。本届委员会有担任市政协委员9人，市政协常委3人。

【民革襄汾总支】 1983年，成立民革襄汾小组，曹瑞璜任组长，隶属临汾支部。

1985年，成立民革襄汾支部，曹瑞璜任支部主委，王勃生任副主委。

1987年，李效群任支部主委，王勃生、范金雅任副主委。

1989年，换届，李效群连任支部主委，范金雅、王维经任副主委。

1995年，成立民革襄汾总支委员会，李效群任总支主委，范金雅、王维经任总支副主委，同时各兼任下设的一、二支部主委。

1998年，总支换届，李效群连任总支主委，王维经，梁三捷任总支副主委。

1999年，李效群因病逝世，通过总支大会选举，梁三捷任总支主委，王维经仍任副主委，崔安、杜小海（女）分别任一、二支部主委。

【民革曲沃支部】 民革曲沃支部成立于1987年7月6日。其前身为民革曲沃小组（1984年～1987年7月5日）。当时县内有民革党员1人，后民革临汾市支部委员会在曲沃发展党员2人，成立了民革曲沃小组，由柴愚天任组长，隶属民革临汾市支部。在中共曲沃县委统战部的支持和帮助下，拓宽联系面，发展新党员2人，共有党员5人，根据中国国民党革命委员会章程规定，经中共曲沃县委同意，由民革山西省委员会批准，与1987年7月6日成立了中国国民党革命委员会曲沃县第一届支部委员会。选举柴愚天任主任委员，杨基庆任副主任委员，李清才任委员。1988年党员增加到7人，同年7月，杨基庆代表民革曲沃支部出席了民革山西省第六次代表大会，经省委六届一次常委会通过，杨基庆担任民革山西省祖国统一工作委员会委员。

1990年3月14日换届选举。会议选举刘景国任民革曲沃县支部第二届委员会主任委员。杨基庆任副主任委员会，柴彦武任委员。

1996年发展新党员2人。现支部共有正式党员9人，其中，政协委员3人，政协常委2人，县、市人大代表1人。

1998年8月21日，换届选举，刘景国任民革曲沃县支部第三届委员会主任委员，祁立义任副主任委员，刘梅玲任委员。

【民革霍州市支部】 1988年4月，民革霍县支部成立，党员9人，主委王祁，副主委朱红祥。1992年，民革霍州市支部二届会议召开，党员13人，主委王祁，副主委朱红祥、周长喜。1996年，民革霍州市支部三届会议召开，党员14人，主委王祁，副主委朱红祥、黄流华。

【民革洪洞支部】 第一届1988年8月5日，党员5人，主委曹作良。第二届1994年6月6日，党员13人，主委张鸿德，副主委宋永钰。

【民革侯马市支部】 民革侯马市支部筹备组于1992年成立，筹备组负责人滑康，1998年由于滑康年事已高，由冯莉华接任负责人。2000年12月民革侯马市支部成立，现有成员11人，冯莉华任支部主委，委员齐红萍、郭怀庆。

中国民主同盟

【概述】 中国民主同盟于1956年9月在临汾成立组织始，不断发展壮大，现有两个县级市委员会，一个总支委员会，一个支部委员会，下设23个盟支部，3个盟小组，共有盟员398人，其中民盟省委委员2人，省人大代表2人，市县人大代表6人（常委3人），市县政协委员46人（常委10人）具有大学本科学历327人，占盟员总数84%，高级职称63人，占16.2%，中级职称269人，占69%，19名盟员担任社会监督职务。

【民盟临汾盟组织】 第一届民盟临汾县支部委员会（1956年9月～1957年9月），张景泰任支部主任委员，王焕章任组织委员，张祥娟任宣传委员，牟乃标任文教委员，专职干部刘婉贞任秘书。1957年反右斗争中，12名盟员中2人被划右派，2人被点名批判。民盟临汾县支部停止活动。

第二届民盟临汾县支部委员会（1958年10月～1966年5月），1958年9月民盟临汾县支部开始活动，盟员总数 20 人。1958 年 10 月，召开民盟临汾县盟员大会，选举产生新的支部委员会。张仿良任主委、贾胥任副主委任兼宣传委员、智书琴任组织委员，刘婉贞任秘书。1958 年 12 月，张仿良、刘婉贞代表民盟临汾县支部出席民盟山西省第一次代表大会。1966 年 6 月，“文化大革命”中受到冲击，被迫停止活动。

第一届民盟临汾支部委员会(1980 年 4 月～1985 年 4 月)，1979 年底民盟支部开始恢复活动，1980 年 4 月，召开了临汾地区各县、市的盟员大会，选举贾胥为主委委员，许建兴为组织委员，赵奕萱为文教委员，张祥娟为宣传委员，中共党员沈伟任专职干部。同年贾胥当选民盟山西省委委员，并出席民盟第五次全国代表大会。

第二届民盟临汾支部委员会(1985 年 4 月～1987 年 3 月)，1985 年 4 月召开民盟临汾市代表大会，选举产生了民盟第二届支部委员会。张祥娟任主委，许建兴、滑启宁任副主委。同年李洪泽当选山西省委委员，贾胥被聘为民盟为山西省委顾问。

第一届民盟临汾市委员会（1987 年 3 月～1992 年 3 月），1987 年 3 月，民盟临汾市委第一次代表大会召开，出席大会盟员 172 人，大会选举产生委员 9 名，组成民盟临汾市第一届委员会。梁拯任主委，沈必杨、鹿希群任副主委，盟市委下设 9 个盟支部，2 个盟小组，1989 年主委梁拯出席了民盟全国第六次代表大会（本届政协委员 7 人）。

第二届民盟临汾市委员会（1992 年 3 月 18 日～1996 年 12 月 7 日），1992 年 3 月 18 日，民盟临汾市第二次代表大会召开。出席大会盟员 192 人。大会选举委员 9 人，组成临汾市第二届委员会。李洪泽任市委主委委员，沈必扬、鹿希群、滑启宁任副主委，饶世普任组织委员，郭素琴任宣传委员，张纯德、李洪斗任社会服务委员，赵燕任文教委员。本届内，主委李洪泽 1993 年出席民盟第七次代表大会。本届市人大代表 1 人、常委 1 人，市政协委员 8 人、常委 2 人。

第三届民盟临汾市委员会（1996 年 12 月至今)，1996 年 12 月 7 日，民盟临汾市第三次盟员大会在市政府第三招待所召开。出席大会盟员 198 人。大会通过民主选举，选出委员 9 人，组成民盟临汾市第三届委员会。李洪泽任主委，王吉生、滑启宁、赵燕、陕金刚任副主委，白杰任组织委员，李征任宣传委员，张纯德、李洪斗任社会服务委员。1999 年 3 月副主委王吉生，委员白杰因工作关系变动辞去担任盟市委领导的职务。1999 年 9 月，增选田云为副主委委员，杨益民为委员。本届政协委员 12 人、常委 3 人。

【民盟侯马盟组织】 第一届支委（1985～1988 年），主委李佩纶，副主委乔木、王信，盟员 25 人，李佩纶任市政协副主席，乔木任常委。

第二届支委（1988～1989 年），主委乔木，副主委王信、杨新民，盟员 28 人，乔木任市政协常委，市政协委员 4 人。

第一届市委（1989～1996 年），主委乔木，副主委王信、杨新民，委员田劭吾、常绍武、张正炎、刘贤海，盟员 102 人，侯马市人大代表 2 人，政协委员 9 人。

第二届市委（1996～2001 年 12 月），主委王阿家，副主委杨新民、田银平，盟员 128 人，侯马市人大代表 2 人、常委 1 人，政协委员 12 人、常委 2 人。

【民盟襄汾盟组织】 民盟襄汾盟小组成立于 1981 年，盟员 4 人，主委邱文选。

第一届支委（1984～1990 年 5 月），主委邱文选，委员邓绍璜、李嘉寿、尉绍坤，盟员 29 人。

第二届支委（1990 年 5 月～1993 年 7 月），主委邱文选，副主委白文虎、段培武，盟员 43 人。

第三届支委（1993 年 7 月～1995 年 6 月），主委邱文选，副主委白文虎、段培武、邱小林，盟员 45 人。

第一届总支（1995 年 6 月至今），主委白文虎，副主委邱小林、段培武，盟员 40 人。

【民盟洪洞盟组织】 第一届支委(1985 年 5 月～1987 年 10 月）成立于 1985 年，主委谢岳，组织委员段及舜，宣传委员李振兴，盟员 8 人。县政协常委 2 名。

第二届支委（1987 年 10 月～1994 年 6 月），主委李振兴，副主委谢岳，委员 5 人，盟员 13 人，县政协常委 2 名。

第三届支委（1994 年 6 月至今），主委李振兴，副主委张永宜，盟员 27 人，县人大代表 1 名，县政协委员 2 名（常委 1 名）。

【精华中学乔迁新居】 民盟成员大多数是文教界中上层知识分子，兴教办学是他们的天职和优势。民盟精华中学在董事长陈化周老师的领导下，积多年办学经验，坚持正确办学方向，学校越办越好，规模越来越大，本年度高考升入各类大学 100 余人。学校多次受到省、地、市教育部门的表彰，深受学生和家长青睐。9 月全校 1500 名师生迁进新建的 4 层教学大楼，3 层宿舍楼也投入使用。

（田云）

中国民主建国会

【概述】 中国民主建国会（以下简称民建）自 1982 年在临汾地区部分县（市）相继成立，并逐步发展壮大，现有临汾市一个县级委员会和侯马、霍州、洪洞 3 个县级支部委员会，共有会员 294 人，这些会员中有民建省委委员 5 人，省政协委员 1 人，县级政协委员 42 人，(其中政协常委 12 人)，人大代表 2 人（均为人大常委)。具有大专以上学历 152 人（其中博士 1 人，硕士 3 人），占会员总数 52%，中级以上职称 178 人（其中高级职称 4 人)，占会员总数 60%。

民建临汾市组织自 1982 年成立以来经历了一届支部委员会和四届临汾市委员会（县级)。第一届支部委员会（1982 年 11 月～1985 年 7 月）成立大会于 1982 年 11 月 27 日～29 日召开，12 名会员全部出席会议，大会选举产生第一届民建临汾市支部委员会（由 7 人组成）：主任委员梁文忠，副主任委员钱宝琦、乔耀天。本届支部委员会吸收会员 39 人。到 1985 年 7 月底共有会员 51 人。

第一届市委（1985 年 7 月～1989 年 1 月），民建临汾市第一次会员大会于 1985 年 7 月 23 日～25 日召开，大会根据民建中央、民建山西省委“同意将民建临汾市支部委员会改建为临汾市委员会”的批示，选举产生民建临汾市第一届委员会（由 15 人组成）：主任委员梁文忠，副主任委员乔耀天、冯效英、任全嘉，秘书长王志升。本届市委员会先后吸收会员 34 人，到 1988 年 12 月底，共有会员 85 人。其中有省政协委员 2 人，市政协副主席 1 人、政协委员 7 人（常委 2 人）。第二届市委（1989 年 1 月～1992 年 4 月），民建临汾市第二次会员大会于 1989 年 1 月 9 日～11 日召开，大会选举产生民建临汾市第二届市委会（由 14 人组成）：主任委员冯效英，副主任委员王志升、刘光庭、张杏园，秘书长王志升。本届委员会先后吸收会员 16 人，自然减员 9 人，到 1992 年 3 月底实有会员 92 人。其中有省政协委员 2 人，市政协委员 10 人（常委 2 人）。第三届市委（1992 年 4 月～1996 年 11 月），民建临汾市第三次会员大会于 1992 年 4 月 11 日～14 日召开，会议选举产生民建临汾市第三届委员会（由 17 人组成）：主任委员冯效英，副主任委员刘光庭、张杏园、毛立新、王官胜、童欣、孔繁龙，秘书长毛立新。本届委员会产生时有会员 92 人，先后吸收会员 16 人，自然减员 10 人，截至 1996 年 11 月实有会员 98 人，其中有民建省委委员 2 人，市人大代表 2 人（常委 1 人）、市政协委员 8 人（常委 2 人）。第四届市委（1996 年 11 月）民建临汾市第四次会员大会于 1996 年 11 月 17 日召开，大会选举产生民建临汾第四届委员会（由 13 人组成）：主任委员王官胜，副主任委员张杏园、童欣、孔繁龙、毛立新，秘书长毛立新。本届委员会有民建省委常委 1 人，委员 1 人，市人大常委 1 人，政协委员 10 人（其中常委 2 人），截至 2000 年底共有会员 120 人。

【民建洪洞县支部】 第一届支部委员会（1982 年 12 月～1985 年 9 月），民建洪洞第一次会员大会于 1982 年 12 月 8 日～10 日召开，有会员 9 人，会议选举出第一届支部委员会（由 3 人组成）：主任委员王成元，副主任委员李玉文。本届委员会有省人大代表 1 名，民建省委委员 1 人，县政协副主席 1 名，县政协常委 1 名。第二届支部委员会（1985 年 9 月～1994 年 6 月），民建洪洞第二次会员大会于 1985 年 9 月 16 日～17 日召开，有会员 37 人，会议选举出第二届支部委员会（由 6 人组成）：主任委员李玉文，副主任委员王成元、刘文正。本届委员会有省人大代表 1 人，民建省委委员 1 人，县政协常委 2 人，县政协委员 9 人。第三届支部委员会（1994 年 6 月～2000 年 12 月），民建洪洞第三次会员大会于 1994 年 6 月 6 日召开，有会员 53 人，会议选举产生的第三届支部委员会（由 7 人组成）：主任委员刘文正，副主任委员王成元、高标达。本届委员会有省民建委员 1 人，县政协常委 3 人，县政协委员 14 人。第四届支部委员会(2000 年 12 月～2000 年 12 月 6 日)，洪洞民建第四次会员大会在县城召开，会议顺利完成各项议程，选举产生洪洞民建第四届支部委员会：高标达当选为主任委员，孟福生、杨志华当选为副主任委员，杨可心、史福平当选为委员，至此成功完成了新老交替的换届工作。

【民建侯马支部】 民建侯马市支部成立于 1985 年，并受民建省委委托，负责代管曲沃、翼城两县的民建会员活动。第一届支部委员会成立于 1985 年，主任委员薛善斋，副主任委员李庆荣，共有会员 15 人，其中：侯马市政协常委 1 人，侯马市政协委员 3 人。第二届支部委员会由 1992 年换届产生，主任委员严天文，副主任委员赵长青、陈毅军，共有会员 33 人，其中：侯马市政协常委 2 人，市政协委员 5 人。第三届支部委员会由 1998 年换届产生，主任委员严天文，副主任委员陈毅军、王伦、王悟全，共有会员 54 人，其中：省政协委员 1 人，侯马市政协委员 8 人。

【民建霍州市支部】 第一届支部委员会于 1987 年 9 月成立，共有会员 7 人，支部委员会由 3 人组成。主任委员郭行言，副主任委员王宝山。本届委员会有民建省委委员 1 人，省政协委员 1 人，霍州市政协委员 1 人。第二届支部委员会于 1990 年 6 月换届产生，共有会员 21 人，支部委员会由 5 人组成。主任委员郭行言，副主任委员成继东、姬小平。有民建省委委员 1 人，省政协委员 1 人，霍州市人大代表 1 人，霍州市政协委员 2 人（其中常委 1 人）。2000 年底共有会员 50 人。

【成继东参加民建中央邓小平理论研讨班】 民建霍州支部负责人成继东系民建山西省委委员，省政协七届委员，曾任霍州市司法局副局长、环保局副局长、霍州市政协副主席，霍州市一届、三届人大代表。1998 年 8 月当选为霍州市副市长，本年度 10 月 27 日～11 月 1 日，参加了民建中央邓小平理论研修班。

【杨里颖、杨云父子获国家发明专利】 杨里颖教授和杨云主治医师均系民建会员，都供职于临汾地区人民医院，父子二人共同研制的治疗血管循环系统与神经系统的新药“更生草素注射液”于 1999 年 1 月 29 日获得国家发明专利（专利号 97101322·5）。该注射液自 1995 年试用于临床后治疗心脏血管病收到良效。其中治愈或症状明显改善者占 85.6%、缓解者占 14.4%，受到专家学者以及患者的一致好评。早在 1983～1994 年间就先后成功研制出国家级两项法定药物“痔全息注射液（[96]）晋卫药准字 037051）和复方薄荷脑注射液（[94]卫药 X-35 号天津生产）”，在 10 多年的临床实践中治愈率达 98%以上；每年全国采用该方法治愈肛肠病患者不下20万人；并开办“杨氏疗法”培训班200期，培训学员数千人遍布全国27个省市。1987年杨里颖教授编著的《痔全息系列疗法》专著，获山西省医药科技二等奖；1996年参编《中国肛肠瘤学》。由于上述成就，1997年在香港中西医国际表彰大会上，获世界名医100名名人金奖。1995年杨云山西医科大学毕业后，从事肛肠医疗事业，将“杨氏肛门术”成功的运用于临床实践，成为肛肠科全国性学科带头人。

【民建临汾市筹委会成立】 临汾辙地设市后，根据民建中央和民建省委批复，民建临汾市筹备委员会于12月27日成立，成继东任筹委会主任，高标达、王官胜任筹委会副主任，严天文、李广民为筹委会委员。

【庆祝民建成立55周年，两个支部，10名会员获奖】 庆祝中国民主建国会成立55周年，民建侯马市支部委员会、民建洪洞县支部委员会获省民建先进集体奖；民建侯马市支部主任严天文获全国优秀会员奖；成继东、姬小平、李广民、杨宏斌、刘超英、靳志龙、高标达、孟福生、王伦9人获省优秀会员奖。

（刘超英）

中国民主促进会

【民进临汾市委】 1986年4月26日，民进山西省委报民进中央批准并经中共临汾地委统战部同意，成立了中国民主促进会临汾市筹备委员会。杜效军任主任委员，戴浦泉任副主任委员。经过两年多的筹备工作，经中共临汾市委统战部同意，省委报民进中央批准，于1988年10月31日召开中国民主促进会临汾市第一次会员大会，中国民主促进会临汾市委员会正式成立。选举产生了民进临汾市第一届委员会：主任委员杜效军，副主任委员戴浦泉、辛森，秘书长姚砚库。

中国民主促进会临汾市第二次会员大会于1996年12月10日召开。选举产生了民进临汾市第二届委员会：主任委员辛森，副主任委员方熔、姚砚库、郭申生，秘书长姚砚库（兼），根据民进山西省委安排，山西师范大学所属会员从市委分出，另行成立了委员会。

2000年1月11日，临汾民进召开市委扩大会议，对市委领导班子进行届中调整。根据民进山西省委的批复精神，等额选举调整主委一人，增补委员一人。会议同意主委辛森因年事已高提出的辞职请求，一致同意方熔担任民进临汾市委主委，增补段爱国为市委委员。经方熔提议，会议一致同意辛森担任民进临汾市委名誉主委，副主委为姚砚库、郭申生。

【民进侯马市委】 1986年11月7日，经民进山西省委批准和中共侯马市委统战部同意，成立民进侯马市支部委员会。选举赵以淳任主任，行效敏任副主任。

1990年，经民进山西省委批准和中共侯马市委同意，于11月28日召开民进侯马市第一次全体会员大会，中国民主促进会侯马市委员会正式成立。大会选举赵以淳为主委，行效敏为副主委。

1996年12月26日，民进侯马市委召开第二次全体会员大会，选举产生民进侯马市第二届委员会，赵以淳任主委，行效敏、褚小平任副主委。至2000年底共有基层支部3个，会员71名中高级职称的占72%，会员平均年龄44.6岁，教育界占99.5%，交叉参加中共的会员3人。

【民进霍州市支部】 1984年7月20日，民进山西省委领导召见在并的闫恺、刘经文、张绍文3位会员。民进山西省委经中共山西省委统战部同意并批准，成立了中国民主促进会山西省委员会霍县小组，民进山西省一代会代表闫恺为小组负责人。

1986年10月6日，经过两年多的筹备工作，民进山西省委征得中共霍县县委、县委统战部和中共山西省委统战部同意，报民进中央批准，召开了中国民主促进会霍县第一次会员大会，正式成立了中国民主促进会山西省委员会霍县支部，闫恺为支部主任，刘经文为副主任。

1990年12月24日，中国民主促进会霍县第二次会员大会召开，民进山西省委领导张正明、李永昌亲临大会。选举产生了民进霍县第二届支部委员会，闫恺任主任，刘经文、李桂凤任副主任。

1991年，霍县撤县建市，原“中国民主促进会山西省委员会霍县支部”更名为“中国民主促进会霍州市支部委员会”。会员46名，实有40人，下设6个小组。平均年龄51.3岁，从事文教工作的24人，占总数的60%；办理退休的会员13人，临近退休年龄的6人，占会员总数的47.5%；交叉参加中共的会员6人；会员分布在16个单位。

九三学社

【概述】 九三学社在临汾市的社员文革前只有马天荣和徐荣志两人。中共十一届三中全会以后，临汾的九三组织有较大的发展，先后有尉履泰、高育才、刘砚青、倪以还、王仁薄、余子各、何林天、贾允修等。由马天荣担任组长。马天荣病逝后，由社省委指派倪以还和贾允修担任山西师范学院小组的正副组长。临汾市的九三学社组织自山西师院社组织成立后，又发展了郝永贵、苏家栋等先后入社。

1984年10月27日，成立九三学社临汾市支社。支社主委为高育才，副主委徐茶志、田树林。

1988年换届后，高育才任主委、郝永贵为副主委兼组织工作，苏家栋为委员兼宣传工作。

根据《社章》规定，经与中共临汾地委统战部协商，并由九三省委批准于1989年5月成立了筹委会。1990年5月19日，经社省委转报社中央组织部批准。成立了九三学社临汾市委员会。并于同月24日在一届一次会议上选举产生了九三学社临汾市委的领导机构。主委为郝永贵，副主委为尉履泰、苏家栋。

1996年12月14日，召开了九三学社临汾市委员会全体社员大会，选举产生了九三学社临汾市委员会第二届领导班子，谢武生、冯洪民为副主委。谢武生主持社市委工作，刘福臣为秘书长。1999年3月6日，九三学社临汾市委员会研究，增补刘福臣为副主委，赵强为秘书长。

临汾撤地设市后，经九三学社山西省委与有关方面协商决定，于2000年12月27日成立九三学社临汾市委员会筹委会。谢武生任筹委会主任，冯洪民、高成明担任副主任。

【九临合作】 九三学社临汾市委会于1990年成立后，就考虑如何发挥九三优势开展社务工作。经过多次酝酿讨论决定成立“拓普高新技术开发公司”旨在发挥九三高科技的优势，并通过九三各级渠道向临汾引进技术，引进人才，引进项目。经与临汾地委、市委统战部协商，报九三省委批复，于1992年5月正式成立“拓普公司”。

“拓普公司”成立之日，九三市委邀请九三省委知名专家24名参加了成立大会，举办“科技新闻发布会”该发布会受到中共临汾地委领导徐生岚、杨增杰的高度重视，经与九三市委协商后将发布会做为地委、行署与九三市委共同举办，临汾地区各县（市）长及有关部、局长400多人参加，会上24名专家共发布科技项目420多项。到会的24名专家被聘为“临汾地区经济技术顾问”。在同年8月召开的“全区科技工作会”上，地委、行署委托九三市委邀请了九三中央副主席陈明绍、黄其兴，科技中心主任左阳，国家科委秘书长宋飞信、国家科委信息中心主任杨明，以及上海市、陕西省、河南省、山西省共30多名九三学社专家，大会期间，地委、行署领导与专家进行座谈，就如何加快发展临汾地区科技事业进行了研讨。

1992年10月，九三学社与临汾的科技合作在各级党委及九三学社中央，山西省委的关怀下逐步走向规范。1993年9月，原地委书记徐生岚、副专员樊玉龙、科委主任郭安民、在九三市委负责人陪同下，专程到九三学社中央汇报了合作进展情况。徐生岚代表地委、行署请求九三中央与临汾地区签订长期科技合作协议。经过双方多次协商，于1993年10月7日，在临汾正式签订了“九三学社与临汾地区科技合作协议书”简称《九临合作》，创造了民主党派联系更多科技力量为一个地区科技发展服务的新模式。

（赵强）

工商业联合会

【概述】 临汾地区工商联1999年4月正式成立，是党和政府联系非公有制经济人士的桥梁和纽带。其主要职能和任务，是团结、教育、引导、服务广大非公有制经济人士，促进非公有制经济健康快速发展，是寓“统战性、经济性、民间性”于一体的人民团体和民间商会。现内设两科一室，工作人员共11名，其中副会长1名，秘书长1名。

临汾地区工商联在地委、行署的正确领导下，紧密围绕“三件大事”，内强素质，外树形象，以民营经济发展为主线，以强化服务为手段，以民营经济健康成长为目的，举旗帜，拓路子，抢市场，稳步推进商会事业发展。在全省率先成立并成功运作了为民营企业解决融资难问题的临汾正和信用担保公司。累计为符合国家产业政策、产品有市场、发展前景好的38家民营企业提供了62笔贷款及银行承兑汇票担保，共计担保金额已达7803万元。正和担保公司已被国家经贸委列为全国信用担保试点单位之一。工商联一年来共为本区民营企业争得政府扶持资金33000万元，其中包括科研开发费、贴息贷款、技改基金、新上项目款等，同时为110家会员企业提供了立项、认证、名优产品认定、新技术、新成果鉴定等方面的有效服务；积极引导民营企业调整产业结构，在全区新上重点项目中，民营企业承担的项目已占总数的67%，有23家民营企业成为省市两级重点项目的承担者；大胆探索新的服务领域，尝试新的服务方式，成立了工商联法律顾问处和财税顾问处，为会员企业管理上档次、权益受保障提供了令会员普遍满意的服务。

【开展“光彩事业”活动】 按照江泽民“致富思源、富而思进”的指示，引导工商联会员开展“光彩事业”活动，组织12名优势民营企业家扶持贫困山区12名贫困大学生，“一对一”结对子，资助到学成业就。在此活动带动下，全区民营企业界人士用于回报社会的捐资、投资已达到28000万元，特别是在部分地区遭受自然灾害之后，全区会员，企业人士全力救灾，无私奉献，受到地委、行署表彰。积极主动引导会员企业参与“再就业工程”，累计安置国有企业下岗职工1.2万余人，为经济发展、社会稳定做出贡献，受到了省委、地委授匾表彰。会员企业中涌现出“全国光彩之星”、“山西光彩奖章”、“山西再就业功臣”、“山西再就业明星”136名。

【工商联组织网络形成】 地级工商联组织由过去的办事处升格为工商业联合会，召开了首届代表大会，选举产生了领导集体，制定了5年奋斗目标。乡级组织结合1999年的撤乡并镇改制，得到调整和完善，有60%的乡镇建立了商会组织。地、县、乡三级组织网络全面建立和恢复。全区现有协会组织161个，直接联系着近万家企业和个体经营者。全区工商联支员担任省、市、县级人大代表、党代表、政协委员人数超过350名，已有部分民营企业界人士在政府部门或团体组织中担任领导职务。

（权小民）

群众团体

地区工会

【概述】 临汾地区工会管辖17个县（市）总工会、

1个经济开发区以及地直基层工会1480个。全区职工总数22.3万人，其中会员18.4万人，工会专职干部628名。强化企业民主管理和民主监督。坚持事关职工切身利益的重大问题须经职代会讨论通过，强化评议企业领导干部制度，实行企业职工董事、监事制度，推行厂务公开制度，强化企业民主管理和民主监督。全区有598家企业实行了厂务公开制度，占到了89%。平等协商、集体合同签订力度进一步加大。经过各级工会的共同努力，全区已基本建立了平等协商和集体合同制度，共签订集体合同927家，签约率达99%，职工覆盖率98%，有效地从机制上维护了职工的合法权益。与劳动行政部门联合对全区各用人单位进行了用工大检查，查处问题单位145个，清退童工13人，补签劳动合同14000份，纠正与《劳动法》相抵触的厂规厂纪38个。全区共受理劳动争议案3538件，处理3465件，结案98%。为进一步推动党的全心全意依靠方针的贯彻落实，树立依靠职工办企业的先进典型，地区工会在全区范围内评选出了临汾电信局长董苏敏、临纺厂长王毅、临汾石油公司经理任保才等10名全心全意依靠职工办好企业的优秀厂长（经理）。

【开展多种形式的劳动竞赛】　围绕地委、行署提出的“三件大事”，在全区范围广泛开展了劳动竞赛活动，一是围绕企业的改革和发展，组织职工开展了“振兴企业，出计献策、再立新功”竞赛。二是围绕重点工程建设，开展了以保质量、保工期、保安全、降成本的“三保一降”竞赛。三是围绕企业安全生产，深入开展了“安康杯”竞赛。四是围绕优质文明服务，打击假冒伪劣，在财贸系统开展了“强化管理，优质服务”和“百城万店无假货”竞赛，劳动竞赛活动既轰轰烈烈又扎扎实实，双增双节成果突破15000万元。

【深入开展送温暖活动】　元旦春节期间，在全区范围内广泛开展了“进万家门，知万家情，解万家难，暖万家心”为主要内容的送温暖活动，全区共筹集慰问金100余万元，走访困难企业162家，慰问特困、下岗职工4000多户。1月17日，副省长王昕带领省工会、省民政厅有关负责人在地委书记杜玉林，行署专员樊纪亨等领导的陪同下，一起慰问了地区建筑公司、山西电控厂等企业和困难职工。

【搞好新建企业工会组建工作】　地区和各县（市）工会都成立了以分管书记为组长的新建企业工会组建领导组，地委、行署秘书处制定了《关于加快新建企业组建工会步伐的实施意见》文件，地、县两级的分管书记和工会主席分别签订了目标责任制，开展了“百日建会攻坚战”竞赛活动。全区乡镇企业建工会246家，私营企业建工会119家，外资企业建工会6家，14个街道办事处全部建立了工会，临汾市、襄汾、洪洞等5个县市成立了私劳企业联合会。

（王锋）

共青团地委

【概述】　在中共临汾地委和团省委的领导下，全区各级团组织紧紧围绕全区工作大局，牢牢抓住青年成长成才这一根本，积极探索服务大局，服务青年的有效途径，坚持“搞活动、树典型、求特色、创一流”的工作方针。建功三件事，成才跨世纪，全面开展团的各项工作，实施了跨世纪青年文明工程，青年人才工程，服务万村行动，不断加强团的自身建设，并采取灵活多样的办法，把“三个代表”与新时期共青团的责任、任务统一起来，增强青年的进取意识。引导青年在实践“三个代表”中树立当代青年的崭新形象。

【“双创”活动】　根据实施企业技术创新工程和建立健全企业技术创新体系的要求，结合全区经济结构调整，以市场为导向，以企业青工为主体，组织青年科技人员开发新产品、创造新工艺、推广新技术、转化新成果，收到新成效。霍电、霍矿、临钢、临纺、山焦、三维等单位组织青工围绕“建功成才”，开展管理创新、营销创新、服务创新与技术创新相结合，将青年高素质、岗位创优质作为主要内容，广泛开展了质量高、消耗低、技术精、思想好、业绩优的达标竞赛。全区青工“五小”活动，配合企业技术进步，围绕设计开发新产品展开，共有27个企业建立了青年科技攻关小组1236个，并有42项“五小”成果参加了全省科技博览展。

【“双新”工程】　以农业产业化为目标，在全区17个县（市）开展了以新技术、新品种为重点推广对象的“双新工程”，与北方种业集团联系，在全区率先推广了玉米新品种“9409”、农大“33”等，建立推广试验基地4万亩，培养青年科技示范户120户，跟踪培训农民新技术100余次，此外，还与农大、小麦研究所、果树研究所等单位联系，先后培训果树修剪、大白菜优种种植、黑小麦种植、蝎子养殖等技术，受训农民达13万人次，取得了比较好的效果。不断加强农村青年科技服务协会和青年科技图书站等服务体系的建设，建立了隰县、襄汾、永和、翼城等一批青年农业高科技示范园。

【青年志愿者活动】　团地委与中联部、中组部、中央统战部、国家机关事务管理局等单位联系，向本区贫困山区捐献电脑100台，与人民文学出版社、中央党校出版社、中国少年儿部出版社等单位联系，向本区学校捐赠书籍6万余册。建立了临汾青年志愿者网站，组织山区孩子与人民日报等新闻单位网上对话，成为全国第一家青年志愿者网站，有效地扩大了活动的影响力。永和、安泽、襄汾、大宁、乡宁、侯马等县市也纷纷组织青年志愿者进行科技、文化、卫生三下乡活动，把青年的才能与价值奉献给人民群众。

【青年文明号活动】　按照一手抓创建、一手抓管理、以管理促创建的工作思路，团地委在完善规范青年文明号宏观管理的同时，进一步规范了青年文明号的微观管理，强化青年文明号集体的创建意识，通过建设更多的青年文明号、柜组、班组、车间、生产线、把创建与创优、创建与创效、创建与创新结合起来，优化企业的基层管理，使青年文明号不断向纵深发展。涌现出地级文明号 53 个，省级青年文明号 14 个，申报全国青年文明号 2 个。

【青年突击队活动】 围绕地委、行署的工作部署，团地委在沿汾六县（市）组织了 120 支，4 万余名青年参加的青年突击队，积极主动地参加到全区沿霍侯公路的农田基本建设，城市绿化，环境保护“一控双达标”等中心工作，发挥了青年突击队的作用，隰县、永和、蒲县、乡宁、浮山、古县、吉县等县团组织也积极行动，组建了 80 多支青年突击队，参加了农田基本建设、退耕还林、森林防火等工作。

【“五四红旗团委”创建活动】 开展创建“五四红旗团委”活动，是加强基层团组织建设的有效措施，通过抓创建活动，提高基层团建的整体水平。针对创建“五四红旗团委”的“四好”标准，突出抓了 3 个方面的工作。一是抓民主选举，加强班子建设，全区普遍配齐配强了乡村两级团委书记，团干部队伍整体素质普遍提高。二是在农村主要是强乡带村，加强农村乡镇团委建设，带动农村基层团组织建设。三是抓有形建设，形成工作依托。农村团组织普遍建立活动阵地，依托农村青年科技图书站、团支部活动室、青年科技协会等阵地，基层组织建设不断加强。

·青年联合会·

围绕地委、行署的中心工作，团结广大青年人才，开展了各种青年志愿者服务活动，深入农村、企业、重点工程工地开展科技服务、慰问演出、义诊、支教、扫盲、法律咨询、义务家教等专业性的志愿者工作。组织实施“青年人才工程”，着力开发青年人力资源，发挥青年人才的作用，在全区两个文明建设中建功立业。

地区青联通过举荐杰出青年，使更多的青年人才脱颖而出，为广大青年树立成才榜样，推动了全社会形成关心青年人才的良好氛围。地区青联开展了多种形式、多种渠道的推优造树活动，同时向全省推出了一批优秀青年典型，连续评选表彰了一批青年企业家、青年法律工作者、青年卫士等，通过表彰奖励，对优秀青年人才和杰出青年的成就进行社会评价和认定。通过有计划的宣传报道，提高他们的公众认同度。在表彰选树的基础上，通过培养、宣传引导、有组织有步骤地向组织人事部门和社会有关方面介绍他们的工作能力、业务成就、发展方向，把他们推上重要的工作岗位，使更多的青年能够在社会发展和经济建设中发挥生力军作用。

·少工委·

全区少先队工作全面开展爱国主义教育，着力加强农村少先队工作，进一步推进社区少先队建设，强化素质教育。将少先队工作与完善的制度结合起来，与地方特色结合起来，与校内外教育基地结合起来，与队报队刊的指导性结合起来，着重加强了少先队工作的日常化、社会化和科学化。构筑了全区少先队工作高起点、全方位、大跨度的发展。

进一步深化“中国少先队雏鹰行动”。充分调动每一个少年儿童的积极性和创造性。全区各级少先队组织共建立各种教育阵地 20 多个，使雏鹰争章活动成为一种教育社会行为，为少先队活动提供了无限的空间和舞台。全区有 50%的少先队员有一册“雏鹰争章”手册。

开展了“手拉手”助学活动，促进了城乡少先队工作的开展；全区共成立了 2700 个“手拉手”雏鹰假日小队，利用双休日和节假日分别在社区和“手拉手”等单位服务，并建立“手拉手”结对校 2000 多对。

围绕教育改革目标，以爱祖国、爱人民、爱劳动、爱科学、爱社会主义为基本要求，开展“新世纪我能行”体验教育活动，引导少先队员在家庭、在学校、在社会、在大自然进行体验，要求少先队员寻找一个岗位，扮演一种角色，获得一种感受，明白一个道理，养成一种品质，学会一种本领，从而提高自身的全面素质。

（张军）

地区妇女联合会

【概述】 临汾地区妇联带领全区 112 万妇女开展“创特色工程，立巾帼新功，建临汾强区”主题竞赛活动。在农村摆开四大赛场。区妇联抓住培训系列化、竞赛规模化、服务基地化、生产专业化、市场化 4 个环节，摆开了种、养、加工增值赛；流通领域营销赛，特色工程精品赛，乡村企业效益赛四大赛扬，参赛妇女达 91 万人，创办各类基地 431 个，建立科技服务协会 274 个，科技服务队 412 支，办培训 3117 期，培训妇女 47 万人（次），县县建起了“妇”字号特色工程，涌现出小康示范户 726 户，农村妇女经纪人 1620 名。上半年，全区干旱少雨，大面积返贫致贫形势迫在眉捷，区妇联坚持市、县、乡三级妇干包“点”联“户”培养示范户，开展“一户带三户，连环脱贫连环富”活动，建立妇干包联点 237 个村，1820 户，协调落实妇女连环脱贫资金 37 万元，建立扶贫示范基地 4 个，帮助 6627 户脱贫或走出返贫的困境。在全区城乡妇女中开展了“创一流，争最佳”活动。“三八”期间选树 40 个先进集体，268 名先进个人，并通过报纸、电视、广播大力宣传，卫生系统，政法系统，金融系统，环卫局，电业局，气象局等单位积极参赛，临汾铁路分局列车段不属于地方管辖也请缨参赛，区妇联采取“引导、鼓励、培养、检查、评比、表彰”的方式，成熟一个，表彰一个，全区“三八”锦旗遍插各行各业。本年度，表彰 “维权先进集体”3 个，“家庭教育先进集体”3 个，“绿色工程”5 处，“巾帼文明示范岗”6 个，“优秀妇干”22 名，“巾帼建功标兵”9 名，“绿色奖章获得者”5 名，“‘双学双比’先进工作者”3 名，“五好文明家庭”10 户，“维权先进工作者”4 名，“家庭教育先进工作者”3 名，“优秀女企业家”6 名，“落实《纲要》、《规划》先进县”1 个，“先进协调单位”3 个，“先进工作者”4 名。

【开通“148”妇女法律服务热线】 3 月，开展了一次声势浩大的法制宣传月活动，出动宣传车 154 辆，印发资料 12 万份，设咨询点 17 处。3 月 8 日～14 日与行署司法局联合开通了“148”热线电话，291 名法律问题专家、律师和妇女维权工作者 3565 人（次）解答问题。

（亢玉兰）

经济管理

计划管理

【概述】 全区计划管理部门坚持宏观抓规划、当参谋，微观抓项目、搞活经济服务，全力推进以调结构为主的“三件大事”，全面引深“项目年”活动，积极为项目争取资金，搞好服务，在国债投资大幅度向西部地区倾斜的情况下，计委积极争取国债投资。全年共争回项目 50 余个，争取投资 66000 万元，争取投资额位居全省地、市前列。积极培育潜力产品和高新技术项目，为侯马 L 乳酸、临汾汽车防撞报警装置、双成变态润滑油 3 个高科技项目争取投资 1800 万元；为潜力产品侯马猴头健胃灵项目争取投资 1000 万元；作为全区战略性项目，襄汾三倍体育毛白杨集中制纸项目已经省地评审，并由省计委上报国家计委争取立项，省计委承诺配套资金 5000 万元。

【深入开展“项目年”活动】 经反复筛选，选择平川县（市）投资 500 万元以上、山区县投资 300 万元以上的较大建设项目 158 个。这些大项目当年计划投资 217000 万元，占全区 2000 年固定资产总额的 65.7%。围绕这 158 个项目，建立了项目法人、分管部门、分管领导目标责任制。计委设计了专门表格，建立了全区重点项目进度月报季查制度，及时掌握责任制项目工程形进度、资金筹措到位等方面情况。计委每季度组织抽调各科室有关人员组成项目督查组，分赴有关县市和项目单位调查了解，还和地区“三大办”、地区调产办、地区纪检委等单位联合组织两次规模较大、层次较高的项目督查活动。配合省计委进行了 3 次国债项目、重大调产项目调研。每半年对项目建设进度进行考核排队，将考核结果及时向地委、行署进行汇报，同时向有关县市和部门通报项目建设中存在的问题。全年争取回国债投资项目 50 余项，投资 66000 万元，争取投资名列全省前列；88 个调产项目中，有 34 个竣工，新增产值 102000 万元，新增利税 26000 万元，拉动当年 GDP 增长 3.6 个百分点。

【加大融资创新力度】 通过督查调研，计委发现全区项目建设总体情况较好，但也存在着一些不容忽视的问题，如全区项目建设都不同程度地面临着投资环境、人才、技术和资金的严重制约，而矛盾最突出的是建设资金筹措难，影响了国家投资和省配套资金到位；调结构项目由于资本金难筹措，缺少信用度较高的企业担保，贷款难度加大，引进外资额比前几年下降，社会闲散资金投入项目建设的较少。针对这些问题，计委加大投融资创新力度，组织了两个专门的课题组赴江苏、山东、北京等地进行考察。结合全区实际，提出建立全区中小企业担保基金和向民营企业开放投资回报预期较好的基础设施和社会公益性项目的意见和建议，得到地委、行署的重视和企业认可。全年全区已建立 6 家担保公司，仅临汾正和中小企业担保公司一家就为 16 家企业提供贷款担保 3652 万元。

【编制十五规划初稿】 “十五计划”是社会主义市场经济体制初步建立和现代建设第三步战略开始实施后第一个五年计划，同时也是地委、行署抓好“三件大事”，实现率先发展在新世纪的第一个行动纲领。新的背景对十五规划提出新的更高的要求，在规划编制上和以往相比有 3 个特点：一是专家学者参与搞规划，增强了规划的科学性。“十五”计划首先从课题研究入手，就全区未来经济和社会发展中一些重大问题，开展广泛深入的调查研究，筛选确定 18 个重大研究课题，并相应组成了 18 个课题组。每个课题组都由计委领导和有关科室负责人担任课题组长，成员由计委聘请山西师大和有关部门专家学者、地直有关部门实际工作者组成。二是通过一系列课题评审会，听取领导和各部门对经济发展的意见和建议。计委先后召开了 10 个重点课题评审会，地委、人大、行署、政协部分领导听取了汇报并提出指导性意见，部分地直单位主要负责人积极参加评审会，丰富了计划的内容，增加了计划的透明度和参与度。三是运用现代媒体，广泛听取社会各界意见，使规划更加民主化。计委在中国临汾网站开辟“十五”计划论坛，公众可通过电子邮件向计委提出自己对计划编制的建议，对于合理化建议在制定计划时将予以认真考虑，使全区“十五”计划的制定和实施拥有更广泛的群众基础。

矿产资源管理

【概述】 全区各级地矿行政部门紧紧围绕“三件大事”，坚持依法行政，服务经济建设。取缔私开滥挖、维护正常矿业秩序，深化矿业产权制度改革，加强矿产资源监督管理，强化矿产资源补偿费征缴入库，各项工作都取得较大成绩。

【开展矿产资源开发年检工作】 按照省地矿厅规定的对矿产开发日常监督检查工作的职责权限、检查内容及要求，对全区 927 座矿山企业有重点、有针对性地开展了矿产资源开发利用的“年检”、“三率”考核工作。全区换发新的采矿许可证 877 家，其中煤炭企业换证 743 个，铁矿企业换证 104 个，其它矿种 30 个，累计换证率为 95%，达到了省厅的要求。全区共查处私开矿井 168 个；查处越界开采 35 起；共立案 186 件，结案 172 件，罚没款 214 万元，没收矿产品 32961 吨，没收非法生产设备 188 台件，行政拘留 4 人，刑事拘留 9 人。

土地资源管理

【概述】 全区土地管理部门进一步落实土地执法责任制，推进依法行政；深入宣传土地管理法律、法规，加大土地执法监察力度；严格实行土地用途管制，加强耕地保护；扎实开展各项业务工作，实现耕地总量动态平衡。一是按照土地利用总体规划，全面完成了基本农田调整规定任务。全区划定基本农田 4110066.67 公顷，耕地保护率达到 77.43%；建立了基本农田保护数据库，经省、地检查验收，全部达到规定要求。二是认真落实“占一补一”政策，耕地占补基本平衡。共开垦补充耕地 485.73 公顷，其中有 294.41 公顷经省国土资源厅和省农业厅实地验收。三是发动群众，大搞土地开发复垦管理，共完成开发复垦管理任务 1357.63 公顷，占省厅下达计划任务的 104%。这项措施的落实，有效地保护了耕地。

【重点建设项目用地】 强化服务意识，积极组织建设项目用地审查报批，为全区重点建设项目提供保障。全年报批各类建设项目 71 宗，用地面积 1044.36 公顷，其中受理征用土地报件 22 宗，面积 512.83 公顷；划拨用地 6 宗，面积 462.79 公顷；出让土地 6 宗，面积 6.1 公顷；分批次报批 10 宗，面积 43.94 公顷；受理占地报件 27 宗，面积 18.69 公顷。制定“全区建设用地信息发布制度”，为规范建设用地市场，集约高效利用土地提供了依据。

【加强地籍管理】 进一步加强地籍管理，维护土地所有者和使用者的合法权益。利用微机完善了土地权属证书年检成果，查验各类建设用地 66165 宗，年检总面积 4587.5 万平方米；按时完成了农村土地变更调查，变更各类土地面积 184626.67 公顷，同时对 17 个县（市）的微机台账数据进行了核实、整理、消除了多年来两套数据不衔接工作带来的困扰；扎实开展了城镇地籍调查，共完成控制测量 120 平方千米，碎部测量 80 平方千米，其中 9 个县（市）通过省级验收，5 个县（市）具备验收条件，3 个县进入成果整理阶段。至此，全区城区地籍测量全部完成。及时调处地权属纠纷，维护了社会稳定。受理土地权属纠纷 141 起，调解处理 76 起，政府下达处理决定 29 起，人民法院裁定 25 起，进一步规范了土地登记发证程序；年内办理各类土地登记发证 13083 宗，其中国有土地 4381 宗，集体土地 8702 宗；县市城区土地基准地价，在 1998 年 7 县市已调整更新并经省厅验收的基础上，其余 10 个县 1999 年已全部完成，现在正等省厅验收。

【实行土地用途管制制度】 一是及时修改完善了地、县两级土地利用总体规划，地级及 17 个县级规划分别于 2 月、8 月经省政府批准。并按要求上报了各项规划备案资料，其中临汾市和安泽两个县级土地利用总体规划获国土资源部优秀成果奖。二是认真进行了乡级规划审核，并于 12 月经行署领导主持的乡级规划审定会通过。三是科学编制和下达了 2000 年土地利用计划，按照用途管制和产业政策对各类建设用地进行了预审，申请省控机动指标项目 45 个，面积 49.07 公顷。

【严肃查处违法占地】 全年新发生各类违法占地案件 419 宗，立案查处 419 宗，共拆除建筑物 130.56 百平方米，没收建筑物 73.93 万平方米，收回土地 1.15 公顷，收缴罚款 208.79 万元，处理有关责任人 9 名；为加大案件查处力度，地局对有影响的 13 起违法占地进行了直接查处，有效地制止了违法占地行为的发生。

【超额完成国土收益任务】 建立健全土地有形市场，超额完成国土收益任务。一是针对全区地产市场不健全、不规范的状况，以典型引路的方法，在侯马市进行了土地有形市场试点，并召开全区土地有形市场建设现场会，使全区各县（市）的地产市场进入规范化的管理轨道。二是盘活存量土地，提高土地利用效益。全年共盘活土地 23 宗，面积 6.55 公顷。三是建立建设用地信息发布制度，及时收集、整理发布了用地信息。四是进一步强化城镇经营性用地管理，加大土地有偿使用费收缴力度。由于这些措施的落实，完成国土收益任务 3065.8 万元，占任务的 133%，创造了连续 6 年超额完成国土收益任务的佳绩。

【土地资源调查与评价】 根据省厅的安排，先后完成了侯马市数字国土工程试点、耕地后备资源调查和坡耕地调查与评价。按照调查规程，省级以上耕地后备资源调查涉及 7 个县（市），34 个乡镇，调查可成片开垦耕地后备资源 4281.57 公顷；调查坡耕地面积 86662.53 公顷，其中 15°～25° 的 70805.90 公顷，大于 25° 的 15856.63 公顷。建立了资源调查数据库，进一步查清了土地资源的质量状况，为今后整理开发利用土地资源提供了科学依据。

【完善国土资源执法责任制】 按照国土资源部《关于全面推进依法行政的实施意见》，进一步明确了执法主体的执法职责范围和具体执法岗位，建立了建设项目用地规划预审、审批土地会审制度、土地资产处置、地价确认会审办法、执法监察、错案追究、廉政告诫等制度。在推进依法行政工作中，一是进一步推广了侯马一个窗口对外一条龙服务的窗口式办事制度。各县（市）普遍实行了服务内容公开、办理程序公开，收费标准公开，向用地户承诺办结日期的“三公开一承诺”服务，提高了办事效率，促进了土地管理部门的廉政建设。二是根据行署安排，在 1999 年全区乡镇土地所整顿的基础上，进一步引深了乡镇土地所的整顿。这次整顿共调整交流土地所长 26 名，充实基层土地管理人员 30 余名，查处严重违法违纪人员 15 名，其中移交司法机关处理 3 人，撤职 3 人，警告 2 人，记过 5 人，停职 2 人。通过整顿，进一步明确了基层土地所工作职责，建立健全了各项规章制度，提高了土地管理人员的业务素质和执法水平。三是利用电视台、《临汾日报》等媒介向社会公开文明执法承诺。规定了对重点建设项目用地的报批时限和中介服务收费标准，国企改革和发展的土地资产处置方式和管理政策，加强行风建设和文明执法的措施，公布举报电话，接受社会各界的监督。

（刘志刚）

工商行政管理

【概述】 2000 年是工商行政管理系统实行省以下垂直管理的第一年。面临新形势、新任务，工商行政管理机关以确保经济建设为中心，促进全区“三件大事”落实，建立健全市场规则，强化监管，严格依法依规行政维护全区市场秩序，营造良好的市场环境，圆满完成了各项工作任务。以“两整顿”为重点，强化市场监管，加大执法力度，截至年底，全区共查处各类经济违法案件 1680 起，涉案金额 1283 万元，收缴罚没款 107 万元，为消费者挽回损失 181 万元，有力地维护了全区市场秩序，其中：查处大要案 69 起，不正当竞争案 62 起，侵害消费者权益案 189 起，走私贩私案 4 起，盗版、非法出版物案 35 起，非法传销案 1 起，粮食违法案件 20 起等。

【“12315”投诉电话启动】 3 月 14 日，全区工商行政管理机关“12315”投诉举报电话正式开通启动。“12315”投诉电话的开通，标志着全区工商行政管理机关保护消费者合法权益进入一个新阶段。截至年底，全区工商行政管理机关“12315”特服电话共开通 18 部，从而使全区形成了一个以受理快、出动快、移送快、解决快为特点的消费者权益保护行政执法运行机制。

【“3·15”活动】 “3·15”活动期间，临汾地区消协与工商局联合召开了“明明白白消费”年主题新闻发布会，公布“1999 年度全区打假十大案件”，组织参加“临汾地区销毁假冒伪劣产品大会”，全区共设立宣传咨询服务台 120 个，出动宣传车 50 余辆，散发宣传品 100 余万份，悬挂宣传条幅 150 多条，地、县消协组织了各类新闻发布会、座谈会、知识竞赛等形式多样的活动 31 场，使《消法》进一步深入人心，全区掀起了打假维权、明明白白消费的热潮。

【个体劳动者协会健康发展】 临汾地区个体劳动者协会积极贯彻国家工商局、中国个协关于开展“户户讲道德，店店无假货”、争创“光彩之星”及“光彩服务周”活动的要求，将“三个活动”有机地结合起来，当作全面加强会员精神文明建设，促进个体私营经济健康发展的重要工作。一是广泛宣传，深入发动，增强广大会员参与“三个活动”的自觉性，认真部署，制定切实可行的方案。广泛宣传，充分利用各种媒体进行广泛宣传，做到家喻户晓，人人皆知，深入发动。在广泛宣传的基础上，地区个协先后派出 3 个工作组深入各县（市）进行搞试点，抓典型，检查督促，使各县（市）协会提高了开展“三个活动”的自觉性。二是健全机构，精心组织，实行开展“三个活动”的责任制。实行领导责任制、基层责任制，监督检查制度。地区个协不定期地对各县（市）开展活动情况进行抽查，发现问题及时解决，做好检查督促工作，较好地发挥了指导和协调作用。三是总结经验，宣传典型，使“三个活动”不断向纵深发展。培养典型，宣传典型，以典型引路，推动全局。侯马市个协领导重视，组织严密，坚持不懈，成效显著，被国家工商局、中国个协评为“户户讲道德，店店无假货”先进单位；临汾市个协开展争创“光彩之星”活动，将职业道德教育与争创活动相结合，实行公开亮牌经营和承诺服务。地委、行署领导还为“光彩之星”披红戴花，在社会上引起了强烈反响。通过典型示范引导，大大地推动了全区个体工商户和私营企业经营者“爱国敬业、诚实劳动、守法经营、优质服务、乐于奉献”的积极性。

审计管理

【概述】 全区各级审计机关充分发挥审计高层次监督职能，在维护财纪纪律，增加财政收入，加强廉政建设，促进深化改革方面作出了成绩。据统计，全年共完成九大类 26 项 1695 个单位的审计任务，比 1999 年同期增加 461 个；审计查处违纪行为金额 93984 万元，比 1999 年同期增加 30271 万元，增长 47.5%，其中：决定处理处罚 64286 万元，比 1999 年同期增加 25710 万元，增长 66.6%；应上交财政 9686 万元，增加 369 万元，增长 4%；已上交财政 7154 万元，增加 475 万元，增长 7.1%。

【严格审计执法】 5 月 17 日，全区审计执法现场会达成了“四项共识”即：继续推行执法责任制、抽审制、复核制、回访制和集体汇报制 5 个机制；处理好破与立、情与法、查与处 3 个关系；树立依法行使审计权、不按法办就是失职和违法承担法律责任 3 个观念；掌握好执法的严肃性、公正性和准确性“三性”原则，从而促进了严格审计执法。地区审计局自 1997 年以来连续 4 年收缴违纪款超千万元。

【揭露查处重大违法违纪问题和经济案件】 贯彻落实朱镕基总理“全面审计，突出重点、依法严肃查处重大违法违纪问题和经济案件”的指示精神，充分发挥审计对经济犯罪的震慑作用。全年共揭露查处大要案 58 起，其中：移送司法部门 27 起，涉案人员 27 人，已处理 9 件 9 人；移送纪检监察机关及有关部门处理 31 起 31 人，已处理 13 件 13 人。

【经济责任审计】 贯彻落实中办、国办两个暂行规定，积极开展工作。一是建立联席会议制度；二是初步建立机构；三是认真履行职责。全区共完成 429 户经济责任审计任务，其中行政事业单位 413 户，企业 16 户。审计查处法和违纪违规行为金额 4523 万元，处理处罚 329 万元，移送纪检监察部门处理 7 案 8 人。

物价管理

【概述】 全区物价工作充分发挥物价部门的职能作用，以支持当地主导产业发展为重点，以深化价格收费改革为手段，以提高经济效益为目的，努力用价格信息引导结构调整，用价格政策促进结构调整，用价格手段加快结构调整。合理制定本区与邻省接壤县的小麦、玉米收购价格，解决了与邻省价格的衔接问题；科学合理地制定农村机井水价和小型水利工程水价。制定了农村电网改造入户材料费收费标准，相应调整了全区分类综合电价，经检查全区农村综合电价执行率达 100%，合格率达到 95% 以上；配合省局出台了《临汾市征收污水处理收费标准》，初步测算，每年可征收城市污水处理 900 余万元；对药品生产经营企业的价格行为和医疗单位自配的药物制剂价格管理进行了规范，降低"虚高"价格；对全区有旅游资源的县（市）进行全面调查，对省管以下的旅游景点门票，进行全面调整和规范，制定了霍州、临汾、吉县、襄汾县、洪洞县、隰县等旅游景点门票，优化了旅游业价格环境；在房地产管理方面，在继续清理整顿建设项目的基础上，降低住房建设成本，健全建设项目收费的监审制度，规范商品房、经济适用房的价格构成。在平川县（市）基本建立起基准地价、标定地价和房屋重置价格的确定公布制度及对上级物价部门的申报制度。会同地区建委研究制定《物业公司管理办法》，对物业单位进行规范化、程序化管理。全年居民消费价格总水平比 1999 年上升 1%左右，商品零售价格总水平保持基本稳定。

【清费治乱减负】 严格收费管理，严把收费审批关，从源头堵住乱收费的口子。继续清理整顿收费项目。对国家和省已发文废止的收费项目和已降低的收费标准全部变更收费许可证。完善收费管理，实行了"企业交费登记卡制度"，减轻企业负担。继续推行收费公示制度。利用多种形式向社会公布合法收费，让社会监督，推行襄汾、侯马等收费大厅实行"一公开"、"二统一"的经验。继侯马、襄汾、蒲县等县市之后，已有 14 个县（市）建起了标准不同的收费公示一条街，使全区合法收费项目和标准更加公开，有效地遏制了乱收费行为。发挥物价监督检查职能，认真查处与人民群众生活息息相关的生活必需品和服务价格。先后开展了电力、旅游、公安、教育、药品和涉农收费等专项检查。在搞好专项检查的同时，坚持不懈地开展"米袋子"、"菜篮子"、房租、水、电、气等方面的价格和收费的常规性监督。全区查处价格违法案件 907 起，查处价格违法所得金额 2075.87 万元，实施经济制裁总金额 1710.44 万元，经济制裁力度达 84.88%，比 1998、1999 年两年平均 83.12%高 1.76%。还受理群众举报案件 105 起，查结 98 件，结案率 93.3%，退还举报者 16.5 万元。在搞好监督的同时，根据国家计委的通知要求，积极开展创建规范化基层物价检查所活动，加强软硬件建设，全区物价检查所的规范化水平得到了较大提高。

【开拓价格事务工作新领域】 物价部门发挥优势，不断强化价格事务工作，拓宽价格事务工作领域。据统计，全年共依法涉案物品评估 217 起，评估金额达 62308438.36 元，比 1999 年增长 30%，其中涉案物品价格鉴定业务 152 起，评估鉴定金额 41143058.46 元，资产评估 27 起，评估金额 20663226.6 元。挖掘和开发价格信息资源，及时准确地对工业生产资料市场成交价格、工业消费品零售价格、农业生产资料市场成交价格、农副产品零售价格、粮食收购价格和服务价格进行监测和分析，为各级政府宏观决策，引导投资和消费，引导地区间价格衔接，促进生产和流通，物价系统做了大量的工作，同时顺利完成了山西焦化工业总公司、山西临汾钢铁公司、山西维尼纶厂等大中型企业上网报价的任务，真正发挥了价格信息为政府、为市场、为社会、为企业服务的作用。

附：

侯马市物价局

侯马市物价局 2000 年第六次荣获全区物价工作综合评比第一名，被省物价局评为先进集体，被国家计委首批命名为"规范化物价检查所"。一是严把收收费年审关。建立规范化、科学化、制度化的行政性事业收费管理机制，年审和发证率均达到 100%，涉及收费项目 2000 多项，金额 7424 万元，同时根据国家、省、地要求，及时废止和调低了 7 个部门 9 个单位的收费项目和标准，并及时变更了《收费许可证》，年减轻企业和社会负担 180 余万元。二是真抓房地产价格管理。共评审房屋租赁面积 38020 平方米，审验《房屋租赁价格等级证》41 本，对 2 个市场、2601 户沿街门店经营状况和租金状况进行调查，同时加强了经济适用房价格管理和物业管理服务收费的监督。三是深入农村搞服务。对全市 5 个乡、81 个自然村的村民用电价格、84 所中小学收费管理全部实行"阳光作业"，并对上马乡 17 个村的机井进行测算，合理地调整了机井水价，切实减轻了农民的负担。四是强化社会监督，严格依法行政。以清费治乱为中心，先后开展教育系统、医疗系统、电力、电信、旅游行业等各项检查以及其它行政事业性收费检查，全年共查处价格违法案件 94 起，查处非法所得 113 万元，经济制裁总额 105 万元，其中退还用户 31 万元，上缴各级财政 74 万元。五是认真受理群众举报。公开举报电话，建立健全举报制度，要求做到事事有结果，件件有回音，举报案件结案率达到 100%，并及时向举报人反馈了信息。一年来共受理举报案件 27 起，查处 27 起，没有因此而出现群众上访案件，为群众挽回经济损失 100 余万元，得到社会各界的广泛赞誉，密切了政府和人民群众的关系。六是充分发挥价格职能作用。顺利实现居民消费品价格指数的适度回升，回升幅度为1.1个百分点；开展涉案物品评估88起，交通事故评估59起；加大明码标价的宣传力度，使全市明码标价覆盖率达到95%以上；成功地举行了征收污水处理费价格听证会，促进了全区经济发展。

（张晓莉）

质量技术监督

【概述】 全区质量技术监督工作的中心是为经济建设服务，目标是建立企业自律、政府监督、市场制约相结合的质量管理机制。一是进行了全区质量状况调查。共出动调查人员850人次，完成区域调查8个（市1个、重点县7个），提供原始资料86份，调查小型企业111户，完成调查数据8000余个，摸清了企业的“底牌”，为本区产业结构调整、发展潜力产品提供了依据；二是开展了质量认证工作。“山西省认证审核中心临汾办事处”挂牌，组建了全区认证工作网络。深入30余户企业进行标准及认证宣传，现场帮助企业建立和完善质量保证体系，与4家企业草签了认证合同；三是强化生产许可证管理工作，推动企业管理上水平。举办了企业《现场条件审查细则》培训班，对企业的管理制度、检测条件等进行了现场指导，8家企业顺利通过省局考察验收。配合省局对17个实行许可证管理的生产企业进行现场指导，申请领取了“临时准产证”；四是制定了“质量服务车”实施方案，引导企业贯彻IS09000系列标准，建立健全质量保证体系，着力解决企业存在的实际问题。全年服务企业的人员在8000人次，解决领证、认证、计量检定等难题500余件，深受企业好评。

【计量器具的监督检查】 对全区5万余台（件）计量器具进行了调查摸底，建立了管理档案；其次狠抓节日市场监督。加强了市场计量器具的检测，安排检查各类商业门店720家，检验商品50类6000余件，检查计量器具4500余台（件），检查了300余类商品的定量包装；第三、对31家定量包装企业进行了考核验收；第四、狠抓了强检计量器具的监督管理工作。对医疗卫生、计量器具大范围进行了鉴定，共检查281台，合格率达85%；第五、积极推行法定计量单位的使用。共检查新闻单位50余家，检查路牌广告1295个，对出错的责任单位给予指出并限期改正。同时，地质检所向社会和执法队伍提供检验报告1886份；地测试所在积极搞好强检计量器具鉴定的同时，启动了“光明工程”，开展了眼镜质量检验及验光配镜用计量仪器的鉴定工作，使本区验光配镜合格率由去年的50%提高到70%；情报、代码工作人员牢固树立“窗口”意识，热情提供咨询服务，全年颁发换发代码证书3000余套，年检1000余套，颁发代码证书副本，IC卡2000余套，超额20%完成省代码中心下达的任务。

【积极推进标准化工作】 积极推进采标认可和采标标志备案工作，全区有10项产品采用了国际和国外先进标准，4项产品通过了采标认可和采标备案；加强了农业标准化工作，对侯马的银杏树栽培规范、洪洞的芦笋栽培加工、曲沃的无公害蔬菜、吉县的烤烟栽培标准化示范项目进行了帮助指导，增强了市场竞争力，获得了较好的经济效益。

【打击假冒伪劣产品】 全系统共出动执法人员14202人次，捣毁制、售假窝点62个，立案查处制假售假案件1048起，查获假冒伪劣产品标值1748.5万余元，移送司法机关的案件3起。检查专业市场48个，门店3009家，查获假冒伪劣产品标值500余万元，在输液器、输血器专项检查中，共查获不符合国家强制性标准的输液器77142支、输血器2843支；组织了3次大规模的质量和计量执法行动，共查处10万元以上大案10余起。同行署打假办理顺了关系，形成了以质量技术监督部门牵头，公安、工商、盐业、烟草等部门参与的打假组织。12月初，“96315”打假热线电话开通，当月共受理投诉举报电话195起，保护了人民群众的合法权益，质监部门在打假工作中做到了“有为、有威、有位”。侯马局、襄汾局、翼城局、大宁局、 地局稽查队被省局评为“全省打假先进单位”，6位同志被评为全省打假先进个人。

（李线丽）

计量管理

【概述】 临汾地区质量技术监督局的职责是贯彻执行国家和省质量技术监督工作的方针、政策；组织实施《中华人民共和国计量法》、《中华人民共和国标准化法》、《中华人民共和国产品质量法》和相关法律、法规，指导所属单位依法行政、依法检测；管理全区质量监督工作；宏观管理和指导全区的质量工作，研究拟定提高本辖区产品质量水平的发展战略；负责名牌工作，推进“名牌战略”的实施；负责企业标准的备案管理工作；管理组织机构代码和商品条码工作；统一管理计量工作，推行法定计量单位和国家计量制度，依法管理和考核计量标准器具，组织量值传递，确保国家量值的准确统一；参与认证检验机构的审查认可工作；对全区产品质量和企业质量体系认证工作进行统一管理、组织、协调。

全局紧紧围绕地委、行署“打基础、调结构、治环境”三件大事，全面贯彻落实国务院关于加强质量工作的重要部署，以深化改革为动力，以加强法制建设为基础、以抓好队伍建设为保证，大力扶持名优产品、实施名牌战略、打假保真、净化市场。一是坚持以质量工作为核心，强化和完善服务措施，对全区的企业质量状况进行摸底，引导企业积极认证，加强了生产许可证的管理工作；二是加强了计量器具和定量包装商品的监督管理，规范了计量单位的使用；三是突出了工业领域的消灭无标生产和农业领域的标准化示范工作；四是重拳出击，严厉打击假冒伪劣产品，净化了市场环境；五是注重产品质量检验、计量检测和代码工作，为行政执法和政府决策提供依据。

乡镇企业管理

【概述】 全区乡镇企业管理部门认真贯彻落实“三件大事”的工作部署，明确思路，加大力度，积极推进乡镇企业体制创新和战略性结构调整，使全区乡镇企业继续保持了持续、快速、健康的发展。截至 2000 年底，全区乡镇企业增加值完成 649300 万元，同口径计算，比 1999 年增长 17.7%;总产值完成 2380000 万元,比 1999 年增长 17.5%;上缴税金 40750 万元,比 1999 年增长 18.8%.

【焦铁铸行业改造升级】 焦炭行业改造坚持总量控制，扩张规模，少数改造升级，多数转产发展，重点发展出一批 20 万吨以上的机焦企业。全区正在建设和规划建设的 20 万吨以上的机焦炉达到 38 家，其中 40 万吨以上的 24 家，全部建成后将形成 1200 万吨的机焦生产能力。对不符合国家产业政策和环保政策的焦炭企业，坚决予以取缔，引导其利用现有场地、设备，发展建材、农副产品加工、养殖、铸造等项目全区转产发展的焦化企业有 230 余家；生铁冶炼行业坚持“治污降耗，形成规模”，鼓励和支持有条件的县（市）重点建设一批 120 立方米以上的高炉。全区正在建设和规划建设的 125 立方米以上的高炉有 35 座，全部建成后可形成 300 万吨的生产能力。继续推广临汾市的经验，对全区炼铁高炉进行污染改造，除翼城县外，其余县（市）300 座铁炉基本实现了污染物达标排放。铸造业已经发展成为新的产业支柱。全区各类铸造企业已经发展到 220 余家，其中万吨以上规模的达到 14 个。主要产品由过去的生铁、熟铁铸造杂件发展到以体育器材、汽拖机械配件、建筑材料等三大类 100 多个品种。全区重点抓了曲沃乔山铸造有限公司、临汾华盛铸造有限公司、翼城华尔铸造有限公司、襄汾邓庄力士体育器材有限公司、洪洞大运铸造有限公司、霍州申鑫铸造有限公司等 10 个骨干企业的建设。全区将新增铸件产量 15 万吨，总产量力争达到 50 万吨。铸造作为为焦炭和生铁冶炼的延伸产业已经逐步成为新的产业支柱。

【农副产品加工业】 各县（市）都发展起一批规模较大的农副产品加工企业，从种植、养殖、到农产品的储藏保鲜、加工转化等各个方面，共有各类农副产品加工企业 728 家，产值达到 68000 万元，并涌现了一批重点县（市）和龙头企业。安泽县结合本县实际，大力发展食用菌生产，1999 年全县建成 10 万袋以上高标准食用菌基地 10 个，规模达到 110 万袋，2000 年可达到 300 万袋，产值达到 3792 万元，利税 2832 万元；侯马市突出发展蔬菜、药材两大产业，建起了金生脱水食品有限公司、青青食品有限公司、裕隆源食品加工有限公司、银杏种植有限公司、利信种植公司等 9 个农副产品加工龙头企业，总投资 9499 万元，年产值可达 17038 万元，实现利税 4955 万元。隰县近年来采用公司加农户的办法，大力发展肉用麻鸡养殖，养殖规模已经达到 10 万只；同时还涌现了如山西别样红集团、临汾柏松有限公司、王宝林烧鸡有限公司、翼城尧森集团公司等一批龙头企业。

【培育潜力产品和优势产品】 经过地县两级和企业积极努力，本区有 13 家企业的产品列入省政府潜力产品扶持名单。其中乡镇企业有 4 家，即：临汾市龙兴饮料、侯马瑞洁 L-乳酸、曲沃乔山铸管、襄汾亚光球墨铸件。在着重抓好这 4 个潜力产品培育发展的同时，又在全区筛选了 39 种优势产品，其中全市重点抓 13 种优势产品，对这些潜力产品和优势产品，提出明确目标，层层落实责任，多方倾斜支持，帮助企业解决实际问题，加快这些潜力产品和优势产品的培育和发展，使其在结构调整中形成强势带动。临汾市龙兴饮品有限公司与隰县天天饮料有限公司强强联合，组建了山西别样红集团，集团包括 7 家企业，总资产 16000 万元，经营范围辐射三大产业，涵盖 6 个行业，产品达九大类 30 多个品种，建成以农副产品加工业为龙头，集基地开发、养殖、贸易为一体的跨行业、综合性企业集团。侯马瑞洁生化有限公司 L-乳酸工程已投入资金 1250 万元，其中自筹 950 万元，省计委下拨 300 万元，目前工程主体已经结束。曲沃乔山年产 5000 吨管件项目 9 月 1 日已建成投产，襄汾亚光集团万吨球墨铸管项目也正在建设之中。

【技术创新】 积极推进乡镇企业技术进步，支持企业自主或联合建立技术开发机构，逐步形成以企业为中心的技术创新体系，年产值在千万元以上的企业都要建立自己的技术开发体系。全区建立独立的产品技术研发机构的企业达到 17 家，襄汾有色金属公司，广纳人才，从全国各地招聘行业专家、中高级工程师、经济师和高级管理人才上百名，建立起自己的人才库。为企业发展提供了强有力的人才支持。临汾市科海给水设备有限公司拥有的专业技术人员占到企业人数的 60%以上，企业面向市场，积极开发新产品，稳定占领市场，企业也获得了迅速发展。积极引导乡镇企业与科研院所，大专院校，行业协会开展技术攻关。努力建立促进乡镇企业技术创新的激励机制，鼓励乡镇企业职工岗位技术革新。据不完全统计，1999 年以来，全区乡镇企业职工岗位技术革新的成果达到 430 余项。引导企业加大技术改造力度，不断提高企业的技术装备水平。1999 年以来，全区共新上各类技改投资项目达到 130 余个，总投资达到 63000 万元。

【金融创新】 为了加大融资力度，推进结构调整的快速发展，加大招商引资力度，组织各县（市）乡镇企业主管部门和乡镇企业组团参加了全省和全国的招商引资洽谈会。2000 年以来，连续组团参加了西安东西部合作洽谈会、厦洽会、晋洽会、农博会、深圳高洽会和贵阳东西合作洽谈会。通过招商引资，全区共签订投资意向合同21项，引资41970000万元，其中利用外资1100万美元。充分发挥协调服务职能，通过举办银企座谈会，沟通金融部门和乡镇企业之间的联系，争取金融部门对企业和项目的支持，共举行了五次较大规模的银企座谈会，共为企业争取银行贷款35000万元。各县（市）也积极沟通银企联系，为企业解决资金困难的问题。

【人才机制创新】 把培训工作作为一项经常性的工作来抓，加大对企业家的培训力度。继1998年地委组织部在无锡市举办了二期乡镇企业家培训班后，7月，地委、行署决定，由组织部和乡镇局负责组织培训全区乡镇企业厂长、经理、董事长。聘请全国知名专家、教授举办了一期200余名企业家参加的培训班。通过培训使乡镇企业家对乡镇企业发展面临的形势有了更清醒的认识，从专家讲授和发达地区的对比中，看到不足，找到差距，增强紧迫感和使命感。采取请进来、走出去的办法加快人才培育和交流，截至9月底，全区共选送800余人到大专院校培训深造，并高薪聘请各类人才470余名。

【体制和机制创新】 乡镇企业局组织全区个体私营企业家座谈会，地委杜玉林书记，行署樊纪亨专员参加了座谈会，并对个体私营企业的发展提出了具体要求，随后又出台了"关于加快个体私营企业发展的意见"。全区各县（市）把发展个体私营企业作为一项战略措施来抓，地区作出了全面发展民营经济的决定，提出了"全面放开，全面优化，全面拓展，全面民营"的发展模式，并制定了相关的配套政策和措施，为民营企业的健康发展营造宽松的发展环境，有力地促进了全区个体私营经济的发展，2000年1月～10月全区个体私营企业同比增长20.8%。

【环境创新】 行署对这项工作极其重视，成立了全区乡镇企业治乱减负领导组，制定了乡镇企业治乱减负的《实施方案》，并在全区范围内进行了全面的清理整顿。行署提出了创新服务环境、创新执法环境、创新社会环境的要求，制定了《关于严肃处理党政机关工作人员在服务经济建设中失职渎职行为的暂行规定》、《关于严厉打击干扰破坏经济建设行为的暂行规定》。侯马市对全市乡镇企业实行封闭管理，除税务部门，其它部门每年进入企业检查收费不能超过两次，而且必须经市长批准，否则，一经查出严肃处理。曲沃县对乡镇企业收费实行核定标准，统一管理，并向企业派驻督导员，负责监督向企业乱收费、乱摊派、乱罚款的"三乱"行为。为进一步引导企业按照市场的资源优势和产业政策的导向加快结构调整，推动企业间生产要素的合理流动，形成行业的整体优势，2000年5月和6月，先后成立了地区铸造业协会和焦炭协会，并开展了一系列工作：制定了行业发展规划，召开了企业家座谈会和全区铁路运销座谈会，并办起了协会简报——《焦炭动态》。组织"千万吨机焦建设"记者大调查活动。铸造协会邀请全国、全省的专家、学者参加了乡镇铸造业发展研讨会，组建了全区中小企业贷款担保中心，并为企业担保贷款3500余万元。

口岸管理

【概述】 2000年是侯马出入境检验检疫局挂牌成立以来开展检验检疫业务的第一年。为加强进出口产品的检验检疫工作，局领导带领有关科（室）检验人员深入到48家外贸企业和生产厂家了解进出口商品的情况，详细了解企业的状况和存在的问题，并向企业宣传检验检疫法规。开展检验检疫工作，截至12月底，共受理报验327批，其中进口31批，出口279批，包装27批，主要商品有：金属镁、金属硅、焦炭、棉布、五金工具、哑铃、钢坯、石榴石、木材、机电、农机、沥青、药品、通信电缆等，总货值3090.1684万美元，超额完成全年任务。完成了临汾市洗煤厂、临汾文汕洗煤厂、河津三联集团焦化厂、河津振兴煤焦有限公司、河津鑫升焦化有限公司的质量许可证考核工作；对4家获证企业进行了抽查；对临猗服装厂生产的表外商品文化衫进行了抽查；转发了国家局的《出口煤炭检验管理办法》；并对辖区内12家年内换证企业发函，促其做好自查和换证准备工作。

（张雅玲）

农　业

农委工作

【农业和农村经济结构调整】 面对历史上罕见的旱灾和市场持续低迷的严峻形势，全区农业和农村工作积极推进农业和农村经济结构战略性调整，千方百计增加农民收入，保持了农村经济平稳发展，农村社会稳定的良好态势。粮食总产 120.85 万吨，比 1999 年减产 21.06%，其中：小麦在 91.3 万亩因旱灾绝收的情况下总产仍达 49.6 万吨，秋粮生产与上年基本持平。果、菜、肉、蛋、奶等农产品产量除水果略减外，其余都保持了全面增长。其中：蔬菜、油料总产创历史最好水平。全区农民人均纯收入达到 2195 元，比 1999 年增长 9.1%，全省排名第七。平川 7 县（市）农民人均纯收入超过了全省平均水平；侯马市、临汾市、曲沃县、霍州市、洪洞县、襄汾县 6 县（市）农民人均纯收入超过全国平均水平。

按照地委、行署提出的“平川抓精品、山区抓特色”的农业结构调整战略，整体推进，重点突破，创造性地开展工作，使农业结构调整开始由自发向自觉转变，由追求数量增长向提高质量效益转变，由产销脱节向产销一体化转变。经过一年的努力，全区优质杂粮、干鲜果品、草食畜牧业和蔬菜四大优势产业得到迅速发展，带动了农业整体素质和效益的提高。以种植业为例，经过结构调整，农民人均收入达到 800 元，创历史最好水平。

【实施“五水兴农”战略】 全区继续实施“五水兴农”战略，大力推进退耕还林还草工作。全年新增水地面积 2 万亩，改善水地面积 30 万亩，完成节水面积 9.98 万亩，新建人字闸 80 座，新打旱井 1.75 万眼，发展山地微灌 2 万亩；全区投资 4655.1 万元，共建成饮水解困工程 549 处，解决了 890 个自然村、18.36 万人、3.76 万头大牲畜的饮水困难问题。全区治理水土流失面积 97 万亩，有 5 个县开展了退耕还林还草试点工作，完成退耕还林 37 万亩，退耕还草 35.2 万亩。农业综合开发初步完成了 40 万亩汾河滩涂开发工程，田林路渠基本配套，区域种植正在形成。洪洞县甘亭镇、曲沃县太子滩、襄汾县永固滩等科技示范园区已初具规模。

【农民服务协会工作】 农民服务协会在全区得到各级政府的重视和支持，实施顺利，发展健康。为了使农协工作普及到各县市和各专业，相继又成立了翼城县农协会、侯马中药材协会、蒲县烤烟协会、襄汾蔬菜协会、安泽食用菌协会、临汾市韭菜协会等 10 多个专业协会，这些协会为农村经济发展、农民增收和社会稳定起到了良好的推动作用。

【扶贫攻坚】 面对连年特大旱灾，灾区人民积极开展生产自救。各级党委、政府以及社会各方面力量，发扬“一方有难、八方支援”的传统精神，组织大量人力、物力、财力抗灾救灾，使大灾之年全区没有发生饿死、学龄儿童辍学及重大案件，确保了灾区人心安定、社会稳定。2000 年是完成《国家八七扶贫攻坚计划》的最后一年，也是扶贫攻坚以来最为艰巨的一年。地委、行署进一步加大对扶贫攻坚工作的领导，继续坚持了目标不变，任务不变，扶贫工作队不变的方针，使扶贫攻坚工作取得了很大成绩。据统计，全区因灾返贫人口恢复温饱的任务已基本完成，新解决 1.82 万人的温饱问题。自实施“八七扶贫攻坚计划”至今，全区实现温饱的贫困人口达 59.42 万人。

【推进小康建设】 各县（市）按照江泽民提出的“全面建设小康社会”的要求，推进小康建设稳步发展，全区又有 7.2 万人基本实现小康，累计有 7 个县（市）、144 个乡镇、2418 个村、247 万农业人口达到小康，分别占总数的 41.2%、59%、71.7%和 80.5%，并涌现出一批富裕型小康村。

农业综合开发

【概述】 全区农业综合开发项目涉及临汾、侯马、霍州、洪洞、襄汾、曲沃、翼城、汾西、乡宁 9 个县市。地区农发办带领全区开发战线干部群众，坚持农业综合开发指导思想上的“两个根本转变”，贯彻执行国家农业综合开发联席会议确定的方针政策，农业综合开发工作成绩喜人。项目区农业基础设施得到进一步强化，科技示范园区建设取得突破性进展，产业结构调整步伐明显加快，机制运营有了新的创新。

全区农业综合开发总投资 7825 万元，其中：争取中央财政资金 2386 万元，省财政配套资金 1313 万元，完成地县财政配套资金 1073 万元，银行贷款

1700万元，群众自筹1353万元。累计完成中低产田改造14.65万亩，投资4165万元；建设多种经营项目11个，投资3660万元。项目工程具体完成：扩建加固小型水库1座，建排灌站10座，新打修复机电井170眼，架设输变电线路78.8千米，衬砌、疏通渠道141.6千米，发展微喷灌0.37万亩，埋设地下管道229.5千米，改良土壤12.12万亩，修筑机耕路238千米，配套农机设备185台（套），建设防护林网0.78万亩，农民技术培训3.6万人次，建苗圃0.033万亩。这些项目建设实现了良好的经济效益，生态效益和社会效益，共新增改善灌溉面积10 .45万亩，控制水土流失面积1.1万亩，新增粮食总产量23450吨，新增农业总产值4376万元，项目区森林覆盖率提高了3个百分点。

【编制农业综合开发“十五”发展规划】 为使全区农业综合开发“十五”期间得到持续稳定发展，开发办从年初着手，抽调大批工程技术人员，在实地勘测、多方论证、深入考察的基础上，历时6个多月，编制完成了《临汾地区农业综合开发2001～2005年发展规划》。该规划按照国家和省有关要求，结合本区项目建设的实际，适应新世纪中国加入世贸组织及农业形势发展的需求，提出了“十五”期间本区农业综合开发总的指导思想、发展方向及目标任务，并配齐了相关的图纸、表格。规划经多次研讨易稿、论证充实后，从2001年起开始实施。

【项目区结构调整】 在项目建设中，着重突出农业产业结构的战略性调整这一工作主线，尤其是在调整项目区种植业结构方面，结合实际，选择不同区域，发挥区域优势，带动主导产业，围绕“农业增效、农民增收”的根本目标，合理布局，优化结构，确定了不同的结构调整模式。霍州市、洪洞县分别以优质专用小麦、芦笋种植为依托，带动了粮经作物的种植结构调整；临汾市、侯马市发挥城郊资源和交通优势，大力发展城郊农业；曲沃县以科技示范园区和果蔬冷藏库建设为依托，带动周边农民发展高效蔬菜种植，效益显著；襄汾县发挥农副产品批发市场和粉条加工的优势，蔬菜、薯类种植面积迅速扩大到近2万亩。基础设施改善后，区域化种植全面展开，粮经作物的比例由7:3变为6:4，部分区域实现了倒三七。

【多渠道融资推进农业开发】 全区农业综合开发认真总结、规范完善、全面推广有偿资金基地偿还、村级开发公司、大户经营等模式，同时探索、规范了新的有效机制。汾西、乡宁两县率先实行资金拨付的县级报账制，预付部分项目启动资金，工程建设中按进度、质量分批付款，统一报帐；襄汾县试行项目的工程概预算制，保证了计划执行的严肃性，确保了资金与项目的统一；洪洞县实施小型水利工程拍卖的管护办法，既保障了有偿资金的回收，又落实了工程的管护制度；乡宁以优惠政策鼓励大户和私营企业参与农业综合开发，与煤炭运销公司股份合作筹资100万元，建设集种植、养殖、观光为一体的示范园区，走出了一条多渠道融资的好路子。

【科技示范园区】 项目区率先实施科技兴农与科研院所联姻结对，寻找技术依托，大搞科技示范园区建设，促进高新科技、常规技术在示范区的吸收推广，进而促使整个项目区科技含量跃上新台阶。科技示范园区建设全面铺开，并取得阶段性进展，科技水平明显提高，各县市正进一步在机制运营、拓宽市场等方面探索可行的办法。曲沃太子滩高新技术示范园区、襄汾县邓庄新世纪科技示范园区、临汾市屯里绿万家农区、侯马市香邑科技园的经济效益已初步显现出来。中国农科院、北京农大、省农科院、山西农大、西北农大等科研机构为本区农业综合开发科技示范园区建设提供了有力的技术支持。

附：

获奖情况： 全区农业综合开发工作，通过明确指导思想、加大领导力度、强化队伍建设、实施目标责任等措施，取得了令人欣慰的成绩，农业综合开发工作在稳定农村社会、促进农业增效、带动农民增收等方面发挥了重要作用，成为拉动全区经济发展的“富民工程”、“德政工程”，综合效益凸显。农业综合开发工作得到了省委、省政府的充分肯定，地区农业综合开发办公室被评为“山西省模范集体”光荣称号。

（靳亚伟）

扶 贫

【概述】 2000年是本区实施《国家“八七”扶贫攻坚计划》的最后一年。全区扶贫工作认真贯彻落实中央和省有关扶贫开发的方针、政策，紧紧围绕“三件大事”，集中精力打好扶贫攻坚决战。在年初的全区三级干部大会和扶贫攻坚会议上，地委、行署明确提出扶贫攻坚的目标和任务，并分解到各县，层层落实责任，限期完成任务。要求继续坚持实施“一把手”工程，实行县（市）、乡领导包乡包村直接参与到扶贫攻坚第一线，具体指导帮助解决扶贫攻坚中的问题。地委、行署主要领导多次深入10个县的贫困乡、村调查研究，指导工作。各贫困县县委、县政府也把抗灾扶贫作为2000年首要任务来抓，努力把灾害损失降低到最低限度，争取贫困农民减产不减收。到年底，全区累计有59.4贫困人口基本解决了温饱问题，基本完成了“八七”扶贫攻坚的目标任务。

【改善贫困地区基础设施状况】 重点实施了基本农田建设工程，草地建设工程，以旱井、人字闸为主的山区小型水利建设工程，农村人畜饮水解困工程，较大改善贫困地区基础设施状况。据 10 个贫困县统计：1. 新修基本农田 8.93 万亩，累计达到 170.1 万亩，人均 1.9 亩。2. 退耕还林还草 37 万亩，牛、猪、羊出栏分别达到 3.6 万头、5.6 万头、25.1 万只。3. 新修人字闸 100 多个，打旱井 3 万多眼。4. 兴建供水工程 67 处，新解决 272 个自然村的人畜饮水问题，累计解决了 3965 个自然村、21 万人口、9.7 万头大牲畜饮水困难。5. 新通公路村数 132 个，通公路的行政村达到了 1287 个，占行政村总数的 90.7%；通油路的乡镇达到 114 个，占乡镇总数的 82%。6. 新通电村数 28 个，通电线路 383 千米，累计解决了 120 个行政村、2619 个自然村的通电问题，行政村的通电率达到 99%。7. 新建学校 148 个，新建房屋 1349 间，危房率下降到 0.1%。8. 新建卫生所 384 个，98%的乡镇有了卫生院，农民缺医少药状况得到了改善。

【争取扶贫项目和扶贫资金】 上报扶贫项目 66 项，落实项目资金 6884.9 万元。其中：国定贫困县信贷扶贫资金 1346 万元，中央财政扶贫资金 380 万元；省定贫困县农田建设、种植业、养殖业切块扶贫资金 1720 万元；财政饮水解困资金 919 万元；支持不发达地区发展资金 230 万元、煤炭扶贫资金 705 万元；科技扶贫专项培训费 78.5 万元；吉县扶贫项目财政资金 50 万元，乡宁县移民搬迁补助资金 489 万元，永和县扶贫项目煤炭扶贫资金 80 万元，温饱工程补助资金 9 万元。在“三讲教育”成果基础上，扶贫局还专门制定了《关于进一步加强扶贫项目管理的意见》和《关于进一步加强扶贫资金使用管理的意见》等项制度，进一步规范了对扶贫项目资金的管理。一年中组织了两次扶贫资金、配套资金到位和使用情况的检查，促进了扶贫资金的及时到位和有效使用。

【提高贫困农民的科技素质】 地、县扶贫部门与有关业务部门密切配合，开展了多种形式的科教扶贫活动。一是加大先进实用技术的推广应用力度，在贫困地区积极引进、选育和推广优良品种。在蒲县、隰县等县进行了鲁梅克斯草种、果园生草技术、兴绿原肉羊等新品种、新技术的试验推广工作。二是建立农业科技示范园区。组织各贫困县参加了由北京天禾绿色科技发展有限公司组织的绿色产品研讨会，建立了蒲县、汾西、浮山、洪洞等绿色产品科技示范园和示范基地。三是坚持“实地、实用、实效”的原则，围绕当地主导产业，以果树丰产、核桃高接换优、酸枣接大枣、香菇栽培、特种养殖、生态旱作农业等实用技术为重点的培训工作。据统计，全年共举办各类技术培训班 1237 期，培训 21.6 万人次，发放各类技术资料 16 余万份。

【社会扶贫工程】 全区继续开展机关定点扶贫、党员连户脱贫、妇女连环脱贫、青年服务万村、“光彩事业”、“光明行动”、“军属帮扶”、“五个一”等帮扶活动，取得了较好成绩。为了搞好抗灾扶贫，地委、行署以地直机关扶贫工作队为基础，组成了抗旱救灾工作队，在原包村基础上，再帮扶一个村抓抗灾扶贫工作，原来没有定点扶贫任务的近 20 个单位，也新组成工作队，帮助贫困农民进行生产自救。地委纪检委、秘书处包扶永和县阁底乡，帮助阁底乡开动了 21 台水泵，抢时间浇了 700 多亩枣树，纪检委捐赠阁底乡 606 袋白面和价值 2 万元的 10 吨陈化粮，地委秘书处捐给阁底乡 1 万斤麦子、1.5 万斤玉米，技术质量监督局扶贫队帮助闫家堰村建立新小学。社会各界也纷纷慷慨解囊，地区工商联捐给大宁县 9050 元；地区企业家协会捐往永和县 20 万元、5 车粮食；驻临部队捐往贫困山区 559994 元、面粉 13 吨；临汾军分区为大宁垣达等 4 个贫困村捐款捐物折合人民币 5 万元。日本友好人士三好忠晴先生为大宁县榆村乡金疙瘩村幸福小学捐款 2 万日元和 2000 元人民币，同时赠送了大量的铅笔、作业本等学习用具。

（靳亚伟）

种 植 业

【概述】 全区农业部门紧紧围绕“三件大事”的总体部署，全力推进以“一稳三发展”（稳定粮食总产，大力发展水果、蔬菜、小杂粮）为中心的种植业结构调整战略，狠抓“一二三四五”重点工作，即：以加快农业调产和促进农民增收为主线，突出平川抓精品、山区抓特色两大重点，实现农业品牌、科技创新、订单农业三大突破；建设农业信息、农业科技推广、农业执法、农经管理四大体系；强化市场引导、培养人才、稳定政策、依法行政、考核兑现 5 项措施。

“一稳三发展”的调产思路，即在稳定粮食总产的前提，调减不具备市场优势的普通小麦和玉米面积，重点发展劳动密集型、科技含量高、市场潜力大的水果、蔬菜和小杂粮。这个思路不仅得到地委、行署和省农业厅的充分肯定，而且与全区广大农业干部和农民群众形成了共识。平川结合汾河滩涂开发重点实施了“4112”工程，即：主抓水田种养、立体种植、设施栽培、果园经济 4 种模式，建设十大优质农产品基地，10 个精品农业示范园区，营造沿路精品农业、沿河特色种养两条高效农业增长带。山区结合流域治理，突出重点发展特色农业，建设百亩以上的庄园大户 260 余户，千亩以上的 9 户。全区种植业结构调整扎实有力地开展，为大旱之年农民增收起到了决定性作用。

各项农业生产指标任务完成情况较好，除粮食、水果比 1999 年减少以外，蔬菜、油料和农民人均纯收入均比1999年有所增长。粮食总产120.85万吨，比1999年减产21%；水果总产42万吨，比1999年（历史最高年）减产2.3%；蔬菜84.8万吨，再创历史最高年；油料总产47693吨，比1999年增24%；农民人均纯收入2195元，比1999年增9.1%。

【农业实现“三个突破”】　一是农业品牌实现新突破。发挥资源优势，树立品牌意识，优势农产品生产进一步扩大，使名优产品产量、质量和效益都有了较大的提高，涌现出了一批全区走红、全省叫响、全国有名甚至走向世界的名优农产品。十大品牌有：吉县壶口苹果、隰县酥梨、襄汾金田园粉条、浮山神山贡米、永和绿豆、蒲县苦荞、侯马优质脱水果蔬、曲沃无公害蔬菜、安泽香菇、古县双孢菇。二是科技创新实现新突破。创新科技推广机制，促进了技术集成和成果转化；以示范园区为突破口，引进新技术、新品种，靠科技创新提高效益，培育了新的增长点；广泛开展试验示范，狠抓了“双321”科技示范引导工程。三是订单农业实现新突破。全区订单农业面积达20余万亩。如翼城县与格瑞公司签订了布朗李、水晶梨等小杂果生产订单4000亩；襄汾县赵康镇同河北、四川等地签订了1.09万亩三樱椒生产合同，仅此一项全镇2.4万人人均纯收入达625元。

【科技信息服务】　加强了信息工作，实现了与省农业厅信息中心、农业部全国农产品市场信息联网，全区农业部门共编发《农业信息》300余期，发布农产品市场信息500余条。狠抓人才培养，分别邀请全国小麦专家梁振兴、中国农大植物科技学院常务副院长张文等专家、学者前来讲学；组织了农业专家在全区进行“一稳三发展”专题巡回演讲等。全区围绕结构调整共举办各种培 训班300余场次，面对面培训农民达4000余人次，加上印发资料，利用广播电视搞科技讲座，全区受训农民达150万人次以上。

【加大执法力度】　全年先后5次在全区范围内进行了大规模的农药、种子、肥料和农业环境保护执法大检查行动。共查处假冒伪劣农药450种次，吊销了7个农药经营许可证；查封不达标种子2600千克；查封无证生产肥料厂家1个，不合格产品300吨，取缔8家经营单位的经营资格；处理9起农业环境污染事故，为农民挽回经济损失近35万元。通过严格执法，打击了坑农害农的不法行为，净化农资市场，为农业发展创造了一个良好的环境，有力地维护了农民群众的正当权益。

【落实农村政策】　全区减负办先后多次下发文件，组织专项检查，保证了农民负担一定3年不变政策的落实。全区17个县（市、区）、251个乡镇、3379个村的预算均未超过《条例》5%的限额规定。土地延包工作力度加大，全区完成土地、合同、证书“三到户”69.6万户，占应延包户数97%。同时，全区村务公开基本普及，全面完成了乡村两级债务债权的清理任务。

【种子生产经营走上法制化轨道】　7月8日，我国《种子法》颁布实施，预示我国种子产业将逐步走上法制化、程序化、规范化的轨道，种子体制改革势在必行。地区农业局在大力宣传《种子法》的基础上，办理了地（市）级农作物种子执法委托机构，撤销了种子公司的牌子，以种子站为依托，专门从事种子执法管理工作。在发展种子产业方面，主要做了以下工作：一是因地制宜发展种子生产和经营。全区生产玉米种子4305吨，生产绿豆、小豆、红薯、马铃薯、荞麦等小杂粮种子1250吨，实现小麦“四统一”供种数量达19536吨，统供率达66%。二是与科研、教育等单位合作培育、开发、推广新品种。与科研单位合作成功培育出高水肥小麦品种临协98－1，2000年参加省区试名列第一位；大豆品种临豆1号通过了田间验收；组织有关种子公司、良种场与省小麦所成立开发协作组，安排杂交小麦试验示范2000亩；以新品种总代理的形式与有关单位联手开发推广新品种，如油葵G101、小麦石4185等品种统一购进、统一推广。三是大搞了新品种的引进试验工作：在全区五分之一的乡镇安排试验、示范、展示，其中以地区种子站为主承担的正规试验有32项，参试品种达92个；多次组织有关领导和技术人员赴山东、河南等地考察引进新品种；圆满完成省区试任务，安排棉秋区试102个品种、16个试验、26个试点。安排小麦区试168个品种、12项试验、36个试点。

【蔬菜生产成为农村经济发展的支柱产业】　全区专门下发关于蔬菜产业化发展的意见，蔬菜播种面积达46.2万亩，总产84.8万吨，总产值85228万元，蔬菜纯收入65341.2万元，人均223.25元，占农民人均纯收入的27.9%，成为全区农村经济发展中的支柱产业。其主要特点有二：一是设施栽培面积明显扩大。全区日光温室面积达2.06万亩，比1999年增加0.36万亩；大、中、小拱棚面积5.99万亩，比1999去年增加1.34万亩。全区形成十大设施栽培基地：曲沃县太子滩日光温室优质蔬菜生产基地、襄汾县贾罕乡特种瓜菜生产区、临汾市东高河高科技农艺园、洪洞县马牧高效精品菜生产区、洪洞县李堡智能温室苗木花卉繁育中心、临汾市大阳反季节蔬菜生产园区、襄汾县邓庄名优特作物生产区、霍州市陈村日光温室蔬菜生产区。二是科技含量提高，花色品种增加。一方面，节能日光温室不断改进完善，推广工厂化育苗、无土栽培、渗灌滴灌节水技术、增光增温增施二氧化碳、立体种植、平衡施肥、绿色保健菜生产技术等，明显地提高了蔬菜生产科技含量；另一方面，积极引进名、特、优、奇、稀蔬菜种类和品种，珍珠西红柿、洋香瓜、彩色甜椒、袖珍红萝卜、羽衣甘兰、紫色甘兰等新品种上市，满足了社会各阶层人士的需要。

【实施农业“双千工程”】 农业“双千工程”，是本区持续时间最长、投资规模最大、涉及范围最广、对粮食生产和农村经济影响最显著的项目。自1992年以来，紧紧围绕粮食高产优质这个中心，狠抓“四大开发”工程，累计面积1437.2万亩，总产粮食742.6万吨，总产值1068700万元。“双千工程”的实施，使全区粮食总产稳定在了150万吨左右的水平。2000年是此项工程实施的最后一年，为了圆满完成工程任务，地区农业局进一步加强工作指导，狠抓措施落实，大灾之年270万亩工程田总产粮食105.3万吨，为全区粮食总产121万吨起到了骨干支撑作用，为种植业结构调整和农村经济持续稳定发展奠定了基础。“双千工程”的实施，对本区农业发展产生了积极而深远的影响：一是农业生产条件明显改善；二是粮食生产走上了稳步发展的轨道；三是健全了服务网络，提高了农民科技素质；四是先进实用技术得以推广；五是种植业结构调整稳步推进不断优化；六是加快了农业产业进程。

【烤烟生产有序发展】 烤烟生产是全区山区县财政收入支柱产业之一，是农民脱贫致富的好项目。全区种烤烟的有吉县、蒲县、安泽、浮山、隰县、大宁、永和7县，种植面积4万亩。为了提高这些县烤烟的科技含量，年内争取回科技兴烟款41万元，种烟扶贫资金150万元，完成省下达烤烟收购任务9.7万担，农民收入9800万元，财政收入2800万元。

附：

烤烟获奖励情况

1. 种子站被山西省农业厅授予“种子工作先进单位”；

2. 环境监测站站长延泽获国家农业部颁发的“全国生态农业建设先进工作者”奖；

3. 环境监测站获国家环保总局、农业部、科技部、共青团中央联合颁发的“全国秸杆综合利用先进集体”奖；

4. 农广校被国家农业部授予“全国广播电视教育先进集体”称号，校长吉东发被授予“全国农业广播电视教育先进工作者”称号；

5. 农药监督管理站获“1998～2000年全省农药监督管理工作先进单位”奖；

6. 2000年土把站荣获省级以上奖励五项：全国旱作农业综合增产增效技术获全国农牧渔业丰收一等奖；山西省玉米施锌技术推广获省科技进步奖一等奖；土壤供钾能力与小麦需钾特点及其施钾技术研究获省科技进步奖应用研究类二等奖；山西省长效碳铵应用技术获省科技进步奖二等奖；新修梯田生土熟化高产高效技术获省农村技术承包奖二等奖。

（吴春龙　张继忠）

畜牧业

【概述】 畜牧中心按照“结构调优、品种调新、规模调大、效益调高”和“突出食草的（牛、羊）、稳定食粮的（猪、鸡）、发展创汇的（特养）”的工作思路，在畜产品价格下跌，市场疲软的情况下，全区畜牧业仍保持了持续稳定发展的态势。全区年末牛饲养量达50.8万头，羊达到197.7万只，猪达到144万头，鸡达12671.1万只，与“八五”末相比，牛增长28.4%，羊增长21.4%,猪增长20.6%，鸡增长18.9%，肉、蛋、奶产量分别达到7.7万吨、3.9万吨和2.8吨，分别比“八五”末增长31.2%、19.0%和62.4%。畜牧总产值达到84000万元（按现行价计算）占家业总产值的22.2%，农民人均畜牧纯收127元，比1999年增长6.3%，为21世纪全区的畜牧业发展打下了一个良好的基础。

【进一步强化畜牧执法】 坚持用法律手段指导、监督协调畜牧工作，是全区畜牧产业化发展要本保证。

1．广泛宣传，大造声势，统一思想，提高认识。为了落实贯彻《草原法》、《家畜家禽防疫条例》、《动物防疫法》、《兽药饲料管理条例》、《种畜禽管理条例》畜牧各项法规，全区首先抓了畜牧法律法规的宣传。宣传中坚持“三个面向、三个结合”。三个面向是：一是面向各级领导；二是面向社会；三是面向管理对象。全年共出动宣传车辆180多台次，印发宣传材料2万余份，张贴标语1万多条（份），电视、报纸报道30余次，举办专题讲座或座谈会140多次。三个结合是：一是经常性、普遍性宣传和集中宣传相结合；二是宣传法律和畜牧实用技术相结合；三是案例曝光和宣传教育相结合。

2．严格执法，进一步规范和强化畜牧执法环境。在检疫方面实行了屠宰检疫责任制，屠宰检疫率达到了100%，产地检疫达到90%，整体达到了农业部“四到位”目标。在工作中积极推行“放心肉摊位”和“放心肉餐馆服务单位”，挂牌工作，取得了良好的社会效益；在整顿兽药市场方面和规范饮料生产方面，结合全国“农资打假活动”对相关单位和个人进行了全面整顿，并对全区饮料生产和经销单位做了彻底地大范围地执法检查，查封不合格饮料近千袋，添加剂100多袋；在草地保护方面，依据《草原法》整章建制，为草地承包经营发放了草地使用证，确认了草地使用权；针对种畜禽管理，对全市的各种畜禽场进行了详查摸底，按《动物防疫法》和《种畜禽管理条例》予以严格核审和发证，牛、猪、鸡良种种覆盖率分别达33%、67%和97%。

3．内强素质，外树形象，加强队伍建设。全区重点抓了动物检疫队伍的建设，对101名监督员、331名检疫员、230名乡级检疫员和1330名村级协检员分别进行了考核上岗和培训，层层签订责任书，对不合格人员进行了清退，使全区的畜牧执法队伍建设跨入了全省的先进行列。

【畜禽新品种的引进与推广】 突出发展草食家畜，狠抓牛羊品种改良，全区完成黄牛任务 10 万头，良种适龄母牛 10 万头，能繁母羊 77 万只。为配合黄牛改良工作，与山西省冷冻精液中心合作成立了“山西省良种牛繁育体系建设临汾服务部”，并于 8 月举行了挂牌仪式。浮山县在全区首家引进波尔山羊，以肉用羊改良浮山本地山羊杂交工作取得突破性进展。同时引进辽宁盖县绒山羊和内蒙阿尔巴斯绒山羊改良西山本地绒山羊，已进入了第三代，羊绒品质产量都取得了较好效益。全区能繁母猪 6.6 万头，优种公猪 0.17 万头，优种集约化养鸡 650 万只，利用人工授精技术开展猪的三元杂交、双杂交全面铺开，良种鸡覆盖率占到鸡存栏的 90%以上。

【特种养殖突起】 全区现有特养品种：其中禽类 17 种，包括珍珠鸡、白凤鸡、贵妃鸡、黑风官廷黄鸡、丝毛乌骨鸡、七彩山鸡、火鸡、绿壳蛋鸡、孔雀、绿头野鸭、旱鸳鸯、麻鸭、鹌鹑、鹧鸪、肉鸽、鸵鸟。动物类 7 种：有獭兔、狐狸、梅花鹿、蛇、蝎子、美蛙、肉狗。存栏较多的有：乌骨鸡、鹧鸪、肉鸽、獭兔。

【重视动物重大疫病防治】 全球畜禽疫病暴发，特别是人畜共患的口蹄疫、疯牛病、禽流感、布病等流行猖獗，对人民生命及畜牧生产构成严重威胁，影响到社会稳定。全区防治系统广大干部职工，坚持用“三个代表”思想指导防疫工作，采取了“检、免、杀、消”相结合的综合防制措施，有效地控制了这些疫病在全区的发生、蔓延和流行。1. 对牲畜“W”病防制根据中央、省、市有关文件精神进行了全面的部署和安排，落实了各县（市）一把手为第一责任人，调整充实了“防五”指挥部成员，全区共组织回牛羊“W”病疫苗 30 万 ml，免疫牛 8.2 万头，羊 2.8 万只，猪“W”病疫苗 40 万 ml，免疫猪 13.8 万头。2. 布病防制：开展了疫情监测工作，共普查抽检羊 7300 只，免疫 23 万只，并配合地病办完成了对浮山等 6 县市的流行病学调查。3. 禽流感防制：加强疫情监测，抽检平川 7 个县（市）的 41 个规模鸡场和种鸡场，没有发现疫情。4. 猪瘟及鸡新城疫防制：通过开展春秋季大规模集中预防，共免疫注射瘟疫苗 98 万头份，鸡新城疫 2 系苗注射 145 万只份免疫密度都在 90%以上。

【世行贷款小规模肉牛发展项目启动】 世行贷款小规模肉牛发展项目历时 5 年，先后接受了国家计委、财政部、农业部和世行官员的考察论证，3 月 17 日正式签字生效，6 月 14 日国家与世行正式签订转贷协议，标志着世行肉牛项目在本区正式启动。世行贷款肉牛发展项目在涉及临汾、襄汾、洪洞、安泽 4 县（市），总投资 10196.53 万元，其中：世行贷款 49966.47 万元，国内配套 5229.79 万元，财政配套 3176.23 万元，农户自筹 2053.56 万元。该项目是建国以来全区畜牧业建设投资额最大的项目，也为全区畜牧业应对中国加入 WTO，促进肉牛产业优化升级奠定了坚实基础。该项目设计建设内容：营养改良户 2800 户，新增母牛户 2680 户，育肥户 1220 户，肉牛育肥场 10 个，活牛交易市场 4 个，加强县级养牛服务站 4 个，乡级畜牧兽医站 33 个。项目建成后，预计年增加存栏肉牛达到 43460 头，出栏 19200 头，年销售额为 5000 万元。截至 2000 年底，项目累计完成投资 979.4 万元，累计申请世行提款报帐 607 万元；完成营养改良户 4160 户，新增母牛户 100 户；建设县站 4 个，建设乡站 18 个，基本达到了项目设计要求。世行肉牛发展项目的引进和实施，为改变全区畜牧业操作运行提供了全新的思维理念，不仅有效地扩充了牛存栏，更重要的是通过项目的运作实践，锻炼了一批基层畜牧队伍，提高了农户养殖综合素质，为全区养牛今后发展将产生深远的影响。

【调结构草业大发展】 随着国民经济的发展和农业产业结构调整的深入，以退耕种草为契机，以草地资源综合开发为基础，集社会、经济、生态效益为一体的草产业越来越引起全社会的关注。经过地区畜牧中心牧草工作站和各县畜牧有关部门多方争取，积极联系，共有 8 个草地建设项目在全区立项实施，争取到省及国家投资 3072 万元人民币和 105 万美元。新发展草地建设面积 21 万亩，比年初计划 18 万亩增长了 16.6%，其中退耕种草 13 万亩，改良划地 8 万亩。乡宁县、汾西县 2000 年度省级草地生态示范建设，紫花苜蓿种子生产基地，安泽县红豆草种子生产基地，均超额完成省里下达的年度建设任务，并通过全省统一组织的交叉检查。草地生态示范县紧紧围绕草业经济大做文章，成立了退耕种草项目建设领导组和服务组，制定了《项目管护公约》，与项目所在乡、村签定了《退耕种草项目建设目标责任书》，为种草户编写下发了《人工退耕种草建设项目技术要点》，受到省农业厅、省畜牧局的表彰。草地建设实践证明，逐步由粮经二元结构向粮经三元结构转变，是改善生态环境的基础，是全区发展畜牧业的基础，是农业结构调整的重要举措，是农民增收的必由之路。

【临汾饲料工业办成立】 根据国务院《饲料和饲料添加剂管理条例》的要求及省饲料工业办公室的意见，经行署同意，地区编委〔1999〕23 号文件批准，临汾地区饲料工业办成立，标志着本区饲料管理明确了执法主体，进入了依法治饲，依法兴饲的轨道。地区饲料工业办按照农业部省饲料办的有关饲料的文件精神，依据《条例》严格执法，规范管理，全面开展了饲料“打假”整治工作。累计检查了 118 个饲料生产厂（点），126 个饲料经销店（部）

的 3100 批次饲料产（商）品，抽样检查 68 个饲料样品，查获假氨基酸 112.5 千克，过期添加剂 556 袋。通过检查，极大地震慑了饲料业的不法行为，有效地保证了饲料业的健康发展和广大养殖企业的合法权益，得到省饲料工业办的通报表扬。

【特大非法长途贩卖死畜案被查处】 3 月 10 日 20 时，临汾动检站接到临汾霍侯一级公路巡警大队报告，内蒙运往洪洞的一大车没有动检手续的死畜被扣。接到举报后，动检站站长郜国伟同志带领 5 名监督执法人员立刻赶赴扣押地点，晚 8 点 12 时，对死畜当事人依据《动物防疫法》、《行政处罚法》一般程序立案调查，查清该车有死牛 95 头，死马 3 匹，死骆驼 5 匹，货主李某系内蒙古丰镇市啤酒厂工人，车主是呼和浩特市个体运输户。监督执法人员对各类死畜抽样进行尸体解剖和实验室生物学鉴定。经查，各类死畜外观已发生腐败变质，眼球、眼眶、肛门已干枯塌陷，死亡时间 1～3 个月不等，有的腹部有明显的野兽掏食的痕迹，有枯草杆菌、大肠杆菌、腐败梭菌和葡萄球菌等严重危害人体健康的病菌。临汾地区动检站依据《动物防疫法》第 46 条、第 48 条、第 50 条和《山西省动物防疫条例》第 39 条等有关规定，对货主和车主分别作了处罚处理。1．对死畜尸体全部没收就地查封。2．对非法贩运死畜人处所得 5 倍以下罚款。3 月 13 日临汾地区动检站对该批死畜依法在洪洞县西营村河滩上公开销毁、深埋和无害化处理，杜绝了一起特大的疫病传播和危害本区人民身体健康的疫病在我区发生。《山西日报》、《山西青年报》、《临汾日报》、省地电视台相继进行了报道宣传，增强了群众对畜牧执法重要性的认识。

【畜牧结构调整现场会】 为贯彻落实中央、省委农村会议精神，落实地委、行署的“三件大事”，地委、行署`11 月 21 日召开了全区畜牧结构调整现场会。参加会议的有地委、行署、人大、政协领导刘合心、任俊发、李秉泰、陈保堂各县（市）区分管农业县（市）长，畜牧局长、改良站长、地区畜牧中心及各站室负责人。大会对本区 2000 年畜牧业结构调整中出现的典型及成就进行了表彰总结。刘合心副书记、任俊发副专员，对本区的调整畜牧业结构所取得的成绩，发展方向，存在问题作了重要讲话，临汾市、襄汾县人民政府在大会上作了典型发言，畜牧中心主任王效孔在会上做了题为“抢抓机遇，加快发展，为建设全省畜牧强市而努力奋斗”的发言。现场会对临汾市养殖场、乌鸡场、肉鸽场、小尾寒羊及襄汾景毛獭兔场、南贾养牛专业村，赵曲牛场，赵康养鸡场等十五个养殖示范点进行了参观，此次大会对全区“十五”畜牧结构调整将起到很大的促进作用。

（李建民）

农业机械

【概述】 全区农机社会化服务组织发展到 1367 个，其中县级农机服务组织 28 个，乡镇农机服务组织 118 个，村办农机服务组织 105 个，个体农机服务组织 1116 个，从业人员达到 3421 人，其中县乡两级从业人员 1054 人。拥有固定资产达 3510 元，拥有农机 1437 台，配套农机具 2438 台。个体农机服务组织发展迅速，在市场经济的推动下，一些社会资金开始向农机领域流动，小麦跨区作业服务队基本上由个体农机户组成，现已成为夏收生产的主力军。

农业机械化作业水平不断提高。2000 年全区共完成机耕 509.11 万亩，其中深耕 301.99 万亩；机械播种 328.3 万亩；机械收获 218.9 万亩，其中联合收割机完成 160.7 万亩；机械耙耱 390 万亩。机械化生态农业工程完成 24.66 万亩，其中滩涂治理 6.2 万亩，复垦荒地 4.39 万亩。农业机械作业范围也逐渐从粮食生产向蔬菜、林果、养殖等领域拓展，特别是机械化保护性耕作技术逐步成熟，其具有降低生产成本，增加粮食产量以及防止水土流失保护环境的突出特点，将对传统耕作制度产生革命性影响。

农机管理工作的重点是保安全、促生产。为实现这一目标，农机管理部门采取了几个措施：1．开展多种形式的宣传活动，用事实教育广大司助人员，增强他们的安全意识。2．加大监管力度，重点治理黑车和无证驾驶，制定安全生产责任制，层层签定责任书。3．加强检查，及时发现问题，解决问题，堵塞漏洞。4．狠抓农机监理队伍建设，提高监理人员的执法水平。由于措施得力，全区没有发生农机重大事故，被省农机局评为 2000 年度农机监理工作成绩优秀单位。

【农机监理和培训得到增强】 全区 2000 年共完成机动车年度检审验合格 14092 台，占年计划任务的 47%；完成驾驶员年度检审验合格 12609 人，占年计划任务的 50%；完成农业机械核发牌证 9598 台，其中农用运输车上户 8774 台（包括农用三轮车 7937 台），占年计划任务的 73%；完成拖拉机、联合收割机新上户 824 台，占年计划 54%；完成驾驶员新考 5638 人，占年计划任务的 56%；完成联合收割机换牌 400 付，占年计划任务的 50%；完成驾驶员新训 5150 人，占年计划任务的 42%；完成驾驶员复训 12000 人次，占年计划任务的 48%；完成农机管理人员培训 320 人次，占年计划任务的 107%；完成农机操作手培训 3000 人次，占年计划任务的 100%。

【农机修造和销售企业效益回升】 全区 2000 年农机修造企业共完成工业增加值 605 万元，占年计划任务的 101%；利税完成 113 万元，占年计划任务的 102%；实现利润 11 万元，占年计划任务的 110%。农机公司共完成商品销售总额 8439 万元，比 1999

年增加了1030万元；上缴税金24.7万元。全区农机部门实体创收完成320万元，实现利润85万元。

【农机化新技术】 农机化新技术推广工作紧紧围绕实施机械化节本增效工程展开。全年机械化化肥深施472.9万亩，新增机具458（台）件，机械化精少量播种231.9亩，其中小麦176.5万亩；新增机具163台（件）；机械化地膜覆盖95.1万亩，新增机具51台（件）；丘陵山区半机械化播种151.9万亩，新增机具711台，机械化秸杆还田190.4万亩，新增机具219台。另外，根据各县实际，针对性地建起一些新技术示范区，示范面积400亩。推广土豆播种机2台，收获机5台。在襄汾建立50亩高标准苜蓿机械化生产示范区；在洪洞、襄汾、临汾、侯马、曲沃、霍州、翼城建立起机械化秸杆还田省重点示范区。这些示范区的建设突出体现了农业机械化的作用。

林 业

【概述】 林业系统紧紧抓住国家退耕还林和地委“三件大事”的大好机遇，突出工作重点，注重生态建设，加快“两山”和道路绿化，强化林政执法，推广先进技术，各项工作取得长中发展。全区共完成造林111.3万亩，占任务111万亩的100.3%，其中：人工造林完成97.5万亩，占任务97万亩的100.6%；经济林完成24.3万亩；植树5300万株，其中：义务植树1020万株，占任务的102%；完成育苗4.55万亩，占任务4.1万亩的114%，其中：新育2.9万亩。果品产量突破两亿斤大关，达到10.35万吨。林果总产值达到104000万元，农民人均林果收入298元。霍侯路通道绿化、退耕还林工程、天然林保护等一批国家、省、市重点工程建设也取得了显著成绩。全区各级林业部门加大林业行政执法力度，加强森林防火工作，严厉查处毁林案件，狠抓森林病虫害防治，有效地保护了森林资源。截至年底，全区有林地面积已达799万亩，其中：经济林289万亩，四旁植树1.6亿株，林木覆盖率达到25.6%，森林蓄积量达到1300万立方米，林业产值突破100000万元。

【霍侯路绿色通道】 霍侯路通道绿化共完成公路两侧10米宽主林带152.5千米，路旁绿化152.5千米，建门店花池670个，建设景点16个，村镇绿化52个，新建农田林网8.2万亩，荒山造林3523万亩，共栽植毛白杨、中林46、国槐、合欢、樟河柳、桧柏、雪松、紫叶李、剑麻、黄杨球、女贞、百月红、侧柏、海棠、月季、木槿等20余个品种250万株，栽植绿篱12000米，草坪0.7万平方米。参加通道绿化工程建设的人数达4.5万人次，投工36万个，动用大型机械4100台次，动土石方68万立方米，较好地完成了通道绿化工程和各项任务，使通道绿化形成了乔、灌、花、草结合，绿化、美化、香化结合，生态、经济、社会效益结合，以防护林带为主体，网、带、片相结合的绿色长廊，被省绿色通道建设指挥部推荐为全国绿色通道建设示范段。

【退耕还林】 根据国家“全面规划、分步实施、突出重点、先易后难、先行试点、稳步推进”的原则和省政府的总体部署，吉县、乡宁、蒲县、永和、隰县等五县列入国家退耕还林试点县范围。各级林业部门认真贯彻落实朱镕基总经理“退耕还林，封山绿化，以粮代赈，个体承包”指示精神，在上级部门的大力支持和各县人民共同努力下，按照国家及省区的统一部署，圆满完成了试点示范任务。全区完成退耕还林37万亩，其中退耕7.4万亩；荒山造林29.6万亩，分别占任务的100%，造林成活率达89%。国家下发补助208万元，按每亩20元的标准兑现到农户手中；种苗补助1506万元分发到退耕农户手中；粮食补助2080万斤兑现到户1715万斤。

【天然林保护工程启动】 天然林保护工程，全区除安泽县外的16个县（市、区）、13个国有林场，国内总面积177.7万公顷，林业用地面积75.38万公顷，其中：有林地1.46万公顷，疏林地2.46万公顷，宜林荒山40.47万公顷，森林覆盖率为25.6%。启动“天保”工程，行署成立了由常富顺为组长，计划、财政、林业、公安、劳动等部门领导为成员的“天保”领导组，各县（市）也成立了相应的领导机构。通过“三报”（中国绿色时报、山西日报、临汾日报）、“两台”（临汾电视台、临汾广播电台）、“两刊”（山西林业、临汾林业）等宣传载体，发表“天保”稿件90余篇（条），并完成大型宣传标志门23个，小型宣传标志牌680个，印制“天保”宣传材料5000余份，刷写大型标语300余条，出动“天保”宣传车200余次，大力宣传“天保”工程，增强和提高了各级领导和人民群众的“天保”意识。各县（市）都制定出领导、管理、管护、培训等“天保”各项责任制度，并制成版面层层落实，同时为加强对森林资源的有效保护，扩大充实了森林管护队伍，建立健全了林业执法队伍，全区成立了“天保”林业稽查大队17个，建立“天保”管护站111个，护林员队伍由原来的330人增加到650多人，为“天保”工程的实施提供了强有力的保障。

【进一步加大资源保护力度】 全区各级人民政府及护林防火指挥部认真贯彻执行《森林防火条例》和《山西省实施<森森防火条例>办法》，严格落实森森防火行政领导责任制，狠抓森林防火宣传教育、野外火源管理、森林扑火队伍建设、森林防火基础设施建设等项工作，制定了森林防火值班、调度、火灾报告、扑火预案等项制度。组织开展了以查处乱砍滥伐林木，乱批滥占林地为重点的保护森林资源的 3 号行动，加大了保护森林资源的力度，打击了各种破坏森林资源违法违纪行为。全区共查处林业案件 156 起，行政处罚 232 人（其中刑事拘留 7 人），处罚金额 14 余万元，收缴木材 43 立方米，维护森林法规的严肃性。全区实际采伐林木总蓄积 13632.4 立方米，占采伐限额 18000 立方米的 75%。

【日元贷款造林项目区启动】 日元贷款山西省植树造林项目临汾项目区涉及临汾市、襄汾县、洪洞县、浮山县、古县、霍州市，规划建设总面积 22327 公顷，其中：防护林 14284 公顷，用材林 2361 公顷，经济林 5682 公顷。项目总投资 746.3 百万日元，折合人民币 8037.5 万元，其中，贷款金额（人民币）5740.7 万元，地方配套 1148.3 万元，投工投劳折人民币 1148.5 万元。项目建设期为 5 年，该项目已进入规划实施阶段。

【世行贷款“贫困地区林业发展项目”启动】 世界银行贷款贫困地区林业发展项目，简称“FDPA 项目”，涉及隰县、浮山、汾西 3 个县。项目总任务为 3269.7 公顷，总投资 1922.32 万元，其中世界银行贷款 1040.7 万元。造林为核桃、酥梨、元宝枫等经济林种为主，项目实施期为 6 年，全年引回世界银行贷款 1754876.67 元。

附：

吉县林业局

吉县林业工作打胜“五个硬仗”。一是退耕还林攻坚仗。吉县被列为全省首批退耕还林（草）试点示范县，林业局围绕退、还、管“三部曲”，抓住宣传、规划、机制、模式、苗木、管护六个环节，完成退耕还林 9 万亩，其中栽植经济林 1.8 万亩，栽植生态林 7.2 万亩，创建了和尚岭、冯家集、西史尖、中岭、辛庄等五大重点工程。二是立项引资仗。年立项 5 个项目，引回资金 926 万元。三是依法治林仗。壶口木材检查站公开公正执法，全年查获手续不全木材运输车辆 540 辆次，收缴木材 50 立方米，收木材变价款 1.5 万元，追回资源赔偿费 3 万余元；森林防火实行各级政府行政领导负责制，采取狠抓宣传，培训等措施，全年没有发生一起森林火灾，促使护林防火工作实现了由传统单一行政决策向依靠行政、科技、法律相结合的综合决策转变。四是森林防治仗。全年防治强大小蠹、鼠害 37000 亩，开展了大小蠹生活习性调查、室内观测等项工作，建立了鼠害观测点，为森林病虫害防治站建立了实验室、微机室、档案室及标本室，使吉县率先进入“全国第一批森林病虫害防治检疫站标准站”行列；五是苗木建设仗。全年投资 70 万元，新建了 200 亩良种繁育场、100 亩刺槐种子园、100 亩试验林，并在屯里镇太度村新建 200 亩中心苗圃一个，达到当年建圃，当年生产的好效果。

本年度获上级奖励 11 项：吉县被国家绿委授予“全国造林绿化百佳县”铜牌；被国家林业局评为“全国绿化先进单位”；被省政府、省林业厅授予“林业建设先进县”；吉县林业局被国家林业局授于“全国营造林工作先进单位”；吉县被山西省护林防火指挥部、省林业厅授予“森林防火先进县”；吉县人民政府在 2000 年度“退耕还林还草试点工作”中成绩显著，被山西省退耕还林工作领导组授予铜牌；吉县林业局在 2000 年度“社会林业工程项目研究与实施”工作中成绩显著，荣获地区林业局一等奖；吉县林业局、吉县森林病虫害防治检疫站、林业站分别被地区林业局评为 2000 年“林业建设先进单位”；吉县林业局被吉县人民政府授予 2000 年红旗单位。

水 利

【概述】 全区水利工作，坚持治水、引水、改水、节水、保水“五水兴农”方针，从加强水利队伍建设和行业作风建设入手，积极推进水利行业改革，跑项目，争投资，千方百计加大水利建设投入，增加水利建设科技含量，不断推进工程水利向资源水利的转变，并制定实施了水利工作“1138”战略，超额完成了全年 8 项任务指标；即新增水地面积 2 万亩，占计划任务 100%；改善水地面积 9.98 万亩，占计划任务 125%。新建人字闸 80 座，占全年任务的 134%；新打旱井 1.75 万眼，占全年任务的 350%；发展山地微灌面积 2 万亩，占计划 100%；拍卖“四荒”85 万亩，占全年任务的 100%；完成水保综合治理面积 97 万亩，占计划的 194%；吉县、乡宁、永和 3 个重点县共完成饮水解困工程 162 处，解决了 6.09 万人的饮水困难问题，占省政府下达任务指标的 100%；全区共建成饮水解困工程 549 处，解决饮水困难人口 18.36 万人，占计划任务的 212%；成鱼总产量达到 3200 吨，占计划任务的 100%；完成实灌面积 191.4 万亩，占计划任务的 103%；水利经济总收入 23000 万元，占计划任务的 100%，从而有力地推动了全区水利事业的持续、稳定、快速发展。

【实施“1138”战略】 抓住一个关键：以人为本，树形象，强素质，振精神，建设一支团结奋进，能打硬仗，带头苦干，有较强凝聚力，能开创水利建设新局面的领导班子。按照“发展论功过，政绩定取舍”的原则，严格考评中层干部，并进一步完善干部考勤、考绩制度；在全行业广泛开展爱国和爱岗敬业教育，调动全员奋发向上，争创佳绩的工作热情和积极性。推进一项改革：大力推进农村水利水保产权制度改革，年底所有小型水利设施实现明晰产权，规范经营；实现部分大中型灌区斗渠以下工程改制；通过拍卖治理“四荒”，培育一批买山治山脱贫致富的水保庄园经济户。加大 3 个力度：1. 加大水利队伍建设力度，抗旱服务队建设年底实现 3 县（市）达标省级标准，6 县（市）达部级标准，在全国全省继续保持领先地位；乡镇水管站再建 2 个“标兵站”，3 个甲级站，争夺全省第一；国营水管单位建设全面达到绿化、硬化、香化、美化标准，$^{2}/_{3}$

单位职工生活有较大改善。2．加大水利执法力度，完成郭庄、龙祠、霍泉三大泉域专管机构建设，全面实现水利执法规范化。3．加大跑项目力度，水利投资再创历史最好水平。

实施八大工程：1．以 40 万亩汾河滩涂开发为重点，建设一批高标准农业节水园区，建设高标准节水面积 8 万亩。2．全面完成汾河石坝加高加宽、防洪林带、生物护坡任务；总计栽植大坝迎水面防浪林带 120 千米，31.1 万株；栽植和补栽大坝背水面防护林带 20 千米，22 万株；栽植坝坡生物黄花菜 120 千米、240 万株、1260 亩；组织好全省汾河治理临汾现场会议。3．全面完成浍河、浍河二库、小河口水库除险加固工程，彻底解决浍河流域洪涝灾害，增加农业灌溉和城市供水效益。4．引沁入汾草峪岭隧洞工程，主洞推进、初砌 2000 米。5．实施农村供水解困工程。提高临汾市、翼城县农村供水城市化标准；启动洪洞县农村供水城市化工程；巩固永和县、汾西县、隰县农村供水稳定解困工程；启动霍州市、古县农村供水稳定解困工程。6．山地微灌工程。新建人字闸 80 座，配套人字闸 100 座；新打旱井 0.5 万眼，完善配套旱井 2 万亩。7．水土保持工程。做好世行一期项目扫尾工作，加速世行二期项目沿黄治理、太行山治理等重点工程，加大“两山”治理力度。8．渔业丰收工程。大力推广小网箱养鱼，引进新品种，发展增加养殖水面，成鱼总产实现新突破。

【省水利工作暨汾河治理会议在本区召开】 3 月 30 日～31 日，全省水利工作暨汾河治理会议在本区召开，副省长范堆相，省水利厅厅长李英明、副厅长姚高宽及省农委、省计委的领导出席会议，全省各地、市的副专员、副市长及各县（市）分管水利工作的县市长共计 260 人参加会议，本区领导杜玉林、樊纪亨、程满仓、耿根喜、任俊发等参加会议。

范堆相副省长在讲话中充分肯定了全区的汾河治理工作，他说：临汾汾河两岸堤防全线石坝防护，是全省大规模治汾动手最早、力度最大、成效最好的地区。樊纪亨代表全区在会上做《瞄准一个目标，创新四项机制，不断把本区汾河治理工作推向新阶段》的经验发言；与会领导和代表们实地考察参观。会上，省政府及治汾指挥部还对治汾先进单位和先进个人进行表彰；本区荣获汾河治理先进地（市）奖，获奖金 20 万元；侯马市和临汾市荣获治汾先进县（市）奖，获奖金 10 万元；任俊发、张健等 13 人获优秀领导干部称号；李建华、俎晓东等 22 人获治汾先进个人称号。

【省饮水解困工程现场会在临汾召开】 8 月 11 日，全省实施农村饮水解困工程现场会议在本区召开。刘振华省长做重要讲话，范堆相副省长在报告中充分肯定全区在农村饮水解困工作中所取得的成绩，他说：乡宁、吉县的工作在全省是有代表性的，临汾地区的工作力度较大，走在了全省前列。地委书记杜玉林致欢迎辞，行署专员樊纪亨向大会做经验介绍。大会由省水利厅厅长李英明主持，省财政、农业及省直有关单位和来自全省 11 个地（市）分管农业的副专员、副市长、50 个贫困县的县长、水利局长共计 300 余人参加会议。

【水利部副部长翟浩辉来临汾检查指导工作】 7 月 22 日～23 日，国家水利部副部长翟浩辉等领导冒着烈日高温，深入全区的隰县、乡宁等地检查指导水利工作。他先后对 11 处重点水利工程进行了巡视检查，并对全区水利水保工作给予了充分肯定，他说：“临汾地区水利水保工作扎实有效，宣传到位，在当地的经济建设中，发挥了重要作用，在全国也是好的；水利部门为老百姓办了实事，真正体现了江泽民总书记提出的‘三个代表’的重要思想”。地区领导刘合心、任俊发等陪同检查。

【伏格乐来临汾检查水土保持世行项目执行情况】 以世界银行中国局局长助理伏格乐先生为团长的项目检查团，在国家水利部、黄委会、省水利厅等有关领导的陪同下，9 月 18 日～19 日对本区的水保项目执行情况进行实地检查。检查团评价本区项目工程规划设计合理，质量一流，资料完备，档案规范，做到了图、表、实地三对应。

【本区遭受严重干旱】 2000 年本区遭受到严重的干旱，主要表现为：1．降水量大幅度减少。进入春季没有有效降水，2~5 月累计 5.1 毫米，比历年同期减少 98.8 毫米，减少了 86%，是自 1936 年以来 65 年中同期降水量最少的一年；6~9 月全区总降水量 296 毫米，比多年平均降雨量少 79.7 毫米，减少了 21%。2．土壤失墒严重。春季持续干旱，使土壤含水量急剧下降，仅有 6%~8%，特别是沿黄河干旱地区干土层在 10~20 厘米，最大深度超过 25 厘米，夏季深度超过 25 厘米；夏季 7 月旱象突出，旱地秋田土壤含水量普遍降到 10%以下。3．水资源严重危机。春季 7 座中型水库蓄水仅 450 万立方米；72 座小型水库中，65 座干枯，其余 7 座仅剩底水不能抗旱浇地；进入夏季中型水库只增加了 970 万立米，小水库不足，水位普遍下降了 5~10 米，最深下降幅度达 20 米；全区 3500 余眼机井出水不足；主要河流来水量大幅度减少，汾河、沁河、涧河、芝河、清水河、昕水河、鄂河、浍河从 4 月 10 日起相继断流；夏季到 9 月底，汾河仅 0.85 秒立方米，其余无水可用。4．受灾严重。全区 375 万亩麦田中，受旱面积 306.47 万亩，其中受重旱 104.88 万亩，绝收 45 万亩；因旱造成 2382 个村、87.37 万人。14.07 万头大牲畜发生饮水困难，沿黄河特别缺水的乡村甚至发生畜死亡现象。

【全年 6 项工作取得新突破】 全年 6 项工作取得

新突破：第一，水利投资额度实现新突破。全年争得各类水利水保投资16000万元，比1999年净增4000万元，是1999年的133%；从区财政拿回各类项目配套、经费补助等资金也是历年来最多的年份。第二，饮水解困工程建设实现历史性突破。全区共建成饮水解困工程549处，投资4655.1万元，解决了890个自然村。18.36万人、3.76万头大牲畜的饮水困难问题。第三，水产业产量产质创历史最高记录。全年生产成鱼3200吨，渔业总产值3000万元，农民人均纯收入中渔业超过2元。在水产产业化上有较大的推进，曲沃、襄汾、临汾市等市（县）出现了优质、调结构的喜人势头。第四，引沁入汾工程立项工作取得突破性进展。一期工程—马房沟提水工程已通过黄委会和国家水利部审查。目前，国家水利部正拟文上报国家计委。第五，抗旱灌溉创3项历史新记录。在春夏连续干旱情况下，全年实灌面积191.4万亩，411.25万亩次，抗旱增产粮食43万吨，均创历史最高记录。第六，水利执法开创新局面。全年查处水事违法案41起，结案34起，结案率达85%；征收水资源费296.11万元，超额完成全年280万元的任务。

【12方面工作在全省、全国创一流】 1．汾河治理的规模、力度和效益在全省名列前茅。已建设了百千米石坝、铅丝笼坝固槽、防护林带、坝顶抢险路、坝坡防冲植被、保护林带等六道治水防线；建立了水政人员依法管理，专业人员专业管理、群众承包参与管理3支管理队伍；据专家估算，每年至少产生10000万元的直接经济效益。3月31日，省委、省政府在本区召开全省汾河治理现场会议，范堆相副省长在大会主报告中讲道：临汾为全省汾河治理带了好头，省委、省政府做出全省治理汾河的决策，源于临汾的治理经验。

2．水保庄园经济发展全省第一。9月在全省第八次小流域治理会议上，本区有2人获“小流域治理状元户”称号，26人获“小流域先进户”称号，获奖总数均居全省各地（市）首位。本区蒲县水保庄园户崔保彦在大会上做了唯一典型发言。

3．世行水保项目工作全国领先。世行官员评价本区水保项目“发生了巨大变化，取得可供黄土高原同类项目区借鉴的先进经验”。在项目区率先实行了项目招（投）标制。在二期项目梯田工程建设中，在全国项目区中率先推行了招投标管理机制，开工前根据地块的土质、运距、施工难度，合理确定标底价，利用新闻媒体发布招标信息，由市（县）领导、技术专家和群众代表组成评标委员会，公开投标，当场打分，当场颁发中标通知书，杜绝了施工漏洞和人情工程，降低了工程造价；招投标制受到世行检查团和水利部的肯定和赞誉，并确定在全国同类项目区推广本区的经验。

4．农田水利建设名列全省前列，“禹王杯”评比全省第一。本区以“治水、节水、保水、集水、供水”为重点的农田水利基本建设一直走在全省前列，在10月召开的“全省农田水利基本建设广播电视动员大会”上，省委、省政府授予本区“农建先进地（市）第一名”，地区水利局被省农建指挥部评为“先进农建办第一名”，吉县获全省农建“禹王杯”先进县第一名，侯马市获全省“农建红旗县”，隰县、乡宁获全省农建先进县，行署专员樊纪亨在大会上做了各地（市）中唯一典型经验发言。

5．水土保持工作在全省夺得5项第一。（1）新建人字闸坝80座，是年度计划的134%，占全省建设总量的60%，名列全省第一。（2）新建山地微灌旱井、旱窑1.75万眼，是年度计划的350%，占全省建设总量的70%，名列全省第一。（3）拍卖“四荒”面积85万亩，是年度计划的100%，占全省拍卖面积的30%，名列全省第一。（4）全年收缴水土保持防治费187万元，是年度计划的104%，名列全省第一。（5）全年治理水土流失面积97万亩，是年度计划的194%，治理进度全省第一。（6）农业节水工作全省领先。全年新建、扩建节水增产园区12处，全区累计建成节水增产园区45处，控制面积32万亩，并在全省率先开展了“喷微灌工程管理效益年活动”。把建立专业化灌溉服务组织作业作为一项硬任务摆在突出位置狠抓、实抓，全区共组建各类专业化灌溉组织服务102个，使全区的节水工作由过去的单纯抓工程建设逐步走向建设、管理同步发展的转变，初步形成了沿“一河两路”100多千米的节水增产园区走廊，建设规模及管理水平全省领先。（7）水利设施产权改制工作名列全省前茅。全区小型水利工程产权改制工程累计达到11148处（眼），占应改制的94.5%，其中拍卖和股份制工程占已改制工程的59.3%，较1999年提高了22个百分点，初步形成了小水设施多元化管理新格局；启动了大中型灌区产权制度改革步伐，临汾市汾西二分局拍卖支斗渠，首开灌区改制先河，在曲沃县温泉灌区还成立了全区首家有水户协会，整个改制工作全省领先。（8）饮水解困工作全省领先。在全省首批确定的22个饮水解困重点县中，本区列入乡宁、吉县、永和3个县；工程建设中，本区围绕省长刘振华提出降低工程造价，减轻农民负担的要求，在具体工作中形成了“五优选”、“四把关”、“三明白”、“一基地”，为全省创造了经验。6月下旬，省水利厅李英明来临汾检查工作评价说：“在全省各地（市）横向比较，临汾开工面大，进度快，质量高，落实省长指示的措施得力，效果好。”8月中旬，省政府在本区召开了“全省实施农村饮水解困工程现场会”，大会的主报告认为：临汾的工作在全省是有代表性，临汾的工作力度大，明显地走在全省前列。（9）水利宣传工作全省第一，全国领先。全年编发“农建简报”50期，被省水利厅“动态”编发17期，占到水利厅编发各地（市）简报的 1/3。全年采写反映水利水保建设的各类新闻稿件 120 余篇，被国家省、地报刊、电台、电视台用 160 多条次，稿件采用数在全省各地（市）水利局中名列第一。9月下旬，水利部在广西北海召开的“2000 年度新闻宣传表彰大会”上，在受表彰的全国12家新闻宣传先进单位中，本区水利局名列其中，是山西唯一获此殊荣的单位。（10）水产养殖产量、产质、养殖结构与品种调整、资金争取等居全省领先地位。全年共争回水产投资31.5 万元，位列全省各地（市）第一。通过区水利局的努力，把涝河水库建成为全省最大银鱼繁殖基地，水利局荣获全省渔业生产先进集体。（11）抗旱服务组织建设全省第一，全国领先。抗旱服务队数量、经营实力、服务覆盖面在全省各地（市）中最高；到目前，全区 17 个县级抗旱服务队中，达部级示范队标准的 6 个，达标总数居全省第一。（12）整个水利行业经济实力明显增强，脱困单位不断增多，显现出行业上下稳扎稳打、步步推进的生机。局直属的浍河灌区管理局水利工程局、水勘队等单位，经营状况不断好转，有的甚至从根本上解决了困扰多年的问题。

附：

水利专业论文获奖情况

在“山西省第七届青年水利综合学术交流大会”上，全区有17篇专业论文获奖，其中：

一等奖（1篇）

亢茹：《灌水方法的层次优化选择》

二等奖（4篇）

崔健：《临汾地区水旱灾害分析与对策；王玉环：《临汾市农业灌溉用水问题及实施可持续利用的措施》；高波、宿辉：《侯马市地下水资源超采问题及对策》；高晋萍、张广峰：《临汾技术经济开发区涝河干流段洪水分析探讨》

三等奖（12篇）

高晋萍、鲁保宇：《莲塘河整治堤断面设计若干问题浅析》；沈焕珍、李泽录、郭亚洁：《七一水库堵坝提蓄泵站设计考虑》；亢春萍、林涛：《水资源资产评估初探》、《变工程水利为资源水利的几点认识》；王云峰、王彦红：《在年度水资源动态分析中确定农业用水相似年份方法的探讨》；王临香、郝雷鸣、吴蒲生：《临汾市农村供水城市化工程建设的做法》、《临汾市清乐院股份制供水工程建设问题》；李玲绒、关云山：《组建农村灌溉服务组织充分发挥水工程效益》、《实施水利产权改制促进农村水利可持续发展》；吴蒲生、郝雷鸣：《铝钙塑管材在节水工程中的应用》；王吉魁、张建国：《浅议大中型灌区现行水价弊端及其改革》；李红全《利用世行贷款加快水土保持生态环境建设的步伐》；郑建民《浅析以人字闸为依托发展山地水微灌的投资效果》、《临汾地区水利产权改制的调查》；郭冬梅：《东亢矿泉水二期开发的可行性报告》；刘吉萍：《临汾市开展小水改制工作的几点做法》。

（崔健）

工 业

经委工作

【概述】 地区经委系统深入贯彻中共十五大和十五届四中、五中全会精神，按照地委、行署“三件大事”的总体部署，真抓实干，开拓创新，全面实施“十强双百”工程，加大国有企业改革和扭亏脱困力度，经济运行的质量和效益进一步提高，工业经济发展处于全省领先水平。全区工业累计完成工业总产值 1175000 万元，同比增长 13.6%，居全省第二位；工业增加值完成 392000 万元，同比增长 12.7%，居全省第二位；产销率达到 99%，比同期增长 1.2 个百分点。地方国有工业企业实现利税 15400 万元，同比增长 59.9%，居全省第一位；亏损企业亏损额 1492 万元，同比减亏 66.6%，减亏幅度居全省第一位。工业生产回升明显，工业战线紧紧抓住国际、国内市场需求回升的机遇，坚持总量控制，改造升级的方针，加大工业企业改制、改造，以项目建设为重点，加快结构调整步伐，使全区工业保持了快速增长。全年全部工业增加值 764000 万元，增长 12.3%，增速比 1999 年回升 7.8 个百分点；规模以上工业增加值 392000 万元，增长 12.65%，增速比 1999 年回升 8.8 个百分点，其中轻工业增加值 31300 万元，增长 4.84%；重工业增加值 360700 万元，增长 13.93%。

中央、省属企业拉动明显，国有企业增势强劲，大中型企业骨干效应显现。在规模以上工业企业中，中央企业增加值 46900 万元，增长 27.81%；省属企业增加值 119700 万元，增长 14.68%；地属及以下企业增加值 225300 万元，增长 9.7%。分经济类型看，国有及国有控股企业增加值 223900 万元，增长 15.43%，扭转了 1999 年下降 6%的趋势；股份制企业和以私营经济为主的其他经济类型企业增加值 138700 万元和 44100 万元，分别增长 13.13%和 20.8%；集体企业增加值 73500 万元，增长 3.8%；外商及港澳台投资企业企业增加值 11800 万元，增长 5.2%；股份合作企业增加值下降 1.51%，全区大中型工业企业完成增加值 170000 万元，增长 16.2%。

产销衔接好于 1999 年。全年工业产品销售产值 1162800 万元，增长 20.9%、产品销售率 98.95%，比 1999 年提高 1.18 个百分点；工业新产品产值下降 3.6%，出口交货值增长 51.1%。

工业经济效益达到近 3 年来最好水平。全年，工业企业实现销售收入 1077000 万元，增长 16.9%；实现利税 109000 万元，增长 27.8%，其中国有及国有控股工业企业实现利税 63000 万元，增长 52.9%；亏损企业亏损额 14400 万元，减亏 36.4%，其中国有及国有控股工业企业亏损额 11573 万元，减亏 43.7%，亏损面由 1999 年的 14.4%下降到 10.8%。由于工业经济发展的突出贡献，被省政府评为“2000 年完成工作目标优秀单位”、“山西省模范单位”。

【产业结构调整取得实质性进展】 全区把产业结构调整做为经济工作的重点，以发展潜力产品为切入点，继续坚持“调整、优化、整顿、提升传统产业，培育、发展新兴主导产业，鼓励、扶持高新技术产业”的方针，大力推进产业结构调整。重点抓了焦化、冶炼两个传统支柱产业的清理整顿和规模结构调整。全区焦炭产量和铁产量占全省总产量的比重达 $^1/_3$ 左右。但是，由于在发展初期缺乏长远考虑和科学规划，加上调控手段不力，致使这些传统产业出现数量多、规模小、工艺落后、技术低下、效益差、污染严重等问题，造成资源、财力、物力的极大浪费。截至 1999 年底，全区焦化企业有 583 户，其中机焦年生产能力 20 万吨以上的企业仅有 4 户；炼铁企业 582 户，其中 50 立方米以上的高炉只有 25 座，分布于 19 户企业。根据国家的产业政策和关停“五小”的规定要求，如果不加紧焦化、冶炼业的优化升级，这两个支柱产业将难以为继，将会对全区经济发展和财政收入产生巨大的影响。为此，在对全区的炼铁业和焦化业的现状进行了全面的摸底调查和深入的分析研究，出台了清理整顿和规模结构调整、优化升级的实施意见。总体思路是在清理中规范，在整顿中升级，在限产中增效，在调整中发展。一是实行总量控制。生铁产量压产 100 万吨，总量控制在年产 400 万吨左右，高炉座数由 626 座控制到 30 多座；焦炭产量压产 400 万吨位，总量控制在年产 1000 万吨左右。通过控制总量，促使焦化和冶炼尽快联合上规模、上效益。二是科学规划，合理布局。结合总量控制指标，对焦化企业界和炼铁企业的布局进行了重新规划，对炼铁企业的 30 座高炉都开始改建为 125 立方米以上高炉，对焦化企业布点建设 20 座 45 万吨以上机焦炉，使这两个传统支柱产业成为规模、效益、后劲相统一的富有市场竞争活力的优势产业。三是培育新兴产业。注重高起点、高效益、高科技，大力发展生物医药、精细化工、铸造、建材等产业。襄汾有色金属公司 2.6 万吨金属锌、汾河药厂 3 万吨柠檬酸、侯马晋光制药 20 亿粒猴头健胃灵等一批有科技含量、有竞争实力的重点调产项目，正在成为经济发展的新亮点，使本区产业结构调整有了新的突破。

【积极开展“项目年”活动】 以省定 13 个潜力产品为切入点，全面促进项目建设，取得了好的成效。主要做法：一是领导重视。地委、行署多次召开潜力产品汇报会，协调解决立项、可研、资金、土地、环保、用电等问题，使这些项目得到迅速启动。行署从财政中筹措 3000 万元作为调产基金，专门用于调产项目的贴息和配套资金；各县(市)也根据财力情况筹集了 4300 万元调控基金用于对重点项目的扶持，为项目建设奠定了基础。二是创新机制。在项目建设中，注重多方位发展企业，通过企业改制、组建集团等方式，多渠道融资，多元化运作，为重点调产项目的实施创造了良好条件。临汾染化集团在硫化黑项目中大胆吸收社会资本入股，由民营企业家控股 80%；洪洞县积极创造宽松环境，提供土地和优惠条件，与河南金星啤酒集团合作，引进对方投资 6000 万元的 10 万吨啤酒生产线，仅半年就完成了一期 5 万吨生产线建设，产品已投放市场并产生效益。三是强化服务。把对重点项目的协调服务放在重要位置，积极主动与各职能部门、金融部门联系，协调资金、用电等方面的问题，为项目建设办实事、开绿灯，为项目的按时启动和如期投产打下了坚实的基础。到年底，全区共安排技术进步项目 91 项，其中续建 27 项，新上 64 项，落实项目资金 38000 万元。完工投产或部分投产项目有 46 项，有 42 个项目形成增长点，新增销售收入 19625 万元，利润 1363 万元，税金 1335 万元，加上 1999 年年底投产的项目，全年实际新增销售收入 36873 万元，利润 2543 万元，税金 2447 万元。

【国企改革工作】 一是对改制企业进行认真地规范完善。尽管已有 95%的国有工业企业实行了改制，但部分改制企业的经营机制没有实质性转换，企业的激励机制、民主决策机制、约束机制还没有完全形成，大部分改制企业又面临法人治理结构的换届选举。针对这些情况，抓住时机，7 月，专门编制了《工业改制企业规范完善、整改、验收标准》，并要求企业用两个月时间逐条对照标准自查整改，自我完善。10 月，地区经委又会同体改委、统计局、财政局、国资局等部门，组成 4 个检查组对全区国有改制企业的规范、完善工作进行了检查验收，帮助、指导企业解决实际问题，加快了改制企业建立现代企业制度的进程。二是积极采取多种形式，促进企业改制。通过实行切块经营、先股后租、租赁、资产重组、一厂两制、分块搞活等形成，促进了国有企业的改制。临汾造纸厂、平阳钢铁厂、电控厂、互感器厂等地直困难企业都实行了分块搞活，租赁经营。临汾纺织厂进行有限责任公司改制；翼城县针织厂以 982 万元被整体拍卖给翼城北关村委会。三是积极推进企业进入资本市场。根据国家、省经贸委的要求，全区认真组织了临汾染化集团等企业的上市申报工作，并积极配合省上市办对地区申报上市企业进行了实地考察，到年底翼城丰昆冶炼公司上市进入辅导期。

【百户优势骨干企业效益上台阶活动】 全区经济工作重点放在有市场、有效益、有一定规模的产品和企业上。对年初确定的百户经济效益上台阶企业进行政策上重点扶持，外部环境上重点保护，生产上重点协调，项目资金上优先考虑，电力、运力上优先保证，从而促进了这些企业的生产。截至 12 月底，按动态统计全区效益上台阶达到增幅要求的优秀企业共 76 户，其中洪洞啤酒厂、襄汾有色金属公司等企业增幅均在 20%以上。

【扭亏解困目标基本实现】 2000 年是国有企业 3 年基本走出困境的最后一年。为全面完成扭亏目标，一是围绕“三改一加强”，重点采取改革扭亏、政策停亏、管理减亏、调整脱亏的具体措施，针对不同企业的具体情况，采取一企一策，依靠机制创新促使企业减亏、扭亏。二是积极用足用活国家脱困政策，抓住工行实施剥离不良资产和债转股的政策机遇，做大量细致的工作，使临纸等 5 户企业初步签定协议，剥离不良资产 20000 万元，减轻企业债务负担，加快企业扭亏脱困步伐。到年底，全区地方国有工业企业亏损额为 1492 万元，亏损企业户数 6 户，比 1997 年减少了 64 户，扭亏面达到 91.4%，实现了国有企业 3 年走出困境的目标。在全省重点监控的全区 5 户重点亏损企业中，侯纺实现扭亏为盈，电控厂、互感器厂、平钢停亏、临纺实现减亏，达到了省定的扭亏目标。

【加大经济运行协调力度】 为了确保全区工业经济持续稳定发展，充分发挥职能部门作用，加大了综合协调、服务力度。一是按照全区经济一体化的要求，加大对全区辖区内的国省营企业协调服务的力度，使全省企业保持了较快的增长速度。二是加大调控力度，建立重点企业调实行监控，采取旬调度、月预报，建立重点企业调度等措施，及时掌握了解全区重点企业运行动态，解决存在的问题。三是强化营销意识，大力推广营销制、营销提成奖励制和营销股份合作制，并将汾河制药厂比价采购、侯马晋光药厂买断销售等先进经验在全区企业中加以推广，收到好的效果。4 月，组织各县(市)和 85 个企业参加在西安举办的东西部合作与投资贸易洽谈会，签定交易合同 40300 万元，为企业产品销售闯出了路子，带动了全区工业生产的发展。

【治理“三乱”和清欠工作】 在治乱减负工作上，全区加大治理企业“三乱”的力度。一是年初对 13 户第四批重点企业统一发放“重点保护企业”牌匾，确定保护内容和措施；二是出台《关于推行聘任维护企业合法监督员的通知》，在各企业中聘请 100 名维护企业合法监督员，并建立热线电话，对“三乱”情况进行监督；三是对收费项目、收费标准进行清理，采取边清理、边建章立制的办法，公开收费项目和标准。全年共废除 7 批 302 项收费项目，每年大致可减轻企业和社会负担 15600 万元。四是积极开展对执法、管理、监督部门测评活动。对 19 个地直职能部门在电视、报纸上公开亮相，做出服务承诺，组织以企业为主的各界人士对这些部门进行测评。通过公开承诺及社会各界监督测评，使政府各职能部门把主动为企业减负做为主要职责提到了工作日程，从单一“依法管理”向主动为企业服务转变。

企业内外欠一直是企业难以解决的一个大难题，直接影响到企业的正常生产经营。6 月底，全区工业企业的应收账款 257600 万元，拖欠情况较为严重。为了加快企业资金运转效率，减少企业拖欠负担，经委与纪检委联合，在全区范围内开展工业企业“百日清欠”活动，力争帮助企业压缩应收账款 20%以上，即清欠 51500 万元。为了确保这项活动不走过场，企业与各县（市）工业局签定目标责任书，分解任务，明确责任，出台《开展百日清欠活动的实施方案》和《关于在清欠工作中具体问题的处理意见》，利用行政、经济、法律手段帮助企业清理拖欠，收到十分好的效果，特别是对困扰企业的内欠问题得到较为彻底的解决。在活动期间，共清理内外欠 78600 万元，完成所定清欠任务的 157%，有效地缓解了资金供需矛盾，提高了企业资金使用效率。

煤　炭

【概述】 全区煤炭行业面对严峻的市场形势和前所未有的困难，认真贯彻“三件大事”，紧紧围绕国有煤矿改革脱困目标，调整产业结构，加强企业管理，狠抓安全生产，大力开拓市场，关井压产，扭亏增盈。圆满完成各项任务目标。原煤产量 1931 万吨，比 1999 年增长 18.76%；精煤产量 1181 万吨，比 1999 年增长 27.87%；工业总产值 260000 万元，比 1999 年增长 20.93%；实现利税 33000 万元，比 1999 年增长 27.1%；煤炭出口 48 万吨，创汇 1920 万美元；铁路发运 315.5 万吨，公路出省 85 万吨，产销率达到 101%，比 1999 年提高 3 个百分点；关闭布局不合理煤矿 168 座，完成了省下达的在关井任务；安全状况，全年共发生死亡事故 3 起，死亡 79 人，百万吨死亡率 4.09%。亏损户和亏损额明显下降，经济效益显著提高。全区 56 家煤炭企业实现利税超过百万元，乡宁县台头煤矿和安泽县焦化公司实现利税连续几年均超过千万元，两家企业实现利税超过 500 万元，7 家企业超过 300 万元，45 家超过 100 万元。

【结构调整全面起步】 以培育“一增三优”（优势产业、优势企业、优势产品和新的经济增长点）为主攻方向，以项目工作为切入点，实施煤炭产业结构调整战略。全年共开展建设项目 96 个，完成投资 10381 万元。新增矿井生产能力 12 万吨，新增煤炭加工转化能力 220 万吨。洪洞飞马集团二氧化碳萃取天然活性物，乡宁弘昌化工有限公司利用焦油和蒽油生产硬质炭黑，为煤炭产业结构调整拓宽了思路。乡宁长咀弯煤矿投资 1732 万元新建年产 40 万吨的坑口洗煤厂和 20 万吨机焦厂，集原煤生产、洗选、焦化、煤气发电于一体，形成了就地转化，吃干榨净，良性循环的产业发展模式。临汾市投资 7000 万元、年产 30 万吨水煤浆项目前期工作基本就绪，即将开工建设。这一批高科技项目的建设，将对今后的产业结构调整起到十分重要的示范和带动作用。

【关井压产】 继续把关井压产作为工作重点，各级政府高度重视，认真组织，协调部署，完成了省局下达关闭 168 座煤矿的任务。加强监督检查，依法查处死灰复燃和私开滥挖行为。蒲县在关井压产中力度大，措施硬，依法取缔 47 处死灰复燃矿井，关闭布局不合理煤矿 55 座，行政拘留非法开采矿主 4 人。通过关井压产，全区基本上消灭了私开滥挖现象，煤矿宏观布局有所改善，生产秩序初步好转。

【矿井生产技术】 全区 678 座煤矿完善了各类图纸资料，改善了井上下条件，健全了 5 大系统，规范了采掘部置，领取了煤炭生产许可证。煤矿正规开采普遍推广，建成长壁工作面 17 个，短壁工作面 69 个，刀柱工作面 96 个。临汾市、乡宁县等县(市)不少煤矿的技术装备状况发生了很大变化，生产效率、经济效益明显提高。古县采取原煤补偿的办法引进资金，投入 6000 多万元，大力推广皮带运输、摩擦支柱、刮板运输机等设施，建成两座年产 21 万吨矿井，8 座年产 15 万吨矿井，10 座年产 9 万吨矿井，全县煤炭工业面貌焕然一新。

【安全管理】 坚持不懈地贯彻“安全第一，预防为主”的方针，采取多种措施，严密防范，综合治理。一是层层落实安全目标责任制，形成了全方位管理、全过程监控和全员参与的安全管理格局。二是严把节后复产验收关。合格一个，生产一个，坚决杜绝不安全生产行为。三是开展“通风、瓦斯治理年”活动。抓住关键，明确重点，落实措施，加大治理力度，投入资金 2000 多万元，完成安措项目 331 项，建成甲级通风矿井 13 座，乙级通风井 91 座，煤矿通风和防止瓦斯能力明显提高。四是严格安全检查。对查出的问题定人员、定时间、定措施，限期整改。五是强化安全技术队伍建设。培训各类矿长 326 人，特殊工种 3160 人，面向全国招聘专业技术人员 462 人，提高了煤矿的管理水平和业务素质。

【煤炭行政执法】 把行政手段与法律手段紧密结合起来，强化行业管理职能，以《煤炭法》、《乡镇煤矿管理条例》、《煤炭生产许可证管理办法》等法律法规为武器，严厉打击煤炭生产经营领域的各类违法活动。各级煤炭主管部门积极推行执法责任制，加大执法力度。以煤炭纠察队为主体的煤炭执法队伍，在关井压产、安全生产、收缴专项资金等方面发挥了积极作用。全年共纠察 700 余座煤放，300 余户涉煤企业；查处 120 余处死灰复燃矿井，依法实施经济处罚 170 万元，补交专项资金 143 万元，有力地促进了全区煤炭生产经营秩序和安全状况的好转。

【煤炭市场营销出现新的转机】 加强煤炭宏观调控，抑制盲目生产，规范市场竞争秩序。通过开展以“五统一”为主要内容的煤焦运销秩序整顿，确保挂牌价格执行到位，有效地解决了压价竞销、货款拖欠、利益流失等问题，保护了煤炭行业的整体利益，出现了产销两旺，供不应求的喜人局面。全区煤炭产销率达到 101%，吨煤价格平均上涨 16.4元，拖欠货款下降 32%，库存下降 25.6%。

【面临问题】 一是安全生产形势严峻，尤其是乡镇煤矿，基础条件较差，多数管理水平低下，技术装备落后，科技力量薄弱，安全欠账较多。“九五”期间，发生的几起瓦斯爆炸事故，全部发生在乡镇煤矿，而且这些事故都是由于利益驱动，矿主要钱不要命，置安全法律、法规和安全监督于不顾，违章指挥，冒险蛮干造成的。同时，安全管理不到位，现场管理混乱，安全措施不落实，有令不行，有禁不止，以及安全管理方面的腐败问题，也是比较严重的。二是产业结构调整进展慢，效果不明显。关井压产力度不够，小煤矿个数较多，已关闭煤矿标准不高，死灰复燃现象时有发生。煤矿组织结构不合理，产业集中度低，小而全，小而散，低水平重复建设问题仍然存在。煤炭加工转化和综合利用程度低，科技开发能力不强，高附加值产品小，经济效益不高。三是营销力度不够，煤炭价格仍不到位，欠款赊销，压价竞销问题还比较严重。四是受计划经济影响，思想不够解放，思路不够开阔，国有企业改革力度不大，机制不活，包袱沉重，效益低下，生产经营比较困难，下岗再就业压力较大，行业扭亏解困任务十分艰巨。

冶金、机械

【概述】 全区冶金机械行业本年度确定“三新一升两创”的工作思路。“三新”即体制创新、技术创新、管理创新；“一升”即产业升级；“两创”即创行业工作新局面、创下岗再就业工作新局面。一手抓改革与稳定，一手抓经济运行和结构调整，各项工作进展顺利。全年完成工业总产值现价 4779 万元，比 1999 年增长 34.13%；工业增加值 1051 万元，比 1999 年增长 34.13%；产销率 87%，比 1999 年增长了 12 个百分点；实现利税 212 万元，实现了零的突破；新产品产值达 770.9 万元，比 1999 年增长了83.9%；完成了 7 项技术开发项目，技术开发投资 220万元，增长了 43.03%；创省优产品一项，全年无人身设备安全事故。

【体制创新促战略重组】 按照“分类指导、因企制宜、一厂一策”的原则，稳步推进企业改革。平阳钢铁厂的“切块租赁经营”有了突破性进展，停产数年的 3#炼铁高炉、洗煤设备分别租赁给祥物贸有限公司和惠丰钢铁有限公司，安排下岗职工 235人。山西互感器厂根据企业产品结构和生产线的特点，本着“互利互惠、共同发展”的原则，采用“一厂两制”的方法，对 5 条主要生产线实行租赁经营；干式变压器生产线租给临汾双诚集团总公司，高压互感器生产线租给该厂的副厂长任国明，仪用互感器生产线租给该厂副厂长谢佛虎，第一机加工生产线租给地区福利洗煤厂，第二机加工生产线租给该厂中层干部王政新、高复元。5 条生产线租赁经营后，企业运行趋向正常，共安排下岗职工 78 名。长城冶炼厂是接收的军队企业，由于没有流动资金，难以正常生产，因此将两座炼铁高炉分别租赁出去，其中 1 号高炉租给襄汾城东焦化厂，2 号高炉租给临汾同晟铁业公司，两座高炉先后于当年启动运营。

【以结构调整为中心促技术创新】 以市场为导向，以调整产业产品结构为主线，以发展潜力产品为切入点，以“十强双百”和“项目年”活动为载体，坚持技术进步，落实项目，严格管理。

1. 引进国家“九五”期间重点推广项目 EPC-V 消失模负压铸造工艺。地点选在平钢东力公司，项目投资 300 万元，一期工程规模为年产铸件 7000 吨。2. 临汾华士达公司开发了高分子树脂保水剂，是“2116”工程推荐新技术项目。项目投资 140 万元，规模为年产 300 吨，设备安装完毕，产品样本已送小麦研究所试验。3. 重工行业多数是小企业，按国家产业政策要求，多属淘汰之列，企业的设备升级换代已刻不容缓。公司与澳大利亚哈默斯利铁矿公司合作，召开了全区五个重点县(市)经委及 50 立方米以上炼炉企业参加的用户技术座谈会，并以此为契机，带动全区炼铁企业改造升级。督促直属企业寻求合作途径，长城冶炼厂与南韩签定合资建 129立方米高炉的合作意向。公司还组织有关企业赴无锡、上海等地考察新项目。4. 汇丰钢铁公司建两座125 立方米的高炉总投资 4900 万元，项目申请地区立项，与高炉配套的机焦项目一期 10 万吨工程于 9月竣工投产。5. 通力公司Φ40 型钢筋弯曲机获“省优质产品”证书，新开发奥地利炉条、美国锁片、家俱件和英国阀体产品已交样品；小型联合收割机已进入麦田试机，并通过省农机产品鉴定站组织的有关专家的田间试验；九州公司的智能型土测仪通过省科委的鉴定。

【以生产运行为支点抓管理创新】 年初，地区重工业公司将全年经济目标分解下达各企业，并同企业签订了目标责任书，强化了企业责任意识。为了掌握企业经营情况，公司坚持每月召开经济运行例会，及时解决出现的问题，重点抓了 4 项工作。1. 厂务公开。坚持企业大事让职工知道和参与决策，做到群策群力，目标一致。2. 抓企业党建工作。公司在租赁企业中建立了党组织、并选派党性强、业务精的党员任支部书记，解决租赁经营后党员管理问题，为租赁单位搞好生产经营提供了思想和组织保证。3. 强化对安全生产的领导。针对企业租赁的变化，调整和健全各企业的安全工作机构，完善安全生产工作机构，完善了安全生产制度和措施，加大安全监督力度，对查出的隐患，及时下达整改通知书，确保本年度安全无事故。4. 百日清欠。重工系统内外欠款巨大，总计 4403.2 万元，公司结合地区“百日清欠”大会精神，召开全系统动员大会，指导各企业制定了清欠实施方案，签清欠目标责任书，并分解到人。在清欠中，公司及时向企业提出要抓重点，以点带面，敢于重拳出击，争取地区纪检委和公检法部门支持，依法清欠。此次活动，共清回资金 755.6 万元。

【以行业管理为龙头促产业升级】 冶金、炼焦是临汾地区经济的支柱产品，但污染严重、行业混乱。地区根据国务院下发的〔2000〕10 号文件及国家经贸委下发的（1999）第 14 号、16 号令，对小炼铁进行清理整顿和规模结构调整，对焦化工业进行清理整顿改造升级。公司同地区经委一道调查研究，起草了《关于小炼铁厂清理整顿和规模结构调整的实施意见》和《关于焦化行业限期淘汰落后生产能力及工艺设备与规模结构调整的实施意见》，行署办公室分别印发了这两个文件。公司还参与组织了全区小炼铁清理整顿和规模结构调整会议、全区焦化工业清理整顿改造升级工作会议，地委副书记张茂才和行署副专员成洪才到会讲话，并决定把炼铁、焦化两个行业的调产办设到了重工工业公司，实施行业宏观管理。公司经过咨询有关专家，深入有关县市研究，结合国家相关产业政策、环保法规，确定了焦铁调产总量控制指标和实施进度。将生铁总量控制在 314 万吨，其中 2000 年改造量 138 万吨，建 125 立方米高炉 17 座。地区以下焦炭产量压缩到 890 万吨，其中 2000 年改造量为 520 万吨，建 45 万吨以上规模焦炉 8 座。至年底，全区批建 125 立方米以上高炉项目已动工 7 个，竣工 3 个，45 万吨以上规模焦炉项目已动工 7 个，竣工 1 个。

化　工

【概述】 临汾地区化工公司归口管辖 40 多个化工、制药企业的行业管理工作，主要以精细化工为主导产业，有成系列的开发项目。拥有职工 2.1 万人，年产值在 60000 万元以上。主要产品有合成氨、尿素、碳酸氢铵、普钙、焦炭、硫酸、电石染料及染料中间体、农药、柠檬酸、炭黑、轮胎等。下属地营企业 5 个，其中临汾染化（集团）有限责任公司总资产 15000 万元，主要生产硫化、还原、冰染、分散四大系列 60 余种染料及染料中间体，其中还原桃红 R 出口量居全国首位，产品远销 20 多个国家和地区，年创汇额逾千万美元；山西汾河制药厂拥有资产 2300 余万元，生产 78 种制剂产品，主导产品柠檬酸远销亚、非、欧、美 30 个国家和地区；山西平阳制药厂拥有固定资产 3000 万元，各类产品畅销全国各省、市、自治区，部分产品远销东南亚、欧美等国家和地区，其中硫酸庆大霉素痔全息注射液是国内首创、独家生产的枯痔名药。另外临汾有机化工厂、山西橡胶厂、霍州化工公司、山西鼎立化工有限责任公司等企业均有独特产品优势，立足实际，以市场为导向，以质量求生存，走技改挖潜创效之路，社会效益、经济效益均取得很大进步。公司以调结构为主线，抓改制，上项目，增效益，各项主要经济指标保持两位数增长，取得历史上最好成绩。工业总产值（现价）完成 23267 万元，比 1999 年增长 20%；工业增加值完成 8523 万元，增长 20.5%；工业销售产值完成 23091 万元，增长 25%；产品销售收入完成 12500 万元，增长 13.6%；利税完成 2215 万元，增长 15.4%；出口交货值完成 12753 万元，增长 105%。

【重点项目建设】 化工系统重点项目 3 项：山西汾河生化有限公司年产 3 万吨柠檬酸项目，被列为山西省 36 个重点潜力产品和地区调产重点项目，在行署领导的大力支持下，于 6 月正式组建公司，8 月开工建设，截至年底，土建完成 1000 万元投资，设备订货 6000 万元，投资量占一期工程总投资的 45%；山西鼎立化工有限公司 10 万吨 NPK 复合肥项目，从立项筹资到开工，完成 1400 万元投资量，主设备 100 台套全部定货到位，定于 2001 年 11 月竣工投产；山西省侯马平阳制药厂平阳牌男康片 5 亿粒胶囊 GMP 扩产改造项目已通过立项论证，初设定于 2001 年开工建设。

【化工产品科技含量增高】 公司支持、帮助有关企业开发有一定科技含量的新产品，以科技增效益，以调产求发展。一是临染集团华阳公司的医药中间体混旋对羟基苯甘氨酸和乙醛酸试制并投产；二是临染开发的溶剂型络合染料为染料行业增加了一个新品种；三是临汾有机化工厂开发建设的 3 种新农药品种阿维菌素、五多合剂、菊·马乳油全部投产，填补了全区农药 3 个剂型空白；四是临染集团新开发的 4 种直接染料产品投产；五是山西橡胶厂开发成功新配方内胎投产。

电　力

【概述】 山西省临汾供电分公司系国家大型二档企业，现有职工 3052 人，固定资产原值 124300 万元，拥有 35KV 及以上变电站 79 座，线路 119 条。公司全体员工努力克服困难，全面深化改革，开拓电力市场，积极改善资产经营质量，突出抓好“两网”改造，全面完成省公司下达的资产经营考核指标和增收节支任务，被临汾地区劳动竞赛委员会评为“最佳企业”，被华北电集团公司授予“三星级企业”，被国电公司和省公司授予“双文明单位”，物质文明和精神文明获得双丰收，为开创公司新世纪电力工作局面奠定坚实的基础。

【主要生产技术指标圆满完成】 1. 售电量，累计完成 328296.32 万千瓦时，完成年度计 110.17%，与年度计划比多售电量 30296.32 万千瓦时，圆满完成了全年的电量销售任务，与 1999 年同期相比多售电量 41532.23 万千瓦时，增长 14.48%。

2. 综合线损率，累计完成 7.47%，比计划降低 0.13 个百分点，比 1999 年同期低 0.15 个百分点，比计划少损电量 461.26 万千瓦时。10KV 有损率，累计完成 9.04%，比计划降低 1.26 个百分点，比 1999 年同期降低 0.55 个百分点。

3．固定费用，累计发生 13837.8 万元，与计划 13840.8 万元（调整后计划）相比降低 3 万元，与 1999 年同期 14578.5 万元相比降低 740.7 万元。

4．配电系统供电可靠率累计完成 99.97%，比计划提高 0.04%；电压合格率累计完成 98.16%，比计划提高 0.16%。

5．劳动生产率累计完成 50078 元/人·年，比计划提高 4622 元/人·人，比 1999 年同期增加 6340 元/人·年，提高 14.5%。

6．内部利润，累计实现 1625.25 万元，与计划比超额完成 498.25 万元，完成计划的 123.46%。

7．多种经营，累计完成经营额 10492 万元，为年度计划 102.5%，比 1999 年同期增加 1234.1 万元；实现利润 524.6 万元，为年度计划 102.5%，比 1999 年同期增加 177 万元。

8．安全生产实现 3 个百日安全无事故。

【生产管理实现规范化】 农网管理方面：加强农网改造安全工作，全面推行“四个强化、一个保证”。即强化组织领导，层层签订《农网改造安全责任书》，建立健全了安全保证体系；强化人员培训，分批对 238 个施工队、3572 名临时工雇用工进行了安全技术培训教育，下发了 3500 本《“两网”建设与改造工程施工业安全规程》；强化现场检查，共深入现场检查 2500 人次，查处各种违章 100 余起，安全教育 6 人；强化工程安全管理，做到责任到位、工作到位和考核到位。一个保证就是保证两改工程安全需要，先后累计投资 20 余万元，统一购买和更换安全工器具。加强农网运行工作，已有 34 座变电站被省公司命名为无渗漏变电站，建成花园式变电 18 座。已有 22 座 35 千伏变电站具备无人值班条件，其中 12 座已实现无人值班。有 6 个县(市)实现了县调自动化。农网办公自动化系统已正式投入使用，可实现地、县间的信息处理和信息共享。台账资料管理、文档资料管理、文档处理、信息传递、远程报表及汇总等方面实现了网络化。

用电管理方面：1．充分利用科技手段，全面推进营销现代化管理水平。开发了营销网络程序，全面启用掌上电脑抄表方式，共购置抄表掌上电脑 204 台，在各县(市)推广使用。在全区范围内，全面开展了电价检查活动，采取县(市)自查方式，对电价执行上存在的高挂低、高电价定量偏低等问题，进行了全面检查。2．坚持付费购电管理、强化清欠力度。制定下发了“电费回收管理考核奖励办法”，并对欠电费客户建立联络员督办催费制度。3．认真开展“降损月”活动。先后成立普查小组 64 个，共检查客户 43902 户。4．加快城镇一户一表改造。全公司共对 3100 余户居民用电进行了一户一表改造，新增加供电能力 2400 千伏安。

调度管理方面：将创一流工作与管理年活动有机地结合起来。调整领导机构，下设六个专业组，制定了《临汾供电分公司调度所创一流实施细则》，全所整理修订工作标准 71 个，管理标准 43 个，技术标准 58 个，规章制度 139 个，并全部输入微机，由 80 多台微机组成了调度所信息管理系统，各股室班组的微机也连成局域网；高度重视以人为本的素质培训工作，全员培训率达到 65%，持证上岗达到 97.44%；实现档案管理达标，以优异的成绩获得了档案目标管理“国家二级”单位称号；制定了《安全目标责任书》，重新完善了《调度运行规程》，使安全管理逐步迈向正规，确保了电网调度安全运行，无发生任何调度责任事故。

【两网改造】 1．农网改造工程：一是完成 110 千伏输变站工程 6 项：曲沃城关 110 千伏输变电工程，襄汾河西 110 千伏输变电工程，泊城升压改造工程，维尼纶增容工作，赵城镇维及纶 110 千伏工程，九州堡增容工程，以上共完成投资 4792.5 万元。二是完成 35 千伏输变电站项目 14 个，总投资 3261.7 万元；新增 35 千伏变电站 5 座，投资 2293 万元；增容改造变电站 5 座，投资 738.6 万元；其它改造工程（包括县调自动化）7 项，投资 504.4 万元。全年共完成 2386 个行政村、454180 户的农村电网改造任务，资金完成 25392 万元。

2．城网改造工程：省公司下达城网工程费用总计为 3300 万元。其中 10 千伏线路改造工程 9 个，低压台区改造 30 个，投资 1761 万元；生活小区改造 2 个，投资 797 万元；开闭所及 10 千伏配电室建设 3 个，投资费用 742 万元。至年底，完成城北变电站配电室扩建工程、广场开闭所建设、贡院街拓宽改造、行署生活小区低压改造，10 千伏 526（小十字北）线路、532（城中一广场开闭所）、513（税务线）、505（北鼓线）以及地区人行专线改造工程，基本满足了地税、国税、地人行及城市中心用户的冬季采暖新增负荷。

城镇集体工业

【概述】 地区城镇集体工业系统全面落实临汾地委、行署《关于改革和发展城镇集体企业的实施意见》精神，紧紧围绕全省“一增三优”战略和地区“三件大事”，进一步深化、规范和完善企业改制，通过“一优四先”（优二兴三；先民后工、先小后大、先近后远、先发展后规范），推进经济结构调整；通过开展“3 项劳动竞赛”—联社建设竞赛、结构调整竞赛、高效企业竞赛，有效壮大了全区城镇集体工业的联社和企业的实力，基本上扭转了全区城镇集体工业多年在低谷徘徊的被动局面，全面完成了年初既定的各项工作目标。

临汾地区城镇集体工业系统的 11 个年销售收入 500 万元以上的二产企业累计完成：工业总产值（90 不变价）14102 万元，同比增长 6.8%；工业增加值 4934 万元，同比增长 7.0%；销售收入 15844 万元，同比增长 6.4%；利税 1078 万元，同比增长 6.83%；

产销率达 98%，同比增长 1%；全区城镇集体工业三产企业累计完成经营额 12038 万元，同比增长 8%；上缴税金 722 万元，同比增长 8.2%。纳入行署考核的临汾地区工艺美术印刷有限公司，各项经济指标均超额完成：工业总产值（现价）821.7 万元，占计划的 108.12%，同比增长 8.12%；工业增加值 275 万元，占计划的 100.07%，同比增长 0.07%；销售收入 681 万元，占计划的 100.15%，同比增长 0.15%；利税 37.1 万元，占计划的 106%，同比增长 6%；产销率达 99%。经地委、行署综合考核，地区城镇集体工业在全区工业经济中名列前茅，荣获“2000 年度全区改革发展先进单位”。

【企业改制 5 个配套办法出台】 自 1997 年以来，地区城镇集体工业联合社相继完成了全区 196 户城镇集体企业中 165 户企业的改制工作。改制后的企业经济效益大幅提高，活力显著增强。但是就整体而言，普遍存在着操作不规范、工作不协调、管理不到位的现象。为此，联社相继出台了《临汾地区城镇集体工业联社与联社企业集体资产管理试行办法》、《临汾地区城镇集体工业企业产权制度创新后职工股东权益维护试行办法》、《临汾地区城镇集体企业改制后会计财务管理暂行办法》、《临汾地区城镇集体企业法定代表人行为规则试行办法》、《临汾地区城镇集体企业民主管理试行办法》。这些办法对全区城镇集体企业改制中所遇到的资产评估、产权界定、运行机制、运作办法、管理模式、权益维护等方面的问题做出了明确规定，得到省二轻总会的充分肯定，并在《全国联社动态》上全文刊发，得到了在北京举办的全国合作经济学会经验交流大会上的专家、学者、内同行的高度评价。通过实施这些办法，逐步规范了全区城镇集体企业的改制行为，建立起“产权清晰、职责明确、自主经营、民主管理、资产共有、同负盈亏”的现代城镇集体企业的新机制。

【实施“优二兴三”战略】 地区城镇集体工业联合社（简称市联社），努力调整城镇集体工业的产品结构、产业结构，大力推进企业技术创新和技术进步，培育新的经济增长点，制定和实施“优二兴三”（优化、提升第二产业、大力发展第三产业）战略，取得了初步进展。全区城镇集体工业系统累计投资 400 余万元，完成重点新建项目 1 个，重点续建项目（含技改项目）3 个，扶持霍州联社引进具有世界领先科技水平的年产万吨粒状碳酸钾和年产 700 吨氯安铵投资 5600 万元生产项目，形成新的产业优势。充分发挥地理位置的优势，大力发展劳动密集型的第三产业。截至年底，全区累计投资 2300 万元，采取“退二进三”（产品无优势、发展潜力不足的第二产业退出领域，发展三产）和“借鸡下蛋”的办法，兴建 14 个专业市场、兴办 5 个三产企业，新增效益 375 万元。这些三产项目的开发，不仅成为全区城镇集体工业的新的经济增长点，而且还安置 1453 名企业下岗职工和社会分流人员，为再就业工程和社会稳定工作做出了贡献。通过实施“优二兴三”战略，突出“高点起步、科技领先”的特点，再造全区城镇集体工业的产品优势和产业优势。

【开展扶强帮困活动】 地区联社准确把握功能定位，在转变作风、强化服务方面开展“扶强帮困、互助合作”活动。联社将联社领导、机关科、室分片包点，跟踪服务基层联社和地直企业，确定目标、责任到人、严格考核；强势企业与困难企业结成帮扶对子，一对一进行帮扶，提出具体的措施、进程与目标。帮扶工作的重点：一是注重经济结构调整中抓好“育大”、“扶强”工作；二是注重“放小”、“帮小”工作，造就一批“小而专、小而精、小而特”的“三小”企业；三是注重“扶弱”、“帮困”，重点帮助生存和发展存在困难企业摆脱困境。联社培育地区工艺美术印刷有限公司、翼城黎明冶炼集团、霍州钾盐集团等一批优势企业，还有地区工艺美术旅游品公司、锅炉制造有限公司、物贸总公司的装饰材料市场等“三小企业”，帮助地区机床厂、三和房地产公司解决生活保障问题。通过实施“扶强帮困、互助合作”活动，城镇集体工业焕发了新的生机和活力。

【联社建设】 重新修订《联社章程》，有效地指导基层联社的工作。随着市场经济发展，各级联社还一直沿用的建国初期制订的、计划经济体制下的《联社章程》，在很大程度上已明显不适应目前的新形势。地区联社根据中国社会义初期阶段的多成份、多元化的特点，结合全区城镇集体工业的实际，重新出台了《临汾地区及县市城镇集体工业联合社章程》，从联社的组织建设、基本任务、成员单位、职工（社员）代表大公、理事会、监事会、资财管理等方面内容进行了修缮和补充，使之具有更强的可操作性，得到了全国联社、省二轻总会的肯定和推广。

加强基层联社的组织建设，创造条件帮助县(市)联社进行换届选举。地区联社按照新的《联社章程》，通过与各市(县)组织部门协调，理顺了基层联社的功能定位与组织关系、干部任用关系，协调了基层联社与当地政府的关系。经区联社帮助，全区已完成曲沃、吉县、蒲县、浮山、汾西、永和、乡宁、洪洞、襄汾、大宁等 10 个基层联社的换届选举工作。基层联社换届选举的特点：一是联社干部的产生体现了民主原则；二是联社领导层中选配了一定比例的年富力强、德才兼备的企业代表；三是协调依法监督与民主管理的关系，增强了联社凝聚力与向心力；四是加强了集体资产的管理和运营，维护了联社和集体的权益；五是联社及基层联社均已成立集体资产管理中心。对全区城镇集体企业进行了一次大规模的登记、理顺工作，澄清家底，明晰产权，确保了联社资产的保值、增值，维护了联社与企业的合法权益。

交通邮电

铁路运输

【概述】 临汾铁路分局管内有南同蒲、侯西、侯月3条干线和介西、礼垣2条支线。线路总延长1834.0千米，其中正线1242.6千米，营业里程785.2千米，临管线（侯月线）正线里程301.2千米。双线440.3千米（南同蒲289.6千米，侯月150.7千米）。沿线车站76个，比1999年减少3个，一等站2个、二等站7个、三等站10个、四等站54个（烟庄、横岭关关闭）、五等站3个（马家窑关闭）。

临汾分局配属机车182台，其中内燃机车174台（北京型74台、东风4型94台、东风7型4台、动车组2台），电力机车（韶山4型）8台。配属客车349辆（包括动车组拖车5个）。拥有固定资产原值863669万元。

分局机关行政系统设职能分处、室21个，限额外职能机构2个，部控附属机构3个，局控附属机构6个，单独列编机构4个，学会1个。侯马、介休地区办事处撤销。党群系统设党委、纪委、工会、团委、政法委员会。政法系统设铁路公安处、铁路运输检察院、铁路运输法院。临汾分局共有职工27229人，包括干部5387人（行政干部4765人，党群干部622人），其中有专业技术职务干部3034人。

全分局各级组织和广大干部职工在部、局的正确领导下，按照分局年初总体工作部署，以提高经济效益为中心，以深化企业改革为动力，深入开展“质量管理效益年”活动，外争市场，内强管理，全面夺取了“八新一实现”奋斗目标。

2000年是“九五”计划最后一年，在“九五”期间，分局换算周转量总计完成71897.3百万吨千米，比“八五”总量57038.5百万吨千米多完成14858.8百万吨千米，是“八五”总量的1.26倍；客运量总计完成3792.9万人，比“八五”总量3728.6万人多完成64.3万人，是“八五”总量的1.02倍；货运量总计完成20181.7万吨，比“八五”总量16708.8万吨多完成3472.9万吨，是“八五”总量的1.21倍；煤运量总计完成10825.2万吨，比“八五”总量11400.7万吨少完成575.5万吨，是“八五”总量的0.95倍；晋煤外运量总计完成8834.1万吨，比“八五”总量8565.3万吨多完成268.8万吨，是“八五”总量的1.03倍；日装车由1991年的1558.6车增长到2000年的2206车；运输收入总计完成754233.5万元，比“八五”总量397162万元多完成357071.5万元，是“八五”总量的1.90倍；两经销售收入总计完成169348万元，比“八五”总量64435万元多完成104913万元，是“八五”总量的2.63倍；两经实现利润总计15988万元，比“八五”总量11040万元多完成4948万元，是“八五”总量的1.45倍。

【企业改革】 认真贯彻新定员标准，继续实施减员提效，在发挥多经企业分流主渠道作用的同时，积极鼓励自谋职业、外出劳务，向孝柳地铁公司、汾西矿业集团劳务输出148人，提前完成路局下达的减员任务；分局机关精简行政机构9个，减员100人，基层有5个单位提前达到新定员标准。调整生产布局和劳动组织，撤销了运城折返段、介休工业站调车机；实施礼垣支线改革，全年减亏272万元。深化“三项制度”改革，实行机关干部公开招聘和领导干部任前公示制，推行竞争上岗，完善工效挂钩考核办法。稳步实施分离分立，确定了装卸、生活、房建、教育、卫生等部门分离分立实施方案。规范建设管理体制，实行了工程质量领导责任制和项目管理终身负责制，住宅小区物业管理市场得到进一步规范。

【安全生产】 始终坚持安全基础和前提的位置不动摇，按照部“规范管理、强基达标”的要求，以逐级负责制为核心，狠抓《安全管理七项机制》的落实，把握安全生产的主动权；以客车安全为重点，强化检查指导，突出专项整治，确保现场作业有效卡控；以设备质量为基础，加大资金投入和科技运用，提高检修能力和验收质量，构筑可靠的设备保障体系；以职工素质为根本，结合新《技规》、新《事规》、新《行规》等新规章的实施和新设备的应用，开展全员练兵，促进“3个100%”落实，增强了职工队伍的业务素质和实作技能；以紧盯问题、解决问题为抓手，广泛开展安全大检查，建立“安全生产问题库”管理体系，合力攻关，循环往复，提高了安全基础管理水平。分局党政工团各级组织齐抓共干，营造群体保安全的强大态势。全年分局实现3个安全百日，截至年底，胜利夺取第9个安全年，保持了连续安全生产3465天，安全成绩名列北京局之首。

【运输任务】 客运量完成830.7万人，为年计划的103.8%，超运30.7万人；货运量完成4775万吨，为年计划的107.3%，超运325万吨，创造了月度日均装车2389车、单日装车2779车的历史新纪录；

行包量完成15771吨，为年计划的181.3%，超运7071吨；换算周转量完成17157百万吨千米；为年计划的104.6%，超运747百万吨千米；运输收入完成205240.6万元，为年调整计划的107.2%，增收13840.6万元，创造了单日进款857.9万元的历史最高纪录；营业收入完成111943万元，为年计划的122.5%，多清算20586万元。分局以“质量管理效益年”为指导，坚持“黑白并举”，优化运力配置，强化调度指挥，追求效益最大化。进一步完善《客货营销人员全额计件工资考核办法》等机制，制定《调度所车均钱、机均辆考核办法》等措施，大力挖掘运输潜能，开发利用杂型车150175辆，组织自备车拉运4796列220909辆，开行集装箱大列726列，开行“五定班列”1497列，迈开了集约化运输步子，提高了运输组织质量。分局上下认真贯彻全路客运质量现场会精神，狠抓服务质量，改善硬件设施，开行品牌列车，拓展行包市场，进一步提高客运和行包的市场竞争力，营销工作成效显著。全年货运、行包、换周、日装车、运输收入等10项指标再创历史最好水平。

【经营管理】 深入开展“质量管理效益年”活动，完善落实增运增收考核激励办法，优化运输组织方案，提高运输产品质量，加强堵漏保收，争取最大经济效益。严格成本控制，层层分解指标，关死计划调整“后门”，突出大户大项考核，扩大单位间横向模拟市场清算项目，压缩非生产性支出，盘活闲置资产，开展减员节支、科技节支、合理化建议节支、物资集中采购节支，千方百计消化成本增支因素，确保全年运输总支出控制在有权之内。严格资金管理，优化资金运用，加大债权债务清理力度，实行货币资金有偿占用，降低资金使用成本，提高了资金使用效率。严格财务监管，加强财务集中管理，对侯马市实行了财会主管人员直接委派制度，加强会计监督，严格审计制度，保证经营目标的全面实现。全年营业收入完成111943万元，完成年度计划91357万元的122.5%，较年度计划多清算20586万元；全年运输总支出实际完成106100万元，完成年度计划87497万元的121%，剔除工资、折旧、大修补，费用完成56718万元，完成年度费用计划45327万元的125%。全年有权节支420万元。全年运输利润实际完成2216万元，完成年度计划的246.22%，较年度计划多完成1316万元，增长146.22%。较奋斗指标多完成56万元；全年工附业利润实际完成712万元，完成年度计划的106.27%，较年度计划增加42万元，增长6.27%。

【多元经济】 销售收入完成56464.4万元，为年计划的150.9%，超收14199万元；实现利润3192万元，为年计划的135.6%，超收838万元。销售收入超2000万元的企业达到10个，超1000万元的企业达到11个，多元经营系统总资产达到71900万元，人均实现利润5442元/人。产业结构调整实现新的突破，开发新的实业项目108个，投资额达到2230万元，经营领域大大拓宽，各类调产项目涉及石油开采、化工产品、医疗器械、建材加工、高效农业、副食品生产及高科技产品开发等。与运输相关行业产值占总产值比重同比降低了5.33个百分点。创岗分流能力有了新的提高，分流运输业人员700人，多元经营系统从业人员达到5903人。体制改革取得新的进展，实行经管分开，重新调整南铁集团董事会成员，成立分局投资管理办公室，与多经分处实行一套人马二块牌子，对晋铁煤矿、广告公司、临汾铁道旅行社进行股份制改造。机制创新迈出新的步伐，实施《大额风险抵押承包办法》、《产值超奋斗指标重大贡献奖办法》和《定额上交管理费办法》等制度，为多元经营大发展提供了机制保证。“三分”工作稳步扎实推进，分局制定下发了《“三分”工作实施意见》，制定了《国有资产管理办法》，到年底，分局直属公司“三分”工作基本到位。管理工作进一步强化，先后出台了投资融资、借款担保、投资贷款、债权清理等办法；对全分局65个多经企业开展清产核资工作，进一步规范企业行为。

【基建房建】 全年修建工程总投资完成20206.36万元，其中：基本建设完成3060万元、设备更新改造完成8369万元、其他专项投资完成2834.46万元、大修完成5942.9万元。全年修建工程围绕安全生产、扩能提效，保重点、保质量、保进度、保资金，大打修建工程攻坚战。无缝换轨、线路清筛、路基大修、贯通电源线、昌源河特大桥换梁等施工任务全面完成；侯马北货车检修基地、介休小能力驼峰建成投产使用，孝西列检所、折返段建成，43处平改立交全部竣工，新建祁县旅客地道；临汾机务段2000立方米油库、临汾路东跨线天桥、侯马北救援基地改造、临汾中心配电室改造、临汾客整所股道扩建等重点项目全面展开；建设管理全面加强，组织开展了建设执法监察，对管内50万元以下的建设工程项目进行了平推检查；房建系统研究出台《临汾铁路分局物业管理办法》和《临汾铁路分局住宅维修基金管理办法（草案）》，临汾铁路大宿舍、北门外、路东住宅建成区级文明小区。

【科技教育】 全年完成科技投入97.1万元，争取路局科研立项4项，分局科研立项13项，路局科技示范推广11项，其中分局5项成果列入路局推广计划，在各单位报送的15项科技成果中，有2项成果获得路局技术创新奖，2项成果申报了山西省科技进步奖；科技成果转化步伐进一步加快，全年实现科技节支982.6万元，完成路局考核指标700万元的140.4%，完成分局奋斗目标800万元的123%；规章制度进一步规范，新《技规》和新《行规》分别于7月1日和11月20日开始实施，分局先后制定了《货物列车区间分离后的应急处理办法》、《临汾铁路分局列尾装置管理使用及维修办法》、《动车组开行办法》和《礼垣支线（专用线）行车组织办法》（暂行）；信息化建设取得进展，运输管理信息系统（TIMS）、客票预发售系统（PMIS）、车号自动识别系统（ATIS）初具规模，生产经营信息系统和办公信息系统初步建成；合理化建议效果明显，全年，共提合理化建议 12340 条，采纳 2340 条，实施 590 条，产生经济效益 1950 万元，有 8 项获路局合理化建议成果奖，1 项获铁道部鼓励奖，1 项被路局报部评审，计量、质量和标准化管理得到加强，开通了侯马北、侯马、赵城、孝西、灵石等 5 个车站的轨道衡，36 项 QC 成果参加路局、部和山西省成果发布和评审，2 项获铁道部奖，9 项获山西省 QC 成果奖，23 项获路局奖，运城工务段还获得路局质量管理优秀单位称号；科协作用得到发挥，1 人获山西省金牛奖；普教工作得到加强，撤并临铁二中，在临铁一中、临铁一小首先进行了改制，有 2 人获省级教学能手，41 名学生在全国单科竞赛中获奖；职工队伍素质进一步提高，采取校企办学等模式提高职工学历，有 405 人参加了大、中专函授学历教育，举办各类培训办 527 期，培训 33526 人次，开展技术比武 1934 人次，取得路局技术比武个人全能前三名 11 人，团体前三名 2 人，分局级团体前三名 34 人，个人前三名 162 人，形成“离岗轮训—培养提高—竞争上岗”的环流格局；科技人才培训进一步加强，全年共选拔“青年科技人才”，部级 4 人，局级 21 人，分局级 13 人，获“路局优秀工程师”称号 3 人。

【职工生活】 全年职工人均收入达到 13800 元，加上人均 450 元补充养老保险金，实际达 14250 元，比 1999 年增加 1450 元，工资增长 7.8%，实际增长 11.3%；住宅建设竣工 1287 户，完成煤气入户 1110 户，对临汾大宿舍、北门外 360 户住宅电源进行了扩容改造，安装了空调专线，新建了介休铁一小、临汾铁三小教学楼和介休职工浴池，完成了侯北文化活动中心配套建设，电视台增加了频道，分局老年康乐中心建成使用，为职工购米、面、油 2020 吨，分局补贴 156 万元，扶贫帮困 2395 户，安排再就业 360 人。

【分局机构变化情况】

（1）1 月 1 日成立临汾铁路土地管理分局，与分局地亩管理所实行一个机构两块牌子。

（2）1 月 1 日起成立多元经济管理分处，为分局限额外行政机构。

（3）5 月 1 日起成立礼垣支线运营部，隶属运城车务段，实行单独核算，经营目标单独考核，同时关闭烟台、横岭关、马家窑 3 个车站。

（4）7 月 1 日起成立临汾铁路分局物资采购中心，为分局直属报销单位，设定员 4 人。

（5）7 月 1 日起撤销临汾铁路第二中学，自 8 月 1 日起侯马北铁路职工子弟学校和侯马北铁路职工子弟中学合并为侯马北铁路职工子弟学校。

（6）8 月 1 日起成立临汾铁路分局铁路特有工种职业技能签定站。

（7）9 月 1 日起成立临汾铁路分局信息技术分处，为分局信息技术归口管理部门，与电子计算所实行一套机构两块牌子。

（8）10 月 1 日起成立临汾铁路分局车务设备管理维修中心，为分局直属报销单位。

交通管理

【概述】 行署交通局负责全区公路交通的规划、建设、养护和管理工作，对全区道路、水路、客货运输、汽车维修业、运输服务业、驾驶培训实施行业管理。按照实施“打基础、调结构、治环境”三件大事的要求，制定了“企业抓改制、县（市）抓养护、全局抓收费、管理上台阶”的工作思路，在公路建养，运输生产，运输管理、规费征收等方面取得了良好的成绩，圆满完成了省、地下达的各项工作任务。年底全区公路通车里程达 8714 千米，其中国道 584 千米，省道 951 千米，县道 2127 千米，乡道 4792 千米，专用道路 80 千米；按技术等级分，一级公路 141 千米，二级公路 1222 千米，三级公路 3186 千米，四级公路 3881 千米，等外路 284 千米，全区通油路乡镇 229 个，3374 个行政村有 2101 个通了油路。

【公路建设和养护】 全区计划通车里程 350 千米，实际完成 362 千米；安排高级、次高级路面里程 100 千米，完成 109 千米，全年完成投资 10594 万元。列入养护的县乡道路 2127 千米，其中油路 1642 千米，水泥路 6 千米。安排县乡公路改建工程 67 千米，投资 353 万元；新建和修建道班房 17 处，年末全区县乡好路率 81.22%，比计划提高 8.3%；年平均好路率达到 78%，比计划提高 7%；县乡公路养护综合值 76.1，比计划提高 11.1，县乡公路 GBM 工程完成 40 千米，其中临襄线 20 千米，永和西泊线 10 千米，洪洞洪广线 10 千米。

永和—大宁扶贫公路竣工通车。11 月 12 日，国家专项国债资金项目永和—大宁扶贫公路竣工剪彩。永大公路北起永和县桑壁镇，南至大宁县城，与 209 国道相接，全长 26 千米，为山岭重丘二级公路，路基宽度 8.5 米，计算行车速度 40 千米/小时，投资 3900 万元，由临汾地区交通局组织实施，共动土方 122 万立方米，石砌排水沟 2 万米，建设洞 43 道 387 米，铺筑沥青路面 26 千米。

乡宁桥安线竣工通车。乡宁县重点建设工程桥安线（桥上—安汾）全长 25 千米，工程投资 650 万元，建设标准为山区四级。该工程于 4 月 25 日开工建设，在县委、县政府的直接领导和上级主管部门支持下，经过乡宁县交通局干部职工的艰苦努力，于 8 月 31 日胜利竣工。

【公路运输与管理】 全区全年完成客运量 2560 万人，客运周转量 86101 万人千米；完成货运量 5570 万吨，货运周转量 192384 万吨千米。开展安全生产活动，对全区交通系统内的安全生产进行了检查，利用报纸、电视等媒体大力宣传安全生产相关的法律、法规，制定公路施工安全生产制度，落实了施工安全责任制，保证运输生产和公路施工的安全。全区 16 家县营运输企业认真落实行事安全措施，杜绝大事故、减少小事故，没有突破年度目标责任书规定的事故频率。运输管理处积极推进政务公开，公开办事程序，收费标准、监督电话、聘请行风监督员，接受社会和公众的监督，提高了办事效率，规范了办事人员的行为。在深入开展道路运输管理年活动中，强化行业管理，规范道路运输经营秩序，成立了运政稽查组织，由地区运输管理处统一培训，合格上岗，全年共纠正违章运输车 1 万多辆，受理运政案件 18 起，完成了对 1600 余部营运客车的年度审验，对 150 余名未办证乘（站）务员进行业务培训。健全“地区维修质量纠纷调解组”，“汽车维修工、汽车驾驶员职业技能鉴定所”，受理维修质量纠纷 16 起，涉及金额 15 万元，对全区 100 余名汽车维修质检员进行了审验，聘请专家、技术人员对质检员进行了技术培训，提高维修从业人员素质和维修质量。

【规费征收】 全区全年征费稽查人员和运输管理人员，坚持依法征费，文明征费，完成拖养费 2182 万元，运输管理费征收 1420 万元，完成客运站场建设费 640 万元，商品路桥通行费 8360 万元。

【开展霍侯路收费秩序大整顿】 7 月，针对全区 15 个公路收费站尤其是霍侯路收费站正常收费秩序受到严重影响的现实，召开了专门会议，出台了《临汾地区公路收费秩序整顿实施方案》，并就霍侯一级公路收费工作下发了公告。行署成立了以樊纪亨专员为组长的公路收费秩序领导组，各县（市）也成立了相应的组织机构，县（市）长对沿线收费秩序和收费环境总负责、负总责。公安处、交警支队成立联合治安排查领导组，对公路收费几次大的收费案件一查到底，人大法制处、纠风办专门督查各县（市）治理整顿情况。同时各收费站之间广泛开展了树行业新风、当岗位能手和“窗口亮化、环境美化、管理科学化、制度规范化、服务标准化”的“五化”达标竞赛活动。通过这次综合大整顿，收费干扰大，设施破坏严重的现象得到了根本扭转。

【机构改革撤并情况】 采取先剥离，后规范，逐步完善的办法，分步骤进行。本着“保留机构编制，适当分流人员，区别不同情况，实行分类指导”的原则，依据各自工作性质、业务特点和收入素质，分三类进行改革：一是运管处、测设队、路政管理办公室、交通物资管理中心、太原办事处、交通建设质量监督站等有固定收入来源和收费项目的单位，实行企业化管理，自收自支。二是机关后勤中心，职工教育中心，微机信息管理中心，机动车驾驶员培训管理中心，交通征费稽查处等有一定固定收入，但经费暂时难以完全自足的单位，分流人员，鼓励创收，差额补助。三是交通法规咨询中心，公路管理处，公路建设招商引资项目办公室，商品路桥收费管理处，港监船检所等暂时没有收入来源的单位，精简人员、暂时供养、逐步向差额单位过渡。除此之外撤销票证处、综合稽查处，其职能划归各收费公司；撤销资金结算中心，其职能划归局财务征费科；撤销企管处，其职能并入局计划统计科。

【精神文明建设】 地区交通局建立了精神文明建设领导组，深入开展“两学一创”活动，制定了年度创建精神文明行业规划和年度计划，加强广大党员干部的理论学习，强化周二、五的政治学习制度。对全系统 1703 名交通行下执法人员进行了业务培训，在“三五”普法活动中，组织了考试验收，统一发证，制定了行政执法检查制度，使执法工作依法行事，有章可循，职责明确。按照“机构改革逐步推进，人员分流一步一位，经营管理还权于企”的思路，理顺体制，明确职责，简政放权还权于企，精简机构，解决机关人员过多，人浮于事的问题。撤销了票证处、综合稽查执法处，将其职能划规并入财务征费科；撤消企管处其职能划归计划统计科。随着交通体制进一步理顺，科学化管理制度初步形成，职工精神风貌明显提高，极大地推动了全区交通建设顺利发展。

·临汾交通征费稽查分局·

【概述】 本年度征稽工作实现突破，共征收各项交通规费 17239 万元。其中，公路养路费和货运补偿费完成 13598 万元，占计划的 102.94%，比 1999 年同期多征 810 万元，增长 6.33%；新增车辆费完成 541.5 万元，占计划的 99.45%。1. 在宣传工作上狠下功夫。先后在《临汾日报》原文刊发了国办发[2000]2 号文件内容，在临汾地区电视台连续一周播出通告 20 余次。各所（站）也根据各自辖区特点，以广告、标语、传单、龙门架等形式，大张旗鼓的进行宣传，使广大车户和社会各界对费税改革和征稽工作有了正确的认识。2. 与法院联合清欠见成效。分局与中级人民法院协调，在全区联合下发《关于依法追缴漏欠交通规费的通告》，进一步加大了全分局依法清欠力度，各所站得到了各县（市）人民法院的大力支持。2000 年分局共清理历年欠费 62 万元，当年欠费 435 万元。3. 联合稽查显神威。分局同郊区支队联合下发了《在车辆管理环节加强交通规费征收工作的通知》，并于 11 月 19 日～12 月 10 日，两次调集所（站）精兵强将组成稽查队同公安处巡警支队联合行动，在临汾、翼城、乡宁、霍州等全区 12 个县（市）开展声势浩大的全区大会战，共查扣无牌、无证、逃漏欠费车辆 270 余部，补征养路费 17 万余元，极大地震慑了偷逃漏欠车户，为确保完成征收任务起到促进作用。4. 各所站因地制宜开展稽查。襄汾所按行政区域分片，所领导各带一队分片治理辖区的“三无”车辆；洪洞所与蒲县所联手作战，整顿交界处逃漏费车辆；古县所长期与县郊区中队协作配全，大力开展稽查活动。对账外土地、宿舍及固定资产等情况，及时地予以纠正，该入账的入账，该调增的调增，该调减的调减，进一步澄清了家底，杜绝了国有资产的流失。

【精神文明建设】 1. 三讲教育结硕果。通过“三讲”教育，提高了领导干部的思想认识和政治素质，密切了干群关系，实现了“两促进、两提高”，即用“三讲”精神抓征稽工作，用费收进度衡量“三讲”教育的最终成果，实现物质文明和精神文明双丰收。2. 抓创建，搞活动。在创建“五星级党支部”活动中，侯马所党支部、翼城所党支部分别被地直工委评为“五星级党支部”；在民主评议党员活动中，共评出优秀党员 40 名，先进支部 7 个，先进党小组 7 个，形成了以点带面、样板带动的良好局面。3. 抓党风廉政，加强干部队伍的管理。对分局 84 名副科级以上干部建立了廉政档案；严格住宅电话、移动电话管理，共清理住宅电话 13 部，对封存的 28 部移动电话进行了合理调配；严格“收支两条线”管理，分局成立了“收支两条线”清理整顿工作领导组，对各单位落实“收支两条线”规定进行监督、检查、落实。分局对 18 个独立核算单位的账外收入统一收归分局管理，统一核算，使分局“收支两条线”管理工作真正落到实处；严格查办案制度，对收到的 1 件举报信，7 个举报电话全部予以处理。办结率达 100%。4. 推行政务公开，开展行风评议工作。制定了《关于 2000 年推行政务公开、开展行风评议工作实施方案》，在社会上聘请 20 名监督员，做到征收政策公开、建章处罚标准公开、文明服务制度公开、廉洁制度公开，并广泛征求了社会各界的建议和意见，不断改进工作作风和服务质量，彻底改变了“四难”工作作风。5. 重视老干部工作。分局大力开展送温暖、献爱心活动，对老干部的“两费”做到了按时足额发放，并组织离休干部到山东、大连等地旅游，使离退休干部老有所乐、老有所养。

邮　政

【概述】 邮政系统坚持“以经营为中心，以效益为主线，以改革为动力，夯实一个基础，力争两个突破，抓住三个环节，实施 4 大战略”的整体工作思路，真抓实干，锐意进取，各项工作都走在全省前列：全年经营目标量收增幅全省第一；截至 11 月底，全区邮政业务收入完成 8718 万元，完成年计划 97.6%；业务总量完成 5800 万元，完成年计划 100.9%。邮件处理规格位居全省第二，时限质量位居全省第一、规范化服务进一步提高，先后有 9 个网点被评为星级窗口，其中三星级一个、二星级一个、经国家和省局测评，用户满意度达 85 分以上；通信建设进展顺利，在加快两网建设的同时，在全省率先开通 POS 终端和代收付系统的上线工作；配合省设计院完成了邮政寻呼基站的建设。2000 年邮政局被评为“临汾地区最佳企业”，平阳营业厅获“五一劳动奖状”，是全省邮政系统的最高殊荣；创作歌曲《前进吧！中国邮政》在全国邮政系统引起较大的反响，参加山西省第四届精神文明建设“五个一”工程评选活动荣列第二名，获“优秀作品奖”。全区所辖 17 个县（市）局全部获省邮政系统和地级文明单位称号。

【实施专业化经营管理】 走集约经营路子，本局打破传统大包大揽的做法，年初召开全区邮政专业化营业工作会议，实施专业化经营管理，出台了金融、集邮、报刊、速递、邮购、广告等 6 大专业的专业化经营实施意见。坚持“统一管理、条块结合、专业经营、分级考核”原则，分别明确各专业的机构设置、职责权限、管理职能、业务范围和考核办法，以全区本专业收入增幅和专业局业务收入完成情况作为考核的主要依据，为企业发展增添了活力。六大专业业务发展成绩显著，尤其是金融、报刊、集邮三大专业收入进度计划和业务收入增幅，一直名列全省前三名。

【投递改革试点工作】 本着充分利用投递网络资源开发业务、反馈信息、揽收业务的原则，针对目前体制僵化、机制不活、能力不足、投递人员素质偏低的现状，制定了投递改革方案。一是设立机构。专门成立投递服务改革领导组，组建投递服务总公司，明确职责，相对独立运行。二是改变机制。投递服务总公司实行专业核算，内部分配大力推行计件工资，体现按劳分配的原则，收投人员实行末位考核淘汰制，形成良好的竞争氛围。三是加大投入。因地制宜，通过建设信报箱群体、单体、代办亭、零售亭等多种通邮设施，消除不通邮地区。四是扩充道段。由原来的 22 个道段扩充为 41 个，增强投递能力。五是充分利用社会力量，积极发展委代办，提高服务档次，满足社会需求。通过以上 5 大措施，达到报刊邮件直投到户的目的。在局投递改革取得阶段性成果的基础上，加快了县（市）局投递改革步伐，出台了《投递改革考核办法和验收标准》，到年底各县（市）局投递改革全部完成，80%以上的县（市）局包裹开始直投到户。同时围绕投递改革目标、服务热点和难点问题开展质量月竞赛活动，邮件处理规格、邮件传递时限两项质量指标名列全省前列。

【开展邮政管理年活动】 针对管理中存在的薄弱环节制定了开展管理年活动方案并逐一落实。加强财务管理，确保减亏任务完成。根据年初工作目标对县（市）局实行收支差额管理；对专业局和区局有生产经营任务的单位实行二级核算，将支出与收入挂钩。加强计划管理，完成十五规划编制工作。严格围绕调整结构、加快两网建设、提高科技含量和经济效益的中心，加大计划工作管理，压缩非生产性建设项目投资。加强市场、客户管理，出台了《市场营销组织管理办法》和《大用户管理办法》，面向全区建立了一支高素质、精业务的市场营销队伍，强化对邮政大用户的营销、服务工作。规范基础管理，加强了对已投入的广告信箱、信报箱群、邮资机等基础设施管理。对邮政独立运营以来的各项规章制度加以整理、完善，有章可循。引入现代化的科学管理手段，对县（市）局局长，局副科级以上干部和综合管理人员进行 ISO9000 系列标准宣传贯彻培训，为企业贯标积极创造条件。加强网络运行管理。根据国家局、省局的邮件提速、包裹直投到户要求，及时调整了内部生产作业组织，编制了局内各类邮件发运计划，确保了生产正常运行。

【建立新型用工机制】 在人事制度改革方面本局出台了《科级后备干部管理办法》。后备干部被企业正式聘用的，企业负责人与本人签订聘用协议，发放聘书，聘期 2 年。无论从事管理还是生产的人员，只要符合条件，统过统一考核，竞争上岗，择优选用，真正打破干部和工人的身份界限，破除了终身制。对现有科级干部进行考核，并将考核结果同工资奖金紧密挂钩，考核不称职的降职使用或免职。在劳动用工制度方面出台了《临汾地区邮政局企业内部职工下岗安置管理办法（试行）》、《临汾地区邮政局企业内部劳务市场管理办法（试行）》，创造企业与职工实行双向选择的良性环境。在分配制度方面进一步扩大年薪制范围，在 6 个专业局领导干部中实行年薪制。在部分营业、投递、储蓄、发行等岗位推行以量计酬、计件工资等分配制度。

【网络建设开端良好】 网络建设是邮政业务发展的支柱。绿卡网工程在圆满完成绿卡一期工程基础上，将重点放在“一带多”网点的开点、POS 终端的开通、代收付系统的建设上。共开通绿卡网点 59 个，POS 终端 6 台，代收付系统也基本完成上线工作，城市中心改造也取得了一定的进展，12 月底进入全国绿卡大网。综合网有了良好的开端。2000 年与部中心、省中心进行了主干网的联调，并着手研究各子系统的接入方案，制定了电子化支局、邮购系统、185 客户服务中心的接入方案，侯马局综合网在厂家与技术维护人员的努力下也安装调试完毕，局域网设备正在调试，这些都为综合网的建设打下了一个良好的基础。另外邮政寻呼工程建设顺利完成，临汾、侯马两个中心局正常运行，其中侯马中心局担负着临汾、侯马、运城 28 个县（市）局的重件出口任务。

（程俊飞）

电　信

【概述】 全区电信干部职工紧紧围绕年初确定的方针目标，按照建立现代企业制度的要求，解放思想，规范管理，创新工作，全面提高企业的市场占有份额，圆满完成了全年工作任务。全区电信业务收入累计完成 29310 万元，较 1999 年增长 40.78%；电信业务总量累计完成 29552 万元，比 1999 年增长 39.63%；全区固定电话放号创记录地完成了 7.4 万户，用户总数达到 27 万户；数据基本业务开通了 655 户，完成年计划的 140%；增值业务全区完成 11055 户，净增 10146 户，完成年计划的 206.95%；上网时长完成 3282 万分钟，完成年计划的 185.42%；卡式用户发展 997 户，ISDN 完成 270 户；电话声讯业务全区收入 176 万元，拨打时长 409 万分钟；相继开通 9 家热线，收到了良好的社会和经济效益。地区局董苏敏局长在山西省“五一”表彰大会上荣立一等功。

【新技术项目通过终验投入使用】 临汾地区电信局多功能厅交接箱集中监控系统项目系省局 1999 年新技术开发应用项目。省局组织综合规划处、财务部、晋中、大同、临汾电信局、西安天野电子有限公司，福州网元公司等单位参加对以上项目进行了终验。会议听取了项目的总结报告、技术报告、试运行情况报告、经济效益分析报告，并经过现场检查，认为项目达到立项，具有推广价值，验收合格，可以投入使用。电信新业务多功能厅分成 4 个区域：电信企业形象宣传区、数据通讯演示、ISDN 业务应用演示、视频点播系统。主要用于展示语音、数据、视像等多媒体通信、计算机高速数据共享等，各类业务演示终端自成体系，立体布置，并采和综合布线系统，从各个角度演示各种电信业务的作用和功能。电信新业务多功能厅项目的投入使用，为全区上网进程起到了重要的推动作用，为电信新业务起到了重要宣传作用。交接箱集中监控系统项目主要功能为：实时告警、事件告警、远程驱动开锁、密码开锁、历时记录、统计、查询、自动呼叫维护人员等功能。该项目很好地完成了应用计算机网络和新型电子锁技术实现市话交接箱实时监控和维护管理工作，系统性能稳定，组网方便灵活，具有一定的经济效益和社会效益。新技术的投入使用，对临汾电信的综合业务宣传水平、线路维护、服务水平都将有一个全面的提高。

【建立绿色通道为大用户服务】 地区电信局大用户服务处邀请临汾地区 50 家通信业务使用量大的企事业单位、重点通信保障部门的分管领导及侯马、洪洞、霍州等地的大用户共 150 余人，召开了“临汾地区电信局大用户座谈会暨数据业务演示会”。会上，通报了 1999 年大用户服务工作情况及 2000 年工作打算和数据业务发展前景。宣读了大用户服务优惠办法和大用户服务绿色通道办法。还向用户代表发放了“大用户意见建议问答卷”和“大用户证”。数据通信处向全体会议代表做了因特网及一线通等数据业务的演示。通过这次座谈会和新业务演示，广大客户不但增加了对诸如“上网”、“一线通”等电信新业务的了解，而且加深了和电信部门的感情和理解，对促进电信部门的服务水平都将产生巨大的推动作用。

【临汾地区电信分公司挂牌成立】 8 月 8 日早，山西省电信公司临汾分公司正式挂牌成立。临汾地区分公司董苏敏经理在仪式上讲话，会上宣读了省公司总经理杨杰发的贺信和临汾地委书记杜玉林、临汾行署专员樊纪亨联名发的贺信。8 月 8 日《临汾日报》头版头条发表贺信。8 月 8 日一天，临汾全区共受理固定电话 16000 余户，仅临汾市就受理 6000 余部，收入 200 余万元，创历史最高记录。

【电信和移动公司合作求“双赢”】 8 月 18 日上午，山西省电信公司临汾地区分公司与山西省移动公司临汾分公司领导召开座谈会。签订临汾电信与移动“网间互联及结算协议”。这标志着临汾地区电信公司与临汾移动公司精诚合作的开始。签订协议会上，电信公司经理董苏敏、移动公司经理张国飞都对双方前期的合作表示满意，并代表各自双方在协议上签字。经双方平等协商，此次达成的协议有“网间互联及结算协议”、“长途电路（省内）租用协议”和“本地电路（含专线）租用协议”等，协议中就租用标的物及范围、数量、费用等都作了明确规定，并对双方的责任和义务、租用物的质量保障、产生争议的解决办法作了详细说明和严格要求。从而促使双方在临汾地区有合作、有竞争，求得共同发展。

（张志军）

建设环保

城乡建设

【概述】 全区建设系统认真贯彻地委、行署“三件大事”，实施一河两路、城乡一体化战役，以抓好城乡规划和工程质量为重点，抓好住宅、城市基础设施和小城镇建设，深化住房制度改革，建立符合市场经济要求的建设市场，全面完成各项建设任务。侯马、翼城、曲沃、洪洞、汾西的城市总体规划修编工作已经完成；霍州、襄汾、乡宁、浮山、安泽、古县等县（市）的规划已完成，进入评审阶段；蒲县、吉县、隰县、大宁、永和等县的规划正抓紧编制，其中蒲县、吉县规划方案已完成，大宁、永和、隰县等在政府的支持下解决了规划资金问题，加快了编制进程。

全区各县（市）千方百计争取资金，采取措施，狠抓基础设施建设落实。临汾污水处理厂建设一期工程、霍州市集中供热一期工程、城市供水工程、襄汾县城供气工程、侯马南阳供水工程、隰县供水工程、乡宁供水工程等项目均按要求达到形象进度。侯马市污水回供工程、汾西店头腰桥改造工程已全面启动。此外还有一批项目已报国家和省计委申请立项投资。

城市基础设施建设组织实施以“硬化、绿化、美化、亮化”为主要内容的塑形工程项目。临汾市投资上亿元完成了解放路、平阳北街、青狮南街、平阳东广场的拓建工程，建设北路拓宽改造工程正加紧建设。安泽县 309 国道、326 省道县城过境段改造 2.2 千米路面形成。初战告捷。洪洞县牛站街、估衣街小区改造正式启动。曲沃西大街、襄汾南大街拓宽改造工程东段建设、侯马市文明路硬化工程均基本完成。浮山、吉县、乡宁、大宁、蒲县、隰县、永和、汾西等县在抓好基础设施建设的同时，搞“绿化、亮化”一条街，栽花种草，取得明显成效。

积极探索城市管理新体制，依法管理力度不断加强，科学管理城市水平有所提高，城市市容有较大改观。临汾市、侯马市、霍州市、洪洞县结合实际开展了城市环境卫生“脏、乱、差”专项治理活动，查处违章建设，清理占道经营，治理城市污染，城市面貌有较大改观。乡宁、吉县、大宁等县加强集贸市场建设，做到了游商入市规范经营。侯马、吉县、隰县、曲沃、安泽等县（市）结合实际制定了一系列较为完善的管理制度和办法，为城市建设提供了强有力的保障。

【“一河两路”城乡一体化发展战略】 “一河两路”城乡一体化发展战略是地委、行署提出的“三件大事”主要内容之一，建设主管部门精心部署，突出重点，整体推进，分步实施，取得阶段性成果。6 条新街建设初具规模。侯马市东风路沿街建设仿欧商住楼主体基本完成，霍州市永安大街、襄汾龙山路、曲沃晋都大道基本建成，洪洞槐乡街详细规划完成，翼城绛源路北段街景形成；9 个住宅小区建设取得较大进展。临汾三元新村三期、尧乡花园小区、华盛小区，侯马文锦苑小区，霍州滨河小区，翼城翼鹏小区建设完成施工面积和投资均达全部工程量的 70% 以上；曲沃晋鑫小区、洪洞涧南小区、牛站街小区进展较快，已进行室内装修；16 个小城镇有 14 个被列入省小城镇建设试点。这些小城镇依据各自的区位、产业、规模上的不同优势，开始按高标准、高水平、高质量的要求规划建设，并取得不同程度地进展，多数已完成总体规划，有的已按程序批复实施，部分已完成地图测量，为编制总体规划打下了基础。此外，各县根据“百家村镇”建设试点意见和要求，选择了公路沿线条件较好的行政村为试点。这标志着本区地乡城市化、城乡一体化建设已步入健康发展轨道。

【建筑市场秩序明显好转】 全区各县（市）均建立了有形建筑市场，公共及房屋建筑工程做到入市交易，工程报建率、招投标率分别达到 100%。国家规定必须实施建设监理的项目全部实行了委托监理。为了推进有形市场建设，加快市场培育，一方面抓硬件建设，增大了规模，增添了设备，在评标室、交易厅配置了电子屏幕、微机操作管理系统，实现了办公信息自动化。一方面，规范行政行为，在理顺管理程序的基础上，设立了建筑市场服务厅，将过去 10 个部门办理的工程报建、设计审查、投标企业资审、工程监理、质监、合同审查、施工许可等管理手续和相关费用的收缴统一纳入建筑市场服务厅，实行“一条龙”服务、“一站式”管理，简化了办事程序，提高了办事效率，增强了工作透明度，深得建设单位和施工企业好评。加强了建筑企业资质管理，实现对建筑业企业队伍的有效调控。全年共吊销不合格企业 12 家，99 家企业资质通过年检，比 1999 年减少 16%，企业数量和专业结构日趋合理。与此同时，继续引深建设工程项目执法监察。按照省建设工程执法监察关于“巩固、深化、发展”的工作方针，地区执法办组织人员分地直和县（市）两个组，对有形市场、工程招投标、市场治乱、勘察设计、工程质量等领域进行了检查，共检查项目126项，收缴罚没款52.6万元，催交各项规费50余万元，收到群众举报案件线索16件，立案5件，查结4件，处理违法违纪3人，移送司法机关处理2人。狠抓了施工图纸设计文件审查、施工合同审查、强制性标准、材料检验制度和质量责任制的实施等关键环节，加强了现场管理，细化了监督程序，确保了地基基础和主体结构安全。地区质监站直接监督的地直以上单位工程36项，合格率100%，地级优良17项，优良率达38.3%，工程质量总体比1999年有了较大提高。

【住房制度改革】 根据"全区建设、建材工作会议"确定的房改工作任务目标，不断加大工作力度，继续深化城镇住房制度改革。

1. 建立住房公积金制度。全区建立住房公积金制度的单位达1450个，比1999年增加79个；参加职工人数为15万人，增加了3万人，覆盖率达到50.90%，当年归集住房公积金4063.10万元，累计归集额达到14510.83万元，余额13019.59万元。2. 公有住房出售。全区出售公有住房39万平方米，累计出售167.9万平方米，占可出售公房总量的98.23%，收回售房款1498万元，累计收回售房款17606万元，除用于住房建设和补助住房公积金外，尚有余额35037万元。3. 住房建设。全年集资建房开工面积达25万平方米，完成建设投资9750万元，临汾市"华盛小区"安居工程全部出售完毕。地直"三元新村"安居工程出售273套，出售率达65%。4. 租金改革。公有住房的租金标准普遍调整到双职工家庭工资收入的5%以上，部分县（市）调整到7%，新租金标准落实到位率达70%以上。5. 个人住房贷款。全区的地直、临汾、侯马、安泽、蒲县、古县等县（市）为职工开办政策性住房贷款，累计向1500余名职工发放个人住房贷款额3000余万元。6. 住房二级市场。住房二级市场正式启动，有10余户居民上市交易。全区加大二级市场的宣传力度，鼓励更多的居民上市交易。

【三元新村一期建设全面完工】 三元新村工程占地173亩，总投资3500万元，小区以"蓝天、红瓦、白墙、绿地"的建筑格调，为住户创造一个居住休闲的生活环境。小区设有小学、幼儿园，使广大住户子弟的学前教育、初级教育就近解决。本工程由临汾地区建筑工程总公司承建，工程竣工后，经检验全部达标，其中一项获省优质工程，其余全部为地优质工程。小区建成后，由于各种规范化的管理，优质的服务，被山西省精神文明建设委员会授予"省级文明小区"称号，被行署授予"文明小区"、"社会综合治理先进单位"称号。三元小区以其优美的环境，优质的服务为社会认可，成为临汾地区一道亮丽的风景线。

【城市建设的主要问题】 建设工作是扎实的，取得了很大成绩，各市（县）建设行政主管部门及企事业单位，为推进建设事业改革与发展做出了不懈的努力和积极探索，积累了许多好的经验和做法，为下一步的工作奠定了良好的基础。但工作中还存在许多不容忽视的问题，这些问题主要是：城市规划仍相对滞后；城市建设的投资渠道比较单一；建设用地供需矛盾仍十分突出；没有配套的优惠政策；城市形象的特色塑造不够明显；城市的管理工作还比较薄弱；建筑业和勘察设计行业改革步子不大。对这些问题，要有清醒的认识，无论是多年来矛盾的积淀，还是发展中的出现的新问题，都要用改革的办法，用市场经济的理念，通过改革创新和加快发展不断加以解决。

环境保护

【概述】全区环保系统以落实全区"三件大事"为目标，紧紧围绕"一控双达标"目标，变压力为动力，开拓进取，奋力拼搏，环境治理工作实现明显突破，使全区环境质量明显变化。

在关停达标上，坚持了"重点抓，抓重点，一抓到底；反复抓，抓反复，常抓不懈；领导抓，抓领导，一级抓一级"的工作思路，相继实施了"6·5"关停、巩固关停成果、百日攻坚、年终零点行动等4次重大行动；在"6·5"关停期间，行署关停领导组直接指挥，环保部门与电力、公安等单位联合作战，短短半个月里全区关停行动势如破竹，全线告捷，722个企业全部按标准关停。在巩固关停成果上，地、县两级环保部门联合行动，督察组分片督查，对洪洞、霍州、襄汾的反弹企业进行了重点查处，共查处企业230多家，全部采取了强制关停措施。在百日大会战期间，按照省政府建设清洁通道的要求和攻坚会议精神，11月25日～12月5日，各县（市）对霍侯、大运沿线的改良焦炉采取了突击行动。10天之内，通过借助189驻军工兵团、1894部队、地区公安处、太原爆破队的力量，先后炸毁烟囱546根，淘汰焦厂300家，对抗拒关停的7名企业主采取拘留措施，迅速打开工作局面。在零点关停行动上，对个别地营企业和县营企业采取了统一关停措施，全区未达标的23家企业被强行关停。全区共关停企业745家，圆满完成了关停达标任务。

在治理达标上，坚持了"关停是手段，治理是关健，达标是目的"的指导思想，重点对焦炉、铁炉和重点企业的治理。在焦炉治理上，北有霍州，南有襄汾率先取得突破。在产业政策允许的期限内，霍州市内筹资金，外寻技术，先后筹资200万元，采用大连、洛阳等地技术，对焦化企业进行改造治理，取得了明显效果；襄汾县大力推广四通焦厂的经验，使全县的焦炉得到了有效治理，带动了全区的焦炉治理步伐；铁炉治理重点推广了临汾市治理经验。全区的581座炼铁厂，除取缔的153家外，其余428家企业完成了治理任务；重点企业治理，呈现出了投入明显加大、速度明显加快的特点。

全区共完成环境治理投资4亿多元，成为历史上环保投入最高的一年，其中：争取国家资金 4000 万元，争取省专项资金 6000 万元，企业自筹资金达 30000 万元，财政投入达 1000 万元。9 月 22 日，行署在临钢召开了重点工业企业达标现场会，与 10 家重点企业签订了环保达标目标责任书。随后，全区的重点项目治理步伐明显加快，先后完成了山西三维集团公司生化废水改建等一批重点治理工程；新临钢公司投资近 4000 万元，对公司的 46 个污染源进行了综合整理，使全区第一大污染源初步实现了达标；作为全国 5 大染料基地之一的临染集团，克服市场疲软、资金紧张等困难，投资 500 万元用于废水治理，已取得成效。各县（市）的重点治理项目也相继完成，侯马市完成了建邦集团等 35 个重点治理项目；襄汾县 169 家企业全部实现了治理达标。12 月 15 日，行署对 56 家未达标企业下达了黄牌警告，到 12 月 31 日，全区 2136 家工业企业，除关停达标的 745 家企业外，其余 1369 家企业全部实现了达标排放，完成了所有工业企业在 2000 年底达标排放的艰巨任务。

【城市环境综合整治启动】 从 8 月 1 日行署下发《城市环境综合整治实施方案》以来，在 3 个方面取得了明显突破：1. 环境设施建设全面启动。临汾市通过跑项目、筹资金等艰苦努力，投资上亿元的污水处理厂天正在建设之中，为各县（市）的污水处理起到了典型示范作用。侯马、霍州两地的集中供热配套工程正在加紧进行，霍州市新增供热面积 17 万平方米的目标已经完成。2.“拔烟囱”工作进展顺利。在综合整治工作中，临汾、侯马、霍州、襄汾等县（市）都成立了“城市综合整治指挥部”，以“拔烟囱”为突破口，各项工作全面展开。临汾市先后拔掉 260 根烟囱，启动了 16 个供暖小区的建设。随后，各县（市）的拔烟囱行动相继展开，霍州市拔掉采暖锅炉烟囱 20 根，查封锅炉 12 台，拆除设施 2 台，有力促进了市区内的锅炉治理。3. 锅炉、茶炉得到有效治理。临汾市在锅炉、茶浴炉治理中，安装除尘器和使用清洁燃料双管齐下，共有 261 台锅炉安装了脱硫除尘器，243 台茶浴炉改用了煤气、太阳能等清洁燃料，治理率达 78%。侯马开展了查锅炉行动，共淘汰锅炉 8 台，安装除尘器 15 台，查封 28 台，400 多家锅炉用上了清洁燃料；襄汾县在城区采取了没收烟煤和工商执照行动，全面禁烧烟煤。经过对锅炉的有效治理和燃料结构的调整，全区的综合整治工作取得了阶段性成果，各县（市）城区内冬季大气环境质量比往年有了明显好转，其中侯马最为明显，总悬浮微粒、二氧化碳、氮氧化物分别比 1999 年同期下降 39.6%、24.3%、7.1%。

【加强项目管理建设】 在项目管理中，狠抓了 4 项工作：一是对建设项目进行了全面清理。根据省环保局要求，对“八五”以来的 1800 个项目进行了清理，摸清了底数，分清了类型，并对部分项目下达了限期验收通知，对违反“三同时”的项目，依法进行了查处。二是扶持了一批“两高一低”项目（即高科技含量、高效益、低污染）。侯马大李焦厂 50 万吨机焦等一批项目陆续开工，有的已建成投产。三是强化了环保第一审批制度。襄汾县的“一联手，三不放过”制度、侯马市的“环保部门第一审批、全程监控”办法，都有效地保证了“三同时”制度的执行。年底，全区的建设项目“三同时”审批率和执行率都达到了 90%以上。四是编制了“十五”环境保护规划。规划在总结“9·5”环保工作的基础上，对“十五”期间的老污染源控制提出了详细规划，该计划于 12 月 27 日通过省局的专家论证。

【环境监测】 全区环境监测工作长足发展。一是监测机构得到全面加强。平川 7 县（市）环境监测和临钢、山焦等 5 家企业环境监测站，共 12 家四级监测站通过了省级认证，使本区成为全省四级站通过省级认证最多的地方。二是山区的监测能力接近形成。蒲县、乡宁、浮山已着手购置设备，可望在 2001 年形成监测能力。三是指令性监测和大气质量周报监测任务圆满完成。全年共完成数据 24249 个，其中：大气 11930 个，水质 6933 个，尾气监测数据 5386 个，完成监测报告 1578 个。四是完成了达标和项目竣工验收监测，达标监测数据 1 万多个，比 1999 年翻一番，同时完成了 19 个企业的竣工验收监测，创下了建站以来的最好水平。

【环境恶化趋势得到有效遏制】 全区的环境质量得到了明显的改善。平川县（市）大气环境质量中主要指标均在三级标准，侯马、曲沃、襄汾等县（市）接近了二级标准，尤其是大气悬浮微粒比 1999 年全面降低，降低幅度在 1.4%～41.9%之间，环境质量持续恶化的趋势得到了初步扭转。国家和省有关部门对本区的“一控双达标”工作给予了高度评价。6 月 14 日，省政府“6·5”关停督查组对全区进行全面检查之后，认为认识高、力度大、效果好，为达标工作打了坚实基础；7 月，“三晋环保行”采访团对全区环保工作进行了为期 4 天的采访后认为，领导重视，措施得力，成效显著，走在了全省最前列；国家环保总局局长解振华对全区进行视察后，认为全区的环保工作思路清晰，措施得力，“一控双达标”的工作经验值得总结推广；11 月 21 日，省政府在临汾地区召开了“一控双达标”攻坚会议。

（刘城宏）

财政金融

财 政

【概述】 全区各级财政部门紧紧围绕地委、行署“三件大事”，把优化结构和提高效益作为促进国民经济增长的着力点，认真落实积极的财政政策，深化财政改革，强化财政管理，努力构建公共财政的基本框架，大力组织财政收入，从严控制各项支出，为支持改革，促进发展，保持稳定做出了积极的贡献。同时，坚持“两手抓、两手都要硬”的方针，深入开展“三讲”教育，转变工作作风，加强了财政干部队伍建设，使全区财政工作保持了良好的发展势头，圆满完成了2000年度财政工作各项任务。

全年财政总收入完成149265万元，为年预算的105.49%，比1999年增长13.46%，增收17705万元，在全省收入增长排队第1名，收入进度排队第2名。在财政总收入中，一般预算完成88205万元，为年预算的104.86 %，比1999年增长12.07%,增收9498万元；上划中央收入完成61060万元，为年预算的106.41%，比1999年增长15.53%，增收8207万元。分级次看：地区本级财政收入完成3909万元，为年预算的97.68%,增长8.95%，增收350万元；县（市）级财政收入完成145356万元，为年预算的105.64%，增长11.93%，增收17355万元。分系统看：国税系统组织的收入完成80642万元，为年预算的106.45%，增长15.61%，增收10886万元；地税系统组织的收入完成49397万元，为年预算的103.69%，增长9.86%，增收4434万元；财政系统组织的收入完成19226万元，为年预算的106.18%，增长14.16%，增收2385万元。分县市看：全区18个县（市、区）有17个超额完成年度总收入计划，其中浮山县财政总收入完成3464万元,为年预算的130.4%；临汾开发区完成752万元,为年预算的124.75%；乡宁县完成7844万元,为年预算的108.96%；襄汾县完成11518万元,为年预算的108.85%；临汾市完成41623万元,为年预算的107.07%；大宁县完成801万元,为年预算的105.95%；吉县完成1031万元,为年预算的105.53%；洪洞县完成20172万元,为年预算的105.51%；安泽县完成2489万元,为年预算的105.47%；蒲县完成5601万元,为年预算的103.84%；隰县完成1292万元,为年预算的103.61%；古县完成3388万元,为年预算的102.14%；侯马市完成13660万元，为年预算的101.86%；翼城县完成10588万元，为年预算的101.58%；汾西县完成1926万元,为年预算的101.05%；永和县完成401万元,为年预算的100.25%；曲沃县完成7169万元,为年预算的100.14%；霍州市完成11637万元,为年预算的88.95%。

全区一般预算支出执行171626万元，为年预算的94.05%，比1999增长14.68%，增支21965万元。其中：生产性支出19536万元，为年预算的91.74%，增长2.33%，增支444万元；事业行政性支出执行140953万元，为年预算的96.66%，增长20.35%。收支相抵，全区实现了当年收支平衡，略有节余。此外，全区基金收入完成4537万元，为年预算的153.79%，增长186.79%；全区基金支出执行2558万元，为年预算的39.91%，增长54.47%。

【加大财政扶植调产项目力度】 一是积极筹集资金，帮助企业调整产品结构，全年共从省财政厅争取各种资金1779万元，其中工业992万元，农业500万元，商业287万元，全部用于企业发展和进行结构调整。同时，全区各级财政部门为支持经济和事业发展，共筹措潜力产品开发及重点项目建设资金近8000万元，其中地直从预算外调控和集中回煤炭能源基金3800万元，重点用于行署确定的企业潜力产品开发项目，为支持本区经济建设做出了贡献。二是建章立制，扶持潜力产品资金规范运行。结合本区实际情况，及时研究制定了《临汾地区扶持潜力产品专项资金管理办法》，与地区信托投资公司共同协商制定了《关于委托地区信托投资公司管理扶持潜力产品资金协议》，使扶持潜力产品这项政府基金在建立、筹集、投入、使用和回收各环节做到了规范化、制度化。三是认真落实国家积极的财政政策，加强国债资金监督管理，努力提高经济效益。根据规定，建立了项目资金管理责任制，组织力量对国债资金项目执行情况进行了检查，实行了重点跟踪管理制，改进了国债转贷协议签订方法，保证了国债资金专款专用，全年国债到户资金3259万元，并及时将资金拨付到县（市）和项目实施单位。四是积极争取世行贷款项目。全年共与省厅和各县（市）签订了水保二期、林业三期、卫九项目及小规模肉牛发展4个世行贷款新项目的转贷协议，总投资24373万元，其中世行贷款13536万元，国家配套10837万元。配合相关部门，积极向省财政申报争取科技含量高、经济效益好、能消化利用本地资源的项目8个，投资总额52475万元。

【保障重点支出】 各级财政部门严格按照李岚清副总理提出的“调整结构、确保重点、压缩一般、加强管理”的16字方针和省财政工作会议精神，调整规范财政支出结构，较好地完成了保稳定、保发展的任务。截至12月底，全区各级财政部门共拨付社会保障补助支出6187万元，同比增长56.36%，其中下岗职工基本生活保障资金1731万元，同比增长66.92%；抚恤和社会福利救济费支出5503万元，同比增长18.98%。同时，为加强对资金的规范化管理，根据省政府“关于在全省开展城市居民最低生活保障对象及所需资金调查工作的通知”，积极配合民政部门，组织了为期20天的联合调查，及时发现和解决了专项资金使用中存在的一些问题，进一步规范了社会保障资金的管理，在做好资金拨付工作的同时，各级财政部门采取严格审批制度，组织专项检查等措施，强化了资金使用的跟踪问效和监督检查，严格了资金管理，确保了各项资金合理、高效使用。

【强化会计监督职能】 在全区开展了《会计法》和《山西省会计管理条例》的宣传、贯彻工作，采取电台、报纸及设立《会计法》宣传咨询点、发放宣传资料、组织会计人员收听、收看《会计法》讲座等多种形式，举行大规模的宣传活动。同时，圆满举行第三届全国会计知识大赛临汾地区选拔赛活动，并对地级单位负责人进行《会计法》培训，积极稳妥地推进会计委派和会计账簿监管，强化了会计监督职能，规范会计工作秩序，全区17个县(市)全部成立会计管理机构，15个县(市)实行了会计委派和会计账簿监管的办法，全区委派1076个单位1353名财会人员。会计账簿监管力度不断加强，全区已实行监管的单位有6361户，监管面也扩大到了农村集体经济组织，已达到85%以上，促进了财经秩序的好转。

【认真落实“收支两条线”规定】 一是进一步完善了“票款分离、征收分离”的新体制，把完善“收支两条线管理”规定作为从源头上治理腐败的有效措施，进一步加大工作力度，加强“收支两条线”管理，特别是结合《违反“收支两条线”规定处罚暂行办法》颁布实施，加大宣传力度，强化各执收部门依法行政、依法管理预算外资金的意识，并认真组织检查，严肃处理各种违规行为。二是取消单位收入过渡户，预算外收入直接进入财政专户，先后分3批取消了175个单位的收入过渡户。三是加强银行账户管理，按照一个单位只能有一个预算内、一个预算外资金账户的要求，清理了银行账户，使预算外资金走上规范化管理轨道。截至年底，全区财政预算外资金收入40133万元，上交财政专户43634万元，同比增加3585万元，增长8.95%；全区收费项目381个，实行票款分离项目373个，实行票款项目数达到98%。

【积极推进财政改革】 以构建公共财政为目标，以整体推进、重点突破为原则，扎扎实实地推进了各项财政改革。一是积极做好实施政府采购的准备工作，拟定《临汾地区政府采购内部管理工作程序》、《临汾地区财政局政府采购目录》、《临汾地区政府采购管理实施细则》，并报请行署领导批示、地区编办批复，成立“临汾地区政府采购中心”，为推行政府采购工作做好了准备。二是在国库集中收付制度改革上，认真抓了财政统一发放工资工作，制订《临汾地区地直行政事业单位财政统一发放工资实施办法》，确定中行、建行为代理银行，并分别签订了代发工资合同。与编办、人事局、组织部联合审查地直200余个行政、全额事业单位在编人员工资档案。通过统一发放工资，不仅保证了公教人员工资按时发放，而且加强了人员编制管理，提高了工作效率。三是按照国务院关于粮食流通体制改革的决定，进一步完善粮食流通体制改革的政策措施，切实加强粮食风险基金管理和执法检查，及时拨付各种补贴。粮食企业各项补贴预算指标为11284万元，到年底地区下发11277万元，占预算指标的99.94%。四是加强住房资金的管理，确保住房制度改革的顺利实施。对地区住房公积金管理中心1999年度公积金财务收支决算和管理费用收支决算进行了审计，对审计出的问题进行了严肃处理，并将管理费用和国有住房出售收入纳入了财政专户，实行收支两条线管理。

【调产和财政体制改革调查】 结合地委、行署确定的经济结构调整重点，在目的地、有重点地选择课题进行调查研究，重点搞了4个调查：一是对新的经济增长点影响财政收入情况进行追踪调查。7月组织实施了全区新经济增长点以及潜力产品调研的安排、布置、搜集、整理、分析等工作；9月又对调研对象进行了部分实地考察与验收；10月再次对企业设立进展情况进行跟踪服务与运行情况落实。根据调查情况，通过分析研究，先后向地委、行署写出专题报告与情况分析，得到行署领导高度重视，并且转给有关经济主管部门和国税、地税部门研究落实。二是完成了乡镇财政体制调查和平川财政体制下放工作。平川县(市)于7月1日全部下放，12月31日山区县财政体制也如期下放。三是进行了临汾、侯马两个经济开发区的财政体制调查摸底测算工作。四是由财政牵头，联合国税、地税组成调查组，深入到全区17个县(市)，对“6·5”环保行动影响全区财政收入情况进行全面调查，对环境治理影响财政收入情况作出了准确估价。在开展调研过程中，地区财政还建立了4种关系：建立了部门联系制度；在各县(市、区)建立起调研组；同部门企业项目的利税大户建立电话联系制度；建立企业项目的资料档案。

【全面履行财政内部监督职能】 1. 财政周转资金监督检查。为提高财政周转金的回收率，地财政加大资金清收的力度，在2月下旬召开的全区财政工作会议上，与各县（市）财政局签订了回收财政周转金目标责任制，把全年任务分解到各县(市)，每月进行考核，由专人督查落实此项工作。截至2000年底，共清理收回财政周转金237.93万元，回收率达到了100%。2. 依法清还财政间歇资金。配合地区中级法院开展对进入诉讼执行程序的财政间歇资金进行了全面清收，及时追回了到期归还的资金，共清还财政间歇资金 190.37 万元，维护了国家权益不受损害。3．认真开展财政预决算专项审查。根据省厅安排，结合本区实际，从 2000 年 7 月 3 日～9 月 28 日分别对临汾市、侯马市、安泽县、永和县 1999 年度财政预决算进行了专项审查，审查出违纪资金 1291.7 万元，对违纪问题依据财政处罚条例进行了处罚。4．积极推行执法责任制。为了使全局的执法行为做到有法可依、有章可循，以法理财，明确责任，地区财政成立了执法责任制领导组，制定了财政检查程序和行政执法实施方案，编写了《临汾地区财政局行政执法工作手册》，进一步规范了依法行政秩序和责任追究制度。

附：

翼城县财政局

2000 年，翼城县财政局充分发挥财政职能，全面落实各项财政政策，大力加强收支管理，严格财政行政执法，圆满完成了全年财政收支任务，开创了财政工作的新局面。一是财政收入再创新高。在组织收入工作中，坚持抓主体不放松，抓薄弱不放弃，抓统征不放手，最大限度地规范了税费征缴行为，确保了全年收入任务的圆满完成。全县财政总收入完成 10588 万元，为预算的 110.53%，超收 1008 万元，比 1999 年决算数增长 18.22%，增收 1631 万元。超收缴和增收数均高于历史最好水平。二是支出改革成效明显。在支出管理上，重点狠抓了“保、压、减、清”工作。为确保公教人员基本工资发放，在压缩非生产性支出上作文章，在核减经营性事业单位经费上搞改革，在清理财政供给范围上下力气，从而把支出控制在了预算盘子之内，使有效的资金发挥了最大的经济效益。三是财源结构更趋合理。突出机制创新，采取财政贴息方式，拨付农业调产资金 500 万元，吸引和聚合农民资金 3000 万元，新建日光温室 3000 个，放大了财政资金的乘数效应；强化政策引导，充分发挥财政部门优势，积极争取省、地财政资金，世行贷款和银行信贷资金 5000 余万元，支持了 5 个科技含量高，市场前景好的企业技术改造项目，进而形成了农业财源铺底，工业财源撑天，后续财源壮骨的财源建设新格局，为财政增收提供了新的财源。四是依法行政渐趋规范。认真实施财政执法责任制，坚持依法理财，依法治税，不断完善财政执法程序，力求做到财政执法主体合法、内容合法、程序合法。认真开展行风评议，全面推行政务公开，进一步加强财政监督，使监督工作经常化、规范化、、树立了财政系统良好的行业风气。

税　务

·临汾国税局·

【概述】 临汾国税局是 1994 年税制改革，由原行署税务局分设改建的一个单位。主要负责增值税、消费税以及金融、保险、邮电、石油、烟草等中央企业所得税为税款征收工作。属山西省国税局和临汾地区行署双重领导，以垂直管理为主。其内设机构为 2 室 7 科和 4 个事业单位，下辖临汾地区 17 个县（市）国税局及临汾、侯马开发区两个国税分局。2000 年全区国税系统紧紧围绕“加强征管、堵塞漏洞、惩治腐败、清缴欠税”的税收工作方针，全面贯彻落实省局和临汾地委、行署的工作部署，始终坚持“一个中心，两个根本”（即：组织收入中心，依法治税和队伍建设）的治税思想，大力组织收入，不断推进依法治税，着力提高队伍建设水平，圆满完成了国税工作任务。全区国税部门累计组织入库税收 89924 万元，占年计划的 110.72%，超收 8704 万元，比 1999 年增长 15.9%，增收 12360 万元。其中全年共完成“两税”收入 86800 万元，占计划 80866 万元的 107.34%，比 1999 年实际完成增长 15.26%，绝对额增加 11491 万元。全区除霍州、永和外，其余单位全部实现不同程度的超收，超收额最多的是临汾市国税局，全年超收 4162 万元。超收比例最大的是临汾经济技术开发区国税局，超收比例达到 48.19%。

【强化欠税清理】 促进收入增长。在澄清欠税底子的基础上，加大清欠力度，坚持实行清欠目标责任制，强化清欠手段，严格依法清欠，对拒不清缴的欠税企业依据《征管法》规定，采取强制或保全措施。对内层层实行领导干部包户清欠，按季考核通报。同时严格执行欠税加收滞纳金制度，严禁随意少加或不加，确保清欠任务，强化欠税清理。全区共清理欠税 10589 万元，其中：清理旧欠 8055 万元，清理新欠 2534 万元，加收滞纳金 1434 万元，加收面达到 100%。永和、汾西实现了无欠税，安泽、蒲县、吉县实现当年无欠税，全区 53 户百万元以上的纳税企业中有 35 户结束了欠税历史，全区 9 户千万元以上纳税企业除临钢外欠税全部清理完毕。

【加强税收稽查】 在统一稽查模式，规范稽查管理，完善稽查制度，严肃稽查纪律的基础上，充分发挥稽查的收入职能作用，对征管薄弱环节开展了税收稽查活动，上半年对 596 户私营企业，各类公司、专卖店和临时一般纳税人进行检查，查补税额 950.1 万元；下半年对电力、烟草、石油销售、农行、铁路、通讯，“两社”财务等进行了纳税检查，查补税款 1104.3 万元。全年共计查补入库税款 4329 万元。同时强化日常稽查和专案稽查，查处 92 起涉税案件，为国家追回税款 620 万元。

【实行税务监控】 全区进一步落实监控措施，对重点税源和新增项目实施有效税收监控。尤其是对百万元以上纳税企业，地县两级监控责任人及时掌握情况，反馈信息，了解企业生产经营变化，对监控责任人实行“包监控、包催缴、包入库”管理，确定税源监控联络员 138 名，其中：科（局）级以上干部 78 名，监控企业 156 户，所监控企业的纳税额占全部税收收入比重的 58%。召开推广 TAIS3.0 软件，提高征管质量观摩会，加快应用步伐。全区各县（市）局软件应用基本到位，从税务登记、征收监控到税务稽查等业务全部纳入微机管理，基本实现了基础资料采集、会统核算、税收票证和发票管理等业务的电子化。同时组织举办了两期 TAIS 软件强化培训班，五期以基础知识和基本操作为主要内容的计算机培训班。同时加强户籍管理，严查漏管户，扫除征管“死角”和“盲区”，使一些潜在税源纳入了正常征管秩序。

【队伍建设】 按照干部制度要求，加快领导干部交流换岗，完成了对 9 个县（市）局一把手的异地交流，有 3 名年轻干部走了县（市）局主要领导岗位。层层签订廉政建设目标责任制，加强廉洁自律教育和法制教育，开展争当廉政先进单位和个人活动，落实“两权”监督措施，对 9 个县（市）局长进行了离任审计。全年检查结案件 11 起，3 人被行政警告，撤消所长职务两人，待岗 3 人。大力整顿基层单位，积极清理内部收费，规范行为，通过电视讲话公开向社会做出文明执法承诺，公开接受监督。引深“创四优”、“创建青年文明号”活动，同时加大基层硬件建设投入，着力改善办公环境和条件。以业务学习培训为主要形式，全区开展大规模地业务竞赛活动，坚持每月一小考，每季一大考，重点加强干部财务会计、微机操作和法律法规 3 项培训。通过学习培训、竞赛、全区营造出学业务、钻业务，人人争当税收工作“多面手”的氛围，促进了队伍素质的提高。

·临汾行署地税局·

【概述】 临汾行署地方税务局.组建于 1994 年 8 月,局内设 12 个科室,5 个直属单位,下辖 17 个县（市）局,共有干部职工 1695 人。地税系统广大干部职工按照“收好税”与“带好队”的要求，以组织收入为中心，依法治税，从严治队，开拓进取，艰苦创业，1994 年～2000 年，全系统累计组织各项收入 313800 万元，收入平均增长幅度达 13.79%，增收额达 35000 万元。涌现出省级文明税务所 15 个，省级青年文明号 6 个，省级征管能手 14 人，以及一大批优秀税务工作者先后多次在省、地社会主义劳动竞赛中立功受奖，被中共山西省委授予“红旗基层党组织”、“双学先进单位”，被省纠风办评为“行风建设先进单位”。

全区累计完成地方税收 50151 万元，占省计划 105.99%，超收 2836 万元，与 1999 年同期相比增长 10.15%，超全省平均增幅 6.94 个百分点，增幅位居全省第一。其中：工商税收完成 43024 万元，占省计划 106.23%，超收 2524 万元，与 1999 年同期相比增长 11.43%，超全省平均增幅 8.59 个百分点，地方工商税收平均增幅位居全省第一。农业四税完成 7127 万元，占省计划 104.5858%，超收 312 万元，与 1999 年同期相比增长 2.83%，增收 196 万元。

分预算级次看，省级收入完成 2367 万元，占省计划 106.05%,超收 135 万元;地县级收入完成 47784 万元，占省计划 105.99%，超收 2701 万元，其中地县级工商税收完成 40818 万元，占省计划 106.24%，超收 2398 万元，增长 10.52%，超全省平均增幅 6.25 个百分点。此外，还组织完成其他规费收入 4297 万元。各项地税收入任务的超额完成，为确保全省地税收入任务完成，为确保全区财政收入平衡，促进国民经济和各项事业的发展发挥了重要作用。

【税收征管改革】 全区地税系统截至 2000 年底，共建立征收大厅 23 个，配备微机 218 台，建起局域网 14 个，对等网 7 个，统一使用省地方税务局开发的网络版征管软件，19 个县（市）局基本实现县城管户进入微机，并有 17 个农村税务所率先实现微机管户。税务代理健康发展，税务中介机构全部脱钩。与此同时，农业税收征管改革迈出了坚实步伐，17 个县（市）局全部成立了农业税征收管理分局，实现了职能转换，明确了执法主体地位，建起了局域网，实现了全区联网，有效地提高了工作质量和效率。

【强化地税征管】 行署先后出台关于加强车辆税收、建筑安装业、房屋租赁税收和农业特产税征管的 4 个文件，支持地方税收工作。以此为契机，地税部门夯实征管基础，狠抓漏征漏管清查工作，大力加强与有关部门的配合，切实强化这些征管薄弱环节的税节管理，在执行中车辆税收管理成效最大，累计完成 3168 万元，比 1999 年同期增加税收 1107 万元。此外，建筑安装业税收比 1999 年同期增收 476 万元，房屋租赁业税收增收 450 万元，农业特产税增收 194 万元。

【内部执法检查】 全区地税部门认真开展内部执法检查，规范税收执法行为。一是针对省局在“两个转移”调查中发现的执法工作不到位等问题，在全区组织开展了“两个转移”大检查、大讨论、大反思活动。5 月 15 日～6 月 20 日，由地税局领导带队组成两个检查组，对霍州市、洪洞县进行解剖，共抽查解剖税务所 21 个，随后又组织稽查部门对 6 个县（市）的 10 个税务所，进行了一次重点检查，共查补入库税款 144.3 万元，清理欠税 249.5 万元，加收滞纳金 30.4 万元，罚款 7.2 万元，处罚率达 24.4%；同时，其它县（市）局也确定了 1～2 个税务所，由各县（市）制定工作方案，进行解剖。对于发现的问题及时纠正和查处，共对 5 名白条收税、挪用公款、有税不征或少征税款的税干进行了处理。通过这项工作，提示和纠正了基层工作中的一些突出问题，促进了税收执法的规范化。二是开展了税款入库和税收票证大检查。8 月，组织人员对税款入库和票证管理工作进行了专项检查。重点检查了 6 个县、43 个税务所，3 个稽查局，1 个代征单位，查补税款 146 万余元。9 月，对税收票证、税款管理进行了进一步检查，促进了税款和票证管理工作。三是开展了农业税收票证管理、灾情减免、户缴户结及减负等情况的集中检查、重点抽查，查补征收农业税收 132 万元，使农业税减免执行到户。四是全区稽查部门积极由“收入型”向“执法型”转变，建立选案、检查、审理、执行四分离制度和“税务稽查收入”专户，严格执法程序，规范税务稽查，坚决落实平均罚款率，入库率分别不低于 10%和 85%的规定。围绕税收中心工作，突出抓了重点行业、重点税源、征管蒲弱环节的检查以及清理漏管户工作，共查补入库税款 2361 万元，加收滞纳金 9 万元，罚款163万元，起到了堵漏增收、促进管理的作用。

【“税收与未来”宣传月活动】 宣传月期间，全区共召开各类宣传动员大会18次，举办党政领导干部财税专题研讨班20余次，设立税收咨询台275个，印发宣传资料15种3万套，为地、县党政领导赠送《领导干部税收知识读书》150余本，组织评选了50个模范纳税户。本局宣传月活动被省局评为“先进单位”。在搞好集中税法宣传的同时，注意搞好经常性宣传，各县（市）局还不断加强与公安机关的配合，采取联合行动，清查漏管户，打击偷抗税违法犯罪活动，以案件查处的结果和效应教育纳税人，起到良好的宣传效果。

【地税源数据库初步建成】 地方税务局高度重视基础工作，基础管理日臻完善。大规模普查了全区各类经济税源和纳税情况，澄清了管户和税源底子。普遍建立了管户档案，税源册籍、征收底册和征收台账，基本实现了税收源泉控管；推行个人所得税双向申报，完善了代收代缴管理制度，个人所得税调节个人收入，缓解分配不公的作用日益增强；土地使用税、资源税、房产税、车船使用税等税种的省、地、县三级税源数据库逐步建立起来。从1999年开始，本区初步建立了以计算机为基础的税源监控体系，改善了“九五”之前只对霍矿、临钢、山焦、三维等大型骨干企业重点税源进行监控的状况，把全区重点税源分为5个档次，在县（市）局全部建起了重点税源监控管理数据库，共监控重点企业495户，2000年监控税额达17126万元，占1999年收入的44.39%。

附：

地税局获省党风廉政建设先进单位

党风廉政建设上，地税局认真落实责任制管理办法，把党风廉政目标责任量化分解，层层签定责任书，坚持上半年督促检查，年终总结评比。坚持标本兼治，突出重点，开展了案件警示教育，法纪条规教育和形势教育三项教育活动；地区局公开办税阳光作业试点经验，被地委、行署在全区范围广泛推广。进行执法监察，狠抓了案件查办工作，全系统累计内部审计6个县（市）局、立案查办税务人员违法违纪案件15起，对15名违法违纪的税务人员给予不同程度的处分。为切实加强队伍建设和行风建设，聘请了350多名行风监督员，还深入开展了基层站所治理整顿和清理清退纳税人借用交通通讯工具和钱物工作，对1995年以来命名的56个文明税务所进行复查验收，20个文明税务所被黄牌警告，6个文明所被摘牌，基层税务所整顿工作在全区基层站所整顿现场会上进行经验交流。在地方纠风部门组织的行风评议中，地区局和11个县（市）局被评为第一名。地区局连续5年被省局评为“党风廉政建设先进单位”，1999年被省纠风办和省局评为“行风建设先进单位”。

省地级文明所号

大力开展“文明税务所”、“青年文明号”等各类创建活动，涌现出省级文明税务所15个，地级文明税务所50个，省级青年文明号6个。

（杨志刚）

金　　融

·中国人民银行临汾中心支行·

【概述】 人民银行认真贯彻落实总、分行会议精神，严格按照分行工作要点，围绕对外加强金融监管，对内强化内部管理这条主线，依法加强金融监管，化解处置城乡信用社金融风险；贯彻落实货币信贷政策，积极改善金融服务；加强党建工作，积极开展双文明单位创建活动，狠抓全面规范化管理，较好地完成了各项工作任务。截至12月末，全区各项存款余额达到1930000万元，较年初增加270000万元，增长16.31%；各项贷款余额1411900万元，较年初增加20700万元，下降1.14%，剔作剥离贷款178000万元，实际增加157300万元，增长11%；社会货币供应量M_0为541000万元，比1999年同期增长10.4%，M_1为835500万元，增长13.61%，M_2为2450300万元，增长14.7%。累计投放现金146000万元，同比多投6196万元，货币供应量适应了经济增长需要，支持了地方经济发展。

【加强金融监管】 落实金融监管责任制。一是完善责任制体系，落实监管责任，形成了“一把手”负总责，主管行长分工负责，监管部门和职能部门对口负责、监管员包机构负责的格局。二是研究建立较为严密的监管模式，提高监管水平，建立健全非现场监管报表专收制度，监管台账、风险监测指标体系、现场检查操作规程等。三是进一步做好监管基础工作，建立健全完整、科学、规范的监管档案。在全区范围内推行了“1728”档案体系，即1个综合卷、7个监管档案、28种登记簿，使金融监管的基础工作更加扎实可靠。同时加强对金融机构的日常监管：1．抓好金融机构年检工作。本年对全区558个银行类金融机构进行了年检，共查出证、章、牌不符的机构15个，证照不符的23个，安全设施不完善的15个，内控制度不严、监督不力的13个。2．合理调整金融机构布局。根据商业银行改革需要撤并银行机构58个。对9家农村信用社实行降格管理，批准迁址9个信用社，撤并了7个非法人机构，审批开业了3个非法人机构，使机构设置更加趋于合理。3．认真搞好金融机构高级管理人员任职资格审查。4．清理整顿农村信用社代办性机构。

【进行三项专项检查】 一是完成了对全辖商业银行17个县（市）支行及分支机构的银行承兑汇票、银行卡、信用证和重要空白凭证“四项业务”的专项检查，共投入工作日542个，翻阅传票927本，检查笔数53871笔，涉及金额471000万元。二是完成了对全辖国有商业银行57个分支机构，1999年度贷款质量和盈亏状况真实性检查，共投入207个工作日，翻阅传票2801本，调阅文件1420份，查看账表1783本，检查贷款64725笔，检查金额6892万元。三是完成了对商业银行1～6月贷款质量真实性检查。此次检查，全区共组成15个检查组，抽调89人，先后投入工作日455个，复查贷款15818笔，金额275040万元，复查机构32个，占机构总数（科级以上机构55个）的58.18%。

【清理整顿城市信用社】 按照人总行《关于对城市信用社整顿工作进行全面检查及进一步推进整顿工作的通知》和分行《关于对城市信用社整顿工作全面检查及分类处置工作的安排意见》，全区抽调业务骨干180名，组成25个检查组，从11月开始，对25个城市信用社开展清产核资工作。地方政府成立了由行署副专员郝忠礼为组长，中心支行行长为副组长的全区防范化解地方金融机构风险领导小组，负责对城市信用社清查工作的组织领导，成员由财政、工商、税务、审计、纪委、监察、劳动、宣传等部门以及人民银行有关负责人组成。各县（市）政府也成立了相应的组织，具体负责本辖区城信社风险的化解和处置工作。通过856个工作日的检查，搞清了每个信用社市场准入和发展变化的全过程；彻底清查了每家信用社资产、负债、所有者权益及结构、财务盈亏真实性，查清家底；确认有效资产，剥离无效资产，确定净资产、锁定损失；摸清风险底子；对违规违法造成损失的责任人落实责任；制定损失弥补措施，提出整改意见。截至12月6日，全区25家城市信用社，经分行审批，有21家符合改制条件，改制为农村信用社，归农村信用联社管理，4家正在研究改制或退出市场方案。

【解决重点行业和金融机构临时资金需要】 运用货币政策工具，解决重点行业和金融机构临时资金需要。人民银行进一步加大再贷款投放力度，扩大再贴现业务，加强存款准备金管理。截至12月底，累计发放再贷款122100万元，其中：用于解决金融机构头寸资金需要83770万元，用于农村信用社保支付紧急贷款1140万元，支农再贷款37190万元，办理再贴现370余笔，金额35993万元。通过发放短期再贷款、紧急贷款、支农再贷款、办理再贴现、批准动用存款准备金等，及时解决金融机构和重点企业的临时资金需要，合理引导资金流向，支持地方经济发展，缓解了部分信用社支信困难。

【做好支付清算服务工作】 组织全体人员认真学习规章制度和操作程序，改进工作，会计、国库各岗位都实行了工作日志，会计电联设计了32种登记簿，在严格执行印、押、证、机分管制度的同时，规范了查询、查复、补制报单、对账等一系列操作办法，对重要业务内容实寿了周、月检查制度。事手监督人员每日负责各项工作的审核、及时纠正技术性差错，并按季向会计主管报送监督报告，确保快速、高效率的办理资金汇划。截止12月底，全区共办理会计业务210万笔，其中：营业部共办理会计业务355270笔；办理同城票据清算621574笔，金额4140740万元，票据抵用率达95%以上；为企事业单位审批开立账户2313户，办理收纳临汾地区财政预算资金72413笔，金额50863万元，同比增长9.25%；办理区财政拨款2415笔，金额26290万元，比1999年增长24%；办理电子联行卫星小站往账3403笔，金额965000万元，来账12652笔，金额999000万元，做到了准确、及时、无差错、无事故，提供了优质高效的服务。

【全面推进规范化管理】 为了深入扎实地开展“管理年”活动，继续在全区推进全面规范化管理。重点组织地区中心支行各科室部进一步修订完善各项规范化管理制度，汇编成册，共计20编，60多万字，制定了26个部门，170个岗位的工作职责，各种工作制度328项，操作程序240种以及各项工作的质量标准、资料收集、档案整理等方面的要求，推进全面规范化管理工作向更高层次发展。从地区中心支行到各县（市）支行，基本实现“十化”。即：岗位职责具体化、各项工作制度化、工作操作程序化、工作质量标准化、资料收集完整化、档案整理条理化、工作检查日常化、考核评比严格化、金融服务文明化、业务工作电子化。

【保密、档案工作】 中心支行重新调整了保密委员会，确定了各科室部的兼职保密员，明确了工作职责；研究制定了《中国人民银行临汾地区支行领导干部保密工作责任制》、《保密学习教育计划》和《计算机信息系统保密制度》；开展了《保密法》宣传周活动，保密知识测试500余人次、出版报17次、广播电视宣传10多次、制作宣传版面20条块，组织各县（市）支行对保密工作进行了自查和交叉检查，全区无任何失、泄密事故；档案工作，完成了1999年度文书、会计、实物的收集、整理、归档工作，共整理文书档案340卷，会计档案301卷，实物档案25卷，发文汇集32册，编纂了1999年度中支机关《年鉴》和《风险资料汇集》，加强了档案室“七防”建设，保证了档案安全无损。在2000年度考核中，保密工作荣获中国人民银行天津分行“保密工作成绩突出中心支行”，全大区排名第一；档案工作荣获中国人民银行天津分行“档案管理整体水平较高中心支行”，全大区排名第八。

【津冀晋蒙金融学会秘书长会议暨学术研究会在临召开】 2000年11月7日～9日，津冀晋蒙金融学会秘书长会会议暨学术研究会在临汾中心支行召开。会上天津分行崔扬副行长做了重要讲话，传达了全国金融学会第六届代表大会精神，要求加强金融学会工作，搞好群众性金融研究，建立人民银行天津分行辖区金融学会秘书长联席会议制度，加强金融学会联系，形成金融研究合力；积极发挥统计研究部门的“智囊团”作用，为领导决策提供服务。临汾行署郝忠礼副专员致欢迎词，临汾地区中心支行张转芳行长讲话。会议围绕国外商业银行经营管理3个专题，组织部分论文作者、学者、专家发了言，并进行了讲评。随后，参会人员分两组，就商业银行实行分业经营或混业经营、建立现代企业制度等方面进行了讨论。天津、河北、山西、内蒙古4省（市）金融学会秘书长、论文作者，大同、运城、赤峰、临汾等地（市）人民银行调统部门人员、南开大学、天津财经学院金融系的部分教授、学者及临汾行署的领导、人行临汾中支和临汾辖内各商业银行、城乡信用社负责人、人民银行各县（市）支行行长共计100余人参加了会议。

附：

编发信息被采用情况

人民银行共编发《临汾经济金融动态》135 期，其中：总行采用2条，太原中心支行采用37条；编发《临汾金融信息》103期，《金融监管》10期，《情况通报》41期，被天津分行采用23条，地委、行署采用41条，省委、省政府采用8条。撰写调研文章40余篇，天津分行《金融与市场》采用8篇，《山西金融》采用22篇。在年度考核中，《临汾金融动态反映》获中国人民银行总行一等奖，“信息工作”被中国人民银行天津分行评为先进单位，“课题调研”获中国人民银行太原中心支行二等奖。

（郭北印　王荫林）

·中国工商银行临汾分行·

【概述】　分行按照国家产业政策，结合临汾实际，支持产业结构调整，促进企业改革发展，运用各种手段为企业提供全方位、多种类的大力支持和优质服务，创造良好的金融环境，超额完成了省分行下达各项业务经营指标。

1．两大存款。年终全辖各项存款余额达459500万元，较年初净增30200万元，增长6.57%。其中：储蓄存款余额达331200万元，较年初增加14400万元；发行凭证式国库券12000万元，加上撤并3个支行移交农行的9444万元，实际增长35800万元，完成全年净增任务的126.300%；对公存款时点余额达128300万元，较年初净增18300万元（含撤并3个支行因素），完成省分行时点考核任务的141.1%；2．贷款发放。年终全辖各项贷款余额达360100万元，新增贷款全部投向了全区优秀客户；3．新兴业务。年终分行国际业务结售汇达2763万美元，区内同业占比达89%，完成年任务的178%；住房公积金余额达5983万元，较年初增加2579万元，余额占比为24.91%，较年初增加5.34个百分点，增量占比为29.25%，较年初增加7.56个百分点；银行卡发卡量达70397张，其中牡丹信用卡累计发卡量达13035张，2000年新增发卡1803张，完成全年任务的120%；牡丹灵通卡发卡量达27047张，一卡一折发卡量达30315张，完成省分行下达全年任务的166%；累计发展特约商户134家，其中新增31家，完成全年任务的129%；4．经营效益。年终全辖实现各项收入41898万元，较1999年同期减少8713万元，各项支出50381万元，较1999年同期减少6152万元，调整以前年度损益579.5万元，收支相抵账面亏损7903.5万元，较省分行下达任务减亏9万元，完成计划任务100.11%，控制在省分行核定的亏损计划之内。

【完善经营管理体制】　围绕构建二级分行为主的集约化经营机制，一是初步建立“全封闭、双挂钩、两分离”的管理考核机制。修改完善了县（市）支行行长经营管理综合考核办法，改进费用分配管理模式，完善了收息机制，增强了收息效果。截至12月末，全辖收息率为65.63%的任务提高近4个百分点。应付利息红字减少了6377万元，共消化历年包袱11100万元。二是客户经理制试点取得了较好效果。与客户关系更加融洽，服务质量明显提高。三是改革完善了储蓄专业用人、分配、约束三项机制。对全辖所主任全部实行公开竞聘；分配机制上向一线倾斜，对储蓄所主任实行年薪制。出台了《储蓄所所主任管理办法》。四是继续推进劳动人事制度改革。所辖各行、办全面推行双向选择、竞争上岗、优用劣汰的新型用人机制。五是从速从快撤并县支行，从6月1日开始，仅用7天时间就圆满完成了所辖浮山、大宁、吉县3个支行的撤并工作。1．账务处理规范准确；2．人员分流由当地县政府接收；3．以固定资产买断工龄。此外，还撤并两个分理处、14个储蓄所，努力向集约化经营迈进。

【优化贷款投向】　1．严格按照信用等级和客户分类发放贷款。分行共增加流资贷款2268.3万元（含美元），全部投向了甲类客户及优秀客户，同时，从BBB级以下及限制类客户收回贷款9352万元，用于甲类客户及优秀客户。2．严格签发银行承兑汇票174笔，金额11866万元，全部用于支持甲类客户生产经营和全额质押客户资金周转，未发生银行垫付资金现象。3．根据分行资金营运实际，着重开展风险小、周转快、效益好的贴现、再贴现业务。分行全辖共办理贴现670笔，金额达67000万元，再贴现业务291笔，金额35699万元，占全区金融系统再贴现业务的99.44%。4．进一步开拓旅游、教育、医疗、传媒等非生产流通领域的信贷市场。分行与山西师大签订了银校合作协议，为山西师大提供全方位的金融配套服务。积极参与了临汾一中改扩建、临汾师范学院5校合并、向阳路高级学校迁址及临汾警校的扩建等项目，主动将贷款营销到效益好、收支稳定的文教、卫生等非生产领域。

【建立信贷责任制度】　1．认真对分行新老贷款实施划段管理，通过规范信贷台账管理，严密监控，严格奖罚兑现，以确何新增贷款高质量、高效益运行。2．进一步明确了分行贷款营销、调查、评估、审查、审批、发放、贷后管理、统计分析各环节的职责和应承担的责任，提出奖罚标准和要求，完善了信贷责任制度。3．完善了信贷预警机制，把贷款风险控制在萌芽状态。4．认真解决当前信贷工作中存在的主要矛盾和问题。制定了《撤并行信贷资产管理试行办法》，进一步加强对6个撤并行的信贷资产清收的管理，按照“清收为主，全面保全，业效挂钩，奖罚兑现”的原则，将贷款管理工作以指标形式核定到岗，按期考核，奖罚兑现，从而建立撤并行贷款本息清收和保全工作的新机制。

【三项新兴业务】　贯彻省分行专业会议精神，积极开展银行卡、国际业务及住房信贷3项新业务。信用卡业务中，地分行加强对基层延伸行的管理，在费用上给予必要的倾斜，多法并举追索透支，并且把信用卡业务列入各行、办行长（主任）综合目标责任制中考核。国际业务中，进一步加强对贷款的管理，积极调整信贷结构，主动退出高风险的贷款市场，积极开拓安全性较高、收益较稳的信贷市场取得成效，并采取有效措施，积极清收利息。住房信贷业务中，制订《个人住房贷款的暂行管理办法》，主要是对所辖市区内个人住房贷款进行整顿，防范风险，实行业务预警、停牌等制度。同时，在新兴业务的市场开拓、份额抢占上狠下功夫，取得了明显成效。信用卡业务方面，已先后与地区石油公司联合发行了石油卡，与侯马、洪洞保险公司联合发行了保险卡；国际业务方面努力改变过去只服务于外贸进出口公司单一客户的局面，开始向多元化发展，先后为拥有进出口产品经营权的企业，如汾河制药厂、新临钢公司等优秀客户发放打包贷款。房地产信贷业务中，主动将贷款营销到效益好、收支稳定的文教、卫生等非生产领域。与师范大学签订了《银校合作协议》；选定临汾贡院街三期东扩工程、临汾一中扩建改造项目、尧乡花园项目、翼鹏小区项目等开发潜力大且市场前景看好的旧城改造和经济适用住房建设。

【精神文明建设】 深入开展以敬业爱岗、遵纪守法、文明服务为主内容的职业道德教育。创造企业文化氛围，推动精神文明建设。分行结合形势，多次聘请地委讲师团、地委党校等专家学者来行讲课，加强时事教育和政治教育，提高员工思想认识；举办“颂行训、唱行歌”比赛，浓郁的文化氛围逐渐形成，员工对工商银行特有的价值观念、经营理念、企业精神等有了新的认识，凝聚力和向心力明显增强；在全行响亮地提出“理想就在岗位上，信念就在行动中”、“不敬业就失业，不爱岗就下岗”的口号，以此增强全行员工的使命感、责任感、紧迫感；在全体党员中在开展了“查、比、看”活动，每个党员在支部大会上郑重承诺，党员的先锋模范作用和党组织的战斗堡垒作用明显增强；结合推行规范化服务达标活动，进一步落实《营业网点规范化服务标准》和《二线为一线服务标准》，改进和完善了金融服务。

（陈阳）

·中国农业银行临汾分行·

【概述】 农行临汾分行以“深化改革，开拓经营，强化管理，提高素质”为指导思想，加大信贷投放力度，支持地方经济发展。全行累计投放各类贷款286000 万元，重点支持了全区电力、通讯、交通、城市供水、供电、供热等基础设施建设、高新技术产业及煤焦铁等优势产业，全面启动了金钥匙消费贷款系列业务，在拉动全区消费市场方面产生了积极影响。在狠抓物质文明建设的同时，分行大力加强精神文明建设，强化班子建设和队伍管理，取得两个文明建设“双丰收”，先后获得全国农行系统“文明优质服务先进单位”、“资金组织工作先进单位”、“会计出纳工作先进集体”、“全国金融工会先进集体”；2000 年，被山西省省委、省政府授予“山西省模范单位”荣誉称号。

各项业务蓬勃发展。到 12 月末，各项存款余额 356073.4 万元，较年初净增 65980.4 万元，完成省分行计划 44500 万元的 148%，同比多增 17696.1 万元。其中：储蓄存款余额 278893.5 万元，较年初净增 43373.2 万元，完成省分行计划 27500 万元的 157%；对公存款余额 77179.9 万元，较年初净增 22607.3 万元，完成省分行计划内 17000 万元的 132%。余额市场占有率为 18.47%，较年初提高 0.9 个百分点；净增市场占有率为 24.19%，在同业中名列第二位。资金组织工作取得了超计划、超同期、超历史的好成绩。各项贷款余额 245839.8 万元，其中：常规贷款 179514.1 万元，比年初增加 29695.9 万元；专项贷款余额 66325.7 万元，比年初增加 3788 万元，均控制在省分行计划之内。累计签发银行承兑汇票 490 笔，金额 20112.3 万元。在贷款投向上，全行累计投放贷款 109000 万元，常规贷款重点支持了地区电信局、襄汾交通局为代表的黄金客户，专项贷款重点支持了洪洞自来水公司城市供水项目、临汾宝林营养烧鸡公司等为代表的优质客户。常规业务全年贷款实收利息 9216 万元，完成省分行计划 11600 万元的 79%，当年内利息利回率达 96.28%，综合利息收回率为 90.09%，达到了较高的收息水平。

【发展精品网点】 贯彻落实省分行提出的“上台阶，争速度”存款发展战略，确定了 35 个营业网点纳入名牌发展计划，临汾分行与各县（市）支行分管存款的副行长签订了名牌网点工作责任状，实行“五个倾斜”，即投资倾斜、人员倾斜、产品倾斜、费用倾斜和领导倾斜。在名牌网点实行年薪制。明确规定：凡是储蓄所当年人均净增储蓄存款 100 万元以上的，每人年薪为 1 万元；人均净增储蓄存款 150 万元以上的，每人年薪为 2 万元。推行储蓄所承包制。明确规定：任务科学测定，一次亮底，主任公开招标，员工优化组合，主任确定后，签订认标书，交纳抵押金，凡年终完不成任务的按比例扣除抵押金，超额完成任务的按百元存款利差收入的 40%奖励承包者。机制一转天地宽，储蓄所经营活力大增，储蓄存款业务发展突飞猛进。到年末，占全区营业网点比例 20%的 35 个名牌网点，储蓄存款净增额达 19934 万元，占到全区储蓄净增总量的 45%，名牌网点在存款工作中发挥了突出的作用。

【建立“三制”防范风险】 1. 建立贷款营销机制，以积极的姿态开拓信贷市场，竞争优良客户，同时全面放开存单质押贷款业务，发展贴现贷款业务，贷款结构调整取得明显成效。到 12 月末，各项贷款余额达 179514.1 万元，较年初增加 29695.9 万元，剔除存单质押贷款和贴现贷款增加额，控制在省分行计划之内。新增贷款的投向主要是优良客户、正常客户、贴现贷款和存单质押贷款中，其中：优良客户贷款增加 12216 万元，占新增贷款的 41%；正常客户贷款增加 4678 万元，占新增贷款的 16%；贴现贷款增加 11875.3 万元，占新增贷款的 40%；存单质押贷款增加 926.6 万元，占新增贷款的 3%。全区累计签发银行承兑汇票 490 笔，金额 20112.3 万元，累计兑付 355 笔，金额 15641 万元，承兑汇票余额为 12044 万元，比年初增加 4430.4 万元，控制在省分行下达的计划之内。在拼抢优良客户上，分行在资金、规模、结算功能等方面全力支持。

2．建立贷款风险防范机制。在开拓信贷市场的同时，进一步加强防范信贷风险，严格信贷管理，坚持严谨科学决策、三岗分离制约、安全可靠的法律保障、标准规范的贷款手续、奖惩分明的责任追究。在贷款决策上严把 5 关，实行 5 个严禁。即；严格把好贷款投向关，严禁发放人情关系贷款、跨区贷款；严格把好客户管理关，严禁向限制和淘汰客户发放贷款；严格把好操作程序关，严禁逆程序操作；严格把好贷款规模关，严禁超绕规模放款；严格把好审批权限关，严禁超越权放款。在工作中主要采取了以下措施：（1）严格实行贷款会审查制度。（2）对各支行实行严格的转授权管理。分行与各支行“一把手”签订了转授权书，明确了贷款发放和签发银行承兑汇票的最高限额。（3）实行严格的贷款风险监控管理。制定了《新放贷款风险监控管理办法》，每一笔贷款到期前 20 天，分行给支行签发《到期贷款预警通知书》，到期后 20 天内仍未收回的，分行向支行签发《贷款责任追究建议通知书》。

3．建立不良贷款盘活责任制，开展集中清收取得突破。集中时间，集中精力，集中人力，如期完成了 98336 万元不良贷款剥离任务。不良资产剥离之后，各支行继续采取得力措施，大力清收不良贷款。到年底，通过现金收回不良贷款本息 280.6 万元，收回各类实物价值 220 万元。分行集中清收不良贷款的做法受到了省分行的肯定。

【积极开拓中间业务】 1．加快发展各种代收代付业务。分行成立市场开发处，各支行成立客户经理部，加强市场开发工作。年初分行确立了中国电信、劳动保险等开发重点项目，到 12 月末，已成功开发全区系统大户 11 个，包括代理移动通讯“神州行”充值卡销售业务、代理住房货币化分配业务，代理中国电信一体化核算业务，代发工资业务等六大类。全区已开办代理业务网点达到 160 多户，80%的营业网点开办了代收代付业务。2．加快发展信用卡业务。分行成立了银行卡中心，相继恢复了临汾市、侯马市、洪洞、霍州、蒲县信用卡分部，在营业部、曲沃、平阳、汾西、古县新组建了二级分部，同时，分行银行卡中心加大对银行卡操作人员的技术培训，积极完善配套设施。加大金穗卡的营销发卡力度，在隰县师专、临汾工商学校、卫校、师范学校等集中发行校园卡。银行卡业务的发展出现新的转机，全年共发卡 25744 张，较年初增长 13801 张，增长率为 116%；卡存资金达到 1943.4 万元，较年初增加 1064.5 万元，增长率为 122%；用卡消费额、代收代付额均有较大幅度的提高，业务收入达到 62 万元，增长 28%，非正常透支绝压 201 万元，完成任务的 126%。实现了发卡量、卡存资金翻一番目标。同时银行承兑汇票和贴现业务保持了较快的发展，全区累计办理贴现业务 18526 万元，现余额占用 12973.3 万元，实现贴现利息收入 252 万元。

【加大从严治行力度】 一是实行坐班主任委派制。对各营业所（办事处）主任实行统一任命，统一委派，统一管理，树立了坐班主任的权威性、独立性和超脱性。二是开展会计账展评。4 月，分行组织全辖 19 个县支行和 1 个直属机构的营业部，14 个基层营业所共 34 个营业单位，进行了为期 3 天的账务展评，促使会计基础管理更加规范化和标准化。三是加强了检查监督。6 月 12 日～6 月 23 日，用 10 多天的时间，对会议基本制度的执行情况进行交叉检查。特别是在稽核监督上，分行针对营业网点多、监管面大的实际，充分发挥稽核部门的再监督职能，常规稽核、重点稽核、突击稽核，三种稽核方式交叉进行。5 次突击稽核共查处各类问题 883 个，处理责任人 862 人次，其中当场辞退 3 人，行政处分 8 人，经济处罚 851 人次，罚款 31915 元。同时，开展 “双基”整顿活动。对查出问题的责任人员进行了严肃处理，行政处分 10 人，经济处罚 73 人。四是加强安全设施建设。全行共投资 150 多万元用于安全设施建设，为 35 个营业网点加固柜台，安装防盗门、防弹玻璃，改造空间面积 1047 平方米。为永和、大宁、汾西 3 个支行配备了小解放运钞车，增强了安全防范能力。

（刘智威）

·中国人民银行临汾分行·

【概述】 中行认真贯彻总行、省行 2000 年工作会议精神，积极实施大公司、大零售并重及联动发展战略，在全力支持地方经济建设中努力优化信贷结构，进一步强化了各项管理，有力地推动了各项业务的稳健发展，圆满完成各项主要经济指标。

1．各项存款超额完成省行下达任务。截至年末，各项人民币存款余额 159126 万元，较年初净增 20453 万元，完成省行任务的 104%。其中：储蓄存款余额 113221 万元，较年初净增 12994 万元，完成省行任务的 107%；企业存款余额 45905 万元，较年初净增 7459 万元，完成省行任务的 101%；金融机构存款余额 3797 万元，较年初净增 2056 万元，完成省行任务的 108%；各项外汇存款余额 1015 万美元，较年初净增 255 万美元，完成省行任务的 234%。

2．贷款增长适度、投向合理。截至年末，人民币各项贷款余额 91621 万元，剔除“债转股”和剥离不良资产因素，实际较年初增加 23124 万元。消费贷款全年累计发放 3781 万元，累计收回 1864 万元，余额 2922 万元。

3．中间业务稳步发展。到年末，长城信用卡较年初净增 1094 张，完成省行任务的 260%；长城借记卡发行 7278 张，完成省行任务的 214%。全年直接消费交易额537万元，实现收益57万元。全年国际贸易结算业务234万美元，没有一笔形成风险。分行率先在全省中行系统开办了代理分销债券业务，两次承销国债1500万元，受到省行、总行表扬。

【实施联动发展战略】 进行内部机构改革中，本行专设了公司业务部和零售业务部，从组织机构上强化业务职能。同时大力加强两者的协调工作，注重信息共享，坚持协同作战，积极参与市场竞争。对煤炭、化工、电力、保险、证券、公路等行业的重点单位加大营销力度，建立客户经理制，先后同临汾银河证券部、山焦、洪洞啤酒厂等优势企业签订了“银证、银企合作协议”，促进存款、结算、信用卡及代收代发等项业务的联动发展。加大投入，大力推进科技进步，发行电子借记卡，开通了“银证快车”，全辖实现电脑联网，开办了通存通兑业务和银证电子转账业务。随着金融服务品种的不断创新，进一步拓宽了业务领域，有力地促进了大公司、大零售业务的联动发展。

【优化信贷结构】 根据国家产业政策和当地政府制订的“打基础、调结构、治环境”的发展战略，提出了“打基础、调结构、清不良”的信贷发展思路，制定了“发展优质客户，巩固重点客户，限制、清理杂小户”的工作方针，利用中行的本外币优势，集中资金重点支持当地交通、公路、邮电、电力、化工、煤运、房地产、城建等重点行业、企业和项目，确定临汾河西电厂、侯马电缆厂、山西海姿焦化、山焦、山维等10余户大中型优势骨干企业为支持重点。全辖累计发放人民币流资贷款64622万元，累计发放人民币中长期贷款13435万元，在支持了地方经济发展的同时，有效地改善了信贷结构，实现了银企双赢。

截至年末，全辖共剥离不良资产本金（包括债转股）26181万元、利息3057万元，减轻了历史包袱，按时保质保量完成了清分工作。组织对全辖336户贷款企业进行了信用评级工作；推行了“贷款责任制”，逐步建立了科学的风险管理体系，使得当年新增贷款收息率达到100%。针对清收难度的加大，把清贷收息列为两大重点工作之一，成立了专职清收队，在清收中“有钱收钱，有物收物”，尽量保全资产，坚持盘活和清收并重，坚持依法清收。到12月末，全辖清收和盘活不良贷款1057万元，收回历年欠息327万元。

【开展“四项真实性”检查】 一是加强财务管理，提高核算意识。结合人民银行开展的“四项真实性”检查，认真贯彻新的《会计法》，依法合规经营。在费用管理上，继续实行“按季核批、按月考核”，地区行机关和临汾城区部、处包干核算，基层行独立核算，先计划、后开支，强化核算意识，增强了效益观念。

二是强化内控机制，落实“强迫休假制度”。机构改革后，各职能部门认真开展了整章建制工作，加大对基层部门的检查力度，全辖先后对两个分理处和10个储蓄所的负责人进行了强迫休假离岗稽核，对当年交流的7名中层干部进行了离任稽核，收到明显成效。

三是深化内部改革，完善考核机制。上半年顺利完成内部机构改革和人事改革，下半年按省行要求完成了稽核体制改革。通过对机构和人员的重组和调整，基本上达到了理顺内部关系、优化资源配置、提高办事效率、推动业务发展的预期目的。1999年出台了新的内部考核方案，这一考核办法以任务以考核指标，以分值为考核手段，加大了企业存款和清贷收息两项重点工作的考核权重，将员工收入与考核结果相挂钩，对基层、部、处与费用挂钩，增强了效益观念，进一步打破了工资收入、费用使用上的“大锅饭”，便于准确考核各部门的工作业绩和经营成果，进一步调动全员工作的积极性，促进了各项任务的完成。

四是狠抓“三防一保”，努力化解金融风险。去年该行在全辖各基层认真落实“四项制度”，严格操作程序，有效地堵塞了漏洞、化解了风险。该行还在全省中行系统率先试行了35岁以下男青年轮流守押，较好地解决了守押人员不足的问题。在控制各项费用的同时，对安全保卫费用给予了倾斜，增加了投入。

【认真开展职业道德教育】 地区分行党委以邓小平理论为指导，按照江泽民提出的“三个代表”的要求，结合工作实际，大力加强党建工作，狠抓廉政建设，扎实开展了“三讲”教育“回头看”，狠抓了整改措施的落实，实行了“行长接待日”，积极为员工排忧解难。从1999年10月开始，集中时间，在全辖开展了以“爱岗敬业、遵纪守法”为主要内容的职业道德教育。全辖开展了“外学北城，内学营业部”活动，文明优质服务水平得到了进一步的提高。全辖先后举办了多种形式的技术比赛、知识竞赛和文艺表演，进一步加强了思想政治工作，丰富了员工的文化生活，提高了全员素质。

附：

先进单位和个人

1. 中国银行临汾分行营业部被全国妇联授予“巾帼文明示范岗”荣誉称号。
2. 中国银行临汾分行营业部被中国银行山西省分行授予“先进集体”荣誉称号。
3. 中国银行临汾分行北青分理处团支部被中国银行山西省分行评为“先进团支部”。
4. 中国银行临汾分行迎春路分理处储蓄专柜被评为省行级“巾帼文明示范岗”。
5. 中国银行山西省分行授予李建国、张富强、李国萍、张建珍、张卫萍等同志省行级“先进个人”。

（李哲民）

·中国建设银行临汾分行·

【概述】 建行临汾分行紧紧围绕全区实施“三件大事”为中心的经济发展战略，改进完善配套金融服务，以支持潜力产品和优质客户、优绩中小民营企业发展为工作切入点和突破口，不断加快业务创新步伐，加大信贷投放力度，优化信贷结构，圆满完成全年综合经营计划：

1．经营效益明显好转。全年实现营业收入13348万元，完成账面利润年计划的148%，当年实现减亏1170万元；2．各项存款大幅增长。年末，全口径存款余额225122万元，当年新增36535万元，增幅19%，其中企业存款余额63284万元，当年新增12692万元，增幅25%，市场新增占比21.98%；储蓄存款余额142638万元，当年新增19237万元，增幅16%，市场新增占比21%；同业存放余额19200万元，当年新增4606万元；3．贷款质量攀升。年末，信贷资金贷款122077万元，全年累放27410万元，累收8714万元；全部贷款利息实收额4865万元，完成年计划的108%；全部贷款利息实收率66%，比1999年提高23个百分点。不良贷款余额56593万元，比年初减少4822万元，不良贷款46%，比年初下降11.68个百分点；4．中间业务收入翻番。实现中间业务净收入128万元，增幅288%，完成年计划221%；5．信用卡、房地产金融业务稳步发展。信用卡发卡量3676张，比年初新增2559张，完成年计划的116%，交易额15022万元，共发展特约商户102户，取现网点71家；政策性住房存款余额23740万元，当年新增3773万元，市场占比69%，完成年计划划的105%，住房公积金存款余额18019万元，当年新增4032万元，市场占比75%，完成年计划的112%。

【服务地方经济】 全年发放贷款27000万元，有力地支持了山焦、华翔、乔山等一批调产骨干项目发展。为解决中小民营企业担保难、贷款难的问题，借鉴沿海发达地区同业先进经验，以平等互利的合作方式，开创与中小企业担保公司联手扶持临汾市民营企业发展的先河，先后与翼城创日、临汾正和、襄汾财政3个担保中心密切合作，向其推荐的翼城明亮钢铁厂等38家产品有潜力、市场前景好、科技含量高的绩优中小民营企业发放贷款29笔，总计5285万元，使这些企业在激烈的市场竞争中脱颖而出，迅速发展壮大，贷款及利息回收率均达100%，取得了良好的经营效益和社会效益，实现了从地域经济出发、促进企业发展，自身业务增长、有效防范风险的有机结合，被行署誉为金融创新的范例。同时，立足房改，推出上门送货、上门收款等多项新服务。

【强化营销宣传】 一是跟进市场变化，导入营销理念，建立多层次、跨部门的营销组织体系；二是围绕"两卡一汇"主导产品，开展多手段，全方位的立体式、大规模营销宣传活动；三是抓住行政事业单位统一由银行代发工资机遇，捕捉信息，主动出击，扩大代理业务范围。全年共发行储蓄卡和生肖卡67112张，卡存款9715万元，卡均存款1448万元，市场占有量在同业和2000年系统内新上城综网的二级行中位居第一。个人电子汇款汇入汇出1348笔，金额2610万元，增势迅猛。代理业务品种达8个，代理收费总额2583万元。代发工资单位新增156户，共发展425户，44452人，月代发额2454万元。

开展收贷攻坚，提高资产质量。采取依法起诉等多种办法强化收贷收息工作，全年回收各类贷款8714万元，压缩不良贷款4822万元，不良率较年初下降11个百分点，资产质量进一步提高。

【提升综合经营管理水平】 1．改革信贷管理体制。建立由经营主责任人牵头，信贷专职审批人、信贷管理部门、具体经办行密切协作的贷款审批、经营管理、风险控制3项职能分离、互相制约，有效加强管理、降低经营风险的信贷管理新体制；2．改革机构与人事管理。一是优化网点结构，撤消10个低产低效所柜，把2个办事处、2个所分别升格为支行和分理处。年末全行所新增287万元，居当地同业前茅。24个网点综合服务功能达标。二是实行员工竞聘上岗，16名正式工转岗培训。三是推进减员增效战略，18名正式工协议终止劳动关系，3人因违纪被限期调离；3．加强基础工作。一是会计规范化单位和升级单位分别达67%和25%，二是加强信贷基础工作，认真进行贷前调查、贷后管理，严格防范信贷经营风险。三是加强"六防一保"工作，全年一案未发，实现安全运营。

（张永亮）

·地区信用联社·

【概述】 临汾地区信用联社各项存款余额达245200万元，较年初净增41200万元，完成上级下达全年任务2.08万元的198%，实现超任务、超1999年、超历史。各项贷款余额为179800万元，全年累计发放贷款99000万元，绝对额增加29000万元，重点支持了农业产业化、市场网络化、企业规模化项目；绝压不良贷款5067.8万元，不良贷款占比50.7%,较年初下降了15.8个百分点；收回贷款利息13111万元，完成全年任务11235万元的115.8%，比1999年同期增收6360万元，突破了历史最高年；全区实现盈余也突破历史最高年。盈余社达27个，比1999年同期增加13个；亏损社仅有6个，比1999年减少13个。通过加大增收节支力度，年底实现盈余1000万元，实现利润109万元。存款总额占全区农村信用社存款总额的47%，占临汾地区金融机构总额的46%，名列第一；存款超亿元的信用社增加到7个（城区、坂下、城东、尧庙、城郊、广场和联社营业部）。收息和盈利突破了历史最高年。全区收回贷款利息13111万元，占年任务11235万元的115.8%，

【管理机制上实现创新】 管理创新。一是人事管理上创新。全区信合系统推行了全员劳动合同制、

岗位聘任制、效益工资制，彻底端掉“铁饭碗”，破除了“终身制”，正式职工和合同工在同一起跑线上，岗位靠竞争，收入靠贡献。二是在信贷管理上创新。行署成立农业贷款服务领导小组，推行《多户联保限额贷款办法》，贷款“会审”，杜绝新的不良贷款的形成。三是在财务管理上创新。推行总额控制、分类管理、分项考核的办法，坚持以收定支、先收后支，强化核算意识，加大增收节支力度。四是机制创新。走合作制道路，把信用社办成农民入股、社员民主管理，主要为入股社员和“三农”服务的合作金融组织。联社召开第二届社员代表大会第二次会议，贯彻执行理事长、主任分理制，实行理事会领导下的主任负责制。五是服务创新。“门面+脸面=形象”的策略，强化柜面整顿，净化“窗口”服务，树立“小窗口，大银行”的风范。

【实施“四项”全新贷款办法】 联社在信贷运用上大胆创新，推行了 4 种方便群众、手续相对简捷的全新的贷款办法：一是农户小额信用贷款办法。凡是农户急需要千元以下的贷款，经信贷员考查，该户情况属实、讲信用，证章齐全，农户只需写贷款书即可办理，随到随办。二是多户联保限额贷款办法。凡是农户贷款 1 万元以下的，农户在自愿的基础上成立联保小组，一般由 3～10 户组成，根据其成员的经济实力、信用程度、入股额度，确定贷款限额。联保小组成员同信用社签订“联保协议”后，信用社就发给农户《多户联保限额贷款证》，凭证随用随贷，余额控制，次数不限，随有随还，周转使用。三是质押贷款办法。只要是有效存单、票据，不需审批。经信贷员验证属实，信用社审查登记后，在一天内即可拿到贷款。四是抵押担保、保证担保贷款。此类贷款一般金额较大，手续办理繁琐，办理的难度大。实行审贷分离制度，由信贷员考察评估，信用社贷款评审小组集体审批；依法合规办理贷款，办事效率高，一般要求在 10 天内给贷户办妥。

【全力支持“三大工程”项目】 支持农业产业化工程、市场网络化工程、乡镇企业深加工工程。支持农业产业化的对象，主要是指经营农业产业化项目或者为农业产业化提供服务的农户、经济联合体和企业；其项目，主要是围绕全区农业产业化 5 条经济带，结合各乡镇确定的重点项目，认真考察评估，尽量简化贷款手续，全力支持农业产业化规模经营；支持市场网络化的对象，主要是指本社区内具有完全民事行为能力，有一定经济实力和经营水平，负责人品行端正，信用度良好的市场开发商，商业企业和个体经济户；其项目，主要以市场为坐标，积极利用城内大市场，对全区已开发的各类市场、逢集乡镇的市场；支持乡镇企业深加工的对象，主要是指对农副产品、自然资源进行深加工，科技含量为主的乡镇办、村办企业和股份制企业以及个体私营企业。其项目，主要有精细铸造企业，农副产品加工工业，综合煤化工业，新型建材工业等。

【城市信用社改制】 12 月 19 日，人行临汾中心支行在联社召开了 9 个城市信用社改制会议，行署副专员郝忠礼、临汾市市长宿青平、中心支行张转芳行长、贾淑萍副行长等领导参加会议。临汾地区中心城市社所辖 9 个城市信用社改制为农村信用社，平阳城市信用社因债务问题被临汾市联社代管，转制归属工作当年 12 月底结束。

附：

获省以上的先进单位及个人

△联社被人行天津分社和山西省农金体改办授予“解决2000年计算机问题先进单位”称号。

△广场信用社主任杨建平因成绩显著被授予“山西省劳动模范”称号。

△城郊信用社在全省“巾帼文明”竞赛活动中被山西省妇女联合会授予“巾帼文明示范岗”称号。

·中国农业发展银行临汾分行·

【概述】 地区农发行围绕收购资金封闭运行这一中心，突出班子建设和基础管理扎实苦干，全面完成各项经营指标。

全行各项贷款余额达 199980 万元，比年初净增 25000 万元，新收粮棉油价格与新发放贷款比率、销货款回笼率、回笼销货款归行率、回笼销货款收贷率四项封闭运行考核指标均达到了 100%。粮油、棉花贷款收回率达 115%，贷款利息收回率达 94.89%，资金运用率 97.8%，中央财政负担的粮食风险基金和国家储备粮利费补贴专户到位率为 100%，省地粮食风险基金当年专户到位率为 100%，全年盈利 400 万元。

本着“引全国的水，浇地方的田”思路，积极向上级行申请贷款规模和上借资金，全年累计上借并发放贷款 31000 万元，支持国有粮食收储企业收购粮食 39182 万斤，其中收购保护价粮食 35466 万斤，非保护价粮食 3716 万斤；支持棉花企业收购棉花 48199 担，既保护了全区农民种粮种棉的积极性，又使广大农民实现了增产又增收。

针对全区许多粮食企业存在仓库暴满，仓容紧张的情况，分行多次向上级行反映，联系争取省财政厅贴息的建仓贷款指标。经过努力，分行共争取回建仓贷款 1395 万元，占全省建仓贷款的 15%，帮助全区 17 个县（市）的 32 个粮食企业建仓库 18000 平方米，解决了近 1.5 亿斤粮食的安全存放问题。

在帮助粮棉企业敞开收购的同时，还积极与企业协商，给企业出主意，想办法，提信息，找销路，全年共支持收储企业净销售粮食 24202 万斤，棉花

158577担，实现销售收入28668万元，促进了企业效益的提高。还帮助支持全区12个县市粮食企业处理销售陈粮10650万斤，实现销售收入3970万元，减轻了企业存粮矛盾和价差负担。对棉花企业，分行及时抓住棉花价格回升，市场好转的有利时机，及时发放棉花销售贷款11632万元，支持棉麻公司，侯马转运站等企业外购棉花197507担，帮助企业实现利润30万元。

（董永平）

保　险

·人民保险临汾分公司·

【概述】 中国人民保险公司临汾分公司是人保公司在临汾设立的专业公司，承接了原中国人民保险公司经营的除人寿保险以外的一切保险业务，是目前临汾惟一的国有商业性财产保险公司。分公司机关内设7个部室，下辖16个县（市）支公司和1个营业部、1个办事处。公司主要承办企事业单位财产保险、家庭财产保险、机动车辆保险、货物运输保险、建筑安装工程保险、农业保险和各种责任保险等。公司“以人为本，效益为先，笃守信誉，稳健经营”为立业之本，在改革、管理、经济效益和各项建设等方面都取得了新的成绩。全区系统实现保费收入9295.1万元，完成年计划的102.2%，同比增长5.5%，提前一个月完成全年任务。其中，机动车辆保险费收入6673 .8万元，完成年计划的102.6%，同比增长5.7%；货运险保费收入2326.4万元，完成年计划的100.3%，同比增长5.7%；货运险保费收入266.3万元，完成年计划的107.4%,同比增长5.5%。全辖共处理各类保险赔案7027件，结案率88.6%，支付赔款4786.7万元，综合赔付率为51.5%。全年实现利润460万元，上缴税金820.8万元，圆满完成了省公司考核口径利润指标。由于公司对属地经济发展和人民生活安定做出贡献，被地委、行署授予“文明单位”、“重合同守信用单位”等荣誉称号。

【推进减员增效改革】 根据人保总公司、省公司关于减员增效的改革精神和要求，组织职工认真学习各级公司关于改革的文件，深刻领会精神实质，宣传推广隰县支公司减员增效典型经验，引导各公司特别是山区小公司，对历年经营状况进行“回头看”，结合实际算账对比找差距，统一思想，提高认识，制定了减员增效实施方案。在了解系统内外减员增效工作经验的基础上，结合《劳动法》、《合同法》的要求，起草了有偿辞职协议书，并征求了省公司、省劳动厅等部门的意见，使工作做得既合法规又合情合理。到年底，全区系统减员67名，其中补偿性减员60名，清理性减员5名，自然性减员2名，总减员占到公司1999年末职工人数的22.3%。减员后全区人均保费由年初的30.7万元上升到40万元以上。由于此项工作走在了全省的前头，在年底召开的全省人保系统思想政治工作会上，公司党委书记、总经理吴世相代表临汾分公司党委作典型发言，介绍了临汾分公司减员增效改革的经验。

【公司内部三项制度改革】 在全区系统进行了县支领导干部竞聘上岗。县支公司除经理外，符合条件和基本符合条件的57名人员参加了竞聘。通过个人申报，确定报名资格，统一考试，竞聘演讲，民主推荐测评，组织考察考核，党委研究，任前公示等程序，确定了竞聘。原聘职位（科级干部）6人，选拔聘用科级干部8人，股级助理10人，淘汰县支领导干部3人。通过竞聘上岗，优化调整了县支领导班子的年龄、知识和专业结构。各公司把分配制度改革作为改革的突破口，根据各自实际制定了工效挂钩考核办法，由过去的发工资变为挣工资。分公司实行了以考核保费、利润的完成程度对各公司实行考核，继续实行万元保费工资费用含量制，拉开收入档次，劳绩结合，建立了有效的激励机制。

【全省95518保险服务专线电话现场会在临汾召开】 根据人保总公司、省公司的要求，临汾分公司决定成立“机动车辆保险理赔中心”和“95518保险服务专线电话中心”。4月30日，临汾分公司在全省率先顺利开通了95518专线电话，同时在侯马、洪洞、霍州、翼城、襄汾等5个支公司设立了95518电话服务点。分公司在财力、人力上大力支持，为两个“中心”配备了所需的电脑硬件，从基层公司抽调了一批素质高的业务人员，专门配备了保险救援和查勘车辆。5月18日，临汾分公司机动车辆理赔中心开始正式运行。6月23日，全省人保系统在临汾分公司召开了95518保险服务专线电话现场会。省公司刘宽副总经理听了临汾分公司的经验介绍，观看临汾分公司的实地操作和演示，参观“两个中心”，对临汾分公司两个“中心”的建立工作给予了充分的肯定。

【强化基础管理工作】 在业务管理方面，认真落实验险承保和核保核赔制度，对营业部、办事处、侯马、洪洞、翼城等9个公司的车险业务全部实现了网上核保，全区各支公司基本上实现了电脑出单。在财务管理方面，继续实行资金限额管理，严格执行收支两条线办法，实行资金专户管理，把基层公司的银行账户分成收入、支出类和费用类3个账户进行管理和控制，减少了资金风险。在电子化建设方面，开通了分公司自动化系统，实现了网上传递文件信息，提高了工作效率，为各支公司配备了办公自动化设备。加强了对员工的电脑、业务、财务应用软件知识培训，提高了全员的电脑应用水平。对全辖会计、统计、再保险、企财、车险业务程序进行了升级。分公司与营业部等 11 个支公司开通了电脑联网，建立了系统三级广域网，为加强业务、财务管理实现业务数据库集中处理奠定了基础。

【储金性业务清理工作】 根据人保山西省分公司储金清理会议精神，临汾分公司及各支公司分别成立了储金清理领导小组。从 7 月 20 日开始，对全区长达十多年的储金性保险业务进行全面清理。这次清理包括全区 18 个支公司自开办的第一笔储金性保险业务以来到 2000 年 7 月 31 日止所发生的所有储金性保险业务，最早的从 1985 年开办第一笔储金业务以来已有 15 年历史。在清理过程中，财务方面整理了 1980 年～2000 年 7 月 31 日的全部财务凭证，单证方面各公司根据储金保单领用登记与使用及库存情况进行了核对。于 12 月初圆满完成了储金清理任务，为以后储金业务的健康发展打下良好的基础。

【为霍州李雅庄煤矿瓦斯爆炸事故保险赔付】 10 月 26 日 18 时 05 分，霍州市煤电集团公司李雅庄煤矿井下发生瓦斯爆炸。人保霍州市支公司接到报案后，立即组成专案组赶赴现场查勘。经核查，该矿于 2000 年 9 月 7 日投保了煤矿企业财产保险，该事故属保险责任。经人保省、市、县三级公司共同查勘会审，在估损的基础上，于 11 月 11 日向该矿预付赔款 100 万元。12 月 29 日，全部结案，一次性为该矿支付保险赔款 453.8 万元。

【为襄汾纺织厂“6·16”火灾事故保险赔付】 6 月 16 日襄汾支公司领导及业务员接到报案后，及时赶赴现场帮助灭火。所需索赔手续齐全后，6 月 26 日，一次性结案，分公司及襄汾支公司领导主动上门将 30 万元保险赔款送到襄纺领导手中。

(李国平)

·人寿保险临汾分公司·

【概述】 中国人寿保险公司临汾地区分公司是中国人寿保险公司在临汾地区设立的国有商业保险公司。全辖有 6 个营业部、1 个办事处、9 个代办所，形成了覆盖全区城乡的营业网点。它承接了原中国人民保险公司临汾地区中心支公司和中保人寿保险有限公司临汾地区分公司的全部人身保险单责任，是临汾地区惟一的人寿保险专业公司。主要业务及经营范围：人身保险、健康保险、意外伤害保险等各类人身保险。各类保险的咨询、代理；国家法律、法规允许的资金运用业务。开业经营以来，公司广大职工始终坚持以依法经营、廉洁从业、信守合同为原则，为全区 40 万人次提供了各种人身保险。

【业务总量凸显增长】 中国人寿临汾分公司认真贯彻保费收入是企业的立身之本、发展之源的方针。从实际入手，加大力度搞培训，审时度势地制定了大力发展营销业务，努力发展意外保险业务，稳定发展直销长险业务的整体思路。一是在营销业务上，打破了代办所不开营销的格局，使营销业务在全局范围内全面开展。通过学习河北省遵化市的先进经验后，使营销业务的触角向农村不断延伸，消灭了营销业务的空白点，涌现出了临汾市、洪洞县两个“农村之路”的后起之秀。二是在意外险上，突出重点，狠抓骨干险种的发展，取得较好的效果。三是在直销长险业务上，继续坚持地推行襄汾的“农村之路”，使“农村之路”在全区越走越宽广。四是不失时机地制定每项业务的奖励措施，一个一个地开展活动，营销业务先后开展了“千禧龙年，创世纪辉煌”活动，“争当红旗团队”活动，“再树形象，再铸辉煌”活动，直销长险开展了“赶进度、打基础”活动；全年劳动竞赛活动轰轰烈烈，促进了业务的全面发展。实现保费 12161 万元，完成省公司计划的 101.3%，较 1999 年实际增长 20.5%。其中，寿险保费收入 10959 万元，意外险保费收入 1394.4 万元，完成年计划的 100.28%；健康保险费收入 7.3 万元，各种寿险给付支出 4257.6 万元，个人营销收入占比达 62%，较 1999 年同期增长了 10 个百分点，实现了省公司要求占比达 60%以上的目标，超额地完成了任务。

【推广“农村之路”新经验】 3 月 28 日，各县市营业部经理和部分业务科长，会聚洪洞营业部，分公司副总经理张明堂、李抗生到会并讲话，确立了学习河北省遵化市先进“农村之路”的新经验思路，并就如何开展“农村之路”新经验提出了建议。会上，介绍了河北省遵化市农村代理网点（中国人寿保险公司农村代理网点之一）的经验，总结了过去以来一些成功的经验和失败的教训以及正在运作中的具体作法和不断完善的管理办法。学习河北遵化市农村经验后，分公司的各营业部、办事处、代办所坚持了“大队伍、大市场、大业务、大发展”的宗旨，加大投资力度，运用营销手段，建立了寿险“捆绑式”运营机制，不断壮大队伍，拓展农村寿险市场。12 月 5 日，分公司霍州营业部召开了现场理赔兑付座谈会。经讨论决定，霍州营业部向 5 位投保人当场兑付保险赔偿金 164361.28 元。保户们很满意，深受群众好评。

【举办营销业务培训】 为使临汾地区寿险业务保持持续、健康、稳定发展的良好势头，经过分公司党委决定，在临汾地区的一处八所开办营销业务。4 月 11 日，在临汾召开了营销业务培训大会，一处八所的所长和营销员工参加了培训，分公司党委书记、总经理何永禄、副总经理张明堂到会并作发言。在培训的 6 天时间内，培训讲师从寿险概论、保险理念、营销技巧、条款与实务、队伍激励等诸多方面，进行了重点和难点的培训，对疑难问题做了详实的解答。通过这次培训，为一处八所的工作迅速打开营销局面，进一步提高了营销队伍素质，使营销业务再上一个新台阶，为开拓今后的市场发展奠定了坚实基础。

【开展保护母亲河社会公益活动】 “保护母亲河”等社会公益活动募集资金是推动中国环境保护治理工作的一大重要举措，也是共青团中央积极倡导的一项社会公益活动。5 月 17 日，接到省总公司“保护母亲河”等社会公益活动的明传电报后，临汾分公司党委书记、总经理何永禄对此项工作非常重视，当即作了“积极参与，踊跃捐资”的重要批示，并责成人事部门在全区安排部署。各营业部、办事处、代办所及分公司各部室接到通知后，全体干部员工立即行动起来，形成了各级领导带头，团员、广大青年积极响应，其他干部职工热心参与的捐资热潮，两天捐资 4430 元，翼城分公司营业部、营销部、蒲县、侯马、霍州等单位走在了前列。在整个捐资活动中，大家的踊跃捐款精神得到了省公司好评，分公司党委、总经理室给予通报表扬。

（毛瑞军）

商　贸

城市商业

【概述】 行署商业系统紧紧围绕全区“三件大事”，结合商业实际，突出深化改革，扭亏增盈，行政执法三项重点工作，不断创新，奋力拼搏，认真履行自身职责，进行不懈努力，制定扭亏增盈方案，层层分解下达扭亏增盈指标，制定严格的扭亏增盈领导责任制和赏罚分明的考核办法，强化扭亏增盈的领导意识和责任意识。充分利用自身优势，开展多种经营、资产经营、“双增双节”活动，千方百计创收增效，使商业系统继续保持经济效益稳定增长的好势头，为全区的社会稳定，经济发展，丰富人民群众的物质生活作出了积极地贡献。截至 11 月底，全区盈亏相抵实现利润 92.4 万元，同比增长 77%。全年可完成 116 万元，比 1999 年增长 1.8%。11 月底缴纳税利 554 万元，比 1999 年同期的 558 万元，下降 0.7%，预计年终不低于 1999 年的水平。截至 11 月底，全区 17 个县（市）盈利的有 14 个，持平的有霍州、大宁两家，亏损的只有侯马一户，年终奋斗目标胜券在握。全区商业系统 186 个独立核算单位，盈利的 183 个，亏损单位 3 个，预计年终不会再增亏损单位。1～11 月全区商品销售完成 13889.6 万元，同比下降 9.6%，预计年终可完成 15800 万元，比 1999 年下降 12%。

【调整经营战略】 年初在总结成绩的同时，认真分析总结问题，对全区商业的经营战略、营销方式、结构调整、创新机制、改革内容、发展方向，实现目标进行战略调整。一是根据中央经济工作会议精神，把扩展城乡市场，扩大商品销售作为商业部门的主要任务。为了科学地指导全区工作，组织专人深入到乡镇实地调研，制定了实施规划，上报行署，得到肯定和支持。二是对城市市场这个主战场的经营战略也进行了必要的创新规划。根据市场发展趋势，认真实施商业组织结构和商品经营结构两大调整，积极发展连锁经营和名牌，品牌经营；鼓励组建企业集团，优化组合，资产重组；倡导实行总代理、总经销、规模化经营，特色化发展；大力支持兴建专业批发市场、旧货市场、小超市、专卖店等。三是认真落实地委、行署确定的年度部门责任目标硬件任务，按时完成了地区五交化专业批发市场的建设任务并投入运行。积极支持和鼓励各县（市）根据自身的条件，兴建适度规模的批发市场，取得很大成就。到年底，全区先后兴建起大小不一，规模适度，特色突出，效益可观的专业批发市场 11 个，年收入 600 万元左右，成为商业企业新的经济增长点，为国有商业突出重围，摆脱困境，壮大实力，加快发展奠定了一定的物质基础，也解决了企业内部很多待岗职工的就业问题。

【推行产权制度改革】 起草《临汾行署商业局关于对地直改制企业进行规范和完善的意见》，针对性地拿出 10 条具体意见，报行署同意后，会同财委、国资局、体改委等部门共同协商实施。突破 1997 年以来“先股后租”的模式，又采取“带有效资产，背相应债务”的创新办法，较好地解决了国有资产“悬空”、“流失”和无偿使用等具体问题；按照《公司法》的规定，进一步充实和健全了“三会一制”。针对工作中出现的新情况，新问题，结合国家有关新的政策规定，对改制企业在财务、分红、资产剥离、土地使用等诸多方面，严格进行了审计，认真检查规范，逐项进行了落实，特别是后半年，对 3 年到期的改制企业的换届工作，加强领导，依法监督。在工作中，注意掌握政策法规，严格按照程序办事，确保了换届工作的平稳过渡。

【贯彻两个《条例》】 继《生猪定点屠宰条例》之后，《山西省酒类管理条例》又于 1999 年 8 月正式颁布。能不能贯彻好这两个《条例》，是关系到广大人民群众能不能吃上“放心肉”、喝上“放心酒”的大事。在行署的领导下，在工商、技监、防疫、公安等部门的配合下，认真负责地主抓了两个《条例》的落实工作。在生猪定点屠宰工作上，通过严格按照规定标准建点设场，全年屠宰生猪 31 万头，比 1999 年增加了 3.2 万头；检查出病猪 570 头，全部做了无公害化处理；上缴代扣税金 527 万元，比 1999 年增长 22%。在酒类管理上，虽然《条例》颁布的迟，而且准备工作量大，由于抓得紧，进展快，全年发放酒类批发许可证 212 个，其中：农村 38 个；查获无证经营，手续不全，过期使用，标识不符等 200 余起，价值 150 万元。两项行政执法工作得到省厅和行署领导的充分肯定。

农村商业

【概述】 地区供销社坚持为“三农”服务的宗旨，努力把各级联社办成农民的合作经济组织。已形成了纵成系统，横成网络，纵横交错，遍布城乡的经营服务体系。17 个县（市）分别设有供销社，同时设有各类专业公司、社办工业企业及其它事业单位。全区有 121 个公司，县以下设有 214 个基层供销社和农村经济综合服务部，共有 1105 个综合服务站和分销店，373 个工业品采购（供应）网点，117 个农副产品采购供应网点，140 个废旧收购机构，200 个饮食服务业网点，63 个加工生产机构,26 个仓储运输机构,营业面积 38.4 万平方米。全系统拥有自有资金 11302 万元,职工总数达 1.6 万人,全区 90%以上的农户为供销社的社员户,成为全区最大的农民集体所有的合作经济组织。

【调整基层社布局】 在改造基层社方面，打破原有按行政区域建社的模式，逐步按照经济区域合理调整部分基层社的建制，建立中心社。浮山县社先后组建了北王中心社、城关中心社、寨圪塔中心社，对 9 个基层社进行了合并重组；古县县社按经济区域并社留店，把南片三乡郭店、店上、茶坊三社合并为店上社，郭店、茶坊留门店不作独立核算单位；永和县社撤消 5 个基层供销社，原有的 11 个基层社按经济区建立了 6 个中心社；吉县县社的 10 个基层社，重新组建了 4 个中心社。为进一步从单纯的购销组织向农村经济的综合服务组织转变，全区还先后组织生产者建立起棉花、葵花籽、绿豆、莲菜、中药材等各种类型的专业化生产合作社和专业化协会 202 个，入社户数 35520 户，不断完善各种类型的专业合作组织，以此做为农业产业化进程的突破口。在组织农民开发资源，发展商品生产，培育主导产业，发展规模经营等方面，专业合作社起到了积极的推动作用，为实现农副产品生产、加工、销售一体化显示了很大优势。

供销社紧紧围绕办成农民合作经济组织这个目标，把建立和完善农业社会经济服务体系问题作为供销社自下而上的根本和发展方向，全区供销社系统逐步建立了完善的服务体系。以生产资料公司为“龙头”、以基层供销社为主体的生产资料服务体系，保证了化肥、农药、农膜的供应，走出一条以科技为先导，以供销为依托，技物结合，全程服务，振兴农业生产的新路子。至年底供销社各种类型的服务组织已经发展到 934 个，其中县级综合服务中心 18 个，乡镇综合服务部 176 个，村级综合服务站 391 个，乡村庄稼医院 183 个，配肥站 184 个。全区有为农服务的科技人员 1100 名，培训农民科技人员 22800 人，测土配方施肥面积达 64 万亩，参与集团承包和联合承包 62 万亩，推广植保技术，防治病虫害面积 113 万亩，有效地提高了为农服务的质量。

（乔丽平）

粮食购销

【概述】 全区粮食部门认真贯彻中央和省政府的重大部署，全面落实地委、行署“三件大事”发展战略，克服困难，开拓创新，打好打胜粮改、扭亏增盈、粮库建设三大战役。各项粮改政策得到了认真落实，初步确立了有效保护和调动农民种粮积极性，促进粮食生产稳步发展的新机制，粮食宏观调控能力得到增强，保持总量平衡，确保了全区储粮安全，没有出现粮食生产的大起大落，为全区经济发展和社会稳定起到了积极作用，圆满完成主要经济指标：粮食收购完成 37725 万斤（其中：小麦 22255 万斤，秋粮 15470 万斤），占省局任务 3 亿斤的 125.25%；粮食销售完成 26065 万斤（其中小麦 16509 万斤，秋粮 9556 万斤），占省局任务 2.5 亿斤的 104%。购销企业利润完成 49.97 万元，占任务不亏损的近 50 倍；安全储粮“一符四无” 达标率达 95%以上，完成了省定任务。

【粮食流通体制改革】 一是不折不扣地贯彻按保护价敞开收购农民余粮的政策，较好地保护了农民种粮积极性。全区粮食系统认真执行国家收购政策，把敞开收购作为一条铁的纪律，公开挂牌，敞开收购，户交户结，即时结算，坚持做到不拒收，不限收，不停收，不压级压价，不代扣代缴农业税以外的任何税费，不给农民打白条，基本满足了农民售粮的要求，有效地保护了农民的利益。二是采取得力措施，千方百计促进顺价销售。全区层层落实销售责任，实行销售目标责任制；严格奖惩，实行销售与工资挂钩，按量计酬等激励机制；抽调骨干，组织专门促销队伍，在成都和南昌设立直销处销售；市县局长亲自带队外出销售；开通侯马粮油现货交易网，开展网上交易等办法，加大促销，取得明显成效。三是加强收购资金管理，确保了收购资金封闭运行。各县市粮食购销企业与农发行密切配合，严格按照收购资金封闭运行的有关规定，收一斤粮贷一斤收购粮款，销一斤粮还一斤贷款本息，没有出现新的挤占挪用现象，粮食购销企业新增贷款库贷挂钩比例达到 100%。四是积极推进粮食企业改革，企业的体制进一步理顺，管理水平进一步提高。全区共有 83 家国有企业进行了产权制度改革，共吸纳股金 1501 万元，盘活资产 20980 万元，有 2173 名职工成为股东。粮食购销企业实行了主附营业务分离和减员增效的原则，减员幅度达到 31%。

【新建国家储备库】 洪洞甘亭国家储备库投资近 8000 万元，仓容 2.5 亿斤，1998 年立项，1999 年竣工，2000 年投入使用。投资 1100 万元的地区亿斤粮库项目，主体工程完成。全区还争取中央和省投资 1395 万元，新建和扩建仓容 1.2 亿斤。

（亢献民）

石油购销

【概述】 临汾石油公司隶属于中国石油化工集团公司，下辖 17 个县（市）公司。有运作中的油库 4 座，总容量 5.09 万立方米，拥有加油站 214 座，农村网点 80 个，分布在全区各城市中心、霍侯路、大运路及国道、省道等主要交通要道和重点乡村，覆盖面达到 85%以上。

公司党政一班人，团结带领全区系统千名职工充分发扬“开拓进取、求实创新、尽职尽责、争创一流”的企业精神，围绕一个中心（以经济效益为中心），狠抓三个重点（油站建设、优质服务、全方位节约），保证五个到位（进货到位、市场整顿到位、以财务为龙头的管理到位、经济责任制到位、思想政治工作到位），从而圆满完成了省公司下达的各项工作任务。销售成品油20万吨，完成年计划18.8万吨的106.5%，其中零售12.59万吨，占总销量的62.3%，完成年计划12万吨的104.9%；年销售收入118000万元，比1999年56600万元增加了61400万元，增幅108.5%；整体实现利税3017.2万元，比1999年2433.2万元增加了584万元，增幅24%；整体实现利润1489.45万元，占年计划的1430万元的104.2%，增加了465.25万元，增幅45.4%，其中股份公司实现利润1603.45万元，占年计划1600万元的100.2%。以上各项指标均创历史最好水平，全省系统排名第一。

【搞好配送服务】 临汾石油运输公司是临汾石油公司下属的一家经营实体，主要担负着系统内成品油运输和公司机关用车任务。有油罐车50部，生活车13部，下设修理股、运行股、调度室、职工62人。该公司求实创新，奋力拼搏，走出了一条集中配送、优化服务、降本增效的求生存、促发展、创效益之路。强化安全管理，使职工牢固树立“安全第一”的思想，严格作业程序，严把油品质量关，不断提高服务质量，并向广大用户郑重承诺：24小时服务，顾客用车随叫随到，决不为难、克扣用户和掺杂使假，从而树立了良好的社会声誉，赢得了用户信赖，取得了较好的经济效益。该公司共运送油品10.5万吨，实现运营收入369万元，利润15.1万元，创历史最好水平。

【开展优质服务活动】 临汾石油公司把创特色服务，提高顾客满意作为提高经济效益的突破口和增长点，提出了“跑步迎送，仪表端庄，擦车送水，语暖心房，称平量足，唱收唱付，微笑服务，誉满四方”的优质服务32字方针和“树一面旗帜，交一方朋友，占一方市场，促一方经济，干一番事业”的“五个一”活动方案，不断加大优质服务工作的检查考核力度，并在加油站广泛开展流动红旗站、先进班组、服务标兵竞赛活动，激发了广大职工的工作热情，使得大家心往一处想，劲往一处使，出现了“站站争第一，人人争标兵”的可喜局面，从而使得优质服务工作真正落到实处，迈上了新台阶，促进了公司销量的增加，效益的提高。

（张晓燕）

烟草专卖

【概述】 临汾地区烟草专卖局（公司）是属政企合一、实行产供销、人财物、内外贸集中统一管理的国有中型企业。担负着全区17个县（市）局（公司）的卷烟调拨、专卖管理、人事劳资、财务监督等任务，并管辖着全区卷烟市场及6500户卷烟经销户的卷烟供应和管理。1985年以来，临汾地区烟草专卖局（公司）面向市场、立足改革，不断建立健全各项规章制度，强化企业内部管理，认真执行《烟草专卖法》，取得了较好的经济效益和社会效益，企业利税由组建初期的50万元增加到2000年的1877万元，增长37倍。公司先后获得省政府颁发的“遵纪守法”、“重合同守信用”先进单位，省消协评选的“全省消费者信得过单位”，全国烟草系统“模范集体”、“地级精神文明单位”等光荣称号。

【主要经济指标圆满完成】 临汾地区烟草专卖局（公司）广大干部职工紧紧围绕“狠抓基础，稳中求进”的行业工作指导思想和“一要规范、二要改革、三要创新”的行业工作重点，坚持以国家局提出的“经济运行和专卖管理两个三年阶段性目标”为指针，以着力实施省局党组提出的“六项”工程和地区局党组提出的“向四控要效益”为主题，加大宏观调控，不断改革创新，圆满完成各项目标任务。全年共销售卷烟114316箱，占年计划89803的127%，同比增长40%，其中销售地产烟23604箱，完成年计划22560箱的104.6%，同比增长109%；实现销售收入92000万元，同比增长32.61%；实现利润956万元，占年计划950万元的100.63%，同比增长19.87%；实现税金921万元，同比基本持平，利税合计1877万元。

【开展百日卷烟专项斗争】 根据国务院办公厅〔1999〕第89号《关于严厉打击制售假冒商标卷烟活动，坚持制止非法生产卷烟行为意见的通知》和国家烟草专卖局、山西省烟草专卖局下发的〔1999〕第680号、33号文件精神，临汾地区烟草专卖局在行署的领导下，会同行署打假办、经委、财委、纪检委、质量技术监督局、公安处、工商局、纠风办、物价局、交通局、临铁分局等11个委、局、办，从1999年11月～2000年3月开展了轰轰烈烈的全区集中打击假冒走私卷烟的专项斗争。百日卷烟打假专项斗争期间，共出动执法人员8000人次，车辆1200台次，整顿净化乡镇市场260个，检查卷烟经销户5060户，取缔无烟草专卖许可证21户，查封柜台41个，查扣假冒走私、计划外卷烟2064件（其中的假冒、走私烟287件），违法价值230余万元，罚没款30余万元。

（卢宏伟）

盐业专卖

【概述】 临汾盐业分公司建于1980年4月，与1993年7月成立的临汾盐务分局均属于山西省盐业公司、山西省盐务管理局的分支机构，实行一套机构，两块牌子的管理体制。分局作为盐业行政主管机构，负责本辖区17个县（市）三百万人的盐业市场管理工作，已形成以临汾盐务分局为中心，各县（市）盐务管理站为支点的盐政执法和市场管理网络。分公司、分局始终以食盐专营为宗旨，以深化改革为依托，以盐政稽查为手段，以供好碘盐为己任，使碘盐供应和食盐专营走上规范化、制度化、科学化的轨道。分公司、分局多次受到各级领导部门的表彰。2000年分公司代表山西省参加全国碘缺乏病评估验收获全国第二名，并被行署授予“文明单位”。

盐业公司全体干部职工结合分公司实际情况，以食盐专营为支撑点，以供好碘盐为出发点，以市场管理为切入点，以机构改革为突破点，以双文明建设为闪亮点，开创了临汾盐业工作的新局面，圆满完成了各项工作任务。1. 全年购进各种盐19995吨。2. 全年销售各种盐20383吨，其中：食盐销售完成12579吨，精碘盐销售完成8684吨，工业盐完成7804吨。3. 销售总值完成1282.2万元，费用总额494.42万元，其中：经营费用311.47万元，管理费用176.76万元，财务费用6.19万元。主营利润99.3万元，多种经营利润50.54万元。

【强化食盐专营】 以供好碘盐为己任，在企业发展中完善专营，以专营促进企业发展。分公司于3月10日召开了全区盐业工作会议，传达全省盐业工作会议的精神，安排部署2000年各项工作，同各县盐业公司签订了《2000年企业目标责任书》，将省公司下达的食盐各项指示予以合理分解，进行“百分制”考核，对计划执行，销售完成情况细化、量化，做到目标明确，责任到人。为了加强对工业盐用户的管理，分公司召开辖区工业盐用户座谈会，公司领导及相关科室向与会代表讲解了国家对工业盐管理的有关政策、法规，并与工业盐用户签订了《供销合同》，进一步规范工业盐经营行为。在国家对2000年消除碘缺乏病阶段目标进行考评验收中，临汾为山西接受国家考评的第一站。按照省公司“严责任、严标准、严措施、严协调、严效果”的5严要求，打响了“迎接考评攻坚战”。分公司精心组织，先后4次对所辖各县（市）进行模拟检查，对重点区域派专人常驻督导。由于事前准备充分，验收效果显著，顺利通过考评验收，为山西争得全国消除碘缺乏阶段目标评验第2名奠定了良好基础。严格规范经营行为，按照省局换发的《食盐批发许可证》规范经营，为保证食盐“精细化”工程顺利实施，坚决杜绝放售散盐现象的发生，全面推广精碘盐和500克复膜小包装上市。按省局安排，遵循“合理布局、方便购买”原则，分公司重新审核和换发《食盐零售许可证》，坚决取缔无证经营行为和违纪违规行为的经营户。共换发许可证近3000份，扩大了基础网点建设，加强了对零售网点的监管力度，进一步推动盐业经营秩序的健全和规范化。

【保障碘盐供应】 保证辖区人民吃上卫生合格的碘盐，继续普及推广精碘盐，引导群众消费，制定科学的供应方式和管理措施。一是提高碘盐分装质量，包括碘盐的含碘盐，小包装袋质量等，以保证小包装碘盐的卫生合格；二是努力强化服务意识，杜绝官商作风，克服坐等态度，提高服务质量，继续坚持向直供县、超市、市郊零售网点送盐，力争“通过一点，带动一片”。在加强网点建设的基础上，重点对网点布局进行调整和巩固，通过增设批发部、服务点，发挥销售网络的优势；三是利用省公司职能部门检查工作促进精碘盐销售。省公司审计、盐政、计运等部门多次来临检查指导工作，先后召开了多种内容的分析调研会、座谈会，针对临汾销售落后、食盐结构比例失调等问题，进行了听、看、查、谈的专题研究分析。通过各级领导讲政策、讲形势的帮扶，使县级公司认清了形势，明确了方向，统一了认识，树立起了责任心，增强了销售精碘盐的信心和决心。

【加大市场稽查力度】 1. 搞好特定节日的宣传工作。为了搞好“3·15”、“5·15”宣传活动，早安排、早部署，将活动的方案以文件形式下发各县盐务管理站及职能科室，对活动时间、内容、着装、宣传口号都做了具体要求。在市中心广场宣传咨询站上，宣传人员身披“食盐加碘，利国利民”的彩带，向围观群众讲解盐业法规、条例向路人散发传单，做到了宣教有机结合，使盐业法制观念深入人心。2. 注重新闻媒体的舆论传播作用。年初，《山西青年报》记者对分局的“查私、打假”工作进行专访；与电视台合作录制了反映打击贩销私盐的专题片，在黄金时间播出，下发各县盐务管理站，在当地电视台播放。坚持每次破大案、要案有新闻单位介入，及时播报，保持时效性。在省、地电视台、省地报刊、《中国盐业信息》先后报道多次，收到了显著的社会效果。3. 加强盐政队伍建设。为了提高辖区盐政执法整体水平，1月，分局邀请临汾市司法局领导对全区盐政人员进行盐政执法培训。经考核，为全区盐政执法人员核发了执法证件。4. 加强盐政稽查力度。年初，私盐贩子乘“两推”工作开展之隙，大肆向市场投放私盐。制定了稽查方针：一是打“歼灭战”。集中优势力量对私盐活动进行打击，先后侦破洪洞师小兵案、襄汾汾城案、蒲县反底村案；二是堵路口。因全区私盐多是由公路流入，因此查堵是必不可少的稽查手段。6月7日在霍州市查扣晋L33775号车，查获私盐0.5吨；7月1日在临汾市涧河桥查扣晋L13354号车，查获私盐1吨；7月28日在蒲县查扣晋L01771号车，查获私盐6.5吨；12月7日在襄汾赵康扣晋M13104号车，查获私盐1.5吨；三是端窝点。根据群众举报，盐政人员捣毁襄汾县南辛店和邓曲村两个较大的私盐分装窝点，查获私盐3.1吨，假冒省公司统一监制的1000克粉碎盐和精碘小包装袋4000余个，封口机6台、杆称、台称4个，粉碎机1台及其他若干工具。分局共查获私盐70余吨，查扣贩运私盐车辆5部，罚款2000余元。5. 联合执法，保障稽查。集中治理和日常检查相结合，一方面加强全区盐政联动网络建设，一方面联合公安、工商、技术监督、卫生防疫、新闻等部门的协调行动。分局共向公安机关移送盐业违法案件和暴力抗法案2起，公安机关以“非法经营罪”刑事拘留2人。极大震慑了私盐贩子，有效地净化了盐业市场。

【加快体制改革步伐】 为适应市场经济的发展，

盐业体制改革有两方面的突破：一是内部改革在思想观念上有新突破，形成企业管理人员能上能下、收入能增减及人事管理、分配制度。按照分公司深化企业改革实施方案，有多名中层干部脱颖而出，其工作思路新，精力旺盛，为公司注入新的活力，发挥了重要作用；二是继续认真贯彻落实晋政办发〔2000〕48号文件精神，拟将所辖各县盐政站更名为盐务支局，从而使市场管理工作步调一致，统一和谐，这也将是县级公司体改的一重大举措。

【做强做活多种经营】 在省公司“多元开拓，办好多经”的思想指导下，分公司发挥现有优势，巩固“主业”阵地，在做活、做大、做强、做好多以上下功夫。认真落实500克小包装计划，在分公司辖区盐业工作会上，将省公司下达的500克小包装购销计划分解到各县，同各县市公司签订了目标责任书；以文件形式明确规定了小包装货款管理的办法及小包装让利有关规定，鼓舞了县公司完成任务的积极性。积极推广系列盐，为了优化产品供应结构，扩大销售品种，与临汾各大超市联系，对系列盐部分实行物流配送，直接送货上门。加强产品质量管理，建立健全各项规章制度，加强工人业务素质教育，完善了售后服务，维护了盐行业的信誉。每天按时抽查、过磅，严肃质检质量，保证了碘盐质量。

（田芳芳）

对外贸易

【概述】 全区外贸系统认真贯彻执行全国、全省对外贸易、经济合作和外商投资的发展战略、方针政策和法规，根据地委、行署“打基础、调结构、治环境”三件大事的要求，加大扩大对外开放和外贸工作的力度，依托本地优势产业，培养出口潜力商品，优化出口商品结构；坚持参与国际竞争，把参加外经贸洽谈会和利用电子商务网作为企业结识客户，加强业务联系，开拓市场的重要手段；坚持实施大经贸战略，加强对封闭企业的管理，实行对企业的出口奖励政策，调动企业出口积极性；坚持加大招商引资力度，提高引资效率，抓好项目落实，创建出一批新型产业，使临汾外经贸工作呈现出新的局面。外贸进口显著增长，合同外资大幅攀升，实现了外贸进出口和利用外资双丰收。全区进出口贸易快速发展，进出口总额创历史最好水平，增幅在全省名列第一。截至12月底，临汾外贸进出口总额达到4753万美元，完成省政府年调控计划1600万美元的297%，同比增长172.7%。其中出口完成3734万美元，占年调控目标1300万美元的278.2%，同比期增长183.68%，进口1020万美元，占年调控计划300万美元的340%，同比增长138.9%。出口商品结构调整步伐，依托临汾地区的纺织、医药、化工、铸造等优势产业，采取扶强扶优的策略，重点扶持了有出口实力和出口潜力的企业，扩大了生产出口规模，使棉布、硫化染料、柠檬酸等潜力商品的出口比1999年翻一番。通过拓展钢坯、生铁、桐木板、金属镁等新的出口商品，使本区出口商品结构发生了明显变化。

【利用外资】 全年批准成立三资企业9户，合同外资总额为4724万美元，完成全年目标任务1500万美元的315%，同比增长168%，在全省名列第一。在利用外资工作中着重围绕基础设施、新型产业，引进了一批科技含量较高的环保型产业，其中有山西塔山纸质降解餐具有限公司，山西奥林达能源有限公司。在招商引资工作中，注重搞好涉外服务，协同有关部门不断推动软、硬环境的改善。山西力士体育器材有限公司当年审批、当年投产、当年出口创汇。

【华盛公司自营出口】 临汾首家获得进出口自营权的民营企业——山西临汾华盛有限责任公司在首次实现产品自营出口。华盛公司是一家以生产杠铃、哑铃等健身器材为主的民营铸造企业集团。公司下辖两大分厂，40多家铸造协作厂，注册资金1500万元，拥有一条机加工生产线，两条喷漆生产线、一条浸塑生产线，一条包胶生产线，一条电镀生产线，年生产能力5万吨。该公司自从1999年获得进出口自营权后，积极运作，多方联系客商，最终将健身器材销往美国、日本等国家，首次实现出口创汇165万美元。在本区出口格局中形成了地直公司、省直企业、生产企业、三资企业、县市外贸、民营企业六路大军齐头并进，共创大经贸的新格局。对本区实施大经贸战略，实现出口主体多元化起到了积极的推动作用。

【积极开展外经贸洽谈活动】 组织有关企业参加了在上海、大连、昆明、厦门、广州、深圳、乌鲁木齐等地举行的各类外贸洽谈会，取得了圆满成功。在上海举行的华东交易会上展出四大类14种商品，签订出口合同近300万美元；在大连进出口商品交易会上结识了土耳其、罗马尼亚、沙特阿拉伯等国外客户，打开了离心铸管、轴承、刹车盘、纸张等商品的出口市场；在广交会上汾河制药厂与德国、奥地利、西班牙、美国等国外客商签订了110万美元柠檬酸出口合同；邓庄纸厂与科威特、沙特阿拉伯、阿联酋等国签订纸张出口合同390吨；在乌洽会上共展出了5大类24个品种的商品，尤其是在招商引资方面，签订协议金额达到了1.73亿美元，轰动了整个交易会。随着各类企业积极参加洽谈会，使得全区商品出口的市场进一步扩大，在巩固、发展原有东南亚、美、日市场的同时，拓展亚洲市场，意大利、保加利亚、西班牙等欧洲市场和南非等非洲市场。

科学技术

科委工作

【概述】 全区科技工作紧紧围绕地委、行署提出的“三件大事”和2000年科技工作目标，建设创新体系，依靠科技调整产业结构，大力发展民营科技企业，培育发展高新技术及产业，促进科技成果转化，有力推动了全区经济发展。一是地、县两级成立了科技执法责任制领导组，制定科技兴市（县）“十五”规划和2010年远景规划。17个县（市）科技三项费用预算达到1006万元，地级科技三项费预算150万元，占财政预算支出的1%以上，有10个县（市）科技三项费占到财政预算支出的19%以上。二是扶持民营科技企业。认真贯彻《山西省促进民营科技企业发展条例》，涌现出一批高新技术企业。三是加强“产学研”结合，进一步提升了工农业发展水平。行署及各县（市）成立了“产学研”办公室，确立了政企与大专院校、科研院所的联系机制。四是创建科技精品工程，发展特色产业，推进了农业产业化。建立农业科技示范园区和科技成果推广示范基地。五是培育发展技术市场，开展农村技术承包，促进科技成果转化。六是加强信息网络建设，建立临汾地区科技信息人才数据库，为多家企业和个人提供网上信息服务。

【首届“产学研”高新技术项目洽谈发布会】 7月10日～12日成功举办临汾地区首届“产学研”高新技术项目发布洽谈会。邀请了北京、上海、南京、西安等地33所大专院校、科研院所近百名专家、教授参会。各县市县（市）长带队组团，有300多个企业以及一部分乡镇、村干部、民营企业近千人参加洽谈会。会上发布200余条项目信息，行署及有关县（市）与大专院校、科研院所共签订长期科技合作协议16项，企业、县（市）、部门与大专院校签订科技合作协议10项，8个行业，17个县（市）共签订技术和项目合作意向121项。会议架起了一座“产学研”合作的桥梁，建立了一个以大专院校、科研院所为依托的科技信息网。

【科技示范园与技术承包】 全区建立了省级农业科技示范园区—洪洞县城关镇李堡农业科技示范园区。该园区拥有一座智能温棚、自动化温棚和12座日光温棚。技术创新内容包括：反季节无公害蔬菜、水果、花卉、粮食、高新稀特经济作物，园区已产生了 显著的示范辐射效应。建立了曲沃太子滩、侯马香邑、襄汾邓庄、临汾屯里等4个地级农业示范园区和农业科技成果示范基地10个。农业科技示范园区的建设，推动了全区农业结构由传统农业向现代化农业的转化。全区承担省级农业技术承包计划11项，其中粮食项目3项，承担面积11.2万亩，增产7777吨；蔬菜项目1项，承包面积0.45万亩，可增产2700吨，增收240万元；林果项目6项，承包面积7.5万亩，增产45000吨，增收9286万元；经济作物项目1项，面积为0.05万亩，增产75吨，增收 90万元；地区计划2项。技术承包人员94人，其中科技人员74人。

【完成7项省级科研项目】

1．机动车检测智能化控制系统

该系统响应当今工控领域分布化、网络化趋势，立足于可靠性、先进性和实用性。系统自动化程度高，配置灵活完善，功能齐全，人机界面清晰直观，同时采用不着高性能工业控制PC机和模块化技术，使系统在稳定性、可靠性和先进性方面达到新水平。

临汾市机动车安全技术检测中心承担

2．ω-3脂肪酸营养油项目

该项目采用世界最先进的超临界CO_2萃取技术和进口设备，萃取紫苏籽中ω-3多不饱和脂肪酸。产品无溶剂残留，一次同时完成脱酸、脱色、脱氧化物、脱臭、脱杂质等。此项技术已申请中国发明专利。

洪洞飞马实业集团承担

3．香菇塑料温室立体高产栽培技术推广

综合型塑料温室及其配套技术是山西省农业大学动物科学系研究推出的省内先进技术，综合型塑料温室，造价只有菇房的10%-13%，室内环境因素易调控，能满足香菇子实体生长发育的要求。温室栽培能供应北方冬季鲜菇市场。室内搭菇架，立体栽培，菌筒排放量比直接排放多近两倍，提高了空间利用率，选择适合当地条件的菌种，原料科学配方，能提高香菇产量与质量的10%，选用最佳栽培期，能提高接种成功率10%-20%。

安泽县科学技术委员会承担

4．元宝枫丰产栽培及综合开发利用技术推广

本项目是中国经济林学会副会长王性炎教授组织的课题组，经过4年开发出的多种效益为一体的重要经济树种，摸索出了一套良种嫁接丰产技术措施。经西安福田公司具体的指导实施，在育苗、栽培、嫁接上，成活率可达95%以上，技术可靠有保障。

浮山县科学技术委员会、浮山县史演河乡人民政府承担

5．红枣综合丰产技术

该项目通过新植枣园科学规划，挖隔坡水平沟、密植矮化，建立标准化枣园。实施枣树树形修剪示范，土肥水管理示范，花期管理示范，病虫害防治为主的植保，取得红枣丰产。

永和县科学技术委员会承担

6．果树品种大面积更新换代技术推广

该项目对衰老树进行更新，采用倒杆改优加密技术；对未结果的幼树采取定干秧一次嫁接培养成形；严重缺株老果园进行补植，更新换代，采用矮的密植，矮的蹭砧脱毒苗；对更新后的果园均采用土、肥、水、剪、生物防治综合栽培技术，苹果套带技术进行科学管理，实现果树品种大面积更新换代。

霍州市科学技术委员会承担

7．优质新品种红提葡萄两万亩

优质新品种红提葡萄属当今世界鲜食葡萄品种中的名贵品种之一。其结果性、丰产性、耐贮运性都比较好。通过高接、扦插及时防治病虫、果实套袋等各项高新技术措施管理，实行无公害管理，平均亩产 2000 千克，经济效益十分显著。

曲沃县果业中心、曲沃县科学技术委员会承担

【土壤供钾与小麦需钾施钾技术研究获省级二等奖】 由山西省农科院小麦研究所、行署农业局土肥站、运城行署农业局土肥站合作研究的该成果，1．完成了麦田土壤钾素状况及动态变化特征的研究。明确提出土壤速效钾呈下降趋势：潮土>褐土；河谷平原区>黄土丘陵区>土石山区；砂壤>轻壤>中壤>重壤；小麦-玉米（一年两作区）>棉花>玉米>小麦。2．完成了麦田土壤潮土、褐土的供钾特性研究，填补了石灰性土壤潮土、褐土供押规律研究领域内空白。以土壤的因钾能力、土壤速效钾、缓效钾释放特征和钾肥利用率为依据，明确褐土的供钾能力优于潮土，其钾肥利用率不及潮土。3．完成了小麦需钾特性研究。在分析小麦一生中钾素累积量和吸收强度变化的基础上，搞清小麦抽穗期和成熟期根、茎、叶、籽粒中钾素含量变化规律。丰富了植物营养学理论。4．完成了小麦高产高效施钾肥、氮、钾交互作用尤为显著。确定了小麦最佳施钾技术以及小麦亩产 400 千克以上的氮、磷、钾化肥适宜用量。确定了土壤速效钾（K_2O）含量≤80 毫克/千克，为潮土、褐土显著施钾高效区；土壤速效钾（K_2O）≤100 毫克/千克，为一般生产条件下麦田缺钾临界值。经济效益和社会效益：3 年累计推广面积 962.9 万亩，增产小麦 26233.3 万，累计增加纯收入 28856.6 万元。

【民营科技企业名单】

山西省浮山县惠丰农机制造有限公司

山西省圣泉实业有限公司（古县）

山西省侯马银杏种植有限公司

山西省侯马黄河高效农业研究所

襄汾油漆厂

（乔宝恒）

科协工作

【概述】 临汾地区科学技术协会是全区科学技术工作者的群众组织，担负开展学术交流，普及科学知识，推广先进技术，开展青少年科技教育，为党和政府进行决策咨询、技术咨询，反映科技工作者意见、要求，维护科技工作者合法权益，履行对主管地属学会、协会的管理等职责。地区科协机关设 4 个职能部室：办公室、学会部、普及部、组宣部（青少部）；下属 3 个事业单位：科技咨询中心、科技馆、科技与信息报社。地区科协紧紧围绕“三件大事”、“五项创新”，积极开展各项活动，取得显著成效。

【农村专业技术协会】 农村专业技术协会（简称农技协）发展壮大。新发展农技协 300 个，使全区各类农村专业技术协会总数达到 600 个，会员数 10 万人。5 月 25 日，全省第一个地级农技协临汾地区农村专业技术协会成立，12 月 13 日第一县级农技协大宁县农技协成立。农技协的发展壮大，优化了农村产业结构、巩固主导产业，促进潜在产业。

【科普示范县、乡、村活动】 创建科普示范县、乡、村活动是争取各级党政领导和社会各界支持、关心、参与科普工作，进一步提高科普工作社会功效的一项重要活动。全区科普创建工作在不同层面上取得进展，9 月，蒲县在“山西省科普示范县”检查验收评比中，居全省榜首，12 月 18 日，省地领导专程为蒲县授匾。翼城县被确定为全国 100 个创建工作重点县，12 月 19 日，受全国科普示范县创建工作的检查，得到考评组高度评价。临汾地区科协在创建工作中大力强化基层组织建设，对全区乡镇科协进行整顿完善，新组建 2 个街道办事处科协，3 个企业科协。9 月，出席在安徽省蚌埠市召开的全国县级科协组织建设经验交流会。全区科协系统各基层组织，充分发挥其社会功效，广泛开展“科普周”、“科普讲座”、科普展览、科技咨询技术服务等活动，取得良好社会效益。2 月，地区科协与襄汾县科协组织科技人员参加地委在陶寺开展的“文化、科技、卫生”三下乡活动，给当地农民赠送了技术资料，设立专家咨询站，此次活动声势大、层次高、质量高、影响大。地区气象学会以“世界气象组织—50 年服务”为主题，利用电视台、广播电台、报纸等传播媒介，开展气象知识普及活动，接待 500 余名大中学生参观，提高全民气象意识。地区地震学会在“7·28”宣传周活动中，利用图片展览，张贴标语、组织演习等形式进行了防震减灾法规和地震灾害常识的宣传。蒲县科协筹资近 30 万元，在县城 8 个繁华地段建成总长度 200 米的科普画廊。

【学术活动日趋活跃】 全区各级学术团体共组织举办学术交流活动 52 次，撰写有价值的学术论文 800 余篇。在全国第二届学术年会论文征集中，地区科

协推荐 5 篇论文，其中市水利设计院张广峰同志的《历史洪量估计方法的选择》；山西师大冯玉广同志的《山西县域可持续发展水平和能力定量评价研究》；马志正的《中国西部大开发的战略思考》3 篇论文于 9 月 16 日在全国学术年会上进行了交流。在全省咨询组织的“金牛奖”评审中地区科协推荐的赵竺良同志的项目被评为特等奖。在“山西省技术创新研讨会”上，推荐论文 11 篇，入选 3 篇。在山西省第八届青少年科技辅导员优秀论文征集评选活动中，地区科协推荐 9 篇论文。其中李凤华的《学科教学与青少年创造能力的培养》、袁振莲的《中师化学实验与学生能力的培养》、王文明的《培养创造力，推动素质教育》被评为二等奖，古翟莲的《培养青少年创造能力方法分析与研究》评为三等奖，其余 4 篇被评为优秀奖。12 月 23 日，地区科协与地委党校、师大经济管理系、企业家协会、《时代晨报》、经济学会、科学社会主义学会等 7 家单位联合举办了“新世纪企业论坛”活动，全区企业界和学术界 30 余人参加会议，20 余篇论文进行交流。

【青少年科技活动】 3 月，第十届青少年科技创新大赛在全区展开，组委会共收到科技小发明作品 196 件、科学论文 270 篇、科技创新方案 107 件、科学幻想绘画 400 余幅。地区科协对 74 件小发明作品、131 篇论文、40 项创新方案、219 篇科幻画及 43 个单位、10 名优秀组织者和 27 名优秀科技辅导员进行表彰，向省、全国大赛推荐作品 79 件。地区科协组织了省科技试点学校临汾地区东关小学和曲沃城关小学的 60 余名同学参加了全国青少年科普夏令营。青少年科技辅导员队伍素质不断提高。卫永泽、卢清河、贾会平同志被授予全国青少年科技活动优秀组织者称号。李忠、杨少华、杨安定等 9 名同志被评为山西省优秀青少年科技活动优秀科技辅导员，地区青少年科技教育协会被授予全国青少年科技活动先进集体荣誉称号。临汾地区东关小学、曲沃县科协等 8 个单位被评为山西省青少年科技活动先进集体。50 名青少年科技人员，纳入计算机网络系统。

（徐振东）

气　象

【概况】 紧紧围绕省气象工作会议的工作部署和地委、行署“三件大事”，团结拼搏，扎实工作，使全系统完成各项工作受到上级领导的肯定和表彰。地区气象局被国家气象局授予“重大气象服务先进集体”，获全省气象系统目标任务完成第二名，地级“文明单位”、“文明行业”，全区 17 个县（市）均被授予“文明单位”。

【气候评价】

1．气候概况

受厄尔尼诺余波和拉尼娜现象的综合影响，延续数年的自然灾害至 2000 年达到极致，前半年以高温干旱为特征，后半年以阴雨寡照而成害。总的气候特征是：全区年平均气温较历年平均值略偏高，降水偏少且分布不均，光照总体偏少，无霜期长。四季特征：冬季气温偏高，中冬雨雪充沛；春季气温偏高，春旱连夏旱，风沙严重，高温持续；秋季前期干旱，后期降水正常，温度偏低，光照少。

2．主要气候事件及影响

（1）伴随 1 月中旬初的强冷空气活动，全区连续出现降雪积雪天气，稳定积雪长达 20 余天，一改十余年冬季少雪的状况，为小麦越冬创造了良好条件；另一方面造成气温持续偏低，使持续多年的暖冬状况出现逆转，也使病虫灾害得到抑制；再一方面路面覆冰，事故频发，给交通、通讯、输电均造成不利影响。

（2）春季一方面高温缺雨干旱，另一方面弱冷空气活动频繁，在 3 月下旬～4 月中旬的一个月里，8 场大风伴黄沙，一次降温成重霜，风害、冻害、旱害给农林牧业都造成了重大损失，特别是 5 月无一场有效降水，小麦大面积减产失收，秋作物无法播种。

（3）夏雨虽然不多，但有效降水过程适宜，为以秋补夏创造了条件，尽管有伏旱危害，小杂粮产量尚可。

【气象服务】 气象服务是贯穿于气象工作始终的中心工作。年初，在全区气象工作会议上，针对本区农业生产的实际情况进行了精心的部署和安排。春季，全区遭受历史上少有的干旱，面对如此严峻的旱情，根据地委、行署的部署，积极开展决策服务，就今春的气侯特点及干旱成因结合全区的生产实际，撰写了《把握有利时机，加强麦田管理》、《久旱转好雪，趁机抓麦管》、《春播前后的气象条件分析》、《近期天气、气候、农情分析及未来形势展望》、《气象服务》等服务材料 11 期 300 余份，为指导生产、抗灾自救提供了诸多依据，受到各级领导的关注。每逢关键性、转折性天气过程，局领导都亲临参加预报会，并将预报结果及时送到地委、行署领导的案头，受到地委、行署领导的表扬。另外，侯马、翼城、曲沃、襄汾、吉县、霍州、洪洞、等县（市）气象局都从本地实际出发，抓住每次天气过程，不失时机地进行气象服务，收到良好的效果，得到当地政府的多次表彰。

【科研工作与气象现代化建设】 在搞好各项工作的同时，充分调动科技人员积极开展科研课题的研究，在气象学会的组织下，全局年内共有五项课题结题，年底通过地区科委鉴定，达到国内先进水平，其中两项课题获省科技进步二等奖。

发展气象现代化建设，使全区的综合水平得到较大的提高。5 月，改造后的 711B 数字化雷达在本局进行安装和验收，并可进行基本的操作使用。按照省局的要求，全区 10 个县局 VSAT 单收站全部完成并且全区 17 个县（市）局的分组交换网全部建成并投入业务使用。

【“三讲”教育与精神文明建设】 3 月 8 日，局“三讲”教育工作全面展开。“三讲”教育中，局班子成员结合实际，认真学习，深刻剖析，正视问题，积极整改，使“三讲”教育工作得以顺利完成。通过民主测评，班子成员的满意率均达 100%。“三讲”教育中，共查找问题 20 余条，进行了认真整改，有的问题在“三讲”教育中得以解决，有的问题列入了限期整改目标。“三讲”期间，共为群众办了 9 件实事，受到了群众称赞。10 月，针对“三讲”中存在的问题和整改措施的落实，认真开展“三讲”回头看，使各项方案落到实处。

（杨顺才）

防震减灾

【概述】 临汾盆地是山西地震带最主要的组成部分，是历史强震区，曾发生过 8 级大地震两次。因此被国务院确定为全国地震重点监视防御区，省政府确定为全省实现防震减灾十年目标的示范区。地区地震局本着为全区经济发展和社会稳定服务，真正使之早日具备抗御 6 级左右地震的能力，就防震减灾三大工作体系做了以下工作：

地震监测预报。为使前兆监测台网达到每万平方公里 5 台项，测震台网基本实现数字化，能监控 ML≥1.0 级地震，具备监控 6 级左右地震的能力，全年投入近 10 万元，对监测预报系统进行改选维修，对地区局深井率先进行中国地震局 95－01－02 项目数字化改造，已投入正常观测，将洪洞、侯马两处深井数字化改造，形成北、中、南一条线现代化地下水监测网。

震灾预防。城市是防震减灾工作的重点，抓好城市建筑物的抗震设防工作至关重要，为使全区真正具备抗御 6 级左右地震的能力，全区抗震设防管理等 4 项业务顺利进入地区行政审批中心，根据《防震减灾法》等法规的规定对新、改、扩建工作、对生命线等重大工程、对已建成的建筑物进行审批和安全性评价；在工作中力争做到 3 个百分之百，即凡在计划部门立项的项目 100%审批；对应作安全性评价的工作 100%进行安全性评价；对审批的抗震设防要求达到 100%正确，全年共审批 91 项。同时每年利用重要法规颁布日、重大地震纪念日，开展多种形式的大规模的社会宣传活动，使人民群众学习地震知识，增强防震减灾意思。

地震紧急救援。为保障破坏性地震发生后，能够高效有序的开展地震应急工作，抓好应急“三落实”：1. 加强领导，保证应急队伍的落实；2. 制定预案，保证应急方案的落实；3. 做好储备，保障应急物资的落实为突破口，扎扎实实地开展应急准备工作，并得到初步检验。

（廉涛）

地质矿产勘察

【概述】 山西省地质矿产勘查开发局 213 地质队，前身为国家地质矿产部下属的山西地质矿产局 213 地质队，1999 年整体划归山西省管理。11 月 29 日，由山西省机构编制委员会重新定编和命名为事业单位。机构设置有：综合办公室（含党务、工会、团委、行政办）、经济管理办公室、安全保卫科、劳人科、离退休管理科、第五地质工程勘察院、地质调查所、招待所、医务所、修配厂、实验室、劳动服务公司、物业管理公司。

本队完成国家计划内地质工作，编写和提交了《中华人民共和国（何枝）幅地质说明书》、《中华人民共和国（吴家峁）幅地质图说明书》、《凤尾测区区域地质调查报告》、《山西铝土矿含矿岩系中稀有金属矿综合评价总结报告》、《山西省塔儿山——二峰山地区铜金矿普查地质报告》、《山西省灵石县前二沟冰洲石矿普查地质报告》、《临汾市山项上金矿详查地质报告》等 7 份地质图说明及地质报告；开展预算内地质项目 5 项，完成地质填图 329.13 平方千米，测制沉积岩剖面 5179.7 米，变质岩剖面 2307 米，槽探 119.4 米。为各地矿山换证、勘查地质灾害，编写地质报告 110 份，地籍等测量 75 项。发挥技术和设备优势，坚持为城市建设及工农业生产服务，共开动水井钻机 5 台，桩基钻机 2 台，工程勘察钻机 2 台，岩矿钻机 1 台，承揽并完成水井施工、桩基施工、工程地质勘察项目共 96 个。全年实现产业经济收入 1011 万元，比 1999 年度增长 10.9%；实现利润 35.5 万元；国有资产增值率达 10.89%，分别完成省局下达任务的 112.4%、131.5%、218%。职工人均年收入比 1999 年度提高 1013 元。安全生产达标，连续第 14 年获省局“安全先进单位”称号。

【通过 ISO9002 质量认证】 由山西地勘局与山西兆维质量认证咨询中心签订培训合同。213 地质队对全体员工进行 ISO9002 质量认证体系的贯标培训，成立专门机构进行体系策划、文件资料编写与整理。3 个月完成了一本质量手册、7 个作业指导书、19 个要素、20 个程序文件、47 种质量记录等基础工作，并举行了质量认证发布会，正式宣告新的质量管理体系运行。又经过 4 个月的贯标、内审、外审，顺利地通过北京世标认证中心专家的质量认证，并获得证书。ISO9002 质量认证建立与运行，不仅对全队产品质量的提高、市场竞争力的增强产生巨大的推动作用，并为本队质量达到国际互认，打入国际市场夯实了基础。

（徐颜兆）

军 事

山西省临汾军分区

【概述】 临汾军分区于1949年10月筹建成立，1953年7月，兼管并执行“临汾警备司令部”职责。1954年8月，与运城军分区合并为晋南军分区。1969年4月，晋南军分区机关与邯郸军分区机关对调。1970年4月，晋南军分区划分为临汾军分区和运城军分区，同年11月，临汾休干所划归军分区序列。1986年军分区精简整编，所属人武部归属地方序列。1996年4月，人武部收归军队建制。现军分区下辖3个部、1个休干所、17个人武部共18个团级单位。

在上级党委和临汾地委、行署的正确领导下，按照分区党委“坚持改革创新，抓好重点工作，全面落实规划，努力争创先进”的工作思路和目标，全区上下团结一心，扎实工作，开拓创新，圆满完成了各项工作任务，全面建设有了较大的发展。

【巩固“三讲”教育成果】 巩固和发展“三讲”教育的成果，坚持从严治党，先后两次对每个班子进行了面对面地讲评，肯定优点，指出问题，明确努力方向，研究解决班子自身建设的具体问题。按照抓先帮后的路子，党委常委定点挂钩，分片包干，定期深入人武部、干休所进行具体帮助指导，一起分析形势，查找薄弱环节，使先进的班子有提高，较好的班子有发展，一般的班子有进步。年底首长机关分别对全区18个团级党委班子建设情况进行了全面考核，整体建设水平有了明显提高。临汾市和永和县、霍州市人武部党委分别被北京军区和省军区政治表彰为先进党委。依据上级关于基层党组织“三讲”正面教育的安排部署，借鉴团级党委“三讲”教育的成功经验，认真扎实地抓了“三讲”正面教育的落实，提高了全区基层党组织的凝聚力和战斗力。浮山县人武部党委抓“三讲”正面教育力度大、方法活、效果好，做法被分区转发。充分发挥纪委的监督作用，专门制定了《巩固和发展“三讲”教育成果，加强财经管理的规定》，狠抓党风廉政建设责任制的落实，分区纪委转发了吉县人武部党委《党风廉政建设暂行规定》的做法。利用成克杰、胡长清重大案件进行警示教育，提高了两级班子和领导干部廉洁自律的自觉性，促进了全区的廉政建设。同时，从年初开始，围绕提高干部队伍素质，先后组织5期集中培训，取得了比较好的效果。做法被省军区转发。先后转发了侯马市人武部建立“岗位目标责任制”、蒲县人武部“围绕中心作文章，结合工作写报道”和吉县人武部组织人武干部下基层代职锻炼的做法，有力地促进了干部队伍素质提高。先后组织机关干部、部分人武部政委和转业到地方工作的原人武部领导多次召开座谈会，反复进行研讨，较好地确定了新时期人武干部应具备的素质要求，为各级组织培养合格人武干部明确了标准，编印了《新时期人武干部业务知识读本》一书，给干部的业务学习提供了基本教材。为提高干部队伍的计算机操作水平，组织首长、机关干部进行了两次微机强化训练，经考核分区领导机关、临汾市人武部、干休所的干部95%取得了山西省教委颁发的初级计算机等级证书。

【维护军人军属合法权益】 在继续深化“双三好”活动、总结推广大宁县“军属服务站”经验的基础上，按照省军区关于“维护军人军属合法权益”的指示精神，建立健全了“维权”组织。全区成立了“维权”领导组1个，“维权”协调中心18个，协调站242个，协调小组3374个，做到了层层有组织，遇事有人管，形成了全方位覆盖的工作网络。各级“维权”组织完善了办公设施，开辟了“维权”专线电话，建立了现役官兵及军属档案，确保了“维权通道”的畅通。地区电视台开辟了“维权”活动系列报道，《临汾日报》开辟了“维权”专栏，分区在《临汾日报》撰写发表了系列“维权”研讨文章。吉县、洪洞县人武部向全县发出倡议书，教育广大军属自强自立，带头做维护自身权益的模范。浮山县人武部在抓“维权”宣传教育上，把群众在日常生活中接触较多的兵役法、婚姻法、土地法、劳动法等法律条文，印刷成册，发到军属手中，增强了广大军属以法办事的观念。曲沃县、襄汾县、临汾市“维权”协调中心，充分发挥桥梁纽带作用，较好地处理军人婚恋和军属邻里矛盾等纠纷，受到了当地现役军人及军属的好评。4月被北京军区表彰为开展“双三好”活动先进单位。

【民兵组织整顿】 民兵组织整顿以上级指示为依据，紧紧围绕适应“两场”需要，按照打基础、管长远、求发展的工作思路，因地制宜，因情施策，高标准、高质量地完成民兵整组工作。一是抓摆位，强化了组织领导。及时研究制定了整组方案，下发了实施计划，先后组织7个工作组，对全区各县（市）民兵整组工作进行了检查指导和考核验收。二是抓教育，营造了良好的社会氛围。广泛进行爱国主义和“依法办民兵”教育。三是抓试点，搞好示范引路。整组工作开始前，分别在临汾市、侯马、霍州市抓了先行试点。在民兵连、营部建设上，按照《民兵基层建设实施意见》，对民兵连、营部的软硬件建设进行了统一规范。使民兵连、营部建设达到了“七有一能”、“五统一”的标准要求，有力地指导了全区民兵整组工作。四是抓改革，合理调整布局。着眼战时兵员动员、科技支前、科技参战，科技保障和维护社会稳定、执行急难险重任务需要，按照突出重点、兼顾一般的原则进行了调整，形成了“三重”、“三沿”、“五多五少”为重点的总体格局（重点地区、重点方向、重点目标和沿霍侯公路、南同蒲铁路、沿汾河两岸）。做到城市多编，边远贫困地区少编；重点目标附近多编，非重点目标区域少编；优势企业多编，其它企业少编；高技术专业技术多编，生产一线岗位少编。并做到一兵一职，互不交叉。五是抓建设，提高了整体水平。坚持做到了四突出：突出民兵应急分队建设，按照“五统一”的要求，进一步对应急分队的组、训、装、管、用进行了统一。普遍以连、排为单位进行带战术背景的拉动演练；突出专业技术分队、依托专业对口或相近的单位，对现有专业技术分队进行了清理调整。民兵地炮、高炮、工兵专业技术分队根据现有装备，一套装备编组了两套人员，配有高炮的重点人防城市，临汾和侯马根据对空作战的要求和现有装备情况，分别组建了民兵高炮连；突出对口专业分队，按照“规模适当”的要求，对对口专业技术分队的数量进行削减，重新组建了邮电通信、工程抢修、伪装防护、汽车运输一批技术含量较高的对口专业技术分队；突出干部队伍。采取机关干部下基层代职锻炼、与老武装结成“帮教对子”的方法，提高了人武干部的实际工作能力。全区共有 60 名机关干部下基层进行了代职锻炼，结成帮教对子 120 余对。

【组织民兵投身“两个文明”建设主战场】 一是组织发动民兵预备役人员在调整产业结构中起带头、当骨干、做表率，不仅为促进当地经济发展做出了突出成绩，也有效地推动了民兵基层工作的深入开展。蒲县人武部在组织民兵预备役参与调整产业结构中，印发了《关于教育组织民兵预备役人员参加产业结构的决定》，采取不同形式，组织专武干部、民兵干部和退伍军人、民兵代表培训班，介绍调整产业结构的重大意义，学习有关农业、工业产品知识，提高民兵预备役人员的整体素质，增强了积极参与调整产业结构的自觉性。组织临汾市、侯马市、古县、乡宁县、蒲县、吉县、隰县等人武部，就发挥民兵组织在调整产业结构中的作用，进行了总结探讨，为进一步深化民兵组织在产业结构调整中的作用奠定了基础。二是以民兵预备役队伍突出力强的优势，在抢险救灾中发挥了重要作用，为保护国家、集体和人民群众的生命财产做出了突出贡献。4、5 月，安泽、蒲县、洪洞县相继发生森林火灾，分区在家常委组织机关干部按照预案迅速成立了领导指挥组织，研究了扑救方案，协调驻军部队和机关干部、战士奔赴火灾现场，与人武部组织的民兵预备役人员一起扑灭了森林火灾。两次扑救森林火灾，分区机关和人武部先后共出动干部、战士、职工 150 余人，民兵预备役人员 3900 余人，协调驻军 2200 余人，动用车辆 130 余台，行程 280 余千米。整个救火行动，充分发挥了民兵和人民军队在抢险救灾中的突击队和生力军作用，地委、行署专门召开庆功大会，表彰奖励了救火行动中的突出官兵。三是分区、人武部把积极组织民兵预备役人员协助公安部门维护社会治安，创造良好的经济建设环境，保持社会安全稳定为己任。每逢重大节日，给民兵应急分队和治安联防分队赋予任务，提出要求，采取不同形式，教育和引导广大民兵预备役人员，为维护社会安全稳定积极做贡献。2000 年国庆节期间，针对“法轮功”顽固分子有所抬头的情况，在组织各县（市）人武部清查时，专门下发通知，要求民兵预备役人员要积极参与清查的同时，重点维护好社会秩序，确保了当地社会安全稳定。

【干部和应急分队训练】 深化干部和应急分队训练，全年度共训民兵 5328 人，其中：基干民兵 1897 人，民兵应急分队 2200 人，民兵对口专业分队 1231 人，民兵干部 505 人，专武干部 98 人，两级机关干部 120 人。一是组织了一次科技练兵现场演示。2 月利用召开党委扩大会之际，在临汾市人武部组织了微机操作现场演示，组织人武部主官和军事科长观摩了办公自动化、多媒体开发、学术研究、战法研究等内容。二是举办了三次人武干部集训。2～4 月组织军事专业、政工专业、后勤专业集训，突出了微机操作综合业务素质和自动化指挥技能。三是进行了 5 期机关干部培训。7 月在省军区组织的高科技知识考核中，取得第五名成绩。四是下发了 3 期高技术知识函授作业。在应急分队训练上，坚持从难、从严、从实战需要出发，按照突出重点，区分层次，打牢基础，提高质量的原则，采取与驻军和武警“结对子”的训练方法，严密组织，科学施训，使民兵应急分队的参训率达到了 98%，综合成绩均在良好以上。乡宁、蒲县民兵应急分队代表本区参加了省军区的考核验收，取得了优异成绩。

【预备役登记和新兵征集】 7 月，对全区 34589 名复退军人进行了预备役登记，其中技术兵为 14562 人。经过登记核对掌握了全区退伍军人服预备役的数量和分布情况，为储备技术兵员和战时兵员提供了可靠的依据。9 月，完成了兵役登记，为征兵工作奠定了良好基础。征兵任务下达后，全区各级党委、政府高度重视，认真贯彻落实，努力夯实征兵工作基础”的经验在北京军区推广。在征兵工作中，临汾军分区采取多种形式大力宣传《兵役法》和《士兵服役条例》，在提高兵员素质上，实行严格的岗位责任制，严格兵员征集条件、标准和程序，严把报名关、体检关、文化关、政审关，使兵员质量有了很大提高。实行兵员标准、数量、结果三公开，较好地杜绝征兵工作中的不正之风。加大对接兵干部的管理力度，并大力开展评比“先进接兵连”、“优秀接兵干部”活动，使全区上下一致反映2000年征兵工作真正形成了全党抓征兵的局面，要求严、风气正、质量高，受到地方党政领导和人民群众的一致好评。并受到省政府、省军区的通报表彰。

【国防动员工作】 组织召开人防、交通、经济动员办公室主任会议，传达学习省国防动员委员会通知精神，对有关问题进行研究。并在临汾市抓试点，组织有关县（市）进行参观学习，完善了各种资料。指导各县（市）配强配齐了工作人员，特别是地市经济动员办公室在起步晚、基础差的情况下，落实人员编制，对办公室进行重新布置，对软硬件建设进行弥补。4月18日～20日，组织3个办公室主要领导对平川7县（市）的国防动员工作逐条逐项的进行了检查指导。5月，侯马、临汾、霍州接受省国动委检查组验收，受到了高度评价。

【贯彻落实《警备勤务暂行条令》】 紧紧围绕加强部队作风纪律建设这个重点，在维护军风、军纪，协助地方维护社会治安，协调军地关系等方面较好地发挥了桥梁纽带作用。一是协调驻军进行军容风纪纠察。在重大节日、换装季节及时协调驻军部队统一实施，有效地解决了军容不整、军纪不严等问题，使市区流动人员的军容风纪合格率达到90%以上。二是开展军车检查。首先培训了军车检查人员，健全各种手续，购置手旗，通信工具等装备。在上路检查中，对证件、手续不全的违纪军车，按规定对司机进行了严肃的批评教育，产生了良好的社会影响。

【后勤工作】 后勤战备工作落实。按照“一保生活，二保战备”的要求，认真抓全区战备建设。年初完善分区机关后勤战备室建设，更新战备器材，修订战备方案和计划。按照“三案两划”的标准，指导人武部完善战备方案及设施配套建设，抽查人武部后勤战备教育、战备训练和战备演练。认真编制经费预算，参照1999年预算经费执行情况，立足实有“家底”，紧扣党委意图和年度经费保障任务，在总量不变的前提下，认真编制了年度经费预算；加强对基层单位年度预算的审核与审批，确保全区预算在综合平衡的基础上，年度经费预算安排控制在收入数的95%以内。严格落实财务制度，落实党委集体理财制度，签定《领导干部理财责任书》。落实经费审批制度，实行经费月开支计划，经费开支做到有计划、有预算、有报告。落实了经费审核制度，严格执行分管首长、后勤部（科）长、业务部门三级联审，各级财务部门积极发挥职能作用，加大对经费的管控力度。落实经费汇报制度，对全区“三费”开支情况进行专项审计，促进了领导干部党风廉政建设。周密组织经费保障，坚持“以民兵预备役工作为中心，以基层为重点”的原则，认真组织了全区经费保障工作。各单位在资金普遍紧缺的情况下，不等不靠，积极想办法，努力做工作，采取向地方要一点、自己补一点、开支省一点的办法筹措资金，全区年度筹资金达300余万元，有效地保障了民兵整组、训练、比武、征兵等项工作的顺利开展。后勤业务建设逐步加强，军需工作按照供应标准，请领发放了夏冬季服装，服装发放适体率达100%。积极贯彻落实总部《部队军事交通运输工作正规化建设概则》，加强了对全区车辆及驾驶员的管理与教育开展春季绿化，分区营院新增绿化面积500余平方米，人武部营区绿化、硬化率达100%。全区对营房、营产、营具进行了清查登记；狠抓营房维修与管理，确保机关及家属吃水、用电、取暖、洗澡有保障；改善了干部、职工业余生活条件。医疗卫生积极开展经常性卫生防病工作。利用民兵装备仓库、民兵训练基地，积极发展种植业、养殖业和加工业。50%的人武部达到了有一个猪圈、一块菜地、一个小作坊的标准。有偿服务贯彻落实《军队事业单位对外有偿服务管理暂行规定》，完成了商业服务社会化改革实施方案及调查，对所属有偿服务单位进行清理整顿，规范经营项目，完善经营手续，严肃政策纪律。人武部充分利用闲置的设施场所，开展租赁业务，根据市场行情，对租赁项目、对象进行调整，加强宏观调控，确保收入的稳定性。

附：

年度受奖及表彰情况

1. 军分区被北京军区评为开展“双三好”活动先进单位。

2. 军分区被北京军区评为新闻报道先进单位。

3. 段晓滨同志被北京军区国防动员委员会评为人防工作先进工作者。

4. 山西省政府、山西省军区表彰征兵工作先进单位：

临汾地区行政公署
临汾军分区
汾西县人民政府
汾西县人民武装部
吉县人民政府
吉县人民武装部
蒲县人民政府
蒲县人民武装部
大宁县人民政府
大宁县人民武装部
霍州市人民政府
霍州市人民武装部

5. 临汾、洪洞、霍州、永和人武部被山西省政府、山西省军区评为先进人武部。

6. 山西省军区政治部表彰先进党委、先进党支部、优秀党务工作者和优秀党员：

先进党委	永和人武部党委	
	霍州人武部党委	
先进党支部	临汾军分区休干所机关党支部	
优秀党务工作者	临汾军分区休干所所长	高吉瑞
	临汾市人武部部长	罗凤朝
优秀共产党员	临汾军分区政治部	卫浩静

7. 山西省国防教育委员会表彰“迎接新世纪国防知识竞赛”先进个人：

个人一等奖	军分区政治部	王好收
	古县人武部	逯生贵
个人二等奖	古县第一中学	刘婷
	洪洞城关一中	翟荣荣

襄汾县二中　贾利群
隰县师范学校　曹学良
个人三等奖　汾西县人武部　段国明
霍州第一中学　刘振明
侯马第一中学　谢悦良
乡宁第一中学　贾　军
翼城县人武部　刘清泉
永和第一中学　成　果
浮山第一中学　王　丹
临汾钢铁公司武装部　胡永清

8. 临汾市人武部、蒲县人武部分别被省军区评为应急维稳先进单位和军事训练先进单位。

9. 省军区表彰通报科技练兵“双十双百”先进单位和个人。

科技练兵团级先进单位　乡宁县人武部
科技练兵标兵连队:　沃县民兵医疗防疫分队
科技练兵带头人:　马学林　韩宏伟
王公社　李升科
科技练兵教练员:　杨学敏　邵　骏
尹保峰　李　刚

10. 临汾地区行政公署、临汾军分区表彰2000年度民兵预备役工作先进单位。

先进人民武装部:
侯马市人民武装部
蒲县人民武装部
翼城县人民武装部
曲沃县人民武装部
民兵军事训练先进单位:
大宁县人民武装部
安泽县人民武装部
国防教育先进单位
古　县人民武装部
吉　县人民武装部
襄汾县人民武装部
民兵参建先进单位:
安泽县人民武装部
汾西县人民武装部
浮山县人民武装部
民兵应急分队建设先进单位:
古县人民武装部
隰县人民武装部
吉县人民武装部
先进基层武装部:
太钢集团新临钢武装部
山焦集团公司武装部
襄汾县景毛镇武装部
霍州市李曹镇武装部
侯马市张村乡武装部
曲沃县城关镇武装部
翼城县隆化镇武装部
古县城关镇武装部
安泽县马壁乡武装部
浮山县槐埝乡武装部
乡宁县枣岭乡武装部
吉县城关镇武装部
蒲县城关镇武装部
大宁县三多乡武装部
永和县罢骨乡武装部
隰县城关镇武装部
汾西县要家岭乡武装部
民兵基层建设先进单位
临汾市乡贤街办事处民兵连
洪洞县城关镇李堡村民兵连
襄汾县赵曲乡邓曲村民兵连
霍州市东城街道办事处李诠庄民兵连
侯马市发电厂民兵连
曲沃县工商局民兵连
翼城县城关镇下高村民兵连
古县城关镇湾里村民兵连
安泽县城关镇府城村民兵连
浮山县上东乡桥埝村民兵连
乡宁县台头镇台头村民兵连
吉县屯里镇屯里村民兵连
蒲县薛关镇薛关村民兵连
大宁县三多乡川庄村民兵连
永和县阁底乡民兵连
隰县城南乡七里桥基干民兵连
汾西县城关镇城关村民兵连

（杨学敏）

中国人民解放军武装警察临汾支队

【概述】 武警临汾地区支队，正团级编制。根据中共中央中发〔1982〕30号文件，1983年11月，由原临汾地区公安处所属武装警察部队和解放军临汾军分区独立营合并组建。机关位于临汾市解放西路，水厂十字往西50米。部队实行“统一领导，分级管理与指挥”体制。

在总队党委和临汾地委、行署的正确领导下，按照总部、总队党委的总体工作思路和具体要求，紧密结合自身实际，着眼于实现“五个转变”，围绕“五项重点工作”，立足高标准、坚持高质量、力求高效益，狠抓工作落实和工作质量的提高，圆满完成了以执勤和处突为中心的各项任务，部队建设取得了明显进步。

【思想政治建设】 始终把思想政治建设摆在各项工作的首位，以“永远做党和人民忠诚卫士”为主题，围绕打好拒腐防变主动仗，联系实际开展了一系列政治教育和争做忠诚卫士活动。注重发挥“三互”、“双四一”等经常性思想工作载体的作用，经常性思想工作富有成效。特别是积极探索发挥士兵在教育中的主体作用和干部理论学习的方法途径，通过在一中队、洪洞县中队抓试点，总结完善了政治教育改革和干部理论学习的制度、措施、方法，试点经验分别被总队转发。广大官兵政治立场坚定，思想道德纯洁，争先创优的意识、争当主人翁的意识进一步增强，部队全年没有发生事故案件，没有一人参与“法轮功”邪教组织，违纪问题较1999年度有所下降。涌现出了以“山西省十大青年卫士”、总队优秀士兵、标兵等一批先进典型。

【班子和机关建设】 坚持不懈地抓党委中心组理论学习，抓民主集中制原则的学习和运用，抓党委机关“三讲”教育“回头看”、班子团结和廉洁自律。党委班子实施集体领导的能力有了明显提高。注意发挥领导机关整体效应，狠抓机关建设。以强化敬业精神，转变思想和工作作风为主题，先后进行了以“反对形式主义”和“反对个人主义”为主要内容的思想作风整顿；狠抓机关建设，有效提高机关干部办文、办会、办事能力。在“解困”工程、基建项目多，资金紧缺的情况下，投资近 20 余万元，为 3 个股室配置电脑，美化营区，维修取暖管道，改善了办公环境。

【执勤和“处突”能力】 认真落实总部、总队执勤训练工作会议精神，狠抓机动中队和防暴分队训练，基础课目、专勤专训课目的训练和实弹射击靶场建设。部队全年未发生任何勤务事故，三中队成功制止两起 2 人在押犯逃跑事件，汾西县中队成功制止一起在押“法轮功”分子集体冲监事件。完成了各类临时性突发事件的处置。在全总队防暴小分队比武中，取得了总评第 5 名的好成绩；机动中队在年终考核中，军事课目达到了全优，在扑灭安泽、蒲县、洪洞、古县等地的森林大火战斗中，赢得了驻地党委政府和人民群众的高度赞誉。

【部队正规化建设】 围绕“依法从严治警”，认真开展了条令学习月活动，结合条令学习月和江泽民总书记关于新疆“9·8”特大爆炸案重要指示，严肃认真地进行了思想作风纪律整顿。组织基层中队长赴吕梁支队参观学习，激发了工作干劲。从抓日常工作入手，不断加大工作力度，部队中打骂体罚、侵占战士利益等问题得到有效遏制，在全总队正规管理检查验收中，取得了第 2 名的好成绩。支队被总队评为正规化管理先进单位、机要工作先进单位。在安全工作上，围绕把人管好、把车管严、把枪管住、把酒管死，扎实工作，坚持常查、细查、严查，及时堵塞漏洞，确保了部队集中统一和安全稳定，实现连续 12 年“三无”目标，受到总部、总队表彰。

【基层建设】 在全年工作中，始终注意抓重点、抓关键环节、打实基础求发展。以提高基层自建能力为目标，年初集中进行了支部书记培训，特别是扎实有效地开展“三讲”正面教育、党支部“三治”和民主评议党员、民主评议干部活动，有效解决了基层党支部和党员队伍中存在的突出问题，党支部“两个能力”有了明显提高。以提高基层干部能力素质为目标，分别对指导员、中队长和司务长进行了集中培训；狠抓了干部理论学习、业务学习和军事技能的提高；严格落实《干部履职奖惩》规定，分两次对任职期满的连排干部进行了任职考核，6 名素质达不到要求的干部被延期晋职；对 11 名违纪干部进行了严肃处理；对两名工作成绩突出，在本职岗位上尽职尽责的干部提前晋职，有效激发了干部履职尽责的内动力。自觉地以《纲要》统揽基层建设，进行《纲要》再学习、再教育，指导各中队普遍修定《年度按纲建队规划》，并狠抓落实。部队发展比较平衡，先进、中间层和后进单位都有了不同程度的进步。

【后勤保障能力】 着眼于提高后勤综合保障能力，不断强化后勤队伍建设，较好地坚持了“司务长活动中心”制度，对基层炊事员进行了统一培训。强化后勤“三管”，有效控制“跑、冒、滴、漏”现象，大部分基层单位伙食节余达到标准，经费收支平衡并略有节余，物资储存保管完好率达到了 95%。特别是“解困”工程，在地方政府的大力支持和支队全体官兵的共同努力下，14 个解困项目已全部保质保量的完成，基层部队工作、执勤、生活设施较往年上了一个新档次。支队被总队评为“解困”先进单位。农副业生产也扭亏为盈，部分单位基本实现肉菜自给。

教导队在新训、年度兵轮训、骨干培训、入党积极分子培训、军事比武保障中，做了大量工作，较好地完成了任务。纪委检查、史志编撰、计划生育、医疗保障等方面也都取得了明显成绩。

【首长视察】 3 月 19 日，总部张钰钟副政委在总队宋广义政委、王彦忠主任的陪同下，到支队视察工作，与支队常委座谈，并合影留念。

附：

受奖情况

2 月 18 日，武警山西省总队给临汾地区支队翼城县中队记集体二等功。12 月 18 日，武警山西省总队给临汾地区支队直属一中队一班长齐永光同志记个人二等功。

（杨光华）

交通战备

【概述】 地县（市）交通战备以正规建设为重点，紧紧依靠群众，真抓实干，总结出了“十度、十程序、五簿、一卡”、“年度工作网络图”，使战备工作达到了程序化、制度化、规范化。设置了指挥室、办公室、资料室，更新了战备指挥车，配备了电脑、手机、复印机、传真机，提高了自动化办公和指挥能力。

人民防空

【概述】 全区人民防空工作认真贯彻“长期准备、重点建设、平战结合”的方针，依法建设和管理，呈现出良好发展势头，较好地完成了各项任务。一是广泛深入地开展了人民防空建设 50 周年宣传活动。全区 17 个县（市）在地区人防办的统一组织下，充分发挥广播、电视、报纸等宣传媒体的主导作用，采取领导发表讲话、街头张贴宣传主画和材料、群众集会等多种形式，开展了声势浩大的宣传纪念活动，促使广大干部群众进一步了解人防，理解人防，进而参与，支持人防建设。二是狠抓了人防工程的建设和现有工事的维护管理。先后完成 9501 工程扫尾、平阳东广场人防工程建设和侯马电视台人防工程选址等。着手新建人防工程 4 处 4000 平方米，总投资达到 1300 万元。对现有工事加强普查，管理和维护，所有工程没有发生重大安全事故。三是加强了群众防空专业队伍建设。临汾、侯马两市分别从有关单位抽调骨干力量组建了防空专业队，按照战时消除空袭后果与平时抢险救灾双重任务的要求，加强训练，收到良好效果。四是坚持做好人防平战结合工作。充分开发利用人防工程从事生产经营活动，努力为两个文明建设服务。全年新开发利用人防工程3300平方米，累计达到7000平方米；其实现产值和营业额2100万元，上缴利税508万元；收取工程使用费125万元，安排就业人员230余人。五是扎实工展了“三讲”教育，从3月初到5月中旬，地区人防办经过思想发动，学习提高、自我剖析、巩固成果4个阶段，认真开展了历时两个半月的“三讲”教育活动，使领导班子成员普遍受到了一次深刻的马克思主义教育，经受了党内政治生活的严格锻炼，在思想、政治、作风、纪律等方面有了明显进步和提高，为更好地组织指导全区人防工作奠定了良好基础。

【临汾平阳东广场人防工程竣工并投入使用】 该工程是由国家和社会投资，地区人防办组织建设的一项人防公共工程，总面积2700平方米，总投资970余万元。3 月正式开工，按照人防工程质量要求，精心组织，严格把关，在保证质量的前提下，加快施工进度，于9月底峻工，12月正式开张营业。这是近年来临汾地区当年设计施工，当年竣工投入使用的一个典型工程，创造了全区人防工程建设速度的新纪录。

（李建国）

政 法

政法委工作

【概述】 全区政法各部门紧紧围绕经济建设，以维护稳定为重点，以队伍建设为主线，以严格执法为准则，全面加强政法各项工作，为全区改革发展、人民群众安居乐业创造了稳定有序的社会环境。1.矛盾纠纷排查调处工作取得明显成效。依法妥善处置23起因人民内部矛盾引发的群体性事件。96起涉法上访案件得到解决。2."严打"斗争取得显著成效。全区共破获各类刑事案件1431起,打掉犯罪团伙115个,抓获各类犯罪分子2700余人;检察机关批捕2534人，起诉2306人；法院一审判决刑事案件1546件，判处罪犯2206人。"打拐"专项斗争战果明显。"无毒社区"创建活动进展顺利。"两打一整治"取得明显效果。3.严厉打击各类经济犯罪活动。共破获经济犯罪案件118起，涉及金额2741.02万元，挽回经济损失935.12万元，查处职务犯罪案件77件，挽回经济损失686.3万元。4.进一步落实了社会治安综合治理措施。"三五"普法工作取得较好成效，依法治理三大工程继续引深，社区依法治理工作开始起步。5.深入开展了同"法轮功"邪教组织的斗争，及时处置和打击了"法轮功"邪教组织的违法犯罪活动。管教和转化工作取得一定成效。6.隐蔽战线工作得到了进一步加强。共搜集情报信息2021条，发现制止闹事苗头253起。7.积极推行了司法改革。8."争创"活动进一步引深。政法队伍建设进一步加强。执法水平有所提高，精神面貌、执法形象有所改善。

【矛盾纠纷排查调处工作】 从3月开始，全区扎扎实实地开展矛盾纠纷大排查，各地着眼于强化防范功能，建立长效机制，力争从源头上解决问题。在制定方案上，高度注重了整体联动，做到排查调处的主体、范围、目标"三结合"；在实际操作中，高度注重抓好落实，做到责任、时限、办法"三确定"；在摸索创新中，高度注重建立机制，建立健全排查调处的工作系统、工作程序、工作制度。"大排查"活动的开展，有力地促进了全区的社会稳定，依法妥善处置了农发基金会和土地承包、煤矿权属纠纷等23起因人民内部矛盾引发的群体性事件。通过对重点信访问题专项治理，使一些缠访户、老上访户的问题得到妥善解决。同时加大了处置涉法上访案件力度，处置涉法上访案件96起。

【"严打"斗争】 因地制宜地开展"严打"集中统一行动和专项斗争，在各个办案环节上密切配合，使"严打"斗争取得显著效果。全区公安机关共破获各类刑事案件1431起，打掉犯罪团伙115个，抓获各类犯罪分子2700余人；检察机关批捕2534人、起诉2306人；法院一审判决刑事案件1546件，判处罪犯2206人。"打拐"专项斗争战果明显，全区共破获拐骗卖妇女儿童案件28起，打掉团伙6个，抓获犯罪嫌疑人91名，解救被拐卖妇女87名、儿童20名。霍州市公安局被省公安厅授予"打拐"斗争先进集体。公共娱乐暨电子游戏场所专项治理工作取得进展。对毒品犯罪的打击力度进一步加大，"无毒社区"创建活动进展顺利。加强了对天主教的稳定。全区组织开展的"两打一整治"、打击抢劫、抢夺和入室盗窃等专项斗争也取得明显效果。

【打击经济犯罪活动】 严厉打击走私、涉税、制售假冒伪劣产品、诈骗、制贩假币等犯罪活动，重点查办了金融、财税等领域的严重经济犯罪。全区共破获扰乱社会主义市场经济秩序的犯罪案件118起，涉入金额2741.02万元，为国家、集体和个人挽回经济损失935.12万元。查处职务犯罪的力度进一步加大，共立案侦查渎职侵权类职务犯罪案件77件，挽回经济损失686.3万元。依法及时公证审理了一批涉及国有企业改革和发展的案件，促进了经济结构的战略性调整。法律服务工作有所加强，服务质量有所提高。国有企业周边秩序有所好转。企地安全共建活动深入展开。

【社会治安综合治理】 狠抓了综治领导责任制的落实。基层安全创建活动取得新的进展。城市安全小区的人防、物防、技防和管理水平不断提高，防范功能有所增强。农村的创建以"十户联防"为主要形式，开展了各种类型的群防群治活动，侯马的做法得到了省委、政法委肯定。安全文明铁道线创建活动扎实推进。预防青少年违法犯罪工作得到加强。全区各级各类学校7500多所，没有发生政治性突发事件和重大治安事故。14个县市区无在校生违法犯罪。省综治委在本区召开了经验交流会。流动人口管理、刑释解教人员安置帮教工作向纵深发展。"三五"普法工作取得较好成效。依法治理三大工程继续引深，社区依法治理工作开始起步。

【同"法轮功"邪教组织的斗争】 依法及时处置和打击"法轮功"邪教组织的违法犯罪活动，深挖了幕后组织者，强化对"法轮功"顽固分子和骨干分子的监控，查缴一批非法宣传品，较好地抑制"法轮功"的反弹。认真做好"法轮功"在押人员的管教工作，教育转化一批"法轮功"练习者。同时对有害气功组织进行了清理整顿。

【司法改革工作】 审判长和独任审判员选任制正在落实，新的审判流程管理模式初步建立，庭审方式改革继续深化。主诉检察官办案责任制全面推行。责任区刑警队和派出所建设得到加强，快速反应机制初步形成。法律服务业的改革开始起步。安全局体制调整工作顺利。干部人事制度改革继续深化。

【政法队伍建设】 各级政法部门认真贯彻中央6号、省委12号和市委9号文件精神，以“争创”活动为载体，以基层为重点，把政法各部门的工作重心逐步下移，从而促进了政法队伍建设，各级政法领导班子在“三讲”教育中得到加强。广大政法干警认真学习“三个代表”的重要思想，宗旨观念、法制观念和职业道德观念有所提高。政法各部门党的建设进一步加强，政法队伍的思想政治工作得到改进。政法干警的教育培训工作取得成效，基层政法队伍的管理工作较以往更加严格、规范。执法检查工作进一步加强，加大了对干警违法违纪案件的查处力度，共立查案件101案104人，已全部查处。政法干警的执法水平有所提高，精神面貌、执法形象有所改善。政法委职能作用发挥取得初步成效。

（武建亭）

公安工作

【概述】 全区各级公安机关紧紧围绕全区工作大局，深入开展“三讲”教育，加强班子建设，以民警等级化管理为动力，深化公安工作改革，引深警务公开活动，强化科教强警，各项工作出现了蓬勃向上、积极进取的良好局面，为维护全区社会政治稳定和经济发展做出了自己的贡献。全区有3个单位荣立集体一、三等功，有26人荣立个一、二、三等功。有4人荣获全国优秀人民警察称号，有8人荣获全省优秀人民警察称号。全区有7个单位荣获地劳竞委集体一、二、三等功，有16人荣获个人一、二、三等功，有6个单位荣获省、地“青年文明号”，临汾市公安局荣获“全国优秀公安局”五连冠。

【全力维护社会政治稳定】 全区各级公安机关始终把维护社会政治稳定作为首要任务，严格落实责任制，以“社会治安不稳定因素百日排查”活动为重点，狠抓各项工作措施的落实，妥善处置各类不安定因素，确保了社会政治稳定。全区各级公安机关把防止极少数“法轮功”人员聚会和赴并赴京上访作为一项重要任务来抓，强化了对“法轮功”骨干和顽固分子的监控措施，在全国人大和政协会议期间及各个敏感期，各级公安机关加强了对重点对象的监控力度，对重点对象实行了三控，并在重点部位加强巡逻，做好拦截控制工作，防止了本区“法轮功”顽固分子赴京上访，确保了全区在重大活动、节日期间以及各个敏感期没有发生“法轮功”顽固分子闹事事件。

【开展各项严打斗争】 强化侦查破案工作，攻坚克难，破获一大批影响大、危害大的案件。蒲县公安局经过7天的艰苦工作，破获了震惊全县的永鑫批发部特大抢劫案；洪洞县公安局历经6个多月的艰苦作战，成功打掉一个作恶10年的黑社会犯罪团伙，涉案人员达35人，在社会上引起了强烈反响；临汾市公安局为严厉打击各类刑事犯罪，先后开展了多次专项斗争，侦破了吴建春特大抢劫、强奸、杀人案、“6·13”特大入室抢劫杀人案，地委、军分区及周边地区系列盗窃案等一批影响恶劣，危害严惩的重特大案件，抓获了潜逃8年之久的部级逃犯刘光明，省级督捕逃犯裴丽峰、“南极熊”张建民；侯马市公安局破获“8·17”中学生绑架中学生案、“6·28”紫金园凶杀案；乡宁县破获在全县引起轰动的系列盗挖女尸案；霍州市公安局在路查时，发现一车假冒商标，从而挖出一特大造假烟窝点。全区公安机关以严密的防范和严厉的打击，极大地震慑了犯罪。

严厉打击拐卖妇女儿童犯罪。破获拐卖妇女儿童案件28起，打掉团伙6个，涉及成员20名，抓获犯罪嫌疑人91人，解救妇女87人，解救儿童20人。采集DNA血样50份。其中父母44份、任意6份，送公安部做亲子鉴定。霍州市公安局在“打拐”斗争中，积极主动，紧密配合，抓获犯罪分子9名，打掉犯罪团伙2个，解救被拐卖妇女24人，儿童3人，被省公安厅授予“打拐”专项斗争先进集体荣誉称号。

积极开展打击抢劫、抢夺和入室盗窃专项斗争。全区共破获各类刑事案件350起，其中：抢劫案件18起，盗窃案件200起，打掉团伙15个，抓获团伙成员65人。乡宁县公安局打掉以贺红旗为首的特大盗窃摩托车团伙，涉案各种摩托车21辆，价值10余万元；洪洞县公安局破获了陈金星、张林、罗勇蒙面入室抢劫案；临汾市公安局破获“9·13”持刀蒙面入室抢劫案等有影响的重特大案件，这些案件的破获对稳定全区社会治安起到了积极的作用。

广泛开展禁毒宣传教育，加大打击毒品犯罪，创建“无毒社区”。全区各级公安机关从利国利民的高度，加大禁毒的力度。在“6·26”宣传周活动期间，地、县两级领导发表电视讲话30余次，通过散发宣传材料张贴警示牌，出动宣传车等方式，使受到教育数达200万人次。在加大宣传的同时，禁毒部门保持了对毒品犯罪的严打态势，深挖出一大批吸贩毒人员。据统计，全区共破获涉毒案件192起，刑拘50人，复吸劳教13人，缴获毒品上制海洛因110克、咖啡因1500克、罂粟213株，沉重打击了毒品犯罪。特别是侯马市公安局禁毒科自5月成立以来，破获涉毒案件69起，抓获犯罪嫌疑人69人，在打击毒品犯罪工作中成绩显著。

加大了对经济犯罪的打击力度。共破获经济案件118起，涉案总额2741.02万元，为国家、集体和个人挽回经济损失935.12万元。特别是8月24日在“4·02”专案统一行动中，处经侦支队在公安处处长申公元的亲自指挥下，一举打掉以马存柱为首的虚开增值税发票的犯罪团伙，涉税额 1314 万元，涉及人员 200 余人，沉重打击了金融，财税领域的经济犯罪活动。

【强化民爆物品和枪支弹药管理】 在民用爆炸物品管理中，地区公安处确定 2000 年为“民爆物品管理年”下大力气全面整顿。全区组建民爆服务站 31 个，达到规划建站数的 70%，共培训民爆“六大员”466 人，现全区已有 2547 人经培训合格持证上岗，规范了爆炸物品的购买、运输、储存、使用的管理。在枪支管理中，全区公安机关在对全区公用枪实行微机化管理的基础上，狠抓了储存库“三铁一器”及枪支弹药“三本一账，二单一表”制度的落实，组织开展了全区金融系统持枪证件换发工作，共发放金融系统持枪证件 487 个，枪证 321 个，使全区枪支弹药管理得到进一步加强。

【清理整顿特种行业和娱乐场所】 全区治安部门开展了黑保安业专项整治工作，严格落实了保安人员的培训、审批、备案、发证程序，加强对保安人员的培训和日常管理工作。为加强娱乐服务场所管理，按照公安部和省公安厅的部署，全区各级公安机关组织安排了 3 次集中统一清查行动，在全区开展了声势浩大的打击“黄赌毒”专项斗争。全区共出动警力 3000 余人次，清查各类场所 1639 家，查处黄赌毒案件 111 起，处理违法犯罪人员 365 名。严格按照标准对整治后的娱乐服务场所进行了重新审核登记，从原有的 1639 家压减至 1032 家。净化了社会风气，有效遏制了“黄赌毒”等社会丑恶现象。

【全面加强户政工作】 全区户政部门为配合全国人口第五次普查，在全区进行户口大整顿。工作中，培训整顿骨干 3400 余人，印发宣传材料 20 万份，制作横幅标语 2150 条。并通过认真入户核对，摸清了人口底数，妥善解决了各种户口管理中存在的问题，尤其是解决好出生未上户、户口待定、应销未销人口，重登漏登人口等问题，为全区第五次人口普查提供了详实数据。全区户政部门为困难群众办理“农转非”户口 3590 人，制作居民身份证 10 万人，极大地方便群众，使各项户政工作得到加强。

【加大基层防范和安全保卫工作】 全区各级公安机关加强了基层防范工作，进一步整顿和完善基层治保组织和治安联防队，努力推进安全文明小区（村镇）的创建工作，将创建安全社区工作指标和具体任务分解到每个责任区民警身上，明确了当前创建工作的重点、难点及创建的标准、要求，并积极有效地进行了督促指导，使创建工作不断深入。全区已建安全文明小区 1917 个，安全文明村镇 1908 个。全区共有治保会 3930 个，治安保人员 18314 人，基层防范能力得到了大大加强。全区公安机关加强了对重点单位的安全防范和内部单位武器弹药的管理，结合 2000 年度金融单位运钞车免检通行证换证工作，对县支行以上运钞车全部进行了年检，粘贴了防弹膜。全区内部单位自动防盗报警系统继续拓展入网范围，入网单位增至 521 家。在“创安”活动中，全区有 16 家单位被评为省及治安模范单位。

【出入境管理工作】 在公民出入境管理工作方面，全区各级公安机关严格按照“四统一”标准，强化“窗口服务”，严格时限，确定职责，严格把关，热情服务，地区公安处有关部门与国家安全局、司法局、地区中级法等单位及时联系，定期通报不准出入境人员名单。全区共受理公民出国（境）申请 1058 人，办理急件 136 人，接待来临外国人 1326 人，处理涉外事件 6 起，没有发生不准出境人员申请出国现象。

【深化“百日安全无事故”活动】 公安消防部门加大了消防宣传和监督管理力度，落实消防安全责任制，开展了遏制群死群伤恶性火灾事故安全检查，并继续开展了灭火战术训练和执勤人员岗位大练兵，全面提高了部队的综合素质，收到了良好的效果。11 月 24 日，成功地处置了翼城县液化石油气泄漏事故。省公安厅于 12 月 5 日隆重召开庆功大会，为参加这次抢救表现突出的 2 人记一等功，1 人记二等功、4 人记三等功。全区共发生火灾 161 起，烧死 4 人，烧伤 4 人，直接经济损失 260 余万元。全区消防部队扑救火灾 149 起，出动警力 1605 人次，抢救财产价值 1165.9 万元。

【公安工作的现代化】 继续深化基层基础工作，推进派出所“千分制”等级化达标工程。全区已有 24 个派出所基本符合省一级标准。58 个派出所符合二级标准。全区 205 个派出所已全部购置了微机，共配备汽车 208 部、摩托车 329 辆、电话 214 部、对讲机 287 个、BP 机 389 部，使派出所交通、通讯等硬件设施初步实现了现代化，增强基层民警运用科技手段为现实斗争服务的能力。

计算机网络建设及应用迈上新的台阶。地处机关局域网全部建成。完成了与公安部、省厅以及各县市的联网运行。临汾市、乡宁县公安局也进行了网络规划，建立了局域网，已并入全国公安计算机网络。处计算机管理科安装调试了公安部下发的 CCTC 软件，7 月 1 日投入运行，为保障金盾工程的实施奠定了坚实的基础。在 110 建设上，全区 110 报警服务台全面开通后，严格遵守“四有四必”承诺，形成快速反应机制。全区接警 15833 次，出警 6800 多人次，接受投诉 26 次，110 的职能作用日益发挥出来。

加大刑侦技术建设，充分发挥科技在对敌斗争中的威力。各县市都成立了技术中队，充实警力。技术中队由 1999 年的 113 人增加到了 133 人。地处技术科积极与省厅联系，下半年给全区 10 个贫困县配发了价值 100 万元的仪器设备。一些县市更新了一批仪器设备、车辆，临汾市指纹自动识别系统的投入使用，已经在嫌疑人查证、认定犯罪嫌疑人方面发挥作用。其研究课题“刑侦信息管理系统”已经通过临汾地区科委组织的鉴定，该项成果处于国内领先水平。全区勘查现场1869处，撮痕迹物证1451件，发挥作用不着1162件，检验尸体356具，人身伤害鉴定4062起，分析现场1552起，分析率达81.3%。为案件侦破提供有力保证。

【规范执法行为】 法制部门充分发挥职能作用，加大执法监督力度。全区公安机关不断加强执法监督，完善监督机制，在内务执法监督方面，严格对各类案件的审核把关制度，认真落实案件督办跟踪制度。在各相关执法部门设立了兼职法制员，建立了办案单位、法制部门和领导三级监督网络，执法活动得到有效监督。全国、全省公安法制工作会议后，处领导高度重视，专门召开党委会，统一了思想，提高了对公安法制工作的认识，并决定在全区采取三项措施，认真贯彻落实。一是举行全区公安机关领导任职资格考试；二是制定全民警10条禁令；三是开展全区公安机关队伍建设存在重点问题专项治理。由于措施得力，整治工作取得了明显成效，促进了法制工作逐步走向规范化、制度化、法制化。法制部门还积极开展执法检查工作，对规范公安执法起到很好的促进作用。在外部执法监督方面，认真接待群众来信来访，积极听取法制监督员的反馈意见，全面接受群众监督。全区公安机关共受理劳教案件307起481人，呈报收容教养案件15起22人。处机关法制部门接受群众行政复议申请127起127人，已作出决定116起116人，开具行政复议受理通知书232份，制作下发行政复议决定书232份。

【监管工作】 全区各级公安监管部门本着“坚持、完善、发展、提高”的原则，以曲沃看守所为榜样，深入扎实地开展看守所等级化管理工作，普遍建立了民警百分制考核办法，严格落实岗位责任制，并在等级评定中坚持“高标准、严要求、宁缺勿滥”的考评原则，严格考核标准，保证了考评质量。经考评，全区看守所有两个达一级所，5个达二级所，7个达三级所。地区看守所自2000年初从曲沃搬迁至临汾段店乡后，本着完善、发展、提高的原则，建立健全了各项规章制度，提高看守所民警的管理能力。在实际工作中摸索经验，逐步走向规范，保障了劳动改造生产区的安全。全区各县看守所未发生一起脱逃事故。

【道路交通管理】 全区交管部门继续推广和引深“阳光作业”机制、“小手拉大手”工程，在巩固1999年“平安大道”的基础上，实施“畅通工程”，并认真落实公安部“五条禁令”等有关规定，规范民警的执勤、执法行为，加大执法监督力度，着重治理了公路“三乱”行为。在实施“畅通工程”中，全区交管部门注重了科技手段的投入和运用。临汾市、侯马市先后投巨资在市区和“严管街”增设了“电子警察”，安装了高架柱形长臂全色信号灯和箭头信号灯，配装了倒计时电子显示灯，使城市交通设施焕然一新。6月27日，全省交警系统创建“平安大道”、实施“畅通工程”工作汇报会在侯马召开，上级领导对我区取得的成绩给予了充分肯定。全区共发生交通事故2716起，比1999年上升8.3%，死亡295人，比1999年上升15.7%，受伤1724人，比1999年上升3%，经济损失470余万元，比1999年上升32.2%。

【落实公安部“十二项措施”】 2月23日，公安部，向社会公布了关于加强公安队伍建设的“十二项措施”。全区各及公安机关高度重视，积极行动，迅速贯彻落实。3月初，制定下发了《关于贯彻落实公安部〈关于加强公安队伍建设的几项措施〉的实施意见》，并成立“十二项措施”办公室。并3次召开了全区公安队伍建设会议，部署安排队伍建设工作。6月1日新的《公安机关人民警察内务条令》颁布后，全区上下认真学习，对照条令找问题，落实措施严管理，开展了作风纪律整顿。通过贯彻落实“十二项措施”，全区公安队伍面貌发生了很大的变化，整体素质有了明显提高，作风纪律有了较大改进，违法违纪现象明显减少，执法形象有了根本好转。

【“三项教育”试点工作】 确定了侯马、霍州、乡宁、吉县4个试点单位，并组织有关人员到省厅和临汾市公安局进行观摩学习，借鉴经验，广泛收集有关资料。6月20日，试点工作展开后，处“三项办”同志多次深入基层，实行面对面的指导。8月10日公安部“威海会议”后，地处“三项办”组织试点单位开展了“回头看”活动。总体上讲“三项教育”试点工作进展顺利，效果明显，基本上达到了示范引路，积累经验的目的。

【“民警等级化管理”工作】 1999年，地区公安处党委制定了《临汾地区公安机关单位（民警）等级化管理办法》及实施细则，并把临汾市公安局作为先行单位进行试点。该局经过一年的辛勤工作取得了可喜的成绩。4月19日，地处在临汾市公安局成功组织召开了全区民警等级化管理现场会。在全区全面铺开后，地处及时制定了“民警等及化管理实施方案”，下发了有关通知，提出了明确的标准和要求，加强对等级化管理工作的组织领导，加大对各单位的检查指导力度。各县市局也都及时制定落实方案，成立领导组和办公室，民警等级化管理工作在全区已全面展开，并取得初步成果，为全区公安工作和队伍建设注入新的活力。

【教育培训工作】 全区举办初任人民警察培训班3期329人，并于2月28日组织了全区首期初任民警入警宣誓仪式。6月18日和10月22日，根据省厅安排还分别组织了全区680余名刑警和55名禁毒警的任职资格考试，组织公安处机关全体民警参加了地区公务员培训和考试。对全区公安机关和交警大队的领导班子成员及机关中层干部进行了基本素质考试。各业务部门和县市公安局根据各自的工作特点，也分别举办了不同形式的业务培训和比武，加大了教育培训力度，使培训教育经常化、制度化。地处内保科组织全区经济民警业务比武大赛，监管科组织全区监管民警全员培训，临汾市公安局用近两个月时间，分 8 期对全局 45 岁以下民警进行了封闭式训练。洪洞县公安局先后选派 4 批 63 名民警赴中国刑警学院深造，大宁、蒲县、汾西、霍州等县（市）局分别组织中层干部任职资格考试、法律知识、英语等培训。

【推进廉政建设和反腐斗争】 全区各级公安机关紧密结合公安工作和队伍建设的实际，突出重点，标本兼治，狠抓落实，使全区公安机关党风廉政建设和反腐败工作取得明显成效。3 月，针对襄汾县个别民警违纪案件，处党委发出了致襄汾县公安局党委的一封信，并向全区各县（市）转发，引以为诫。4 月、8 月，针对洪洞县公安局滥用枪支致人死亡案件和浮山县公安局领导干部违法违纪问题，处党委两次召开全区局长、政委、纪检书记会议和全区性的电话会，认真解剖反面典型，引深“三项治理”，提高了广大民警的认识。8 月下旬，处领导带队深入全区公安机关围绕公正执法等 4 个方面 15 个重点问题进行了专项治理，取得了重大成效。

（范建刚）

·临汾行署公安处交通警察支队·

【概述】 临汾行署公安处交通警察支队，1987 年道路交通管理体制进行改革，道路交通划归公安机关统一管理时正式组建。支队机关科室共分 6 科（政工科、计财科、交管科、宣传科、事故科、刑事治安科），1 室（办公室），1 所（车管科），1 队（公路巡警大队），3 中心（警务中心、培训中心、教考中心）。下辖全区 17 个县（市）公安局交通警察大队，全区交警系统共有民警 1600 余名，担负着对全区 196299 辆机动车、219817 名驾驶员和 8717 千米道路的管理任务。

【加强队伍建设】 深入开展“三讲”教育和“三项”教育。按照中央、省、地要求，从 3 月 15 日～5 月 15 日，在支队领导班子和各县、市交警大队主要领导干部中深入开展“三讲”教育活动，联系实际“对号入座”，采取多种形式广泛征求干部群众意见和建议 1407 条。整改阶段，根据群众提出的热点岗位交流、机关内部车辆统一调配使用以及机关工作效率不高等问题，支队领导多次召开会议研究，制定和完善了《热点岗位交流制度》、《机关内部车辆统一调配使用制度》、《民警等级化管理制度》、《岗位目标考核制度》以及《党风廉政建设制度》等，并逐一付诸实施。组织全体人员认真学习江泽民关于“三个代表”的重要论述，采取集体学习、集中考试、组织演讲等形式全面掀起“三个代表”的学教热潮，并以“三个代表”重要思想为指导，全面加强交警队伍建设。

在全区民警中大力开展了“三项”教育，在机关上下掀起了一股学习先进、争当先进、爱岗敬业、扎实工作的热潮。针对个别干警对待群众“冷、硬、横、拖”的态度，支队从一封群众来信抓起，认真开展了一次警风警纪整顿活动，并在全区交警系统广泛深入地开展以“三项教育”为核心的思想教育，重新学习公安部“五条禁令”、执勤执法和纪律作风的有关规定，牢固树立正确的执法观念。

强化民警全员培训。根据省厅交管局“高起点、高标准、强化交警全员培训”的要求，支队制定了操作性强、针对性强的全员培训计划，在保证全区交警系统科级以上干部年内全部接受一次短期培训的同时，要求各大队对本大队民警进行全员培训。通过培训，全区交通事故处理人员和路面执勤人员的素质得到普遍提高，执法水平进一步增强，文明执勤进一步规范。

【引深“阳光作业”机制】 由临汾交警队独创的、被公安部副部长罗锋赞誉为“阳光作业”机制的“一快、三卡、四公开”交通事故处理机制在全国推广后，全区交警系统加大了推广和引深“阳光作业”机制工作力度，进一步统一规范全区交通事故案卷文书，提高了案卷、执法水平和办案质量。根据《道路交通事故处理办法》和有关法律、法规及规定制定了《道路交通事故处理“阳光作业”操作规范》。为全面提高事故处理，民警和分管领导在安泽县举办了为期 10 天的全区事故处理人员培训班。组织了全区事故处理人员参加事故处理比武竞赛，评选优秀办案单位、办案标兵和办案能手，进一步规范了事故案卷标准和事故处理办法，促进了全区交通事故处理工作的法制化、规范化、标准化。全国已有 16 个省、市、自治区的 70 多个交警单位来本区参观学习“阳光作业”机制经验。“阳光作业”机制的推广引深，使交通事故处理工作发生了根本性变化，当事人申请复议案件大大减少。全区共发生交通事故 2716 起，死亡 295 人，受伤 1724 人，经济损失 4718047 元。支队共受理事故复议案件 103 起，结案 99 起，结案率达 96.1%，其中维持 67 起，变更 22 起，撤销 8 起，群众撤诉 2 起。

【开展争创“人民满意车管所”活动】 车管业务部门，在 1999 年规范工作程序、完善监督制约机制，严防违规办理机动车登记，实行定岗、定员、定责的基础上，又定时进行集中检查，把“五个规定”要求落实到具体工作环节，从方便群众着想，把“五个规定”要求落实到具体工作环节，从方便群众着想，把能公开的事项全部公开，把能简化的手续尽可能简化；进行上门服务，对山西三皇侯集团股份有限公司、省公路局工程二处、省运一公司、山西焦化厂、省侯运等国有大中型企业和国家重点工程车辆以及侯马市出租车换牌等提供了上门服务，共检车 1377 台，换牌 600 余幅。为进一步引深创建“人民满意车管所”活动，更好地为人民群众服务，支队投资配置了一套机动车牌号电脑自选系统。该系统的投入使用，消除了人为的“暗箱操作”，体现了“阳光作业”机制和公开、公正、公平的办事原则，受到了广大车主和司机的称赞，收到良好的社会效果。

【引深“小手拉大手”娃娃工程】 襄汾县荀董小

学首创的“小手拉大手”娃娃工程经验在全省交警系统推广后，被列为公安部交管局2000年工作要点，并在全国得到推广。为了进一步引深这一工程，支队按照公安部《交通安全宣传三年教育计划》要求，把交通安全宣传向公路沿线广大农村、农民、驾驶员、中学生延伸，坚持开展多种形式的宣传活动，积极开展交通安全文明示范村、校活动，进一步加大推广创新力度。4月份宣传月活动期间，在全区城乡广泛开展了“交通安全进万家”主题活动。

宣传月活动期间，全区共刷写标语 121 条，刷新标语474条，出动宣传车18部，设立咨询台2000余个，出动警力和交安委工作人员 3000 人次，发放宣传材料 10 万余份，发放活动即时贴 2000 份，举办大型宣传活动 29 场（次）。在“交通安全宣传周”活动期间，全区共出动警力 4000 人次，出动宣传车60余辆次，散发宣传材料25万余份，设立咨询台70余个，受教育群众达 12 万人次。形式多样的交通安全宣传活动为进一步提高全民交通安全意识，改善道路交通环境起到积极作用。

【引深创建“平安大道”活动】 在巩固 1999 年创建“平安大道”活动成果的基础上，临汾支队将创建重点由霍侯一级公路扩展到境内一些主干线公路。针对山区县较多，山区相对比较贫困的实际，将“平安大道”活动进一步由国道、省道向县道、乡村公路延伸，向广大农村公路延伸。支队两次组织大运、霍侯公路沿线共清除了 210 处占道经营摊点，拆除违章建筑 21 间，并对 4 个钉子户采取强制措施；同时治理了临汾市尧庙路边乱停车、阻滞交通的违章行为，取缔了一大批路边乱挂招牌行为。在创建“平安大道”活动中，各县（市）委书记、县长都给予高度重视，主动牵头组织公路、交通等部门统一领导和协调，并从资金、政策上给予倾斜。

为加强大运路、霍侯路沿线中队建设工作，沿线六县（市）从南往北，组建了 8 个公路巡警中队，平均每 18 千米一个中队。公路巡警大队直属中队和各县（市）公路巡警中队充分发挥创建活动主力军的作用，坚持昼夜巡逻，24 小时值勤，保障了公路不失控。

【实施“畅通工程”】 根据省厅交管局要求，临汾支队将临汾、侯马、霍州 3 市确定为实施“畅通工程”的重点城市，同时在其它县城开展了“严管街”活动。地委、行署高度重视，将“畅通工程”当作“政府工程”来抓。地区成立了创建活动领导组，行署副专员董彩霞任组长，公安、交警、城建、交通、工商、税务、环保等有关职能部门的负责人为成员。2月26日，全国实施“畅通工程”统一启动，本区临汾、侯马、霍州同时举办了声势浩大的万人签名、游行、散发传单等大型宣传活动。行署副专员董彩霞以及各县、市主要领导都发表了专题电视讲话进行动员，交警、城建、工商、公交、学校等部门及广大群众积极参与，拉开了本区实施“畅通工程”的序幕，形成了“政府当导演，交警唱主角，各方配合，全民参战”的工作格局。

注重科技手段的投入和运用，做到“靠科技、严管理、路畅通、人满意”。首先，全面实施“科技强警”战略，从基础设施建设入手，进一步优化交通秩序。临汾市、侯马市都加大投资，在市区和“严管街”增设电子警察，更新各种道路标志，各类设施全部按公安部“畅通工程”标准配备到位，城市交通设施焕然一新。洪洞县和翼城县也更新和增设交通标志，施划交通标线，交通秩序大为改观。襄汾、霍州投资更新和增设了部分交通标志。

【狠刹公路“三乱”】 把治理公路“三乱”作为一项重要工作来抓，认真落实公安部“五条禁令”，规范民警的执勤执法行为，加大执法力度，在整治中，讲究一个“理”字，坚持一个“硬”字，突出一个“严”字。“理”就是通过宣传，让民警理解治理公路“三乱”的重要意义；“硬”就是敢于碰硬，对于个别“钉子”，民警敢于管理；“严”就是严于律己，严格执法，严管重处。通过一系列治理措施的实施，有效地遏制了公路“三乱”行为在本区交警系统的滋生。侯马、襄汾县等交警大队在治理公路“三乱”工作中，层层签订责任书，组织交警收看有关“三乱”的反面教材，剖析公路“三乱”的危害性，举办有关内容的闭卷考试，公开举报电话，聘请执法执纪监督员，严防了公路“三乱”行为的发生。襄汾县大队被省交通厅、公安厅、纠风办评为全省治理公路“三乱”先进单位，是全省交警系统惟一获此殊荣的单位。

【开展“大干一百天”专题治理活动】 开展“大干一百天”整治交通秩序活动，对“两无”车辆上路行驶、车辆乱停放等严重违章行为进行重点治理，全区各级交警部门上下联动，团结作战，支队领导高度重视，多次召开专门会议进行研究部署，提出具体要求，认真检查指导，督促落实；各县、（市）交警大队按照支队要求，精心组织，狠抓落实，将活动的任务指标，层层分解，做到个个有担子，人人有任务。利用多种手段不断加大交通安全宣传和科学管理工作力度，在临汾日报登载“大干一百天”集中整治交通秩序活动通告、整治措施、目的意义。并利用电视、广播、宣传车等进行广泛宣传动员。活动中，全区共查扣无牌车辆 28000 余台次，纠正各类违章 39000 起，完成了挂车牌 20000 幅、办理驾驶证 20000 个的预定任务，改善了本区的交通环境，“两无”车辆数量大大减少，群众的交通安全意识大大增强，车辆、行人的遵章率大幅度上升，使本区的“平安大道”更平安、“畅通工程”更畅通。

【开展交通安全宣传教育活动】 支队按照公安部《交通安全宣传三年教育计划》要求，把交安宣传面向公路沿线广大农村、农民、驾驶员、中小学生延伸，坚持开展多种形式的宣传活动，积极开展交通安全文明示范村、校活动，进一步加大推广创新力度。4月宣传月活动期间，根据省厅交管局要求，在全区城乡广泛开展了“交通安全进万家”主题活动，全区交警系统将活动搞得有声有色。5 月，支队和地区文联举办了以交通安全为主题的书法、绘画作品展览。这次书画展的作品以交通安全为主题，反映了本区交通安全宣传教育所取得的工作成绩。

本区的宣传月活动准备充分，工作扎实，涉及面广，历时长，层次高，效果好。宣传月活动期间，全区共刷写标语 121 条，刷新标语 474 条，出动宣传车 18 部，设立咨询台 200 余个，出动警力和交安委工作人员 3000 人次，发放宣传材料 10 万余份，发放活动即时贴 2000 份，举办大型宣传活动 29 场（次）。在“交通安全宣传周”活动期间，全区共出动警力 4000 人次，出动宣传车 60 余辆次，散发宣传材料 25 万余份，设立咨询台 70 余个，受教育群众达 12 万人次。形式多样的交通安全宣传活动为进一步提高全民交通安全意识，改善道路交通环境起到积极作用。

【上级领导来临汾检查指导工作】

1．6 月下旬，公安部、建设部“畅通工程”检查指导组，到侯马市检查指导“畅通工程”工作。

2．8 月 17 日～18 日，副省长申联彬视察侯马市“畅通工程”工作。

3．9 月 3 日，公安部党委委员、政治部主任祝春林在省公安厅副厅长丁松林的陪同下，到交警支队检查指导工作。

【办公大楼竣工并投入使用】 由江苏常州兴宝公司、山西晋科达美公司、山西宏图公司、中国化学二建公司、太原恩威公司等 5 家工程公司承接施工的临汾行署公安处交通警察支队培训中心大楼，通过近两年的紧张施工，于 5 月竣工并投入正常运营。

培训中心大楼占地面积 13300 平方米，建筑面积 12586 平方米，采用中西结合、欧式风格为主的设计模式，1998 年 6 月动工兴建。集培训、办公、道路交通指挥控制系统、微机联网系统、图书阅览、文化娱乐、体育活动、就餐等为一体，车辆业务、驾驶员业务、交管业务及收费业务集中在一楼大厅办公，并全部采用计算机操作，电脑联网管理，不仅为交警提供了一个良好的工作环境和生活环境，而且向办公现代化和管理自动化迈出了一大步，进一步提高了工作效率，大大方便了办事群众，社会各界和人民群众对临汾交警的满意度日臻提高。

【机动车驾驶员考试监控指挥系统研制成功并投入使用】 临汾行署公安处交通警察支队与深圳市天维尔通讯技术有限公司联合研制的“机动车驾驶员考试监控指挥系统”，经过科研人员一年多的努力，于 10 月顺利通过了山西省自动化研究所的测试，并通过国家一级科技查新咨询单位省科技情报所的查新检索后，被国家科学技术部列入 2000 年度国家星火项目计划。12 月通过山西省科技厅组织的鉴定委员会鉴定，认为该系统达到了同行业国内领先水平，具有明显的经济效益、社会效益和较高的推广应用价值。

该系统采用数码摄像机和将信号直传主控室的方法及无线通讯指挥方法，以驾驶员现场实施直观监控，运用 GPS 卫星定位技术对考试车辆进行定位跟踪，通过无线电图像传输技术对考车驾驶室内进行图像和语言监控、指挥。它应用了计算机、电子、自动化、信息等高新技术，具有设计构思新颖、技术先进、结构合理、性能稳定、运行可靠、传输准确、实用性强等特点。该系统体现了“透明操作，阳光作业”，不仅保证了驾考工作的公开性、公正性、严肃性、科学性和规范性，而且提高了初考驾驶员的整体技术水平。它的研制成功，是临汾交警支队实施“科技强警”战略的又一举措。

附：

受奖情况

全区共有 11 个先进集体、26 名先进模范个人受到国家和省级表彰，31 个先进集体、70 名先进个人受到地区级表彰。其中：

1．临汾行署公安处交警支队被评为“全国跨区机收小麦先进单位”；

2．侯马市公安局交通警察大队被公安部、建设部评为“‘畅通工程’三等交通管理水平”；

3．临汾市公安局交通警察大队四中队被共青团中央授予 2000 年度“青年文明号”；

4．临汾市公安局交通警察大队东关十字岗被共青团山西省委授予 2000 年度“青年文明号”；

5．临汾行署公安处交通警察支队（霍侯一级路段）被省公安厅评为“创建‘平安大道’先进单位”；

6．临汾行署公安处交通警察支队车管所被省公安厅评为“人民满意车管所”；

7．侯马市公安局交通警察大队被省公安厅评为“实施‘畅通工程’先进单位”；

8．临汾市公安局交通警察大队被省公安厅评为“阳光作业工作机制突出奖”；

9．山西省公安系统十佳民警张三学（临汾市公安局交通警察大队三中队中队长）；

10．山西省公安厅记二等功的个人：段建中（临汾行署公安处交通警察支队宣传科科长）、白建军（临汾行署公安处交通警察支队车管所科员）、张红杏（霍州市公安局巡警二中队中队长）；

11．山西省公安交通警察系统杰出民警徐晓军（临汾市公安局交通警察大队一中队）。

（师太平 牛茂才 贾永波）

检察工作

【概述】 全区检察机关在各级党委和上级检察院的领导下，紧紧依靠人大、政府及社会各界的监督与支持，紧密结合检察工作实际，认真学习贯彻江泽民“三个代表”重要思想和高检院“二十字”工作方针，以奋发有为的精神状态，大力开展争先创优活动，忠实履行法律监督职责，加大对贪污贿赂犯罪案件的查处力度，努力开拓法纪检察工作的新局面，严惩各种刑事犯罪活动，维护市场经济秩序和社会稳定，各项检察工作业绩突出，年底经省检察院考评，有 13 项获全省第一，1 项获全省第二，多项工作迈入了全国先进行列，实现 17 个县（市）院争创五好检察院满堂红的奋斗目标，被山西省精神文明建设指导委员会命名为“省级文明单位”。胡兴甫检察长先后两次进京，出席了全国检察机关渎职侵权检察工作会议和加强基层院建设工作会议，并在会上作了典型经验介绍，全区检察干警忠于职守，秉公执法，爱岗敬业，涌现出一大批先进集体和个人，受到各级领导的表彰，其中一等功荣立者16名，二等功荣立者28名。

【进一步加大对贪污贿赂犯罪案件的查处力度】 全区反贪干警自觉用“三个代表”的重要思想指导工作实践，精心部署，集中优势兵力，依法严厉打击阻碍社会生产力发展和经济体制改革的犯罪活动，共立案侦查贪污、贿赂、挪用公款等经济犯罪案件261件282人，其中查处大要案64件64人，为国家挽回经济损失1980万元。工作特点：一是立案数量上升，比1999年度增加69件80人。二是查处了一批大要案、窝案、串案。例如太钢集团临汾钢铁有限责任公司塔儿山铁矿领导层腐败“窝案”，蒲县工商局局长刘国旺百万元巨额财产来源不明案等，在全区引起了巨大反响，鼓舞了广大人民群众反腐败的斗志。三是查处的司法机关和行政执法机关领导干部经济犯罪案件较多，共立案侦查司法机关经济犯罪案件14案14人，查处行政执法机关经济犯罪案件30案30人。四是在全区范围内开展“挖蛀虫、帮整改、促发展”活动，共向企业提出并落实检察建议200余条，帮助临钢、山焦、行署交通局水泥厂等国有大中型企业强化管理制度，促进国有企增效。

【依法履行侦查渎职侵权犯罪的职责】 全区检察机关法纪检察部门，认真贯彻全国检察机关第六次渎职侵权检察工作会议精神，依法履行侦查渎职侵权犯罪的职责，共立案侦查77件93人，立案数比1999年度上升8.5%,通过办案为国家挽回经济损失686.3万元。其特点是：1. 查处有震动、有影响的大要案多。共立查13件14人，其中立查重特大案11件12人、县处级以上领导干部犯罪要案2件2人。如分院立查的临汾市国税局金殿税务所所长米百寿，对工作严重不负责任，致使国家280余万元税款流失的玩忽职守案。襄汾县院立查的襄汾县地税局古城地税所所长董晓良，严重失职，致使国家681万元税款流失的玩忽职守案等。2. 查办新领域、新罪名渎职案件上升。全区共立查发生在工商、税务、技术监督、煤炭、环保、地矿等11个新领域的渎职案件41件43人，比199年上升了156.3%。3. 查办重特大安全责任事故中，有关国家机关工作人员的玩忽职守案，有重大突破，共立查此类案件5件7人。如4月15日，古县永乐煤矿二坑口发生46人死亡，直接经济损失达232.2万元的特大瓦斯爆炸事故。事故发生后，临汾检察分院法纪部门，及时派员介入事故调查，对在这次事故中，涉嫌玩忽职守犯罪的古县煤管局副局长和金安、总工程师吕祖荣依法进行立案侦查。

【快审快诉各类严重刑事犯罪分子】 全区检察机关在继续严厉打击杀人、抢劫、爆炸、盗窃等严重刑事犯罪的基础上，开展了“打拐”、“扫黑”等专项斗争。共起诉重特大案犯和团伙犯罪案犯503人，比1999年上升了3%；共打掉犯罪团伙179个，其中李伟民等10人带有“黑社会”性质的犯罪团伙、田五旦等7人盗窃团伙等一批社会影响大的案件被彻底查办。为了保证严打及专项斗争在检察环节上的高效率，有关部门始终突出一个“快”字，把握一个“准”字，做到一个“狠”字，全区审查批捕部门共依法批准逮捕1520案2534人，经起诉部门审查提起公诉1158案1775人，依法不起诉188人。

【立案监督工作坚持“6个跟踪”】 在立案监督方面，本区检察机关批捕部门，针对实践中遇到的棘手问题，坚持“6个跟踪”。即：1. 要求公安机关说明不立案理由后，跟踪监督公安说明理由的真实性；2. 通知立案后，跟踪监督按期立案，防止通知后不立案，或作其它处理；3. 对公安已立案件，及时跟踪监督，防止立而不查，久拖不决；4. 案件查终结后，跟踪监督逮捕后是否移送起诉，防止查而不究，不了了之；5. 案件移送起诉后，跟踪监督案件在起诉部门的审查情况，防止作不诉处理；6. 法院判决后，注意跟踪监督判决的执行情况，防止无罪判决和变相处理，确保监督一案成功一案。

【派驻检察室上等级活动】 全区检察机关，狠抓派驻检察室上等级工作。在全省派驻检察室上等级现场会上，临汾检察分院监所处、大宁县院的经验材料被省院转发。全区共有10个派驻检察室被省院确定为一级检察室，10个派驻检察室被省院确定为二级检察室。派驻检察室下大力气广开案源，保证有案必办，全年共办理自侦案件4案4人。如乡宁县看守所督察员杨劳祥，强奸在押女劳教人员一案，起诉后经法院审理判处杨劳祥有期徒刑4年。在严厉打击服刑罪犯又犯罪活动方面，共办理22案31人。

【反贪局侦查监控系统正式开通】 山西省人民检察院临汾分院反贪局侦查监控系统，于11月20日正式开通投入使用。这套侦查监控系统，着眼于新形势下反贪污贿赂斗争的实际需要，认真采纳了北京、天津、太原等地公安、安全、检察机关侦查监控技术的优点，由指挥室（1个）、主控室（1个）、分控室（5个）、监控室（5个）4部分组成。配备主控器1套，主控电脑1台，分控器1套，控制矩阵1套，图像、语音监视收集设备5套，有声（无声）指挥设备5套，设备刻录机1台。具有语言监听、图像监视、录音录像、时间叠加、编辑复制、侦查指挥方便灵活等功能。安全保密，实用性、兼容性强。

【检察机关档案管理工作实现省一级“满堂红”】 临汾检察机关，近年来依据《山西省机关档案工作定级、升级办法》的规定和要求，坚持不懈地开展档案管理晋升省一级标准活动。截至12月8日，全区18个单位的档案室，全部达到了省一级标准，在全省检察系统率先实现了“满堂红”，受到省、地档案部门领导的一致好评。

【高检院争创“五好”巡视组莅临本区】　8 月 29 日～31 日，高检院争创“五好”巡视组组长存夏振、成员和育中同志，在省院副检察长郭建华、政治部副主任张志云、省院法警总队马瑞生的陪同下，检察指导工作。夏组长一行，在临汾检察分院，认真听取了胡兴甫检察长关于全区检察机关开展争创“五好检察院”活动工作汇报，对检察机关取得的成绩和采取的具体做法表示满意，并给予很高评价。巡视组一行在省院领导和胡兴甫检察长陪同下，前往临汾市院、永和、大宁县院检查指导工作。

附：

本年度受奖情况

临汾检察分院被山西省精神文明建设指导委员会命名为“省级文明单位”荣誉称号，被山西省社会治安综合治理委员会评为“全省社会治安综合治理先进单位”，被省检察院授予“基层检察院建设组织奖”，被地委、行署评为先进集体，被临汾地区劳动竞赛委员会荣记集体一等功，被临汾地委评为扶贫攻坚先进单位。

（李汾生）

人民法院工作

【概述】　全区法院在党委、人大、上级法院的领导、监督和指导下，以党的十五届三中、四中全会精神和江泽民“三个代表”重要思想为指导，以“三讲”教育为动力，认真履行审判职能，积极推进法院改革，大力加强基层和队伍建设，圆满完成了各项工作任务，为全面开创的社会稳定和经济发展做出了积极贡献。

【全面开展各项审判工作】　充分发挥打击、调节、保护职能，积极维护社会稳定、促进经济发展。全区法院紧紧围绕党和国家的工作大局，围绕本区的以调整经济结构为中心的“三件大事”，忠实履行宪法和法律赋予的职责，共受理各类案件 21334 件，审结 18326 件，受理案件数和审结数分别比 1999 年同期上升 6.04%和 4.57%，结案的诉讼标的额达 62800 万元。1．依法严厉打击刑事犯罪，维护社会政治稳定。全区法院根据我区治安形势的特点，灵活机动地开展了集中打击和专项整治行动，始终保持了对犯罪分子的“严打”高压态势，遏制了犯罪上升的势头。全区法院共受理刑事一审案件 1627 件 2331 人，审结 1546 案 2206 人，受理案件数和审结数比 1999 年同期上升 7.75%和 5.75%。受理刑事二审案件 302 个，审结 298 件，审结减刑案件 724 件，假释案件 129 件。在判决生效的 1014 件 1413 人中，给予刑事处罚 1331 人，免于刑事处罚的 64 人，宣告无罪的 18 人。在给予刑事处罚的人中，判处无期徒刑 685 人，判处缓刑、拘役、管制的 351 人。临汾中院先后对 20 余名罪大恶极、社会危害严重，犯有故意杀人、抢劫、投毒、爆炸、奸淫幼女等严重罪行，被依法判处死刑的罪犯处以极刑，极大地教育了群众、震慑了犯罪。全区法院同时认真落实党中央关于深入开展反腐败斗争的重要部署，审判了一批贪污、贿赂、挪用公款等经济犯罪大要案，共判处经济犯罪分子 29 人，挽回直接经济损失 18.5 万元，显示了党和国家惩治腐败的决心，推动了全区反腐败斗争的深入开展。全区法院在刑事审判中，严把事实关、证据关。使 5 年有期徒刑以上的重罪判处率占到犯罪总人数的 21.15%，同时对不构成犯罪的 18 名被告人宣告无罪，从而使有罪的人受到严厉惩罚，使无罪的人不受法律追究；2．依法妥善处理民事纠纷案件，及时化解社会矛盾，维护各方合法权益。全区法院全年共受理一审民事案件 9278 件，审结 8074 件，审结率 87.02%；在所受理的民事案件中，婚姻家庭纠纷案件 3337 件，占总收案数的 35.97%，其余为借贷纠纷、人身损害赔偿、财产损害赔偿案件，分别占到总收案数的 38.37%、8.72%和 4.11%。全区法院对矛盾容易激化的侵权、债务、拆迁、宅基地、劳动争议、土地山林承包等案件，在查明事实、分清是非责任的基础上，运用各种法律手段，及时快速进行处理，平息了纠纷，维护了团结。同时审理了大量的人身损害赔偿案件，为受害者讨回了公道，维护了社会正义；3．发挥经济审判的保驾护航作用，保障和促进经济发展。全区法院共受理一审经济纠纷案件 2222 件，诉讼标的额达 29271.47 万元，案件受理数比 1999 年上升 2.16%。其中受理金融、借贷纠纷案件 500 件，占到总案数的 22.5%；购销合同纠纷案件 133 件，占到 5.99%，有力地规范了市场经济行为，确保了市场交易的公平、安全、有序、高效，积极防范和化解了金融风险，维护了企业的合法权益；4．加大行政案件的审判力度，支持和监督行政部门依法行政。全区法院共受理一审行政案件 224 件，审结 188 件，审结率为 83.93%，受理的行政案件的范围，主要集中在与人民群众生活密切相关、社会反映较大的公安、土地、城建等行政部门，分别占到受案总数的 14.29%、17.41%和 8.48%。在所审结的案件中，维护被告具体行政行为 36 件，仅占总案数的 16.07%。通过对行政纠纷的依法妥善处理，有力地化解了“官”、“民”矛盾，增强了行政机关依法行政的自觉性和公民运用法律武器依法维权的意识；5．告诉申诉工作得到进一步的健全和完善。全区法院普遍建立专门的立案机构，负责受理立案和接待来访群众，制定统一的立案规则，解决群众的“告状难”问题。各法院还建立院长接待日、走访、回访当事人、发放各种意见卡等制度，不断拓宽直接听取人民群众意见的渠道。全区法院接待处理群众来信来访 4318 件（人）次。对符合法定条件，及时立案并进入再审程序的案件 105 件，抗诉理由不成立，原判正确、予以维持的 28 件，占抗诉案年总数的 26.67%；抗诉有理、原判确有错误，依法予以改判的 14 件，占 13.33%；6．加大执行力度，努力解决“执行难”，维护司法权威。全区法院共执结各类案件 4641 件，执结标的额 10910.21 万元，执结率达 82.76%，名列全省第一。全区法院进一步创新建立了执行工作管理新机制，按照执行工作“一盘棋”的思路，纵向实行了全区执行工作的统一管理、统一指挥和统一协调，横向上强化委托执行为主，异地执行为辅的执行举措，从而形成重大疑难案件的攻坚“合力”，发挥了人民法院的整体优势，收到事半功倍的执行效果。

【积极推进法院改革】 不断提高审判质量和效率，促进司法公正。2000年是人民法院的“改革年”，全区法院根据最高法院的改革纲要精神，通过不断深化各种审判改革，建立了公开、廉洁、高效、运转良好的审判运行机制，促进了审判质量和效率地提高，确保了司法公正。建立了相互监督制约的审判流程管理新机制，为全面落实立审分立、审执分立、审监分立制度，全区法院在强化审判管理上下功夫，普遍建立了大立案—精审判—重监督—强执行的审判管理新格局，实现了审判各个环节的相互制约，促进了案件审理工作的公正和高效；推行审判长和独任审判员选任制度，强化了审判组织改革；调整基层人民法院的设置，推动法庭规模化、规范化的发展。根据最高人民法院制定的《关于人民法庭若干问题的规定》和标准化、规范化、现代化的要求，对本区的基层人民法庭进行科学的撤并和调整，使原来的80个人民法庭减少到48个，消灭无人庭、无址庭和城区内的法庭，使人民法庭在设置上更加合理，管理上更加严格，发挥了其深入群众、方便群众，服务辖区社会稳定建设的前沿尖兵作用。

【提高法院队伍素质】 全区法院以“三讲”教育为契机，以提高法院队伍的整体素质为目标，采取坚决有力地措施，进一步加大教育培训力度，巩固了1999年集中教育整顿的成果，使队伍建设实现了新突破。1．实行党组成员分片包干责任制度，强化基层基础工作。2．强化培训，提高干警整体素质。依托法院业大教育、专升本学历教育和多种途径的教育，全区法院干警具有法律大专以上学历的达到了76.7%，全区法院领导班子和中院法官均达到了法律大专以上学历。针对全区法院的实际情况，临汾中院先后举办两期刑事、民事、诉讼文书培训班，先后培训全区法院审判业务骨干160余人，配合了正在进行的诉讼文书改革，同时促进了本区法院诉讼文书和审判质量的提高。3．监督制约机制不断完善，违法审判责任追究制得到很好落实。立审、审执、审监三分立的建立，确保了办案流程中的相互监督制约。中院率先在全省建立督导体系，已有17名督导员，分布在全院各庭室，强化了监督指导。中院率先在全省法院建立了违法审判责任追究听证制，违法审判责任追究的力度不断加大。4．人民法院物质装备建设进一步得到改善。蒲县、曲沃等法院在当地党委、政府的支持下，筹资一百余万元，对原有的审判办公设施，进行了改造和重新修建，审判办公条件得到了大力改善，树立了法院的尊严。部分法院的两庭建设也列入了政府的议事日程。全区法院的交通和通讯等装备也得到了进一步加强，临汾中院已着手筹建现代化的计算机网络管理系统，届时将成为全省首家实现审判办公计算机自动化管理的单位。临汾中院、翼城、洪洞、古县、隰县法院的档案管理达到省一级管理标准。

【依法严惩严重刑事罪犯】 1月12日，临汾地区中级人民法院依法将被判处死刑的抢劫、盗窃犯冯文华，故意伤害犯褚年桥押赴刑场，执行了枪决。5月23日、24日、25日分别在汾西、翼城、吉县3县对被判处死刑的4名故意杀人犯石峰、郭富明、杜晶、冯彩凤执行枪决。8月9日、10日、11日在临汾市、浮山县、古县分别对抢劫、强奸、故意伤害、盗窃犯田麦娃，故意杀人、抢劫、强奸犯李金平，故意杀人犯孔花琴，故意杀人、抢劫犯贾安玉，抢劫犯向永德，抢劫犯覃道贵、龚兆松和故意杀人犯黄忠书执行了死刑。12月13日，在襄汾对4名犯有故意伤害罪、故意杀人罪和抢劫罪的死刑犯陈高亮、赵茂红、杨大伟、张林栓执行枪决。

【执行款物兑现大会】 7月19日，临汾中院在审判大楼前广场隆重举行执行款、物兑现大会。对35案的38位当事人的总值达1645.28万元款物进行了兑现。这次集中兑现大会，是临汾中院为增强执行工作透明度，公正司法，维护国家法律权威的重要举措，充分展示了人民法院执行工作在党委、人大和政府有关部门、社会各界支持和配合下而取得的丰硕成果，也表明了临汾中院在挑战“执行难”的过程中将始终不渝地维护当事人合法权益的坚定决心，并号召全社会关心、支持人民法院的执行工作，从根本上撕破在执行上的“债权”、“人情”、“关系”网，共同维护好全区的社会稳定和经济建设。

【《行政诉讼法》实施10周年座谈会】 在《行政诉讼法》实施10周年之际，9月27日，临汾中院邀请地区人大工委、地委政法委领导，地市公安、检察、司法、土地、工商、税务、地矿、煤管、交通、林业、律师界负责人和代表参加座谈会，畅谈10年来行政诉讼所取得的巨大成就，广泛征求对法院行政审判工作的意见和建议。与会领导和代表畅所欲言，踊跃发言，回顾10年行政诉讼历程。10年中临汾中院共审结行政诉讼案件1407件，其中撤诉329件，占3.38%，判决维持具体行政行为647件，占45.89%，判决撤销具体行政行为324件，占23.85%，判决变更107件，占7.6%。10年行政诉讼的特点是，案件数量呈上升趋势，受案范围逐渐扩大，涉及行政执法部门逐渐增多。随着行政诉讼法的进一步贯彻实施，公民运用法律武器维护自己合法权益意识的增强，行政执法机关依法自觉性的增强，行政诉讼必将有更大的发展。座谈中还对目前在行政诉中存在的主要问题进行了归纳和探讨。

【选任出25名审判长】 经过3个多月的紧张工作，临汾中院选任的25名审判长全部到位，将在依法成立的合议庭中履行审判长的职责。临汾中院对审判长选任工作给予了高度重视，制定了具体的选任办法，按照“公正、平等、择优、竞争”的原则，严格程序步骤，经过符合条件推荐、审判业务考试、庭审观摩评议、民主测评、两年工作业绩考核、审委会研究、新闻媒体公示等道道关口，层层筛选出了 25 名大家公认的政治素质高、业务能力强、能担当审判重任的优秀审判长。12 月 25 日，临汾中院举行了隆重的审判长发证仪式，地委政法委、地区人大、工委、地委组织部的有关负责同志专门参加大会。

【档案管理达省一级标准】　12 月 7 日，经过省、地档案局考评组的考评验收，临汾中院的机关档案管理达到省一级管理标准。档案管理是一项基础性工作，也是法院工作的重要组成部分。临汾中院为了实现档案的达标升级，投入了大量人力、物力和财力，促使了档案管理水平的不断提高。特别是在 1999 年迁入新审判大楼以后，临汾中院党组将档案管理晋升省一级标准列入重要议事日程，在时间紧、工作量大、任务重的情况下，做大量的工作，从而顺利地完成档案的达标升级工作。一是完善了档案的基础设施建设。本院以搬迁新审判大楼为契机，专门配备了使用面积达 96 平方米的档案室和阅览室，投资 12 万元购置了 3 组 20 列的手摇式密集架，实现了档案的全部装盒、封闭保管，并配备了微机、灭火器、空调、温湿度计等必要设备。二是强化对档案工作的领导和管理，成立以院长为组长的档案管理工作领导组和档案鉴定小组，配备两名专职档案人员，在各庭室处队确定兼职档案员，形成了完整的档案管理网络，使档案管理实现齐抓共管、规范有序。三是进行了彻底归类整理，提高了档案质量。从 9 月开始，本院档案管理人员和外面抽调的 10 多个素质较高、熟悉档案工作的人员先后投工 200 余工时，对 1996 年以来的所有档案材料进行分类、组卷、编目，使档案材料全部实现了有序的管理，并对原有的档案材料进行了重新鉴定。同时还编制了全引目录、案卷目录、资料目录等检索工具 4 种 51 本，精心编撰了《专题文件汇集》、《发文汇集》、《组织沿革》、《大事记》、《基础数字汇编》等参考资料 5 种约 2.9 万余字，实现了档案的有效开发利用。

【一批先进集体和个人受到省政法委、省高院的表彰】　在 3 月召开的全省政法工作会议和全省法院系统“争创活动”表彰会上，临汾地区法院系统一批先进集体和先进个人受到表彰。其中，洪洞县城关人民法庭和临汾地区中级人民法院民一庭审判员贺洁分别被评为山西省政法系统人民满意单位和干警。临汾市人民法院、翼城县人民法院和蒲县人民法院被山西省高级人民法院授予“人民满意的好法院”，并记集体二等功。临汾地区中级人民法院审判员贺洁、临汾市法院北郊法庭庭长景云峰、侯马市法院审判员王重庆、霍州市法院行政庭长王泽兵、翼城县法院南梁法庭庭长宁浩、洪洞县法院副院长乔文明、安泽县法院经济庭长胡宇霞、蒲县法院经济庭副庭长王国卿、大宁县法院院长常秀莲、隰县法院执行庭庭长王小健、汾西县法院经济庭副庭长王文龙被省高院授予“人民满意的好法官（好干警）”，并记个人二等功。

【临汾市法院荣获全国优秀“青少年维权岗”荣誉称号】　临汾法院多年来是坚持把维护青少年合法权益摆在审判工作重要位置，把依法维护青少年合法权益，保护和促进青少年茁壮成长，作为依法治国、实现国家长治久安的大事来抓，在实践中创造性地开展审判工作。在审理少年犯时立足“寓教于审”，坚持“五个注重”。即：注重查清导致犯罪的成因，找准教育感化的突破口；注重启发、疏导，选准“感化点”；注重做好少年犯家长的工作，争取支持和配合；注重惩办与教育相结合的原则，正确量刑；注重回访考察，巩固审判成果。慎审婚姻家庭纠纷，注重维护青少年权益。此外，临汾地区法院在开展审判活动中，十分重视拓宽教育领域，扩大办案效果。通过开展法制宣传教育，向有关部门发司法建议书等形式，积极参与社会治安综合治理，对失足青少年加以挽救，收到良好的社会效果，受到社会各界的充分肯定。4 月 14 日，被共青团中央、中央社会治安综合治理委员会办公室、最高法院等 11 个有关单位联合命名为全国优秀“青少年维权岗”。

【荣获山西省实施妇女儿童《纲要》、《规划》先进单位】　在全省妇女儿童工作委员会第三次大会上，临汾地区中级人民法院和副院长樊胜利分别荣获省实施妇女儿童《纲要》、《规划》先进单位、先进个人称号，成为全省政法系统惟一获此殊荣的单位。5 月 30 日，临汾地区妇女儿童工作委员会在地区中级人民法院隆重举行省实施妇女儿童《纲要》、《规划》先进单位颁奖仪式，分别向临汾中院院长王冀波、副院长樊胜利颁发了先进单位奖牌和先进个人证书。临汾地区中级人民法院充分发挥审判职能作用，运用法律手段，认真贯彻实施妇女儿童《纲要》、《规划》，依法维护妇女儿童的合法权益，保护妇女儿童的合法权益，取得显著成绩和较好的社会效果。此次是第三次受到省妇联的表彰。

【临汾中院及刑二庭被授予“优秀青少年维权岗”荣誉称号】　由于在保护未成年人合法权益，预防未成年人犯罪，教育，挽救、帮助失足少年方面工作成绩突出，临汾中院及临汾中院刑二庭被共青团山西省委、省高级法院联合授予“优秀青少年维权岗”荣誉称号。临汾中院创造的“法院学校联手、教育在全省预防青少年违法犯罪工作经验交流会上予以交流推广。

【临汾中院援建的中市—壶口公路竣工剪彩】　11 月 27 日，临汾中院帮助吉县壶口镇中市村修建的一条通向壶口风景区的“致富路”正式竣工剪彩。壶口岸畔的中市村是临汾中院的扶贫点，该村土地贫瘠，条件落后，连温饱问题都得不到解决。1996 年，临汾中院包点扶贫后，经反复考察论证，决定将帮助该村修建一条通向壶口的“致富路”作为该村打经济“翻身仗”的主攻点。临汾中院多方筹资，在相继解决中市村的吃水难、上学难、教学设施差等实际生活难题后，于 1999 年初，便组织中市村的群众利用农闲季节义务投工，掀起了公路建设的热潮。

为给公路建设提供足够的资金，临汾中院在发动全体干警进行捐资捐款的同时，向有关部门求援，与吉县旅游、交通等单位共同筹措了 45 万元的资金，确保了修路工作的顺利进行。全长 5.16 千米，动用土方 8 万立方米、石方 4.5 万立方米，建有石拱桥 1 座，总耗资 40 余万元的中市村到壶口风景区的乡级公路竣工开通。

（柴卫红）

司法工作

【概述】 临汾行署司法局内设办公室、律师管理科、公证管理科、基层工作科、宣传教育科、人事科等 6 个科室，在编人员 53 人。

【普法和依法治市工作】 开展了依法治理达标示范创建活动，全市（地级）依法治理达标示范县（市）11 个，乡镇 130 个，行政村 1200 个，学校 220 个，工商企业 120 个，行政、事业单位 200 个。在全市（地级）范围内组织了第一个“12·4”法制宣传日系列活动。对“三五”普法工作进行了全面的检查验收。召开了“四五”法制宣传教育暨依法治市（地级）工作会议。

【法律服务工作】 全区律师担任法律顾问 495 家，办理各类案件 4373 件；公证办证数 33628 件，涉外公证 846 件；基层法律服务机构共担任法律顾问 1312 家，办理各类案件 2991 件。

【发挥职能作用,参与社会治安综合治理】 组织全区司法行政机关先后三次参与全区性“严打”公判大会,开展相关的法律宣传,共散发专项宣传材料 10 万余份。全区律师共办理刑事辩护案件 973 件。各法律援助机构为 73 名拟判死刑的刑事案件的被告人指定了辩护人。开展刑释解教人员集中排查活动,使 3618 名刑释解教人员纳入了安置帮教对象,帮教率和安置率分别达到 90%以上。培育安置基地 16 个，安置性实体 17 个。开展了矛盾纠纷排查调处活动,对影响社会稳定的热点、难点问题进行集中排查,专项治理,共调处民间纠纷 11940 件,调处率和成功率分别达到了 95.9%和 98%。

【基础建设和队伍建设】 全系统开展了向霍州退沙办事处司法助理员郭城富同志（2001 年被司法部授予人民满意的司法助理员称号）学习的活动。组织全系统公务员、司法助理员开展了基本素质教育培训活动，参加了全国统一的基本素质教育统一考试。司法局机关开展了“七一”讲话学习和思想纪律作风整顿活动。地局机关整修了办公楼，美化了机关大院，更新了部分办公设施和铝合金窗户。

（王刚）

临汾市委组织部

市委副书记、组织部长刘传旺在组织部门自身建设座谈会上讲话

LIN FEN SHI WEI ZU ZHI BU

市委组织部领导班子成员在一起研究工作。市委副书记、组织部长刘传旺（右三），常务副部长涂信基（左三），副部长梁若玉（右二），副部长张庚搏（左二），副部长王明理（右一），副部长王春梅（左一）

市委副书记、组织部长刘传旺（左三）在乡宁县枣岭乡调研

临汾市委统战部

← 省政协副主席，省委统战部部长吴慧琴(左五)在翼城县清真寺考察调研。

统战部

统战部领导黄登高（右三）、赵兰田（左三）、郝焕玲（右一）在乔李乡调研 →

统战部

← 考察荒山治理情况

统战部

市委统战部扶持修建的东峪沟村联校 →

临汾市委政法委员会

LIN FEN SHI WEI ZHENG FA WEI YUAN HUI

李平郎书记在侯马市检查政法工作

临汾市政法工作会议会场

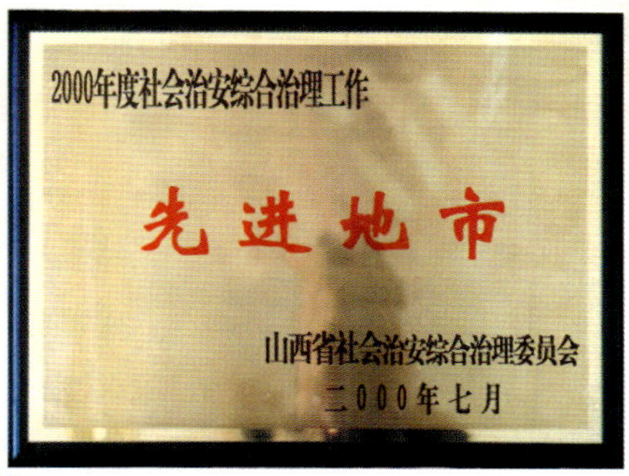

市委常委、政法委书记 李平郎

临汾市直属机关工作委员会

LINFENSHIZHISHUJIGUANGONGZUOWEIYUANHUI

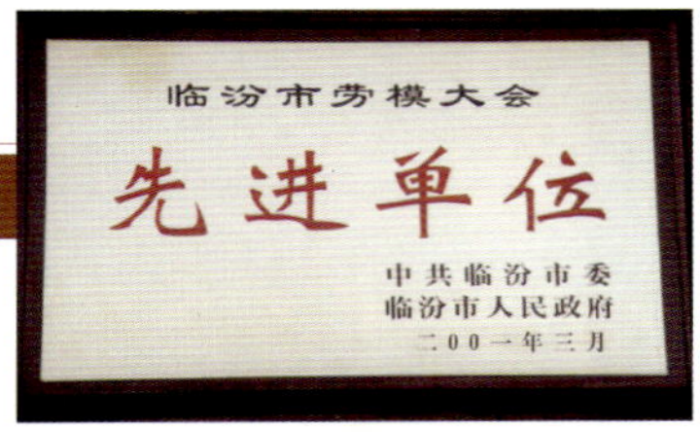

市直工委领导班子在一起研究工作

王志权书记(右三)和市直各党委总支书记一同参观学习

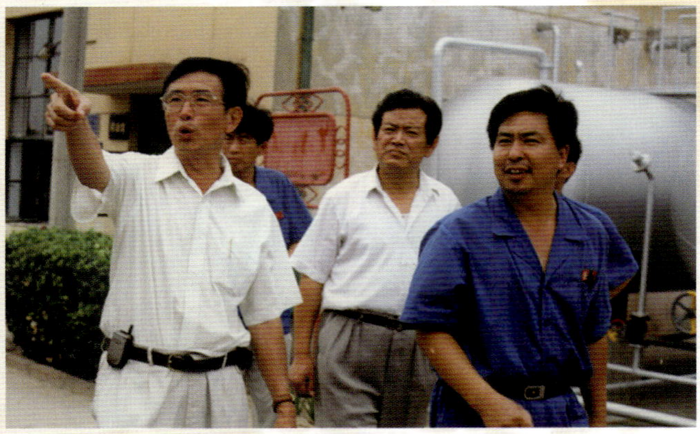

王志权书记(左一)在石油公司验收"五星级支部"

2000年9月29日地直工委在电业局多功能厅召开"地直机关创建先进单位活动现场会"

2000年7月19日，蒲县公峪乡公峪村委给地直工委送牌匾

临汾日報社

社长、总编辑孙延林向省委常委、宣传部长申维辰介绍《临汾日报社通讯》办刊特色

社长、总编辑孙延林向市委书记樊纪亨介绍新闻大楼建设情况

孙延林向张茂才市长汇报临汾日报社发展思路

→全省一流的日本滨田双面四色印刷机

临汾市经济贸易委员会

LINFENSHIJINGJIMAOYIWEIYUANHUI

主任 杨临生

杨临生深入侯马冶炼厂

杨临生陪同省委国企改革督查组深入企业检查

经贸委领导与市委“三讲”督查组座谈

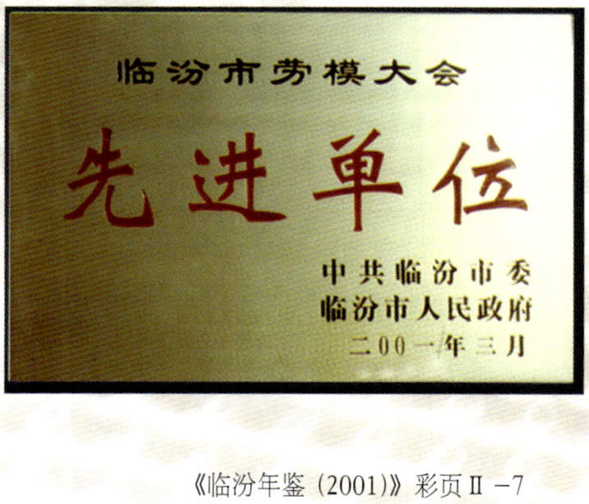

LINFENSHICAIZHENGJU

临汾市财政局

市财政系统举办“财苑放歌”文艺晚会

临汾市政协副主席
临汾市财政局局长 张传华

省财政厅厅长原崇信（左一）在临汾市检查指导工作

市财政局新的领导班子

临汾市安全生

局长 赖保成

临汾市安全生产监督管理局在原市煤炭工业局的基础上，接受经贸委、劳动局等部门有关安全生产监督管理职能，履行市安全生产委员会日常职能，同时，也履行煤炭工业的行业与行政管理职能。其职责范围涉及矿山、交通、消防、电力、石油、易燃易爆物品、化工、旅游、文化娱乐等30多个行业，工作职能涵盖了社会生产、生活的各个领域。范围广、责任大、任务重是安监局这个新机构最显著的特点。

安全生产监督管理局一班人，按照全市经济和社会发展的总体部署，结合本行业的工作重点和特点，确定了安全生产监督管理的基本指导思想，并制定出了《临汾市十五期间安全生产监督管理实施方案》、《临汾市安全生产试行办法》、《临汾市煤矿实行股份有限公司制的

局领导班子在一起研究工作

局领导制定煤炭安全生产实施方案

产监督管理局

指导意见》、《临汾市煤矿安全生产监督管理实施意见》等一系列指导意见，为安全生产监督管理工作的科学化、制度化、规范化建设奠定了坚实的基础。煤矿安全专项整治走在全国前列，受到省领导好评，煤炭安全生产创造历史最好水平。

临汾市安全生产与煤炭工作会议上赖保成局长为获奖单位颁奖

深入一线指导工作

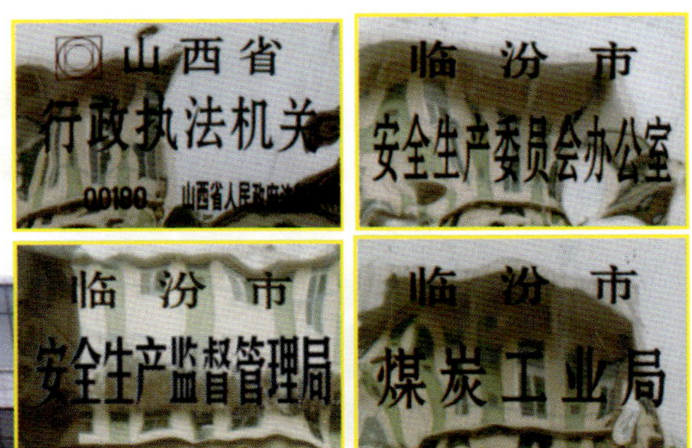

临汾市国税局

LINFENSHIGUOSHUIJU

党组书记 局长 郝建梯

①②
③④

① 局领导班子研究工作

② 洪洞县国税局赵城分局获全国精神文明建设工作先进单位殊荣

③ 省国税局局长李思温「左三」在山西焦化厂调研，常务副市长郝忠礼陪同

④ 全市国税系统党风廉政建设工作会议

临汾市工商行政管理局

LINFENGONGSHANGXINGZHENGGUANLIJU

局党组一班人在研究工作

市工商局局长柴建新陪同省工商局局长李鹏（右二）检查工作

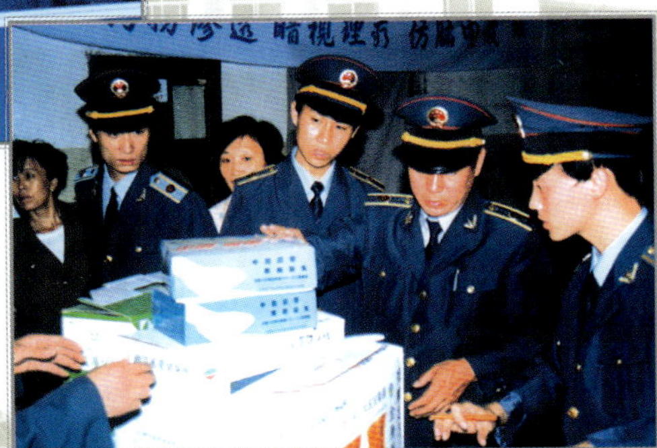

工商行政管理人员履行职责清理整顿市场

办公楼

局长 韩建国

办公大楼

国土资源局

省厅李永宏厅长在临汾指导工作

局领导班子成员学习中央领导在人口资源环境座谈会上的讲话

局长 李建荣

临汾市环境保护局

LIN FEN SHI HUAN JING BAO HU JU

省政府"6·5"关停督查组在洪洞县督查关停工作

三晋环保行检查团在尧都区检查工作

李建荣在翼城县检查工作

李建荣陪同董彩霞副市长在侯马市检查工作

李建荣深入曲沃县企业调研

临汾市乡镇企业管理局

LIN FEN SHI XIANG ZHEN QI YE GUAN LI JU

①

1、市委书记樊纪亨、市长张茂才为民营企业竣工剪彩

2、张茂才市长参加市民营经济发展局揭牌仪式

3、团结奋进的领导班子

4、董彩霞副市长在民营企业调研

5、全市民营经济工作会议会场

②

③

改革开放以来，特别是近几年来，全市以乡镇企业为主体的民营经济认真实践“三个代表”，围绕市委、市政府提出的“在全省率先发展，建设中西部经济强市”的奋斗目标，以解放思想为先导，以结构调整为主线，以强化服务为手段，大力实施民营经济战略，民营经济呈现出速度与效益同步增长，运行质量进一步提高的良性发展态势，取得了令人瞩目的成就。民营经济已经成为全市国民经济的重要组成部分和主要增长力量。

④

⑤

临汾市林业局

LIN FEN SHI LIN YE JU

局长 解学斌

国家林业局李育才副局长和省林业厅曹振声厅长检查吉县退耕还林工程

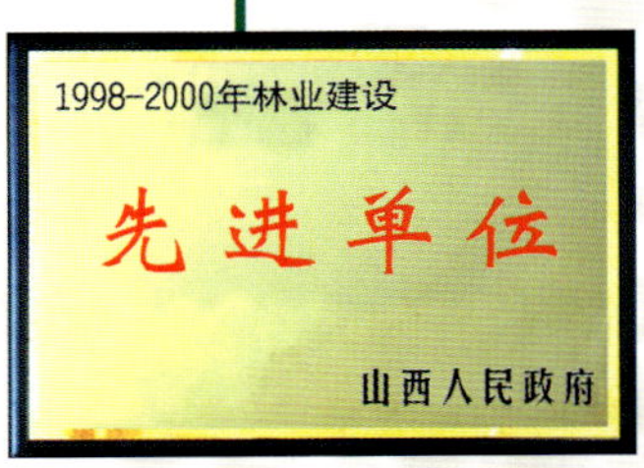

解学斌局长在襄汾县红枣基地指导工作

临汾市劳动和社会保障局

LIN FEN SHI LAO DONG HE SHE HUI BAO ZHANG JU

局长 张清云

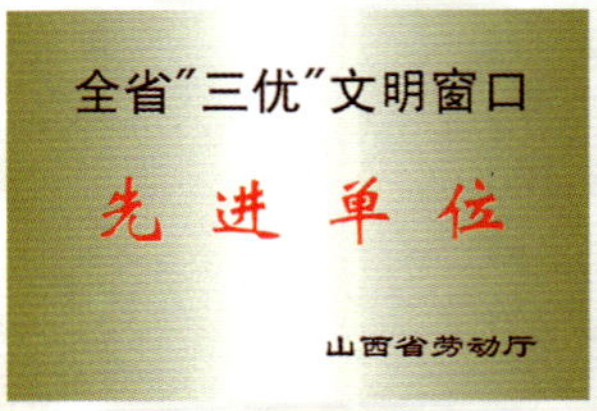

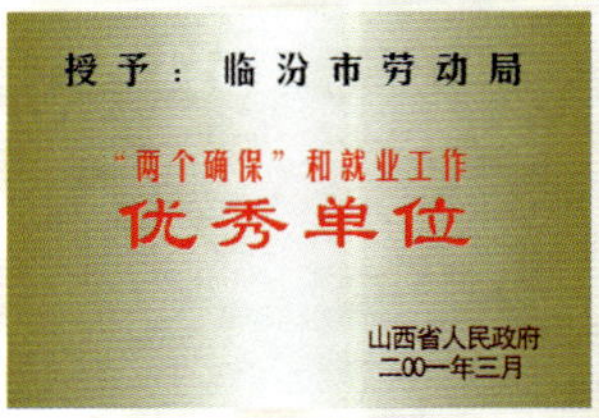

局领导班子研究工作

下岗职工再就业培训

万名劳工赴新疆摘棉

"劳动保障之声"文艺汇演

临汾市计划生育委员会

主任 郭全爱

1、国务委员彭佩云(中)和国家计生委主任张维庆(左一)在临汾视察工作

2、国家计生委政策法规司司长江亦曼与基层计生工作人员亲切交谈

3、市委书记樊纪亨(左三)陪同省计生委副主任朱明媚(中)深入农村了解生育、节育情况

4、庆祝中共中央、国务院《关于加强人口与计划生育工作稳定低生育水平的决定》发表一周年

①

②

③

④

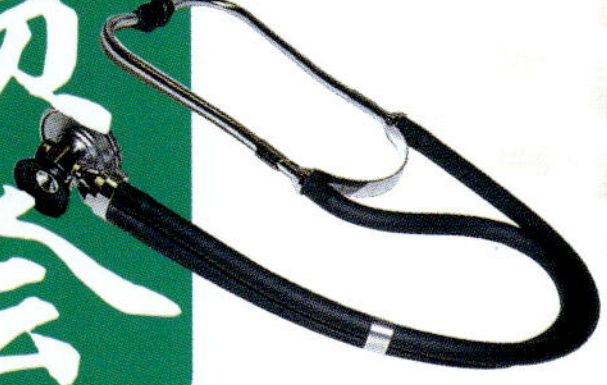

临汾市文化新闻出版管理局

① 局领导班子在一起研究工作

② 荣获“二度梅”的任根心

③ 临汾市眉户剧团演出《村官郭秀明》剧照

临汾市民族宗教事务局

LIN FEN SHI MIN ZU ZONG JIAO SHI WU JU

领导班子在一起研究工作。局长贾林森(右四)、副局长曹万武(右三)、纪检组长王若农(左三)

举办全市民族知识电视竞赛活动

市人大副主任谢碧玲(左三)、副市长苗元礼(左二)、政协副主席赵兰田(左四) 等领导观看全市民族知识电视竞赛

临汾市文物局

LIN FEN SHI WEN WU JU

局长 阎国庆

苗元礼副市长在尧都区庞杜村古墓发掘现场检查工作

市文物局成立挂牌仪式，市委书记樊纪亨、省文物局长施联秀、副局长李福明、副市长苗元礼、市政协副主席方熔等领导出席

阎国庆在浮山博物馆看望为保护文物受伤的文物卫士张卓同志

阎国庆在尧都区庞杜村古墓发掘现场慰问挖墓官兵

市政协副主席方熔等一行在浮山县桥北古墓被盗现场考察

临汾市地震局

LIN FEN SHI DI ZHEN JU

局长 高全锁

①

②

③

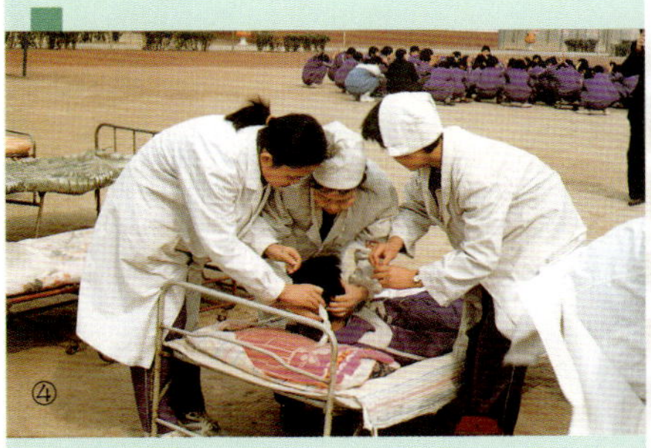

④

①②③④组织学生进行避雷疏散演练

省、市领导在地震局检查指导工作

临汾市统计局

LIN FEN SHI TONG JI JU

党组书记　局长 师学瑾

①高清亮副市长（右四）陪同国家统计局朱之鑫局长（右五）检查工作。

②原国家统计局局长、全国政协委员张塞(右四)在省统计局副局长李宝卿(右二)的陪同下在本市调研。

③局长师学瑾带领有关人员深入农村调查研究。

④2001年统计工作在全省名列第一。图为国家统计局朱之鑫局长(左二)听取师学瑾同志(右二)的工作汇报。

⑤局办公大楼外景。

临汾军分区

军分区常委全体成员

分区政委李峰检查霍州人武部

原分区政委高义勋与地方领导研究救火方案

领导干部进行高科技知识学习

打靶归来

正在进行轻武器分解结合

高炮分队训练

专武干部进行集训

第一书记正在进行轻武器实弹射击

区鸟瞰

侯马市

市委书记赵建民（右）、市长张如意（左）在一起研究工作

新港服装批发城

省委副书记张宝顺（左四）、市领导樊纪亨（右四）、张茂才（右三）、刘传旺（右一）在侯马检查指导工作

环球鞋帽批发市场

侯马新世纪广场

建邦集团厂区一角

中国工商银行侯马支行

电信大厦

中国银行侯马支行

棉花生产基地

侯马职教中心

侯马市街景

霍州市

↑ 市委书记王月喜（右一）、市长梁若皓（左一）向全国人大常委会副委员长布赫（中）汇报旅游开发工作

→ 省委书记田成平（右二）、副省长杨志明（左三）、临汾市领导樊纪亨、张茂才等在霍州署衙检查工作

↑ 首届旅游月开幕会场

← 省委副书记刘泽民（左三）、临汾市领导张茂才（右三）等检查指导万吨碳酸钾生产情况

①城市新貌
②霍州市新景
③农业综合开发大棚生产基地
④霍州发电厂
⑤汽车三滤产品
⑥城市绿化带
⑦市委书记王月喜（左一）在鹿场调查研究

曲沃县

县委书记 乔成家

县长 薛愿兵

省委书记田成平（右一）、市长张茂才（右二）在曲沃县检查指导城建工作。

市委书记樊纪亨（左三）、市长张茂才（右三）、人大常委会主任陈长禄（左二）在县委书记乔成家、县长薛愿兵陪同下检查指导太子滩综合开发工作。

电信大楼

太子滩农业高科技示范园区一角

正在兴建中的山西宇晋钢铁公司60万吨高速轧材生产线

里村万亩优质红提葡萄生产基地

出口创汇产品——离心钢管

县老年大学成立大会

文艺表演

中心广场夜景

YICHEN

县委书记张北管(右)与县长武保安(左)在山西宝业镁合金制品有限公司调研

临汾市领导樊纪亨、张茂才等参加北关西罗苑商贸街剪彩仪式

GXIAN 翼城县

商贸街街景

地方特产翼城砂锅和隆化小米

硕果累累 十里飘香

临汾市四大班子领导和翼城县主要领导为宏阳钢铁公司百万吨炼轧钢项目奠基

丘陵山区大力发展养殖业

襄汾县

县委书记 涂树荣

全国人大常委会副委员长布赫(左二)在襄汾县视察工作

全国政协副主席任建新(右五)在襄汾县视察

有色金属实业有限公司厂区一角

星原焦化有限公司董事长李秋晏(右二)与技术人员现场分析

县长 陈玉士

省委书记田成平(右四)在襄汾县邓庄镇燕村苜蓿基地

省长刘振华(右三)在县农业综合开发办汾河牧草加工厂

恒泰制动器有限公司生产的制动盘
(出口创汇产品)

种羊场引进的优良品种波尔山羊

绿康纯红薯粉条系列(出口产品)

→三毛杨生产基地

浮山县

FUSHANXIAN

省委书记田成平（右三）在市委书记樊纪亨(左四)、市长张茂才（右二）、浮山县委书记郭文虎（右一）、县长白建荣(左三)的陪同下视察小麦丰产田

省政协主席郑社奎（右一）视察张庄日光节能温室 市长张茂才（左二）浮山县委书记郭文虎、县长白建荣陪同

省农业厅厅长杨文宪（右一)深入田间调研 副市长常富顺（左二）、浮山县县长白建荣陪同

省卫生厅副厅长郝光亮（左一）检查县医院工作 浮山县县长白建荣陪同

市长张茂才（右一）在方兴冶炼公司调研 县委书记郭文虎陪同

2000年，浮山县经济建设取得巨大成就，国内生产总值达到30035万元，财政总收入达到3464万元，农民人均纯收入达到1760元，城镇居民人均可支配收入达到3531元，工业增加值达到8824万元。在临汾市经济目标责任制综合考评中被评为特等奖。

浮山县根据当地荒山荒坡宽广的情况，以种草兴牧为主线搞农业调产。图为投资250 万元兴办的福兴牧草开发公司奠基时的情景

浮山县自1998年开发元宝枫以来，先后栽植 3.5万亩，并被列为世行贫困地区林业发展项目。图为县委书记郭文虎在观察元宝枫生长情况

浮山县土特名优产品开发有限公司生产的优质小米系列产品，打入了美国市场，供不应求，带动了当地农业调产。图为县长白建荣在该公司煎饼加工车间调研

浮山县福田公司研制的枫露茶，投入市场赢得了客户的欢迎，图为县长白建荣和副县长亢世清在福田公司调查研究

浮山县财政收入成倍增长之后兴办了一批公益事业。图为县四套班子领导在尧山公园庆国庆时的情景

← 浮山县两年间相继铺开了尧山路扩建、天坛路改造、辛沁路续建、第二中学校修建、城区供水等十多项重点工程。图为县二中奠基时的情景

大宁县

县委书记 杨玉龙

县长 王林

省长刘振华(中)在大宁众康公司视察工作，樊纪亨陪同

省林业厅厅长曹振声(右一)
工作

"213"奋斗目标：

大宁县委县政府确定草、枣、羊3大主导产业，用5年时间达到人均2亩草、1亩枣、3只羊的目标。

DANINGXIAN

查指导林业

省民政厅副厅长李小平在大宁调查灾情

副市长常富顺（左二）深入农户调查小尾寒羊饲养情况
县委书记杨玉龙、县长王林陪同

吉

国家重点风景名胜区，中国旅游胜地四十佳，推向国际旅游市场的35张王牌景点之一——壶口瀑布

管头山红叶

粮、棉、油区域化种植

文城乡原头坡农业综合开发区

城关镇套袋贴字苹果

全省优质烤烟生产基地县，面积、产量、效益连续多年保持全省领先

吉县二中教学实

朱镕基总理视察吉县，县委书记原胜利（右四）、县长原学义（左五）汇报退耕还林工作

县

壶口干白酒荣获国家金奖

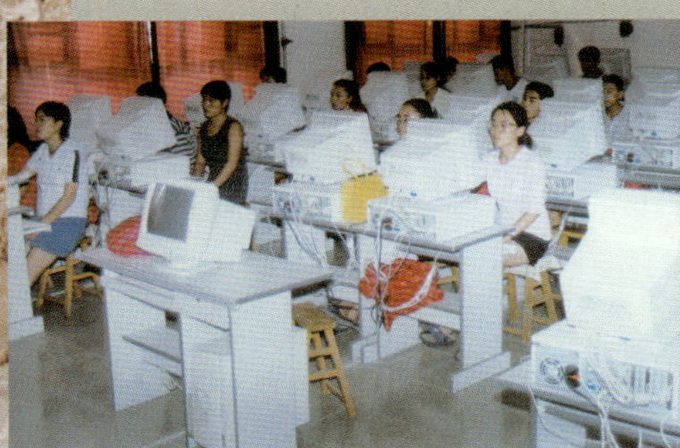

微机教学

东关广场一角

县委书记　张德英

汾西县

县长　亢海银

FEN XI XIAN

省委书记田成平(左四)在汾西县调研，市领导樊纪亨、张茂才陪同

范堆相副省长(右二)检查指导扶贫开发工作，市领导张茂才、常富顺陪同

汾西老爷顶天然林区

教育 体育

教 育

【概述】 临汾地区共有各级各类学校 5216 所，在校生 833493 人，教职工 51395 人，其中专任教师 43386 人。改革开放以来，全地区教育事业取得了迅猛发展。基础教育办学条件得到较大改善，“两基”工作目标基本实现，截至年底，除永和、大宁两个国家级贫困县外，全区有 15 个县（市）顺利通过省政府“两基”验收，“普九”人口覆盖率 97.2%，高于全省 92.8%和全国 76%的水平。大部分农村“最好的房子是学校”，有 159 所学校建成“四化”学校（校舍建设标准化、校园环境园林化、学校管理规范化、教育技术现代化），投资 13763.53 万元，改善了办学条件；素质教育全面推进。全区共建成 5 个素质教育试点县，侯马市从艺术教育入手推进素质教育，襄汾县的社区教育，霍州市的差生转化等项工作受到国家教育部和省教育厅的表彰。特别是侯马市的艺术教育被国家教育部树为全国艺术教育“三江一马”的典型之一；广大教师的政治、业务水平得到了锻炼和提高；职业教育、成人教育发展迅速；依法治教观念深入人心；教育教学管理日趋规范。据统计，小学学龄儿童入学率达 98.57%，初中学龄儿童入学率达 99.51%，高中阶段毛入学率为 40%。每年有 15 万人次以上的农民参加技术培训。临汾行署教育厅连续 4 年荣获省教委教育年度综合奖，教育整体工作在全省排次居前五名。

【基础教育】 幼儿园 392 所，在园人数 81688 人，教职工 2310 人，校舍建筑面积 152761 平方米，图书 439319 册。1998 年获全省自制教具评比组织奖，11 月全区通过“基本满足幼儿学前三年教育”验收，全区有曲沃、翼城、襄汾、侯马、洪洞、尧都 6 个县（市）通过省教委验收，达到“普三”要求。

小学共有学校 4350 所，在校学生总数 423662 人。专职教师 22644 人，其中：高级职称 4792 人，中级职称 12160 人。校舍面积 19911316 平方米，计算机 19264 台，图书 5295993 册，固定资产总值 23617520.16 万元，1997 年获山西省三算实验先进集体，1998 年获省目标教学实验先进集体，1999 年荣获省结构转化教改实验先进集体。

初中共有学校 396 所（其中：完全中学 43 所，九年一贯制学校 16 所），在校学生总数 241077 人，专职教师 13377 人，其中高级职称 144 人，中级职称 3082 人。校舍建筑面积 974168 平方米，计算机 23765 台，图书 2987147 册，固定资产总值 727649.94 万元。

高中共有学校 57 所（其中：完全中学 43 所），在校学生总数 45140 人，专职教师 2749 人，其中高级职称 335 人，中级职称 988 人。校舍建筑面积 599573 平方米，计算机 4712 台，图书 1252766 册，固定资产总值 51882.87 万元。2000 年获国家教育部颁发的高中课改先进单位，1998 年～2000 年连续 3 年获“省级高中课改先进单位”称号。

特殊教育学校 6 所，在校生数 516 人，教职工 131 人，校舍建筑面积 8109 平方米，图书 1150 册。

【职业教育】 职业教育学校 31 所，在校学生总数 11564 人，专职教师 944 人，校舍建筑面积 122153 平方米，计算机 1007 台，图书 567827 册，固定资产总值 6941.61 万元。

中等专业教育学校 8 所，在校学生总数 16355 人，教职工 966 人，其中高级职称 99 人，中级职称 205 人。校舍建筑面积 208245 平方米，图书 45.3 万册，固定资产总值 8107.9 万元。

【成人教育】 成人中等专业学校 18 所，在校生 991 人，教职工 479 人。年培训能力达 27.6 万人次。成人中小学 688 所，成人技术培训点 3498 个，在校生 277323 人，专职教师 712 人，兼职教师 7807 人。襄汾县西贾乡 1996 年获全国“中华扫盲奖”、1997 年获全省成人教育先进单位、1998 年获成人教育宣传工作先进集体、1999 年获全省科教兴村先进单位。

社会力量办学。现有学校 34 所，2000 年获省社会力量办学先进单位。

【教师队伍建设】 从 1997 年开始，在初中教学活动过程中开展了旨在提高教师业务素质的“达标创优”活动，共有 3 万余名教师达标，3000 多名教师创优。积极组织名师送教下乡活动，建立寒暑假培训制度，形成了定期与不定期相结合，普及与提高相结合，理论讲座与示范观摩相结合的培训机制。在全区范围成功进行了中小学内部管理体制改革，5299 名教职工转岗或分流，3166 名优秀大中专毕业生充实到教师队伍。小学、初中、高中教师学历合格率分别达到 97.92%、84.55%、78.21%，分别比 1999 年提高 0.92、2.55、8.79 个百分点。

【李敏才同志赴京参加第四届全国少代会】 临汾市解放路小学校长李敏才同志自 1997 年任志愿者辅导员至今，为少先队员举行法制报告会、革命传统报告会、法制安全讲座 15 余场，受教育少先队员 3 万人次。制订与山区少年儿童手拉手、扶贫帮教、雏鹰联谊等活动计划，积极号召城区小朋友为山区捐书万余册，书信交流3000余封，帮助贫困地区建起10多个手拉手书屋。他组织创办的解放路小学少年军校受到国家四部委表彰。6月1日，李敏才同志作为临汾地区惟一学生辅导员代表赴京参加中国少年先锋队第四届全国代表会议，临汾地、市领导专程送行。在京开会期间，李敏才同志参加了在人民大会堂举行的庆祝大会，亲自聆听了党和国家领导人的重要讲话，受到江泽民总书记等党和国家领导人的亲切接见。离京返晋后，山西省委、省政府领导专门召开座谈会表示祝贺，并合影留念。

【国家四部委授予解放路小学“全国先进少年军校”铜匾】 临汾市解放路小学把国防教育当作推进素质教育的一项重要内容，与北京军区驻晋某部结成共育对子，自1996年组建“少年军校”至今，已创办4期，直接培训学生500余名，辐射培训3000余名，学生获“国防章”、“自理章”、“远足章”的达800余人。军校结合学员的年龄特点拟定教学计划，开设民族历史、军事知识、国防理论、兵器漫谈、国际风云等课程，在队列、军体拳、战术、轻武器射击4大项20余个科目进行军事训练。学员经过短期训练，加强了组织纪律性，提高了生活自理能力，身体素质得到强化锻炼，国防意识进一步增强，引起了广大家长和社会各界关注。《解放军报》和《中国教育报》分别以《少年立志报国防》、《军营雏鹰》为题给予报道，山西省电视台和临汾电视台以此为题材制成专题教育片展播。5月，20名优秀少年军校学员赴京与天安门国旗班联谊。共青团中央、国家教委、全国少工委、中国人民解放军总政治部联合授予解放路小学“全国先进少年军校”铜匾。临汾市解放路小学还被评为山西省少年军校示范学校。

【省示范小学第四届素质教育课堂教学改革现场会在解放路小学召开】 12月4日～6日，由山西省教育学会主办，临汾市解放路小学承办的“山西省示范小学第四届素质教育课堂教学改革现场会”在临汾市解放路小学召开。出席会议的有全国总督学、山西省教育学会会长阴中川，山西省教科所所长温澎年，山西省教育学会副会长兼秘书长张崇善，地、市分管教育的领导，以及来自全省各示范小学的300余名代表参会。为期3天的会议，与会人员听取了省教育界专家的当前教改形势总结报告，观摩了来自太原、阳泉、忻州、榆次、临汾等地的16位教师的课堂教学。临汾市解放路小学樊青、张俊平、宋海珍、柴青平、冯爱军、亢松兰6位教师分别在语文、数学、音乐3个学科作示范观摩课。全体代表分别参观了解放路小学教学改革成果，并重点就如何在新的世纪创新适合素质教育发展要求的教学模式展开了深入研讨，对本校通过实践总结出的语文学科应遵循“自学质疑，读中感悟，点拨指导，强化理解”，数学学科应遵循“动手感知，练中理解，先学后教，潜移默化”的教学模式给予肯定，提倡在全省推广。解放路小学校长李敏才同志以《更新观念、优化管理，全面推进课堂教学改革》为题向大会作学术报告，并获一等奖。32位教师的教改论文在大会交流，分别获一二三等奖。柴青平、宋海珍、刘翠平3位教师被评为山西省教学能手，樊青、杨巧灵、程寿女3位教师被评为山西省学科带头人。

（高晓黎）

【各类考试基本情况】

1．普通高考

全区共有11649人参加全国普通高等学校统一招生考试。占全省统考人数（107899人）的10.8%。其中应届高中毕业生7892人（含飞行员24人），往届高中毕业生3757人（含人武干部35人）。考生报考理工类7955人，文史类2583人，外语（文）类451人，艺术（文）类252人，艺术（理）类40人，体育（理）类368人。全区达全省专科线上人数3159人（按文史、外语、理工最低控制线统计），达线率27.12%，其中本科线以上人数2267人，达线率19.46%。文史类最高分573分，500分以上1人；理工类最高分623分，600分以上3人。面向全省招生本专科最低录取分数线：文史类本科第一批470分，外语单科105人，第二批440分，外语单科90分，专科421分，外语单科80分。理工类本科第一批350分，第二批（含专科）300分。艺术（文）类本科第一批248分，第二批226分，专科217分。艺术（理）类本科第一、二批均为295分，专科284分。

面向地市专科根据考生志愿和招生计划从高到低划线择优录取。

高考共录取新生6482人，录取率为55.6%，其中本科2736人（含飞行员12人），专科3729人，中专17人（人武干部）。

全区共设考点27个，考场524个（实设考场486个），选聘监考及监检人员500余人。

2．自学考试

上半年参加自学考试22055人，其中本科专业23个专科专业41个，设考点32个，考场658个，选聘了2100余名监考及工作人员；下半年参加自学考试25055人，其中本科24个专业，专科42个专业，设考点31个，考场761个，选聘2200余名监考及工作人员；全年报考科次118438科，单科合格率为48.3%，新建档案3200份，在籍考生95345人，毕业考生2734人，其中本科452人，专科2282人。

3．成人考试

全区各类成人报名8559人，比1999年的4600多人翻了近一番。其中非师范类专713人，师范类专升本1042人，高中起点本科285人，高起点专科6480人（含“3+2”改革的考生842人，高职班考生224人），初中起点中专考生39人，免试生538人。全区设一个考区，11个考点，261个考场，其中713名非师范类专升本考生赴太原市参加考试。各类成人高校共录取124人，专科类共录取新生4516人，中专录取36人，录取比率为60.56%。

4．普通中专

全区普通中等学校报名参加考试总人数为41805人，其中应届考生32858人，往届考生8929人。全区共设考点65个，考场1405个，选聘巡视、监考3900余人。按要求除襄汾、洪洞两县部分考点设在乡镇中学外，其它考点均设在县（市）城内。录取新生总人数为18842人，其中中师1747人，幼师154人，中专3001人，高职775人，高中13165人，录取比率为45.07%。与往年相比，中考变化有：第一，全区所有县（市）考生加试体育，成绩计入中考总分。第二，中考报名首次不区分报考类别，按招生计划和考生志愿择优录取。第三，高中录取首次提前到中专（含中幼师）录取前面进行。

附：

1、全省高考改革

第一，填报志愿时间分为两次（即7月10日～14日和7月27日～29日），在考生成绩公布前后分别填报志愿。第二，高考科目设置改革。高考科目由原来的“3+2”“3+X”，“3”指语文、数学、外语，“X”为“文综”或“理综”。“文综”包括政治、历史、地理，“理综”包括物理、化学、生物。综合科目满分为260分，其余各科满分为150分，总分为710分，全部科目实行主、客观题分卷考试。第三，考试内容的改革。山西省从1997年试行普通高中新课程方案已满一轮，国家教委根据新的教学大纲和“3+X”科目要求单行。还增加了英语听力测试，考试成绩不计入总分，作为高校录取手段的改革。高考实行现场网上录取和远程网上录取两种方式，为配合高考网上录取，考生所有信息全部建立电子档案，录取以电子档案为主要依据。第五，招生计划增幅较大。在1999年本、专科招生计划48665人的基础上，2000年增加到59867人，其中本科计划29360人，专科13303人，高职电大17204人。取消了高考中专招生计划，大幅度增加了高职计划数量。第六，录取体制实行“学校负责，招办监督”。院校在思想政治品德考核和身体检查合格，统考成绩达同批录取控制分数线的考生中，按规定调阅一定比例考生档案，决定录取与否，再将拟录名单报省招生考试管理中心核准备案，并加盖“山西省高等学校招生委员会”录取专用章，然后由学校签发录取通知书。

2、2000年高考优秀学生名册

（王慧芳）

理工类

顺序	准考证号	考生姓名	性别	总分	录取总分	语文	数学	外语	综合	考生单位
1	260350512	李　辉	女	619	619	119	134	133	233	临汾一中
2	260350058	王骏飞	男	613	623	123	124	129	237	霍州一中
3	262150003	邹　亮	男	608	608	106	125	132	245	曲沃中学
4	260151339	孟颖达	男	599	599	124	112	128	235	临汾一中(往)
5	260151145	王　穗	女	598	598	117	138	117	226	临汾一中
6	262150202	刘慧峰	男	597	597	109	133	122	233	曲沃中学（往）
7	260350769	付　玲	女	592	592	116	111	134	231	霍州一中
8	260151675	张旭东	男	590	590	113	125	118	234	临汾一中
9	260350815	张建华	男	589	589	105	129	115	240	霍州一中
10	260150783	贾小敏	女	587	587	123	110	120	234	临汾一中
11	262550789	赵耀华	男	587	587	100	130	124	233	洪洞中学
12	260151931	张　宏	男	586	596	117	121	104	244	临汾一中

文史类

顺序号	准考证号	考生姓名	性别	总分	录取总分	语文	数学	外语	综合	考生单位
1	260110350	刘淑	女	573	573	121	126	121	205	临汾一中
2	260310099	李海峰	男	547	547	112	122	116	197	霍州一中(往)
3	262310197	王　斌	男	547	547	118	117	112	200	襄汾县中学(往)
4	260110306	徐 强	男	537	537	99	132	116	190	临汾三中(往)
5	260110646	任学敏	男	528	528	108	93	111	216	临汾一中(往)
6	260310191	薛小红	女	524	524	106	98	109	211	霍州矿中
7	262110062	李建新	男	524	524	119	89	112	204	曲沃中学
8	262310059	李　涛	男	522	522	100	114	92	216	襄汾县中学
9	260110336	王双杰	男	521	521	105	101	109	206	临汾三中(往)
10	260110674	梁　曦	女	520	520	106	102	119	193	临汾一中(往)
11	262110033	王景丽	女	520	520	98	122	105	195	曲沃中学(往)
12	262510198	焦北红	男	520	520	104	89	109	218	洪洞中学(往)

外语类

顺序号	准考证号	考生姓名	性别	总分	录取总分	语文	数学	外语	综合	考生单位
1	262320001	尉丽蕴	女	542	542	109	118	114	201	襄汾县中学（往）
2	260120025	吴　晶	女	541	541	113	110	124	194	临汾三中
3	262320010	柴晋华	男	520	520	113	105	107	195	襄汾县中学(往)
4	260220024	孙林霞	女	519	519	112	92	109	206	侯马市一中
5	260120008	杨柳青	女	514	514	120	91	117	186	临汾一中
6	260220005	郭　瑞	女	513	513	90	123	107	193	侯马 502 中学
7	262220020	李国栋	男	511	511	111	96	97	207	翼城县中学
8	262920003	王海斌	男	511	511	118	92	109	192	浮山县中学
9	260120050	陈霄英	女	505	505	128	96	95	186	临汾三中
10	260320019	薛晓丽	女	504	504	108	86	120	190	霍州一中
11	260120061	张　军	男	500	500	106	106	98	190	临汾精华中学
12	260120019	曹俊霞	女	500	500	111	110	108	171	临汾三中

·山西师范大学·

【概述】　山西师范大学是山西省省属 5 所老校之一，其前身是原晋南师范专科学校，创建于 1958 年，1964 年改建为山西师范学院，1984 年更名为山西师范大学。1999 年山西省人民政府决定，将“山西师范大学体育学院”（独立设置）和“山西省职业师范专科学校”并入山西师范大学。

山西师范大学有 3 个校区，18 个学院，分别是文学院、政法学院、经济学院、教育技术学院、历史与旅游文化学院、外国语学院、城市与环境科学学院、教育与心理学院、数学与计算机科学学院、物理与信息工程学院、化学与材料科学学院、生命科学学院、音乐学院、美术学院、体育学院、生物技术与工程学院、职业技术学院和成人教育学院。有研究所院 34 个，硕士学位授权点 15 个。共有教职工 2100 余人，其中专职教师 1000 余人（教授 138 人，副教授 420 人，讲师 392 人）。全日制本专科学生 12488 人，研究生 300 余人，协作培养博士生 6 人，成人教育学员 16215 人。校园面积 1054 亩，图书馆藏书 125 万册，其中线装古籍 11 万册，缮本书 10000 余册。

【教师队伍】　山西师范大学拥有一支年富力强、教学经验丰富、学术水平较高的教师队伍。以校长、博士生导师侯晋川教授为代表的一批中青年学者在各自学科领域崭露头角，教学和科研成果突出，有多项科研成果获得政府奖励，在国内外学术界享有一定声誉。特别是以数学、高能物理、材料化学等学科为代表，科学研究成果已跨入国内外学术界前沿阵地。学校被美国科学情报研究所的科学引文索引即 SCI 收录的论文数，在全国师范院校排名中一直名列前茅，在全省 30 多所高校中排名第一位。中科院文献情报中心研究报告显示，山西师范大学是全省惟一一所被列为进入“数学领域科技论文影响力的核心区域”中的全国 50 所大学及科研单位之一。山西师大戏曲文物研究所和三晋文化研究所，在挖掘研究具有独特地方风格的古代文化方面屡有建树，引起海内外极大关注。

【教育管理体制改革】　山西师范大学积极探寻教学管理体制改革的途径，率先推行了以学分学年制、中期选拔制、奖学金滚动制为基本内容的教学管理改革系统工程。即从师范院校的培养目标出发，大力培养基础厚、口径宽、能力强的人才。在培养过程中，特别注重对学生的能力和综合素质的培养和训练。强化学生的业务技能。此举极大地调动了学生成才的积极性，保证了培养质量。山西师范大学多年来特别注重对学生进行素质教育，“第一课堂”的教学和“第二课堂”的活动相结合，给学生创造了良好的育人环境。以宿舍文化、社团文化为主要内容的校园文化建设，陶冶了学生情操，培养了学生能力。由音乐系学生组成的“烛光合唱团”在全国首届大学生文艺会演中荣获一等奖，在第五届国际合唱节中荣获银奖第一名，受到有关专家的一致好评。学校男子篮球队在全国第五届大学生运动会中荣获第二名，体育学院曹军同学在全国第六届大学生运动会男子标枪比赛中荣获第一名。学校的国际标准舞队多次参加全国和国际比赛，均获得了比较好的成绩。以发挥学生自我管理、自我教育、自我服务作用，启迪学生参与意识，体现学生在学校各项工作中主体地位为宗旨的“学生自律委员会”，是山西师范大学又一改革尝试和创举。学生自律委员会已形成学校管理中一支不可缺少的重要力量。《人民日报》、《光明日报》、《中国青年报》多次报道了山西师大自律委员会的经验。

【对外交流与合作】　1985 年以来，山西师大分别同美国、日本、英国、加拿大、菲律宾等国家 12 所大学和研究机构建立了校际联系，并与 3 所大学签定了正式协议，结为姊妹学校。学校附属的实验中学同日本国秋田县协和町中学建立了友好关系。美国加州 RHD 学院、日本关东学园大学以及澳大利亚、俄罗斯几所高等院校正在与我校联系建立友好协作关系。山西师大历年来共聘请外籍文教专家和教师 60 余人次，接受留学生多人，并多次组织国际学术会议。选送优秀教师到国外留学进修 120 人次。学校还聘任了近百名国外专家学者为客座教授。

【学校报业】　培养中等学校教师，为基础教育服务，始终是山西师大的主要任务。建校 40 多年来，师大为基础教育领域及社会各界培养学生 3 万余名，培养成人学生 5 万余名，这些毕业生已成为山西省基础教育领域的骨干力量。师大的毕业生还分布在国内外各行各业，其中不乏卓有建树的佼佼者。由山西师范大学主办的《山西师大学报》辟有社会科学版、自然科学版、体育版和教育科学版，其中社会科学版连续 8 年被确定为山西省一级期刊第一名，在 2000 年全国首届文科学报综合评比中名列“百强”第 12 名。在面向基础教育方面，学校报业颇具特色和规模，由山西师大语文报社出版发行的《语文报》、《小学语文报》、和《语文教学通讯》，以及英语周报社出版发行的《英语周报》，分别是全国中、小学语文教学研究会和全国中学英语素质教育研究中心的会报和会刊，在国内外享有盛誉。学校还有面向基础教育的专业报刊《数学报》和《物理报》。

（朱临花）

体　育

【概述】　2000 年是全民健身计划第二期工程的头一年。全区体育系统广大干部职工，在各级政府的关怀和社会各界的支持下，自筹资金举办了中学生篮、排、足球赛，同地区体育舞蹈协会联合举办了“石化杯”舞蹈大赛，还主办了首届“移动杯”乒乓球比赛。五大赛事的举办，带动了全区群众活动的广泛开展。临汾钢铁公司、临汾铁路分局、霍州电厂等单位都举办了群众喜闻乐见的体育活动，地区电业系统“五一”、“十一”举办了乒乓球、体操等比赛，丰富职工的业余文化生活。地区中学代表队参加全省比赛也取得了好成绩，临汾三中女队获全省中学篮球赛第二名。

地区体委加大改革力度，积极鼓励社会和个人投资兴建体育设施。与洪洞县赵城鸿利焦化厂签订协议投资 600 多万元建成现代游泳馆，经过半年施工，已完成主体工程，进行内部装修。地区体委投资 50 多万元新建可容纳 3000 人的带看台的标准灯光篮球场竣工。这两项工程的建设将大大改善地区体育设施落后的局面，为运动员训练和群众锻炼创造了良好的环境。

【翼城、隰县创建全国体育先进县】 翼城、隰县两县申报全国体育先进县。这两个县在县委、政府的大力支持下，各职能部门紧密配合，全民动员共同创建，硬件、软件一起上，各项工作紧张进行。翼城县 6 月底完成田径场，整理了近十年来的档案资料并装订成册，制作贴有百余幅照片的十块版面，反映了群众体育活动。隰县作为山区县，始终把发展体育事业作为强县富民的一项战略措施，列入全县国民经济和社会发展总体规划，提出了建设山区体育强县的奋斗目标。他们采取多渠道筹资，多形式创建、多元化兴体的办法，投入资金 31.6885 万元，在县城兴建了占地面积 2150 平方米、3500 座位的灯光篮球场、综合训练房等场地设施。本着“穷县搞特色体育，小县搞大体育”的精神，深化体育改革，充分调动各方面的积极性，使全民健身活动走上社会化、多样化、制度化的轨道，全县经常参与体育活动的人数达到总人口的 30%。6 月，省体委验收团及国家体委督察员一行对争创工作予以肯定。翼城、隰县成为本区继洪洞、临汾、侯马、吉县之后的全国体育先进县。

【洪洞县荣获全国“武术之乡”称号】 洪洞县历届县委、政府领导及各乡镇领导都十分重视武术工作，县上专门成立了武术协会，具体开展武术活动。县体校设有武术班并配有专职训练人员，全县共有武术学校三所，学生遍布全国各地，在全县 12 万中小学生中有 5 万名学生参加习武。全县各机关、厂矿、企业及各乡镇的武术活动广泛开展，全县参加武术活动的人数达 10 多万人。武术工作的积极开展，增强了人们的身心健康，促进了两个文明建设。11 月 29 日～30 日国家武术中学及省武术院检查团前来检查验收，对洪洞县的武术活动给予了较高的荣誉，被评为“全国武术之乡”。

【社会体育指导员队伍不断扩大】 在全区范围内形成一个系统的、完善的全民健身组织网络是全民健身向纵深发展的关键，培养懂业务、善管理的群众体育骨干成为一项重要任务。10 月地区体委举办了临汾地区第四届二级社会体育指导员培训班和二级体育舞蹈指导员培训班，共培训体育骨干 20 余人，对常年在基层从事群体工作和健身指导的社会体育骨干的理论水平、思想认识及业务素质都有了很大提高。还派出两名骨干参加全省一级社会体育指导员的培训，使体育骨干队伍不断壮大。截至年底，全区的社会指导总数将近 300 人，根据国家体委对国家级、一级、二级、三级社会体育指导员按 1：10：30：80 的梯式比例结构的要求，全区二级社会体育指导员的人数已大大超出。

【临汾市车站街被评为全省体育先进社区】 临汾市车站街办事处，充分发挥街道办事处的领导和管理职能，成立了以街道办事处行政领导挂帅，辖区内各单位参加的社区体育组织和体育指导站，街道办事处副主任分管体育工作，并配备专职体育干部一名，修建了供居民活动的活动房和篮球场，为居民健身服务。

【竞技体育】

1．组队参加山西省第十一届运动会阶段赛。九个项目近 500 运动员参加比赛，共获金牌 28 枚，银牌 38 枚，铜牌 50 枚，总分 1090 分的好成绩，金牌位居全省第五名，总分上升到第四的位置，为历来最好成绩。

2．成功地承办了全省十一届运动会柔道赛。共有 11 个地市 400 多名男、女运动员参加了比赛，有力地促进了本区柔道事业的发展。举办中美篮球挑战赛。10 月，邀请美国 NBA 篮球赛冠军队迅鸟队和河北露露队进行了中美篮球挑战赛，使临汾人民亲眼观看到了高水平的国际比赛。

3．成功举办了全区体育苗子调赛，共有 15 个县（市）运动员参加了 23 个小项的比赛，为推动全区业务训练，选拔优秀运动员后备人才起到了应有的效果。

4．全区县（市）体校进行运动员骨龄测试，为十一届运动会后半阶段（2001～2002 年）打好了基础。全区组织测名运动员参加，达到了预期的目的。

5．地区体委对全区二级以上裁判员进行了注册，审批呈报工作。本年度共审批各项二级裁判员 89 人，二级运动员 19 人，呈报晋升一级裁判员 5 人，注册国家级裁判员 3 人。

6．在省体委的指导下，加强全区教练员队伍建设，组织地、县体校教练员 32 人参加了省教练员岗位培训和继续工程教育，所培训的教练员全部取得了合格证书，提高了教练员业务素质，为全区业训工作再上新台阶奠定了坚实基础。

7．赵德宁、王波、窦燕、苏连奎、朱玉莲、赵向丽、潘墩一、郑光毅等八名运动员参加了全国冠军赛（十项全能），青少年射击锦标赛（60 发卧射）、全国跆拳道锦标赛、冠军赛游泳锦标赛、击剑冠军赛均获得前 8 名的好成绩，获银牌 2 枚，铜牌 2 枚，4～8 名 7 人次，同时向省队输送 11 名优秀运动员。

文　化

文化工作

【概述】　临汾文化系统根据地委、行署的工作安排，紧紧围绕经济建设这个中心，抓住“文化艺术创作、文化体制改革、群众文化建设、文化市场管理”四个要点，办好 8 件事情，地区艺术学校、地区蒲剧院、地区电影公司等单位面貌有了较大的改观，各方面的重点工作都有了明显进步。

【艺术创作】　通过召开艺术创作研讨会，明确了艺术创作的指导思想，制定了繁荣创作的措施，确保了重点剧目的修改加工，《土坑上的女人》演出，10 月应文化部、中国剧协、中国艺术研究院的邀请，临汾地区实验蒲剧团的现代戏《土坑上的女人》代表全区人民、代表三晋儿女赴京汇报演出，获得了巨大成功。京城的一些主要报刊纷纷在显著位置刊登了评论文章，中央领导同志看戏后都给以热情赞扬。此次《土炕上的女人》晋京演出，是被山西省文化厅、省剧协做为夺取“文华奖”、“梅花奖”的拳头产品，因此戏剧专家悉数到场观摹。他们认为《土炕上的女人》具有国家级演出水平，是中国戏曲现代戏史上的里程碑。之后，中央电视台、山西电视台和临汾蒲剧院又联合将《土炕上的女人》剧摄制成三集电视剧播出。地区眉户剧团的现代戏《凤凰岭》于 2000 年荣获文化部等八部委颁发的第八届中国人口文化奖，（广厦杯）戏曲优秀奖。

地区实验蒲剧团、地区眉户剧团相继恢复和新排了一批剧目，回顾了剧目转换过程，使一大批优秀演员茁壮成长。两团在完成各类竞奖和指令性演出外，仍然坚持面向基层，拓宽了演出地域，扩大了观众层面，其中，地区实验蒲剧团全年演出 100 场，收入 18.4 万元；地区眉户剧团演出 186 场，收入 30 万元，取得了较好的社会效益和经济效益。

除了保证艺术精品生产外，还注重了一般性演出剧目的创作，在实践中培养人才。加强了艺术研究，全年共发表 20 余篇有价值的理论文章和艺术评论，“蒲剧艺术”全年期刊顺利出版。此外，地区艺术学校根据社会和艺术生产实践对人才的需要，继续在专业结构上进行了合理调整，拓宽招生渠道，超额完成国家下达的全年招生任务，使此项工作走在了全省前例。临汾艺校参加了全省艺术中专音乐、舞蹈比赛，共获 28 个奖项，其中，一等奖 3 个，二等奖 1 个，三等奖 2 个，创作奖 2 个，名列全省第一。

【群众文化】　在洪洞、曲沃、侯马、襄汾 4 县、市先后被中央及省命名为文化先进县的基础上，认真总结经验，确定了以创建文化先进县为农村文化建设龙头的 3 大文化重点工程建设，作为全区群众文化工作的突破口。在各级党委和政府的重视、支持下，一个以国办文化为主体，全社会共同兴办文化事业的新格局初步形成。全区文化馆、图书馆、影剧院等文化设施符合标准，农村基层文化活动日益丰富和繁荣。

在全区农村文化蓬勃发展的基础上，全区城镇群众文化活动也搞得有声有色，仅地区文化单位组织或参与的主要活动就有：1. 组织剧团或文化单位春节前后送戏、送文艺节目下乡演出。2. 开展 5 月图书宣传周活动，各县、（市）送书下乡，收到了较好的效果。3. 组织或举办了《恐龙世界》大型科普展览，《临汾地区文物精华图片展》、《临汾知名书画家作品暨民间古字画收藏展》、《高清亮书法作品展》等，在社会上引起反响。4. 组织艺术骨干深入全区各厂矿各行业辅导文艺节目，多次赴省参加行业评比演出，并获佳绩。5. 与地委宣传部联合举办了“迎澳门回归暨 2000 年元旦文艺晚会”。6. 地区群艺馆成立的少儿“舞蹈、美术、音乐、书法”培训班，继续扩大招生范围，先后参加了“中华优秀民间花会大赛”、山西省“亚宝杯青少年舞蹈大赛”等，并荣获多项奖品。7. 地区电影公司调整内部结构，摆脱了困难局面。抓住反腐巨片《生死抉择》在全区共放映 420 场，使受教育党员、干部、群众达 30 余万人次，获得了较好的社会效益和经济效益，其中仅侯马收入就达 20.5 万元之多。8. 地区影剧院重新调整了领导班子，破除旧观念，大胆改革，先后接待了倪萍等名人或艺术家领衔的高规格、高品位艺术团赴临汾演出，丰富了群众的文化生活。仅半年时间收入近 23 万元，基本摆脱了困窘状况。

【文化市场管理】　在全区各县（市）开展了各具特色的文化市场法制宣传活动，利用新闻媒体、张贴宣传品、法律咨询等多种形式，宣传介绍文化市场法规。按照上级部门的要求，根据全区县、（市）人口总量、流动人口量、消费水平 3 个指数，从市场投入制度入手，严把《文化经营许可证》的发放关，使全区文化娱乐场所总量削减 30%；根据国务院办公厅 6 月 30 日召开的电视电话会议和省厅“关于集中清理电子游戏经营场所”的紧急电话通知精神，集中整顿了电子游戏厅。全区共出动 223 人次，关停 150 家游戏厅，取缔了 3 家严重违法电子游戏经营场所，没收电路板 9 块，麻将机 38 台；在日常管理方面，坚持不懈地开展对管理人员及市场从业人员的定期考核，实行全区文化稽查工作日志月报制度，提高了执法人员的业务素质，收到了明显的效果。

（蔡承暄）

·临汾蒲剧院·

临汾蒲剧院成立于1959年8月，称晋南专区蒲剧院，下设两个演出团，即蒲剧院 一团、二团。1960年，组建晋南蒲剧院青年团；1961年，一、二团合并为蒲剧院蒲剧团；1979年，蒲剧院恢复建制，定名为临汾蒲剧院，下辖蒲剧院蒲剧团；1980年3月，新组建了临汾蒲剧院青年团；19990年蒲剧团和青年团合并为临汾蒲剧院实验蒲剧团。创院至今，邓焰、赵乙、李安华先后任院长，李希珍、崔凤鸣、任跟心先后任副院长主持工作。

蒲剧院下设6个科室：表导演室、音美创作室、剧目创作室、《蒲剧艺术》编辑部、资料室、行政办公室。

蒲剧院从建院至今，始终贯彻“百花齐放，推陈出新”的正确方针，创作、改编、整理出了《窦娥冤》、《薛刚反唐》、《麟骨床》、《燕燕》、《白沟河》、《挂画》、《贩马》、《杀狗》、《杀驿》、《烤火》、《跑城》、《打神告庙》、《救裴生》、《赵氏孤儿》等一大批优秀传统剧目；培养了一代又一代杰出表演人才，除王秀兰、阎逢春、张庆奎、杨虎山、筱月来等五大名演员外，60年代～70年代中期，涌现出了以王天明、裴青莲、宋东元、田迎春、杨翠花等第二代表演人才。改革开放后又涌现出了以任跟心、郭泽民、崔彩彩等三朵“梅花”为代表的第三代表演人才。同时，蒲剧院建立了一个坚强的艺术创作集体，其代表人物有编导赵乙、韩刚、杜波、行乐贤、李安华等；音乐设计有张峰、康希圣、吴鸣、贺丙章、李思泽等；舞台美术设计有白星、王玉龙等；资料研究有墨遗萍、李星五、潘尧黄等；1980年《蒲剧艺术》创刊，至今已发行了80期，杜波、李安华、任跟心分别担任社长。

临汾蒲剧院实验蒲剧团拥有一百多人，剧团中有雷俊生、解光礼、南喜菊、薛晓明等观众喜爱的演员。近年来，剧团在团长任跟心，指导员郭泽民的带领下，长期坚持下乡演出，2000年演出近300场，创收40多万元，收到了较好的社会效益和经济效益。同时，剧团到全国各地参加汇演、调演，团体、个人多次获得国家及省级大奖，扩大了蒲剧在全国的影响和知名度。

（蔡承暄）

·临汾市眉户剧团·

临汾市眉户剧团成立于1951年。团长兼书记许爱英，副团长潘国梁、陈奇志。近年来， 剧团排演了许多为观众喜闻乐见的好剧目，2000年下乡演出近200场，收入达30多万元。

剧团坚持正确的文艺宣传路线，2000年为响应治理环境污染，关闭小煤窑的政策排演了现代剧《凤凰岭》，10月又参加了中央文化部第八届人口杯汇演获“优秀演出奖”。

多年来，眉户剧团培养了一批专业人才，代表人物有：商中有：又名小上，国家一级编剧，全国“文华奖”获得者；许爱英：国家一级演员，中国戏剧“梅花奖”、国家文化部“文华奖”、上海国际“白玉兰奖”获得者；潘国良：国家二级演员，全国现代戏观摩演出“优秀青年演员奖”，全国第七届年会“优秀表演奖”，第八届全国人口杯“优秀表演奖”；赵梅：国家二级演员，第三届中国戏曲金三角“优秀表演奖”，全国第七届现代戏年会“表演奖”，第八届中国人口杯“优秀表演奖”获得者；王建龙：国家二级演员，首届、三届中国戏曲金三角“表演奖”、“优秀表演奖”，第八届中国人口杯“优秀表演奖”获得者。

（蔡承暄）

文联工作

【概述】 临汾地区文学艺术界联合会(简称地区文联),是由临汾地区各文学艺术家协会,各县（市）文联组成的人民团体,实行团体会员制。临汾地区文联对各团体会员有联络、协调、服务和指导的职责，对地区各文艺家协会有管理的职责。文联机关设4个科室,即办公室、文学科、美术科、音摄科。有干部、职工15人。地区文联团体会员有作家、美术、音乐、书法、摄影、戏剧6个地级文艺家协会和12个县（市）文联,现有会员1998人,其中全国会员37人,省级会员381人。

临汾地区文联紧紧围绕地委提出的“打基础、调结构、治环境”三件大事,认真贯彻“二为”方向和“双百”方针,积极开展文学艺术活动,取得了可喜成绩。

出版文学刊物《平阳文艺》4期,内载文学作品135篇,审阅文稿230万字。全年召开文学研讨会3次,全区文学工作者在省以上刊物发表作品70篇,培养和发现了一批新的文学创作骨干。

举办美展4次,书展3次,摄影展2次,展出作品2465幅。举办书画讲座3次,指导书画稿件320幅。组织摄影观摩展2次,观摩影作1200幅。全年本区美术、书法、摄影工作者在省级以上刊物发表作品达150幅。推荐280件美术、书法作品参加省级以上展览,其中16幅美术作品，5幅书法作品在省级以上展览中获奖。

随着地改市工作的进行，地区文联对所属各协会进行了整顿，建立了会员档案，吸收有成就的作者加入各级协会，向省以上协会推荐发展对象40人，地区各协会发展会员80人。崔淑梅(临汾市文联)、刘吉玲(临汾日报社)、杨志刚(襄汾县文联)加入山西省作家协会。

【纪念毛泽东《在延安文艺座谈会上的讲话》发表58周年座谈会】 5月23日,临汾地区文联和汾西县文联在汾西县召开纪念毛泽东主席《在延安文艺座谈会上的讲话》发表58周年座谈会。会上谢俊杰主席做了深入生活,繁荣本区文学创作的发言。参会人员有本区作家、临汾日报记者,以及汾西县作家、画家、书法家和文艺界名人50人。

【山西省第二届花鸟画展】 5月22日,由山西省美术家协会,山西省花鸟画学会,临汾地区文联联合主办的“山西省第二届花鸟画展览”在临汾铁路体育馆举行。本次花鸟画展共展出了李才旺、赵望进、姚天沐、崔俊恒、王秦生、赵志光、祝焘、赵梅生、裴文奎、宁积贤、裴玉林、张思淮、单华驹、崔惠民等30位著名画家及来自全省各地市120名画家的140幅作品。省文联副主席、地区文联主席谢俊杰同志为展览撰写了前言。省美协常务副主席崔俊恒,副主席赵志光及著名画家祝焘、裴文奎,地区文联、美协领导谢俊杰、宁积贤、贾双平等出席了开幕式。展出一周时间,先后有近千人参观了展览。国庆节期间,该展又在省城太原文艺大厦展出,省、市新闻界分别对展览作了报导。山西省美协称临汾美协好,把临汾美协称为山西省美术界龙头单位,向全省推广了临汾美协的工作经验。

【本区作家赴西南采风】 11月中旬,由山西省文联副主席、地区文联主席谢俊杰,省作协副主席韩石山为团长,省作协办公室主任陈玉川为秘书长的山西省作家代表团赴西南采风。采风团与四川省、云南省、重庆市文联、作协进行了广泛的座谈和交流,对新形势下如何繁荣和发展文学艺术事业,进行了有益的切磋和探讨。本区随团采风的有《平阳文艺》主编齐国宝和隰县文联主席曹记保。

【“壶口冬韵”艺术展】 2月15日，临汾地区摄影家协会在尧庙举办了《壶口冬韵》摄影艺术展。展出贾根生、武羽、杨悦明、杨晓峰四同志作品50幅,山西画报、临汾日报、临汾电视台作了报道并刊发了作品，出了集邮册。这对宣传本区旅游王牌起到了积极作用。

【举办文学创作培训班】 6月初，地区文联同临铁文联共同举办文学创作培训班，历时一周，培训业余作者63人，省文联副主席、地区文联主席谢俊杰亲自授课，对发现文学新人，推动本区文学事业的发展起到了良好作用。

【高清亮书法展】 11月4日，由临汾市（地级）文联、市（地级）书法家协会联合主办的“高清亮书法展”在市（地级）博物馆展出。本市（地级）四大班子领导及市（地级）直有关部门负责人、市（地级）文艺界、书法界共300余人出席开幕式，参观展览。该展共展出作者精心创作的104件作品。当日下午，主办单位又在临汾新闻培训中心召开了“高清亮书法研讨会”。会议由省书协副主席、市（地级）书协主席樊习一主持。与会的部分书法家，学者25人，对高清亮同志的书法作品，给予高度评价。

【宁积贤版画获奖】

1．1月　宁积贤　版画“童谣”等优秀作品，荣获1980年～1990年代中国版画界最高奖“鲁迅版画奖”。

2．6月　宁积贤创作的书票“家乡的山”荣获第八届全国藏书票展优秀奖。

3．10月　宁积贤创作的版画“千里黄河水”荣获日本西宫市中日书画交流展优秀奖。

【本年度出版文艺图书】

1．阎卫星、石丰华　中短篇小说集《风云乍起》　山城文艺出版社出版

2．王哲士　散文集《走读山水》　国际文化出版公司出版

3．翟跃文　诗歌集《翟跃文诗集》　山西经济出版社出版

4．王友明　散文集《提篮小卖》　吉林人民出版社出版

5．米中兴　诗歌集《在第二次生命线上》　北岳文艺出版社出版

6．张生雄　《张生雄诗选》　香港天马图书有限公司出版

（张旭红）

文化研究

【三晋文化研究会】 成立于1990年3月，隶属省三晋文化研究会，名为三晋文化研究会临汾分会。1995年6月6日召开的第二届理事大会上更名为临汾地区三晋文化研究会。研究会现有理事72名，分布7个县（市），常务理事17名。有浮山县三晋文化研究会、金银文社、尧文化研究会三个团体会员。并与蒲剧院、地区剧协、民俗学会、剪纸学会、群众文化学会及中国文化研究会、中国西厢记研究学会、山西师大戏研所等20多个学术团体建立了业务联系。会长董启民，常务副会长王德贵，副会长郭璞、杨左直、樊玉龙、牛文山、张彪（兼秘书长）。研究会章程规定其性质属于在地委领导下的群众学术研究团体，并在地区民政局办理了登记手续，正式列入社团管理序列。研究会的基本任务是在马列主义、毛泽东思想和邓小平理论指导下，按照江泽民“三个代表”重要思想的要求，团结和组织全区有志于研究三晋文化的人士，开展学术研究交流活动，继承优秀文化遗产，弘扬爱国主义精神，探索历史文化与当代文化结合的途径，为临汾两个文明服务。13年来，研究会取得了丰硕成果。截至目前，已完成史志、文物、戏曲、民间艺术、民间文学、民俗民风等方面的课题143个，文字1000余万字，图片绘制2000余幅。已发表和出版的130个，文字800余万字。其中篇幅较大的专著22部，资料汇编50部，重要论文58篇。《尧都平阳》、《尧王的传说》、《尧都遗风》、《平阳雕印史》、《威风锣鼓》等一批课题的完成，丰富了尧文化的研究宝库。《晋国

史》、《晋国会要》、《晋国郡县考评》等论著，为研究探讨晋国史提供了重要史料和论据，其中《晋国会要》13卷，填补了我国自秦汉以来历史典籍中的空白。丁村旧石器时代遗址群的发掘研究，丁村民居、石木雕刻的专题研究成果，大大丰富了著名的“丁村文化”的内涵。《晋元时期的平阳戏曲》、《锣鼓杂戏》、《蒲剧音乐》以及蒲剧表演艺术家闫逢春、张庆奎的评传，论文中凝聚了蒲剧这一古老剧种的发展轨迹和丰富积绽 。特别是20集700余万字的巨著《蒲州梆子传统剧本汇编》、《秦晋皮影图录》的出版，使濒临失传的二百多个手抄蒲剧传统剧本和木偶、乐乐腔、干板秧歌等小剧种口传传统剧本及皮影图形得以及时抢救。《三晋石刻总目临汾卷》共收录石刻4088件，约83万字，该巨著的即将出版，使全区范围内存于衙署、仓廪、寺观、庙宇、冢墓和阡陌、山崖、水域以及文博单位等处的碑碣、经幢、塔铭、墓志、摩崖、造像等2182件各类石刻得以澄清，同时还查清了遗失的1900余件石刻的原址、内容，这些都为妥善保护石刻原件和利用其研究考证平阳地区的手工业制造、农林水利及地震、人文方面的历史提供了宝贵的资料。抢救传统剧本和普查整理石刻目录是研究会成立以来工程浩繁、费时、费力、费钱而成就最大的，被人们共认的两件功德无量的大事。

另外，还围绕纪念抗日战争50周年，建党70、80周年，长征胜利50周年等，开展了多方面的课题研究。其中浮山三晋文化研究会收集的247件抗战时期的文字和实物资料，包括刻有“裕仁天皇”字样的军刀等战利品，填补了卢沟桥抗日战争纪念馆太岳区展品的空白。

【海峡两岸尧文化研讨会】 海峡两岸尧文化研讨会，1999年4月初召开。这次会议被国务院台办定为全国重点交流项目。参会单位有中国社会科学院历史研究所、山西省社科院和台湾海峡两岸学术文化交流协会等，由省委台办和临汾地委、行署主办。研讨会历时5天，以尧的历史作用为主题。两岸参会论文48篇，学者117人，其中台湾学者47人，大陆学者70余人。会议期间，还组织台湾学者参加了祭尧大典，并参观了尧庙、尧陵。通过研讨和参观，宣传了临汾提高了临汾的知名度，同时也弘扬了中华优秀传统文化在海峡两岸文化界产生了源远的影响。

（赵兰英）

文　物

【概述】 强化文物部门网络化管理，加强文物的安全保护，召开专门会议，下发了防火防盗文件。深入“广胜寺”、“小西天”、“东岳庙”、“丁村民宅”等重点文物建筑单位检查消防安全，现场办公，实地解决问题。完成了全区第五批国保单位的申报推荐工作，编制完成了《临汾地区2000年文物保护单位维修保护项目经费计划》，重点抓了临汾城内明伦堂、临汾市尧陵、洪洞碧霞圣母宫等一批重点文物保护单位的维修工程，先后配合完成了重点建设工程临汾城内建设路拓宽改造工程、曲沃杨庄变电站建设工程等，同中科院考古研究所联合对全国重点文物保护单位陶寺遗址进行了考古发掘工作，首次揭出4600年前的古城建筑遗址，为中国文明的起源提供了强有力的实物佐证。按照国家、省有关领导的指示精神，将丁村遗址54：100号地点西岸非法筑起的255米土坝全部推平，保持了原河道的畅通，并配备了专管人员，制定了各种措施，加大了对此处重要文化遗址的保护力度。

博　物

【概述】 临汾地区博物馆于1993年9月经地委、行署批准，在地区展览馆的基础上组建成立。人员编制31，驻大云寺（铁佛寺）内。1993年～2000年先后举办了“纪念毛泽东同志诞辰一百周年大型图片展览”（1993年12月）、与重庆歌乐山烈士陵园管理处联展《中美合作所集中营史实展览》（1994年10月）、纪念抗日战争胜利五十周年暨世界反法西斯战争胜利五十周年《中华民族的胜利》展览（1995年8月）、纪念长征胜利六十周年大型图片展（1996年10月）、《临汾地区辉煌五十年》等大型展览以及多次书、画、美术、摄影展览，发挥了爱国主义教育和革命传统教育阵地的作用。

【临汾地区丁村民俗博物馆】 1985年10月10日正式开馆，这是全国第一座民俗博物馆。（北师大出版社《中国国情大事典》）1989年9月丁村遗址发掘35周年纪念会在丁村举行，同时丁村文化陈列馆正式开放。1990年山西民俗博物馆“三馆”联谊会在丁村召开。出席者除丁村博物馆外，还有晋中祁县民俗博物馆（即乔家大院）和定襄河边民俗博物馆（即闫锡山故居）。

其后文博工作者进行研究工作，1991年《丁村文化遗址发掘经过与研究》以《山西文史资料》第六期等集出版；1995年丁村民博编文集《平阳民俗丛谭》由山西古籍出版社出版，共收入9人28篇文章。

1994年8月，丁村文化陈列馆改展成功。1997年，国家文物局拨款36万修缮建于明万历44年的16号院落。1998年国家文物局又拨款35万元，建设消防一期工程，除国家文物局给予高度重视外，襄汾也已准备投资扩修丁村超二级旅游公路。在旅游业和文物保护事业越来越受重视的大形势下，丁村博物馆将迎来新的辉煌。

（樊习一、马文珺、梁菊秀）

档　案

【概述】 临汾地区档案局、档案馆，两块牌子、一套编制、内设办公室、档案管理科、业务指导科、编研科，现有干部职工25人，其中有副研究馆员3

人，馆员11人，助理馆员及管理员4人。全区地、县两级有局、馆18个；机关、团体单位设有档案馆、室1200个；企事业单位设有档案馆、室1700个；乡镇农村建档案室3570个。本区基本形成以地、县综合馆为主体，机关、团体、企事业单位档案室为基础，统一领导，分级管理的档案管理体系。

临汾地区档案馆共理顺档号43971卷，将原来的55个全宗改为85个，将33687卷档案全部装盒。列出超保期档案1211卷，划出控制档案6250卷，计16485件。全区18个档案馆全部按时按质完成了3338卷，50152件革命历史档案的著录卡的编写和报送软盘的任务。全区收进馆档案资料35219卷（册），接待查阅档案资料者9479人次，提供利用档案资料28265卷（册）。

【开展升级达标活动】　根据山西省档案工作会议精神，地区档案馆启动“升一级馆工程”，全区各档案馆、室都积极开展升级达标活动。地区档案馆筹集资金10万元，购置了消防器材和档案装具。霍州市筹集资金近7万元，购置配备了微机、扫描仪、打印机，档案管理软件等，还对档案馆楼顶渗水作了紧急处理。临汾市档案馆铺设了防潮地板砖，加固了墙体，购置配备了计算机、打印机、复印机、扫描仪、汽车等现代化设施，还建起了微机房。全区17个县（市）都购置了微机。经考评，全区机房综合档案室晋升省级标准的有147个，其中达省一级的25个、省二级的24个、省三级的98个；企业档案管理达国家二级标准的4个，重新认定国家二级的15个；科技事业单位档案管理达到国家二级标准的1个，达省级先进的5个。

【建立专项档案举办培训班】　一些县、（市）档案馆建立了专项档案。安泽县根据经济建设的重点工程，建立了退耕还林还草、畜牧生产、香菇产业、淀粉及焦化等拳头产品档案；永和县建名人档案300余卷，还建起红枣节、生态工程、扶贫项目等360卷；霍州市建立旅游业档案30卷；古县建起了双孢菇产业化经营档案、人字闸工程档案；临汾市建起了“市长热线”档案。

为提高档案管理人员素质，地区及各县、（市）档案局举办专业培训班100余次，培训人员达6000人次。地区档案局于4月6日～4月9日在地区审计局培训中心举办了档案学论文写作培训班，聘请山西省档案局理论专家林清澄授课，参加培训人员50人；4月10日开始，用两个月时间举办计算机培训班12期，聘请山西师范大学计算机教授及档案软件开发人员授课和辅导，参加培训人员达260人，授课内容有计算机基础知识，WIN95/98操作方法，FOXPRO基础知识，汉字输入技术，档案达标计算机软件使用方法。

【省人大科教文委员会负责同志执法调研活动】　3月19日～20日，省人大科教文委员会主任魏凯和省档案局局长石浒龙一行5人，对本区档案管理工作进行了执法检查和执法调研。此次执法检查的重点是档案馆基础设施建设和档案安全保管情况；档案接收进馆工作和向社会开放档案。省人大领导和省档案局领导，就上述3个方面41项标准，进行检查和调研，之后向行署副专员安永全、地区人大工委主任陈长禄及地区档案馆负责同志反馈了情况和意见。

（辛慧芳）

新闻出版

地委通讯组

【概述】 全区通讯报导工作不断拓宽舆论范围，取得了突出成绩。一是配合党的中心工作，积极宣传地委的重大决策与战略部署，为临汾实施“三件大事”发展战略，营造良好舆论环境。山西省人大九届六次会议期间，通讯组抓住人大代表集中省城的有利时机，10 天之内，采写十多篇有关报道，整理临汾代表 30 多条发言摘要，分别发表在《山西日报》、《人民代表报》等省级报刊上，产生了良好影响。为了揭示“三件大事”对推动临汾经济、发展和社会进步的重要意义，通讯组还采写了“抓好三件大事、振兴临汾经济”、“调整推动发展”、“大调整迎来大发展”等一批新闻稿件，分别在首都和省内报刊上发表。二是弘扬主旋律，搞好当地改革和建设重大活动的报道。通讯组先后采写一系列新闻稿件，介绍了临汾公开选拔县（市）长、汾河 40 万亩滩涂开发、基层站所整治和政务公开等重要举措，推广了临汾的成功经验。全国干部制度改革会议在山东青岛召开之际，中央电视台一套、二套新闻节目在重要位置播发了“临汾公开选拔县（市）长”的报道，社会影响良好。三是搞好组织协调，策划实施战役性报道。“七一”前夕和全区“三讲”教育后，通讯组动员和组织驻临各新闻单位，协同作战，集中报道，使宣传临汾改革和建设、宣传临汾党的建设成就的消息、通讯在省级各主要媒体连连播出，位置突出，形成较大的舆论规模和明显的舆论优势。

·山西广播电台驻临汾记者站·

围绕地委行署“打基础、调结构、治环境”的总体思路，采写播发消息、通讯、专题、录音报道等各类稿件 168 条，位居省电台各站前列。站长刘国柱还出席了“全国第十九次省级电台记者站工作会议”，在会上交流了论文：“依托地方，广开门路，发展自己”。

·山西工人报临汾记者站·

紧紧围绕全区的“三件大事”和全总省总制定的工作思路，在地委、行署和各级工会的支持关怀下，发各类稿件 920 件，头版 53 篇，占 66%。

·《山西青年报》临汾工作站·

《山西青年报》是团省委机关报，创办于 1949 年 10 月 27 日，毛泽东主席亲笔题写报头，是全国惟一获此殊荣的地方青年报。《山西青年报》驻临汾工作站在省、地领导及有关部门的支帮助下，于 4 月 28 日正式挂牌成立。职工 20 余人，主要担负着临汾地区的新闻采写、自办发行及广告承揽等任务。

临汾日报社

【概述】 中共临汾地委机关报——《临汾日报》创刊于 1948 年 9 月 10 日，50 年中，四办三停，八易其名，在曲折和困难中不断发展壮大，自 1998 年 1 月 1 日小报改大报后，硬件和软件建设有了重大突破，2000 年底固定资产已达 5000 余万元，跨入全省地市一流报纸的行列。

报社全体干部职工，坚持正确的舆论导向，紧紧围绕地委、行署“打基础、调结构、治环境”三件大事，开展了以汾河滩涂开发、霍侯一级公路建设等为主要内容的战役性报道，把党的各项方针、政策，省委、地委的战略决策、中心工作，宣传给全区 380 多万干部群众，充分发挥了党报喉舌与桥梁的作用，推动了全区各项工作的开展。先后创办了临汾日报农村版、周末版、教育周刊、时代周刊，形成了“一正四周”的报纸格局。发行量从原来的 3 万份左右，增加到近 10 万份。同时，加大内部改革力度，对广告部进行招标经营，广告收入由原来的 100 万元，增加到近 300 万元。随着事业的发展，投资 3000 万元新建一幢占地近 20 亩的新闻大楼，主体已经完工，报人的办公条件将有一个大的飞跃。报社的工作得到省、地领导及广大群众的高度赞扬，荣立省、地劳动竞赛委员会集体一等功。

【宣传“三个代表”快速反应】 本报学习宣传“三个代表”受到《中华新闻报》的称赞。在地市版深入学习、积极宣传“三个代表”专栏中，以《快速反应 形式多样》为题，报道了本报把深入学习宣传江泽民“三个代表”的重要论述，作为基层党报坚持正确舆论导向的战略任务来抓，领导班子快速反应，高度重视，召开专门会议，认真研究安排报道工作，制订了“三个代表”的宣传方案。报道称赞本报的做法，一是及时转发了一批新华社等媒体的重要文章；二是在一版推出学习动态专栏，报道全区的学习情况；三是在三版推出《学习“三个代表”的重要论述，进一步加强《党的建设》专版，刊登了各界人士的体会文章；四是紧紧围绕地委、行署的中心工作，选派 20 多名记者深入全区第一线采访，在一版显著位置推出《县市委书记、县市长访谈录》深度报道专栏，短短 1 个月的时间，刊发各类文章、稿件 60 余篇，约 10 万余字，形成了很好的舆论氛围，推动了全区“三个代表”的学习宣传和贯彻落实工作。

【《平阳周末》受到好评】 《临汾日报·平阳周末》在北京闪亮登场，首都新闻媒体的同仁，一些老同志对本报给予好评。原在毛泽东同志身边工作的中央警卫局局长赵延河看了本报说，周末版就是要贴近市民生活，多登一些与群众衣食住行相关的内容。《人民日报》理论部负责人高级编辑张树林称赞本报办得不错，就是要适应读者的需要。《北京青年报》曾转发过本报周末版刊发的新闻报道，《北京日报》也刊发了本报记者撰写的新闻稿件。

【省报协报纸广告研讨暨作品评选会在《临汾日报》召开】 6 月 14 日～15 日，由《临汾日报》具体承办的 2000 年全省报纸广告研讨暨第三届广告作品评奖会议在临汾召开。地委委员、宣传部长翟维勤、省报协常务主席梁肇唐、常务副主席曹秀、副主席田峻玲、孙延林、地区工商局等有关部门领导，24 家报社及 8 家广告公司 80 多人参加会议。会议提出工作目标是“强化管理、净化市场、优质服务、高质量、双效益”。《临汾日报》总编辑孙延林致欢迎辞，翟维勤代表临汾地委、行署向参会的各位领导及与会同志表示热烈欢迎。梁肇唐同志就会议的目的、意义与要求做了讲话。会议听取《长治日报》、《大同日报》、《太原日报》、《临汾日报》、《山西日报》等同志的交流研讨，通过群众性与评委相结合评选，从参奖的 95 件作品中，评出 35 件优秀作品。《临汾日报》的《跨世纪的一跃》获一等奖。

【《临汾日报》7 件作品获奖】 由省新闻工作者协会、省新闻学会主办的第十届（2000 年度）山西新闻奖评选揭晓，本报有 7 件作品获奖，另有 4 件作品获年赛单项奖。山西新闻奖是我省年度优秀新闻奖作品最高奖。本报 7 件作品分获一、二、三等奖，获一等奖的作品是刘吉玲、王鹏鹏采写的消息《羊舍庄五个“秋菊”讨说法》。获二等奖的作品是：乔卫东、刘立称采写的通讯《“校母”任强枝》。获三等奖的作品是：姚国平、刘长青采写的消息《陶寺发现尧舜古城遗址》；卫红丽采写的通讯《彩票！彩票！！彩票！！！》；王鹏、赵学军采写的通讯《人传人　人骗人　千里寻梦断肠人钱也空　物也空　竹篮打水一场空》；王燕创作的漫画《钙中钙》。获年赛单项奖的 4 件作品是：卫红丽采写的散文《奶奶，牵挂你的人还有我》获报纸副刊年赛银奖；来祥生采写的散文《三合赏牡丹》获报纸副刊年赛铜奖；王鹏编画的 2000 年 2 月 17 日一版获报纸版面年赛铜奖；王燕创作的漫画《钙中钙》获年赛三等奖。

【郑晓军荣获全国农民第二届“十佳新闻工作者”称号】 本报记者郑晓军，作为《临汾日报·农村版》的负责人和骨干，在《农村版》创刊 10 年来，始终高举为农民服务和新闻改革的两面旗帜，采写、拍摄、编划了大量优秀新闻作品，深受千百万农民读者的好评。从 1994 年以来，他先后获得全国、全省好新闻作品 15 件，所获奖作品数量多，品种全。他作为一名多面手，长期以来为农民服务、为农民办事，积极主动宣传农业技术，帮助农民推广了沼气、果树、蔬菜以及粮食作物等多项新技术，为农村两个文明建设做出了贡献。他获此殊荣，为本报和省、地赢得了荣誉。

附：

《临汾日报》发展历程

一、《晋南日报》时期（1948 年 10 月～1949 年 6 月）

1、《临汾日报》的前身是《临汾人民报》，创刊于 1948 年 9 月 10 日。4 开 4 版隔日刊。1949 年 1 月 1 日改名为《晋南日报》，仍为 4 开 4 版，当年 6 月 30 日停刊。

2、《临汾人民报》、《晋南日报》，社长郁文（曾任中宣部常务副部长）、常芝青（曾任晋绥日报社社长、新华社晋绥总分社社长）。总编辑阮迪民（曾任甘肃日报社社长兼总编辑）。

二、《晋南报》时期（1958 年 5 月～1961 年 2 月）

1958 年 5 月根据地委决定办起了《晋南报》，为中共晋南地委机关报。在此之前，地委曾办过《整风快报》和《生产整风快报》，这是两个带有新闻特点的刊物。《整风快报》创刊于 1957 年 8 月，8 开 2 版为周刊，反映当时的政治斗争情况和经验。由张文玉、谢海、晋壁等编辑主办。1958 年 2 月，地委决定把《整风快报》改名为《生产整风快报》，以此指导生产和整风运动。由王建基任总编辑。这两个刊物为《晋南报》创办奠定了基础。

《晋南报》当年创刊时只有 7 人，后来发展到 54 人。为 4 开 4 版小报，开始为 3 日刊，后改为隔日刊，最高发行 6 万余份，一般稳定在 3 万份左右。除本区 29 个县订阅外，全国各地有 21 个省（市、区）97 个县（市）订阅。

《晋南报》1961 年 2 月 15 日停刊。在创办两年零九个月中，共出版报纸 483 期，发稿 10626 件。1960 年在全省文教群英会上，《晋南报》被评为新闻战线上的先进单位。《晋南报》领导成员：总编辑任保嘉（地委宣传部长兼，1958 年 5 月～1960 年 11 月），郭璞（地委宣传部长兼，1960 年 11 月～1961 年 2 月）。副总编：王建基（1958 年 5 月～1961 年 2 月）、李春芳（1959 年 10 月～1961 年 2 月）。（注：《临汾日报》历史上两个同名同姓的王建基任副总编辑。以上是晋南报时期的副总编。）

三、《临汾报》时期（1970 年 10 月～1984 年 12 月）

这一时期，时期跨度为 15 年，报纸一停二办五易报名，发展比较曲折。

1、《临汾地区通讯》（1970 年 10 月～1972 年 9 月）

1970 年晋南专区分为临汾、运城两个地区。1970 年 10 月创办了《临汾地区通讯》，为临汾地区革命委员会机关报。这是在“文化大革命”特殊的历史背景下，惟一的一段时间不是以党委机关报名义创办的报纸。《临汾地区通讯》为 4 开 4 版，刊期不固定，从 1970 年 10 月～1972 年 9 月 26 日，共计出版 171 期。通讯社主任梁明。

2、《临汾地区报》（1972 年 10 月～1974 年 4 月）

1972 年 10 月，根据地委决定将《临汾地区通讯》改名为《临汾地区报》，为中共临汾地委机关报，报纸为四开四版，周双刊。

3、《临汾报》（1974 年 4 月～1979 年 6 月）

1974 年 4 月，地委决定将《临汾地区报》改名为《临汾报》。从 1970 年～1974 年报纸连续改名，这个过程也是报纸管理和整个报业发展完善的过程。《临汾报》为 4 开 4 版周三刊，进入 1948 年创刊以来第一个发展高峰期。

报社编辑部在《临汾地区通讯》、《临汾地区报》、《临汾报》三个阶段的领导成员：主任梁明、郭思源，副主任李毅、郭思源、张国柱、宋玉林、张培桐、高巨川、李靖华。1975年12月报社建立党委，梁明任党委书记，薛立俊、宋玉林任党委副书记。

4、《临汾通讯》（1980年1月～1982年10月）

《临汾报》1979年6月根据山西省委决定停刊后，除部分人员调出外，报社的机构仍然保留。1980年1月，地委决定办《临汾通讯》，为中共临汾地委机关刊物，4开4版，开始不定期，后来改为周双刊。通讯社领导成员：

总编辑 宋玉林　　副总编辑　高巨川、卢文虎

5、《临汾报》（1982年10月～1984年12月）

1982年10月，按照地委决定，《临汾通讯》改名为《临汾报》为中共临汾地委机关报，4开4版周三刊。报社领导成员有总编辑：张国柱，副总编　高巨川、卢文虎。为《临汾日报》后来的发展奠定了基础。

四、《临汾日报》4开小报时期（1985年1月～1997年12月）

1984年12月，遵照省委关于"凡有条件的地区都办日报"的指示精神。地委决定把《临汾报》改刊为《临汾日报》，从1985年1月1日起正式改刊，4开4版，周六刊。

1、全国人大常委会委员长彭真为《临汾日报》题写了报名。

2、《临汾日报》机构及领导成员

（1）中共临汾日报委员会

书记：李平郎（1984年12月～1986年6月）

副书记：卢文虎（1984年12月～1987年10月）

（2）1987年10月建立社长制

社　长：张国柱（1987年10月～1990年9月）

张玉吉（1990年12月～1997年9月）

副社长：卢文虎（1987年10月～1995年1月）

吴福来（1995年5月至今）

（3）编辑部领导成员

总编辑：张国柱（1984年12月～1987年10月）

宋希祥（1987年10月～1993年8月）

张玉吉（1993年8月～1997年9月）

孙延林（1997年9月至今）

副总编：卢文虎（1984年12月～1987年10月）

郑林禾（1984年12月～1997年9月）

赵振明（1984年12月至今）

房心顺（1985年2月～1997年9月）

宋希祥（1985年6月～1987年10月）

王建基（1992年12月～1997年9月）

韩　斌（1995年5月～1997年9月）

副县级调研员：高巨川（1984年12月～1987年6月）

为了适应改革开放的需要，《临汾日报》从1986年1月起开始创办了《临汾日报（周末版）》，以进市场进城镇家庭为主，增强报纸的可读性。从1991年7月起，创办《临汾日报（农村版）》，以进农家为主，为农民农业农村服务。

五、《临汾日报》对开大报时期（1998年1月至今）

1、1997年9月12日，地委对《临汾日报》社的班子作了调整，新班子领导成员：

总编辑：孙延林

副总编：赵振明

副社长：吴福来

2、班子上任后提出"大干九十天，小报改大报"的奋斗目标，得到地委和省新闻出版局批准，在省地领导全力支持、社会各界鼎力相助、全社上下奋力拼搏之下，于1998年1月1日，由4开4版小报改为对开4版大报。

1998年3月推出了《企业周刊》（后更名《时代周刊》），6月推出了《教育周刊》连同原有的《农村版》和《周末版》形成"一正四专"的报纸格局，满足不同层次读者的需求，开展定向特色服务。

2000年，报社全体干部职工，坚持正确的舆论导向，紧紧围绕地委、行署"打基础、调结构、治环境"三件大事，开展了以汾河滩涂开发、霍侯一级公路建设等为主要内容的战役性报道，把党的各项方针、政策，省委、地委的战略决策、中心工作，生动形象、准确及时地宣传给全区380万干部群众，充分发挥了党报喉舌与桥梁的作用，极大地推动了全区各项工作的开展。先后创办了临汾日报农村版、周末版、教育周刊、时代周刊，形成了"一正四周"的报纸格局。发行量从原来的3万份左右，增加到近10万份。同时，加大内部改革力度，对广告蜕进行招标经营，广告收入由原来的100万元，增加到近300万元。随着事业的发展，本报投资3000万元新建一幢占地近20亩的新闻大楼，主体已经完工，报人的办公条件将有一个大的飞跃。

报社的工作得到省、地领导及广大群众的高度赞扬，荣立省、地劳动竞赛委员会集体一等功，荣获全省饮水解困先进单位；地区无偿献血促进单位、救灾捐赠工作先进单位。

（白丽　席铁军）

广播 电视

【概述】 临汾地区广播电视局全面贯彻党的宣传工作方针政策，紧紧围绕地委、行署工作部署，认真扎实地开展"三讲"教育，推进全区广播电视"村村通"和网络工程建设两项工作，取得了明显成效。一是广播电视网络中心成立。经临汾地区编制委员会同意，3月，临汾地区广播电视网络中心成立。随后组织专家和人员论证，制定完成《全区广播电视综合业务网发展规划》，其主要内容：建网的必要性、系统规模与网络结构、传输方案及功能、工程实施方案、经费来源及网络管理。9月28日网络开通，省两套节目正式向用户播送。二是全区"村村通"广播电视工程圆满完成。全区"村村通"广播电视工程，自1998年底拉开序幕至2000年9月建立村级有线网114个，MMDS联网113个，建立村级电视收看室124个，差转台41座，解决了1009个广播行政盲村、629个电视行政盲村的覆差问题。在省级检查验收中，取得了平均95.4分的好成绩，名列全省前茅，受到国家广电总局和国家计委表彰。三是平川7县（市）230千米网络主干线铺通。网络干线采用千芯光缆铺设，其中临汾至襄汾32KM，侯马85KM，曲沃66KM，洪洞33KM，霍州85KM，侯马至翼城30KM。工程建设期间，各县（市）委、政府以及广播电视部门，均给予了高度重视和大力支持。各县（市）成立了由县（市）长挂帅的建网领导组，积极主动地协调当地的城管、土地、交通、公路等部门，及时解决困难，保证光缆铺设任务的圆满完成。

【集中整治音像市场】 为加强精神文明，进一步净化音像制品市场，地区广电局5月25日～7月30日，在全区范围内，集中开展了第二次音像市场打击盗版和走私音像制品活动专项斗争。在这次专项斗争中，认真组织，精心安排，划片包干，责任到

人，明确任务，强化管理，使该项斗争自始至终处于严密的组织领导之下。出动检查人员1120余人次，出动车辆125辆，先后深入到全区17个县（市），认真细致地检查了集中音像市场的情况。共查出盗版、走私录像带1400盘；盗版、走私VCD2000余盘；盗版录音磁带1500盘；取缔了非法无证经营户41个；查处了非法经营点18个；销毁盗版和走私音像制品25000余盘。同时，加快了宣传力度，省、地、县电视台专题报道30余次，《生活晨报》、《临汾日报》、《临汾声屏》《信息快报》也进行了多次报道，省广电局授予“音像管理工作和集中供电”先进单位。

【《法庭开在农家院》等4件广播稿件获省第九届新闻奖】 全省广播稿件评选中，临汾市广播电视台的《回收礼品店歇业了》、浮山县广播电视台的《法庭开在农家院》、乡宁县广播电视台的广播专题《乡宁县井上小学赴京参赛特别报道》、隰县广播电视台的广播专题《郝英祥和他的山东妈妈》等4件作品，入选省政府第九届新闻奖。

【全区广播电视节目创新研讨会】 7月10日～11日，地区广电局和广电学会在翼城县广电局召开了全区第四届有线电视新闻节目评选暨节目创新研讨会。听取翼城电视台节目创新经验介绍，观看“506热线”和“新闻广角”两个名牌栏目。组织对全区各县（市）有线电视台选送的新闻节目进行了评选。通过听、看、议，评选出优秀稿件53件。其中消息类一等奖6件，二等奖12件，三等奖17件；专题类一等奖7件，二等奖8件，三等奖5件。颁奖会上，评委们对重点获奖作品逐一进行了点评，研讨会开得既紧张有序，又灵活多样，达到了预期的效果。

（宁良杰）

·临汾电视台·

【概述】 临汾电视台于1987年成立，是地区范围内惟一的地级电视播出机构，发射范围覆盖全临汾地区17个县（市）和周边县市，覆盖人口达400余万人。电视台下设两个转播台，即塔山电视转播台和山中垣电视转播台。全台共有4个节目部室：新闻部主要负责临汾新闻联播的采访、编辑和制作；文艺部负责采访文艺节目，设有《艺苑》、《人物》两个栏目；评论部有《农村万象》、《百姓人家》两个栏目，社教部的主要栏目《焦点》、《百业采风》。2000年在国家、省、地评奖中获奖和立功表彰的65项，145人次。新闻采编取得长足进展，本台在省台的发稿率名列全省第二名。

【电视台多项评比获奖】 临汾电视台在全国、全省各类评奖中多次获奖。1996年～2000年，社教部在全省的社教类节目中，连续5年获一等奖；新闻部记者卫恩瑞连续4年被省广电局评为百佳新闻工作者，2000年被评为全省电视宣传先进个人；新闻部主任张明锁被评为全省百佳新闻工作者；评论部拍摄的《欣欣上学》和《生存实验》在全省的评奖活动中获3项大奖；文艺部拍摄的两个艺术类专题片在全省评奖中获艺术类两项大奖；新闻部获山西广播电视局全省新闻宣传先进单位。

【山西省副省长薛军来临汾地区电视台视察工作】 7月，山西省副省长薛军在临汾地区调研之际，来本台视察工作。薛军副省长在台内观看了电视台的宣传版面，听取了局、台领导的汇报，薛军同志指出：电视台要注重本身管理层次的提高，要“练内功”强化采、编、播人员的工作任务的量化管理及目标化管理，实行责、权、利相结合的管理方法。电视台要努力适应现代化进程和市场经济的需求，工作中要求稳、求实，一步一个脚印地促进电视台的发展壮大。

（张治海）

出版工作

【“扫黄”、“打非”专项斗争】 全年共出动检查人员两千余人次，检查各类书店（摊）192个，印刷企业170个，各类报刊社、记者站30个，收缴非法书报刊20000余册（份），盗版影碟5000余张，取缔非法书店10个，非法印刷厂20个。特别是会同有关部门清查邪教“法轮功”宣传品工作，取得了重大成果：出动警力1000余人次，立案4起，收缴“法轮功”宣传品3070份，打击处理违法人员9人，有力地遏制了邪教的违法活动。全国第12次“扫黄”、“打非”电视电话工作会议之后，又会同有关部门下发了全区的“扫黄”方案。对全区的霍州市、侯马市、洪洞、襄汾、翼城等重点县、并对本辖区的出版物市场进行了全面清理，加大了监管力度。抓大案要案，查处取缔了买卖假报号进行非法出版活动的《时代晨报》，擅自设立的《政府法制临汾工作站》等。加强了日常管理制度的建设及书刊发行、印刷企业的结构调整，扶持有一定经济能力和技术能力的企业发展，促进了书刊发行、印刷企业向高档次、高技术方面发展。

【《平阳市场》】 《平阳市场》双月刊系由临汾地区行政公署主管，临汾行署办公室会同临汾行署物价局、临汾地区青年商会联合主办，并经山西省新闻出版局审批登记的内部资料性出版物，编委会主任林泽忠、主编卢玉民，执行副主编陈德民、任捷生、张虎生，编辑部主任宜文秀。

《平阳市场》以邓小平建设有中国特色社会主义理论为指导，适应社会主义市场经济发展的要求，立足临汾，面向市场，学习借鉴外地经验，发掘发挥本地优势，主要栏目有平阳论坛、政策法规、星光灿烂、书记、县长访谈、企业家风采、市场与法、本期话题、消费指南、市场动态、文化广场、商海博览、教育纵横等。

（宜文秀）

卫生医药

卫　生

【概述】 临汾地区卫生系统共有职工 18127 人，其中医生 7632 人，护士 4255 人，开设床位 11358 张。市级医疗卫生机构 13 所，县级医院 20 所、防疫站 17 所、妇幼站 17 所、中医院 16 所，厂矿医院 52 所。每千人拥有医生 1.90 人，护士 1.05 人，床位 2.89 张，高于全国、全省平均水平。

临汾地区卫生系统狠抓基础设施建设，医疗改革、预防保健装备水平、技术水平等工作都有明显提高。卫生改革方面，根据山西省医药卫生体制改革工作会议精神，本着先易后难、循序渐进的原则，确定了以加强管理为基础，以推行病人选医生为突破口，以实行药品招标采购为切入点，全面推进医药卫生体制改革的工作思路。截至年底，全区县级以上医院全部实行了病人选医生和住院病人药费清单制度，药品集中招标采购的各项准备工作基本就绪。人事制度、分配制度改革的试点工作已经开展。医疗保健方面，通过组织实施《临汾地区乡镇卫生院建设九五规划》和组织乡镇卫生院建设“三大战役”，全区 240 所乡镇卫生院全部完成了新建扩建和维修改造任务。条件最差的 40 余所贫困山区乡镇卫生院也达到了省政府提出的够用、实用、耐用标准。全区群众尤其是山区群众看病难的问题基本上得到了解决。本区有 7 个县（市）提前一年实现了农村初保达标。疾病控制方面，本区的卫生防疫与疾病控制工作取得了新成绩。一是防疫站上等达标工作取得新突破，全区 18 所卫生防疫站全部实现了上等达标，处于全省领先水平。二是传染病发病和死亡保持了平稳态势。1 月～11 月报告法定传染病 17 种 2938 例，病死 7 例，发病、死亡、病死率分别为 80.04/10 万，0.18/10 万，0.24/10 万，呈稳定态势。通过组织消灭脊髓灰质炎“扫荡”式免疫接种和查漏种，全区无脊灰成果继续得以巩固。三是卫生监督卓有成效，杜绝了食物中毒事件的发生。爱国卫生方面，组织了“全区夏季爱国卫生防疫防病大会战”，本区干部群众参加义务劳动 40 万人次，清除积存垃圾 11000 余立方米，全区环境卫生得到有效整治。有 8 个县（市）被评为省级卫生城市，40 个单位被评为省级卫生单位，24 个村镇被评为省级卫生村镇，15 人被评为省级爱国卫生先进工作者。侯马市连续 5 年被评为国家级卫生城市。在灭鼠方面，有 7 个县（市）达到省级灭鼠除害标准。

【医药市场整顿】 2 月，制定了《临汾地区整顿医疗药品市场实施方案》、《临汾地区“医疗质量、安全教育年”实施方案》两个文件，并且由分管专员主持召开了电视电话会议。在 5—6 月对全区的医疗药品市场进行了集中清理整顿。对社会办医和个体医疗机构的监督管理为重点的集中清理整顿期间，对经过审批但没有达到标准的单位采取责令停业整顿措施。对 200 余家非法社会办医、个体行医机构坚决予以取缔。与此同时，还按照省卫生厅的安排部署，从 7 月开始，对全区 282 所医疗机构进行了检查验收，其中县级以上医院 29 所、中医院 16 所、妇幼站 18 所、厂矿医院 25 所、社会办医、个体行医 194 所。对于其中合格的 241 所换发了《医疗机构执业许可证》。

【地方病防治】 6 月，本区代表山西省接受了 2000 年消除碘缺乏病阶段目标国家级评估验收。评估结果显示，全区病区儿童甲状腺肿大率下降到 5%以下，尿碘中位数超过 100ug/L，居民食用碘盐合格率达到 95%以上，涉及政府行为的组织领导、碘盐管理、健康教育三项工作综合得分获得了 99 分（全国最高分），考核指标全部达到国家控制标准。11 月，省地方病领导组组织专家对本区 4 年达标规划进行了评估验收，结果显示：本区碘缺乏病达到国家控制标准；大骨节病、克山病无一例新发病人，呈稳定下降趋势；氟中毒病 4 年完成改水 46 处；布病疫情平稳，年平均不到 10 例。

【无偿献血工作】 共计采血 23000 人次，其中：计划采血 1100 人次，街头采血 7618 人次，其它形式采 9900 人次，工人占 29.7%，农民占 6%，机关干部占 31.3%，部队占 4%，学生占 5%。全年供血 4.2 吨，其中：全血 3800L，红细胞 2100 个单位，血浆 294L，血小板 89 个单位。急诊送血 1000 余次，行程 15 万千米。

【香港“健康快车”临汾行动】 香港“健康快车”，是香港同胞资助祖国内地老少边贫地区的公益卫生项目。本区作为香港“健康快车”的第十八个停靠站，从“健康快车”8 月 20 日抵达本区，8 月 30 日正式开诊到 11 月 10 日“健康快车”离开本区，共为本区贫困白内障患者免费实施复明手术 1109 例计 127 只眼睛，手术成功率和脱盲率均达到 100%，脱残率达到 85%，无一例感染和并发症。

（张伟）

·妇幼保健所·

【概述】 地区妇幼保健所以巩固爱婴医院成果为

中心，以贯彻落实《母婴保健法》为动力，以创建二级甲等妇幼保健所为目标，认真抓落实，细致做安排，加强制度建设，规范各项操作规程，严格进行“三基”、“三严”训练，制订出《临汾地区妇幼保健所科室对科室量化考核实施方案》和《临汾地区妇幼保健所科室对个人量化考核实施方案》，实施病人选医生，临床大夫简介上墙，医药价目、服务项目上墙，加大透明度，便于监督；加强了行业作风建设，实行所长公开承诺，接受群众监督，建立医患责任书，征求意见卡；实行后勤工作全额承包，把管理和责任落实到人；药品实行采购招标；改革分配制度，多劳多得，调动了职工积极性，提高了领导在群众中的威信。在“三讲”教育中，被地直工委评为“五星级党支部”。全所上下同心协力，争创二甲，于年底一次达标；加强了爱婴医院监督管理及培训工作，顺利通过省爱婴医院评估团抽查验收；严把婚检关，产前检查关，开展新生儿疾病筛查，积极发放“斯利安”，保证了“削峰工程”顺利进行。

【争创二级甲等妇幼保健所】 先后筹集资金28万余元对所内原有基础设施进行了大规模的改造，使所工作环境及医疗环境焕然一新。按照二甲妇幼所标准，认真抓落实，细致做安排，重点抓好了“四个落实”即落实工作制度、落实岗位责任制、落实操作常规、落实道德规范。按标准逐条逐项地把任务分解到各科室，各科室再分解到个人，层层落实，严格把关，软件硬过，使全所各项工作有制度、有标准、有程序，规范了工作模式。实行所长公开承诺，接受群众监督。制定医护人员文明用语，服务忌语，健全了所内外监督约束机制，建立医患责任书，征求意见卡，工作人员佩带胸卡上岗。设医德医风监督箱，定期对门诊就诊病人和住院孕产妇发放问卷调查表。制定了《临汾市妇幼保健所科室对科室量化考核实施方案》和《临汾市妇幼所科室对个人量化考核实施方案》，使工作更加步入规范化、科学化的管理轨道。

在创建过程中，加大“三基”即：基础知识、基础理论和基本技能和“三严”训练与管理力度，实行个人自学和集体培训相结合，定期考核与不定期抽考相结合，坚持科里每周进行一次业务学习，每月考核一次的学习制度，采用骨干力量轮流授课的方法，使其得到锻炼，业务理论水平得到提高。要求专业技术人员“三基”考试成绩在85分以上。通过严格的考核，促进了全所医护人员学习业务的自觉性，考试合格率达到95%以上。经过全所干部职工的不懈努力，于12月3日，顺利通过省二甲妇幼保健所评审团的验收、评定。同时，浮山县妇幼保健站、临汾市妇幼保健站也分别通过评审达标，成为全区首创一级甲等妇幼保健机构。

【巩固提高爱婴医院成果】 把如何巩固发展爱婴医院工作列入议事日程，作为全所的重点工作来抓，坚持爱婴医院“十条标准”与上等级妇幼所相结合、与医院的感染管理相结合、与《母婴保健法》相结合、与儿童的计划免疫相结合的管理模式。并利用孕妇学校加强母乳喂养宣教，提高住院分娩率，提高产儿科质量，提高母乳喂养率。开展社区服务，深化爱婴医院建设，分赴临汾市、浮山、翼城、侯马、襄汾等妇幼站指导创建标准化爱婴医院行动。举办了“爱婴医院知识更新培训班”、“医院感染知识培训班”、与省优生优育协会协办了“香港皇家医学院教授周氏子宫切除及剖宫产新技术讲习班”等。10月19日，连续6年顺利通过省爱婴医院评估团抽查验收。

【实施“削峰工程”】 1992～1998年，全国新生儿出生缺陷总发生率为99.62/万，其中神经管畸形发生率为23.96/万，位居世界第一，被称为世界出生缺陷的“珠穆朗玛峰”；本省新生儿出生缺陷率高达189.86/万，其中神经管畸形发生率为102.27/万，又位居全国之首，被称为珠峰的“峰顶”。高出生缺陷发生率严重影响和制约着全省出生人口素质的提高和社会、经济的发展，给社会和家庭带来沉重的负担。山西省于1997年6月实施“削峰工程”，要求政府重视，社会参与，力争把全省的出生缺陷发生率降下来。

“削峰工程”是功在千秋，利在当代的民心工程。首先，进行了健康教育宣传活动，利用节假日，母乳喂养宣传周，搞好出生人口素质宣传，由健教科编写“临汾市妇幼保健所实施‘削峰工程’系列宣传材料”，制作宣传版面，组装宣传车，走上街头，设立咨询点，散发宣传单2万余份，并深入街头、社区向全市人民播放《母婴保健法》和“削峰工程”内容。在《山西健康报》、《临汾日报》、临汾电视台都作了报道，大大加强了宣传力度，健康教育覆盖率达80%以上。认真贯彻落实《母婴保健法》，督促各县（市）对托幼机构发放《母婴保健技术执业许可证》、《技术合格证》，进行了督促管理及对各县市《出生医学证明》使用情况实施监督管理。在全区加大宣传力度，严把婚前检查关，孕期检查关，孕前后服叶酸制剂关，新生儿疾病筛查关，产时保健关，督促2000年启动的襄汾、曲沃两个高发县做好“削峰工程”。并针对全区部分县两个系统管理工作有些滑坡，婚检率低等问题及时提出干预措施。所“削峰”办及时把中科院推荐的新生儿神经管畸形预防药物斯利安和各种宣传资料发给各县（市），保证了“削峰工程”的顺利进行。出生缺陷发生率由1997年的150.42/万降到2000年的72.13/万。

附：

临汾地区妇幼卫生指标

	1998年	1999年	2000年
5岁以下儿童死亡率‰	15.41	12.38	7.89
孕产妇死亡率/10万	64.20	56.82	27.53
出生缺陷发生率/万	117.82	95.59	73.41
住院分娩率%	43.26	46.06	51.82
儿童系统管理率%	71.18	65.64	65.04

（闫新华）

·中心血站·

【概述】 《中华人民共和国献血法》自1998年10月1日实施以来，临汾地区彻底告别了传统的买卖血液的供血方式，进入“政府指令性计划献血”阶段。这种政府牵头、行政命令、血站实施的计划献血形成，在有偿献血制度向无偿献血制度过渡的特殊时期起到了重要的保障作用。经过各级政府，献血办和中心血站两年来的共同努力，全区实现了由国际红十字会、国际红新月会、国际输血协会提倡的真正意义上的公民自觉自愿无偿献血，年度采血量达3.5吨，取得本区献血史上的重大突破，确保了全区医疗安全用血，从此全区献血事业进入国际化良性发展的快车道。

【华北地区输血工作会议在临汾召开】 华北地区输血工作会议于5月15日在本区绿苑大酒店召开。会议由北京、天津、河北、山西、内蒙5省、市、自治区输血协会共同组织的年度性会议，由临汾地区中心血站主办。出席会议代表130人，会议特邀中国输血协会，上海、新疆血液中心主任，省卫生厅、省红十字会领导出席，副专员高清亮参加会议。出席会议的领导和代表对本次会议和全区的献血工作给予肯定和赞誉。

【艾滋病初筛实验室通过省级验收】 艾滋病初筛实验室是检测艾滋病病毒的定点机构，担负全区献血人员的艾滋病病毒初筛检测任务。经过努力，仪器装备达50万元，8月与地防疫站顺利通过省专家组的首批评审验收，成为本区艾滋病检测的合法机构之一，给输血安全提供了保障，对艾滋病防治工作具有重要作用。

附：

本站职工王强同志荣获
“全国无偿献血奉献奖”金质奖杯

中心血站职工王强，男，37岁，转业军人，中共党员。自1992年以来，积极主动参加无偿献血，带领和影响了周围的大批人群参加献血。截至年底共献血23次，累计达8800毫升。经省、地献血办公室申报，国家卫生部和中国红十字总会颁发给“无偿献血奉献奖”金质奖杯，成为全区获此殊荣的第一人。

（冯斌）

医 药

【概况】 临汾地区医药管理局隶属山西省药品监督管理局和临汾地委、行署，实行双重领导，担负着全区药品、器械、化学试剂、玻璃仪器、中成药、中草药六大类商品的供应任务，辖管全区17个县（市）医药管理局、医药药材公司和13个生产厂家（其中两个直属生产规模较大的临汾中药厂、侯马中药厂），36个医药经营单位。经省政府批准，行使对医药生产经营、医药市场监督、检查和管理。

地区医药管理局坚持一切从维护党和政府形象，一切从维护国家的利益，一切从维护人民群众的用药安全出发，积极探索开拓新时期“整顿医药市场，搞好药品供应”工作的新思路和新方法，努力实施以整顿医药市场为主要内容的“八大战役”，保持了全区医药经济的稳步增长和快速发展。

1993年～2000年，上缴国家利税逐年增长。1999年上缴国家利税804万元，与1993年的231万元相比增长573万元，增长幅度为248%；国有固定资产也由1993年的1338万元增长到1999年的6768万元，增长5430万元，增长幅度为504.8%，一举跻身于全国医药百强行列。特别是在治理整顿医药市场，严厉打击制售假药犯罪活动的专项斗争中，怀着对党对人民高度负责的精神，勇挑重担，敢为人先，不畏艰难，英勇善战，严格执法，秉公办案，在公安、检察、卫生、工商、税务、物价、计量等部门的紧密配合下，给制售假药的犯罪分子以坚决的打击，先后查获了一大批制售假劣药品的犯罪分子，查缴了大量的假劣药品，有力地震慑了罪犯，保护了人民，促进了地方经济的建设和发展，保持和维护了社会秩序的稳定。在没有任何模式的情况下，开创了全国医药打假的成功先例，国家两次在临汾召开整顿医药市场现场会，推广学习临汾的经验，先后荣获“全国打假先进单位”、“全国医药法制先进单位”、“全国医药行业先进单位”、“中国中医药法制先进单位”、“全国法制先进单位”等奖励。局长崔惠民同时荣获“全国劳模”、“全国五一劳动奖章”、“全国打假先进个人”、“全国法制先进工作者”、“全国医药先进工作者”、“全国职工职业道德先进个人”、“山西省特级劳模”等荣誉称号，并当选为山西省第九届人大代表。

【铲除假药公害】 1993年以前，临汾地区药品市场假劣药品泛滥成灾，尤其是被称为全国八大假药集散地之一的侯马药品市场上，证照不全、无证经营者比比皆是，最盛时辐射8省65个县（市），每天来往客户达2000多人，月销售额3000余万元、经省药检部门抽检的28个品种中，假药竟占到55%。不法药贩大都是文盲和半文盲，为了牟取暴利，不择手段，有的用发了霉的玉米面、麸皮、桔杆制作成假药；有的私刻公章、伪造发票、偷换标签、以劣充好，使老百姓的身心受到严重摧残。同时假药的严重泛滥，使国家2000万元税收白白流失掉。

为了动员全社会的力量，大打一场围剿假药的人民战争，彻底取缔侯马假药市场，出动宣传车200多辆次，深入17个县（市）、城市乡村，出动宣传人员2000余人次，发布《通告》4万余份，散发宣传单50余万份，展示图片2万余张，深入到全区200多个乡镇2100多个自然村，广泛发动群众、增强群众的自我保护意识，积极投身于打假斗争之中。由地区医药管理局牵头，卫生、公安、检察、工商、物价等部门组成了一支强有力的医药打假队伍，配合侯马市委、市政府联合行动，一举取缔了危害社会的侯马非法医药市场，并对市场进行了全面清理与整顿，查封了全部非法经营点，宣告了假药市场的彻底破灭，医药打假初战告捷，取得了辉煌战果。

为了防止市场出现反弹，防止假药市场死灰复燃，把阶段性的医药市场整顿与长期性的市场管理结合起来，一手抓整顿，一手抓巩固。在没有任何模式可循的情况下，大胆尝试，率先组建了全区医药专业执法队伍。这支队伍在地区行署的统一领导下，实行军事化管理，统一布署、统一安排、统一指挥、统一行动，160 名执法队员全部来自部队武警，大都是共产党员，具有一定的思想素质，作风过硬。这支队伍常年战斗在医药打假第一线，严格执法、秉公办案，连续破获了多起大案要案，依法取缔了几百个假药市场。

【构筑国营医药主渠道销售网络】 医药市场的净化，必须治本，健全医药市场机制，规范医药市场管理。临汾地区医药管理局与行署卫生局多次研究分析，共同策划，密切配合，在严厉查处各种医药非法经营、销售活动的同时，做起了规范城乡医疗、药品市场的“大文章”，成立了临汾地区医疗、药品监督管理领导组，下发了整顿全区医疗、药品市场的通知，并联合行动对全区各县、（市）及乡镇个体诊所等进行了行医合法性、购进药品渠道、药品质量的大检查，又根据国家有关政策，结合临汾实际，逐步建起了地、县、乡三级药品销售网络和药品质量控制体系，成立了“临汾地区药品销售市场管理委员会”，统一了药品销售管理，进而健全了销售网络，除原有的地、县医药公司批发零售网点外，在平川 6 县的大集镇、人口相对密集的县城、繁华综合商场增设了零售网点 80 余个，无论旧的网点，还是新网点都标示“国营”字样，全部设置为“竹林大药房”，进一步增强国营医药主渠道作用。在构筑国营医药销售网络的同时，为了减轻群众负担，特别注重价格的管理，成立了价格管理委员会。严格规定，凡临汾地区的药品经营单位、医疗用药单位、个体诊所均要按规定执行国家统一牌价，不允许随意调整价格。

在药品质量管理上，医药经营单位一是要把好进货关。经营销售药品的单位必须有质检机构，每批药品都要抽检化验后方可入库。二是严格农村医药网点质量管理。对农村医疗单位实行了“药品质量信得过单位”证书管理办法，以好促差，存优淘劣，制定了“购药登记证”制度，要求必须到指定的国营专业批发单位购进药品，进货须有详细记录，保留进货发票半年，以备抽查。渠道不正，又无发票的，先封存，后药检，如系假药将依法查处。地、县、乡严密医药市场管理体系，有效地遏止了假劣药品侵入医药市场。

【严把药品检测关】 公司成立了以经理直接挂帅的质量管理委员会等配套机构，同时建立了以质检科为轴心的扇形辐射管理网络，建立了以市场为导向的反应灵敏的营销保证体系，先后投资 50 余万元改造扩建了一座 100 平方米的化验室，购置了一整套先进检测化验仪器设备，较好地开展了商品购、销、调、存全过程中化验分析、中药鉴定、细菌检验、真伪辩认、物理检测等项目的药检工作，还运用目标管理技术，制定了一系列把商品质量落实到人头的奖罚规定，将质量工作细化量化，具体分解到各部门各岗位每个职工，定时按质检查考核兑现。严格的质量管理，有效地保证了商品质量的稳步提高。公司商品合格率和用户满意率均达到 100%。

【成立医药协调中心】 本区医药生产企业有十余家，生产的“三宝丹”、“男康片”、“骨质增生丸”、“猴头健胃灵”、“男宝”等药品都是名牌产品，但是因为管理松散、产品附加值低、市场竞争能力脆弱，形不成拳头。为了大力开展医药潜力产品，培育做大医药优势企业，集聚规模效益，增强市场竞争能力，推进全区医药产品优化升级，地区成立了医协协调中心，由 12 家医药生产经营企业组成，具有行业管理性质的企业法人联合体，坚持步调一致，紧密合作、互惠互利原则，实行统一规划、统一营销、统一 CMP 达标、统一价格、统一质量检测、统一科技开发“六统一”方式，彻底扭转各自为政，小打小闹的局面，走联合之路，使临汾医药向规模化、集团化方向发展探索了新的路子。

（张志刚）

社会生活

劳动和社会保障

【概述】 行署劳动局是行署主管劳动行政事务的职能部门。其主要职责是：拟定劳动和社会保险制度改革总体方案；依法行使劳动和社会保险监督检查职权；规划和指导劳动力市场的建设和发展；贯彻执行下岗职工基本生活保障政策，组织实施再就业工程；加强职业技能开发和劳动合同管理；维护职工及用人单位的合法权益；贯彻执行养老、失业、医疗、工伤、生育等社会保险的法规政策；确保离退休人员养老金的按时足额发放，确保下岗职工基本生活；指导县（市）区劳动部门的工作；行署安全生产委员会办公室和再就业工作领导组办公室设在劳动局。行署劳动局紧紧围绕地委、行署推进“三件大事”的战略部署，以为政府分忧、为企业服务、职工维权为宗旨，与时俱进、奋发向上，狠抓社会保险体系建设，突出促进就业，坚持维护稳定，为促进全区经济发展和社会稳定做出了积极贡献，多次受到国家、省地有关部门的表彰，被山西省人民政府授予“两个确保”和“再就业优秀单位”荣誉称号。

【国有企业下岗职工基本生活得到保障】 地、县两级劳动保障部门积极贯彻落实国家、省有关国有企业下岗职工基本生活保障和再就业政策。全区下岗职工累计 22831 人，其中 1999 年结转 9780 人，新增 13051 人，全部进入再就业服务中心。坚持“三三制”筹集资金办法，全年共筹集下岗职工基本生活保障和再就业资金 2532.1 万元，发放 2375.6 万元，其中发放基本生活费 1390.7 万元，为下岗职工代缴养老、失业、医疗保险费 856.7 万元，国有企业下岗职工基本生活得到保障。

【企业离退休人员基本养老金按时足额发放】 认真贯彻执行《社会保险费征缴暂行条例》，以扩面、征缴、清欠为重点，狠抓资金筹集，坚持规范运作，做到发放到人。全年全区共征缴养老保险费 20679 万元，征缴率达 95.3%；清欠 4600 万元，清欠率达 100%；应发放离退休金 30984 万元，实际发放 30893 万元，发放率达 99.7%，其中社会化发放率达 95.8%。全区 5.2 万企业离退休人员基本生活得到保障。

【实施再就业工程】 全区劳动系统在确保下岗职工基本生活的同时，把工作重点放在了开发就业岗位上。主要开辟了 5 条渠道：一是依托优势企业安置；二是立足企业内部挖潜，实行“一厂两制”，开展多种经营，为下岗职工再就业开辟第二战场；三是以非国有、非公有制经济为重点，引导再就业；四是鼓励有条件的下岗职工以城市社区为依托，大力发展社区服务业和第三产业，自谋职业和组织起来就业；五是组织下岗职工外出承包劳务，在劳务输出领域开辟再就业新途径。与此同时，在全区继续深入开展了再就业“双十佳”活动，发现典型，培育典型，总结经验，指导再就业工作。全年有 12 个先进单位和个人被省委、省政府授予再就业功臣或明星；全区共有 9921 名下岗职工实现了再就业，再就业率达 60.8%，走在了全省再就业工作的前列。

【社会保障体系基本框架初步建立】 全区初步建立起了以养老、失业、医疗、工伤、生育 5 项保险为主要内容的社会保障体系基本框架。全区国有、集体企业有 249296 人参加养老保险，覆盖面达 98.5%；有 21.6 万人参加失业保险，覆盖面达 96%；医疗保险覆盖面达 50%。征缴养老保险费 20679 万元，收缴率达 95.3%；征缴失业保险费 2233 万元，收缴率达 93%，使广大参保职工初步实现了老有所养、病有所医、失有所助，基本生活得到保障。

【地区医疗保险中心成立】 为贯彻落实国务院《关于建立城镇职工基本医疗保险制度的决定》和《山西省建立城镇职工基本医疗保险制度实施方案》，行署成立了由行署领导牵头的地区医改工作领导组，先后两次召开医疗保险制度改革工作会议，进行思想动员和工作安排，结合全区实际制定出台了改革方案及 15 个配套办法；成立了地区医疗保险基金管理中心，配备了专职人员；向社会挂牌公布了 38 个定点医院和 38 个定点药店；成功实现了微机网络化管理，成为全省 5 个已启动地市之一。

【对新疆劳务输出首次突破 6000 人】 针对 2000 年天气大旱，沿黄河几县夏粮基本绝收、人民群众生活十分困难的情况，劳动部门自觉为政府分忧，为群众解难，把劳务输出帮助农民增加收入当成劳动部门一项重点工作任务来完成。全区对新疆劳务输出首次达到 6700 余人。赴疆摘棉人员苦战两个月，摘棉 3000 吨，增加经济收入 660 多万元。山西电视台、中央电视台分别报道了临汾地区组织大批农民赴疆摘棉的先进事迹。省委书记田成平、省长刘振华对疆劳务输出工作给予了充分肯定和高度评价。刘振华省长明确指示：要继续加大在政府组织的力度，把 2001 年对疆劳务输出的事情办好。

【组织劳动保障综合执法检查】 根据省劳动和社

会保障厅的统一安排部署，7月20日～9月25日，地、县两级劳动保障监察机构集中行动，在全区范围内组织开展了劳动保障综合执法检查、民工有序流动检查、非法用工专项检查、举报案件专查等工作，共督促补缴拖欠的养老保险费1300万元、失业保险费127万元，补签劳动合同5000余份，清退非法用工1810人，清退童工36人，取缔非法职业中介机构8个，补办流动就业证卡4200个，追索回克扣拖欠民工工资136.6万元，并督促印刷、家电维修、美容美发等行业的从业人员按规定参加技术等级考核鉴定。立案查处群众举报案件435件，其中处理突发事件15起，结案405起，结案率达93%。

【劳动仲裁】 在制度建设上，制订并实施了“规范化开庭制度”、“仲裁例会制度”、“仲裁委员会会审制度”、“仲裁员文明用语工作制度”等，进一步规范了劳动仲裁行为；在案件处理上，地、县两级劳动仲裁机构共受理各类劳动争议案件125件，审结了118件，结案率达94%。接待群众来访48次，涉及人数2892人，办理批转来信258件，信访案件结案率达98%；在合同鉴证上，对36家企业20000余名职工的劳动合同进行鉴证，帮助指导16家改制企业和劳动者理顺了劳动关系，重新签订了劳动合同。纠正劳动合同中不合法、不合理条款889处。

【安全生产监督监察】 开展以矿山安全、易燃易爆行业安全、锅炉压力容器及起重机械等特种设备安全为主的安全大检查，共发现各类事故隐患1100余条（处）。全年共检验锅炉1500余台，压力容器450台，安全阀680只，起重机械276台，定检率均达95%以上；培训电工、焊工、司炉工等特种作业人员4500余人，对考试合格者发放安全合格证，做到了特种作业人员全部持证上岗。严肃查处每一起事故，事故报告及时率、结案率均达到100%。

（李强）

计划生育

【圆满完成人口与计划生育各项指标】 全区人口与计划生育工作，以贯彻《决定》精神和实施《条例》为主线，紧紧围绕“三为主”战略目标，立足基层，立足服务，立足落实，强化宣传，强化执法，强化督查，取得了较为显著的成绩和效果。截至年底，全区总人口为396.9万人，人口出生率为13.9‰以内，计划生育率为78%。全区共做“四术”59565例，其中结扎26842例，上环28374例，人流、引产4347例，已婚育龄妇女的综合节育率达到87.5%。

【认真贯彻宣传决定】 3月2日，中央下发了《关于加强人口与计划生育工作，稳定低生育水平的决定》，在国务院召开的贯彻中央《决定》精神的电视电话会议以后，全区迅速掀起了认真贯彻中央《决定》精神和山西省计划生育《条例》的宣传高潮，各县（市）利用“7·11”世界人口日和“9·25”公开信发表20周年之际，进行了声势浩大的宣传活动，据统计，在宣传《决定》的活动中，全区印刷宣传资料100多万份，刷新或书写大型固定标语2500多条，出动计划生育宣传车80多辆次，举办街头咨询50多场次，在地县两级报刊、电台、电视台开辟宣传栏目200余期，进行计生文艺汇演50余场次，使全区在贯彻《决定》精神的过程中，形成了一种深厚的计划生育舆论氛围。地区计生委印刷《决定》版面5000余份，发到县、乡、村，遍布每个角落。临汾市印发《决定》、《条例》知识有奖答题做到户均一份。通过一系列广泛深入的宣传教育活动，广大育龄群众的婚育观念正在由旧的传统观念逐步向晚婚晚育、少生优生的婚育新风转变。主动领取独生子女父母光荣证，自愿放弃二胎生育指标，争创文明幸福的计生户越来越多。生男生女都一样的新型生育观念正在形成。

【加大计生工作督查考核力度】 在全面开展计划生育工作的同时，全区加大了优质服务力度，查处力度，督查力度和考核力度，不断引深了“计年”活动的开展。

一是全区上下以“服务”为宗旨，坚持把计生工作同优质服务融为一体。坚持“检查、指导、落实”一条龙，“巡查、随访、咨询”三到位，“宣传、管理、服务”一体化，取得了明显成效。全区组织82支技术服务队304人常年巡回在乡、村进行优质服务，落实计划生育政策。避孕药具管理部门坚持常年送药上门，保障药品供应渠道畅通。各级计生协会紧紧围绕计生工作的中心，充分发挥会员的自我教育、自我管理、自我服务、自我约束的积极作用，开展帮贫扶困活动，收到了良好的效果。二是加大对党员干部违纪超生问题的查处力度。全区以《条例》为准绳，集中查处了部分县（市）群众反映强烈的、最棘手的5起案件。地、县两级共立查案件182件，结案158件。对280名违纪超生的党员干部进行了查处，对80多个单位和个人进行了计划生育“一票否决”。三是加大督查力度，为了使全区计划生育工作做到年初有安排，年中有检查，年底有评比。10月中下旬，地区计生委由三名副主任带队抽调13人分3片对17个县（市）的计划生育工作进行了为期半个月的督导、检查。采取先进村、后进乡、再到县，查问题、提建议，讲要求的办法，共深入到91个乡镇51个村现场指导，解决问题，督导落实，收到了良好效果。四是加大考核力度，为了认真落实人口计划和各项计划生育指标，12月上旬，根据地委、行署安排，地委督查室和行署计生委抽调人员，到各县（市）、进行了为期20天的考核验收。重点对2000年的计划生育“三为主”工作目标和“四术”任务的落实情况进行了验收，为年终考核“一票否决”提供了可靠的依据。

【计划生育工作纳入规范化管理轨道】 认真学习贯彻中央《决定》，落实《山西省计划生育条例》，狠抓依法行政、依法管理。一是建立执法领导组，健全执法责任制，规范了外出流动人口证的发放、管理办法；二是实行持证上岗，亮证执法，对全区700余名计生专干统一考核、发证，建起了计划生育行政执法队伍；三是委托地区药具管理站对避孕药具的发放工作规范管理，严格执法；四是以行署办名义下发了由地区监察委、审计局、财政局、计生委四部门联合签发的《关于计划生育经费管理的实施意见》。保证了计生经费逐年增加，地级财政投入突破历史最高年200万元。

【计划生育基层网络建设】 地区计划生育指导站投入使用，在17县（市）中，有80%的县（市）的县级计划生育服务站达到了省级文明服务站的标准。以临汾市、曲沃、侯马、吉县、大宁计划生育服务站为代表，建成了一批高标准县级服务站，全区254个乡镇中有240个乡镇建起服务所。3377个行政村有2359个村建起服务室，随着阵地的扩大，乡镇以上计生专干已达1100人，村级信息员达3360人。乡镇建所率达到95%以上，村级建室率达到70%，市县两级实现了微机联网，初步形成了市、县、乡、村四级布局合理的计划生育基层服务网络体系。全区涌现出了3个无计划外生育的乡镇，38个无多胎生育的乡镇，300个无计划外生育的村。

（郭全爱）

民政事业

【概述】 民政工作业务主要分为4个方面：一是社会行政管理工作。包括行政区划管理、边界管理、地名管理、社团管理、民办非企业管理、婚姻管理、殡葬管理等。二是基层民主政治建设工作。主要是街道（乡镇）政权的规范化建设、居（村）委会群众性自治组织建设等。三是为军队和国防建设服务的工作。主要包括拥军优属、优待抚恤、烈士褒扬、退伍军人安置、军队离退休干部安置和服务管理等。四是维护和保障困难群众基本生活权益方面的工作。包括对贫困人口、鳏寡孤独、老弱病残的社会救助等。在全区393.62万人口中，民政对象39万，约占总人口的10%，民政工作从业务构成上看，是对社会事务实施管理的工作；从主体对象上看，是依法保护、保障人民群众基本生活的保障性工作；从基本职能上看，是为经济发展创造稳定的社会环境的服务性工作；从特点上看，它具有政治性、社会性、群众性和多元性的特点。

【双拥优抚工作】 以落实全国双拥模范城（县）命名大会和全国“爱心献功臣活动”表彰大会精神为契机，继续结合实际，在深化改革，适应发展，办实事、重实效上下功夫。双拥工作中热点、难点问题的解决有了新的突破，各级民政部门狠抓了扶恤补助金的发放兑现；结合抗美援朝50周年纪念活动，全区各县（市）对志愿军老战士、烈士遗孀的情况进行了一次深入细致的调查摸底，为下步工作的开展提供了第一手资料。全区各县（市）财政累计拨款106.5万元，社会各界捐赠款物36万元，用于解决优抚对象“三难”问题，并建立起了“公费医疗与医疗减免”相结合，“重点医疗和大病补助”相结合，“最低保障与临时救济”相结合的优抚医疗保障制度。全区的抚恤补助经费自然增长机制的探索试点在侯马、曲沃、乡宁、蒲县4县（市）初步启动。优待金社会统筹进一步规范化、制度化。优抚事业单位以改革求发展，侯马、大宁、隰县3县（市）光荣院完成了维修、改造，浮山县烈士陵园维修扩建一期工程竣工，地区荣军康复医院建筑面积1050平方米的病员康复综合楼建设接近尾声。争创文明光荣院活动和烈士纪念建筑物管理单位“争先创优”活在全区15所光荣院和15所县级以上陵园中全面展开。

【民间组织管理】 紧紧围绕贯彻落实国务院“两个条例”，认真开展社团组织的清理整顿和换证发证扫尾工作。加强了审批管理、日常管理和监督管理，特别是协助做好清理法轮功邪教组织的重大工作，保证了社会稳定。加强对气功组织及非法社团的监督检查和查处力度，对8个气功类社团进行了注销。启动全区民办非企业单位登记管理工作，对全区民办非企业单位进行了初步摸底调查。

【社会事务管理】 继续贯彻执行《殡葬管理条例》，推行火葬，改革土葬，治理乱埋、乱葬，大力倡导文明节俭办事的新风，遏制封建迷信活动。开展了婚姻执法检查，婚姻登记合格率达98%；加大对婚姻介绍机构的管理力度，对全区婚姻登记管理工作进行了清理整顿，坚决制止借婚姻登记搭车收费。认真贯彻新《收养法》，规范了收养程序。安泽县对全县历年来的收养登记情况进行了全面清理，维护了社会治安，净化了城市环境。

【社会救济】 针对本年度所遭遇的65年来未有的特大旱灾，全区各级党委、政府和民政部门高度重视，投入大量的人力、物力、财力，把救灾工作摆在首要位置，全年下拨救灾款1640万元，落实地方财政自然灾害救济费323万元；动用往年捐赠款400万元，捐赠粮98吨，基本解决了灾民的吃、穿、住等实际困难。各县（市）普遍组织了单位与乡村结“帮扶对子”活动，永和、大宁、乡宁等县有效地组织了“以工代赈”。社会各界为灾民捐款120余万元，捐粮600余吨。全区为62.12万需救济对象发放救济口粮30770吨，救济衣被20000条（件、套），安排住房、医疗等救济费52万元，确保了灾民思想安定和灾区的社会稳定。与此同时，实现了全区灾情管理信息系统联网到县，灾情管理水平在原有的基础上得到较大提高。城乡居民最低生活保障工作得到巩固和发展，共有2406名城市居民和10320名农民享受到最低生活保障，分别占城乡总人口的0.29%和0.34%，财政年支付保障金195万元；各级民政部门会同有关单位对所辖区域内的城市低保应保对象进行了调查摸底，为下一步深入推进城市低保创造了必要的条件。

【社会福利事业改革】 社会福利事业改革坚持“两

条腿”走路方针，管理模式由过去完全由政府承担的全封闭管理向着政府主导、社会各界广泛参与的方向发展。投资 380 万元的区社会福利中心大楼主体工程已经基本完工。由各级政府和集体兴办的 1 所综合性社会福利院和 101 所敬老院，在软、硬件建设上也取得了较大发展。民办福利机构开始起步，截至 12 月底全区已建起个体办敬老院 1 所、民办老年人公寓 1 所。福利彩票发行市场逐步升温，全年发行即开型彩票 810 余万元，募集福利金 170 余万元；积极开展“中华风采”福利彩票的发行工作，并在临汾市、侯马、霍州、洪洞、襄汾、翼城、蒲县等 7 个县（市）上市发行。“三晋风采”电脑福利彩票发行首战告捷，一期设置投注站 76 个，效益良好。全区福利企业发展到 106 个，共安置残疾职工 1731 名，占职工总人数的 56.4%，为保障残疾人就业和维护社会稳定提供了有利条件。

（张海波）

老龄工作

【概述】 全区 60 岁以上的老年人达 37.4 万，占全区总人数的 9.7%，开始进入人口老龄化阶段。老龄问题涉及经济、政治、文化和社会生活等诸多领域，关系改革、发展、稳定的大局。地区老龄委成立于 1986 年，经过十余年的努力，全区已形成地、县（市）、乡（镇）、村四级老龄工作组织网络。17 个县（市），12 个厂矿有专职老龄工作人员 342 人，兼职人员 2443 人，全区 3373 个行政村中 2975 个建立了老年协会，城镇 38 个、街道办事处 34 个建立了老龄机构。组织机构的建立为老龄工作的开展提供了可靠的组织保障。全区各级老龄部门坚持舆论宣传先行，充分利用各种媒体广泛深入地宣传党中央、国务院关于老龄工作的方针政策，宣传老龄工作的重要性和人口老龄化的严峻形势，宣传《中华人民共和国老年人权益保障法》，进而大大提高全社会的老龄意识。

各级老龄部门紧紧围绕“老有所养，老有所为，老有所医，老有所学，老有所乐，老有所教”的总目标，组织老年人充分利用自己的经验优势和技术优势，为全区的经济发展做了不懈的努力，取得显著的成绩。全区举办各种老年经济实体 85 个，参加老年人 1092 人，年产值 1583 万元，年创利税 32 万元，建立养老创收基地 742 个，现有资产总值 2456.8 万元，年创收 372.4 万元。全区建有老年医院和诊所 178 个，老年病床 1013 个。老年大学 9 所，在校老年人 9172 人，毕业人数达 58920 人。全区有老年体育场所 277 个，各种体育组织 375 个，累计参加体育锻炼的老年人达 158782 人，各种文艺组织 269 个，参加活动的老年人累计达 1279680 人。学习晋城市农村老龄工作 5 个轮子一起转的经验，在全区开展了农村老龄工作 5 项建设。全区共建成老年活动室 1330 个，其中农村建 1056 个，占总数的 31%；256 个乡（镇）达到尊老敬老文明乡标准的有 182 个，建立老年法律咨询服务中心 82 个，3373 个行政村中建立老年民事调解的村有 235 个。调解家庭纠纷 1850 起，处理侵犯老年人合权益案件 1374 件。

【老年学学会一届理事会暨第三次老年学学术研讨会召开】 3 月 29 日，临汾地区老年学学会一届理事会暨第三次学术研讨会在八一宾馆召开。临汾地区老年学学会全体常务理事参加了会议，老年学会主席毛恩隆主持了会议。研讨会上获奖论文作者甄作武、米中兴、马维国、冀秉志、孙尚文五位代表进行了论文交流。大会主要讨论了如何学会运用“老年学”这一理论武器在老年群众中普及科学知识，宣传唯物主义，破除一切封建迷信，倡导科学、文明、健康的生活方式，提高老年人的生命质量和生活质量。老年学会工作的具体任务是撰写好一批论文，出好一本书，组织好一个活动，做好有关的工作，为全区的经济发展、社会稳定和文艺繁荣作贡献。

【对全区 70 岁以上的老年人实行社会优待服务】 弘扬中华民族尊老敬老的传统美德，充分体现党和政府及全社会对老年人的关怀，进一步提高老年人的生活质量，根据《中华人民共和国老年人权益保障法》，结合本区实际，经行署研究决定，对全区 70 岁以上的高龄老人实行社会优待服务。

凡常住本区年满 70 岁的老年人，凭优待证可享受下列免费服务待遇：1. 免费进入市内公园、纪念馆、寺庙、陵园和旅游景点。2. 免费参观各种展览。3. 免费使用公共厕所。4. 免费在市内存车处存放自行车。5. 免费乘坐市内大公交车。6. 在辖区各医院就诊免交普通门诊挂号费和急诊挂号费。7. 免费办理再婚登记手续。8. 因赡养、遗弃、虐待老年人引起的诉讼案件，免除预交诉讼费。农村老年人不负担义务工和劳动积累工，可免除交纳村提留、乡统筹、教育费附加。

（李娟）

民族宗教

【概述】 1982 年成立临汾行署民族宗教事务科，后升格为民族宗教事务处，为副处级建制，编制 4 人；1998 年机构改革，成为行署办分室的内设机构，单位规格、编制未变。主要工作任务：在民族工作方面，宣传贯彻国家民族法律、法规、政策，执行省制定的地方性法规及拟定实族细则；办理少数民族权利保障事宜；会同有关部门研究拟定全市少数民族聚居地经济发展规划，组织协调民族贸易、民族特需品生产，提出发展少数民族经济的扶持措施，参与少数民族专项资金的分配、使用和管理，配合有关部门承办少数民族村的扶贫工作；组织对全区民族问题的调查研究，协调处理民族关系中发生的问题，促进全区民族平等团结、互相合作，维护社会稳定，组织承办民族团结进步活动；研究少数民族 文化、教育、卫生、艺术、体育、新闻出版等方面的特殊问题并提出相关意见，承办相应事务；协助有关部门做好冼数民族干部的培养、教育和使用等工作；组织协调民族工作领域有关对处流和合作；协助开展少数民族对外宣传和办理有关涉外事务。在宗教工作方面，宣传贯彻国家有关宗教的法律、法规、政策，执行省制定的宗教事务管理的地方性法规，并拟定实施细则；依法保护公民宗教信仰自由，保护宗教团体和宗教活动；引导和促进宗教在法律、法规和政策范围内活动，防止和制止不法分子利用宗教进行非法、违法活动；帮助宗教团体培养、教育宗教教职人员，搞好自身建设，帮助信教群众聚居地村发展经济、脱贫致富；组织、指导宗教政策和宗教法制的宣传教育工作和宗教理论研究工作；对全区政府系统宗教工作进行业务指导，组织培训全区宗教工作干部，及时处理宗教方面的突发事件和影响社会稳定的重要问题；支持、帮助宗教界开展对外和对香港、澳门特别行政区及台湾地区的友好交流活动；摄制境外宗教敌对势力的渗透活动。配合政法部门揭露、打击邪教组织及其犯罪活动。

【抵制梵蒂冈“封圣”活动】 10 月 1 日，梵蒂冈册封义和团时期在中国殉道的天主教神甫、信徒 120 人为“中华圣人”，这一活动是对中国人民、中国教会的公开羞辱和蔑视，是对中国近代遭受帝国主义、殖民主义侵略和掠夺的屈辱史的歪曲和篡改。按照中央和省里的部署，地区坚决抵制“封圣”活动，确保了国庆时期间的社会稳定。

【地区佛教协会筹备组成立】 10 月 24 日，召开了临汾地区佛教协会筹备会议，6 个县（市）的宗教局长、9 大寺院的主持及部分居士参加了会议。会议产生了临汾地区佛教协会筹备组，讨论了《临汾地区佛教协会章程》（草案），制定了财会等各项制度，拟对全区佛教寺院、僧尼、信徒人数的基本情况摸底调查，酝酿佛协代表的产生，为佛教协会的成立做好了思想、组织上的准备。

【组织宗教界人士赴浙江普陀山考察学习】 5 月 1 日，利用休假期间组织重点县（市）宗教干部和部分宗教界人士赴浙江普陀山等地考察、学习发达地区宗教工作的先进经验。通过考察学习，找出差距和不足，开扩了眼界，培养了民族宗教界的爱国主义热情，提高了为两个文明建设和经济建设服务的自觉性。

【举办宗教界主题研讨会】 在宗教界开展了以“讲学习、讲爱国、讲适应”为主题的研讨会，每月举办一次。讲学习，就是学政治、学时事、学社会知识，克服宗教界与世隔绝的状态；讲爱国，就是讲中华民族发展史，社会主义建设史；讲适应，就是要从政治上适应，要听共产党的话，走社会主义道路；要从思想上适应，要使本教教、规教义服从于社会主义精神文明教育；要从经济文化上适应，办好各项社会福利事业，搞好自养事业，搞好社会服务。通过学习研讨，加强了教会的自身建设，促进了各教会之间的相互尊重、相互团结和相互支持，提高了大家的法律意识，激发了大家的爱国激情，增强了为社会主义现代化建设献计出力的自觉性。

【临汾纺织厂被国家五部委定为少数民族用品定点生产企业】 为扶持大中型企业解困，促进地区民族经济发展，更好地落实“九五”期间国家对民族贸易和民族用品生产的各项优惠政策，临汾纺织厂被国家纪委、财政部等五家组成的联席会议研究后定为国家民委定点生产企业，享受国家流动奖金贷款优惠利率和减免部分国税的优惠。

（丁逸）

旅游饮食服务

旅　游

【概述】 旅游业是地委、行署确定的 6 大先导产业之一。旅游局广大干部和职工抓住机遇，勇于创新，奋力开拓，圆满地完成了全年工作任务。接待海外旅游者 9600 人次，创收 171.4 万美元，分别比 1999 年增长 16.5%、12.5%；接待国内旅客 160 万人次，创收 41000 万元人民币，分别比 1999 增长了 12.6%、13.4%。全区旅游产业规模不断扩大，新增旅游涉外星级饭店 10 家，新增旅行社 3 家，旅游接待设施和接待水平明显提高；假日旅游经济呈强劲发展势头，“五一”、“十一”黄金周出游及来临旅游进出两旺，旅游消费成为市民消费的热点之一，旅游信息预报系统建立并正常运行；政府主导，全社会共同参与旅游业开发建设的格局正在形成；旅游区、点质量评定工作全面铺开，壶口风景区、尧庙游览区、古槐迁民遗址、广胜寺风景区通过省级初评；旅游市场宣传招来渠道进一步拓宽，组织参加的大连旅游博览会、乌鲁木齐中国国内旅游交易会、北方旅游交易会等取得良好促销效果；黄河壶口国际旅游月、寻根祭祖节、中镇霍山、华夏州署旅游月活动取得积极效果，以节庆活动促旅游开发成为发展旅游业的有效途径。

【旅游开发】 围绕全省“整合优势资源，主打 3 大产品”的旅游发展新思路，以黄河根祖文化游为主线，统一思想，明确任务，进行全面的旅游产品开发。霍州市将旅游业作为调整经济结构，促进经济发展的突破口，对霍州州署大堂、陶唐峪风景区、七星峪风景区进行整体开发，9 月 28 日举办了首届“中镇霍山—华夏州署旅游月”。襄汾县在行署领导的协调下，理顺了丁村民俗博物馆的管理体制，对丁村遗址和民宅进行全面规划，通往博物馆的道路改造已经开工；侯马市加大对旅开发工作的力度，成立了“侯马市旅游开发领导组”等组织机构，并配备人员，积极创造条件推动旅游业发展。临汾市、安泽县、洪洞县等县（市）也积极行动，发展旅游业的热潮逐步形成。地区旅游局几次邀请省内外旅游专家来临汾进行考察、指导，做好旅游规划的前期准备。与行署计委、部分专家编写了《临汾旅游业 5 年发展规划》，召开了有关领导、专家和相关部门人员参加的评审会议。

【星级饭店评审】 5 月成立临汾地区旅游涉外饭店星级评定委员会根据国家标准，全面铺开星级饭店评定工作。经过踏实、认真的工作，新增加旅游涉外星级饭店 10 家，使全区的星级饭店总数增加到了 18 家，中心城市与主要县（市）均有布点。同时对原有的星级饭店，按照标准进行了一年一度的复核工作，使酒店接待水平上了一个档次，受到了省局的表彰。

【旅行社建设】 旅行社不但肩负着增加客源，增加财政收入的重要作用，对引导全区人民的消费去向，加强旅游氛围建设也起着重要作用。本着合理发展、适当控制、科学布局的原则，结合临汾实际情况，全区已批准的旅行社达到 12 家。在对旅行社的管理中，严格按照国家的有关法律、法规规范企业的行为，全面推行旅游标准化管理，对在经营过程中出现的违规经营、超范围经营现象及时进行处理。数次出动旅游执法人员对山西海天旅行社临汾分社、中国科技夏令营等非法企业予以取缔，净化了旅游市场，保护了消费者利益。经过努力，临汾的旅游经营环境不断优化，旅游行业管理工作在法制化、规范化、标准化的道路上不断向前迈进。

【旅游教育培训】 先后对旅行社和景点的导游人员进行了两次较大规模的业务技能培训，参加培训的导游员 100 多人。同时组织批准成立的旅行社负责人参加全国旅行社总经理培训，使他们在正式走上工作岗位前，受到正规的旅游专业知识学习和技能培训，做到有的放矢。各旅游涉外星级饭店不断在提高酒店管理和服务水平上下功夫，部分酒店将管理人员送到专业饭店管理学院进行强化学习，了解和掌握酒店服务业的发展趋势，整体提高旅游饭店接待水平。

【市场促销】 充分发挥自己的优势，采取主动出击等方法，扩大旅游业市场占有率，收到了明显效果。继 1999 年成功地组织了首都绿家园志愿者义务植树活动之后，2000 年又利用志愿者中首都新闻媒体人员众多的优势，连续组织了两批志愿者进行神州旅游年“世纪之林”植树活动，并邀请他们来进行旅游采访，在首都新闻媒体进行广泛宣传，取得了良好的效果。在继续搞好壶口国际旅游月、寻根祭祖节的同时，又推出了“中镇霍山－华夏州署旅游月”，通过旅游节庆活动达到提高旅游业的对外知名度，扩大对外市场经销的目的。在霍州首届“中镇霍山—华夏州署国际旅游月”期间，邀请了80余家省内外旅行社总经理来本区进行线路考察，举行旅游恳谈会介绍旅游产品，以吸引更多客源。经过霍州市与北京故宫博物院、河北保定、河南内乡等政府和部门的共同协商，推出了“中国古代四大官衙”国际旅游线，还接待了山西画家采风团、《九州任逍遥》专题摄制组、新加坡《联合早报》等作家和新闻媒介的采访。与此同时，组织各县、市有关人员，参加“中国东西部投资洽谈会暨旅游博览会”、“中国旅游风景区、渡假区旅游博览会”、“中国国内旅游交易会”、“沿黄河九省区旅游交易会暨山西旅游说明会”等重大旅游活动，与外地旅游商建立联系、洽谈业务。

附：

星级酒店

3星级	临汾五洲大酒店	临汾五洲休闲广场	
	临汾黄河大酒店	临汾红楼大酒店	
	绿苑大酒店	临汾宾馆	
2星级	曲沃宝丽大酒店	翼城园义园大酒店	
	侯马花园大酒店	侯马怡鑫大酒店	
	洪洞财政宾馆	翼城长乐大酒店	
	洪洞信合宾馆	霍州明悦大酒店	
	洪洞赵城宾馆	襄汾交通大厦	
	临汾煤炭大厦	平阳宾馆	友谊宾馆
	福临大酒店	古县宾馆	安泽宾馆

（杨文革　倪宇峰）

饮食服务

【临汾烹饪协会成立】　临汾地区烹饪协会年初在太和酒楼成立。中国烹饪协会发来贺电，山西省烹饪协会会长冯守瑞，行署专员樊纪亨，副专员郝忠礼、董彩霞，地委政协工委副主任张家俊以及行署商业局、劳动局、地区工会等部门领导出席大会。冯守瑞会长，郝忠礼副专员分别讲话。大会通过了协会《章程》，行业自律等条例。民主选举产生协会会长、副会长、秘书长和常务理事。李德富为会长。聘请郝忠礼为特邀顾问，薛续臻等为名誉会长。临汾烹饪协会的成立，标志着全区餐饮行业向社会化、规范化管理迈出了坚实的一步。

【参加全国第二届“中华名优小吃”评选活动】2000年是临汾餐馆业内强素质，外树形象，扩大影响，收获较多的一年。9月初，参加了在宁夏银川地区举办的全国第二届“中华名优小吃”评选活动，本区精心筛选出的6个传统小吃产品，其中“乡宁油糕”，唐宫酒楼的“石子馍”、“添仓卷卷”以及玉涛餐饮有限公司的“玉涛麻花”等4个品种被国家餐饮业评审委员会评定授予“中华名小吃”金字招牌。

【“平阳厨师学校”积极开展培训业务】　为提高本区行业职工的整体技术水平，拥有一个固定的培训基地，餐饮服务管理中心协助烹饪协会修建了培训场地，并在原有培训中心的基础上，创办了“平阳厨师学校”。学校占地面积1000多平方米，基础设施齐全，师资力量雄厚，有教职工15人，在校学员50余人。学校由国家特级教师、高级考评员、烹饪大师杨天安、戚建栋、卢晓丹、许全荣等传授各种菜系的基本制作技术及雕刻、冷拼、面点等，学员可亲自切配、烹制热菜80余种，凉菜20余种，面点小吃30余种。2000年共创办5期，先后为临汾餐饮业培训各类烹饪技术人才218人，其中：中级91人，初级127人。通过培训，充实了全区各餐饮企业对各种技术人才的需求量。

【餐饮行业服务人员鉴定】　搞好职业技能鉴定，规范行业用工制度，实施持证上岗是本年度国家劳动部门颁布新条例的主要内容。餐饮服务管理中心鉴定所积极配合劳动部门对全区餐饮行业进行持证上岗大检查，对临汾的“平阳”、“黄河”、“长城”及侯马市的“黄河”、“北方”等6所厨师学校进行考核，对本区的“唐宫”、“绿苑”、“煤炭大厦”、“白云大厦”、“迎春酒家”、“财政培训中心”等12家酒楼及“临汾宾馆”进行不定期鉴定。考核鉴定1194人，其中，厨师916人，服务员278人，餐厅145人，客房133人，考核鉴定合格率达98%以上。通过考核鉴定，规范了本区行业的用工制度，杜绝了滥用童工、越级考证现象，提高了临汾餐饮业的服务质量和服务水平。

【首届“餐饮名优产品”评选认定活动】地区餐饮服务管理中心组织的首届“临汾餐饮业名优产品”评选活动在平阳厨师学校举行。国家级评委杨天安、戚建栋、李春勋等参加，来自17个县（市）的50余家餐饮企业和80多个地方小吃经营者参加了评选活动。评审委员会对各参赛品种的色、香、味、形进行整体品评，把能适应人们饮食口味和审美要求，能充分体现尧乡饮食文化精髓的产品进行综合评比，在参选的70多个餐饮产品和100多个风味小吃中，评选出了2000—临汾“八大名菜”，“十佳名优产品”和30种“名优风味小吃”。

附:

2000年临汾“十佳名优产品”

品　名	特　色	单位及制作人
新疆大盘鸡	鸡块麻辣、面条柔软可口	新疆大盘鸡店　杨登平
羊肉泡馍	馍的软硬适口、汤味鲜美	西安牛羊肉泡馍馆 薛君舟
老三削面	红、白、绿相映、面八寸长、薄厚均匀、滑溜、爽口、风味独特	老三削面 王俊华
砂锅全鸡	肉嫩汤鲜、味美气香	杨家正宗砂锅全鸡店　杨五龙
平阳稍子面	面细长、筋、软、红白绿相间、回味醇香	平阳稍子面馆 杜长祥
刀削面	形为柳叶、三棱两端尖、吃着筋、韧利口	秋生刀削面馆 靳秋生
王记老豆腐	细腻滑嫩、韭花味芳香	王记老豆腐店 王全成
曲沃王记羊汤	肉嫩汤鲜、香味浓厚、讲究热食、辣得过瘾	曲沃王记羊汤 王元中
油酥麻花	脆、香、酥而不腻	赵全福麻花店 赵全福
双王油茶	味道甘美、芳香适口、浓而不腻、营养丰富	王秀玲

2000年临汾“八大名菜”

品　名	特　色	单位及制作人
香煎吉品鲍	营养丰富、色泽美观、口感软嫩	金大都酒店 董红刚
菜心扒鱼脯	菜心碧绿、鱼脯洁白、软嫩柔滑	太和酒楼 李旭鹏
蒜籽扣瑶柱	蒜香味鲜、营养丰富、造形美观	金大都酒店 陈加强
葱烧鸡米海参	色泽红亮、葱香味浓、鸡米雪白、海参软糯	财政培训中心 冯志强
唐宫桂鱼卷	外酥香、里鲜嫩、色泽红亮、熏味浓郁	唐宫酒楼 武建青
红焖鱼翅	翅黄、味鲜香、耐气开胃	金大都酒店 聂文海
清炖江米扣肉	扣肉软嫩、猪肚香嫩、带汤锅可涮、汤乳白色泽淡黄	黄河红福园酒楼 刘云峰
鲍汁野生菇	素料荤作、口感鲍针、明汁亮芡	财政培训中心 高占斌

（付青平）

人　物

人物传

杨　健

杨健（1915～1997年），原名德馨，1915年出生于浮山县东关村。1937年任县农会主席，1938年2月加入中国共产党，1939年“12月政变”时，被反动派逮捕入狱，后经地下党组织营救出狱。1940年任临汾县农会主席，1941年任岳阳县三区区长，1942年任浮山县政府民政科长，1943年任太岳二专署干校教导员兼党支部书记，参加著名的浮翼战役。抗战胜利后，任太岳行署侯马办事处民政科长，太岳二地委宣传部教育科长，中共翼城、运城、临汾地委办公室副主任。建国初，先后担任洪洞县委书记、临汾地委秘书长兼办公室主任。1954年到北京马列学院学习。1956年任省委宣传部办公室主任。1959年任晋中专署副专员，“文化大革命”受迫害，中共十一届三中全会后平反。

1979年重新走上工作岗位，任临汾行署副专员，分管落实政策工作，平反纠正冤假错案55000余件；在分管文教卫生工作期间，尽职尽责，做出了突出贡献。1983年离休后，仍然积极为党工作，发挥余热，保持了一个老革命、老党员、老干部的崇高晚节。1997年10月20日逝世，终年83岁。

王运康

王运康（1932～1998年），临汾市乔李村人，1945年投身革命，历任区武委会主任、互助组组长、高级社社长、公社公安特派员、东张管理区党委书记。1962年任乔李大队副书记。1964～1965年，在“四清”运动中受冲击。“四清”结束后，担任村党支部书记。“文化大革命”中，王运康带领乔李村党支部一班人和广大干部群众团结一致，排除干扰，修路、植树、打井、修渠，大搞农田基本建设，改变农业生产条件。到“文化大革命”后期，乔李村由一个落后村一跃进入全县、全区先进行列，成为闻名全省的先进典型，本人被选为全国劳动模范。1973年，任乔李公社党委书记。1976年，任临汾县革委会副主任。1978年，当选为中共第五届全国人大代表。1983年，担任行署林业局副局长，1984年，任地区绿化委员会常务副主任（正县级），1990年，荣获全国绿化奖章。1993年离休。1994年2月1日，中共中央总书记江泽民视察乔李，王运康汇报工作，江泽民总书记给乔李题写“坚持社会主义方向，走共同富裕道路”题词，对乔李村工作给予高度评价，使乔李村名扬全国。1998年11月28日逝世，终年67岁。

王德合

王德合（1918～1999年），1918年4月生于曲沃县沟东村，1949年3月加入中国共产党。1951年，组织成立了沟东村互助组任组长（全县成立最早的互助组之一）。1953年，互助组转为三友初级农业社，1955年，在农业合作化高潮中，“三友”农业社同周围几个自然村合并为高级社。在初级社和高级社时期，王德合一直担任社长。1958年，人民公社化后，杨谈是幸福人民公社的一个管理区，王德合任管理区党总支书记、管委会主任。之后，杨谈管理区改为杨谈大队，王德合担任大队党总支书记。几十年来，王德合曾荣获县、地、省、中央荣誉奖励57次，是著名的晋南“棉花八仙”和“小麦十杆旗”之一，先后当选为三、四、五届全国人大代表，中共十大代表，曾任临汾地区革命委员会委员，县革委常委，县革委副主任。中共十一届三中全会后，被选为县政协第六届委员会副主席。

20世纪60年代初，王德合同志带领杨谈人民，依靠集体经济的力量，不断战胜困难，连年夺得粮棉丰收，总结出“政治、技术、管理”三结合的经验，受到党和国家领导人的肯定。《人民日报》刊发了“学大寨、赶杨谈”的重要文章，杨谈成为全国农业战线上的一面红旗，被誉为“黄河流域一枝花”。杨谈被国务院誉为“棉花生产上的大寨”，王德合曾8次受到毛主席的亲切接见，13次受到周总理的亲切接见。“文化大革命”期间，王德合被诬陷为“黑帮”、“三反分子”、“黑线人物”遭到批斗，受尽折磨，在周总理的亲自关怀下，才站出来重新工作。在这期间，王德合带领杨谈人民打深井37眼，并倡导支持修建里杨电灌站，改变杨谈农业生产条件。

中共十一届三中全会以后，积极推进农村改革，保持了共产党员坚定的政治信念和高尚的思想品格。1999年12月23日逝世，享年82岁。

郭贵成

郭贵成（1929～2000年），祖藉河南省安阳市，生于临汾市下樊村。1948年8月参加工作，1958年11月加入中国共产党。1959年后历任临汾市人民公园主任、市政工程队主任、市城建局副局长、市园林局副局长等职。70年代，开创在城市街道栽植果树先例，3年时间建成10余条花果街，临汾城因之被誉为“花果城”。1975～1993年，任市绿化队队长、大队长。1986年，获国家建设部科技先进工作者，被中央绿化委员会授予全国绿化劳动模范称号。1983～1988年，当选为山西省第五、第六届人大代表。1988年取得高级园林农艺师职称。80年代，先后完成水仙北移、月季秋插、樱桃樱花嫁接等科研项目。1993年退休后，在龙祠荒山建成“梅山风景区”。2000年2月11日逝世，地委、行署为其举行追悼会。3月，中共临汾市委作出《关于在全市开展向郭贵成同志学习的决定》。

张庆奎

张庆奎（1929～2000年），1924年5月17日生于吴村镇屯里村。1933年出演《辕门斩子》主角杨延昭出名。1936年，在陕西同州庙会因演折子戏《杀庙》主角韩琦声震三秦，获艺名“十三红”。1952年，随蒲剧团赴京参加全国戏曲汇演，受到周恩来总理接见。1953年，被选为临汾县各界人民代表会议代表。1956年，加入中国共产党。1957年，再度随晋南蒲剧联合演出团赴京演出，受到彭真、周扬、傅作义等领导人接见。1960年，率蒲剧团二次赴东北演出《薛刚反唐》、《三家店》、《四进士》、《游龟山》等优秀传统剧一年多，在北大荒为解放军慰问演出时受到王震将军接见。1961年，在太原演出时，陈毅元帅观看他主演的《观阵》后与其合影留念。“文化大革命”期间，虽受到冲击，仍坚持排演《红灯记》等革命现代戏。1977年，赴太原为叶剑英元帅专场演出。1979年，第三次赴京参加国庆30周年献礼演出，薄一波、康世恩接见全团演员。他先后演出剧目达150余出，与王秀兰、阎逢春、杨虎山、筱月来并称蒲剧五大名角，表演艺术自成一格，被称为“张派艺术”。1981年5月，被选为山西省劳动模范，同年12月，山西省文化局、中国戏剧家协会山西分会、临汾行署文化局、中国戏剧家协会山西临汾分会、临汾蒲剧院，为表彰其对蒲剧事业的突出贡献，联合举办“蒲剧著名表演艺术家张庆奎舞台生活50周年纪念活动”，全国文艺界领导和知名人士、全省4大梆子著名表演艺术家亲临祝贺。历任山西剧协理事、山西文联委员、山西省第四、五届政协委员、山西省文代会代表、全国第四届剧协理事、蒲剧院院长等职。2000年5月31日逝世，终年77岁。

郭勇锐

郭勇锐（1921～2000年），又名景玉振、景明，临汾市金殿镇东麻册村人。1940年8月参加革命，在岳阳县公安局先后任收发员、股长、秘书；1942年8月，加入中国共产党。1943年3月～1948年底，历任临汾县、青城县、曲沃县、晋城县公安局局长。1949年9月，先后在太岳区党委、翼城临时地委、运城地委公安处任科长。1950年2月任闻喜县公安局局长。1952年4月，任垣曲县县委书记，1954年8月任晋南地委办公室主任，1956年9月任晋南地委工业部部长，1961年3月任晋南专区公署副专员，1963年3月任霍县矿务局党委书记。“文化大革命”受迫害，1972年10月重新工作，任临汾地区革命委员会工交组副组长，1975年底任中共临汾地委常委、临汾地区革命委员会副主任，1979年5月任临汾地区行署副专员，1980年6月任阳泉矿务局副局长，1981年6月任临汾地区行署副专员。长期从事公安和工业经济工作，为维护地方安定、振兴临汾经济业绩卓著。1983年10月任临汾地区行署顾问，1990年3月离休后，仍然关心党的事业，经常深入基层调查研究，给地委行署建言献策，始终保持了共产党人坚定的政治信念和革命本色。2000年6月4日逝世，终年80岁。

张耀华

张耀华(1971～2000年)，霍州市人事局干部，中共党员，2000年11月5日下午3时许，在同在逃的通辑杀人犯英勇搏斗中，以身殉职，时年29岁。省市见义勇为协会授予他“见义勇为先进分子”称号。

2000年11月5日下午，利用周末为父亲打理小卖部的张耀华听见一声声刺耳的尖叫声，隔着窗户他看见一名歹徒手持尖刀向女青年残忍地连捅四、五刀。见此情景，他连忙拨打110，但报警电话占线。为了抢救女青年的生命，避免更多群众惨遭毒手，他大声喊着“大白天胆敢持刀行凶”，一个箭步夺门而出冲向歹徒，穷凶极恶的歹徒返身挟住他的脖子，用尖刀猛刺张耀华咽喉，顿时血流如注，倒在血泊中。听到喊声的张耀华父亲张梁锁和其弟张忠华同周围群众一起将歹徒摁倒在地，将其交给赶来的公安干警。杀人在逃犯被制服了，女青年得救了，而张耀华却献出了自己年轻的生命。他用自己一腔热血谱写了一曲见义勇为的壮歌。

张耀华参加工作十多年来，一直从事劳资工作。他热爱本职、恪尽职守、忘我奉献，常常加班加点，经他亲手填写审批的调资表格达 30 余万张，1994、1996、1999 年先后 3 次被评为霍州市人事局优秀工作者。

人物简介

任跟心

任跟心，女，汉族，中共党员，1963 年 9 月出生，山西省襄汾县古城镇人，国家一级演员，现任临汾蒲剧院副院长。2000 年 4 月荣获共青团山西省委、山西省青年联合会第四届山西省“十大杰出青年”称号。

1979 年毕业于临汾艺术学校，在临汾蒲剧院青年蒲剧团担任演员；1980 年 12 月在山西省戏曲优秀青年演员比赛中获山西省文化局颁发的“一等奖”；1983 年获首届戏剧“梅花奖”；1985 年主演蒲剧《挂画》获文化部主办的全国戏曲观摩演出“主演一等奖”；1986 年 4 月山西省人民政府授予“青年表演艺术家”称号；1987 年当选为中共十三大代表；同年 3 月被省妇女联合会评为“三八红旗手”；1989 年被中国共产主义青年团山西省委员会命名为“新长征突击手标兵”；1991 年 4 月被省委组织部、省人事局评选为“山西省优秀专家”；同年 12 月被中华全国青年联合会评为“先进个人”；1992 年 4 月被授予临汾地区“劳动模范”称号；同年 5 月被山西省委、省政府授予“优秀文艺工作者”；1993 年当选八届全国人大代表。中国戏剧家协会会员，山西分会副主席，省青年联合会常委，省国际文化交流中心理事；1995 年 6 月当选为山西戏剧家协会第五届主席团委员会副主席；同年 12 月被省戏剧家协会授予省首届“跨世纪戏剧新星”；1996 年 1 月任蒲剧院实验蒲剧团团长；同年 10 月参加了第三届 BESETO 戏剧节《中国戏剧梅花奖》，获得戏曲表演绝活荟萃专场演出；1998 年 2 月获省委宣传部颁发的省宣传思想战线“先进工作者”荣誉称号；同年 6 月任蒲剧院副院长。1999 年 2 月被省文化厅评为全省文化系统“先进工作者”；同年 10 月在山西省庆祝中华人民共和国成立 50 周年献礼演出中荣获省委宣传部、省文化厅颁发的“优秀表演奖”；从事蒲剧表演以来，代表剧目有《挂画》、《表花》、《拾玉镯》、《孙成打酒》、《杀狗》、《打神告庙》、《烤火》、《孤儿记》、《狸猫换太子》、《土炕上的女人》等。

仝立祥

仝立祥，男，1943 年生，运城市人，中共党员，现任山西三维华邦集团有限公司党委书记、董事长，系教授级高级工程师，山西省政协委员。1993 年荣获“全国五一劳动奖章”。

仝立祥同志任公司主要领导的 10 年间，引导企业锐意改革，科学管理，积极倡导并实施企业技术创新，使一个机制陈旧、管理粗放、产品单一的传统工厂发展成为国家大型一类高科技上市公司，并跨入全国 520 户重点企业行列。公司现有产品 14 个系列、60 余个品种，主导产品聚乙烯醇（PVA）年产量 3 万吨，在国内同类企业中具有产量高、品种多、工艺控制先进、产品市场形象好的优势，各项主要技术指标位于全国行业前列。另一主导产品聚醋酸乙烯酯乳液（白乳胶），引进德国汉高公司技术和关键设备，生产能力 3.5 万吨，其规模、品种、技术含量均具全国行业之首。10 余年来仝立祥同志坚持科技兴企的发展战略，不断引入先进科学的管理思想和手段，领导三维跨入山西省现代化管理先进企业的行列。仝立祥同志以其杰出的领导才能和显著的经营业绩，曾被授予“有突出贡献的中青年专家”称号，享受政府特殊津贴。1995 年当选“全国劳动模范”，2000 年获山西省“五一劳动奖章”

刘文革

刘文革，男，33 岁，中共党员，山西新临钢钢铁有限公司炼钢厂冶炼车间工人。1996 年获“全国“五一”劳动奖章”，1997 年授予“山西省特级劳模”称号，2000 年被评为“全国劳动模范”。

刘文革同志自 1987 年参加工作以来，一直战斗在炼钢生产一线。他勤奋努力，刻苦钻研，由一名青工成为一名生产骨干，担任组长、炉长、班长。他特别注重青工操作水平的提高和师徒间的传、帮、带，将自己多年积累的技术和经验，毫不保留地传授给青工。1994 年、1995 年，他本人两次夺得公司技术比武炼钢工第一名。他结合生产实践总结出的“2431”冶炼操作法，被团省委、省劳动厅命名为“省级先进操作法”。在 1996 年、1997 年、1998 年他所在的班组有 12 人次夺得公司“青安岗位技术比武技术能手”称号，班组整体素质有了很大的提高。

1995 年以来，公司生产经营出现严重困难，刘文革同志没有停留、徘徊，他带领全班同志从严、从细、从小抓好班组的每一项工作，心往一处想，劲往一处使，苦练内功，奋力拼搏，年年超额完成生产任务，各项技术经济指标逐年提高。钢产量由 1995 年的班产 82419 吨提高到 1999 年的 141290 吨；钢铁料消耗由 1995 年 1184kg/t 下降到 1999 年的 1101kg/t；炉龄由 1995 年的 634 炉提高到 1999 年的 1920 炉，均列各班之首，为临钢公司生产经营逐年上台阶，做出了突出贡献。

曹学义

曹学义，男，汉族，49 岁，临汾市人，大专文化，经济师，中共党员，现任临汾市（地级）粮食局副局长兼尧都区粮食局党委书记、局长，山西省九届人大代表。

曹学义先后担任粮站业务员、保管员、粮站站长、临汾市粮食局副局长、局长，临汾行署粮食局局长助理、副局长、临汾市（地级）粮食局副局长。1984 年以来，连续十余年被评为山西省粮食系统、临汾地区粮食系统“先进工作者”、“模范个人”、“优秀党员干部”；1993 年，被省总工会评为“山西省优秀班长”；1995 年，被评为临汾地区“十大新闻人物”；1997 年，被省总工会评为山西省“帮扶困难企业先进个人”；1998 年被授予“全国五一劳动奖章”荣誉称号；1992、1995、1998 年连续三届被授予“山西省劳动模范”称号；1999 年，被省财贸工会授予“山西省优质服务标兵”；1997 年、1999 年被授予“山西省五一劳动奖章”荣誉称号；1995～1999 年，连续 5 次被临汾地区劳动竞赛委员会荣记个人一等功。

薛佩珍

薛佩珍，男，1941 年出生，中共党员，高级工程师，现任山西焦化集团有限公司董事长、总经理，全国五一劳动奖章、全国劳动模范和全国优秀企业家“金球奖”获得者。

公司连续 10 多年保持了山西省利税大户的声誉，曾连续 3 年进入全国最大工业企业 500 家和全国同行业最大 50 家排序，为国务院确定的 520 户国家重点企业和山西省重点保护的优势企业之一，公司生产的 5 种主导产品被评为“中华国产精品”和“世界级名优产品”。创立并推行的“四·三兴厂之道”被收入《中国企业管理科学案例库》，公司被省政府树立为“外学邯钢，内学山焦，管理上台阶”的标杆企业。积极推进技术进步与产业升级，公司被评为“中国化工技术进步先进企业”。大力实施大集团战略，使公司形成了拥有 16 个紧密层企业、4 个半紧密层和 3 个松散层企业组成的大型一档企业。1985～2000 年底，公司累计实现利润 20652 万元，累计上缴利税 45010 万元，总资产由期初的 20000 万元增加到 210000 万元。职工年均收入达到万元以上，公司先后荣获“全国五一劳动奖状”、“全国现场管理先进企业”、“全国思想政治工作优秀企业”、“全国模范职工之奖”、全国环保先进企业”、“山西省最佳企业”和“山西省管理示范企业”等荣誉称号。

李玉海

李玉海，男，57 岁，中共党员，小学高级教师，现任永和县坡头乡贺家崖小学教员。“全国模范教师”、“全国五一劳动奖章”获得者。

李玉海扎根山区从教 38 年，勤工俭学，建起“校办果园”，使学校实现了办公费、烤火费、照明费“三自给”，学生学杂费、文具费、书本费、医药费“四免费”。把教书育人与科教兴农结合起来，走出了一条“教、科、农”相结合的办学之路。在教学实践中探索总结出“5 个一”教学法，贺家崖小学连续 30 年入学率、巩固率、普及率、合格率均达 100%。以校办园，以园养校，教学生产一体化，实现了校办果园效益和科技示范的双重作用。以师带生，以生带长（家长），理论实践一线穿，基础教育、职业技术教育，成人教育一起抓，教育脱盲，科技兴农，为贺家崖村脱贫致富做出了积极的贡献。副省长王昕在贺家崖小学视察时欣然为他题词一首：中原赤子，扎根吕梁，三十年如一日，桃李芬芳。

李纯泰

李纯泰，男，汉族，1936 年出生，中共党员，山西省翼城县唐兴镇北关村党总支书记。2000 年“全国劳动模范”。

十多年来，李纯泰先后筹资建起北关铁厂、翼鹏商城、货场大楼、北关宾馆、农贸市场、欣达塑管厂，兴建农民体育馆、北关幼儿园、世纪园。建成环境幽雅、功能齐全的新型住宅小区。2000 年底将原县国营针织厂和五一化机厂产权买断，建成欧式风格的西罗苑步行商贸街，完成翼鹏 A 区工程，兴建起全省一流的清真寺和民族大厦。全村拥有集体企业 33 个，民营企业 50 个，个体工商户 800 个，形成回、汉团结进步，多种经济共存的新格局。本人先后被授予“全国民族体育模范工作者”、“全国群众体育先进工作者”、“全国乡镇企业家”、被省委、省政府授予“山西省劳动模范”、1994 年、1999 年两次被国务院授予“全国民族团结进步先进个人”，光荣地参加了建国五十周年大庆国庆观礼；受到江泽民、李鹏、朱镕基、李瑞环等党和国家领导人的接见。

郭泽民

郭泽民，男，汉族，中共党员，1960 年 8 月生于临汾市刘村镇陶家庄，临汾蒲剧团支部书记，国家一级演员，中国戏剧家协会会员，山西省戏剧家协会会员，临汾市政协委员，山西省“劳动模范”。

1975 年 1 月～1978 年 7 月在临汾县戏校就学，1978 年毕业后在县剧团担任演员，1981 年调入临汾地区蒲剧院青年团。1980 年 12 月在山西省戏曲优秀青年演员比赛中获山西省文化局颁发的“一等奖”；1982 年在全省中青年演出评比中获省文化局颁发的“最佳青年演员奖”；1983 年获全国首届戏剧“梅花奖”；1984 年被评为山西省“劳动模范”

荣记“特等功”一次；1985 年在中国第二届戏剧汇演中获文化部颁发的“优秀表演”；1990 年获山西省戏曲青年团“先进工作者”；1992 年山西省委、省政府授予“优秀文艺工作者”；1993 年、1994 年赴新加坡进行国际艺术交流演出，为蒲剧走出国门实现了零的突破；1995 年获中国第四届戏剧节“优秀表演奖”；同年山西省戏剧家协会授予“跨世纪戏剧新星”荣誉称号；1996 年参加在北京举办的中、日、韩三国国际性的专场演出，获得高度评价；1998 年被临汾地区选拔为“第二批拔尖人才”；1999 年在新编现代戏《土炕上的女人》参加山西省庆祝建国 50 周年戏曲调演奖“优秀剧目奖”、“五个一工程奖”，本人获“优秀主演奖”。

简明日

简明日,1950 年生于缅甸,1968 年回国，1994 年被评为“全国纺织工业劳动模范”，1998 年被评为“省劳动模范”。

工作二十多年来,不断探索、钻研,创造了“一转、二看、三听、四换、五感觉”的工作方法。1996 年的设备检查中,他所检修过的设备完好率全部达到 100%,一等一级车率 100%,零分台率 50%,千绽时断头合格率 95%，连续 18 年被评为厂劳动模范。1987 年、1989 年、1992 年 3 次获“山西省纺织厅劳动模范”称号。1990 年、1993 年被省劳动竞赛委员会分别荣记二等功、三等功各一次。荣获省“五一劳动奖章”。

何国位

何国位，男，中共党员，高级工程师，213 地质队水文副总工程师，地质矿产部“优秀科技工作者”，山西省劳动模范。

1968 年 11 月毕业于成都地质学院，先后在山西地质局 216 地质队、石油队、213 地质队工作，历任地质技术员、地质组组长、第五地质工程勘察院总工程师、213 地质队副总工程师。1985 年～1997 年负责 213 地质队水文地质勘察、水井施工和地质工程勘察期间，在太原、临汾、运城、阳泉等地，尤其是襄汾、汾西、万荣、灵丘等严重缺水地区，找水定井 100 余眼，井井有水，年形成出水量达 15 万立方米，直接创收 3000 多万元，被誉为“龙王爷”。事迹在《山西日报》刊登，黄河电视台《黄河人》栏目采编播出。1996 年获山西省总工会“职业道德标兵”和“赵雪芳式的优秀知识分子”等称号；1997 获地质矿产部“优秀科技工作者”称号，1998 年获“山西省劳动模范”称号。

张玉珍

张玉珍，女，1952 年生，中共党员，佳宇外经贸运销公司总经理，2000 年被山西省委、省政府授予“山西省劳动模范”称号。

张玉珍勇挑重担，开拓创新，在公司经营和进出口业务上闯出一条新路子，增加赵城自备列发车站。1993 年来，在全区外经贸行业中一直保持利税第一。1999 年实现利税 78 万元，2000 年实现利税超过 100 万元。本人多次受到省外经贸厅、地委、行署、外经贸局的表彰。

王果虎

王果虎，男，中共党员，安泽焦化总公司总经理，省劳动模范。

王果虎带领公司员工实施了体制、机制、技术 3 大创新，先后兼并两个停产企业，合并一个亏损企业，新建、改建三座煤矿，公司成为集采煤、洗煤、制焦、发电和宾馆服务为一体的集团化企业。公司固定资产 10000 万元，年产冶金焦 40 万吨，累计实现工业总产值 26000 万元，实现利税 5400 万元；全年工业总产值达 9069 万元，实现利税 2070 万元，上缴税金 1501 万元，被授予全省“优秀厂长（经理）”。

赵　乙

赵乙，原名何志坚，男，运城市张岳人，1921 年 11 月生，中共党员。国家一级导演、中国戏剧家协会理事、中国戏剧文学学会会员、省剧协理事、省文联委员、中华梨园学研究会顾问、山西省“五一劳动奖章”获得者。

赵乙 1941 年参加革命，1948 年任晋南文工团团长，1952 年任晋南蒲剧团团长，后任晋南剧协副主席、晋南文化局副局长、蒲剧院副院长兼蒲剧院青年团团长；中共十一届三中全会后蒲剧院恢复，任蒲剧院院长，1990 年 5 月离休。抗战期间，排演了大量的抗日戏剧和说唱节目；1979 年 12 月与杜波、李安华合作编导的《麟骨床》荣获中央文化部建国 30 周年献庆演出“二等奖”，山西人民出版社出版单行本；1985 年导演的《挂画》荣获中央文化部 1985 年戏剧调演评比小戏“导演奖”；1988 年参与蒲剧电影《烟花泪》的编导工作。

李宝文

李宝文，男，1954 年 6 月生，山西武乡人，中共党员，清华大学毕业，高级政工师，临钢、新临钢公司总经理、党委书记，2000 年获“山西省五一劳动奖章”，并被省政府授予“山西省优秀企业家”称号。

李宝文曾长期在太钢工作，1995 年 7 月任临钢党委书记。1998 年以来，制订并实施“低成本、高质量、快速度”发展战略和“四年三步走”发展目标，开展“抓管理、降成本、强素质、增效益”为主要内容的长短距离劳动竞赛，开展大规模的技术比武，提高职工技术素质和操作技能。钢、铁产量分别由1998年的48万吨、56万吨增加到2000年的74万吨和78万吨。炼钢钢铁消耗1073Kg/t，在全国53家大中型钢铁企业中排在第6位；炉衬寿命从1998年的1094炉提高到2000年的4403炉，主要技术指标跨入全国同类企业先进行列。销售收入连续两年突破100000万元，2000年实现利税16095万元，比1999年增长38.71%；实现利润3480万元，较1999年增利1434万元。6000立方米制氧机、380立方米高炉等多项技改工程实现了高起点、高质量、高速度。建楼房26栋，1400多户职工家属喜迁新居。新临钢已步入良性发展轨道，成为山西省扭亏脱困的典型。1999年省被政府授予"山西省优秀厂长（经理）"和"山西省优秀企业经营者"称号，1997年、1998年、1999年获得"全国冶金企业优秀思想政治工作者"称号。

宣为民

宣为民，1955年生，乡宁县光华镇七郎庙村人，中共党员，临汾工商联副会长，山西省特级劳动模范。

1974年任七郎庙村副支书、村长、支部书记；1985年任乡宁县光华镇振兴煤矿矿长、焦化厂厂长、汽车队队长；1990年任乡宁县地方国营宽水铁厂厂长、冶炼总公司经理；1992年任乡宁县县长助理；1993年当选乡宁县人大代表；1995年任行署乡镇局副局长；1998年任地区工商联副会长。兴办五洲酒店、五洲超市、五洲休闲广场、正和信用担保公司等产业，对全区民营经济发展起到带头作用。1993年被评为山西省优秀企业家，1999年被授予山西省抗洪救灾功臣。

李学桂

李学桂，1941年生，中共党员，高级政工师，山西焦化集团有限公司党委书记，荣获"全国优秀企业思想政治工作者"称号。

1998年，公司完成工业总产值23151万元，实现销售收入34173万元，实现利税3360万元，上缴利税5442万元，实现利润456万元。坚持以生产经营为中心，两个文明建设一起抓，实现了公司工作的"一盘棋"和两个文明建设的"双丰收"。在企业改革中，李学桂坚持以基层党组织为核心，深入基层，深入职工群众，使广大职工能够理解和支持公司的改革措施和大政方针。荣获"山西省优秀思想政治工作者"、"山西省个人一等功"等，1998年公司被省委、省政府授予"山西省先进集体"、"山西省模范单位"和"山西省优秀企业"称号。

赖保成

赖保成，1951年生，河南省孟津县人，大学文化，中共党员，高级政工师、高级经济师。临汾地区城镇集体工业联合社（总会）党委书记、会长、主任。2000年被国家人事部、国家轻工业局授予"全国轻工系统先进工作者"荣誉称号。1985年以来有多篇论文在国家、省级报刊发表。

王善北

王善北，1935年生，河北省景县人，中共党员，平阳中学校长、党支部书记，全国优秀教师。

1960年毕业于中国人民大学国际政治系，同年分配到蒲县中学，先后任语文、政治教师、副校长、校长。1984年任蒲县政协副主席，1987年9月调临汾一中任政治教师，兼党支部书记、党委委员、校务委员会副主任。1990年被评为山西省优秀教师，1992年被评为全国优秀教师，1994年被评为中学特级教师，1995年退休。论文《试论高考政治卷中的失误》载江西教育出版社《高考失误谈》一书；《如何做论述题》载北京科技出版社《高考指导丛书》；编写的高考资料计30万字，先后由山西人民出版社、北京师范大学出版社、陕西人民出版社编辑出版。

孟　飞

孟飞，1955年生，浮山县人，中共党员，平阳中学副校长兼任平阳中学董事会副董事长，全国优秀教师。

1978年毕业于山西师范学院化学系，同年被分配到临汾一中，先后任教研组长、年级组长、教导处副主任。1992年被评为高级教师，1995年获临汾地区教学名师一等奖，1997年被评为全国优秀教师，1999年被评为中学特级教师。承担中央电教馆"九五"课题《运用现代教育技术，构建新型教学模式，大面积提高教学质量》和"十五"期间省级课题《学生自主学习指导与评价》、《问题式学习模式与学生发展的评价》等重点课题的研究。2000年10月，在省现代教育技术年会《多媒体技术在化学教学中的尝识》中，论文和化学多媒体课件均获一等奖。撰写的学术论文《金属活动顺序在化学教学中的运用》（1983年）、《初中"绪言"课的教学体会》（1984）、《化学教学中为何进行德育渗透》（1991年）、《探究式教学的思考》（1992年）等，先后在山西省化学年会、山西教育出版社、山西人民出版社、北京科技出版社、内蒙古少儿出版社、华东师大出版社出版的丛书中采编计约80万字。

许爱英

许爱英，女，襄汾县古城人，1960年10月生，中共党员，省文联委员、省剧协委员、国家一级演员，眉户团团长兼支部书记，省劳动模范。全省惟一获"梅花奖"、"文华奖"、"白玉兰奖"3项大奖于一身的艺术家。

1979 年毕业于临汾艺校，随后到临汾地区眉户剧团工作至今。1991 年 5 月获全国现代戏观摩演出“优秀表演奖”；1992 年 5 月获省“优秀文艺工作者”称号；1992 年 10 月获秦、晋、豫首届“金三角”交流演出“优秀表演奖”；1992 年 7 月获上海第三届“白玉兰奖”；1993 年 5 月获中央文化部第三届“文华奖”；同年 6 月获第八届全国戏曲电视剧“一等奖”；1995 年获山西省首届跨世纪“文艺新星奖”；1997 年获省剧协调演“优秀表演奖”；1998 年获省劳模；同年 7 月获省“好团长奖”，2000 年主演的《祥林嫂》获全省“五个一工程奖”。论文《我酷爱的戏曲艺术》、《演员的二度创作》、《我的艺术追求》、《用心构筑人生的彩虹》等在《山西日报》上发表。

崔彩彩

崔彩彩，女，1959 年 9 月生，永济人，国家一级演员，中国戏剧“梅花奖”获得者，中国戏剧家协会会员。

1975 年毕业于临汾地区艺术学校戏剧表演班，工小旦、刀马旦。参加第四届中国戏剧节荣获“优秀表演奖”；1996 年获第十三届中国戏剧“梅花奖”，地区劳动竞赛委员会记“特等功”一次；1997 年获山西省“五一劳动奖章”，被评为山西省“跨世纪戏剧新星”，“优秀专家拔尖人才”；1999 年与小上共同创作眉户大型现代戏《凤凰岭》，获省建国五十周年戏剧调演“优秀剧目奖”、“优秀编剧奖（一等奖)”、“五个一工程奖”。曾主演《杨门女将》、《小刀会》、《杨七娘》、《三篙恨》、《孙成打酒》、《火焰驹》、《薛刚反唐》、《救裴生》、《双锁山》、《蝴蝶杯》、《杀嫂》，现代戏《杜鹃山》、《山花》等二十多个主要角色。1978 年饰演《杨门女将》穆桂英被团中央命名为全国“新长征突击手”；1982 年在《救裴生》中饰李慧娘获山西省“最佳青年演员奖”。

商中有

商中有，笔名小上，男，河北沧州人，1956 年 8 月生，中共党员，临汾眉户剧团编剧，国家一级编剧，中国戏剧家协会会员，中国戏剧文学学会会员，中国少数民族戏剧学会会员。

商中有 1973 年 12 月入伍，1985 年考入西北大学中文系。1987 年以来，先后创作现代戏《两个女人和一个男人》、《帮工与主人》、《山凹人家》、《凤凰岭》，古装戏《初定中原》等大型戏曲剧本 9 部。戏曲电视剧、广播剧、改编剧本多部，先后获国家奖 10 次、省以上级别奖 12 次。其中《两个女人和一个男人》1990 年 4 月被文化部评为新时期全国 1 0 个优秀现代戏。1992 年获首届秦、晋、豫黄河“金三角”3 省戏剧调演，编剧奖第一名，1993 年获第三届全国“文华奖”及剧作奖。1996 年被评为省“跨世纪文艺新星”。1999 年山西省劳动竞赛委员会记特等功一次。

任保才

任保才，临汾石油公司经理，2000 年荣获山西省“五一劳动奖章”。

任保才担任石油公司经理以来，带领公司员工，拓宽经营领域，加强企业管理，使企业不断发展壮大。兴建了大型油库，开办集住宿、餐饮、娱乐为一体涉外三星级黄河大酒店，创办年产 6 万吨优质生铁的翼城城东钢铁厂，筹建的润滑油公司、煤炭公司、运输公司等经营实体，形成了贸、工、商为一体的综合经营格局。1998 年～2000 年，连续三年销售量、零售量、利税、利润均创历史最好水平，在全省系统排名第一。2000 年被中国石油化工集团公司评为“先进集体”，在全省系统独享此誉。2000 年被山西省委、省政府授予“特级劳模”、“劳动模范”、“优秀企业家”称号；被省劳动竞赛委员会荣记“特、一、二、三等功”各一次。

县（市）简介

临汾市

（11月1日更名尧都区）

【概况】 临汾市位于山西南部，地处临汾盆地中央。全市辖25个乡镇、8个街道办事处，总面积为1296.2平方公里，总人口为72.53万人。

全年完成国内生产总值421500万元，比1999年增长12.2%；城镇居民人均可支配收入4582元，比1999年增长10.34%；农民人均纯收入达到2673.2元，增长7.32%。农业方面：粮食种植面积71.31万亩，总产13.43万吨，减产30%，其中夏糖总产6.96万吨，秋粮总产6.47万吨；棉花产量154吨，油料产量3809吨，蔬菜总产16.99万吨，水果总产3.91万吨。经调产，粮经结构比由8:2调整为7:3。全年四旁植树371万株，造林1901公顷；养殖业，年末存栏大牲畜38323头，猪62381头，羊79110只，家禽1900466只，兔99538只，蜂1466箱；主要畜产品量，肉类6618吨，蛋类7568吨，奶类2436吨，水产品855吨。水利建设，新增和改善水浇地面积3.8万亩，发展节水面积2万亩，建成21处人畜吃水工程，培育水保庄园127处，拍卖“四荒”8万亩，完成水土流失治理面积5.23万亩。农业机构，农机总动力达到47万千瓦，比1999增加8%。土地管理，国土收益1070万元，开发国有土地600余亩，实现耕地总量动态平衡。农林牧渔业总产值达到29185万元。工业方面：规模以上工业增加值91203万元，产品销售产值320435万元，实现销售收入318511万元。主要产品产量，原煤183.22万吨、洗精煤169.73万吨、生产钢74万吨、焦炭227.32万吨、生铁219.61万吨、水泥57.92万吨、布3955.53万米。四级以上建筑施工企业完成建筑总产值46356万元，工程施工个数396个，实现利税452万元。商业贸易方面：社会消费品零售总额180200万元，其中市属零售额113571万元。按经济类型分，国有经济完成36244万元，集体经济完成5948万元，私营经济完成987万元，个体经济完成63541万元，股份制经济完成46627万元，其它经济完成26875万元。总收入完成41620万元，保持全省领先位置，收支当年基本平衡；各项存款余额804437万元，贷款余额505875万元，人均储蓄存款8461元。城市人均消费性支出3607.08元，农村人均消费性支出1085.6元。

【城市建设】 解放路拓宽改造工程，投资1100万元，全长1800米，道路面积6.8万平方米；平阳东广场改扩建工程，投资1250万元，包括地下人防工程，总面积为7500平方米的地面工程；广场喷泉中心新世纪彩钢雕塑、2000年纪念碑，各具特色，引人瞩目；平阳北街拓宽改造工程，全长1400米，总面积2.3万平方米；青狮南街拓宽改造工程，投资3000万元，全长380多米，新建12幢商住楼；兵站路翻修改造工程，投资100万元，铺筑沥青路面400米。

【交通邮电】 平阳汾河大桥东段路面铺设完工通车，祁临高速公路征地拆迁开始。新建改建公路14.1千米，通车里程达到1374千米。公路客运量417.4万人次，货运量1181.1万吨。公共汽车营运车辆157部、客运总量2621万人次。出租车辆1468部。邮电业务总量27849万元，年末电话机85044部，移动电话用户3万户。

【教育改革】 进行中小学人事制度改革，择优聘任教师4936名，分流教师116名，移交市教育人才交流中心85名，辞退代教256名，除名14人，录用88名。5000余名专任教师通过职业技能考核，取得教学基本功合格证书。95%中小学校长取得培训上岗证书。培养出50名学科带头人、250名骨干教师，选送国家级骨干教师培训对象5名、省级培训对象23名。

【尧文化开发】 祭尧暨海峡两岸首届尧文化研讨会，3月29日～4月1日在尧都广场举行。国务院、省台湾事务办公室、中国社科院及地、市领导和数万群众参加祭尧活动。海内外50余名专家学者参加尧文化学术研讨会，交流论文70余篇。浇铸中华帝尧钟和购置中华帝尧楼置放尧宫。行署公布陶寺类型下靳基地为市（县）级文物保护单位。仙洞沟大嶂谷开发新景点工作开始。7月18日，中国2000年委员会在北京钓鱼台国宾馆向本市（区）赠献0001号汉白玉“世纪华表”，代市长宿青平出席赠接仪式。

【公安司法工作】 公安局连续第5年荣获全国优秀公安局称号。法院全年受理刑事、民事、经行政、申诉案件3501件，审结2840件。召开4次公判大会，宣判29案51名严重刑事犯罪分子。检察院全年立案侦察贪污，贿赂等经济犯罪案件42件、玩忽职守等案8件8人，为国家挽回经济损失1000余万元；受理移送审查批捕案件463案782人，向法院提起公诉329案514人，移送检察分院审查起诉特大刑事案件32案92人；检察院被评为全国检察机关“人民满意的检察院”。人武部党委被北京军区评为“先进党委”。

【市长热线开通】 6月19日零点整市长热线开通，全天受理热线电话432件，平均每小时18件，涉及居民日常生活、环境污染、经济纠纷、案件投诉、市场秩序、市容整顿、市政建设、物业管理、问题建议及综合性社会问题等诸多方面。对市民反映的情况和问题，市政府都按相关部门职能和规定向市民做出负责任的解答或处理，受到市民广泛欢迎、肯定和支持。

【保护性耕作技术示范】 1992 年～2000 年由中国农大、省农机局、澳大利亚昆士大学共同研究开发旱地农业新项目、新技术在本市示范推广，区域包括城隍、县底、太阳、魏村、大苏、贾得、贺家庄、段店、东张、良种场、土门等 10 多个乡镇，2 万余亩。小麦增产幅度为 80.3%，农民增收 80 余万元。经国家农业部、省科委鉴定达国际农业科技领先水平。

【环保年活动】 市内关闭淘汰设施落后、污染严重工业企业 461 家。贡院西街 34 家饭店全部使用煤气、液化石油气，成为餐饮燃气一条街。拔掉“黑烟”261 根，治理改造茶（浴）炉 160 台。253 家饭店、食堂大灶、大多数手烧式锅炉改用清洁燃料，101 台机烧式锅炉安装脱琉除尘器，使用低硫灰优质燃料。

（李百玉）

·市领导人名单·

市委书记	段克己
市人大常委会主任	李吉秀
市长	宿青平
市政协主席	卫喜才

侯马市

【概况】 侯马市位于临汾盆地南沿，东毗曲沃，西邻新绛，南连闻喜，北望襄汾，面积 274 平方公里，境内平原占 89%，丘陵 11%。汾河、浍河流经本市，南同蒲铁路纵贯南北，侯西、侯月铁路横穿东西，大运、晋韩干线公路交叉穿境而过。全市辖 5 乡、5 个街道办事处、81 个行政村。总人口 220372 人，其中非农业人口 110236 人。

国内生产总值 143625 万元，按可比价计算增长 12.3%，比 1999 年增长 16.8%；粮食总产量 55233 吨，同比增产 139 吨，增长 0.3%（其中：夏粮增产 923 吨，增长 2.9%；秋粮减少 790 吨，下降 3.5%）；棉花下降 10.1%，油料增长 16.6%，蔬菜增长 2.5%，水果增长 14.6%。工业增加值 52215 万元，增长 18.3%；工业销售收入 88805 万元，增长 36.6%，实现利税 3095 万元，增长 42.7%。社会消费品零售总额 113943 万元，增长 4.6%，剔除价格下降因素，实际增长 7%；财政总收入 13660 万元，增长 14.4%；城镇居民人均可支配收入 4314 元，增长 10.5%，剔除物价下降因素，实际增长 13%。农民人均生活消费支出 1289 元，增长 33.5%，剔除物价下降因素，实际增长 36.2%。

【产业结构调整】 市委、市政府以提高经济增长的质量和效益为中心，大力推进经济体制和经济增长方式的转变，提高一产效益，增强二产活力，发展三产规模，培育新的经济增长点，培育优势产业、优势产品和优势企业，进而实现产业结构的优化和升级，逐步建立适合本市特点的产业体系、支撑本市经济发展的现代企业群和产品群，提高了全市经济的整体素质和竞争能力。

农业：以优质高效农产品为重点，以农业产业化为主线，以龙头企业为先导，以中介组织为纽带，以订单农业为特征，以主导潜力产品为切入点，集中力量抓了大蒜、大葱、甘草三大标志性产品的集中连片区域化种植，规模化经营，专业化管理和科技化服务。发展大蒜 1989 亩，大葱 2050 亩，甘草 1400 亩。长青菜果冷藏有限公司和利信甘草种植加工有限公司与农户签定产销合同，明确最低保护价，争取到给予底垫种子、化肥、薄膜，开拓出一条合同农业、订单农业的市场农业路子，逐步形成了龙头带基地，基地连农户，产加销一体化经营的格局。

工业：继续坚持发展“两高一低”（高科技含量、高效益、低污染）产业，进一步加大工作力度，不断推进“232”重点调产工程。全市共启动实施了 12 个重点调产项目，其中机焦项目 3 个，高炉扩产改造项目 1 个，生化项目 2 个，医药扩产改造项目 2 个，农副产品加工项目 1 个，生产线改造项目 1 个，机械铸造项目 1 个，电厂改造项目 1 个。晋光制药厂 20 亿粒猴头健胃灵扩产和瑞洁生化公司年产 3000 吨 L-乳酸两个项目被列入省潜力产品，大利焦化厂 50 万吨机焦炉和平阳制药厂 10 亿片男康片扩产两个项目被列入地区潜力产品，这些项目总投资 78000 万元，新增产值 150000 万元，利润 12000 万元，税金 21000 万元。12 个重点项目中，已经完工的有 5 个，建设中的有 5 个，做前期准备工作的有 2 个。

商业：坚持以加强市场监管、规范市场收费、改善经营环境为突破口，促进了市场的繁荣和稳定。全市进入市场经营的工商户达到 1 万余户，从业人员达 3 万余人，占全市总人口的 13.6%。建材市场和桥头市场建成并投入运营。秦村家具村、垤上裤子村、隘口皮革村等一批以从事市场加工业为主的专业村快速兴起。市场成交额突破 180000 万元，实现各种税费 3000 万元，占全市财政收入的 $^1/_5$。

【城乡基础建设】 紧紧围绕“建设工程项目年”活动，千方百计融集资金，加大投入，城市基础设施建设的步伐明显加快。在城市绿化方面，完成了新田路、程王路等街道的新植和补植任务，城市绿化覆盖率提高到 28%。占地 100 余亩的文锦苑小区和省建一公司“新田”小区建设进展顺利，望桥北街续建、晋都西路修建和文明路新建的任务基本完成。城市广场、侯马经济技术开发区、上马乡小城镇建设和霍侯路城市段用地 4 个区域规划初步完成。东风路、旧城北街、浍滨街东侧 5 个区段改造基本竣工。日处理 2 万吨的污水处理厂、南杨水源地扩建、凤城小城镇建设等 6 项协助工程都有新的进展。下半年，侯马市组织实施了以城市绿化综合整治为重点的“1142”工程和农田水利基本建设“11833”

工程。城市绿化工程即新建一座占地 150 亩的城市广场，在霍侯路通往新田东路两侧各 20 米内建设一条绿色通道，在城市主要街道两侧拆除固定、临时建筑 4 万余平方米，通过拆迁、整地，全市新增绿地 20 余万平方米。到年底，全市共拆除房屋 42266 平方米，拆除围墙 2314 延长米，圆满完成了城市绿化第一阶段的拆迁工作。以治汾、节水和农业综合开发为重点的农田水利基本建设工程，实施了开挖 12 千米长的"北水南调"工程干渠，完成了喷灌节水 1 万亩，改造 8 千亩中低产田，大平大整 3 百亩汾河滩涂，造地 3 百亩。

【环境达标工作】 以"一控双达标"工作为中心，组织开展治环境"三大战役"，按照"以大带小，以重带轻，典型示范，整体推进"的工作思路，着重抓了炼铁、炼焦、水泥、铸造 4 大行业和 35 个重点项目的治理。在全市 10 家 15 立方以上炼铁企业中，重点抓了建邦集团 24 平方米环式烧结和驿桥铁厂烟气治理经验的推广；在 10 家铸造企业中，推广了小里春风铸造厂的炉气除尘技术；在炼焦行业，重点抓了大利焦化厂 20 万吨焦炉的除尘项目；在水泥行业，重点抓了汇丰水泥厂粉尘的高压静电除尘项目。全市 87 家限期达标企业中，有 59 家企业通过了省、地、市达标验收，25 家未采取任何限期治理措施的企业，在"6·5"关停行动中被全部查封，剩余 3 家企业的限期治理达标接近尾声，企业达标面达 96.3%。

为加快城市低空面源污染的治理，按照市委、市政府以调整燃料结构为重点对锅炉、手烧炉和营业性炉灶烟尘治理为主，由环保、工商、公安部门抽人组成的城市综合整治联合执法队，共查封锅炉 18 台，营业性炉灶 25 处，没收烟煤 200 余吨，涌现出了春景浴池、怡鑫宾馆、3606 宾馆等一批调燃先进典型。平阳机械厂、侯马电缆厂、侯马发电厂、3606、中条山侯马冶炼厂等排水大户普遍加大了资金投入，保证了污水处理设施的正常运转，做到了稳定达标排放。全市 8 大医院都加强了对污水处理设施的管理，健全了制度，保证了排污设施的正常运转。在突出治理老污染的同时，严格坚持"三同时"原则，加大对新建项目环境监控和管理，有效地防止了新污染的发生。

·市领导人名单·

市委书记	赵建民
市人大常委会主任	米耀景
市长	张如意
市政协主席	李亚光

霍州市

【概况】 霍州市位于山西省中南部，地处临汾、晋中盆地交界，地跨东径 111°，北纬 36° 34′，地势由东北向西南倾斜，分为山地、丘陵、平原 3 部分。东倚太岳山，与沁源县、古县毗邻；西跨汾河，与汾西县接壤；北籍韩信岭，和灵石县交界；南扼白壁关，同洪洞县相连。全市总面积 765 平方公里，其中耕地占 35%，林地占 48%，座落在市境东部的霍山为天然林区，境内面积 37 万亩。全市辖有 1 个街道办事处、5 个镇、7 个乡，217 个行政村。全市总人口为 279172 人，其中男性 145597 人，女性 133575 人，总户数 68475 户，非农业人口 94057 人。

全年国内生产总值完成 142612 万元，比 1999 年增长 102.2%；工农业总产值完成 143600 万元，地方工业实现利税 1371 万元，乡镇企业增加值完成 43966 万元，社会消费品零售总额完成 33481 万元，财政总收入 11637 万元，粮食总产量 49351 吨，农民人均纯收入 2642 元。

【农业结构调整】 农业结构调整，呈现以"沿山林药，中部粮食，沿川蔬菜，近郊养殖" 5 大特色的农业园区。围绕农业解放，农民增收和农村稳定 3 个重点，增加农业收入，大搞农田水利基本建设，推广普及农业实用技术，积极调整农业结构。一是粮食生产园区，建设了 4000 亩良种繁育基地，小麦播种 18 万亩，小杂粮及经济作物面积扩大到 5 万亩；二是林业生产园区，栽植梨枣 8 万株，核桃、花椒 7 万株，引进试种了黑福石李、中华寿桃等名优品种；三是药材种植园区，推广药材种植面积 300 亩；四是蔬菜生产园区，播种面积 3.3 万亩，其中大葱种植 1.2 万亩；五是畜牧养殖园区，发展千头猪场 3 个，万只鸡场 3 个，百只养羊场 10 个，新增特种养殖户 35 户。

在财力紧张的情况下，争取上级部门投入 231 万元，用于以汾河滩涂开发为主的农田水利基本建设，共改造中低产田 7500 亩，营造经济林 6800 亩，新增水浇地 5500 亩，农业新技术推广 80000 亩。粮食自给工程三教垣和十里铺项目区已初见成效。退沙、北益昌、上辛庄等蔬菜基地建设已形成规模，推进了传统农业向现代化大农业的发展。加快农业基础建设，先后完成人畜吃水解困工程，上乐坪垣 7000 亩节水园区建设，十里铺垣 5000 亩节水园区建设，小流域治理工程建设。建设供水设施，解决 18000 人，3000 多头大牲畜的吃水困难；造林绿化工作取得新成绩，共完成造林面积 1067 公顷，其中营造经济林 382 公顷，幼林抚育面积 108 公顷，初步完成了霍侯一级公路通道绿化工程。畜牧业生产稳步发展，肉类总产量 3214 吨；奶类产量 405 吨，比 1999 年增长 11.3%，禽蛋产量 1412 吨，比 1999 年增长 11.8%；年末，生猪存栏 32017 头，羊存栏 43552 头，增长 8.5%；大牲畜存栏 10910 头，增长 0.3%。农业生产条件继续改善，全市农业机械总动力 11.1 万千瓦，与 1999 年持平。一批规模骨干企业迅速壮大，逐步走向良性发展轨道，乡镇企业增加值 43965 万元，比 1999 年增长 12.3%，上缴税金 1707 万元。

【工业结构调整】 工业生产回升明显。紧紧抓住国际、国内市场需求回升的机遇，坚持总量控制、改造升级的方针，加快结构调整步伐，以煤、焦、铁传统产业改造为主攻方向，新上万吨钾盐科技含量较高的调产项目；完成化工公司10万吨尿素、紫云公司20万吨机焦、旺达实业有限公司80立方米炼铁炉、增祥冶炼公司65立方米炼铁炉和宏兴冶炼公司65立方米铁炉改造9个重点调产项目，全年全部工业总产值完成76640.9万元，企业实现销售收入122623万元，实现利税16027万元，增长12.9%。

【城市规范化建设】 城市基础建设总投资7800万元，实施霍侯一级公路河西段现代化城市街道建设工程，白龙小城镇建设，城市供水和城乡电网改造工程、永安大街续建工程，进一步增加了城市综合功能。公路交通建设，完成了城市大街路面修复、旅游路建设和霍沁路立项审批，建设南涧河桥，祁临高速公路9.2千米三级公路，全区实现了城乡环境规范化、一体化管理。

【科技普及化与招商引资】 实施科技兴市战略，重点推广9项农业科技成果，建设6大科技示范园区；在服务粮食产业上，引进小麦新品种49个，推广优种10万亩，推广蔬菜新品种10多种。

把优化环境、扩大开放列入议事日程，先后制定出台《关于进一步优化投资环境，扩大对外开放的实施意见》，以更加优惠的政策，进一步加强对外开放的吸引力，为外商创造宽松的发展环境，再次大力实施“走出去”战略，通过内外客商签订合作协议30余项，立项引资10000万元。年底有青岛、北京、东北、太原、运城等8家投资商落户霍州。

【文教卫生】 教育“两基”成果得到巩固，教学质量明显提高。中、高考成绩及职业教育继续保持全区先进，建设6所“四化”达标学校，教育内部体制改革顺利完成。文化、广播、电视事业健康繁荣，全年进一步加大扫黄打非力度，坚决打击“法轮功”等邪教组织，积极清理文化市场，组织开展了丰富多彩、蓬勃向上的文艺表演竞赛活动23次。卫生事业持续发展，全市实现消除碘缺乏阶段目标，医院全部实行了病人选医生和住院病人医药费用清单制度，药品集中招标采购。

【旅游业开发】 开发了悬泉山、陶唐峪、霍州署、鼓楼等旅游景点，成功举办了“中镇霍山·华夏州署”首届旅游月活动，与河北保定市、河南内乡县联合举办了中国古代四大官衙国际旅游专线踩线仪式，吸引华侨、港、澳、台260人，国内参观人数络绎不绝。旅游月的开发带动了其它行业的发展，商店、宾馆、交通、饮食等服务业都比1999年有所增长。

【环境保护】 以国务院确定的“一控双达标”世纪环保目标为主线，依法行政，严格执法，全方位组织实施关停达标和治理达标，先后取缔小耐火窑15座，土焦炉23座，淘汰75、89型焦炉，并炸毁烟囱50余根，重点建设了集中供热一期工程和煤气过河西工程，环境恶化的趋势有所遏制。

【社会治安综合治理】 全市建成安全文明小区32个，安全文明村73个，辛置、东城、城南、白龙、什林等都实行了微机操作、规范化管理。坚持上项目，调结构，振兴霍州经济为中心同时，反腐败工作紧抓不懈，在全区系统考核中市反贪局名列全区第一，反贪侦查23件25人，所查办案件全部移送起诉，通过办案为国家挽回经济损失100余万元，保障和促进经济发展和社会稳定。

【工程项目建设】

1．霍州市化工公司尿素10改20改造项目。该项目总投资4988万元，其中自筹1988万元，贷款3000万元。4月经省经贸委立项，8月完成项目可研报告评审，10月完成环评报告书评审。截至2000年底，项目土建工程已进入扫尾阶段，设备已安装完毕。项目建成后，吨尿素的成本可降到800元，年可新增销售收入7800万元，新增利税1200万元。

2．文通化工有限公司年产1万吨粒状碳酸钾生产线项目，总投资5600万元，2000年完成投资2790万元，其中自筹1690万元，贷款1100万元，目前已点火试产。该项目投产后，年可实现产值5000万元，利税1650万元。

3．绿色通道工程建设项目。项目总投资676万元，全长19.677千米。其中一期工程9.15千米，二期10.517千米，共栽植白皮松、毛白杨、漳河柳、雪松、法桐、侧柏、紫微等36种、18万株，成活率和保存率均在92%以上，该项目受到省、地领导的高度评价。

4．人畜吃水解困工程。针对2000年旱情十分严重的实际，在全市开展“结对帮扶、抗旱自救”活动，组织26个市直机关、条管单位与旱灾最严重的27个村结对帮扶，共投资100万元，铺设管道4.63万米，新打、维修水井8眼，新建、维修蓄水池19座，截潜流8处，解决了32个村、18000多人口、3000多头大牲畜的吃水困难问题，受到社会各界人士和人民群众的高度评价。

5．城市大街路面修复工程，总投资250万元，主要包括东、西、南、北4条大街、观坡街、车站路、体委坡共3700米、47000平方米，共计投入机械420台班，人工2520工日，动土石方1300立方米，消耗沥青412吨，碎石2800立方米，水泥80吨，砂砾12000立方米，该工程于2000年9月完工。

6．农网建设与改造工程，总投资3648万元，对全市中低压供电设施及用户进户供电设施进行改造，年底完成6条线路，共计71千米、0.4千伏农村低压线路，283千米、163个村、41598户的改造任务。该工程项目的完成，将为彻底改善本市供电落后的现状及电力体制改革奠定坚实的基础。

7．集中供热工程。工程总投资1425万元，供热面积达40万平方米，其中一期工程铺设管道3000余米，新上了3台、10吨锅炉、供热能力达22万平米。该工程全部完成后，可取代市区供热区内的普通采暖锅炉100多台，节约用地20亩，每年可减少SO_2排放量500吨，粉尘污染325吨，改善大气环境质量。

8．城市供水工程。工程是国家计委立项投资的“双千亿”重点项目之一。总投资3500万元，建设规模小，日供水4.8万立方米，年底新打机井4眼、安装管道3000余米，完成4座2000立方米清水池、累计完成投资1800万元。该工程全部完成后，将会大大改善城市供水不足状况。

9．上乐坪节水园区建设工程。工程总投资195万元，其中群众自筹56万元，新打配套水井6眼，埋设地下管道44.5千米，架设输变电线2.2千米，建管灌出水口池660个，新修田间路8条，长10千米，路旁植树5000株，累计完成土石方工程量3.7万立方米，投工2.7万个，完成中低田改造7000亩。该工程完成后，年可增产粮食275吨、棉花12.5吨、蔬菜1000吨，增产值可达110余万元。

（师雪峰、乔小安）

·市领导人名单·

市委书记	王月喜
市人大常务会主任	房安国
市长	梁若皓
市政协主席	董天录

曲沃县

【概况】 曲沃县位于临汾盆地南端，北依塔儿山、乔山和襄汾为界，南靠紫金山同降县为邻，东与翼城接址，西南与侯马市毗连，全县总面积430平方公里，总人口22万，辖11个乡镇，158个行政村。

全县人民认真贯彻中共十五大和十五届五中人会精神，把握大局，励精图治以维护社会稳定为前提，以抓好潜力产品、调整结构为突破口，以抓好财政收入和经济增长为中心，继续引深“打基础、调结构、治环境”三件大事，带领全县干部群众锐意进取，顽强拼搏，取得了“两个重点，9个产品，4个工程”的全面胜利。全县财政收入完成了7200万元，粮食总产量达到1.8亿斤，农民人均纯收入2650元。党的建设、民主法制建设和社会主义精神文明建设取得了明显成效。

【农业调产】 重点实施“二五十”计划。即：引深太子滩和汾可滩两个农业精品园区建设，规划建设5个棚区，大力发展“红五类”（红富士苹果、红提葡萄、远红宝红薯、红枣、三樱椒）经济作物，兴建成11个各具有特色的畜牧养殖小区。“二五十”计划进展顺利：太子滩精品园实施了以土墙砌砖加固，棚内砌渠，扩大无土栽培面积为主要内容的改造工程，集苗木繁育、花卉示范、特菜展示等功能为一体的具有高科技含量的“园名园”全面竣工，精品园区建设进一步上档升级；汾河滩立体种植、养殖场健康发展，百亩万只鸭场、百亩无籽西瓜示范园、百亩蒜瓜粮立体种植示范园，鸭蛋加工厂，饲料加工厂，一万平方米养殖水面钓鱼岛5项工程也已竣工，使曲沃县传统农业向旅游农业、高效农业方面发展迈进了一大步；在5个大棚区发展上，曲村镇、苏村乡已完成规划设计，北董的百亩大拱棚示范区也完成了规划设计。“红五类”经济作物都完成或超额完成了年初计划，春大葱、色素椒等经济作物新品种在曲沃县引种成功，市场效益较好。11个养殖小区也正加紧建设。7月，全区农业产业结构调整流动现场会在本县召开，地委、行署对曲沃县农业精品园区建设尤其是种植发展红提葡萄给予了高度评价。

【工业经济】 在抓好传统产业升级改造方面，一是巩固提高冶炼业的产业基础，适应产业规模发展的要求，积极上报和组织实施3个125立方米炼铁高炉的扩容改造，光彩铁业公司已完成炉座和炉腹改造。二是做好做大省地确定的潜力产品——离心铸管，加快了乔山2万吨管件项目和恒通新增3万吨铸管扩建工程。恒通公司3万吨铸管扩建工程设备已安装完毕，乔山公司管件项目一期工程已经投入试产。三是围绕水泥资源优势，加快了恒达70万吨水泥项目和长城水泥有限公司的12万吨高标号特种水泥项目建设。恒达70万吨水泥项目中一条生产线已完成土建工程。长城水泥有限公司完成了项目投资280万元；四是围绕石膏资源优势，加快了开瑞石膏公司纸面石膏板产品的扩张步伐，完成年产200万平方米的自动化生产线改造。在新产品开发方面，低聚麦牙糖产品投入生产；三川药业有限公司新药品生产项目，由县三晋企业公司与北京京顺房地产公司合作，在中国医科大学的科研支持下，投资1500万元，生产生物技术新特药品，已完成基建工程；扩建亚华制盖有限公司瓶盖生产线，已完成设备安装。除此之外，曲村镇高档粉丝生产项目，年产500万条网袋生产项目以及有较好市场前景的止脱洗发液的规模扩张等项目进展顺利。

【基础设施建设】 重点启动了3大市场建设。一是与江苏省海门市房地产开发公司联合，投资1600万元，占地50亩的全区最大的综合市场，主体正在建设。二是兴建占地面积8950平方米，建筑面积10500平方米的兴隆街农副产品交易市场，已投入运营。三是兴建占地面积7218平方米，建筑面积7781平方米，营业面积6724平方米的西关农机市场，也已投入使用。同时霍侯一级公路曲沃段通道绿化工程，投资210万元，栽植毛白杨、雪松等优种苗木2.8万株，在霍侯一级路两侧各建起了5条主林带，高标准、高质量地完成了二期主森带绿化任务，被评为“霍侯一级公路通道绿化先进单位”。

【精神文明建设】 在搞好“三讲”教育活动的同时，深入地开展创建“党建先进单位”活动，经县委验收，全县18个单位达标。对全县11个乡镇党委进行了集中整顿，促使乡镇党委完善了制度建设，转变了工作作风，提高了办事效率。在廉政建设方面，严格责任分解，明确责任范围，认真开展了“两清”工作，共清理移动电话159部，对四大班子领导干部的15辆小汽车也进行了清理。同时重点查处了一批严重违法违纪案件，共立案查 71 件，给予党政纪处分 69 人。在文明县城创建工作中，加大了城市管理力度，出台了有关规定，脏、乱、差现象得到了有效治理；在“双十星”文明创建主体活动中，对 20 家“十星级文明单位”进行了全面复查通报，推动了这一活动的升级上档工作。

【社会稳定工作】 政法部门从抓好队伍建设入手，对全县城 422 名政法干警进行了集中教育和清理整顿，并清退临时执法人员 72 名，辞退不适合作政法工作的干警 1 名。集中开展的“扫黄打非”、“打黑除恶”等系列专项斗争，全县共查处各类治安案件 271 起，查处违法人员 453 人，有效地打击和震慑了各种犯罪活动，社会治安秩序明显改善。针对影响社会稳定的不安定因素，在全县开展了“百日矛盾纠纷排查调处”活动，共调处矛盾纠纷 120 起，及时化解了各种矛盾，维护了全县社会稳定。以“四个民主”为主要内容的基层民主政治建设进一步完善提高，曲沃县农村基层民主政治建设取得的经验，在全区推广。信访工作案件的查结上报及时准确，查结率达 100%。

(张淑霞)

·县领导人名单·

县委书记	乔成家
县人大常委会主任	文尚龙
县长	薛愿兵
县政协主席	王震

翼城县

【概况】 翼城县位于山西省南部临汾盆地东沿，中条山和太岳山之间，境内平川、丘陵、山区皆有，大体各占 $^{1}/_{3}$。县域总面积 1170 平方公里，耕地 34 千公顷，辖 10 乡 6 镇，299 个村委会，总人口 29.3 万人，其中农业人口 24.4 万。资源丰富，曾是唐尧封地、晋国古都，是全省对外开放县(市)之一。

【农业调产】 一是全县以 6 个平川乡镇为重点，加上 4 个丘陵乡镇，共落实信用联社专项财政贴息贷款 600 万元，农民自筹 500 余万元，完成了 2000 个日光温室大棚建设任务。一批精细蔬菜陆续上市，有组织的营销工作全面展开，并取得良好效益。二是 1.33 千公顷干鲜果经济林建设任务全面落实。其中 400 公顷优质核桃的栽植基本完成，433.3 公顷红枣的面积、苗木、资金已经落实，开春后即可栽植；一千公顷以布朗李子、俄罗斯大果沙棘为主干品种的优质鲜果已完成栽植 400 公顷，其余苗木、资金基本落实。三是特色养殖业发展初具规模，成为增加农民收入的一条新途径。全县特色养殖的品种 30 余个，养殖户 1600 余户，其中年收入 5000 元以上的规模养殖户 30 余户。四是农业产业化龙头企业发展有了新进展。以红枣保鲜、贮运增值为主的董家洼尧森集团 800 吨气调保鲜库投入使用，果品蔬菜冷冻生产线正在紧张建设；集苗木供应、栽植技术服务、产品加工销售于一体的格瑞公司正在加紧施工，并同农民签订了 1.33 千公顷鲜水果种植、购销合同；以农民经纪人为主体的南唐符册生猪交易市场初具规模，日成交生猪达 100 头以上，已副射到周边 4 个省、市、29 个县(市)，成为全省最大的生猪交易集散地。

【工业调产】 按照“发挥比较优势，突出规模效益，加大科技含量，领先联合创新”的思路，全县积极组织实施“3455”工业调产发展战略，取得实质性进展。1. 总投资 950 万元的明亮钢铁厂金属球团炼铁新工艺项目启动，达产达效后，年上缴税金可达 800 万元以上。2. 总投资 600 万元的浍史二铁厂一种新材料、两种新工艺、属国内领先水平的真空近净铸项目，V 法铸造新工艺已投入批量生产，奥贝球铁铸造新材料、EPC 铸造新工艺正在抓紧建设。3. 总投资 4500 万元的山西宝业镁合金制品有限公司的镁合金压铸件项目，为国家“十五”规划攻关项目，已完成省内立项正在争取国家科委立项，一期工程总投资 1200 万元，已开工建设。4. 总投资 1500 万元的丰昆公司 30 平方米平面循环机烧结项目，设计年产烧结 30 万吨，已于年前投入生产。丰昆公司正在筹备新上 10 万吨出口精密铸造和 300 立方米炼铁高炉项目，并策划募股上市，这 3 大项目全部达产达效后，年产值可达到 50000 万元，利税 5000 万元，也是全区募股上市的首家民营企业。5. 投资 13000 万元的型煤加工项目，已完成土地预审和环评等准备工作，并通过专家论证，于 2001 年年初与加大拿大客商签订引资合作协议。6. 总投资 200 万元的北关欣达塑管厂聚乙烯新型管材项目和国营钢铁厂聚丙烯管材项目已试产成功，并通过国家有关部门鉴定，正在开拓市场。7. 总投资 200 万元的旅游针织系列用品生产线项目，由南韩客商提供主体设备并包销产品，年产值可达 1000 万元。8. 总投资 1000 万元的华尔铸造有限公司 3 万吨铸造扩建项目，由原来生产柴油机飞轮为主改造扩建调整为多缸机体为主，吨价位可增值两倍。9. 投资 393 万元的县水泥厂 10 万吨水泥生产线扩建项目已进展过半。10. 全县冶炼业规划建设 5 座 125 立方米以上炼铁高炉项目基本确定，上缴税金 2000 年上半年开工建设。以上重点工业调产项目总投资达 41000 万元，全部达产达效后年产值达 130000 万元，实现利税 15000 万元。有 27 家铁厂已经完成或基本完成土烧结治理改造，浍河、西城沟、高村沟西岸 155 家选矿厂全部取缔或搬迁，5 座 125 立方米以上炼铁高炉建成投产后，全县将对 50 立方米以下炼铁高炉全部按照国家环保政策予以关停取缔，环境污染状况将会从根本上得到改观。

【项目工作】 一是翼城县在全省农业产业化基地县项目竞标中 4 个月内“连中三元”，被列为国家旱作业示范基地市（县）、全省优质红小豆生产基地市（县）和优质商品猪生产基地市（县）。这 3 个基市

(县)建设项目总投资3389万元。二是争取基础设施建设项目投资取得可喜成绩。西闫至大河舜王坪42千米旅游公路建设项目已经省计委批准立项,该项目省补助投资1500万元,2001年3月可开工建设;省补助投资14万元的25000吨粮食储备库建设项目已经省计委批准立项;浍河滩造地333.3公顷项目已上报省国土资源厅。三是全县已经铺开的一些水、电、路等基础设施建设工程有了明显进展。在农田水利基本建设方面,全县共投入资金近2000万元,完成600余个日光温室输水工程、南唐和中卫的万亩节水灌溉工程、武池南水北调中线工程等重点工程建设。特别是带有标志性的浍河治理工程共动土石方15.5万立方米,完成河道治理5200米,筑土坝6500米。全县将通过3年的努力,把这条母亲河治理建设成为坝、路、林、田、水相配套的生态农业风景区。在公路建设上,完成了王续线下石至中卫段底层垫压和中王桥西端11万立方米垫土压实工程,开工建设了营里至里砦7.4千米二级油路建设工程,还拨出专款70万元用于县城绛源路世家庄段拆迁工程。为全面完成绛源路配套建设工程进行前期准备。全县低压电网改造工程基本完成,王庄35KV变电站、种子公司营业楼、生产资料公司营业楼的主体工程进展顺利。

【五项创新】 全县始终把全面实施观念创新、科技创新、体制创新、金融创新和环境创新,作为推动结构调整、促进经济发展的强大动力,收到明显效果。在观念创新上,在全县范围内广泛深入地开展了"发展必须抓调产,调产先要调思想"为主题的大讲座,并采取"请过来,走出去"的办法,一方面邀请对路的大专院校、科研单位的专家、教授、学者来本县举办科技调产讲座,指导调产工作,另一方面组织县、乡村三级干部的重点企业的厂长、经理到调产力度大、步伐快的县(市)观摩学习,更新观念,在全县上下形成了快调产、大发展,建设经济强县的可喜局面;在科技创新上,先后与国家机械科学研究院、北京科技大学、武汉科技大学、上海交通大学、山东钢铁设计研究院等单位达成全面科技合作或单项技术合作协议,为改造提升传统产业、开发高新技术产业、全面提高工农业生产科技含水量量开辟了新的途径;在机制创新上,积极探索国有企业、城镇集体企业改制新路子,对原国有针织总厂进行了公开拍卖,开创了全区县属国有企业彻底改制的先河;在金融创新上,积极争取人行、建行、信用联社等金融信贷资金和上级专项资金,充分利用财政贴息资金,巩固提高民营企业担保中心,千方百计调动民间资金,创造条件开展企业募股上市,从而为全县工农业调产开辟了新的融资渠道;在环境创新上,先后制定了加快调产优惠办法、开展院、县科技合作等配套措施,使企业的生产经营环境有了新的改善。

【精神文明建设】 教育工作积极推行中小学内部管理体制改革,建立教职工聘用制、尾数淘汰制、工资浮动制和民主监督机制等一系列新的管理制度,有效地调动了广大教职工的工作积极性。有4所学校达到省(市)级文明校标准,5所学校通过地区"四化"学校验收;体育工作顺利通过创建"全国体育先进县"检查验收,步入全国体育先进县行列;科普工作被命名为"全省科普示范县";计划生育工作积极推行"四定、一落实"责任制,促进了"三为主"工作整体水平的提高。全县人口自然增长率控制在3.91‰,实现了将全县人口控制在30万左右的既定目标。卫生工作全县14个乡镇卫生院均达到市"九五"规划发展要求,预防保健事业进一步发展,医疗水平进一步提高。广播电视工作完成了城区光缆改造烽NMPS网络加密、解密任务,并推出了一批新栏目,被授予全区"节目创新特别奖"。全县以创建三优文明县城为突破口,制定了"一点、一片、一线"创建方案,着力进行县城环境综合整治和精神文明建设,"三优"文明县城创建工作受到地委、行署表彰,文明村镇整体建设迈出可喜步伐,并涌现出一批园林化文明单位和文明村。全县严厉打击各类刑事犯罪和经济犯罪活动,严厉打击各种不法行为,切实减轻企业和农民负担,并不断引深反腐败斗争,对52案51人给予了党纪政纪处分,进一步端正了党风,惩治了腐败,净化了社会风气。

·县领导人名单·

县委书记	张北管
县人大常委会主任	郑延昌
县长	武保安
县政协主席	张宝安

襄汾县

【概况】 襄汾县是位于临汾盆地南面的平川农业大县。总面积1034平方公理,辖21个乡镇,349个村委会,总人口47.9万人,耕地面积89.15万亩。

襄汾县委、县政府坚持以江泽民"三个代表"的重要思想为指导,以"调结构、打基础、治环境"为中心,以"三讲"教育为动力,采取有力措施,突出抓了财政进人过多过滥的问题、非煤矿山管理混乱问题、基金会借款清收问题、以及环境治理、社会治安等热点、难点问题,抓住机遇,统筹安排,加快发展。全县国内生产总值达到177105万元,比1999年增长11.2%,其中:第一产业增加值为27844万元,下降9.4%;第二产业增加值为106841万元,上升17.5%;第三产业增加值为42420万元,上升9.3%。经济结构由1999年的19.0:57.4:23.6变为15.7:60.3:24.0;乡镇企业完成总产值315086万元,增长28.5%;乡镇企业上缴税金5927万元,净增1222万元;财政总收入11518万元,增长19%。其中:地方财政收入完成7021万元,增加21.2%;财政支出11532万元,增长14.9%;农业"四税"完成1361万元,增长9.2%;农民人均纯收入2310万元,增长 9.53%；城镇居民人均可支配收入 3913 元，增长 17.1%；社会消费品零售总额达到 33755 万元，增长 9.5%。

【农业】 以“三个转变”为目标，促使农业向多元化发展，全县农业总产值达 50166 万元。粮食作物种植面积 63.47 千公顷，比 1999 年增加 0.16 千公顷，粮食总产量达 177783 吨；完成人工造林面积 1700 公顷，比 1999 年增长 21.3%，森林覆盖率 20%，四旁植林 550 万株，新建和完善林网 23 万亩；农业机械总动力达 326014 千瓦；农田水利基本建设得到加强，新增水池 0.1 万亩，改善水池 2.8 万亩，实灌面积 62.5 万亩；年底大牲畜存栏 56104 头。

【工业】 全年全部工业增加值 94172 万元，增长 16.6%；全县工业产品销售产值 72741 万元，增长 14.2%；全年工业企业实现销售收入 61180 万元，增长 9.5%；实现利税 5558 万元，增长 37.2%，建筑业增加值 12669 万元，比 1999 年增长 34.7%。

固定资产投资总量继续增长。全年固定资产投资总额 42000 万元，再创历史最好年，比 1999 年增长 323.5%。全县工业完成总投资 34000 万元，先后上了 10 家机焦企业，改造 27 座 60 立方以上炼铁高炉，有色金属一、二期工程相继投产。全县投资项目 73 个，基本建设投资 7003 万元，更新改造 10834 万元，其他投资 24277 万元。

【交通邮电】 年底全县公路通车里程 914 千米，实现了乡乡通油路。全年完成客运量 153.7 万人次，客运周转量 4410 万人千米；完成货运量 171.2 万吨，货物周转量 4410 万吨千米。全年邮电业务总量 4131 万元，城乡电话用户达 21085 户，创历史最高记录。

【教育卫生】 全县共有学校 429 所，在校学生 76718 人，比 1999 年增长 1.5%，毕业学生 16532 人，比 1999 年增长 3.4%。全县教师的教学能力普遍提高，课堂教学达标率 82%。全面启动校园“四化”建设工程。卫生系统新购大中型医疗器械 37 台，医疗水平明显增强。全县消灭脊髓灰质炎工作达到更高标准，消除碘缺乏病阶段目标已经实现。

【再造传统产业新优势】 焦、铁、纸是襄汾传统的工业支柱产业。随着买方市场的形成、国家产业政策的调整以及环保力度的加大，这些传统产业的发展遇到了前所未有的困难。对此，县委、县政府积极采取关小建大、扶扰扶强、改造升级的措施，再造传统产业新优势。炼焦业“发展机焦、控制总量、做大做强”，新上星源公司、三星公司、古城焦化集团、光大公司等大的机焦项目使全县焦炭总量保持在原有 250 万吨，既实现了机焦零的突破，又可实现产值 35000 万元，利税 6200 万元；炼铁业“淘汰小炉、改造中炉、新上大炉”。在原有 147 家炼铁企业中，筛选出 23 家改造成 60 立方米以上高炉作为过渡，其余淘汰取缔，同时新上 3 个 120 立方米炼铁企业，全县生铁总量控制在 100 万吨左右，年可创造产业 110000 万元，实现利税 13200 万元；造纸业“限小建大，高举龙头”。在取缔了 40 多家高污染、低效益的小造纸企业生产的基础上，着力培育襄纸、邓纸两大龙头企业。襄汾纸业集团 10 万吨三毛杨造纸项目继列入省计划后，已通过国家计委委托的专家考察论证；邓庄纸厂变自制草纸浆为购买商品木浆，消除了污染，提高了产品档次，提高了经济效益；牢牢把握“农业增效、农民增收”这一中心，以实现“三个转变”（农业由数量型向高效优质型转变，种植业由二元结构向三元结构转变，农产品由初级产品向加工增值、延伸产业化链条转变）为目标，大力推动林果、红薯、牧草等产业向区域化发展、产业化经营方向迈进，农业结构调整初现成效；区域化发展建设基地。已建成以南辛店等乡镇为中心的 10 万亩三毛杨基地，以赵康为中心的 3 万亩三栅椒基地，以连村为中心的 15 万亩红薯生产基地，以贾罕、景毛为中心的万亩大棚菜基地，以邓庄、永固为中心的 3 万亩牧草基地，以及以南贾为中心的苹果基地；产业化经营抓服务。抓住 10 万吨三毛杨纸浆造纸项目在国家计委立项的良机，县上组建了三倍体毛白杨服务中心，与三毛杨栽植户签订种收合同，提供苗木、技术服务；在收购价格上给农民吃“定心丸”，全县三毛杨已发展到 10 万亩。利用同全国蔬菜大县山东寿光结为友好县的优势，通过组建各类技术营销服务公司，扩大县农副产品市场规模，与广大菜农签订技术服务和销售合同，大搞订单农业，推动蔬菜产业在规模、技术、品种、管理各方面不断发展，全县日光温室大棚已发展到 1 万个，露地菜 5.7 万亩，蔬菜产品不仅行销周边市场，还远销太原、西安等地；积极扶持以南贾金田园为龙头泊红薯加工企业，扩大规模，闯出名牌，全县红薯种植面积已达 15 万亩；有关职能部门牵头，开始连片种植牧草，先后成立牛、羊、鸡、獭兔等多个养殖协会，为广大养殖户提供技术和物资服务，促进全县种植结构调整和畜牧业快速发展。

【培植新兴产业】 发展金属锌、保水剂、钾盐等一批高新技术项目成为全县经济新的增长点。有色金属公司上马 2.6 万吨金属锌二期扩建工程，项目总投资 14000 万元，年创产值 30000 万元，利税 6000 万元，二期工程见效后，还将着手引进外资，组织三期、四期工程的上马，并开发锌合金及纳米产品，延伸产业链条，建成产值超 100000 亿、利税达 30000 亿的企业集团，成为全县的标志性项目；与农业部精久农垦公司合作，联合投资建设超强吸水树脂——保水剂项目。该项目已完成房土建及技术开发工程，年底投资达效；与省棉麻公司和省交通集团协作，建设 2 万吨钾盐项目。这一化工项目一期工程投资 3000 多万元，仅用 130 天的时间就建成投产，年可实现销售收入 4500 万元，创利税 1500 万元。

襄汾的旅游资源十分丰富，丁村遗址、龙山文化、龙澍峪、普净寺等都极具开发价值。县委、县政府成立开发委员会和管理委员会。投资 350 万元，将霍侯路通往该村 4 千米三级破损油路拓宽改造为超二级油路。复修了一批新景点，提高了丁村的吸引力和品牌效应，收到了较好的经济效益和社会效益。

【破解调产难题】 为了解决资金短缺问题，县委、县政府一方面采取财政贴息的办法，启动社会投资。明确提出，当重点企业完成项目投资的75%时，政府以贴息的方式，为企业注入剩余的25%资金；同时采取大股东联小股东的办法，使中小股民把资金聚集到大股东名下，由3～5个大股东合股上大项目，有效解决了大股东独资上项目的困难。另一方面针对银行贷款担保难问题，由政府职能部门牵头成立担保公司，为需要贷款的重点企业提供服务。已以5000万元的担保资金，调动了15000万元的银行贷款和其它郊外，有效缓解了调产资金的不足。

营造宽松的发展环境。实行县四套班子领导包建重点工程项目责任制，并从县直单位抽调精兵强将为每个工程配备专门的班子驻企业进行帮扶。包建情况定期通过电视实况直播向全民人民汇报。对重点企业实行挂牌保护，封闭管理，除必要的环保、安全、质量检查外，任何单位不准进企业收费。企业办手续，有关职能部门一把手亲自带队上门办理限时完成，有力地保证了重点项目的快速建设和正常运转。

【农村基金会欠款清收】 1999年，国务院决定对农村基金会进行彻底清理整顿。襄汾县16个农村基金会通过清理整顿和清产核资，全县有农户股金6200余万元，涉及2.06万农户，各种借款9300余万元。广大股民集体上访屡屡发生，直接影响全县社会稳定和经济发展。县委和政府把基金会问题作为一项民心工程，制定了《关于加快农村基金会借款清收工作的决定》，县委成立清欠领导组，明确乡镇党委书记和乡、镇长是清收工作第一责任人，全县上下形成领导齐抓共管清收工作的良好局面。突破重点，扫除障碍。全县在基金会借款和担保借款的国家干部职工共473人，借款和担保借款总金额1400万元。县委先后两次召开借款对象会，组织部先后三次以开会、谈话的形式，督促落实副科级以上领导归还借款。县法院还向40名行动迟缓的国家干部职工下达了支付令，提前进入法律程序。组织、人事部门对43名在限期内未还清欠款的对象采取了停职停薪措施。到9月20日，全县已有457人全部还清欠款，共还款1220万元，并对16名国家干部职工作了除名或辞退处理。政法部门配合，实行依法清收。公检法三长亲自带队，出动警车300余车次，警力1000多人次，依法对49案84人采取强制执行措施。11月6日召开公判大会，对13名罪犯进行公开宣判，在全县产生强烈震动。县委、县政府对各乡镇所有放款的人员，都制定了严格措施，责任到人，任务到人，兑现落实。对完不成任务者追究其法律责任，同时追回其过去所领工资奖金。全县411名从业人员，截至11月底，已有80人全部收回所放借款，234人清收额超过50%。

【治理污染与环境保护】 采取了三次大的关停行动：即“6·5”关停行动，“一控双达标”攻坚行动，年底“零点”行动。强行炸毁霍侯路两侧1000米范围内的烟囱20根，焦炉烟囱244根，石灰窑13座。关停不达标企业45家。采取摧毁设施、切断电源、吊销执照，对破坏环境影响健康的污染源给予毁灭性打击。8月14日县政府召开县城环境综合整治工作会议，张贴《关于集中整治县城煤烟污染的通告》，要求所有锅炉、茶浴炉、营业性炉灶，必须使用低硫无烟煤，优质型煤、液化石油气等清洁燃料。县政府成立了整治县城煤烟污染领导组，从环保、公安、法院、工商、电力等部门抽调专人组成联合执法大队，强制要求25家采暖锅炉安装了消烟除尘设施，121家改用低硫无烟煤，对违反规定的9家没收烟煤、3家吊销营业执照，15家行政处罚，县城环境污染得到有效控制。年底，全县281家污染企业，67家企业治理达标，214家未达标企业被依法取缔关停，达标率达100%。

随着环境管理的不断深化，环境管理由定性向定量、由单项治理向综合整治、由浓度控制向总量控制转变，对环境监测工作提出新的更高要求。一是配齐环境监测仪器设备。在原有设备的基础上，投资32万元，配置724分光光度计。DT—100电子分析天平、采样泵、采样器，3011H烟法仪1台，SC—208冰箱1台，HS—6288型多功能噪声分析仪等大小仪器设备25台（套），配套了全套玻璃仪器，所选仪器设备配置基本满足监测工作要求。二是狠抓机构规范化建设。在岗人员全部参加了省局组织的技术上岗培训，多次派出人员上临汾、太原参观学习，使监测技术人员素质明显提高，持证上岗率达80%以上，顺利通过省级机构规范化建设在标验收。三是对130家企业进行达标监测，为环境管理决策提供有效的依据。环境空气质量有很大程度的改善，TSP由1999年的0.623毫克/立方米下降到0.36毫克/立方米，S02由1999年的0.26毫克/立方米下降到0.21毫克/立方米。

（李凡平　石珊平）

·县领导人名单·

县委书记	段克己（3月17日免）
	徐树荣（4月26日任）
县人大常委会主任	关宝泉
县长	卢莲香（4月30日免）
	陈玉士（4月30日任）
县政协主席	张拽牛

洪洞县

【概况】 洪洞县地处临汾盆地北端，面积1494平方公里。全县16个乡镇，463个村委会，总人口68.7万人。

全县国内生产总值完成262900万元，比1999年增长8%，全面完成了年初计划；粮食总产达22.5

万吨，比1999年减产22.5%，其中小麦总产11万吨，比1999年减产35.6%；全部国有及年销售收入500万元以上非国有工业企业完成工业总产值203000万元，增长10.3%，比计划增长2.5%；全县财政收入完成20200万元，增长14%；农民人均纯收入完成2411元，增长9.1%，比计划增长0.5。全县共有4项工作获得国家表彰和奖励，19项工作获得省级表彰和奖励，有25项工作获得地级表彰和奖励，全省环保治理现场会和全区工业调产会、市场建设现场会、计划生育现场会、农田水利基本建设现场会相继在洪洞县召开。

【农村经济调整】 面对严重干旱的不利形势，县委、县政府采取有效措施，积极组织抗灾自救，动员全县上下大打了一场“一抗两保”总体仗，充分利用一切机电井灌和小泉小水扩大水浇面积，实施了人工降雨作业，推广了10项有机旱作新技术，把灾害给农业生产带来的损失降到了最低限度。全县大力调整农业产业结构，以特色产业为突破口，以产业化经营为主线，大力发展特色种植，壮大规模养殖，推进农副产品加工企业的发展。建成了曲亭万亩优质小麦，左家沟、山头133.3公顷美国核桃，曲亭86.7公顷中华圣桃，南王2万株梨枣，甘亭、白石200公顷药材等特色种植基地，发展脱毒红薯2千余公顷、豆类2.67千公顷；壮大了曲亭千头鹿场、范村百头肉牛场、白石万头猪场、堤村千头猪场、南沟万只鸡场、南王万只火鸡、甘亭千只肉鸽及左家沟鹧鸪、肉兔等特种养殖基地；发展了明姜、南王百台榨油机，南王腐竹加工，万安“老家”牌咸菜，淹底专用粉条及红枣加工等农副产品加工企业；组建了广胜寺肉兔、刘家垣红枣、南王豆制品等多种形式的农民专业协会。大搞“订单农业”，与中国绿色食品发展中心签订了部分农产品购销合同，减少了农民的调产风险，整个农业由传统种养正向产业化方向迈进。大力改善农业生产条件，重点实施了6大工程：一是汾河石坝防护工程，对原有土坝进行了加宽，坝内栽植了防护林，坝坡栽植了黄花菜，坝外筑起了格子机房，迎接了全省汾河治理现场会的召开，赢得了省、市及兄弟县（市）领导的高度称赞。二是汾河滩涂农业综合开发工程，完成了节水及区域化种植，使汾河滩涂正在成为一条新的生态园林化农业经济增长带。三是霍侯路沿线节水工程，以建设田、林、路、渠、建筑物配套的标准化精品工程为目标，完成渠道防渗40千米，铺设管道30千米，在全区督查评比中连续两次荣获第一。四是苑川粮食自给工程，新开和改建道路3千米，开挖和铺设管道50千米，一期工程基本结束。五是南垣灌区农业综合开发水利骨干工程，总投资700余万元，已经国家、省市批准立项，正在积极落实资金。六是人畜饮水工程，利用抗旱专款、对口扶持等办法，全年累计投入资金400余万元，解决了80余个吃水困难村的饮水问题。还实施了投资880万元的通利渠溢流坝加长及上游护岸工程，完成了3处引洪灌溉工程，改善面积353.3公顷，使全县农业的综合生产能力有了明显提高。

【工业结构优化】 全县以提高工业经济的整体素质和效益为目标，以培育潜力产品为切入点，充分发挥企业的主体作用，以市场定项目，以项目优结构，优结构促发展全力培植新的经济增长点，改造了一批传统产业，使全县的工业结构发生了明显变化。全县共实施调产项目10个，涉及煤炭、化工、造纸、建材、铸造、食品等6个行业，总投资41000万元。已投产达效的项目有6个：1. 总投资1698万元的山西晋芳纸业公司年产6000吨高白度卫生纸项目；2. 总投资6090万元的金星啤酒集团洪洞分厂年产10万吨啤酒一期5万吨的工程项目；3. 总投资1500万元的洪洞大运实业公司2万吨球墨离心铸管一期5000吨工程项目；4. 总投资4116万元的飞马集团公司超临界CO_2萃取活性物项目；5. 投资120万元的洪洞县红鹰轻型钢结构房屋生产线项目；6. 投资1540万元的山西荟源纸业有限公司年产1000吨出口薄页纸项目。正在建设的项目有4个：1. 投资17000万元的汾河生化有限责任公司年产3万吨的柠檬酸项目，土建工程已全面开工，主要设备发酵罐正在制作，完成投资5000万元；2. 投资7085万元的山西鼎立化工业有限公司年产10万吨NPK复合肥项目，土建工程已完工，主要设备已开始安装，年底前完成投资2500万元；3. 投资16800万元的洪洞县好义福利煤焦厂年产42万吨机焦项目已经启动；4. 投资750万元的山西宇洁陶瓷公司年产20万套节水无臭便器项目，主体工程和设备安装即将结束。其中前两项为省定潜力产品。此外正在立项运作的项目有总投资1200万元的洪洞绿色塑管厂年产1000吨PP—R上水管、热水管项目；总投资1069万元的青龙寺矿泉水公司年产3万吨优质锶型矿泉水项，以及两个投资亿元以上的机焦项目。

【商贸财税】 全县以市场、旅游发展为龙头，不断壮大第三产业。市场建设，走出一条“依托城乡改造兴市场，盘活闲置资产活流通，立足主导产业建市场，发挥特产优势增效益”的新路子。在县城投资720万元，建成了建筑面积9000平方米的鑫通交电市场大楼；采用股份制形式，开发建设了占地5000余平方米的品牌专业市场——棵槐商业街；投资108万元，改造兴建了占地3500平方米，建筑面积1980平方米的汇源百货市场。狠抓农贸市场建设，投资250万元，在大运路和霍侯一级公路联接处新建了占地3.3公顷的堤村南石明农副产品批发市场；投资50万元，在霍侯路边新建了明姜伏牛生猪交易市场，赢得了全区市场建设现场会在洪洞县的召开。依法强化财税征管。财税部门干部职工加大征收力度，分解任务，落实责任，挖掘税源潜力，按照“加强征管，堵塞漏洞，惩治腐败，清缴欠税”的方针，在全县范围内开展了管户普查大行动，逐村逐户摸清情况，将应收税款及时收缴入库。加大稽查力度，严厉打击了偷、逃、骗、抗税等违法行为，杜绝了跑、冒、滴、漏。积极调整和优化支出结构，把有限的财力用于保工资发放、保重点工程和项目建设。加强预算外资金管理，严格实行了“收支两条线”制度，确保了全年收支平衡。加强重点行业管理，规范市场行为，进一步净化了市场环境。

【旅游招商活动】 旅游业打出“广胜寺、古大槐树、苏三监狱”3三大品牌，完成了女娲陵寝、青龙山玄帝宫、历山东岳庙及虞舜大殿壁画绘制等工程建设，修复了碧霞圣母宫和泰云寺，提高了景点的文化品位。建成了广胜寺旅游专线，组建了兴洪旅行社，开发了10余种旅游产品，全年接待游客55万人次，创收304万元。成功举办了第十届寻根祭祖节。组团赴北京、西安、深圳等地参加了多次招商引资活动，与外商洽谈8次，签订意向5项，协议资金5000余万元。

信息产业化也有了长足发展，设立了“洪洞县政府网站”，发布了洪洞县的特色产品和招商信息，龙马乡的紫糯玉米、大槐树牌羊奶粉及白石乡的芦笋等产品实现了网上销售。运输、服务等行业都出现了新的变化，

【基础设施建设】 城乡建设以县城的改造和开发为重点，开展了县城市容市貌大整顿。实施完成了宾阳街等主要街道的补油整修、涧南路的整体拓宽改造。城市供水改造工程，霍泉至县城管道的开挖填埋工程已全面启动。南环路东段连接霍侯路的道路新建工程已经完成勘查测量和规划，4个住宅小区建设工程进展顺利。村镇建设全面铺开，堤村、赵城、明姜、冯张、甘亭、万安、曲宁、白石、广胜寺等9个卫星场面镇已完成勘查任务，正在进行详细、科学的规划。堤村师庄、堤村、赵城永乐、古屯和白石南段5个各具特色、规模各异、高标准的新农村正在加紧建设，全县农村脏、乱、差的落后面貌正逐步得到改造。

电力建设以农村电网改造为重点，各项工作进展顺利。公路建设完成了投资70万元、长5千米的娄村—洪乔线油路工程，投资220万元，完成了洪孔线、马双线、官张线长7千米的油路翻修工程。全县25个乡镇实施了57件改善群众生产、生活条件，增强经济发展后劲的民心工程和富民工程，不仅使城乡面貌有了大的改观，而且有力地拉动了县域经济的增长。

【深化改革】 1．继续深化企业改革，对已改制企业进行了规范、完善、充实、提高，健全了企业公司化的组织结构，建立健全了国有资产管理体系和社会保障体系。对县洗煤厂、农机厂、曹家沟铁厂3户企业制订了切合实际的方案，供销系统、物质系统的改革也全面铺开；2．继续深化农村改革，狠抓了小型水利设施的产权改制工作，县政府出台改制方案，全年共完成改制175处。加大“四荒”的拍卖力度，拍卖“四荒”4.13千公顷，治理面积2.47千公顷。加强土地承包管理，健全了承包合同的各项管理制度，促进了土地使用权的合理流转，激活了土地生产要素。大力推行村务公开，按照中央提出的“八个禁止”，狠抓了减轻农民负担工作。严格依法保护基本农田，促进了农村经济的稳定发展；3．深化乡镇财政体制改革，明确了乡镇收支范围、收支基数，完善了各项制度，建成了一级实体财政。

【社会事业协调发展】 全面实施了科技兴洪和可持续发展战略，狠抓了科技网络和队伍的建设，采用多种形式对基层干部和群众进行了技术培训，受训人员达10万人次。引进推广了10余项农业适用新技术，建成一批以李堡高科技示范园为代表的科技开发示范基础。培育了10家有一定规模的科技先导型企业，开发了13种潜力产品。全面实施素质教育，推进中小学生内部管理体制改革，完成了定编、定岗、定内设机构工作。狠抓了学校基础设施建设，投资2000万元，新建改建了25所薄弱学校；投资200余万元，用于“国化学校”的建设。加强医药市场整顿，查处伪劣药品60余种，对非法行医进行了打击。加大乡镇卫生院建设力度，投资40余万元，完成南沟、圣王、南王、甘亭4所卫生院的改造任务。计划生育继续坚持“三不变”原则，瞄准“三为主”目标，加大对超生问题的查处力度，实现了年初确定的人口增长目标，特别是对育龄妇女的合同管理，山西电视台作了专题报道，全区还在洪洞召开计生工作现场会。加大环境整治力度，紧紧围绕“一控双达标”这一世纪目标整治环境污染，实施了“6·5”关停大会战，对297家工业企业实施强行关停，霍侯路两侧一千米范围内的含糊玫全部采取炸毁烟囱、爆破炉体、吊销营业执照等强制措施。开展了5次取缔土小企业会战，取缔了土炼焦、土炼油、小耐火等各类反弹土小企业113家。狠抓了生态环境建设，一是实施了霍侯一级路绿公通道建设工程，完成了风景树及主林带的栽植，建设了永凝、梗壁、某亭3个绿化景点，共栽植树木6万余株，建成两条绿色长廊。二是在沿汾河、大运路、霍侯路两侧1000米范围内栽植农田林网1.33千公顷。三是实施了汾河坝生物防护工程，坝外完成50米防护林44.8千米，坝内栽植10米防护林20千米，植树35万株。四是完成荒山绿化，完成春秋季植树400万株。第五次人口普查工作进展顺利。积极组织劳务输出，劳动部门组织了1000余人的劳务大军赴新疆采摘棉花。文化市场在整顿中求繁荣，不断活跃城乡居民的文化生活。群众性体育事业取得新进展，人事、档案、外事等工作都取得了新成绩。

·县领导人名单·

县委书记	柴高潮
县人大常委会主任	郝国龙
县长	高洪元
县政协主席	马小泉

古　县

【概况】 地处太岳山南麓，西北与霍州市接壤，东北与沁源县相连，东与安泽县毗邻，南与浮山县交界，西南与临汾市为邻，西与洪洞县相接。全县辖10个乡（镇），总人口8.3万，总面积1206.38平方公里，其中耕地21万亩。古县自然资源丰富。县城以南有广大的土地资源和丰沛的地表水资源，县城以北有丰富的矿产、林草资源，特别是煤资源储量达60亿吨，多为优质主焦煤。

古县坚持“长抓核桃短抓菇，长短结合抓畜牧，煤焦企业抓改造，新兴产业攻建材”经济发展方针，紧紧围绕财政增长、农民增收两大目标，突出产业结构调整，加大了改革开放和科技兴县的力度，年内各项工作均取得较好成绩，主要经济指标保持了较快的增长幅度。全县国内生产总值完成43967万元，比1999年增长14.8%；工业增加值完成11081万元，比1999年增长19.7%；财政总收完成3387万元，比1999年增长11.2%，城乡居民储蓄存款余额达到17000万元。在农业遭受了大旱灾，30%麦田绝收，大秋作物绝大部分面积不能适时下种，县上狠抓“一抗两保”，大力发展双孢菇生产，适时扩大小杂粮和延秋蔬菜的复播面积以及小秋收、劳务输出，全县农民人均收入达到1875元，比1999年增9%。

【农业】 全县把双孢菇新兴产业当作一场硬杖来打，采取“五统一分”和小额贷款扶持的措施，其发展双孢菇2000棚、40万平方米，产值1200万元，初步形成了制种、生产、加工、销售一条龙的产业化经营格局；核桃是古县的传统产业，年内新栽30万株，新建胡洼万亩优种基地1处，年内核桃产量3000吨，产值2400万元。

【工业】 根据县上制定的“煤焦企业抓改造，新兴产业攻建材”的调产思路，在煤焦产业上抓大压小上规模，加工增值求效益，通过实施租赁、承包、转让、参股、产权置换等形式和一系列优惠政策，社会融资3000万元，实现了投资主体、企业规模生产和规范化安全管理的根本转变。年内全县拥有年产21万吨煤矿2座，年产10万吨以上的煤矿10座。县焦化有限公司、煤化厂两年产20万吨焦化企业扩建改造工程动工，年产30万吨特种水泥项目已经立项并与外商初步达成合作意向。

【财税】 税收工作推行了执法责任追究制度，并成立了以县长为组长的财税收入领导组，明显加大了财税工作力度。在财政支出上实行“分灶吃饭，经费包干”，确保机关工作的正常运转。年内财政收入完成3387万元，比1999年多收入380万元。商业、供销系统剥离不良资产2000万元，烟草公司各项指标完成情况名列全区第一。

【基础设施建设】 309国道17千米（县内段）拓宽改造工程年内完成；县城平阳路和城东路硬化、东西大街人行道进行了改造；县宾馆装修完工并启用；城乡电网改造投资736万元，完成工程80%；110千伏变电站项目已批准立项。

【科教文卫工作】 全国科技先进县成果得到巩固深化，教育“两基”达标复查经省、地验收合格，中小学内部管理体制进行了改革，医院门诊楼动工兴建，初级卫生保健经省、地验收合格，被评为全省爱国卫生文明县城。

（付珍祥）

·县领导人名单·

县委书记	安双荃
县人大常委会主任	孙林峰
县　长	郭文虎
县政协主席	张连国

安泽县

【概况】 安泽县位于山西省南部，太岳山南麓，东临长子、屯留，西界浮山、古县，南接沁水，北连沁源。总面积1967平方公里。全县辖7镇4乡，105个行政村，人口7.8万。

县委、政府领导全县广大干部群众努力拼搏，奋力争先，大力调整产业结构，全面实施“五大战略”，继续坚持“双抓双硬”，促使全县经济呈现出良好的发展势头。特色产业、畜牧产业、生态产业和食用菌产业四大调产工程顺利实施；10万吨煤焦工程和粮食转化工程建设速度加快。全县国内生产总值达到31200万元，比1999年增长9.6%；农业总产值达到20300万元，增长5.4%；工业总产值达到8263万元，增长14.7%；乡企增加值达到9767万元，增长16.6%；上缴税金470万元，增长24.7%；粮食总产量达到71497吨；农民人均纯收入达到1886元，增长13.4%；财政收入达到2504万元，增长17.5%；社会商品零售总额达到11200万元，增长0.2%；个体私营经济有了新的发展。

【基础设施建设】 全年完成水利工程12处，完成人畜饮水工程9处，平田整地3000亩，新增水浇地1660亩，完成机械化耕作15.78万亩，农业生产抗御自然灾害的能力有所增强。交通、电信事业取得明显成效，完成油路铺装和翻修31千米，拓宽改造乡村公路93.5千米，打通了三交、马必、石槽与邻县的外出通道；投资374万元完成了亢驿变电站的改造和杜村、石槽、英寨三乡电管站的建设，农网改造工程顺利启动；实施扩容工程，完成了唐城至岭底光缆架设和唐城、和川、良马、马必、杜村五乡镇电缆扩容任务，新增电话用户1039户，行政村通话率达到75%，城乡基础建设取得突破性进展。投资230万元完成了309国道县城段2.22千米拓宽改造和4.5万立方米的垫土任务，安置拆迁居民168户，加大了小城镇建设力度，县城面貌得到改善。生态环境进一步优化。完成植树造林7.1万亩，退耕还林还草3.1万亩，积极防治森林病虫害，为建设高标准生态县打下了良好基础。

【党建工作】 以开展“三讲”教育和贯彻“三个代表”思想为契机，在县级领导班子、领导干部及六部门继续开展了“三讲”教育及“回头看”工作，对乡（镇）和县直机关进行了集中整顿，加强了全县党员干部的警示教育，使全县领导干部的理论水平、执政能力物工作作风有了很大提高。全县党员、干部捐款、捐物 80 余万元，帮助贫困户 1756 户，帮助 48 名贫困儿童重返校园，开展了“敬党爱民争先进”主题活动，各级党组织的战斗力得到提高，党员干部的先锋模范作用得到充分发挥，全县各级党委、支部达标工作成绩显著。标本兼治，认真贯彻党风廉政建设责任制，全年查处违法违纪案件 27 件，对 34 名违纪人员进行了党纪政纪处分，挽回经济损失 10.8 万元；继续加强纠风工作，打击行业歪风，全面推行政务公开和村务公开工作，推进了社会主义民主政治建设进程。

【民主法制建设】 认真开展法制教育，坚持严打、严防、严控相结合，严厉打击了各类违法犯罪活动，查处治安案件 86 起，查处违法人员 126 人，同“法轮功”反动邪教组织的斗争取得了重大胜利，对执迷不悟者进行了严肃处理。

【文化教育事业】 积极进行了教育人事制度改革，全县 1317 名中、小学教师实行了优化组合、竞争上岗，学历达档率分别达到 94.8%和 99.3%；顺利通过了省政府对“两基”工作的验收；继续实施“农民健康工程”，完成了唐城卫生院门诊楼、英寨卫生院的新建搬迁工作和县防疫站、林村、石槽、三交卫生院的维修改造项目；住房公积金、养老保险、失业保险等社会保障体系继续完善，社会保障工作进一步走向规范；计生工作在全区保持领先水平；广播电视、档案史志、老干部、民兵、群团、信访等工作都有了新的发展。经过全县人民的共同努力，安泽顺利跨入了全国生态先进县、全省党建先进县和全省综合治理先进县行列。

（郭小萍）

·县领导人名单·

县委书记	梁天运
县人大常委会主任	尚　旭
县　长	祁寒冰
县政协主席	刘金龙

浮山县

【概况】 浮山县地处临汾盆地东缘，距临汾城 36 千米。全县辖 2 镇 13 乡、265 个村，总面积 940.6 平方公里，总人口 124102 人。

全县主要经济指标创历史最好水平。全年国内生产总值完成 30069 万元，比 1999 年增长 10.8%；社会消费品零售总额为 9212 万元，比 1999 年增长 8.4%；人口自然增长率为 10.3%；农民人均纯收入和城镇居民可支配收入分别达到 1764.7 元和 3531 元，比 1999 年分别增长 9.5%和 21.8%。

【农业结构调整】 县委、县政府加大产业结构调整力度，重点实施了“341”工程；即搞好三大基地，发展四大庄园，建设一条科技示范走廊。1999 年本县被列为国家商品粮基地县，项目计划总投资为 815 万元，本年完成投资 306 万元，占投资总额的 37.5%；世行贷款项目元宝枫基地，总投资为 997.78 万元，本年完成投资 100 万元，占投资总额的 10%；黄牛基地采取公司加农户的生产方式，全年发展黄牛 1.8 万头；柏松庄园完成投资 260 万元，占计划投资的 13%；福田庄园完成投资 90 万元，占计划投资的 4.6%；金土地庄园完成投资 130 万元，占计划投资的 13%；自治庄园完成投资 50 万元，占计划投资的 19%。科技示范走廊辐射全县 7 个乡镇，以种植业为主，大力发展了山樱椒、玉米制种、药材、蔬菜、大棚蔬菜及养殖业等。全县共铺开农田水利基本建设和生态建设工程 240 处，在全区首次农建检查中荣获第一名。全县粮食生产有新突破，高产经济作物种植子已达 10 万库亩，其中油料播种面积比 1999 年增加 16.3%，烟叶、药材种植面积分别为 1643 亩和 8212 亩，比 1999 年增加 342%和 100.5%，蔬菜种植面积 19195 亩，比 1999 年增加 261.1%，粮经作物比例已由过去的 8：2 调整为 7：3。全县新发展乌鸡、獭兔、肉鸽、鹿等养殖的有 30 余户，从事畜牧业人员人均纯收入达 387 元。生态环境建设上走用材林和经济林相结合的林业生产道路，全年共栽植经济林 10 万亩，退破耕还草 2 万亩。到年底，全县粮食总产量为 54996 吨，比 1999 年减产 1960.4 吨，减产 25.6%；农业总产值为 16291 万元，比 1999 年减少 0.19%。

【工业经济】 县委、县政府制定出台了《关于进一步引进外资改善投资环境的若干规定》和《关于鼓励改造成兴建大容积铁炉的决定》，为工业企业的发展创造了良好的条件和宽松的环境。东陈庄金宝铁矿进行深层开发，已完成总投资 300 万元，占应投资总额的 37.5%；锦城铁矿于 6 月正式投产，总投资额为 2000 余万元，到年底已生产铁矿石 7 万吨；张庄津神冶炼公司拟投资 2500 万元兴建 125 立方米高炉一座，已完成投资 2200 万元，占应投资总额的 88%；东张康达冶炼公司拟投资 25000 万元建 128 立方米高炉一座，到年底共筹措资金 2940 万元，已开始奠基兴建。全县还有 4 个年产 10 万吨以上的选矿厂投入生产，8 个 10 万吨以上的选矿厂正在建设之中。这些选矿厂的改造和兴建投资总额高达 5000 余万元。县水泥厂投资 313 万元扩建改造后，年生产能力已由原来的 4.4 万吨提高到 6 万吨。米家垣神山土特产公司生产的神山贡米，已销往北京、广州、太原等地，并向美国洛杉矶出口 20 吨。到年底，全县全部工业增加值完成 8048 万元，比 1999 年增长 13.5%；乡镇企业总产值完成 35040 万元，增长 51.2%；矿山税费收入达到 5000 余万元，是 1999 年的 5 倍；税费收入的增加，使县财政收入锐长，全年财政收入完成 3464 万元，年增收 1000 万元，占年计划的 126.4%，比 1999 年财政增长 40.6%，其增幅位居全区第一。

【文教事业】 县委、县政府为使贫困学生能够继续深造，采取奖励救助政策，规定凡考上专科和本科的学生，一律奖励 800～1000 元；对农村中的特困户及城市下岗职工的子女，可一次性借款 1000～3000 元，至年底，县财政共拿出救助资金 13.4 万元，奖励和资助了 120 余名学生。为改善教育局办公条件，还投资 100 万元购置了办公大楼一座。为搞好县城环境卫生，投资 20 余万元购置了洒水车、垃圾清运车、路灯维修平台等设施。本年县还成立了公交公司，开通了县城及周围村庄的环行客车。

天坛路是县城的一条主要街道，脏、乱、差现象较为严重，县上拿出 83 万元对城市街道进行了综合整治，使县城面貌焕然一新。广播电视设备陈旧，城乡居民仅能收看 8 套节目，且信号不稳，图像模糊，县上投资 86 万元对有线电视网络进行了更新改造，采有务内先进的 HFC 宽带网络，使电视节目收视频道增至 40 套，丰富了城乡居民的文化生活。县上还拿出 238 万元增建了职业中学及 8 个集贸市场。

【矿山整治】 铁矿资源是浮山的一大经济优势，是全县财政收入的支柱产业。在矿山的开发与建设中出现开采秩序混乱，一体多采、一处多开、重叠开采、私挖滥采现象严重，矿产资源得不到有效保护，税费流失严重。县委、县政府领导广泛调查，认真研究，成立了由四大班子主要领导参加的矿山秩序整顿领导小组，提出了“抓大关小增利益”的工作措施，并制定了详细的整顿方案。从 5 月开始，对矿山秩序进行整顿，采取行政、经济、法律综合手段，取缔私开滥挖矿点，封闭超层越界矿点，规范大型矿点，到 7 月底，共依法关闭私开滥挖矿点 47 家，停产整顿 20 家。12 月，为保护国家主矿体，不惜减少税费收入，关闭半山矿区 24 个矿点。在整顿矿山秩序的同时，狠抓矿山企业税费征收，其征收办法是“四到位一加强”，即吨位到位，品位到位，价格到位，税收到位及加强矿山综合治理。在主要矿区路口设置 7 个电子磅监测点，四大班子领导成员严格巡查，轮流值班，每个成员每人一天，周而复始，发现问题及时纠正、解决。截至年底，矿山税量收入达到 5000 余万元，此 1999 年增加了五倍，创造历史最好水平。

【续建辛沁公路】 辛（村）沁（水）路工程是 1994 年开工建设而没有完成的一个“半拉子”工程。县委、县政府根据干部和群众的建议和要求，决定拿出 100 万元启动资金重新上马建设。从 10 月起在全县开展了辛沁路百日大会战，力争在很短时间内打通这一跨省、跨区、跨县的黄金通道。经过各乡（镇）的共同努力，到年底，全路段基本贯通，该工程完成了后期工程任务的 80%。

（李彤新）

·县领导人名单·

县委书记	郭文虎
县人大常委会主任	王生荣
县长	白建荣
县政协主席	杨红旗

吉　县

【概况】 吉县位于山西省南部，地处黄河中游，南北宽 48 千米，东西长 62 千米，总面积 1779.9 千米,总人口 98611 人,辖 11 个乡镇,1 个国营林场，1 个壶口管理局，106 个行政村，567 个自然村。国内生产总值继续增长，全年共完成国内生产总值 22500 万元，比 1999 年增加 1942 万元，增长 9.5%；人均实现国内生产总值 2279 元，比 1999 年增加 243 元。

【农业生产】 在遭受特大灾害下，全县农业和农村经济仍然得到进一步发展。全年全县粮食作物种植面积为 16.38 千公顷，比 1999 年减少 0.14 千公顷，粮食总产量达到26184吨，减少12112吨，减少31.69%；造林绿化工作有新的发展，当年完成造林面积 6275 公顷，比 1999 年增加 61.4%，其中，营造经济林 1454 公顷。国家名优特苹果基地不断发展，全县有各类果园 6300 座，9.5 万亩。吉县苹果以其果型大，着色浓红，风味好，品质佳等特点，在全国首届农业博览会上红星苹果获得水果类惟一金奖。在 1996 北京国际果品及技术设备展览会上，吉县“壶口牌”红富士、红星苹果全国总分第一，连同金冠苹果夺得三枚金牌；烤烟生产经过数年努力，初具规模，成了山西省名优质烟叶生产基地县。 烟叶均受到国家有关部门的好评，荣获山西省首届农业博览会农业类银质奖。全县烤烟面积达 24800 亩，农民收入 103 万余元。

【工业生产】 全县年产品销售收入在 500 万元以上的工业企业完成增加值 1717.3 万元，年产品销售收入在 500 万元以下的工业企业完成增加值 1626 万元。交通事业快速发展，年底，公路线路里程 530 千米；邮电通信事业继续快速发展，全年完成邮电业务总量 515 万元，比 1999 年增长 15.5%；电话普及率达到每百人 4.3 部。天然宝石钮扣，是吉县开发研制成功、国内外市场罕见的新产品，具有硬度高、永不磨损，光泽好、柔和自然，图案奇、千姿百态，造型美、光洁艳丽等特点，获省农业博览会金奖。

【旅游业】 壶口瀑布是全国 35 张旅游王牌景点之一和全国爱国主义教育基地。接待中外游客达 10 万人次，门票收入达到 116 万元，创社会综合经济效益 2000 万元。

【财贸】 全年财政收入为 1031 万元，比 1999 年增长 8.4%；一般预算收入完成 855 万元，比 1999 年增长 8.5%，其中工商税收完成 228 万元，增长 5.6%；全县财政支出执行 5659 万元，比 1999 年增长 36.2%。

消费品市场繁荣稳定。全年社会消费品零售总额 8766 万元，比 1999 年增长 8.6%，其中，县的消费品零售额 7528 万元；比 1999 年增长 7.6%；县以下消费品零售额 1238 万元，增长 15.1%。

【文化教育】 全县拥有各类学校 255 所，在校学生 20715 人，中学在校学生 8182 人，小学在校生 12533 人，小学学龄儿童入学率达 100%，升学率达 100%。文化事业进一步繁荣发展，全县共有表演团体 1 个，文化馆 1 个，乡镇广播站 11 个，调频台 1 座，有线广播电台 1 座，广播人口覆盖率达 80%，电视人口覆盖率达到 78%。体育事业取得新成绩，获得了“全国体育先进县”光荣称号。医疗卫生事业得到较快发展，全县医务人员达到 1688 人，其中高级职称 3 人，中级职称 244 人，初级职称 441 人。计划生育工作取得显著成绩，全县人口出生率为 11.09%,自然增长率 7%。全县总人口比 1999 年末减少 2167 人。

·县领导人名单·

县委书记　　原胜利
县人大常委会主任　　孙勤学
县长　　原学义
县政协主席　　陈刚

乡宁县

【概况】 乡宁县地处临汾西部，吕梁山南端，东与临汾、襄汾接壤，西隔黄河与陕西相望，南以河津、稷山、新绛为邻，北与吉县接界。全县总面积 2029 平方公里，境内矿产资源丰富，其中以煤炭著称，煤田面积约 1600 平方公里，探明储量 153 亿吨，可采量 130 亿吨，系优质主焦煤，是全国三大优质主焦煤基地县（市）之一。全县辖 5 镇 11 乡和一个农业开发区，186 个村委，1254 个自然村，总人口 20.67 万人，其中农业人口 18.12 万人。

【农村经济】 重点实施水保世行、农业综合开发、生态环境建设、饮水解困、草地建设和退耕还林（草）六大项目，农业生产和农村生活条件有了较大改善，省、地分别在本县召开饮水解困和退耕还林（草）现场会，肯定和推广了本县经验。全年完成饮水解困工程 89 处，解决了 106 个自然村、30118 口人、5510 头大牲畜的饮水困难。完成流域治理 8.3 万亩，其中新建基本农田 3.1 万亩，新打旱井 2350 眼，新建人字闸 6 座，发展山地微灌 3500 亩。粮食、林果、畜牧三大产业得到稳步发展；粮食生产逐步扩大高效高值作物种植面积，全年种植小杂粮 10 万亩，药材 1500 亩，油料、蔬菜 2.2 万亩，粮食总产达 74959 吨；林果业突出发展苹果、核桃、花椒，培育和引进名特优种新品种，全年完成荒山造林 6.4 万亩，经济林 34860 亩，向规模化、优质化、市场化迈出了坚实步伐；畜牧业突出发展养牛、养羊和特种养殖，全县大牲畜存栏达 91920 头，特种养殖户达 300 余户，肉类总产达 7500 吨，禽蛋总产达 3000 吨。狠抓扶贫攻坚、减轻农民负担和村务公开，保护和调动了农民的生产积极性，促进了农村社会稳定。

【工业调产】 煤炭行业强化安全生产，整顿矿业秩序，加强关井压产力度，加强煤炭产运销全方位管理，整体效益得到稳步提高。工业调产步伐加快，新建光华振兴 45 万吨焦炉一期工程，扩建煤气焦化公司、煤焦实业公司、茂源煤化公司和高阳煤焦公司 4 座焦炉，全县机焦生产能力达 100 万吨，新增能力 50 万吨。新建台头煤矿、申南凹煤矿两座 30 万吨坑口洗煤厂，其中台头矿洗煤厂已建成投产。县食品加工有限公司 1500 吨果茶改造项目已经立项，并争取资金 100 万元。弘昌化工有限公司投资 600 万元建设的 3000 吨碳黑生产线，开启了本县煤炭加工延伸的先河，结束了有焦无化的历史。坚持“有所为、有所不为”的原则，以建立现代企业制度为目标，加快培育企业集团。以煤焦实业公司为龙头的煤焦集团已发展成为集原煤生产、精煤洗选、焦炭加工和汽车运输为一体的集团性公司，增强了市场竞争能力。

【财贸工作】 财税部门强化服务。严格征管，促进了财税收入的稳步增长。全县财政总收入完成 7844 万元，其中一般预算收入完成 4753 万元；国税收入完成 4277 万元，地税收入完成 2912 万元，进一步强化预算约束和财政监督职能，完善了收支两条线制度和会计管理制度，严肃财经纪律，严格收支管理，实现当年收支平衡。强化税收征管，严格依法治税。严厉打击偷逃抗税行为，实行“自主申报、自动缴纳、重点稽查”的现代税收征管模式。城乡市场建设迈出新步伐，城关村委新建的云泰彰渊市场已正式投入运营，商业局商贸综合市场正式开张。全县共兴建各种集贸市场 13 个，总数达到 21 个。工商、物价、烟草、技术监督等部门进一步加大市场监管力度，严厉打击各种不法经营行为，促进市场繁荣。全县社会消费品零售总额达到 20036 万元。金融部门大力开展“收贷、收息、收存”攻坚战，盘活信贷存量，调整信贷结构，全县行社各项存款余额达到 61470 万元，各项贷款余额达到 29349 万元，有力支持了全县经济建设。

【基础设施建设】 立足于改善经济运行环境，扩大对外开放，加大基础设施建设力度，本年度完成安汾 18 千米通乡油路工程、209 国道城北垣 13.5 千米铺油工程和南崖至石灰窑 13 千米矿区油路工程。枣岭 35KV 变电站工程已投入运营，县城 3#深井供水工程投入使用，缓解了县城吃水困难。加强了城区环境卫生治理，新建一批公共设施，城市服务功能进一步增强。

【精神文明建设】 坚持“两手抓，两手都要硬”的方针，进一步引深“410”育人工程和“118”文明长廊建设工程，大力开展“三德三爱三观”教育，文明县城、文明单位、文明家庭和文化下乡等一系列创建活动，丰富了城乡人民精神文化生活。科技工作突出成果转化，健全科技推广网络，建立科技示范基地，提高了科技在经济增长中的贡献率。教育事业全面发展，“普九”及“两基”成果进一步巩固，顺利通过了省政府“两基”复查、地委“教育一把手工程”检查验收。加强教师队伍建设，深化教育体制改革，实行全员聘任，办学质量和效益明显提高。卫生工作以医疗体制改革、防疫、医药市场整顿为核心，大力加强医疗设施更新、卫生人才开发利用、系统化管理和乡村卫生院建设，为群众提供了良好的医疗卫生服务。计划生育工作坚持强化基层基础建设，清理整顿生育秩序，大力开展“双服务”活动，有效地控制了人口过快增长。环境保护工作从可持续发展的战略高度，围绕“一控双达标”目标，严格执行国家产业政策，坚决实施“6·5”关停和“零点”关停行动，依法强制关停和取缔了一批污染企业和土焦窝，环境质量明显改善。民政、残联、老龄、民兵、旅游开发、档案管理、文物保护等项事业都取得了新进展。

【民主法制】 坚持不懈地推进依法治县进程，严格实行行政执法责任制。加大执法力度，从严查处各类违法违纪案件。全面推进社会治安综合治理，维护了社会稳定。县人民政府主动报告工作，邀请人大常委、政协委员视察、评议，全年共办理人大代表建议45件、政协委员提案106件，推进了政府决策的科学化、民主化，促进了政府工作顺利推进。狠抓思想建设、制度建设和作风建设，深入开展“廉洁从政，勤政为民”活动。加大力度，反腐倡廉，廉政建设和反腐败斗争取得新进展。

【退耕还林】 因地制宜，采取5种形式绿化，4种机制管护，5个结合综合开发，共完成退耕还林工程28处，退耕还林计2.2万亩，荒山造林9.8万亩。根据地理位置分布的特点，创造性地实施退耕还林5种形式，即个体承包，户自为战；村委组织，群众会战；乡镇组织，专业队攻坚；兴办林场，规模治理，组建造林公司，实行一体化开发。为了充分发挥其整体综合效益，一是把退耕还林与调整农业结构相结合，培育以小杂补经济作物为主的高效种植业，以苹果、核桃、花椒为主的优质林果业，以养为主的高效畜牧业的3大主导产业，打破了单一农业、单纯粮食的生产格局；二是把退耕还林与产业化经营相结合。在工程区域内成规模，建立经济基地，兴建果品加工企业，成立果品销售中心，延伸产业链条；三是退耕还林与农民脱贫致富相结合。选好项目，选好品种，发展优质经济林，确保农民近期有收益，远期有发展；四是退耕还林与移民并村，实施集村产业经济相结合。以此推动荒山绿化和农民脱贫致富；五是退耕还林与稳定粮食生产相结合，在退耕的同时，大搞基本农田建设，推广实用技术项目，提高粮食单产和科技含量。8月，在乡宁县召开了全省退耕还林现场工作会议。

【饮水解困】 乡宁县地貌复杂，地形破碎，干旱少雨，地表水贫富悬殊，水资源少而不均，40%的人畜饮水十分困难，属山西省严重缺水县份之一。近年来，特别是2000年省委、省政府将本县列入首批饮水解困重点县以来，在省地的正确领导和上级水利等有关部门的指导支持下，把饮水解困作为落实江总书记“三个代表”重要思想，推动农村产业结构调整，加快农村脱贫致富的重要举措，三级干部抓水，全民上阵办水，五种模式兴水，市场机制管水，更新基地保水，打响一场饮水解困的攻坚战。全县共铺开饮水工程89处，解决了106个自然村，3.2万人，5510头大牲畜的饮水困难；完成流域治理8.3万亩，其中新建基本农田3.1万亩，新打旱井2350眼，新建人字闸6座，发展山地微灌3500亩。在乡宁县召开了全省饮水解困现场工作会议。

（阎长命）

·县领导人名单·

县委书记	窦正森
县人大常委会主任	赵俊瑞
县长	赵建国
县政协主席	白银柱

大宁县

【概况】 大宁县位于吕梁山南端，东西长50千米，南北宽38千米，总面积967平方公里。8乡2镇，101个行政村，405个自然村，总人口5.6万人。全年国内生产总值11845万元，比1999年增长4.5%；农业总产值4319万元，增长8.7%；粮食总产量14993吨，（其中：夏粮减产93%，秋粮14377吨增产26.8%）；农民人均纯收入849元，增长19.9%；工业总产值5396.51万元，增长23.3%；工业企业实现利税801万元，增长27%；财政总收入801万元，增长10.6%；社会商品零售总额4952万元，增长19.3%；乡镇企业上缴税金81万元，增长24.6%；城镇居民人均可支配收入3153元，增长6.4%。

【农业调产】 县委、县政府出台了《关于调整农业产业结构的实施方案》，提出着力培育草、枣、羊3大主导产业，用5年时间达到人均2亩草、1亩枣、3只羊的“213”目标，向生态型特色农业县方向发展。对全县25°以上坡耕地退耕还草工程进行总体规划，调运优质苜蓿种子13吨，引进推广菊苣、鲁梅克斯等饲草新品种，人工种草完成11700亩；以红枣为主的干果经济林发展较快，已定植、嫁接60万株赞皇枣苗，预整地15000亩，秋季栽植红枣8万株，300亩密植示范枣园工程已启动；畜牧生产开始转向发展以小尾寒羊为主的圈养型畜牧业，筹集40万元资金，引进小尾寒羊2000余只，引进澳大利亚多赛特优良种羊，建立了小尾寒羊改良站和种羊场，确定示范户120户，建成高标准圈舍200多个，年末小尾寒羊存栏4071只；以火鸡养殖为主的特种养殖业得到启动，调回种鸡600只，在南川、西川村得到推广，已孵化雏鸡2000只。在草、枣、羊发展取得突破的同时，种植业结构的调整也有进展。西瓜、蔬菜、烟叶、小杂粮和其它经济作物种植面积达到 36000 亩，粮经比例由 1999 年 87：13 调为 73：27，为农民灾年减产不减收提供了有力保障。

【工业】 依托本地资源，主攻绿色食品加工和环保型产品加工业，集中力量扶优扶强，提高化工、煤炭、建安三大优势企业的规模和效益。黄河化工总公司产量达到 5500 吨，比 1999 年增长 5.2%，实现利税 483.4 万元，同比增长 20.3%；县煤矿走出低谷，产煤 15.7 万吨，实现利税 101.6 万元。矿泉水、肉制品、淀粉薄膜、播种耧、腐殖酸生态有机肥等潜力产品发展势头强劲，播种耧出口埃塞俄比亚，腐殖酸生态有机肥行销京、赣、滇等省、市，绿源淀粉薄膜和休闲系列食品试产取得成功。

【各项改革工作】 经济及其它改革力度加大，进度加快。农村土地延期承包顺利完成，出台了“四荒”拍卖与治理实施方案，拍卖“四荒”13.8 万亩；小型水利设施产权制度改革取得进展，人畜饮水设施拍卖 36 处，承包 26 处，小型机电灌站拍卖 5 处，承包 7 处，小型水库承包 1 处；工业企业的股份制改革继续完善，各企业任期届满的董事会、监事会依法进行了换届，经营困难的企业拟定了租赁经营方案，公开招聘经营管理者，各企业内部管理机制也朝着良性方向发展。教育体制改革迈出了较大步伐。全县的中小学由 240 所调整为 108 所，通过优化教师队伍、结构，辞退不合格教师 102 名；医药卫生体制改革拉开了序幕，城镇职工医疗保险制度开始启动，医疗机构和药品生产、流通正在着手建立竞争机制；住房货币化分配方案已制定完成。

大宁县出台了《关于放宽政策，进一步扩大对外开放的若干规定》，对县境外投资者、参与建设者规定了若干优惠条件，并鼓励各企业、事业单位与省内外大专院校、科研单位挂钩，引进技术、人才。全县先后有 100 多名干部和群众赴北京、深圳、厦门、山东等地参观考察学习。

【工程项目】 太德引水上塬工程实现提水上塬目标，投资 473 万元，蓄水量 80 万立方米，可解决 4000 人饮水，3000 亩耕地浇灌、渗灌，年经济效益可达 130 万元，是太德科技示范园区的基础工程；完成北桑峨至马头关 10 千米三级公路改造工程，投资 100 万元；完成大宁至花崖 15 千米三级公路拓宽，投资 200 万元。村村通广播电视通过验收，开通了加密频道，收视频道增加 16 个，扩容市话线路 1200 门，市内交换机 500 门，兴建移动机站 3 个，移动用户发展到 600 多户。联通建站工程基本完工。

【社会各项事业】 大宁县制订出台了《加强科技创新的意见》，建立健全县、乡、村科技网络。组建了枣业、草业、羊业等 7 个专业技术协会。全县实施省、地级星火项目 42 项，县级星火项目 12 项。通过各类渠道培训科技能手 4000 余人。有 5 家企业参加了临汾地区首届产学科研项目洽谈会，与 8 所大专院校签订科技项目合作意向书 14 份。

教育工作进一步落实“优化发展”的战略，县直 50 多个单位筹资 200 多万元，解决了农村学校课桌凳、校舍维修、绿化苗木等困难，新建、维修、扩建学校 12 所，为城关小学、大宁一中装备了语音室、多媒体制作系统、计算机教教学设备、校园电视台等。政府拨款粮救助失学儿童 218 名。大宁中考录取 206 名，比 1999 年多 46 名；高考录取 76 名，比 1999 年多 60 名。计划生育工作初步扭转了被动局面。全县人口出生率 11.06‰，比地区指标低 5.94 个千分点。

大宁儿童免疫接种率 100%，全省排队第一。县防疫站通过省级三等防疫站验收，县中医院上等达标工作通过了省级验收，中心血库通过省卫生厅评审验收，超额完成地区下达的献血任务，被授予“无偿献血先进县”。加大卫生执法力度，各类卫生不合格的个体食品加工户全部取缔，打击游医药贩 4 人；取缔无证行医 11 家，重处假劣和过期药品 190 多种，并进行了集中销毁。

·县领导人名单·

县委书记	李建荣（4月免）
	杨玉龙（5月任）
县人大常委会主任	张隰生
县长	刘明贵（4月免）
（代）县长	王　林（5月任）
县政协主席	高俊合

隰　县

【概况】 隰县位于晋西吕梁山南麓，东临汾西，西接永和，南与蒲县、大宁接壤，北与石楼、交口相邻，总面积 1413 平方公里，其中耕地面积 37.8 万亩。全县共有 8 个乡镇、135 个村委、4 个居委会、384 个自然村，总人口 9.85 万人，其中农业人口 7.83 万人。境内交通便利，公路四通八达，209 国道纵贯南北，洪永线横穿东西。隰县属暖温带大陆性气侯，年平均降水 478 毫米，无霜期 150～180 天。主要农产品有玉米、马铃薯、豆类、果品、烟叶等。矿产资源现已探明的有 11 种，主要有煤、石英矿、大理石、花岗岩等。

面对农业遭受特大旱灾、市场有效需求不足等各种困难和问题，全县人民在县委、县政府的领导下，紧紧围绕“321”发展战略，全力推进龙头企业特色县建设，圆满完成了各项目标任务。全县国内生产总值达到 22400 万元，同比增长 8.9%；财政总收入 1292 万元，同比增长 9.9%；农民人均纯收入 1573 元，同比增长 14.5%；城镇居民可支配收入 3184 元，同比增长 11.4%；社会消费品零售总额 12849 万元，同比增长 11.5%。

【农业和农村经济】 在遭受严重旱灾的情况下，全县粮食总产量仍达 36807 吨。3 大支柱产业又有新发展，新发展酥梨 1 万亩，干果 1.2 万亩，果品总产量达 8000 万斤；累计改良羊 12 万只，黄牛 5000

头；烤烟面积由1999年的3000多亩增加到5000多亩，总产100万斤；小杂粮、油料和瓜菜等经济作物面积扩大到15万亩，其中马铃薯面积扩大到6.5万亩，比1999年翻一番。乡镇企业增加值完成1643万元，比1999年增长19.3%。全县又有40个村、1万多口人恢复了温饱，城关镇和4个村、6163口人基本达小康。

【工业】 坚持优化存量与扩大增量并举，集中力量加大扶优扶强、技术改造和开拓市场力度，从整体上提高了工业运行的质量和效益。晋利源建材公司粉尘治理、烘干技术和虹光电力公司硫化床锅炉改造完成，达到环保要求。巾单有限公司“一洗净”多功能系列毛巾生产项目、通用机械公司生产配件，组装三轮车项目上马运行。通过优惠政策，吸引本县和外地客商投资兴办的梁家河煤矿掘进见煤，有色金属公司万吨金属锌技改项目一期工程上马。全县工业增加值完成1979万元，实现利税488万元，分别比1999年增长20%和9.1%。

【商贸】 隰县积极发挥区位优势和产业特色，坚持以产业兴市场，以市场促产业，县内建市场，县外辟窗口，推动了商贸流通和第三产业发展。投资300多万元的隰州中心市场建成后，全县基本形成了以昕水市场、工贸商厦、生益农贸市场、隰州中心市场等专业批零市场为主的、功能比较齐全的市场体系。巩固和发展了广州、武汉、漯河、呼市等10多个农副产品销售网点，拓宽了外销渠道。组建了果农协会、羊绒协会、中药材协会等行业协会，农村经纪人达1000多人，繁荣了市场，活跃了流通。全县城乡居民储蓄存款余额达20075万元，较年初增长9.6%；全年剥离不良资产5181万元，净投放贷款1287万元。财税部门通过强化征管、增收节支，超额完成了年度任务，实现了当年财政收支平衡。

【交通邮电】 全县新铺油路12千米，拓宽改造乡村公路55千米。到年底全县通车里程达441千米；全县固定电话用户达6000户，移动电话用户达1314户，已通电话的行政村64个，占全县行政村总数的40%，全县邮电通讯现代化程度进一步提高。

【科教文卫及社会生活】 全县建立了14个科技当家人培训中心、40多个培训基地。新引进20多个新品种，培育了100个种植、养殖示范区和科技成果示范基地，大面积推广果品套袋、高接换优等实用技术30多项。中小学内部管理体制改革基本完成，教育结构、教师结构进一步优化。“四化”学校建设成效明显，有20所学校达到县级园林化标准要求，28所学校达到县级文明校标准，4所学校通过省地文明校验收。中、高考成绩名列东西山10县之首。人口出生率为11.67‰，低于全区控制目标5.33个千分点。全年征缴社会保险费211万元，下岗职工基本生活保障率达100%，再就业率达89.6%。

【重点项目工程】 全县确定了28个重点项目，其中有5个列入全区落实“三件大事”重点项目。全年共落实项目资金5803万元，到位3869万元。以项目工作为主线，围绕国家投资重点，集中实施了国家级生态环境综合治理、退耕还林还草、农田水利建设、造林绿化、市政建设、广播电视联网等十项重点建设工程。完成综合治理面积6万亩，坡改梯6000亩；新建人字闸17座、骨干坝3座、淤地坝20座，新增节水面积6000亩；完成造林9.1万亩，植树122万株，退耕还林1.3万亩，荒山造林5.2万亩；完成了城区和86个村、700户入网任务，全县的基础设施条件得到进一步改善。

·县领导人名单·

县委书记	王文英
县人大常委会主任	任岩松
县　长	郑建文
县政协主席	李玉衡

永 和 县

【概况】 永和县位于山西省西南部，临汾地区西北边缘，吕梁山脉南端西翼。南北最长处46千米，东西最宽处41千米，总面积1212平方公里。全境地形东北高西南低，最高处海拔1521米，最低处海拔511.9米，境内山垣梁峁和河川沟泉纵横交错，形成千沟万壑之貌。全县共有9个乡、2个镇，80个村民委员会，314个自然村。

县委、县政府在吸取以往经验的基础上，经过反复调研论证，确立了本县今后经济发展的新思路的新目标：即抓好一个主导产业（红枣），夯实两个关键基础（基础设施、基础教育），实现三个目标（财政自给，群众脱贫、环境改善）。主导产业奋斗目标为：人均百株枣，户种10亩草，全县一台戏，10年见成效。确立长抓枣，短抓羊的指导思想，红枣树由目前的250万株（人均40株）经过3年努力累计要达到600万株，10年后进入盛果期，总产量可达3万吨，产值可达18000万元。财政收入可达1800万元，农民可增收3000元。通过退耕还（草）工程，5年后可新增草地10万亩，天然牧坡和人工种草总面积可达40万亩，载畜量可达25万只羊单位。

【农业】 永和县遭受百年不遇的大旱，县委县政府及时采取生产自救、抗旱补救、政府解救措施，努力把灾害损失减少到最低程度，全县粮、油、蔬菜、水果等仍获得一定的收成。粮食作物种植面积10402千公顷，比1999年减少1710公顷，其中，夏粮面积4471公顷，减56公顷，秋粮面积5931公顷，减1654公顷；粮食总产量13542吨，减少4238吨，其中，夏粮产量172吨，减少4026吨，秋粮产量13352吨，减少230吨；棉花绝收，油料产量2740吨，下降10.35%；蔬菜产量1837吨，增加145.6%；水果产量3859吨，下降18.9%。造林绿化工作取得突破性进展，2000年全县共完成造林面积8000公顷，其中，经济林2400公顷，防护林5600公顷；畜牧业生产在价格持续下跌的情况下，保持稳步发展。全县肉类总产量2141吨，增长2.9%，其中猪、牛、羊肉产量2005吨，比1999年增长2.2%；禽蛋产量509吨，增长5.2%；年末生猪存栏14398头，末增长1.8%；羊存栏82306只，下降20%；大牲畜存栏16153头，增长2.1%。农业生产条件继续改善。全县农业和机械总动力2.5万千瓦，比1999年增长1.8%，其中农用运输9辆，大中型拖拉机103台。全年，化肥施用量2158吨，下降8.6%；农村用电量131万千瓦小时，下降10.3%。农田水利建设上，增加泵站4个，节水灌溉机械22套。

【工业】 县委、县政府针对本县工业基础差，市场竞争力弱，经济效益不高的状况，提出了“围绕主导产业，抓龙头企业；围绕高科技，抓技术含量高的企业；围绕大市场，抓私营企业；围绕老企业，抓新产品开发”的工业发展思路。围绕市场，注重效益，经过筛选论证，确定了具有本县特色的优势项目。1000吨酸枣汁饮料项目和200吨红枣保鲜项目正式立项，争取到流资216万元。豫晋锅炉有限公司、润发纸箱有限公司等一批私营企业成功起步，一批个体加工、运输保鲜、批发等经营大户得到较快发展。全年国有及销售收入500万元以上的非国有工业企业完成工业总产值878.6万元，比1999年增长11.9%；工业增加值完成372万元，增长12.3%；工业销售产值完成861.9万元，增长13.8%；产销率达98.1%，提高1.6个百分点。其中，销售收入在500万元以上的非国有工业企业完成工业总产值851.6万元，增长12.8%；完成增加值360.6万元，增加13.9%；销售产值完成834.9万元，增长14.5%。

【交通通信】 全年公路客运量22.09万人次，和1999年持平；客运周转量1940万人千米，比1999年同期增3.2%；公路货运量为16.1万吨，比1999年同期增长13.4%，货运周转量为1417万吨千米，比1999年同期减少了0.9%。在交通道路建设上，配套完善了10千米文明路；拓宽了岔口—石楼8.433千米二级公路；完成了西庄—泊洋三级循环路19.775千米；打通了署益—坡头25.851千米山岭重丘区三级公路；铺设了永和县—大宁10千米二级公路；邮电业务总量为302万元，比1999年同期增长69.7%；新增电话842部，比1999年同期增长42.7%。在通讯建设上，扩建了阁底—西庄、坡头—岔口、桑壁—长索农话线路工程，完成了桑壁、交口、阁底、署益、坡头五乡镇农话扩容；新建了一座GSM基站，覆盖了阁底、西庄两乡及打石腰、泊洋、罢骨、交口的部分村庄。

【财税】 全县财政总收入完成401万元，占调整任务400万元的100.25%，比1999年增长2.82%，其中，一般预算收入完成336万元，中央财政收入完成65万元，工商税收145万元，增长8.21%；农业“四税”84万元，增长1.2%；国有企业35万元，下降5.41%。全年财政总支出为4295万元，比1999年同期增长4.7%。其中，支援农村生产类支出为181万元，增长64.5%；科技三项费用类支出19万元，增长工 111.1%；农村水利气象部门事业费支出234万元，增长25.1%；行政管理费类支出868万元，比1999年增长2.5%；教育事业费支出764万元，增长26.7%；文体事业费支出170万元，增长3.03%；卫生事业费支出199万元，增长3.11%。

【金融保险】 金融机构各项存款余额为11385万元，比1999年同期增长15.7%，其中，城乡居民储蓄存款余额为8465万元，比1999年同期增长15.4%。金融机构各项贷款余额为12725万元，比1999年同期减少5.2%；全县保险费收入5.67%，其中财产保险费收入1.5万元。赔付金额24万元，其中人身险给付金额4万元。

【社会消费】 受国家与地方有利政策的驱动，全县城乡消费保持稳定增长的态势。全年全县社会消费品零售总额为4726万元，比1999年增长7%。其中：县零售额2639万元，增长4.9%；县以下零售额2087万元，增长10.4%。全年全县批发、零售贸易业零售额4026万元，增长3.4%；农业生产资料零售额272万元，减少18.1%；餐饮业零售额213万元，制造业零售额64万元。

【社会各项事业】 教育上，普及九年义务教育工作顺利通过了省政府预验收，中小学内部管理体制改革工作圆满完成。全县共聘任教职工893人，高中教师学历达标率为70%，初中教师学历达标率为73.6%，小学教师学历达标率为98.6%。全县高中招生201人，为计划的134%；初中招生1360人，为计划的92%；小学招生1493人，为计划的100%。新建了永和一中实验楼、永和二中宿舍楼、交口中学、打石腰摩托罗拉希望小学，城关河口小学等。文化上，4个乡镇文化站建成并投入使用。卫生上，全县11个乡镇卫生院进行了维修和修建，其中城关卫生院投资10万元新建了一栋二层楼。村级卫生所基本得到了健全，全县80个村委，至年底建立卫生所74个，基本达到了“一村一所”。全县城乡医院门诊人次达到20.16万人，全年业务收入达到305万元。

【群众生活水平】 全县农民人均收入为808元，比1999年增长0.69%。全县职工工资总额为2375.4万元，比1999年增长22.7%。全年，城镇居民人均可支配收入3045.68元，增长13.68%，人均消费性支出1979.81元，增长4.93%；城镇居住条件继续得到改善，年末人均住房面积为13.5平方米。

（樊永兴）

·县领导人名单·

县委书记	王醒安
县人大常委会主任	田根茂
县　　长	（缺）
县政协主席	李玉衡

蒲　县

【概况】 蒲县位于山西省西南部，吕梁山麓，是山西省主要产煤县之一。全县总面积1510.61平方公里，辖15个乡镇，103个行政村。全县总人口97916人，其中：农业人口81832人，非农业人口16084人。人口自然增长率9.83%。

全县国内生产总值完成51341万元，比1999年增加4530万元，增长9.3%；人均国内生产总值5244元，比1999年增448元，增长9%；社会劳动生产率9240元/人，比1999年增加430元/人，增长4.9%。

【农业】 农业遭受大旱灾，全县采取行之有效的抗旱措施，狠抓了经济作物和小杂粮为重点的种植结构调整及庄园经济，有效地控制和减轻了灾害损失。全县农业总产值达9429万元，比1999年增长18.5%。其中：种植业产值4886万元，增长18.5%；林业产值1765万元，增长18.4%；畜牧业产值2773万元，增长18.5%；渔业产值5万元；农民人均纯收入1875元。

种植业全县粮食作物种植面积2043万亩，比1999年减少9.3万亩，夏粮面积2.76万亩，秋粮面积17.67万亩。粮食总产量29619吨，比1999年增长10.3%，其中夏粮产量597吨，比1999年减少85.3%，秋粮产量29022吨，增长27.3%；油料产量2000吨，增长167.4%；烤烟产量544吨，减少16%；蔬菜产量1691吨，增长29.8%；水果产量864吨，减少18.5%；林业全年共完成造林面积15.20万亩，增加7.2万亩；四旁植树造林完成95万株，减少24%，育苗0.3万亩，减少4.2%；畜牧业全县年末大牲畜存栏32226头，减少11.3%，其中：牛存栏30404头，减少10.6%；猪存栏17788头，增长9.7%；羊存栏68181只，减少33.2%；家禽存栏15811只，减少16.8%；肉类产量3441吨，增长28.5%，其中：猪、牛、羊肉产量3242吨，增长26%；禽蛋产量761吨，增长2.6%；全县农业机械总动力2.37万千瓦，拥有大中型拖拉机23台，小型拖拉机493台，推土机33台，农用载重汽车31辆，农用化肥施用量（折绝）3505吨，农村用电量906万千瓦小时；乡镇企业实施了161户乡村集体企业的产权制度改革，完成了煤矿技改、炉料公司等10个调产重点项目，全县乡镇企业完成总产值174538万元，比1999年增长7.9%；完成营业收入164302万元，比1999年增长19.9%；上缴税金2881万元，比1999年增长25.6%。

【工业】 全县工业总产值89829万元，比1999年增长8.8%，其中，国有企业和年产品销售收入在500万元以上的工业企业完成工业产值20766万元，增长20.9%。国有工业企业和产品销售收入在500万元以上的工业企业完成工业增加值8911万元，国有及国有控股企业完成增加值2261万元，其中国有企业完成增加值2261万元，集体企业完成增加值3222万元，其它经济类型工业完成增加值3428万元，轻工业增加值28万元，重工业增加值8883万元。主要产品产量：原煤373.43吨，增长7.6%；洗精煤181.82万吨，增长0.2%；焦炭141.4万吨，减少2.8%；生铁19万吨，增长47.6%；水泥2.95万吨，增长207.3%；发电量8635.87万千瓦小时，减少5.6%。全县国有企业和年产品销售收入500万元以上的工业企业，实现销售产值20595万元，工业产品销售率99.2%，实现利税3370万元。

【建筑业】 全县建筑企业完成增加值2274万元，增长2.5%，占国内生产总值的4.4%；实现利税额552万元，增长3.4%；全员劳动生产率16957元，增长0.3%；人均创利税4116元，增长4.4%；全县完成固定资产投资9094万元，增长2.5%。基本建设投资5356万元，更新改造投资完成3356万元，其它投资完成82万元，零星投资完成48万元。基本建设和更新改造项目39个，增长5.4%，新增固定资产9068元，增长2.4倍。

【交通邮电】 组织实施了东大街改造一期工程，整修、拓宽乡村、矿区公司13条、84千米。全县公路通车里程达973.9千米，客运量33.8万人，客运周转量4450万人千米，分别比1999年增长15.4%和19.3%；货运量89.1万吨，货运周转量5920万吨千米，分别比1999年增长5.1%和7.3%。邮电通讯事业不断发展，全县共完成邮电业务总量1473万元。新增城乡电话用户1628户，其中住宅电话用户1538户，新增移动电话用户409户。年末全县电话交换机总容量达8853门，数据通讯用户158户，移动电话用户1485户，城乡电话用户6600户，其中住宅电话用户5797户。电话普及率由1999年的每百人43.6部提高到59.2部，其中县城电话普及每百人达到40.75部。

【财政金融】 财政收入稳步增长，财政总收完成5601万元，比1999年增长15.03%；一般预算收入完成3185万元，增长12.9%；全县财政总支出6603万元，增长18.93%。全县金融机构各项存款余额达30958万元，增长15.7%；各项存款中城乡居民储蓄存款余额24957万元，增长17.7%；全县保险承包总额31669万元，增长69.1%；保费收入408万元，增长18.6%；赔付金额119万元，减少39.6%。年末，全县14户企业参加企业财产保险，1355户居民参加家庭财产保险，25861人参加了人身保险，处理财产保险赔案140件；全县有3600名职工参加了失业保险，11350名城镇干部参加了基本养老保险，702名离休人员参加了退休费和社会统筹。

【文教卫生】 有11个乡镇开通了有线电视，新安装闭路电视100余户，年末有2152户安装了闭路电视；全县各类学校在校生共20612人，比1999年增长3.5%。其中，普通中学在校生6962人，职业中学在校生643人，小学在校生13007人，小学学龄儿童入学率99.9%，小学毕业生升学率达到99.8%。全县幼儿36所，在园幼儿达2882人，成人中等教育在校生244人。全县各类学校353所，专职教师1552人；全县共有各类医院18所，农村卫生所90所，厂矿卫生所15所，医院床位374张，专业卫生技术人员423人。其中初级医务人员321人，中级以上医务人中102人。

（张世贤）

·县领导人名单·

县委书记　　常富顺
县人大常委会主任　　王淳厚
县　长　　仇振刚
县政协主席　　张建忠

汾西县

【概况】　汾西县地处临汾盆地边缘，地势由西北向东南递降，分山地、丘陵、平原3部分。东毗邻汾河与霍州市相望，西依姑射山与隰县蒲县接壤，南接洪洞县、北连灵石、交口县。总面积870平方公里，人口134860人，辖14个乡（镇），225个行政村。

汾西县委、政府认真落实中共十五届三中、五中全会精神，按照省委和地委、行署部署，以建设经济强县为总目标，紧紧围绕稳定和发展两大主题，全面抓好"打基础、调结构、治环境"三件大事，领导汾西人民精诚团结，奋力攻坚，使经济建设和社会社会事业出现了齐头并进、协调发展的良好局面。国内生产总值达29700万元，比1999年增长13.4%。第二产业增加值14064万元，增长22.3%，第三产业增加值12961万元，增长18.6%；粮食总产量8515万吨，下降82.74%；农民人均纯收入866万吨，下降17.8%；农村居民人均住房面积22.65平方米；乡镇企业总产值51257万元，增长17.84%；财政收入1926万元，增长7.42%；社会商品零售总额达11809万元。

【农业基础建设】　全县紧紧围绕农业增效、农民增收和农村稳定3个重点，增加农业投入，大搞农田水利基本建设，推广普及农业实用技术，积极调整农业产业结构，加快农业产业步伐，农业的基础地位得到了进一步稳固和加强。在遭受了百年不遇的大旱灾，县委、政府提出了"11255"调产治旱方案，组织全县机关干部和人民群众开展抗灾自救，实施了"一户一眼井、增收八百元"。"118"院井式工程建设，打筑旱井13290眼，使农民生活和生产用水得到了极大的缓解；"111"农村电网改造工程，完成470户电网整改任务；实施了"保一还二，三位一体"的生态农村建设，共构筑打坝110余座，新增沟坝地700亩，营造核桃林1500亩，红枣林6000亩，完成荒山造林6900亩，肉类总产量达2441吨。其中，牛肉产量443吨，增长18.7%；猪肉产量1615吨，下降3.12%；羊肉产量240吨，下降8.4%；奶类产量34吨，下降5.56%；羊年末存栏51607只，大牲畜年末存栏27697头。农业机构总动力为3.92万千瓦，增长4.53%；化肥施用量1697吨，农村用电量440万千瓦小时。

【工业生产】　工业战线抓住市场需求回升的机遇，加大企业的改制、改造，以项目建设为重点，加快结构调整步伐，使工业生产保持了快速发展。工业增加值12937万元，增长1.7%。规模以上国有工业企业增加值2839.4万元，增长19.5%；集体企业增加值1283万元，其中原煤77.6万吨，精煤26.16万吨，铁矿石53.7万吨，焦炭56.3万吨，生铁9.3万吨；工业企业产品销售产值6990.7万元，比1999年增长20.41%，产销率98%；实现销售收入4223.6万元，比1999年增长23.03%，实现利税收入286.4万元。

【财税征管】　全县进一步深化财税体制改革，强化收入征管，推进"四统"管理，扭转了税费征收的被动局面。财政收入1926万元，增长7.42%；一般预算收入1239万元，增长7.72%；各项存款余额16883万元，增长27.37%，其中：企业存款余额1616万元，增长15.39%，有效缓解了企业资金紧张状况，支持了地方经济的发展。

【基础设施建设】　全县新建、改建公路38千米，通车里程437千米，225个行政村全部通了公路，100%的乡镇通油路。公路客运量77.2万人次，增长0.26%；客运周转量1894万人千米，增长8.5%；公路货运量155.8万吨，下降21%；公路货运周转量3878万吨千米，下降14.3%。邮电业务总量531万元，电话交换机容量达7420门，新发展城乡电话用户750户，无线寻呼电话容量420户，长话电路总数270户路，电话普及率为每百人4部。以产品创优为重点，壮大煤焦传统产业，创出"汾鑫"牌冶金焦和"丰图力"牌动力精选煤两个省优产品。以复产创效为突破，积极开发冶金产业，发展石膏、制粉厂30余家，形成了年产10万吨石膏粉的生产规模。以"扩大开放，搞好服务，促进发展"基本思路，投资67万元修得出了姑射山旅游风景区的铜殿、文殿、三教殿、圣母殿、玉皇殿等古建筑，成功地举办了首届姑射山风景旅游节，扩大了汾西的知名度。清代民居师家沟旅游风景区的公路建设，在省交通厅立项，首批投资200万元，现已开始启动工程。为了解决移运通讯的盲区问题，投资230万元，建设了要家岭、桑原两个移动通讯基站。

【科教文事业】　275名优秀大中专毕业生充实到教师队伍，使全县教师队伍得到优化。达到高考录取线111人，各级各类幼儿园幼儿入园率达80%；县教育系统顺利通过国家"两基"验收，教育条件及教学环境进一步改善，学校建设向花园式方向迈进。卫生事业实现初级卫生保健达标，计划生育取得新突破，人口自然增长率控制在13.1%。取缔关闭了34家无证诊所，没收假冒伪劣药品价值4万余元。档案、环保、保险、老龄等各项事业都有新的突破。

（赵鸿虎）

·县领导人名单·

县委书记　　张德英
县人大常委会主任　　刘砚田
县　长　　（缺）
县政协主席　　侯明俊

经济技术开发区

临汾经济技术开发区

【概况】 临汾经济技术开发区是山西省人民政府批准成立的省级开发区，1998 年 10 月正式挂牌成立。开发区规划面积 7.8 平方公里，管辖面积 11 平方公里，起步区面积 0.8 平方公里，辖北城镇 9 个行政村，总人口 32000 人。临汾开发区党工委、管委会团结带领全区干部群众，紧紧围绕省委、省政府提出的“一增三优”总体目标和地委、行署确定的“打基础、调结构、治环境”三件大事，发扬“开放创新、团结拼搏、廉政高效、求实奉献”的开发区精神，取得了较好的成绩。全年国内生产总值完成 13600 万元，比 1999 年增长 22%；科工贸收入完成 69000 万元，同比增长 26%；新入区项目 21 个，同比增长 91%；入区企业投资总额 38000 万元，同比增长 34%；财政收入完成 751 万元，同比增长 67%，增长幅度全区第一。临汾开发区作为先导区、示范区、新城区的区域开放形象初步树立了起来，为全区“三件大事”的落实发挥重要作用。

【开发区总体规划出台】 3 月，由山西省规划设计院编写的《临汾开发区总体建设规划》正式出台。规划的主要内容是“三片两心”。“三片”是指西部为开发区主中心区，工业、行政、金融等公共服务设施集中于此；东部为生活区；北部为生态农业观光区。“两心”是指西部河汾路与中大街交汇处形成开发区主中心和东部在地区卫校形成居住区次中心。区内“三横四纵”的道路形成开发区的框架。按照规划要求开发区的功能定位是以新型工农业为主体、以科技和商贸为双翼的园林式的新型经济区。

【商贸启动】 临汾开发区紧贴母城，处于城乡结合部，人多地少的矛盾十分突出。所以，建区伊始，就确立了“商贸启动、工业兴区”的发展战略。发展商贸可以尽快地凝聚人气、士气、加大人流、物流的运转，为“工业兴区”和社会经济全面发展做好准备。临汾开发区紧紧扭住商贸市场的建设不松手，通过不断完善项目审批服务、手续代办、跟踪服务等制度，及时解决了商贸市场建设过程中遇到的矛盾和问题，赢得了投资者的欢迎。例如，五洲超市 5 月 1 日破土动工，国庆节就剪彩开业，建设速度超过“深圳速度”。到年底，已进入开发区的市场共有 14 个，投资上千万元的市场就有 7 个，总投资额 14490 万元，年销售额可达到 50000 万元，其中五洲超市、顺峰食品城、广奇家俱城相继建成投入运营。这三大市场共投资 7000 万元，年利税达 1500 万元。在临汾地区市场建设流动现场会上，开发区的商贸建设成就和先进经验，得到了与会领导的高度评价。临汾开发区被评为“2000 年度市场建设先进单位”。

【招商引资】 开发区为进一步深化招商引资领域，拓展招商引资范围，改革了招商引资方式，在全国多个省市，捕捉投资信息，引进先进技术，吸纳建设资金。全年共引进项目 21 个，合同资金达 21000 万元，总投资额比 1999 年增长 65%。其中现代装饰广场投资 1200 万元、亚飞汽贸城投资 1300 万元、货运配送枢纽投资 800 万元，这些项目都正式签订了入区合同。移动通讯大楼投资 6500 万元、邮政大楼投资 4000 万元，这两个项目签订了入区意向。9 月，在深圳商交会上，开始了与上市公司—广东佛山塑料集团有限公司接触。佛塑集团公司是全国塑料制品、编织产品行业的排头兵、年产值达到 280000 万元人民币，5 月在深圳证券交易所正式上市，经营业绩自 1992 年以来，连续 8 年在全国同行业内名列第一。该企业在寻求扩张的过程中，先后对西安、济南、太原、晋城多个城市、地区进行过比较考察，最终把目光定格在临汾开发区。不仅被临汾开发区的人文、区位、资源优势吸引，更为临汾开发区人的诚恳态度、务实作风和科学精神所感动，最终拍板在临汾开发区投入巨资兴建分厂，并在跨世纪之际，正式签订了“佛塑集团经纬分公司入驻临汾开发区建设项目合同”。这一项目的成功入区，表明了临汾开发区已经初步具备了吸纳大型工业项目入区的能力，对全区经济结构的调整和“三件大事”的落实产生了重要影响。

【基础设施】 开发区根据总体规划，开展了大量的基础建设。一是多方筹措资金，完成了中大街的南段工程，完成了河汾路 1800 米的供水管道工程和部分人行道铺设工程，完成了汾河一路的前期准备工作，完成了 1000 门程控电话的增容安装。二是完成了 1.47 平方公里的工业园区的详细规划，完成了坂下村、郭家庄村东晖花园住宅小区的设计方案和管委会办公大楼的总体设计。三是组织实施了大量的地质勘测工作，建立了比较详细的建设档案和座标体系。四是先后成立了一批专门公司，如：万达盛房地产开发公司、万鑫昌市政建设开发公司、万物源房地产开发公司、开发区道路建设指挥部、拆迁办公室等，全面开展基础设施建设的各项工作。五是组建了“评委专家库”、“标底专家库”和“质量监督站”等，加强了工程质量的监管，规范了区内的建筑市场，确保了所有建筑施工的质量。开发区从各种渠道投入到基础设施建设方面的资金全年达到18352万元，比1999年同期增长15.32%。

【土地管理】 土地资源是开发区起步和发展的重要资本。如何开创一条促进土地利用与经济发展的路子，是摆在开发区面前的一大课题。对此，开发区开展了大量基础性的工作和初步探索。一是土地分局牵头、北城镇配合，开展了大量实地勘察测量，摸清了辖区内可利用土地、闲置土地的基本底子。二是积极主动地处置盘活存量土地、把地理位置好的土地批给效益好的企业使用，如五洲超市、顺峰食品城、广奇家俱城，达到了合理配置土地的目的。三是积极与省国土资源厅联系。完成了400亩农转用土地手续的报批工作。开发区共收取国土收益金450万元、土地有偿使用费43万元，先后造地43亩和完成协议造地600亩，收取造地费50万元。虽然，大面积的土地统征尚未正式启动，但是盘活开发区土地资源的路子已经比较明晰，土地开发的各项工作已经开始步入健康运行的轨道。

【区域开放形象初步树立】 由于临汾开发区成立较晚，对创办开发区的目的和意义都还在了解，有的甚至存在着误解。为了扭转这种不利局面，开发区把反复宣传党中央、国务院关于创办开发区的意义，宣传临汾开发区发展战略、发展规划和优惠政策，当作“形象工程”来抓，投入了大量的资金，取得了明显成效。一是积极与外界联系，主动牵线搭桥，在加强对外交流宣传活动中，扩大临汾开发区的知名度。3月，同上海南汇工业园区成功地结成了友好开发区，双方决定在经济、人才、技术以及文化方面加强交流合作。二是多次组织开发区工作人员到外地考察学习外地的先进经验，研究探索外地的发展途径，同时大力宣传优惠政策。5月，临汾开发区组织各部门的主要领导和业务骨干30余人，到3个国家级开发区，即西安经济技术开发区、西安高新技术开发区、杨凌高科技农业示范区，作了为期一周的参观考察，一方面学习考察先进经验，一方面大力宣传临汾的各种优势。三是召开了两次很有影响力的新闻发布会，参加了西安、厦门经洽会、深圳高交会和杨凌农业博览会。四是充分利用各种报刊、媒体宣传临汾开发区的招商引资项目，先后在《人民日报》、《市场报》、《中国改革报》、《投资与环境》、《改革先声》、《投资快讯指南》、《临汾日报》、《经济观察》等多家报刊杂志上刊出专版专栏、通讯报道50余篇、10多万字，有力地提高了临汾开发区的知名度，树立了特色鲜明的区域开放形象。

【基层党组织建设进一步加强】 2月，中共临汾经济技术开发区工作委员会正式成立，作为派出机构，负责开发区党建工作。党工委成立后，紧紧围绕“商贸启动、工业兴区”发展战略，广泛开展“举旗帜、树形象、比奉献”活动，通过发展组织、壮大队伍、健全制度、营造氛围、增添活力，在全区上下掀起了人人为“上项目、招客商、引投资”服务的高潮。一是建立健全了一系列党建工作制度，如《关于建立健全基层党组织的决定》、《关于加强和改进基层党组织建设的实施意见》等，使党的建设步入正轨。二是新建立了一批基层党组织，新建设党支部7个。三是党工委领导率领有关部门领导深入到辖区各农村党支部和企事业支部调查研究、现场办公，解决了热点、难点问题。四是开展了区级领导班子和领导干部的“三讲”教育，取得了明显成效，得到了地委巡视组和广大群众的好评。

（任丽岗）

·区领导成员名单·

主　任	杨万波（党工委书记，2月任）
副主任	刘林玉
	卫永红（2月任）
党工委副书记	杜旭杰

企事业选介

煤　炭

省煤炭运销总公司临汾分公司

山西省煤炭运销总公司临汾分公司成立于 1984 年，是组织实施地市铁路、公路煤、焦运销的全民所有制专业性公司。全区煤运系统现有干部职工 4300 余人，资产总额 8.2 亿余元。分公司下辖 15 个县（市）公司、6 个直属公司，内设铁路、公路、焦炭 3 个公司和 1 个多经中心，公司机关 9 个科（室）、5 个涉外办事机构。全区共有铁路煤炭发运户 47 个，货位 1709 个，年发运煤炭 500 万吨；铁路焦炭发运户 54 个，货位 300 多个，年发运 60 万吨；公路销售营业站 45 个，电厂用煤管理站 2 个，上站煤管理站 7 个，年出省煤焦 160 余万吨，年上缴省、地煤炭专项基金愈亿元，为省、地经济建设做出了重大贡献。铁路、公路合计出省煤焦 393.7 万吨，（不含出口运量 44.5 万吨），完成承包任务的 100.2%；其中：铁路出省煤炭 201.2 万吨，完成考核指标的 100.6%；公路出省煤炭 85.1 万吨，完成考核指标的 106%；铁路出省焦炭 65.3 万吨，完成考核指标的 103.7%；公路出省焦炭 42.2 万吨，完成考核指标的 85%；铁路、公路累计完成省内电厂用煤 48.6 万吨，完成考核指标的 108%；全区煤运系统货款基本没有形成新的拖欠，清收历年旧欠 4848 万元，旧欠总额由年初 24900 万元降低到 20100 万元；上缴省、地煤炭专项基金 11393 万元，其中，上缴省 7412 万元，上缴地区 3981 万元，均百分之百完成了上缴任务，创历史最好水平。全年铁路煤炭总运量完成 315.5 万吨。

整顿管理收到新成效。1. 整顿煤炭运销秩序。通过整顿铁路运销秩序，遏制了代发势头，加大了经销份额，制止了煤运系统内部串户降价倾销现象，为巩固和开拓市场创造了条件。实行交款和提报计划挂钩管理，促进了煤炭专项基金的收缴工作；通过整顿公路运销秩序，“三乱”现象得到了有效的治理，特别是对省总公司点名批评的 3 个营业站进行了重点整顿，使广大干部、职工受到了教育；蒲县赵克营业站推行站务公开，受到用户的好评，取得了好的经验；重点达标营业站实行磅机联网监控管理，收到了很好的效果。2. 强化煤炭专项基金收缴力度。1999 年，分公司把收缴煤炭专项基金列为各单位《经济指标承包责任书》的重要内容，并通过例会制度、计划控制、行政手段、法律手段、强化收缴款力度。仅 1999 年 12 月～2000 年 3 月，就上交省、地煤炭专项基金 3670 万元，不仅实现了四季度按时足额上交，而且还补交了当年亏欠 630 万元，补交了历年亏欠 341 万元。

首次取得进出口经营权。经外经贸部批准，临汾煤运分公司首次取得了进出口经营权。

2000 年主要指标完成情况

铁路煤炭

单位:万吨

项目/年份	计	精煤	原煤	出省
2000 年	315.5	160.1	155.4	245.6
1999 年	339.5	68.7	270.8	311.7
5 同比+=	-24	91.4	-115.4	-66.1
同比+=%	-7.1	133.0	-42.6	-21.2
其　中			其　中	
精煤	原煤	省内	精煤	原煤
124.4	121.2	69.9	35.7	34.2
45.8	265.9	27.8	22.9	4.9
78.6	-144.7	42.1	12.8	29.3
171.6	-54.4	151.4	55.9	598.0

公路煤焦

累计	煤	焦	铁路焦炭累计
127.2	85	42.2	65.3
143.4	92.7	50.7	66.2
-16.2	-7.7	-8.5	-0.9
-11.3	-8.3	-16.8	-1.4

上缴煤炭专项基金情况

单位：万元

年份 / 项目	上缴省、市煤炭专项基金
2000 年	8235
1999 年	11393
同比+-	3158
同比+-%	38.4

冶　金

太钢集团临汾钢铁有限公司
山西新临钢钢铁有限公司

山西临汾钢铁公司筹建于1957年6月，经过40多年的发展，到改制前已形成了一个集矿、烧、焦、铁、钢、材于一体的中型钢铁骨干企业。太钢集团临汾钢铁有限公司（下称临钢公司、临钢）、山西新临钢钢铁有限公司(下称新临钢公司、新临钢)是1998年10月太钢兼并临钢后成立的两个有限责任公司。两公司成立后，整体管理模式为“一统三分”。“一统”指公司领导统一，两个公司一套领导班子；“三分”指两公司分设机构，分账核算，分表统计。按两块牌子、一套人员要求，临钢、新临钢共设19个处室（新临钢称部室）、18个二级生产单位、7个党群工作部门。临钢、新临钢两公司党委书记、总经理李宝文，副书记郑晨宇、范平原（兼纪委书记）、李晋生，副总理柴保胜、徐建国、任国峰、李晋生、王庆章（至2000年8月）、舒捷才（至2000年8月），工会主席崔金平。

临钢公司拥有中型矿山2座，年产精矿粉能力25万吨；焦炉4座，年产冶金焦炭能力63万吨；中板轧机1套，年产中厚钢板能力11万吨；焊管机3台，年产焊管能力6.5万吨。其产品冶金焦、螺旋焊管、直缝焊管为省优产品。新临钢公司拥有炼铁高炉5座，总容积1228立方米，年生产生铁能力120万吨；20吨氧气顶吹转炉3座，年产铸坯能力120万吨。其产品铸造生铁为部优、省优产品。新临钢公司被国家冶金局列为冶金行业72家重点钢铁企业之一。临钢、新临钢共有职工13498人。其中，大学专科以上学历2026人；高级技术职务人员115人；管理人员1113人。

生产经营。临钢、新临钢按照江泽民“三个代表”的要求，深入贯彻企业改制后制定的“低成本、高质量、快速度”发展战略和“四年三步走”发展目标，在生产经营上年取得优异成绩的基础上乘势前进，钢铁产量及利税指标再上新台阶，一举实现了企业第二步发展目标。

全年共生产钢74.0006万吨，比1999年增长31.18%；铁77.9479万吨，比1999年增长22.44%；烧结143.6931万吨，比1999年增长57.77%；焦炭67.4967万吨，比1999年增长10.94%；中板11.4717万吨，比1999年增长30.19%；焊管2.2052万吨，比1999年增长22.36%；精矿粉25.3724万吨，比1999年增长4.5%。全年实现不变工业总产值，新临钢为58520万元，临钢为39823万元，分别比1999年增长25.56%、18.30%。主要技术经济指标钢铁料消耗1073千克/吨，比1999年下降28千克/吨；入炉焦比572千克/吨，比1999年上升3千克/吨；高炉利用系数2.623吨/立方米·日，比1999年提高0.413吨/立方米·日；平均炉龄4403炉，比1999年提高2582户。主要经营指标，新临钢实现销售收入111252万元，实现利税9738万元，实现利润2787万元；临钢实现销售收入76108万元，实现利税7272万元（未含从新临钢分利902万元），实现利润1606万元（未含从新临钢分利902万元）。两公司实现总利税17010万元，总利润3479.62万元。由于生产经营成绩显著，被山西省委、省政府授予“山西省优秀企业”称号，被国家冶金工业局授予“2000年度钢材（坯）出口及创汇先进奖”；被临汾地委、行署授予“先进集体”和“2000年度纳税特别贡献奖”。

企业管理。公司企业管理主要按照生产超标、质量贯标、环保达标的思路来实施。在经济责任制考核方面，将1999年的“技能工资和岗位工资的50%加核定奖金基数”的考核工资修改为“岗位工资的50%加核定奖金基数”。具体考核指标仍以利润（成本、费用）指标考核为主，同时注重产品产量、质量、品种、消耗及生产组织、安全、环保等指标的考核。在质量管理方面，主要开展了贯彻ISO9002标准认证的前期准备和基础工作。出台了贯标实施计划，制定了质量方针，编制了质量手册，进行了质量职能分配，完成了体系文件的撰写。至11月20日，进入了体系试运行阶段，为下一步质量认证审验打下了基础。在环境保护方面，2000年是整改力度较大的一年。按照国家“一控双达标”工作目标（一控：污染物排放总量控制；双达标：工业污染源排放达标，功能区环境质量达标——作者注），公司投资3000万元，建设了炼钢转炉烟道除尘等19个治污项目，收到了显著成效。9月22日，临汾地区环保局在临钢召开全区重点工业企业排污达标现场会，会议对临钢治污工作给予了肯定；11月20日，杜五安副省长率全省“一控双达标”临汾现场会领导组成员到临钢检查工作，以临钢治污工作给予了高度评价。

科技进步。公司在科技进步、产品开发方面也取得新的进展。为了提高企业的技术创新能力，公司重视科技投入，注意科技进步工作体系的建立和科技队伍的建设。在加大技改力度的同时，推广新工艺、新技术，改善工艺条件。在质量检测系统增设了直读光谱仪、电子光学金相显微镜、氮氧仪、原子吸收分光光度计等先进的仪器仪表，为新产品研制开发及钢产品内在质量检测创造了条件；在炼钢冶炼系统增设了吹氩、喂丝等精炼措施，提高了钢的纯净度；推广应用了转炉溅渣护炉技术，1999年2月投入使用以来，转炉炉龄由去年的1920炉，提高到4403炉，最高炉龄曾达到8286炉，比全国重点钢铁企业平均水平2548炉高出2.25倍，吨钢节约成本5元以上；在炼钢对连铸板坯实施改造，实现微机自动化配水控制，拉速大幅提高，板坯的产量几乎翻了一番，质量也得到改善。在新产品开发方面，开发了HRB335和08桶两个新品种钢。通过完成以上科技进步项目，加速了科学技术向现实生产力的转化，使公司抓住了2000年的市场机遇，获得了良好的效益。

重点工程建设。公司先后实施了“两炉一机”（380立方米高炉、8平方米球团竖炉、2号方坯连铸机）技改工程。其中，建成的重点工程是380立方米六号高炉。本工程于3月21日开工，至12月13日建成投产，历时267天，与国家定额工期16个月相比，提前7个多月。本工程采用了许多新技术：高炉炉体耐火材料首次采用烧成铝碳砖和炉缸“陶瓷杯”技术；铁口、渣口、风口及热风管三叉口采用组合砖技术；上料、卷扬、炉顶设备采用计算机控制；称量系统的各种入炉料采用可实现量差自动补偿的微机控制；工程造价12000万元。8平方米球团竖炉和2号方坯连铸机工程将于2001年建成投产。

凝聚力工程。公司加快旧房改造和民建工程步伐，提高职工收入水平，企业的凝聚力增强。企业发展的同时，职工工资收入稳定增加，住房条件不断改善。职工人均工资收入超过万元。1999年度平房改造工程顺利完成，改建了11栋家属楼，累计新建住宅楼已达26栋，面积达126000平方米，累计有1500余户职工家属住上新居。

精神文明建设。公司党委围绕改革、发展、稳定大局和企业第二步发展目标，进一步加强了精神文明。首先，以提高企业管理人员素质为重点，引深了讲学习、讲政治、讲正气的“三讲”教育活动。对于两级中心组的理论学习，公司党员坚持每季度检查考核评定一次，以确保学习制度的落实、学习内容的完成和学习效果的巩固。公司还举办了学习中共十五届四中全会精神研讨会、厂务公开经验交流会、廉洁奉公演讲赛等活动。年底还发动2161名职工代表，对处级以上管理人员进行了民主评议。其次，以活动为载体，推动精神文明创建活动向深度发展。公司成功地举办了“临钢在前进”新千年文艺会演等大型文体活动5次，陶冶了职工情操。除搞多种形式的文体活动外，公司党委还组织开展“讲党性、做表率、比贡献”活动，公司工会组织开展“抓管理、降成本、强素质、增效益”劳动竞赛，公司团委组织开展“亲情、友情、爱情”系列活动。第三，以交流会的形式，认真总结推广思想政治工作经验。为推动基层一级思想政治工作好典型，对于调动职工的积极性，克服基层思想政治工作薄弱状态，起了很好的作用。由于临钢精神文明创建活动成绩显著，被评为“临汾地区思想政治工作优秀企业”。

（吴春龙　董临红）

侯马冶炼厂

中条山有色金属集团有限责任公司侯马冶炼厂，是易地兴建的我国大型铜冶炼企业之一。厂址位于侯马市郊区，距市中心约6公里，厂北部有晋韩公路通过，侯马冶炼厂的铁道专用线由距厂5公里的侯西线西贺村站接轨，交通方便，水电供应充足，厂区占地面积57.1万m^2，建筑面积6.63万m^2。现有生产系统的设计规模为粗铜3.5万吨/年，采用工艺为澳大利亚的Ausmelt熔炼和吹炼流程。于1999年8月建成投产，1999年8月～2000年8月，侯马冶炼厂进行了热试车，共生产粗铜3664吨，硫酸22466吨。2000年8月以后，进入了试生产阶段，单炉产量，日产和月产粗铜，都已突破设计值，已基本达到了生产粗铜3.5万吨/年的设计能力。

侯马冶炼厂拥有设备固定资产共计1239项，土建固定资产共计63项，其中大型设备共计14（台）套，主要运行设备共计213（台）套，所有项目固定资产总值为70451.76万元,其中:房屋资产13219.2万元；构筑物资产11448万元，其它资产1026万元。整体装备水平在我国铜行业中属领先水平。职能部室和车间各为6个。截止2000年末在册职工人数为630人，其中：工程技术人员95人，占职工总数的15.08%；管理人员86人，占职工总数的13.65%。这些专业技术人员中，具有高级职称的9人，中级职称的38人。资产总额90683.68万元，其中：固定资产投资75444.94万元。负债总额16148万元，所有者权益74535.68万元，资产负债率为17.8%。生产经营状况，2000年完成工业总产值9357.973万元，实现销售收入9622万元，上缴税金362万元，全年处理精矿量36963.8吨，精矿含铜7331.68吨，粗铜完成6888.73吨，硫酸27342.73吨。各项经济技术指标不断得到改善，全厂硫利用率大于95%，超过设计值，粗铜冶炼回收率完成96.63%。职工人均工资收入也得到了明显提高，全厂在岗职工人均工资7800元。

侯马冶炼厂现阶段主要生产粗铜，附产品硫酸，属于铜电解、加工企业及化肥、化工行业的初级原料产品。目前国内粗铜生产满足不了电解铜生产的需要，硫酸产品受农业化肥市场影响较大。主要技术采用澳大利亚的Ausmelt工艺炼铜技术和二转二吸硫酸生产工艺，以及美国的霍尼韦尔DCS控制系统，其特点是生产效率高，环保条件好，综合回收率高，能源利用率高，设备自动化程度高，因此有效地节约了人力，比同等规模企业人力成本大大减少。同时通过各项措施，加强了余热利用，水循环利用等，使单位产品能源消耗大大降低。现阶段，侯马冶炼厂技术工艺属于90年代国际先进技术水平，国内领先。经过侯马冶炼厂技术人员几年的探索攻关，基本掌握了设计思想和工艺技术，并在部分环节加以改造，该工艺技术日趋成熟。

侯马冶炼厂建厂起点高，具有国际一流的技术、一流的设备，与国内同类企业相比要领先10～15年，是集团公司优良的资产。实行债转股改制后，将其同母体分离、自成一体、独立核算、轻装上阵，定会有良好的发展前景。其一，发展潜力大。二期工程在现有基础上再作少量投入，就可使粗铜产量达到5万吨/年，电解铜产量也达到5万吨/年，从而形成规模效益；其二，吸引力强，利于招商引资。现在已有客商前来洽谈合作，今后将逐步发展成为上市公司。

化　工

山西焦化集团有限公司

山西焦化集团有限公司是一个对煤进行深加工，集采煤、洗煤、炼焦、精细加工、化肥、水泥和投资网络科技、对外参股等为一体的国家大型一档企业，有职工6500余人，占地面积214公顷，资产200000万元。1997年和2000年先后通过了ISO9002质量体系认证和ISO14001环境管理体系认定证，为国务院确定的520户国家重点企业和山西省重点保护的优势企业之一，公司先后荣获“全国‘五一’劳动奖状”、“全国现场管理先进企业”、“全国环境保护先进企业”、“全国质量管理先进企业”、“山西省最佳企业”。

公司有年产煤100万吨、洗精煤160万吨、焦炭160万吨、焦油8万吨、粗苯2万吨、硫酸铵8600吨、顺酐7000吨、合成氨8万吨、尿素13万吨、水泥20万吨等17套主要生产装置，生产50余种产品。自1985年以来，公司奉行“追求卓越”的经营理念，坚持“三改一加强”致力于管理创新，重视科研开发，积极开拓市场，推行清洁生产，各项工作得到了长足发展。“四·三兴厂之道”作为国有企业成功的管理经验，被收入《中国企业管理科学案例库》。所控股的山西焦化股份有限公司，4次募集资金55000万元，投资兴建90万吨/年焦炉易地改造项目。先后合资建设了北钢二焦化，设立了临汾洗煤有限公司、上海惠焦网络科技有限公司，联合开发了古县古阳相力二矿、孝义煤田等。通过推进技术进步，调整产品结构，提升了产品质量和装置的现代化水平。1985年～2000年底，实现利润20652万元，上缴利税45010万元，相当于给政府上交了3个山焦。投资新建的90万吨/年煤焦装置一期工程于11月1日建成投产，该装置作为山西省最大的现代化机焦示范装置。

90万吨/年焦炉易地改造项目一期工程建成投产。90万吨/年焦炉易地改造项目是山西省确定的“九五”重点建设项目，也是建设“洪洞焦化基地”的起步项目。工程概算总投资96338万元，其中固定资产投资90880万元。设计生产能力为年产焦炭94.6万吨、焦油4.5万吨、粗苯1.2万吨、硫磺1300吨、发电量12000KW/h。项目全部建成投产后，年销售收入55000万元，年创利税11120万元。工程整体设计体现了工艺先进、机械化和自动化程度高、能耗低、环保设施齐全等特点，整体技术在国际上属于先进，是山西省第一套炭化室高6米的现代化的炼焦生产装置。项目于1999年3月大面积开工，经过1年零7个月的建设，11月1日如期实现了1#焦炉投产的目标。在工程建设中，通过采用项目法人制、招投标制、工程监理制，工程进度、质量、投资等得到了有效控制，工程建设创造了全年重大事故为零，质量事故为零，工程质量全部合格的优异成绩。通过采用灵活多样的筹资方式，保证了工程建设的按期完成和顺利投产，建设资金主要包括证券市场募资43000万元，发行企业债券筹资12000万元，银行贷款27000万元，政府支持5349万元。它的建成投产，不仅为公司即将建设的30万吨/年焦油加工改造、24万吨甲醇和建设大型焦化基地在统一指挥上、建设速度上、工程质量上和技术支持上积累了宝贵的经验，更重要的是促使该公司产量增加、产品的质量结构和装备的技术水平发生了质的飞跃。

公司“十五”及中长期发展规划是：到2001年将形成年产500万吨原煤、500万吨洗精煤、500万吨焦炭、30万吨煤焦油加工、30万吨甲醇和2万千瓦发电的生产规模。届时，公司总资产将达760000万元，年销售收入530000万元，年实现利税140000万元。

山西焦化集团有限公司2000年度主要经济效益指标完成情况

指标名称	计算单位	本年数	与上年相比（±%）
完成产值	万元	26277	12.88
实现利税	万元	4179	28.47
上缴利税	万元	3754	-31.35
销售收入	万元	33372	12.96
产品销售率	%	97.55	-2.48
工业增加值	万元	8836	23.98
成本费用利润率	%	0.2	-1.57
总资产贡献率	%	4.45	0.82

临汾染化（集团）公司

临汾染化（集团）公司是中国石油化工总公司生产染料及染料中间体的定点企业，总资产15000万元，职工1169人，主要生产硫化、还原、皮革、油溶、直接、分散等染料及染料中间体，医药中间体八大类80余个品种，年生产能力3.5万吨。主导产品还原桃红产销量居世界领先地位，主导产品硫化黑也名列世界前茅。产品畅销全国并远销东南亚、香港、日本、欧美等国家和地区，出口份额占产量的80%以上，年创汇收入近千万美元。

公司自1991年起开始进入全省国有工商企业百家利税大户行列，1993年在中国500家最大化工企业中列第286位，1991年全国同行业千余家中按效益排序第15位，在全国染料生产界享有较高声誉。公司党政班子在贡万信同志带领下，始终坚持以“国家富强，企业振兴，职工生活达小康”为己任，奋力拼搏，开拓进取，使公司双文明建设取得优异成绩。2000年，4月20日省上市办将临染集团列入省20户备选上市公司之首，之后抓住机会多方开展工作，截至年底已完成企业上市所要求的大部分前期筹备工作，它将实现地属企业上市零的突破。6 月，公司通过 ISO9002 质量体系论证，取得了入世质量通行证；公司十分重视环保工作，投资 476 万元完成废水处理改造工程；投资 966 万元完成硫化黑扩产改造工程；投资 217 万元完成年产 2000 吨直接染料；涉足医药化学品的产品 DL 一对羟基苯甘氨酸。DL 一对羟基苯海因试产成功，并打入国际市场。销售收入、销售回款实现双亿元，利税 1400 万元，创历史新高，公司 12 月被山西省委、省政府评为“山西省优秀企业”。

安泽焦化总公司

安泽焦化总公司始建于 1995 年，是一个集采煤、洗煤、炼焦、焦油回收、煤气发电、宾馆服务为一体的集团化企业。公司有原煤生产矿井六对，年产原煤 60 万吨。有年产 30 万吨的洗煤厂两座和年产 40 万吨冶金焦的焦化厂。有装机 2250KW/h 的发电厂年发电量 800 万度。主要产品有原煤（主焦煤）、洗精煤、冶金焦、焦油等。

焦化总公司是安泽县乃至临汾地区县（市）营企业中最大的冶金焦生产企业之一。其技术力量雄厚，设备先进，具有完善的质量管理体系和质量保证体系。经技术监督部门历年多批次检验，所生产的产品均达到国家标准，产品备受用户好评，远销河北、河南、山东、天津等地。安泽焦化总公司通过几年的发展，有干部职工 1200 余人、固定资产 10000 万元，年产值达 12000 万元，年销售达 15000 万元。1998 年～2000 年连续 3 年获得临汾行署“利税超千万元企业”称号。座落在安泽县城的焦化公司办事处（安泽宾馆），拥有高中档标间 100 余套，优质完善多功能高品位别具特色的服务，将为您的旅游、休闲、会议提供最理想的去处。焦化总公司位于安泽县城北 30 千米的唐城镇，经马唐公路与 309 国道相接，西可达临汾，东可通长治，直达冀、鲁、豫等地，交通十分便利。

电　力

霍州发电厂

霍州电厂位于山西省南部、临汾盆地北缘，霍州市西南 9 公里的汾河西岸，霍州、洪洞、汾西三县交界处，隔河有南同蒲铁路和大运二级公路纵贯而过。霍州发电厂是 1973 年投产的山西电网的主力电厂之一，隶属山西省电力公司的发电生产企业，再装机容量为 4×10 万千瓦，主要担负着山西中南部地区工农业生产及人民生活用电的发供电任务。有职工 1900 人，占地 75 公顷，厂区占地 45.3 公顷。截至年底，该厂完成发电量 595 亿千瓦时，为国家创造产值 380000 万元，向国家交纳各种税款 5 个多亿。

本厂 1995 年被电力部命名为“安全文明双达标”单位，被全总授予“模范职工之家”，1997 年被山西省劳动竞赛委员会授予“山西省五一劳动奖状”，被华北网局命名为“无渗漏火电厂”和“双文明单位”，被省局党组命名为“党建工作达标单位”，1998 年荣获全国五一劳动奖状，1999 年连续 5 次被省委、省政府授予文明单位。

2000 年主要生产经营指标完成情况

1．发电量完成 24.88 亿千瓦时，完成省公司调整计划的 103.7%，比 1999 年增发电量 2.1 亿千瓦时；

2．厂用电率完成 9.22%，比省公司计划下降了 1.27 个百分点，比 1999 年下降了 0.19 个百分点；

3．等效可用系数完成 91.78%，比省公司计划提高了 1.78%；

4．供电煤耗完成 412g/kwh，与省公司计划持平。

5．标煤单价完成 155.05 元/吨，比省公司计划降低 3 元/吨；

6．发电单位成本完成 122.57 元/kkwh，比计划降低 6.42 元/kkwh；

7．包利润完成省公司计划；

8．全员劳动生产率完成 126113 元/人·年，比 1999 年人均增长 15037 元，增幅达 13.54%；

9．资产经营考核指标完成情况较好：

（1）其它应收款降低率完成了省公司下达的降低 10%的任务；

（2）短期借款降低率为 33%，比省公司下达 20%的指标多降低 13%。

10．3 项费用累计完成 4549.3 万元，比省公司下达降 5%的计划多降低 17.7 万元；

11．职工收入稳定增长，职工人均年收入比 1999 年增长 10.8%。

机　械

山西风雷机械厂

山西风雷机械厂是国家大型二类企业，隶属于中国兵器工业集团公司第一事业部。工厂始建于 1968 年，1972 年正式投产。厂址位于山西省侯马市南郊紫金山北麓，环境优美、交通便利、通讯发达，是国内生产石油钻具产品最早的专业厂家。工厂占地面积 48.4 万平方米，职工 1000 余人，其中有中高级技术职称 205 人，享受国家特殊津贴 3 人。年底工厂资产总额 13000 万元，全年工业总产值达 6000 万元。

工厂拥有大型机加设备 650（台套），分设在六大分厂（103 分厂、201 分厂、301 分厂、401 分厂、406 分厂、504 生产技术管理部、销售处、财务处、人事劳资教育处、理化计量处、质量管理处、检验处、技术开发中心、物资管理中心、武保处、修建处、医院、学校）。有 13 个经营公司（物资供应公司、运输公司、物业公司、多种经营公司、塑钢公司、物资公司、工贸公司、源泰公司、灵器公司、铸业公司、动能公司、果蔬脱水公司、龙威公司)。以厂长马建平、党委书记王德虎等7名同志组成强有力的厂级领导班子，促使工厂钻具产品的产值、产量、品种及效益达有史以来最好水平，国内钻铤市场占有率达 60%以上。“金山牌”石油钻铤系列产品曾获山西省和原兵器工业部优质产品奖，石油钻铤于 1993 年获美国石油协会“API”会标使用证书，并保持至今。工厂立足于提高企业的质量管理水平，1997 年挪威船级社组织评审通过 ISO9002 国际质量体系认证，石油钻铤系列产品遍布国内各大油田，并远销欧美及中东市场。

纺　织

山西三维集团公司

山西三维集团公司系全国 520 户重点企业和山西省 34 户优势企业之一，是山西省骨干企业和利税大户，属国家大型一类高科技企业。公司前身为山西维尼纶厂，兴建于 1970 年，占地 900 亩，在册员工 3700 人。1996 年 2 月在原厂优质资产基础上，以发起方式设立了山西三维集团股份有限公司，1997 年 6 月“山西三维”6000 万股 A 种股票在深交所上市；1998 年 6 月，山西维尼纶厂整体改组为“山西三维华邦集团有限公司”。华邦集团以 52.92%的持股比例成为山西三维集团股份有限公司的控股股东。公司拥有资产总值 140000 万元。自 1987 年以来，连续 14 年盈利。三维公司以有机化工为主业，有 14 大系列 60 余个品种，其主导产品产量、质量品种以及工艺控制先进性等位据全国同类企业前列；1994～1996 年公司连续3年被评为“全国质量效益型先进企业”，1997 年首批进入“山西省管理现代化企业”行列，并荣获“全国五一劳动奖状”，1998、1999、2000 连续3年被省委、省政府命名为“山西省优秀企业”，1999 年通过 ISO9002 国际质量体系认证。未来 3～5 年内公司将在 2.5 万吨 1.4 丁二醇建成的基础上，引进美国技术建成国内第一套万吨级的双乙酸钠装置，引进英国克瓦纳公司技术建成国内第一套万吨级四氢呋喃（THF）装置，引进国外技术建成国内第一套万吨级的 PTMEG（弹性纤维—氨纶的原料）装置和第一套万吨级的 r—丁内酯装置；引进国内外科研院所的最新专利技术，实施 PVA 扩建，开发新品种，使 PVA 生产能力达到 7.5 万吨。这些项目全部建成达产后，公司的销售收入将达到 300000 万元，利税将超过 60000 万元。

国内最大装置的 2.5 万吨 1.4—丁二醇以及配套的甲醛、制氢项目全面开工建设。1.4—丁二醇被列为国家“双加”项目，也是山西省重点潜力产品项目，该项目预计投资 25000 万元，占地面积 13000 平方米，项目 2001 年建成后，可新增销售收入 27500 万元，利润 4350 万元；与丁二醇配套的甲醛项目其整套生产装置和技术由瑞典引进，项目投资 4000 万元，年产量 6 万吨；制氢项目采取目前国内先进的气体分离法技术，总投资 4400 万元，甲醛、制氢项目均于 9 月、10 月相继开工建设，2001 年将建成投产，为丁二醇生产提供充足可靠的原料保证。

临汾纺织厂

临汾纺织厂是临汾地区最大的国有企业，全省最大的涤棉生产企业。有职工 5000 余人，纱锭 49156 枚，布机 1438 台。在纺织行业挑战和机遇共存的条件下，依靠自身的力量，紧紧抓住纺织市场短暂好转的良机，积极深化改革，强化管理，推动技术进步，调整产品结构，寻求新的经济增长点和加强精神文明建设，较好地完成了企业中期“打基础”的战略目标。全年完成工业总产值 11663.67 万元，完成工业增加值 2713.35 万元，上缴税金 854.27 万元，成为全区的纳税大户，受到地委、行署的表彰，荣获“思想政治工作优秀企业”的光荣称号。

为适应建立现代企业制度的需要，走公司化改制的道路，企业本着“先内后外”的原则，抓住机制创新这条主线，不断完善了经营机制和管理体制。为充分调动全厂干部职工的生产积极性，打破了传统的分配制度，领导干部交纳风险抵押金，实行了风险工资；全厂工资和效益挂钩，增强了职工的紧迫感、责任感、危机感和事业心。对三产和切块单位资产进行了清查和评估，规范了经营合同，以承包的形式使停产近三年的劳服二厂恢复了生产，发挥了资产应有的作用，安置了部分职工。实施低成本扩张，寻求新的经济增长点，组建了临霍色织有限责任公司，“梦得柔”床上用品投放市场，前景较好。为企业主体增资减债，轻装上阵，尽快扭亏脱困，出台了《临汾纺织厂改革总体方案》，被地区企业改革领导组原是批复，为今后深化改革，转机建制，按现代企业制度早日运行奠定了良好的基础。

企业推行了目标成本管理，分解指标，节奖超罚，节能降耗初见成效，吨钞通扯用棉量和百米布用纱量达到历史较好水平。纱布折标单产分别由 1999 年同期的 39.58 千克/千锭时和 4.33 米/台时，提高到 2000 年的 41.66 千克/千锭时和 5.87 米/台时。开拓经营渠道，严把“进”“出”两头，抢抓机遇，争创效益，主动角及国际市场，进口涤纶原料和出口产品，实现了该厂历史上直接进出口“零”的突破。完善制度，依规治企，出台了《项目支出预算管理办法》，规定了报批程序，确定了监督单位和责任人，做到了费用开支有计划、有预算，尤其对技改项目，投资项目，各分管口事先都要有可行性报告，有效地避免了投资风资。

为了企业的将来，依然坚持“量力而行，小步快跑，滚动发展”的原则，主动自筹 594 万元进行技术改造，安装了 101 台 75″布机，改造了 13 台 FA502 型细纱机，新建了新疆棉除糖室，对清药、前纺、准备、整理的部分机台进行了配套改造，使坯布品种不断增多，生产规模不断扩大，为企业产品适应市场需求，走品牌战略之路铺平了道路。全年共开发“三布两纱”5 个新产品，为企业参与竞争增添了后劲。

制　药

晋光药业有限责任公司

山西省晋光药业有限责任公司是由山西省晋光制药厂、山西省经济建设投资公司社会自然人组成的股份制企业。本公司有员工 312 人，各类技术人员 62 人，总资产 3568 万元，可生产针剂、片剂、胶囊等 5 个剂型 52 个品种的综合制剂企业。

本公司生产的“猴头健胃灵”采用的主药“猴头菌”是公司科技人员在山西中条山采集野生猴头经多年驯化而成的。除含有多糖多肽外，尚含有 5 种抗癌物质、7 种维生素、3 种活性纤维素酶、18 种氨基酸及人体必要的微量元素。它和活血化瘀、制酸收敛、缓急止痛、理气开窍、疏肝和胃功能的中药配制，对于治疗急慢性胃炎、浅表性胃炎、萎缩性胃炎及十二指肠溃疡总有效率达 96.3%，对饮酒造成急性胃炎、胃溃疡治愈率达 100%，同时具有预防胃肠疾病的发生。“猴头健胃”被国家药典委员会评审，载入《中国药典》第一部；“肝得安”胶囊是本厂科研人员根据中国医学理论，结合肝炎患者病理特征研制的新药。对于治疗急慢性肝炎，甲、乙、丙、丁型肝炎、肝硬化、胆囊炎、胆结石具有很好的疗效；“近视康”胶囊以“治病为本”为大法，针对青少年“稚阳未充，稚阴未长”的生理特点，扶“稚阳”养“稚阴”补益气血，促进五脏功能的正常与完善，使五脏六腑之精气皆注于目。本品具有解除眼睫肌疲劳和痉挛，增强眼球壁对眼外肌压迫的抵抗力，防止眼轴病理性延伸的功能，矫正屈光不正，恢复视力，并对成年人近视眼病的并发症有治疗作用，是防治青少年近视眼病的理想药物。

年产 20 亿粒猴头健胃灵的扩产项目，4 月 7 日以晋经贸字［2000］44 号文件予以立项；6 月 16 日晋经改便字［2000］54 号文件可研报告审查论证通过；8 月被山西省发展计划委员会确定为重点扶持的潜力产品起步项目。9 月 6 日破土动工，为抢时间赶进度，各专业施工队投入了大量的人力物力、将水电安装、空调通风、彩钢板装饰、设备安装等工作统筹安排、穿插施工，预计 2001 年 10 月将投入生产。投入后正常年份产值可达 24000 万元，利税 10000 万元。省农行于 12 月 4 日，以晋农银贷字［2000］26 号文件批复 1265 万元项目贷款。

（李育）

建筑施工

地区建筑工程总公司

地区建筑工程总公司始建于 1953 年，是全区惟一的国有二级建筑施工企业。现有职工 1621 人，其中工程技术人员 134 人，高中级职称 40 人，持证项目经理 92 人。40 余年来，公司几代人艰苦创业，造就了一大批业务技术骨干，积累了丰富的建筑施工经验，建立了完善的管理组织结构，拥有检测设备齐全的国家二级建材试验室，各种施工设备成龙配套，可承揽大中型工业与民用建筑工程，涉足冶金、煤炭、化工、水利、电力、铁路、公路、高层建筑、现代装璜、房地产开发等领域，为临汾地区社会经济发展做出了重大贡献。

相继承建了临汾、洪洞 60 万吨洗煤厂、太原五一百货大楼、侯马万吨啤酒厂、太原铜业公司 3×20 吨锅炉房，朔州石油公司 500 立方米内浮顶油罐，翼城牢寨铁路专用线 400 米直线、两座曲线特大桥、临钢热风炉、龙祠引水、曲亭水库除险加固等大中型工业、民用建筑工程。采用振冲卵石桩、液压滑模、强夯、充气顶升，可调式钢模、大模板等新技术、新工艺、新材料、缩短了工期，提高了质量，降低了造价，受到社会各界的赞誉和同行业好评，多次被上级授予创优达标、重合同、守信用等光荣称号。近几年来，在激烈的市场竞争中，公司更加视质量为生命，精心施工，创造精品，连续三年创省优工程 4 项，地优工程 25 项，区优工程 8 项，树立了良好的社会形象。

公司制订了对内“科学管理，理性经营”的管理目标，“质量第一、塑造精品、真诚服务、一诺千金”的质量方针，按照“工程竣工合格率 100%，工程定抽优良率 100%”的质量目标，全年完成施工总产值 6091.13 万元，完成年初制定指标 6000 万的 101%，竣工面积 189450 平方米。工程合格率 100%，优良品率 35.3%，全年创 16 项优良工程，其中地优 11 项，县优 1 项，市优 4 项，安全文明工地 3 个，全年实现安全生产。

为了以“时代建筑精品”的名牌战略进入市场，取得用户的信赖，公司决定，申请 ISO9002 质量体系认证，强化内部质量管理。聘请北京九千标准质量体系认证中心的专家对全体管理人员进行授课，派员工赴外地学习取经，取得了通过认证的第一手资料。组建了贯标办，着手编制“程序文件”、“质量手册”以及第三层次文件，并由总经理侯天元签发，全面贯彻执行。与此同时，公司投资 100 余万元购建了新的设备、设施，全面整理厂容厂貌，11 月 13 日，通过北京九千标准质量认证中心专家验收，各项指标全部达标，验收一次性通过，成为地属建筑企业第一家通过“认证”的单位。

粮　食

中央储备粮洪洞直属库

中央储备粮洪洞直属库是由国家计委批准投资新建的全国大型粮库之一，东靠108国道和309国道，西邻南同蒲铁路，位居晋南粮食生产区，交通便利，粮源丰富。全库占地270.96亩，总仓容量1.255亿公斤，总投资7850万元，建筑总面积48673平方米，包括11栋主体平房仓、铁路专用线、综合办公楼等。粮库铁路专用线总长2.2千米，有效长度450米，设三轨道。电力专线可满足630千瓦的电力，确保粮库专用电力。粮库工程建设于1998年10月28日奠基开工，2000年5月底圆满完成1.255亿公斤的库装新粮任务。

食　品

晋利食品公司

晋利食品公司的前身是地区食品公司，现有员工600余人，其中离退休人员200余人。现有资产6544万元，其中固定资产3524万元。1997年11月成立后，从组织形式上是一套人马，两块牌子；从各项责任上实际上是划线经营。改制后的领导班子团结一心奋力开拓，3年来公司投入100余万元对原有设备设施进行了更新和维修，使临近破产的企业起死回生，现在公司的设备全部运行良好，定点屠宰、羊肉加工、冷藏技术水平在全区是第一流的。职工工资有了保障。不仅上班职工月月能领到工资，而且对离退人员按照国家规定优先给予发放工资，从来没有欠发。对国家税收大幅增长，晋利食品成立后，在抓好主营基础上，狠抓了副营业务，现在每年除上缴交增值税外，地方税每年上缴都在30万元以上，从不欠税。公司成立了新产品研制机构，仅2000年就增加了新品种10余个，使企业以全新的产品姿态投入市场竞争。公司面貌改变后，记者多次上门采访并报导，从地区到省里的一些部门得知变化后，也多次伸出友谊之手支持公司发展。1998～2000年先后拨款达100余万元更新设备。省地共青团授予公司制冷车间青年文明号班组，国家贸易局给羊肉系列产品颁发了优秀QC质量奖，生化药厂的强力痰灵产品获得国际优秀奖，公司进入一个崭新的发展阶段。

综合服务

临汾五洲集团公司

五洲集团公司是一家大型综合服务性企业，集团下属5大经营实体：五洲酒店有限公司、五洲超市有限公司、五洲休闲广场有限公司、五洲房地产开发公司和五洲住房置业担保公司，拥有固定资产2亿余元，共有职工800余人。

五洲酒店是全区首家三星级旅游涉外酒店，1996年11月5日开始营业，是一家集吃、住、行、游、购、娱等为一体的综合性服务场所。五洲酒店以其规模大、管理规范、服务上档次，在临汾地区乃至山西省都是有口皆碑的。酒店接待了国际、国内顾客和社会各界人士700万人次，其中日本、美国、加拿大、新加坡等20多个国家的外宾5000余人。截至年底正在改造设施设备，充实项目，申报四星级酒店的评定；五洲超市是晋南首家大型仓储式超市，于1999年5月注册成立。其营业面积6000平方米，经营商品10000余种，设备先进，管理科学，五洲超市积极发挥连锁效应，相继在解放路口、中心广场开设了两家连锁店。这两家连锁店的开张，均产生了好的社会效益和经济效益，并为集团公司的进一步发展壮大迈出了战略性的步伐；五洲休闲广场是一家以洗为龙头，集住宿、餐饮、娱乐、健身为一体的多功能休闲娱乐场所，其中洗浴中心以日式格调配置装璜为主，水处理设备采用全套进口世界名牌设备，内设人参浴、木炭浴、汉方药浴等项目；淋浴、坐浴、助浴配套齐全，干身、化妆、更衣服务到位，小吃广场、球馆、射箭、攀岩等，丰富多彩。其配套规格是临汾乃至晋南地区最大的；五洲房地产开发公司是适应临汾城市规模发展和城市现代化应运而生的五洲新型产业，公司成立不久就直接介入临汾城市改造工程，注资愈亿元的鼓楼广场建设和兵站路改扩建商品步行街两大工程已被列入公司新一年的规划。这两项大型工程的开发，将进一步增强和提高临汾城市功能和档次，也将进一步增强五洲集团的实力；五洲住房置业担保公司是五洲集团涉足的又一个新的领域，与住房资金管理部门及金融部门协调配合，为市民提供个人耐用消费的担保，对于促进房地产业的发展、满足人民需求发挥着积极的作用。

五洲集团公司的发展是各级党和政府大力支持的结果。五洲人不忘回报社会和国家，公司在发展的同时注重社会效益，公司为汾河滩涂开发、环卫事业、扶贫济困等公益事业累计捐资达300余万元，被省委统战部授予“光彩事业先进单位”。

五洲集团公司借助其得天独厚的地理位置及人文精神，正在巩固完善企业，正朝着知识产业与高科技产业迈进。

通　信

中国联通临汾分公司

中国联合通信有限公司（简称中国联通）临汾分公司成立于1999年4月，是中国联通在山西省临汾地区的分支机构，承担着中国联通在山西省临汾地区行政区划内的电信建设和业务发展任务。主要业务经营范围包括移动通信、无线寻呼、长途电话、数据通信、国际电信、电信增值等多项综合电信业务。中国联通临汾分公司内设综合部、计划财务部、市场营销部、运行监督与互联互通部 4 个职能部门，移动通信业务部、无线寻呼事业部、数据固定与互联网业务部三个产品部门，基础网络设施部与计费信息系统部两个支撑部门。公司本着“建立新机制、建设新网络、运用高技术、实现高增长、发展综合电信业务”的发展战略，各项业务迅速发展，整体实力不断增强，已成为山西省临汾地区举足轻重的综合电信运营企业。为推动山西省临汾地区的经济发展、社会进步和人民生活水平的提高做出了突出的贡献。

移动通信业务：4 月，中国联通 130GSM 数字移动通信网在山西省临汾地区正式建成并投入运营。技术先进、规模庞大的移动通信网络基本覆盖了山西省临汾地区所辖的 17 个县(市)，国内漫游通达 300 多个城市，国际漫游通达 42 个国家和地区。同时具有当前世界最先进技术的中国联通新一代 133CDMA 蜂窝移动通信网络工程正在加紧进行；无线寻呼业务中国联通无线寻呼网是全国最大的公众无线寻呼网络，拥有最大的容量、最先进的设备、最齐全的功能、最广阔的覆盖面。截止年底已在山西省临汾地区拥有 15 万门的装机容量，并实现了卫星传输。可为广大寻呼用户 126/127/128 本地网、省网，129/1290 全省信息同播网，198/199 全国网服务。网络覆盖山西省临汾地区所有县市、乡镇、村庄；数据通信业务：中国联通 130 手机 17911IP 一次拨号业务已于 4 月在山西省临汾地区开通，市话拨打 17910IP 两次拨号业务于 12 月开通运营。中国联通计算机互联网（CNUNINET）165 拨号接入业务预计于 2001 年 7 月在山西省临汾地区开通；固定通信业务：中国联通 193 长途网是全国第二长途公众网，预计于 2001 年 4 月在山西省临汾地区开通投入运营。山西省临汾地区用户将通过 193 中国联通长途网拨打国际、国内长途电话，从而为用户提供了更多、更经济的长途通信选择。

6 月，中国联通红筹股在纽约和香港成功上市，使中国联通进一步成为了一家国际性电信运营企业。中国联通临汾分公司将在中国联通总部和中国联通山西分公司的正确领导下，在山西省临汾地区各级党委、政府以及社会各界的支持和帮助下，不断加强企业管理，提高服务水平，在山西省临汾地区建成以移动通信、无线寻呼、数据通信和国际、国内长途通信为主的高质量精品网络，为推动山西省临汾地区社会经济信息化工作提供强有力的技术支撑，为临汾人民提供最可靠、最方便、最完善、最经济的电信服务。

（齐红民）

乡宁电信局

乡宁电信局把推行政务公开、开展行风评议工作作为 2000 年工作中的一个重点，严格按照省、地纠风工作指导思想与总要求，狠抓学习和落实，为了把政务公开、行风评议引向深入，乡宁电信局成立了以局长为组长的行风评议领导小组，制定了实施方案及细则，召开了职工大会，认真传达和学习了文件精神，使广大干部职工统一了思想，提高了认识，认真查找该局在行风方面存在的问题和不足之处，对电信对行政策法规，廉洁自律，行业作风，职业道德等情况进行了自查自纠，在内部制定了一系列规章制度，管理办法，并把服务量化、细致化、责任化，同时在县委、人大、政协、消协、老干部、大客户中聘请了 12 名行风监督员，明确了 3 项职责：一是把群众对电信服务工作的意见、建议及时反馈给电信部门；二是把电信部门的各项政策和措施向群众宣传；三是认真负责地监督电信部门的服务工作，更好地维护客户的合法权益。并不失时机地召开了两次监督人员座谈会，广泛听取客户意见，咨询服务漏洞及不足。随后结合实际公开了办事程序，电信资费标准，承诺服务等，印发了 300 余份电信行风调查表，回收 219 份，客户满意率达 90.3%。通过以上措施，增强了该局在行风评议工作中的透明度，使行风建设取得显著效果，服务质量得到进一步提高。

金　融

建行翼城支行

建行翼城支行把思想政治工作当做兴行之本，党员做先锋，干部带好头，把这普通的两招。实实在在地落实到全行工作中去，对业务发展发挥了巨大的推动作用。2000 年该行在荣获全省建行系统“思想政治工作先进集体”光荣称号的同时，清收欠息工作也勇夺全省县级支行第一名，综合经济效益名列全区系统前茅。

针对翼城支行 29 人中党员就有 16 人的实际，党支部决定把党员做先锋模范、干部身先士卒当做思想政治工作的突破口，以此调动全行员工的积极性，推进工作发展。他们首先健全了党内组织生活、民主生活会制度，进行政治理论和理想信念教育，提高广大共产党员的党性修养党性观念。通过学习提高广大党员的责任意识，个别办有第二职业的党员毅然变卖了自己的企业，全身心投入了工作之中；行领导班子从自身做起，要求员工做到的，首先管好自己，从小事做起，以身作则，廉洁自律，特别是贷款审批、费用报销、住房用车、招待费等员工关心的热点问题上，都制定了相应的《内部管理制度》，完善了监督制约机制。行里的各项工作，一旦决策，行领导都是身先士卒，用自己的行动带动员工。党员发挥先锋模范作用，领导带头作示范，员工们的心气顺了，干劲也足了；几年来，全行实行了一系列改革，1996 年第一个在全区建行系统推行竞聘上岗的用人制度改革和一年一度的岗位交流制度，1997年推行“行长承诺服务制”，同年创造出“7种收贷收息办法”，1998年实行“岗位目标考核责任制”，1999年在全省率先与工商联合组织“中小企业贷款担保中心”。有些经验在全省、全区进行推广。依靠强有力的思想政治工作做保障，翼城支行一年一个新台阶，单项考核多次受奖，一般性存款由1996年一季度的3641万元猛增到2000年的8138万元，翻了一番多。累计清收欠息1521万元，累计盈利354万元，由借差行跃升为存差行，发展后劲进一步增强。

（张永亮）

地　质

山西省地矿局213实验室

山西省地矿局213实验室，属于213地质队的附属单位，始建于1960年，现拥有固定资产65万元，是一所仪器设备先进、技术力量雄厚、检测项目齐全的多功能综合实验室，1991年通过“CMA”国家计量局标准的全面计量认证。90年代，213地质队顺应改革发展的需要，把实验室推向市场，自主经营、自负盈亏、自我发展。十几年来，213实验室以临汾煤、焦、铁基地为依托，把主要业务定位于煤、焦、铁的分析测试上，提出“质量尽善尽美，服务尽心尽力”的经营理念，对外协助60多个单位筹办煤、焦实验室，培训化验员；对内强化管理，建立四级质量保证体系，实行工效挂钩的计件工资制，全天候服务，没有出现一起质量投诉案件。实事求是的态度，方便快捷的服务，赢得了众多客户的信赖，带来了好的经济效益，对外收入从1991年的2万元/年上升到2000年的70万元/年，上缴国家税金总计20余万元。213实验室开拓进取，以质量求信誉的先进事迹，得到省有关部门重视，从1997年到2000年连续4年被共青团山西省委员会授予“青年文明号”。

（徐颜兆）

市　政

临汾污水处理厂

临汾污水处理厂位于平阳汾河大桥东引道南侧，全民所有制企业单位，隶属于地区建设局，有职工80余人。它是以治理污染、开发水资源为已任的现代化环保企业，日处理污水7万立方米，采用氧化沟生物处理技术工艺，可将临汾地区绝大部分生活污水和工业废水进行处理，污水处理后达到国家二级水质标准。它实现了晋南地区污水处理厂零善汾河临汾段的水质，改善污水渗漏污染地下水的状况，开发污水资源，对提高城乡居民的生存质量和生活水平，改善临汾投资环境，实现区域经济可持续发展，具有深远的社会效益、环境效益和经济效益。

临汾自来水公司

临汾自来水公司始建于1941年，是建国初临汾3大企业之一。司拥有两个水源地，4个加油站，一座现代化的净水厂，城市DN100以上输水管道165公里，供水覆盖率99%。企业在职职工443人，其中：大中专毕业人员130余人，各系列专业技术人员80人，企业固定资产9485余万元，是国家中型供水企业。

完成供水量2550万吨，不变产值完成625万元，销售收入完成2959万元，水质合格率完成99.8%，管网漏失率完成8.2%，全员劳动生产率完成30196元/人。实现工业总产值计划3200万元，实际完成3232万元，超计划1%；利税计划350万元，实际完成404万元，超计划15.4%；工业增加值计划1280万元，实际完成1882万元，超计划47%。

以监测城市管网供水压力为主的调度自动经系统工程正式投入运行。本系统采用无线微机控制技术，具有遥测、遥讯、遥调各监测点参数的功能，能够自动连续监测地范围内11个测压点的压力的参数和一、二、三水厂，包括3个加压站的水池液位、出厂压力、电压、电流等参数以及各运行泵的开停状态显示，并将监测参数传输到相关领导和部门的办公微机上，实现资料同步共享，能够迅速解决发现问题。整个系统运行可靠、数据准确、效果良好，在全省供水企业中跨入先进行列。本项目的完成运行，使全市的管网压力得到了直观准确的反映，实现了衡压供水，保证了安全生产，降低了漏耗，为企业实现生产控制自动化打下坚实的基础。

社会服务

地区社会劳动保险事业所

地区社会劳动保险事业所，是全区主管职工养老保险业务的经办机构，其职责主要是；承担全区社会保险业务规划、指导和协调；直接负责地直10万余名企业职工养老保险费的征缴、社会保险基金管理和养老金发放等。面对全区企业离退休人员不断增加，两个确保资金严重短缺，同时国家又一再严令企业离退休人员养老金必须做到按时足额发放，不得发生新的拖欠的严峻形势，地、县两级社会保险经办机构站在讲政治、顾大局、保稳定的高度，以为政府分忧、为企业服务，为职工维权为宗旨，迎难而上，顽强拼搏，以扩面、征缴、清欠为重点，狠抓资金筹集，坚持规范运作，强化基金监管，做到发放到人，圆满或超额完成全年各项目标任务。全区有249296名职工参加养老保险，覆盖面达96%；

征缴养老保险费 20679 万元，收缴率达 95.3%，清欠回企业拖欠的养老保险费 4600 万元，清欠率达 100%；全年应发放离退休金 30984 万元，实际发放 30893 万元，发放率达 99.7%；发放人数达 5.2 万人，其中 49154 人实现了社会化发放，社会化发放率达 95.8%。全区企业离退休人员基本生活得到确保，为促进全区经济发展和社会稳定做出了积极贡献，爱到上级部门及社会各界的肯定和好评，被省劳动和社会保障厅授予“两个确保”先进单位荣誉称号；地直工商企业 700 余名离退休职工赠送给他们“俯听民声，情暖夕阳”的牌匾，劳动部门期盼的变群众上访为群众送匾终于成为了现实。

（李强）

综合技术服务

地区土肥站

地区土肥站坚持把引资立项作为搞好工作的突破口，担负了省农业厅在侯马市、曲沃县农业科技示范园区的建设指导工作，为当地农业调产起到良好的导向作用；担负了省财政厅科技成果转化项目——统测统配中试基地建设，项目总投资 40 万元，已在襄汾县农场建成；在吉县组织实施了国家农业部“旱作农业示范县吉县示范区”建设，该项目总投资 378 万元；在全国旱作农业世行贷款项目招标中帮助洪洞县、霍州市、古县、翼城县一举中标，该项目总投资 6000 万元。在农业执法工作中，土肥站抓住《山西省肥料管理办法》颁发这一契机，一手抓法规宣传，一手抓市场整顿，在全区共查处无证经营厂家 4 个、经销单位 12 个 ，查处伪冒假劣化肥 1200 吨，查处违规叶面肥 100 件，有效地净化了肥料市场，保护了农民的合法权益。

地区动物检疫站

地区动物检疫站由高级兽医师 1 名，畜牧兽医师 8 名，化验等各类专业人员组成，是本区畜牧战线一支知识化、年轻化的动检监督执法队伍，管辖着全区 17 个县（市）的动检监督执法工作，担负着全区 380 多万人食肉安全的重要职责。在各级领导的关怀支持下，内强素质，外树形象，强化检疫检验，规范检疫监督管理秩序，狠抓“定点屠宰，集中检疫”工作，全面落实推进产地检疫工作，加大监督执法力度，主动出击，抓大案、要案，严肃查处非法行为，净化肉食流通市场，维护了国家和人民的利益。共检活畜禽 127925 头(只)，检疫肉类 9850 吨，检出病害肉 145.2 吨，产地检疫率和屠宰检疫率分别达到 90%和 100%，基本上达到农业部“四到位”目标，使本区人畜共患传染病口蹄疫 13 年清洁无疫，也没有一起因食肉引发的重大伤人案，为国家代收屠宰税 134.2 万，取得了显著的经济效益和社会效益，保证了全区人民能真正吃上“放心肉”。连续 4 年被山西省农业厅评为动检先进集体，并获农业厅动检比赛集体二等奖。

浮山县妇幼站

浮山县妇幼站位于浮山县城神山路 20 号，占地面积 1200 平方米，保健业务用房 26 间 900 平方米。内设一室十科一房一办，即办公室，妇保科、儿保科、妇产科、儿科、健康教育信息科、内科、外科、眼科、婚前保健科、医技科，药房，护办。拥有 300 元以上各类医疗保健器械 96 台（件）。现有干部职工 32 人，其中专业技术人员 28 人，中级职称 11 人，初级职称 17 人。

年初，按照等级妇幼院标准，妇幼站健全了组织机构，规范了各项工作制度和操作常规，党政工团齐抓共管，提出“硬件要配套，软件要扎实”，硬软件互补的工作要求。发动全院职工，走自力更生的路子，一是充分发挥现有设备作用，采取一机多用，另一方面加大门诊工作量，增加收入。为妇女、儿童系统管理及健康检查人次数分别为 1569 人，3794 人。婚检 340 对，取得经济效益和社会效益双丰收。二是自己动手粉刷墙面，硬化地面，少发或停发奖金等措施，节约了开支，添置了必要设备。同时在软件上狠下功夫，对全院人员进行“三基”强化培训，严格考核。选送技术骨干到地区医院进修，组织到兄弟地县妇幼院进行参观学习。经过努力，浮山县妇幼保健站于 12 月 4 日顺利通过省级等级妇幼保健院考评验收，成为全区首家一级甲等妇幼保健院标准的妇幼保健机构。12 月 14 日顺利通过省级基层卫生与妇幼保健合作项目终期评审，受到省厅领导的高度评价。

学　校

山西省邮电技工学校

山西省邮电技工学校是全省邮政的教育培训中心，位于侯马市建工路幸福街。学校设有综合办公室、计财科、教务科、培训开发部、保卫科、总务科。教职员工 68 人，其中大专以上学历者 60 人，高中级职称 31 人，初级职称 25 人，在校学员近 300 名。自 1999 年初邮政独立运营以来，共向企业和社会输送 1000 余名优秀毕业生，培训在职职工 1800 多人，绝大多数已成为邮政企业的中坚力量。

学校占地面积 43189.7 平方米，校舍建筑占地 18610 平方米，固定资产原值 1759 万元，学校设施完善、设备先进，拥有邮政营业、发行、分拣、储汇实习室和电子、脉冲实验室，可完成全部邮政业务的训练。 3 个微机实习室装备各类高档微机 100 余台，其中邮政微机室可进行邮政营业一台清训练。多功能教室配有先进的投影、音响、灯光和微机教学设备，可承接 120 人规模的培训班和会议。理论课教学可容纳 14 个班 800 余人上课。图书馆藏书近万册，阅览室安装有 100 余人的座位。校内建有足球场、灯光篮球场、乒乓球室和音乐厅等文体活动场所。学生宿舍区宽敞洁净，可容纳 800 人住宿。学员公寓楼专供在职职职工短期培训和中型会议使用，所有客房配有空调、闭路彩电和淋浴卫生间，实行准宾馆化服务，学校食堂设有小餐厅 3 个，中餐厅 1 个，大餐厅与礼堂兼用，可同时供 800 人用餐。

学校坚持以市场为导向，大力培育实用型人才。先后承揽全省邮政复退军人培训和南京邮电学院山西邮政大专班基础课教学工作，根据市场需求和企业形势的发展，学校积极探索和创新教学思路和机制，不断修订教材和调整课程结构，开设有应用写治和法律纪律教育，形成了学员课内课外言行规范、秩序井然的氛围。在全体教职工中，以培养“四有”职工为目标，有计划、有记录、有检查地开展思想作、邮政礼仪、邮政储蓄、报刊发行、市场营销、电子商务和计算机应用等行业，全部由高中级讲师任教。面向广大学员，坚持进行邮政形势、思想政理论教育、职业道德教育、业务交流和技术培训，择优推荐优秀教师赴企业挂职锻炼，进行全方位、多层次的劳动竞赛，努力提高教职工的文化水平和业务素质。同时，注重加强学校、科室、班级三级民主管理。

网络建设，促进了校园文化的蓬勃发展。学校先后被评为省邮政局“文明单位”，省邮政工会“先进职工之家”，“侯马市花园式单位”，“安全文明校园”，“军民共建共育先进单位”等。

经过 3 年的建设与发展，学校已发展成为面向邮电、服务社会，内外辐射与联合办学并举，中等职教与高等教育结合，学历教育与技能培训结合，中长期培训与短期培训结合的多元化、多层次办学基地。

南街小学

山西省临汾市南街小学创建于 1954 年，占地面积 10080 平方米，现有 31 个教学班，2300 余名学生，105 名专任教师。学校在管理上，实行工作目标、行为过程。考核评估的全程管理;，在德育教育上，本着“充实内涵、扩展外延”的宗旨；在教学改革上树立“科研才能兴校，才能兴师”的意识。本校以“方向正、风气好、负担轻、质量高、有特色”为目标，确立了“以端正教育思想为先导，以培养综合素质为根本，以改进德育工作为灵魂，以优化课堂教学为突破口，以加强师资队伍建设为关健，以完善学校管理为保障”的整体改革思想。

南街小学这所具有良好的历史传统，良好文化积淀和良好育人氛围的老校在新形势下，继续向着：名学校、名校长、名老师、名学生、兴教高起点、执法高力度、教学高标准、管理高层次、投入高强度的“四名”、“五高”的目标奋进。

附　录

中共临汾地委　临汾地区行署关于加快基础设施建设的实施意见

（2000 年 2 月 18 日）

为了把打基础、调结构、治环境三件大事落在实处，从我区实际出发，根据国家有关政策，制订加快基础设施建设的实施意见。

一、加快基础设施建设的重要性和迫切性

基础设施状况同经济发展速度密切相关。集中力量搞好基础设施建设，对于从整体上改变临汾形象，拉动经济增长，促进经济强区目标的实现具有重要意义。首先，加快基础设施建设是调结构、治环境的需要。打基础、调结构、治环境“三件大事”是一个紧密联系的整体，其中，调结构是中心任务，全面调整和优化经济结构，培育优势产业、优势产品、优势企业是振兴临汾经济的关键，打基础、治环境都要围绕这一中心进行，否则，就失去了目标和方向，就会出现盲目性；打基础是前提，良好的基础设施可以促进调结构、治环境目标的早日实现。抓好“三件大事”，基础设施建设必须先行，必须放在重要位置，为结构调整、环境治理提供良好的基础和宽松的条件。其次，加快基础设施建设是扩大内需，拉动经济发展的需要。扩大内需是国家今后一段时期促进经济持续快速健康发展的基本政策。在拉动经济增长的投资、消费、出口三要素中，投资是主要手段，而投资的重点是基础设施建设。近几年我区加快农林水利、交通通信、城市建设等基础设施建设的实践证明，解决经济领域长期存在的欠帐较多、不适应国民经济现代化建设要求和人民生活水平增长需要问题，对促进消费需求增长，推动消费结构升级，为经济增长提供持久的动力至关重要。第三，加快基础设施建设是改善人民生活质量的需要。随着经济发展和社会进步，广大人民群众的生活水平有了新的提高，对生活质量有了更高的要求。城乡集中供水、供热、供气问题已经起步，电力资源的优化配置，现代化通信的开通，电子商务、远程医疗、网上教育以及其他物质生活、文化生活的提高都要求我们加快基础设施建设的步伐。

改革开放以来，特别是近两年，我区抓住机遇，奋力赶超沿海发达地区，基础设施建设取得了显著成绩。主要表现在：交通事业迈上新台阶，全区基本实现了乡乡镇镇通油路，并建成了有“晋南第一路”美誉的霍侯一级公路；邮电通信能力大大增强，17 个县市已完成了本地电话网、分组交换网、数字数据网、数字移动通信网、报刊发行微机网五项建设；农业生产条件明显改善，平川百公里石坝全线贯通，40 万亩滩涂开发初见成效；山区小流域治理工程初步形成规模。尽管在基础设施建设工作中付出了艰苦努力，但长期形成的困难和问题依然十分突出：一是农业基础条件仍很薄弱，未能从根本上改变靠天吃饭的现状；二是交通建设相对滞后，公路循环尚未成网，航空通道没有突破；三是城市配套能力很低，吸纳带动辐射功能不强；四是城乡电网欠帐较多，不能满足经济增长和人民生活需求；五是科技教育事业基础较差，对经济增长的支持作用不足；六是市场建设发展缓慢，资本市场、技术市场、劳动力市场、信息市场培育不够；七是广播电视、文体卫生带来不适应现代化建设的需要；八是社会保障体系建设亟需完善等等。只有紧紧抓住国家加大基础设施和加快中西部地区开发的机遇，痛下决心，艰苦创业，采取得力措施，奋战几年，才能努力把我区的基础设施建设搞上去。

二、今后基础设施建设的目标和任务

根据我区基础设施现状和下世纪初经济和社会发展的趋势，从 2000 年～2003 年 4 年间，我们要紧紧围绕结构调整的总体要求，全面抓好 10 个方面基础设施建设。

（一）农林水利。主要抓好以“五水兴农”（即治水、改水、引水、节水、保水）和生态农业建设为主的 12 项农田水利基本建设工程。

1．汾河河道治理工程。明后两年，完善全部坝体及护砌，建成石坝绿色通道。到 2003 年，完成顺水坝、铅丝笼坝建设，达到 20 年一遇的防洪标准。223 公里汾河石坝实现坝面砂砾化、两侧林网化、坡面生物化、管理一体化，形成一条新的滨河大道。

2．农业综合开发工程。从 2000 年起，开发工作的重点是在 40 万亩滩涂开发的基础上，沿霍侯一级路两侧向外扩展。已开发的项目区要继续向高标准发展，全面实现“六化”，即田面平整化、方田林网化、道路砂石化、灌溉节水化、种植区域化和管理科学化，建成曲沃太子滩、洪洞李堡、临汾乔李、襄汾永固、侯马香邑 5 个高新农业科技示范园区。新开发区域围绕农业产业结构调整，推广农业新技术，发展两高一优农业，建设优质粮食基地，无公害蔬菜基地，特种水产养殖基地等，到 2003 年争取国家和省投资 1.6 亿元，完成治理面积 50 万亩以上。

3．引沁入汾工程。力争引沁入汾一期马房沟提水工程尽快在国家立项。2001 年草峪岭隧洞全线贯通，马房沟提水工程动工兴建。2003 年底马房沟提水工程全面完工，引水受益，新增水地 10 万亩，年提供城市工业用水 1577 万立方米。

4．灌区改造工程。以汾西灌区“两渠一库”（跃进渠、七一渠、七一水库）改造为龙头，加速浍河灌区、小河口灌区、浍河二库灌区等扩建改造步伐，到 2003 年，新增灌溉面积 20 万亩，改善灌溉面积 65 万亩。

5．平川节水工程。在全面提高现有节水面积标准的基础上，重点实施侯马、襄汾、临汾、曲沃四个节水示范县（市）建设。到 2003 年达到节水面积 210 万亩，节水增产园区 80 处，形成北起霍州、南至侯马全长 200 公里的节水长廊。

6．以旱井人字闸为主的山区小型水利建设工程。充分利用山区河流沟道的小泉小水，大力发展人字闸、旱井、滚水坝、小型水库等建设。特别是沁河、昕水河、芝河等流域，要作为重点开发。每年完成人字闸 50 座，旱井 5000 眼，到 2003 年，使人字闸数量达到 500 座，旱井数量达到 11 万眼，并配套建设固定电灌站、移动式流动机泵，安装提灌、喷灌、滴灌、渗灌、自流渠灌等多种设施，发展水浇地面积 7.8 万亩。

7．世行水保工程。两期项目区涉及隰县、蒲县、大宁、吉县、乡宁 5 县要搞好机修梯田、打坝造地、营造水保林、经济林、集雨节灌等小流域治理工程。到 2003 年，完成 26 万亩的治理任务，水土流失治理程度达到 50%以上。

8．农村人畜饮水解困工程。通过兴建单村、连片和集中供水工程，维修改造现有供水工程，实现农村供水城市化和山区饮水稳定解困。到 2003 年，兴建供水工程 500 处，平川 70%以上农村人口用上自来水，山区人畜饮水难问题得到根本好转。

9．三条林带工程。即西山防护林带、太行山水源涵养用材林带、平川绿色通道为轴心的农田防护林带。到 2003 年，通过新造林 50 万亩，完善以昕水河生成经济型防护林示范区为主的西山防护林带；通过新造林 25 万亩，完善以太行山绿化为主的土石山区水源涵养用材林带；通过植树 300 万株，新建草坪 20 万平方米，新建景点 20 个，建成以霍侯一级路为轴心的平川绿色通道林带。

10．四大经济林基地建设工程。即红枣、核桃、仁用杏（花椒）、水果四个百万亩经济林基地。每年营造经济林 15 万亩，到 2003 年红枣基地达到 120 万亩，核桃基地达到 100 万亩，仁用杏基地达到 50 万亩，水果基地稳定在 100 万亩。

11．基本农田建设工程。山区 10 县通过坡改梯、建设机修梯田，到 2000 年底全面实现人均 2 亩基本农田的目标。通过进一步实施改土、增肥、保水等“综合效能”工程，强化配套措施，到 2003 年，实现机修农田的高产出、高效益。

12．草地建设工程。山区 25 度以上坡地，除生态林建设外，要围绕畜牧产业调整要求大力发展草地，草地治理速度年递增 2%以上，年人工种草 10 万亩，改善牧坡 15 万亩。

（二）交通设施。重点搞好“三路一场一船”（即高速路、循环路、旅游路、飞机场、气垫船）设施建设。

1．出境公路建成“三高”。即建设完成祁临（祁县—临汾）、阳侯（阳城—侯马）、临运（临汾—运城）三条高速公路，使我区干线公路向北可与太旧公路相连，跻身京津唐发达地区；向南通过运风高速公路，可与东南沿海开放地区相接；向东可与晋焦高速公路对接，挺进中原，跨入环渤海经济圈；向西挺进大西北，跻身国家重点扶持的西北大市场。

2．境内公路实现循环。以“三纵、六横、两循环”工程为目标，平川县市通高速公路或一级路，山区县县通二级公路，全区乡乡通油路，村级公路基本实现砂砾化。三纵即完成霍州—侯马闻喜界，霍州—新绛，隰县交口界—河津三条公路的改建。六横即完成汾西桃红坡—霍州，沁源、古县交界—永和关，临大线午城—绛县，309 国道安泽花园沟—吉县七郎窝，襄乡线襄汾县城—乡宁樊家坪，翼城西坞岭—侯马新绛交界的公路改建任务。届时，我区干线公路可形成以临汾市为中心，辐射全区 17 个县市的东西两山二级以上公路的循环网。

3．旅游公路连接成网。拓宽改造临汾—壶口二级旅游公路，贯通壶口—克难坡、翼城—舜王坪、仙洞沟—东岳庙、乡宁—云邱山等旅游线路，形成“区内小循环，区外大辐射，东西延伸，纵横交错”的旅游公路网络。

4．民航机场改造通航。积极创造条件，把现有临汾军用机场改造建设为民航机场，打通临汾—北京、临汾—西安、临汾—上海的空中航线，形成“上联北京、天津，下接西安、洛阳”的旅游热线格局。

5．黄河水路开辟航船。在壶口修建码头，购置气垫船，开辟黄河水路交通，发展孟门—石门—禹门三门旅游线路。

（三）城镇建设。主要围绕“一河两路”城乡一体化发展战略，突出中心点，推进两条线，整体上水平。即按照现代化中等城市的标准，重点搞好临汾、侯马、霍州三市和沿一级、高速两条公路沿线的城乡基础建设，逐步形成具有现代气息的城市经济隆起带，充满生机与活力的经济增长带，特色鲜明的旅游观光带。具体任务是：

1．启动两个经济技术开发区，即临汾、侯马两个经济技术开发区。从 2000 年起，两个开发区要开始实施规划的道路、公共服务办公系统、中心广场、学校、医院等基础设施建设。到 2003 年，临汾开发区河汾路、中大街两侧，要达到商业、交通、教育等基础设施齐全完善，新城区功能发达先进，区容区貌美丽整洁，整个开发区的基本框架和格局充分形成。

2．开发 20 个经济适用住宅小区，其中重点开发 9 个，即临汾市滨河新村一区、二区，侯马市文锦苑小区，霍州市霍邑小区，洪洞县涧南小区，曲沃县城北温泉小区，襄汾县惠祥苑小区、怡祥苑小区，翼城县翼鹏小区。2001 年建成 8 个小区，竣工面积 35 万平方米；到 2003 年全部完工，再增加面积 74 万平方米。小区建成后要求绿化覆盖率达到 30%，水、暖、电、卫、气、通信配套齐全，住宅成套率达到 100%，并全部推行物业管理新机制，实行专业化管理，服务规范到位。

3．建设 16 个小城镇，即临汾市尧庙、屯里、马务、马站，侯马市凤城，霍州市白龙，洪洞县堤村、赵城、明姜、冯张、甘亭，襄汾县赵曲、张礼，曲沃县里村、安居、北辛。各县(市)2000 年 6 月底必须全部完成城镇建设和经济发展规划，并逐步实施。到 2003 年，做到基础设施基本配套，主干道硬化、绿化，排水配套；主导产业特色突出，服务功能齐全。

4．拓展 7 条十里长街，即临汾滨河路，侯马文明路，霍州永安大街，洪洞槐乡街，襄汾龙山路，曲沃晋都大道，翼城绛源路。

5．完成 10 个县市城市供水工程，即临汾、霍州、侯马、乡宁、隰县、洪洞、襄汾、汾西、浮山、翼城城市供水工程。

6．完成 9 个县市煤气工程，即临汾、侯马、霍州、古县、洪洞、襄汾、翼城、曲沃、乡宁煤气工程。

7．完成 4 个县市集中供热工程，即临汾、侯马、霍州、洪洞集中供热工程。

8．加快旧城改造工程，本着“拆墙、改造、装修、种草”的原则搞好旧城改造，扩大绿地面积，改善城市市容。

（四）电力建设。2000 年到 2003 年间，结合城市电网建设与改造工作，电力建设的重点是加快电源建设和加强电网建设。

电源建设方面：主要是实施侯马电厂三期改扩建工程，扩建 2×5 万千瓦发电机组。

电网建设方面：1．建设贯穿山西中南部的太原侯村—曲沃 500KV 输变电线路，新建曲沃 500KV 变电站，解决北电南送的问题，以满足山西南部电网负荷发展的需求；2．新建曲沃里村和洪洞明姜两个 220KV 变电站，解决临汾南部和襄汾、曲沃、侯马等县市负荷增长以及北部山西三维、山西焦化等省营重点企业用电的问题；3．建设临汾泊庄、洪洞万安、襄汾河西、曲沃城关、蒲县黑龙关等 12 个 110KV 输变电工程；4．建设洪洞龙马、翼城王庄、襄汾永固、霍州辛置、侯马新港、汾西僧埝、乡宁枣岭等 14 个 35KV 输变电工程；5．重点抓好临汾、侯马、霍州城市电网的建设与改造工作；6．完成全区农网建设与改造工作，切实减轻农民负担；7．实现行政村村村通电，加快自然村通电步伐。通过以上工程，增强主干网架建设和城乡电网的合理布局，达到资源优化配置，满足经济建设和人民生活的需要。

（五）邮政通信。

1．邮政方面要实现传统邮政向现代邮政的根本转变。要加快绿卡网和综合计算机网的建设步伐，力争两年内建成投产。要开发邮政新的增值业务，形成实物邮递类、电子信息类、商品营销类、金融服务类等综合业务为一体的邮政业务服务体系。至 2003 年，全区邮政营业网点达 265 个，储蓄绿卡网点达到 100 个，投递路线达到 432 条，业务量达到 8745 万元，业务收入达到 1.26 亿元，全区邮政行业实现扭亏为盈的目标。

2．电信通信方面主要是抓好光缆传输网、程控交换网、数据业务网三项建设。在光缆传输网建设方面，抓好“光纤到户”工程，实现宽带数字信息传输，建成临汾信息高速公路；在程控交换网方面，交换机扩容 20 万门，总数由 40 万门扩大到 60 万门，到 2003 年，城市住宅电话普及率达到 70%，乡镇住宅电话达 30—50%，基本实现行政村通电话。

开通“一线通”（ISDN）业务，开辟可视电话、互联网（IP）电话业务；在数据业务网方面，建设覆盖全区的异步转移（ATM）宽带多媒体网，对因特网进行扩容升级，端口容量达到 3 万个，信息源达到 100 个，用户达到 2 万户，地县两级政府及全区各企业事业单位全部上网，实现电子政府、电子商务、远程医疗、网上教育、信息检索等业务。为保证上述目标的实现，还要建设临汾第二电信枢纽大楼和侯马、汾西、乡宁 3 个县市的电信生产大楼。

3．国信通信建设要在临汾市区建立通信中心，建设 4000 平方米生产、办公、经营的综合大楼。

4．移动通信方面要建设临汾、霍州、襄汾、乡宁、蒲县、浮山、隰县、大宁、安泽、曲沃 11 个县市的移动电信生产大楼。至 2003 年底，全区数字移动（GSM）网交换机容量达到 40 万门，载频数达到 1593 个，城镇无线覆盖率达 100%，人口覆盖率达 80%，地理覆盖率达 70%，移动用户数达 23 万户。

（六）广电新闻。广播电视主要抓好 3 项重点工程。1．村村通广播电视工程。建设电视差转台 159 个。有线电视网 182 个，村级电视收看室 72 个，解决 1009 个广播盲村、665 个电视盲村收听收看问题，增加覆盖人口 44.5 万人。2．全区有线广播电视传输网工程。建设 1 个地区中心站、17 个县市分站，建成以地区中心站为中心，联接 17 个县市，可传送多套电视节目，具有多功能综合业务能力的传输网。3．建设建筑面积约 1 万平方米，集采编、制作、传输等一体的现代化、多功能的临汾广播电视新闻大楼。

临汾日报社确保临汾地区新闻培训中心大楼如期竣工，全方位配套报纸采、编、印、通讯系统主要设施。

（七）市场开发。全区市场开发的方向是以专业批发市场为重点，带动各类零售市场、商业网点的发展，在全区逐步建立起有形市场与无形市场齐发展，专业批发市场与零售市场相配套、市场与基地紧相连的市场构架。发展重点是：

1．在继续抓好全区十大专业批发市场（临汾地区五交化中心市场、百汇市场、普国装饰城、尧丰农副产品批发市场、城东旧货市场、侯马新港服装城、蔬菜肉食批发市场、襄汾农副产品批发市场、洪洞莲花城农副产品市场、侯马粮油批发市场）升级上档工作的同时，努力作好新的特色批发市场的建设，重点建设临汾开发区顺峰副食品市场、农科市场、广奇家俱市场等一批区位优势显著、发展前景广阔的市场，到 2003 年，使全区的专业批发市场由现在的 30 个发展到 40 个以上，营业面积在现有基础上新增15万平方米，初步建成规模大、功能全、辐射面广、门类齐备的专业批发市场新体系。

2．加大工商联手、农商联手、银商联手开拓市场的力度，积极开拓农村市场。要坚持农产品市场和农村消费市场双向开拓，在研究市场需求，合理进行自然资源、社会资源和经济资源综合开发，稳定提高农民收入的同时，扩大农村市场有效需求，大力发展商业网点，到 2003 年，使全区商业网点由现在的 6500 个增加到 8500 个，固定商品交易市场由现在的 118 个发展到 143 个。其中，年交易额上亿元的市场达到 18 个，其中 5 亿元的 5 个，10 亿元的 2 个。形成布点合理、供应充足、流通顺畅和大、中、小并举的市场格局。建立起开放式、社会化的商品流通网络。

3．加快网络市场的发展，增加网上交易额。到 2003 年，五个大型批发市场与全国市场联网交易，交易额达到3～5亿元。

4. 加快证券市场建设。进一步增加网点，至 2003 年，全区证券网点要由现在的 5 个增加到 10 个，股市资金达到6亿元，上市企业增加到1～2个。

5．规范劳动力市场。要建设地区劳动力市场大厦，建立大型电视信息发布屏幕，完善服务职能，强化信息工作，发展职业指导，加强再就业服务。

（八）科技教育。

科技方面要大力推进科技示范县的建设，把曲沃县建成省科技示范县。要进一步加强科普工作，完成地区科技馆建设，改善基础设施。建设临汾小榆乡、襄汾襄陵镇、侯马上马乡、曲沃城关镇、洪洞赵城镇、霍州辛置镇 6 个星火技术密集区，促进企业向专业化、规模化、产业化、集团化方向发展。要加快洪洞农业科技示范园区的建设步伐，发挥高新技术的示范带动使用。努力开发推广科技成果，提高科技成果转化率，不断提高科技进步对经济增长的贡献率。

教育方面要以“科教兴区”为目标，抓好 3 个重点：一是 2000 年大宁、永和完成“普九”达标任务。二是巩固提高“两基”成果，抓好“四化学校”建设工程和中小学校布局调整工程，至 2003 年全区乡镇所在地以上的中心校 80%以上达到“四化学校”建设标准。三是大力发展职业教育。通过 3～5 年的努力，构筑起乡镇以农技校为依托，县市以职教中心和重点职业中专为依托，地区以经济技术学院为依托的三级职教网络。全区每年要有 10 所以上乡镇农技校达到国家级标准；加强职教中心建设，2003 年 17 个县市都要建成一所功能齐全、具有特色的职教中心，3～5 个县市职教中心达到省级以上标准；加紧筹建临汾地区经济技术学院，2003 年初步建成投入使用；加大临汾人民警察学校硬件和软件建设力度，2003 年建成专科院校。

（九）文体卫生。

文化事业要加快各级文化馆、图书馆、影剧院、群艺馆等基础设施建设，满足人们日益增长的文化要求。要增加文化设施投入，加强文物管理与保护，重点建设地区博物馆文物库、侯马晋国遗址博物馆、襄汾丁村博物馆、曲沃晋侯墓和曲村博物馆。

体育事业要在场地和设施的建设上下功夫。地区体育场要改造灯光篮球场、标准游泳馆和田径场，新建体育培训中心。同时创造条件规划新的体育中心，到 2003 年完成征地、三通一平、总体规划等前期工作。同时要求霍州、襄汾、曲沃、翼城、隰县要达到全国体育先进县标准，完成 4 大硬件（带看台的 400 米田径场、21×50 米的游泳池、长 32 米宽 18 米高 7 米的训练馆、带看台的灯光篮球场）建设任务。乡宁、古县、安泽、浮山、汾西 5 县要完成 400 米田径场建设，其余县市要建一个带看台的标准灯光篮球场。

卫生事业发展要以建立健全医疗预防保健服务体系、医疗保障体系和卫生监督体系为方向，完成县级综合医院门诊楼和住院楼配套建设。重点抓好地区医院住院楼和地区传染病医院、地区骨科医院、地区肿瘤医院门诊大楼建设。

计划生育要完成临汾、襄汾、隰县、大宁 4 县市的上星级工作，其余县市要完成升星级工作。完成曲沃 、霍州、洪洞计生服务大楼的建设。乡镇计生服务所建所率由 96%提高到 100%。同时抓好全区计生服务设备的配套完善，90%以上的乡镇服务所能全面开展计生工作。

（十）社会保障。社会保障包括社会福利和社会安全等方面的基础设施建设。

社会福利事业的发展目标是重点改造地区社会福利院、光荣院、优抚医院、农村敬老院，抓好社会福利、救灾捐赠、优抚对象服务、儿童收养救助等社会福利设施建设，提高服务功能和接纳能力。

公安、司法部门要加强基层所站建设。公安派出所要以计算机管理为核心，实现治安管理微机化。看守所在完成侯马、吉县、安泽看守所建设的基础上，逐步完善监控设备。筹备建设地区和侯马、洪洞、霍州等县市行政拘留所，建设地区安康医院。“110”要完善交通、通讯等应急设备，建立报警服务台，并以“110”为依托，增加现代化通讯设施，改善公安专用通讯网络，筹备建设地区公安指挥中心。要筹建大运路交通管理中心，配套现代化交通管理设施，把霍侯路建成山西第一平安大道。要努力改善司法行政机关的办公条件，规划筹建 1000 平米的地区法律培训中心。司法部门要搞好“148”法律服务网络建设，2000 年底做到县县通，并与全省联网，2003 年完成乡镇法律服务专用电话服务网络，实现乡乡镇镇联网的目标，构建起社会化的“148”法律服务联动体系。同时，要搞好公证处、律师事务所、基层司法所的建设，改善办公环境。

检察院、法院要努力改善办案条件。检察院要规划建设 5000 平方米的地区检察院办公大楼，并在两年内配齐实施《刑事诉讼法》所需的侦察取证、收集视听的必要装备，逐步配备高新技术装备，加强技术取证、文证审查、检验鉴定等手段，全区检察系统实现微机一体化管理。中级法院要继续抓紧完成审判办公大楼配套设施工程，包括计算机网络、审判法庭监控、庭审自动化、档案管理现代化等。完成法官教育培训中心的收尾工程，并力争在 2000 年底投入使用。要加强人民法庭建设，全区 17 个县市法院 82 个人民法庭要全部建设成省级一流人民法庭，硬件建设达到现代化、规范化、标准化的要求。全区法院要实现三级通讯联网，计算机联网，司法统计网络化，档案管理全部达一级标准。

以上十个方面的基础设施建设包括了我区 2000 年～2003 年 4 年间经济建设和社会生活的各个方面。在具体实施的过程中，我们既要全面安排，整体推进，又要突出重点，分步实施。近期全区要突出抓好农林水利、交通、城建、电力、邮电 5 个重点。每项重点又各有侧重，农林水利集中抓水；交通建设加强旅游公路开发；电力重抓扩容增量；邮电大力推进现代化网络建设；城建工作要加大集中供热、供气、供水等城市基础设施力度。根据以上重点，各县市、各部门每年都要确定几大工程组织实施，坚持数年抓出成效。

三、加快基础设施建设的的政策和措施

大规模、全方位推动我区基础设施建设，时间紧迫，任务繁重，必须强化领导，转变观念，制定更加开放的政策，采取切实有效的措施，才能如期实现制订的目标，完成确定的任务。

1. 树立新观念，切实统一广大干部群众的思想。加快基础设施建设，首先必须解决思想认识的问题。长期以来的计划经济体制，使人们在基础设施建设上形成了一些糊涂认识：一是等靠要思想，把国家计划投资视为基础设施建设的唯一渠道，过分依赖国家的投资。二是畏难思想，认为基础设施建设欠帐多，难度大，不可能有较快发展。三是急功近利思想，认为非生产性建设比生产性建设见效慢、收益小，缺乏积极性。因此，今后在基础设施建设中，我们要利用各种传媒工具，搞好舆论宣传和思想动员工作，总结经验教训，大力宣传加快基础设施建设的重大意义，统一干部群众的思想认识。要逐步克服各种糊涂观念和错误倾向，正确处理好三个关系，牢固树立三个观念：一是要正确处理好按部就班建设与发挥主观能动性的关系，树立紧迫感和危机感的观念；二是要正确处理好长远发展与近期利益的关系，树立长远发展、适度超前的观念；三是要正确处理好国家投资为主和投资主体多元化的关系，树立国家、集体、个人一起上的观念。从而使全区上下形成打基础的共识，增强广大干部群众的信心，齐心协力把这一工作抓上去。

2. 建立新机制，切实转变投资方式，解决资金难题。我区属经济欠发达地区，加快基础设施建设，必须改革传统的投资体制，建立“谁投资，谁管理，谁受益”的新机制。首先，要建立政企分开投融资新机制。对非经营性或社会效益大的基础设施项目，主要靠政府投资或银行贷款建设。经营性的或可收费的项目要鼓励动员社会力量，通过市场融资，政府提供一定比例的资本金进行建设。其次，要建立和完善政府投入和市场补偿相结合的投资管理体制。改变传统观念，改革价格、收费制度，引入市场机制，大幅度调减政府对公用事业的福利性补贴。凡提供产品和服务、有确定受益者并能计价收费的项目，要按照保本微利的原则，调整价格，逐步形成投资、经营、回收的良性循环机制。第三，设立基础设施建设基金，并组建基础设施建设投资公司，地区财政今年拿出一块资金作为启动资金，对重点基础设施项目进行配套建设。对非经营性的项目，可无偿注入部分资金；对经营性的项目可采取有偿使用的办法，促进投资资金；对经营性的项目可采取有偿使用的办法，促进投资资金保值增值和滚动发展。第四，大胆推行 BOT（建设—经营—转让）和 TOT（转让—经营—转让）等特许权经营，广泛吸引外资。积极鼓励引导个体私营单位参与基础设施建设。放开对公路、桥梁、供水、教育、煤气等部门和行业的投资限制，凡经批准向国外开放的领域，都应该取消对个体私营单位的限制。可以采取产权置换的方式，以地产吸引投资，走“你发财，我发展”的路子。要鼓励个体私营单位以兼并、租赁、参股等多种形式，开垦荒山、荒坡、荒地、植树造林，绿化环境，发展庄园经济。第五，充分利用资本市场，发挥投资公司的作用，通过发行股票债券、拆借融通资金等各种办法，开辟基础设施建设的融资渠道。

3. 制定新政策，切实加快对外开放的步伐。对于外商投资基础设施建设给予更大的利益优惠。凡经营期在 15 年以上的项目，从设施营运之日起，两年内免征企业所得税，第 3 年到第 10 年缴纳的企业所得税由同级财政部门全额返还。土地使用权可通过划拨或出让方式取得。通过出让方式取得的土地使用权可以转让、出租或抵押。一次性交纳土地使用出让金，地县留成部分返还 50%～80%，或也可折为国家资金入股。一次性交纳有困难的可实行租赁制。外资企业在经营期内免缴土地使用费。鼓励引进外资和区外国内投资的中介机构和个人，允许提取一定数额的劳务费。用款期在 5 年以上，引资额超过 100 万元人民币的（含 100 万元人民币），劳务费分别不同情况按引资额的 1%至 5%提取，等资金全部到位，由企业从中方自有资金中一次性支付。属于独资企业项目的，由同级财政专项支付。对引进项目资金的其他有功人员由同级政府给予奖励。

4．取缔乱收费，切实创造吸引投资的优良环境。凡在我区建设的项目，除国务院和省政府明文规定的收费项目之外，任何机关、事业单位不得设置收费名目。对地县确定的重点项目，可采取封闭管理办法，未经政府批准，一律不得进入项目单位收费。地县纪委、监察部门和纠风办要公开举报电话，严格查处投资领域的乱收费行为，并处以重罚。计划、金融、城建、环保、土地、电业、工商、税务、消防、文物、物价、人防、地震、水资委等部门，要以大局为重，特事特办，简化审批程序。对过去的收费项目，要进行严格认真的清理。对于国家和省明确规定的收费项目，要做到“三公开”，即公开收费依据、公开收费程序、公开收费标准。同时，要有明确的限时办事制度，建设单位对没有做到“三公开”的收费可以拒付，并给予举报。

5．健全责任制，切实加强对基础设施建设的领导。各县市、各部门要紧紧围绕今后一段时期全区基础设施建设的目标任务，制定各自的项目责任制，将项目分解落实到项目法人、主管部门和各级政府负责人头上，分工负责，一抓到底，促进任务目标的完成。计划部门要对打基础项目负总责，成立专门机构，搞好基础设施项目的审查立项，监督管理，检查指导工作；农林水利建设由行署农委牵头，水利、林业、农机、畜牧局、农业综合开发办负责实施；交通设施由交通、公路局、旅游局负责实施；城镇建设由农委、城建局负责实施；电力建设由计委、电业局负责实施；邮政通讯由电信局实施；电力建设由计委、电业局负责实施；邮政通讯由电信局、邮政局、国信、移动通讯公司等负责实施；广电新闻由广播电视中心、临汾日报社负责实施；市场建设由财委牵头，商业、粮食、供销、劳动、人行等部门实施；科技教育由科委、科协、教委负责实施；文体卫生由文体委、文物、卫生、计生委等部门负责实施；社会保障由民政、公安、司法、法院、检察院负责实施。各部门分工负责，主要职责是扎扎实实地搞好各行业基础设施建设的规划和项目前期工作，为争取国家、省政府及民间资金的投资奠定基础；要制订项目工程质量标准，及时组织督促检查和竣工验收；严格执行项目法人制、招投标制和监理制，确保工程质量；要建立奖惩制，每年都要对基础设施建设工作做出突出成就的单位和个人给予精神和物质奖励，对项目建设管理失误，造成重大损失的，给予党纪处分乃至法律制裁。

中共临汾地委　临汾地区行署关于调整经济结构的实施意见

（2000 年 2 月 18 日）

1999 年 1 月地委、行署《关于抓好打基础、调结构、治环境三件大事的决定》，把调结构作为我区跨世纪五年经济工作的首要任务，提出了改造传统产业，发展新兴产业，推进产业优化升级，提高临汾经济整体素质和综合实力，建设中西部经济强区的基本思路。鉴于一年来全区产业结构调整的实际进展情况，根据全省调整经济结构工作会议关于“一增三优”的要求，和省委七届九次全会关于把调整经济结构作为近中期经济工作中心任务的决定，特别是省领导肯定了我区以调结构为核心抓好三件大事的做法，并希望临汾能够成为全省率先发展的一个地区的指示精神。地委、行署认为，全区调整经济结构的大气候已经形成，方向更加明确，思路更为清晰，积极性充分调动起来。当前关键在于克服困难，狠抓落实，进一步具体解决调什么、怎么调和如何快调、调好的问题。因此，特制订如下“调结构”实施意见：

一、我区产业结构的主要问题和调整目标

1.我区产业结构的现状。我区国民经济由建国初农业占 75%，到目前工业和各类服务业占 80%以上，正处在工业化的中期阶段。1998 年，全区国内生产总值达到 168.8 亿元，三次产业结构比例为 17.6:53.5:28.9，国有、集体及其他经济成份比例为 29：30：41。目前，我区经济总量在全省居第三位，然而，人均指标却排第八位，人均水平比全省和全国低很多。经济运行质量和效益不高，说明我区现存产业结构交织着多方面深层次的矛盾。必须认真研究，加快解决。

2.我区产业结构的主要问题。一是产业内部结构不合理，产业之间相互关联差。种植业增加值占农林牧渔业增加值的 80%，而且加工转化率很低。煤焦铁占工业增加值的 56%，呈畸重化态势。运输邮电和商业占到第三产业的 50%以上，信息服务、科技服务、社会服务、金融保险、房地产业、旅游

业尚处于起步阶段。三次产业之间，工农一体化程度还很低，城乡二元经济结构特征依然明显。二是支柱产业发展档次不高、科技水平低。分别占国内生产总值10%左右的粮、煤、焦、铁产业，都是以自然物为生产对象的传统产业，缺乏深加工及后续关联度。

全区农业每百公顷拥有农机总动力和农村人均用电，分别只及全国平均水平的一半多。国有工业企业七、八十年代的设备占52%。全区科技人员比重仅为3.7%。三是产品初级化。资源利用率差，产品链条比较短，多数产品都是原材料和初加工产品。四是企业组织结构小而全，多而散，形不成规模经济。全区有工业企业和生产单位23628个，其中大中型企业35个，限额以上企业438户，占1.9%。五是个体私营经济发展不足，产出规模仅占全区经济总量的1/5。这便形成了我区经济发展的所谓“结构病”，即优势产业不领先，优势企业不突出，优势产品不显明，区域经济的集聚效应差。

3.我区产业结构的调整目标是：加强第一产业，优化第二产业，发展第三产业；依靠科技进步，改造传统支柱产业，发展新兴主导产业，推进产业结构优化升级。3～5年内，培育20个优势产品，扶持八大优势企业，发展6大优势产业（新兴主导产业），形成以高效农业和加工业为主体的平川经济隆起带，使临汾真正成为全省率先发展的地区。

二、产业结构战略性调整的指导方针和实施原则

4.我区产业结构调整的战略依据。我区产业结构性矛盾十分突出，面对高新技术的发展、买方市场的形成和即将加入世贸组织的新形势，如不加快调产步伐，经济工作将处于越来越被动的境地；目前全球范围内的经济结构调整，中央和省出台的一系列调结构政策，对我区调产提出了挑战，也提供了机遇；去年以来通过落实“三件大事”，全区上下增强了调结构的使命感和紧迫感，城乡基础设施建设和农林水利基本建设面貌大变，改善了投资环境，调整结构的各方面条件更为具备。

5.我区调整产业结构的战略指导方针是：适应形势要求，抓住历史机遇，搞好三个结合（产业结构调整与培育区域优势结合、适应性改造与战略性调整结合、产业结构调整与所有制结构调整结合），发挥三个作用（企业的主体作用、政府的推动作用、人才和科技的先导作用），培育“一增三优”（新经济增长点、优势产业、优势产品、优势企业），实现三个提高（提高经济增长的质量和速度，提高全区综合实力，提高人民群众的生活水平）。

6.我区调整产业结构的实施原则。一是改造传统产业与发展新兴产业并重。二是注重资本、技术和人才对经济发展的支配作用。三是处理好普遍抓和重点抓的关系，有所为、有所不为。四是省部属企业与本地企业同步发展的原则。树立“大临汾经济”的观点，支持省部属企业调结构，带动本地产业结构的调整。

三、加速改造传统支柱产业

7.以调整种植结构为突破口，加快一产向商品农业转化。按照稳定粮食，优化果蔬，大上畜牧的思路，加快农业内部结构的调整。（1）以秋杂粮为着力点的粮食生产。压缩小麦和玉米的种植面积，扩大以小米、豆类、薯类为主的秋杂粮和药材等经济作物种植面积，使全区粮经比例由目前的8.7：1.3调整为7:3；主攻单产，使粮食总产稳定在15亿公斤以上，同时大力发展专用小麦和饲料玉米。药材发展到10～15万亩。（2）以保护地为主体的蔬菜生产。以平川6县为重点，蔬菜面积由35万亩增加到50万亩，其中，大棚蔬菜面积发展到10万亩，其他保护地生产面积5万亩。（3）以提高优质果率为方向的林果生产。“提高水果质量、扩大干果规模”，苹果栽植面积稳定在80万亩，大力加强管理，以红富士优质品系为主，普及精细园艺技术，使优质果率达到60%，优质果园面积达到50万亩。核桃以古县为重点，全区栽培面积达到100万亩。红枣以永和为重点，全区栽培面积达到120万亩。仁用杏以蒲县为重点，全区栽培面积达到50万亩。（4）以牛羊为主的畜牧生产。稳猪、增牛、增羊、增兔、调鸡，把肉食为主的平面生产结构变为肉、蛋、奶、毛、皮、骨综合利用的立体生产结构，提高产出效益，使畜牧业产值在农业产值中的份额由目前20%左右提高到40%以上。抓住世行养牛项目启动的契机，抓好襄汾、洪洞、临汾、安泽、乡宁、蒲县等6个重点养牛县，牧坡养牛与农区养牛并重，集中区域、分散户养，大力改良品种，迅速扩张基础母牛群，到2003年牛饲养量由现在的60万头达到100万头，同时充分利用现有屠宰、冷藏设施组建黄牛及副产品加工龙头企业。（5）食用菌生产。作为我区重点扶贫产业来抓，到2003年销售收入达到5亿元。（6）按照“四化”标准下大力抓好40万亩汾河滩涂开发。建成马牧、屯里、赵曲、永固、太子滩等5个万亩两高一优农业示范园。

8.以高加工度化为主攻方向，加速二产结构优化升级。（1）煤炭行业。坚持“关井压产，加工转化”的方针，原煤产量由2700万吨调减到1130万吨；规模化集约化经营，力争2003年扩建改造20～30个年产达30万吨以上矿井；提高原煤转化率，入洗能力达80%。（2）焦化行业。按照“治理整顿，发展机焦”的方针，坚决取缔土炼焦，发展60万吨以上机焦，完成15个在建的新上和改造机焦项目，到2003年机焦产量发展到600万吨。增加和创新焦化产品，力争30万吨焦油深加工项目上马。（3）冶炼行业。坚持“治污降耗，形成规模”的方针，整顿和改造小高炉，建设3～5个125立方米以上的炼铁炉，大力扶持金属锌、电解铜等有色金属冶炼项目。（4）造纸行业。按照“调整原料结构，加速规模扩张”的方针，完成10万吨三倍体毛白杨制浆项目建设，形成“集中制浆、分散造纸”的生产格局，培育文化纸、包装纸和生活用纸三大系列产品。（5）

纺织行业。按照“优化重组，调整结构，加快改造，提高档次”的方针，抓住入关的有利机遇，组建以临纺为龙头的棉纱色织集团、以襄纺为龙头的军布集团、以侯纺为龙头的人棉布集团，发展高织高密纺织品，力争总产值达10亿元，实现全行业扭亏增盈。

9.以生产和提供有效服务为发展目标，促进三产多行业振兴。提升餐饮、旅馆、销售和运输通讯业的服务档次，开拓新兴服务业。一是发展房地产业。健全完善住房公积金制度，推进住房分配货币化，启动房地产市场。继续扩大经济适用住房建设规模，到2003年新建200万立方米，重点抓好沿霍侯一级路6个城市8处住宅小区建设。平川7县城楼房入住率达50%以上。城市居民人均住房面积达20平方米。开发商品房建设。二是继续大力发展以高级公路、网络公路为主的运输业和以因特网、程控电话为主的邮电通讯业。三是大力发展证券业，推动企业上市，促进金融保险业快速发展。力争3年内证券营业网点由现在的4个增加到9个。四是通过抓好市场建设，加强市场运营，大力扩张流通业，重点抓好5个年交易额达5亿元、2个年交易额达10亿元的市场。到2003年市场交易额由现在的24.5亿元扩大到35亿元。

10.以深化国有企业改革为契机，推进所有制结构调整。瞄准调大、搞活的方向，加大对地县属国有企业的重组工作力度，对经营困难、扭亏无望或资不抵债的企业，加快兼并、改组或破产的步伐。大力发展各种非公有制经济，支持民营企业采取项目投资、嫁接改造、联合重组等形式，参与国有企业改革，参股、控股国有企业。加快乡镇企业二次创业的步伐，改变超重型结构，大力发展农副产品加工业。以第三产业为载体，拓展个体私营企业发展的空间，发挥个体私营经济在调产中的积极作用。

四、重点培育6大新兴主导产业

11.农副产品加工业。要以发展农副产品加工和销售龙头企业为突破口，带动结构调整，推进农业产业化，增加农民收入。立足我区大宗农产品比较充足、土特产品多样化的综合农业资源优势，从发展潜力产品入手，重点抓好玉米制品、果蔬制品、奶畜制品、秋杂粮制品的销售加工，逐步培育3～5个年产值3～5亿元的大型加工龙头企业，和年销售额5～10亿元的销售龙头企业。同时发展一大批“小而精”的农副产品加工和销售企业，推动全区农业形成龙头带基地，基地连农户的产业化框架。

12.铸造产业。我区是煤焦铁大区，进行铸造生产具有十分突出的比较成本优势；铸造业可以前承煤焦铁，后启机械制造和其它相关产业；目前国际国内市场对铸件的需求以较高速度增长，铸件生产呈发达国家向发展中国家、沿海发达地区向中西部梯度转移的趋势；我区铸造业已有相当的发展基础。必须把发展铸造业作为调结构的重中之重来抓，大干快上，三、五年内将铸件产量由现在的30万吨/年发展到100万吨/年，把我区建成省内外有影响的铸造生产基地。要抓好临汾、襄汾、曲沃、翼城、洪洞5个重点县市，发展3～5个销售收入5亿元以上的大型铸造企业（集团）。要适应市场需求调整铸造行业结构和产品结构，使我区铸铁件在全国市场的占有率达到10%左右。要逐步扩大铸件出口的自营权。

13.化工产业。我区以精细化工、煤炭化工和医药化工为主的化工产业，是极具发展潜力的优势产业。现有硫化黑、五氯硝基苯、男康片、痔全息等一批在国内外市场占有一定份额的名牌产品，但是生产规模小，缺乏市场竞争力。要以建设化工强区为发展目标，实施名牌战略，加快开发创新，迅速做大企业规模。精细化工要主攻万吨硫化黑的扩建，医药化工要新上6万吨柠檬酸，煤炭化工重点发展煤焦油深加工和粗苯加工。要由汾河、平阳两个药厂牵头组建临汾药业集团。力争3～5年内，实现临汾染化、汾河制药、霍州化工3个公司上市。到2003年，全区化工行业产值达到60亿元，实现利税6亿元。

14.建材产业。我区建材资源丰富，石膏矿贮量占全省的70%，占到全国的11%。目前全国房地产建设步伐加快，室内装修消费不断扩大，国家政策又明令限制天然木门窗、木地板和实心粘土砖的使用，为新型墙体材料、装饰材料的发展提供了广阔的市场。培育建材行业为新兴主导产业，要坚持改造与开发并举，高标准起步、规模化发展。加大石膏开发力度，发展石膏砌块及板、粉和石膏晶须等系列产品。加快水泥的改造，取缔无生产许可证水泥厂，发展高标号、高质量、多品种水泥。扩大新型塑料建材、卫生陶瓷、粉煤灰和煤矸石空心砖、混凝土砌块等新型墙体材料的生产规模。3～5年内，初步形成曲沃、侯马、襄汾石膏制品生产基地，培育壮大地区水泥厂、临汾建材水泥厂、古县特种水泥厂、临汾塑胶管道公司等重点企业。

15.高新技术产业。21世纪高新技术成为经济发展的制高点。发展高新技术产业是缩小我区同发达地区差距，实现产业优化升级的必然选择。我区目前仅有零星的高新技术产品和项目。要从实际出发，引进创新，以产业化为主攻方向，在信息、生物制药、精细化工、机电、建材、冶炼、煤炭、焦化等重点行业引进开发高新技术，走由高新技术项目——高新技术企业群——高新技术产业的成长道路。加快临汾、侯马两个经济技术开发区的开发步伐，发挥它们对高新技术产业的孵化、辐射及示范带动作用。加快小榆、襄陵、上马、曲沃城关、赵城、辛置等6个星火技术密集区的建设，逐步形成沿汾河高新技术产业带。到2003年，全区形成以农业生物工程、新型建材、节能环保技术为核心的高新技术产业发展态势。

16.旅游产业。要把旅游业作为我区三产新兴主导产业，按照“完善包装，北倚北京，南靠西安，贯串两点，形成热线”的工作思路，制定可行规划，加大开发力度，力争到 2003 年旅游业总收入占到国内生产总值的 6%左右。我区是全省 4 大重点旅游发展区之一，旅游资源十分丰富，具有一批以壶口为代表的旅游王牌景点。当前的主要问题是，基础设施不配套，促销工作落后，象历山、晋国遗址这些国家级的自然保护区和文物没有开发利用起来，整个旅游业未能纳入国际热线。要在继续加大形象宣传的同时，抓好市场促销，扩大“黄河游”、“尧文化”、“寻根游”、“生态游”等特色旅游项目的创收效益；聘请国内外专家对主要景点进行高品位设计，及早完成立项申报工作。要多渠道招商引资，向壶口、古槐祭祖园、历山、曲村—天马晋国遗址，进行规模投资，争取到 2003 年前后完善基础设施，完成包装任务。使全区旅游业以此为转折点，带动霍州署衙、广胜寺、苏三监狱、临汾尧庙、蒲县东岳庙、隰县小西天、丁村遗址、仙洞沟等人文自然景观，形成旅游圈，进而启动北京——临汾——西安旅游热线，跃上旅游强区的发展新台阶。

五、持优势企业、优势产品，发展特色区域经济

17.根据省选择优势企业的标准和产业政策，地区重点扶持临汾染化集团、洪洞飞马集团、汾河制药厂、霍州化学工业公司、襄汾有色金属工业公司、临汾龙兴饮品有限公司、曲沃乔山铸造有限公司、襄汾纸业集团等 8 大利税上亿元的优势企业（集团）。大力培育曲沃恒通铸造有限公司、临汾华盛集团有限公司、襄汾南辛店铸造总厂、安泽晋昌淀粉糖公司、洪洞乳制品厂、侯马瑞洁生化有限公司、乡宁台头煤矿、翼城丰昆股份有限公司、宏远砼制品有限公司、山西金尧焦化有限公司等 10 个利税 3000～5000 万元的优势企业。

18.按照省优势产品标准，地区重点扶持的潜力产品有环宇牌染料、三维牌乳胶、汾河牌柠檬酸、别样红系列饮品、晋光牌猴头健胃灵、隰州牌金梨汁、壶口牌苹果干红干白、亚光牌球墨铸铁管、乔山牌铸铁管件、L-乳酸、山焦 30 万吨焦油、鼎立三元复合肥、晋昌低聚糖、黄河壶口自然风光游、科信牌光合菌肥、大槐树牌奶粉、金座牌塑胶产品、科海牌给水设备、华盛体育器材、平阳牌男康片等 20 种，并积极争取纳入全省重点扶持潜力优势产品的总盘子。

19.抓好重点项目建设。按照项目动态管理原则，地区每年确定抓好 10 个诸如世行养牛项目、临汾双诚实业集团变态润滑油项目、临汾天马煤机有限公司环保设备、翼城牢寨煤矿 60 万吨扩建项目、侯马黄河 50 万吨机焦项目等对促进产业优化升级带动作用大的重点调产项目。

20.培育特色优势区域经济。根据现生产力布局和进一步提高经济区域集中度的要求，下功夫建设主导产业显明、经济功能强、以小城镇为依托、专业市场为纽带的重点经济区。一是洪洞赵城——广胜寺、翼城城关、侯马张村、临汾河西、襄汾襄陵——南辛店等 5 个利税上亿元的工业区；二是永和、吉县、乡宁沿黄红枣林带、吉县优质苹果区、安泽洪洞等 6 县连片养牛区、吉县核桃种植区、浮山元宝枫林区、沿汾蔬菜区、临汾河西养鸡区等 7 个商品量大、利税上千万元的农业区；三是以外资工业为主的临汾经济技术开发区（省级）、以民营工业为主的侯马经济技术开发区（省级）、山西台商投资试点市——临汾市、屯里台商投资开发起步区（地级）、壶口旅游开发区（地级）等 5 个经济开发区。

六、促进产业结构优化升级的扶持政策

21.对于引进区外资金、投资使用期在 3 年以上的，奖励金额按引进投资额分档次计算（地区将制定统一的优惠政策标准）；奖金由受益单位从自有资金支付；中介活动契约化，中介人的权益受法律保护。

22.凡自带高新技术（项目）、外向型项目及其它生产性开发技术（项目），到我区进行转让、入股、承包者，要优先立项，优先审批，利益分配由供需双方自主商定。

23.对于投资额千万元以上、在平川兴办农副产品加工企业或高新技术企业的投资者和在山区投资兴办高耗能、高环保投入的企业投资者，在税费、用地等方面实行优惠（地区将制定相关政策）。

24.兼并、出售或租赁地营停产半停产企业，所有符合规定应收取的费用均免缴 50%，兼并出售或租赁变现资金可通过托管方式借给企业在一定时期内周转使用；

25.在全区公有制企业中逐步推行企业家年薪制，对有突出贡献的企业家给予 10 万元以上的重奖，对于省级以上的优秀企业家给予参政、议政的政治待遇。

26.对来我区工作的外区有硕士以上学位者、有高级职称证书者、优秀企业家等各类人才，生活待遇从优，重点学校优先接收其子女入学。特殊贡献者可从税后利润提成奖励；经营承包亏损、濒临倒闭企业有突出贡献者，政府给予 5 万元以上的奖金。

七、采取有效措施，推动产业结构调整进程

27.加强组织领导。充分发挥政府对调整产业结构的引导和推动作用。各县市和地直有关部门要根据地区调结构的《实施意见》，尽快制定相应的实施方案、规划，特别是要制定好关于发展新兴主导产业和扶持优势产品、优势企业的具体方案。要坚持分类指导、重点推进的组织领导方式，突出平川，抓好两山。发挥三大办、调产办、计委、经委等综合职能部门的作用，建立重点项目联审制度，避免重复建设。把调产工作作为一项重要考核内容，纳入全区经济目标考核体系。推行产业发展目标任务责任制，坚持一个产业一套班子，一抓到底。要将项目工作任务按年度分解到部门到人头，从分管书记、专员到地直各部门、各县市的领导，层层建立工作成绩和失误登记簿。在全区分行业或分片建立项目建设调度会议制度。地区三大办和地委、行署

督查室要切实抓好对调产的督查工作。

28.建立临汾地区产业发展基金。地区从预算外资金中切一块，或集中统一调度技改基金、能源基金、煤炭基金，建立全区产业发展基金，用于银行贷款贴息和配套资金。在优势企业之间建立信用担保联合体，行业内部建立资金担保中心，加强招商引资工作，用足用好中央 12 号文件的有关投融资政策，全方位、多渠道筹集产业发展资金。

29.治理“三乱”，营造经济发展宽松环境。按照国家有关政策，清理收费项目，明确收费标准，加强收费管理，坚持收支两条线，严格使用方向。企业对不符合规定的收费项目有权拒缴，并报请有关部门严肃查处。进一步坚持封闭式管理，“一站式”收费和强化舆论监督等行之有效的做法。严格控制财政和自收自支单位编外人员，从源头抓起，制止“三乱”发生。

30. 强化营销工作。扩展临汾、侯马两个区域性中心市场，沿霍侯路等主要交通干线建立蔬菜、苹果、红枣、黄牛、铸件、焦化、建材、农机等专业市场。依托我区各驻外办事处，建立农副产品和工矿产品在省外的销售网络。通过培训组织一批下岗、分流职工和干部进入营销大军，提高流通队伍的素质。采用生产厂家与经销商联系“双赢”的形式，创新流通体制。要及时调整营销战略策略，适应即将入关的新形势，积极参与国际贸易活动，提高我区各类产品在国际市场上的份额。

31. 深入持久开展“项目年”活动。地区建立完善调产项目库，成立项目咨询机构，抓好项目管理工作，使竣工企业尽快达产达效。地区和各县市、各部门每年都要制定开展项目年活动的计划，并认真组织实施。地区三大办和督查机构，要坚持做好项目年活动的督查工作，及时通报情况，严格奖罚制度。

32. 全力做好结构调整的开局工作。2000 年是我区进行战略性结构调整的关键年，工作的好坏将会直接影响到今后几年的产业结构调整。开局之年，要开好一次调产会议，建立一整套调产班子，抓好四项调产重点工作。要在年初通过全区性的会议，将调整结构《实施意见》贯彻下去，号召和动员全区投入到调整产业结构中心工作上来。要建立发展 6 大新兴主导产业领导组，分层健全任务目标责任制。以此为基础，首先，要抓好潜力优势产品的起动工作，重点是临汾染化 2 千吨直接染料、汾河制药厂一期 3 万吨柠檬酸扩建项目、曲沃乔山 3 万吨铸铁管件扩建项目、晋光制药厂新上 15 亿粒扩产项目、龙兴饮品公司二期工程、平阳制药厂 20 亿粒男康片扩建项目、三倍体毛白杨 10 万吨制浆项目、安泽晋昌 5000 吨低聚糖生产线、侯马瑞洁 3000 吨 L-乳酸项目。其次，尽快建立地区产业发展基金，并在财贸、工交、化工、建材等行业成立信用担保联合体和资金担保中心。做好 1～3 个企业上市的前期准备和临汾龙兴饮品与隰县天天饮料联合重组工作。在港澳、东南亚地区举行招商引资新闻发布会，打开投融资工作新局面。再次，发挥企业、行业在调产中的主体作用，成立铸造、焦化、化工、建材等行业协会，提高传统产业和新兴产业在调产过程中的组织能力。另外，要全面开展职业教育，对现有职业学校的培训工作提出年度规划和要求，同时，全面启动临汾经济技术学院的筹建工作。

中共临汾地委　临汾地区行署关于治理环境的实施意见

（2000 年 2 月 18 日）

世纪之交既是临汾地区经济发展的关键时期，也是环境保护工作的重要机遇。

地委、行署最近提出了加强基础设施建设，下大力气调整产业机构，治理环境污染的发展战略，对环境保护工作提出了新的要求。为此，根据国家环保政策，结合我区环境现状提出 2000～2004 年环境治理实施意见。

一、环境保护工作现状和目前的环境形势

近年来，我区环保工作认真推行环保目标责任制、限期治理和环境影响评价等制度，开展了汾河污染防治、焦炉改造、城市环境综合整治、取缔关停土小污染企业、生态示范建设、环境宣传教育等工作，全社会的环境意识不断提高，环境保护开始走上依法管理的轨道。但由于长期形成的煤、焦、铁、建材等重污染结构和粗放性经营特征，以及城镇基础设施建设和改造速度滞后、环保投入严重不足、治理技术匮乏、部分领导者和经营者在思想观念意识上对环境保护认识偏差等原因，导致部分地区环境污染和生态破坏严重加剧。据统计，1999 年全区排放烟尘 36 万吨，二氧化硫 19.5 万吨，工业粉尘 19 万吨，废水 9900 万吨，化学耗氧量 5 万吨。由于污染物的大量排放，造成严峻的环境形势，平川地区大气环境污染尤为严重。据监测，临汾、洪洞等县市大气总悬浮微粒和二氧化硫浓度已超过国家最低的三级标准，霍州、曲沃、翼城等县市超过二级标准，汾河临汾段水环境质量虽然近两三年内有所好转，但化学耗氧量、氨氮、石油类等污染物指标远远超过地面水最低五类标准，其它地表水体也不同程度地受到污染；部分区域由于胡挖滥采使生态环境遭到严重破坏，水土流失十分严重，全区水土流失面积占土地面积的 71%；农药、化肥、农膜的广泛应用，土地功能急剧衰退，农产品品质下降。这些环境问题，已严重危害着人民群众的身体健康，制约了社会经济的进一步发展，影响着我区安定团结和改革开放的形象。

二、环境保护工作指导思想

今后5年，全区环境保护工作的指导思想是：以邓小平理论为指导，认真贯彻党的十五大和中央座谈会精神，坚持环境保护基本国策，坚持“科教兴国”和可持续发展战略，正确认识我区的环境形势，从实际出发，以经济建设为中心，抓住机遇，下大力气调整产业结构，推动经济增长方式的转变，走可持续发展的道路，坚持污染防治和生态保护并重的方针，全面推进环保工作，逐步改善环境质量，保障环境安全，保护人民群众身体健康，促进经济与环境协调发展。

三、环境保护目标

到 2000 年，临汾市大气环境质量要接近国家三级标准，霍州市、洪洞县、襄汾县、翼城县要接近或达到国家三级标准，侯马市、曲沃县要接近或达到国家二级标准；汾河水质部分指标达到农田水灌溉标准，其它河流水质要明显改善；所有工业污染源排放污染物要达到国家和地方规定的排放标准，烟尘削减 13.35 万吨，SO_2削减 2.25 万吨，工业粉尘削减 9.24 万吨，COD 削减 2.16 万吨。

到 2004 年，临汾市大气环境质量要明显改善，并达到国家三级标准，霍州、洪洞、襄汾、翼城要接近或达到国家二级标准，侯马市、曲沃县达到二级标准；汾河水质达到地面水五类水体标准，其它河流水质进一步改善；烟尘削减 20.29 万吨，SO_2削减 6.37 万吨，粉尘削减 14.97 万吨，COD 削减 3.71 万吨。

1999 年～2004 年，全区环保投入占国内生产总值比例要逐年增加，2004 年达到 1.5%～2%。

四、主要任务和措施

根据地委、行署关于跨世纪经济发展的战略部署，结合我区环境形势和国务院和省政府的要求，今后 5 年我们的工作任务和主要措施是：完成 4 个计划，突出 3 个重点，完善 4 项机制，建立 3 项保障，实现一个目标：

（一）完成 4 个计划

1.总量控制计划（责任单位：环保局）

2000 年各级环保部门要确定总量控制管理范围，明确管理对象，通过申报登记和污染源调查等手段，掌握污染物排放情况，并把总量控制指标分解到排污单位，并由政府下达，出台总量控制配套政策，年底对全区总量控制情况进行总结考评，从 2001 年起到 2004 年在全区范围内全面实行总量控制。总量控制的对象主要是烟尘、粉尘、SO_2及化学耗氧量等指标。

2.达标计划（责任单位：环保局）

《国务院关于环境保护若干问题的决定》要求到 2000 年所有工业污染源要达到国家或地方规定 的排放标准。结合我区实际情况，全区共有 2136 家企业必须在 2000 年底实现主要污染物达标排放。具体工作步骤如下：

①行署和各县市政府成立环保达标领导组，负责监督和协调环保达标工作。

②1999 年底各级政府下达限期治理任务，明确治理对象和治理期限。

③行署环保局制定《临汾地区环保达标验收办法》。

④各级环保部门对已达标要高标准、高质量、有计划组织验收，核发达标企业牌证。

⑤逾期不能实现达标排放的企业，按照国务院规定，坚决予以取缔关闭或停产。

⑥2001～2003 年，巩固企业达标成果，保证污染物稳定达标排放。

3.重点环保工程计划（责任单位：经委、计委、城建局、环保局等部门）

今后 5 年，我区拟启动临汾市污水处理厂、侯马市集中供热改造等 39 项重点环境保护工程，其中，城市基础设施项目 13 项，工业污染治理项目 17 项，生态保护项目 9 项（具体项目见附表）。这些项目完成后，局部地区环境质量会得到明显改善，对我区经济发展也会起到推动作用。

①各职能部门成立项目办公室，并设专人负责，其职责是督促并协助项目依托单位，开展项目的可行性研究，申报立项等前期工作，争取把环保项目纳入国民经济发展计划。

②积极争取国际、国内的环保投资，抓住中央对基础设施和省政府对汾河治理的投入机遇，多渠道筹集环保资金。

③加强对环保项目的监管，保证建设质量，尽快发挥效益。

4.取缔关停淘汰污染严重企业计划

按照《国务院关于环境保护若干问题的决定》、山西省贯彻国务院决定《实施意见》及国家环保局等三部委提出的取缔关闭淘汰一批污染严重的土小企业和工艺设施的意见。对浪费资源、污染严重、布局不合理、不符合国家产业政策的企业和设施，坚决实施取缔、关闭和淘汰措施。

①小土焦、小炼油、小耐火材料、小造纸、小硫磺等要防止死灰复燃。

②1999 年底要取缔 69 家“75”、“89”型改良焦炉、150 家 15 立方米以下小铁厂、100 余家窑径 2.2 米以下水泥机立窑。

③2000 年内要淘汰 2 家 5 万千瓦以下小火电机组、4.4 万吨以下水泥机立窑、400 家 50 立方米以下小炼铁炉。

④2001 年～2003 年要全面取缔改良焦和污染严重的小机焦。

⑤2002 年要淘汰 100 立方米以下炼铁炉。

（二）突出抓好 3 个重点：

1.重点区域和流域污染治理

重点区域和流域指三市、一河、两区，即：临汾市、侯马市、霍州市，汾河流域，广胜寺风景区和壶口旅游区。

三市要坚持“统一规划，优化结构，合理布局，综合整治”的方针，环保工作要围绕改善大气环境和城市环境建设为中心，通过城市环境综合整治定量考核，逐步改善城市能源结构，积极发展城市煤气和集中供热，推广使用清洁煤技术，禁止原煤散烧，加强城市环境基础设施建设。

①2000 年底前临汾市到二氧化硫要达标排放，并开展空气环境质量周报。

②2000 年底要建成临汾市污水处理厂。

③2000 年之前三市要禁止使用含铅汽油；市区建成区要全部建成噪声达标区。

④2001 年霍州市要建成垃圾处理场。

⑤2002 年侯马市、霍州市要建成污水处理厂，2003 年洪洞建成污水处理厂，实行生活污水集中处理。2000 年前要建成临汾市、侯马市垃圾处理场。

⑥侯马市、霍州市在 2002 年要开展空气质量周报。

⑦到 2003 年，临汾市、侯马市、霍州市气化率要达到 90%以上。

⑧地区城建、环保等管理部门要加大对三市环保责任制考核力度，开展创建环境保护文明城市的活动。

汾河治理要以改善水质和绿化工作为中心，全面开展汾河流域环境综合整治。水污染治理以点源治理为重点，全面推行排污许可证制度。

①2000 年前下列项目要全部投入使用：霍州化肥厂氨氮废水治理、山西焦化企业集团氨氮废水治理、霍州矿务局曹村矿洗煤厂废水治理、山西橡胶厂废水治理、洪洞纸厂废水治理、洪洞化肥厂废水治理、甘亭纸厂废水治理、临汾纸厂废水治理、临钢全厂废水处理、临汾地区医院废水治理、邓庄纸厂废水治理、襄汾纸厂废水治理、曲沃化肥厂废水治理等项目。

②2000 年底，汾河流域水污染排放企业必须实现达标排放。

③2003 年底，要建成 2～3 个城市污水处理厂，改善汾河水质。

④围绕改善汾河流域生态环境，集中开展汾河滩涂开发治理，建设百公里石坝生物带和霍侯一级公路绿色走廊。

⑤广胜寺风景区和壶口旅游区要以环境综合整治和生态建设为中心，认真落实《广胜寺风景名胜区环境规划》，吉县政府要在 2000 年完成《壶口旅游区环境保护规划》工作。

2.冶金、建材、造纸行业的污染防治

焦化工业（责任单位：经委、计委、乡镇局）

我区炼焦业的发展要坚持“取缔土焦，淘汰改良焦，限制小机焦，发展大机焦，配套城市煤气，提高煤炭资源综合利用率，实行焦炭产量总量控制”的方针。今后，不允许再新建改良焦厂，75 和 89 型焦炉在 1999 年后要全部淘汰，平川地区原则上不再审批 20 万吨机焦炉，严格控制焦化小区的建设，对布局不合理的焦化企业要限期搬迁，全区焦炭产量控制在 800～1000 万吨。

冶炼业（责任单位：重工公司、计委、经委、乡镇局）

炼铁业是我区的传统产业，也是重污染行业之一，特别是大量荒煤气的放散既浪废了资源，又污染了环境，我区现有炼铁炉 600 余座，总容积约 7000 立方米，其中 13～30 立方米的占大多数。今后 5 年，我区应大力发展市场短缺品种的钢材生产，积极开展深加工，加快新技术和新工艺的引进和应用，提高精密铸件、特种铸件的比重，并和机加工行业实行有效对接。禁止新建 100 立方米以下的高炉和 18 立方米以下烧结机；坚决取缔 15 立方米以下高炉和土法烧结；限制发展灰口和白口铸铁管；取缔规模在 1 吨/小时以下的冲天炉和化铁炉；禁止新上化铁炼钢、平炉炼钢、叠轧薄板及年产 3000 吨以下镁冶炼，取缔土法炼砷、炼汞、炼铅锌。

建材业（责任单位：建设局、经委、计委、乡镇局）

建材业要以提高改造为主，鼓励发展年产 60 万吨以上新型干法窑水泥生产线和产量 8.8 万吨以上机立窑综合节能改造；推广粘土空心砖、石膏粉及其深加工产品等新型材料；鼓励利用工业废渣生产建材产品。取缔土窑烧砖；限制机立窑及年产 20 万吨以下回转窑项目；禁止新建规模小、污染重的陶瓷生产线，坚决取缔小耐火材料竖窑和倒烟窑。同时要加强建材业除尘设施的运行管理，采用高效收尘技术提高收尘率。

造纸业（责任单位：轻纺局）

造纸业是汾河水污染的主要行业，造纸企业水污染物排放占全部工业污染源排放的 70%，治理了造纸废水，汾河水质将会大大改善。今后造纸业的发展要以产品结构调整为主，草浆规模不准扩大，实行集中制浆、分散造纸。坚决取缔制浆规模在 5000 吨/年以下的纸厂，到 2000 年，造纸废水要全部达标排放，否则坚决予以关闭。

3.抓好生态环境保护（责任单位；农业局、水利局、林业局、环保局）

生态环境保护仍以治理水土流失为重点，采取生物措施和工程措施相结合手段，建成一批水土保持工程。同时要积极发展生态农业，合理使用农药和化肥，加强农膜的回收工作，减轻“白色污染”，发展绿色食品，争取全区 2～3 种食品获得国家绿色食品标志。到 2004 年，每个县要建成 2～3 个生态示范点，安泽县争取建成国家级生态示范县。另外还要开展野生动植物资源普查，加强野生动植物资源的保护和开发利用，保护生物多样性。通过以上措施使我区生态环境与经济发展相协调，最终实现社会经济的可持续发展。

（三）完善四项机制

1.环境与发展综合决策机制

世纪之交是我区经济发展的关键时期，也是控制我区环境污染的重要时期，环境保护工作要主动为经济建设服务，参与社会经济发展的重大决策，促进经济环境协调发展，力求在发展中解决目前我区突出的环境问题。

（1）对重大技术政策和发展规划及重大经济开发计划进行环境影响评价

根据地委、行署“打基础、调结构、治环境”三件大事的决定精神，我区要对以下几个行业和区域的发展进行环境影响评价，依据评价结果调整充实、完善发展战略。

① 冶炼业和炼焦业，由地区乡镇局和地区重工公司组织。
② 建材业，由行署建设局组织。
③ 临汾染化集团，由地区化工公司组织。
④ 襄汾纸业集团，由地区轻纺总会组织。
⑤ 壶口酒业集团，由吉县政府组织。
⑥ 洪洞焦化集团，由洪洞县政府组织。
⑦ 城市基础设施建设，由行署建设局组织。
⑧ 特种煤洗选，由行署交通局组织。
⑨ 交通建设，由行署交通局组织。
⑩ 重点旅游区，由地区旅游局组织。

（2）建立开发建设项目审批机制

凡开发建设项目都必须严格执行《建设项目环境保护管理条例》编制环境影响报告书或编制环境影响报告表或填报环境影响登记表。经环保部门审批后，土地部门方可办理征地手续，银行方可予以贷款，环保设施验收合格后，工商部门方可办理营业执照。环保部门应认真履行职责，对不符合产业政策，布局不合理以及没有有效污染防治措施和成熟技术的项目不予审批。

（3）环保指标要纳入经济指标考核体系，作为干部政绩考核的内容之一。经济管理部门下达经济指标的同时要下达环保指标，组织人事部门要将辖区内环境质量作为考核党政一把手政绩的主要内容，完不成考核指标或污染严重、发生重大环境污染和生态破坏事故地区的负责人，不得提拔任用，并依照《山西省环境保护行政处罚办法》进行严肃处理。

（4）建立和完善解决重大环境问题的决策机制。涉及重大环境问题，环保部门要向党委政府提出书面报告，由党委和政府统一决策，各部门分工负责，人大监督，环保部门统一管理的机制。

2.环境管理机制

环境管理要以适应经济体制改革和增长方式转变，实现可持续发展为前提，以控制污染物总量和改善环境质量为目标全面推进并不断完善，强化“三同时”管理，提高防治设施运转率，加大排污费征收力度，逐步做到按标准全面足额征收；城市环境综合整治定量考核要以治理大气环境为主要内容，加快城市煤气、集中供热、型煤、城市道路改造等城市基础设施的建设；继续推行环境保护目标责任制，科学合理确定考核指标，加大考核力度，实行环保工作党政一把手亲自抓，负总责；排污申报登记要在原来全面申报的基础上，开展动态申报工作；有计划地推行重点行业（焦化、冶金、建材、造纸）和重点区域（三市、一河、两区）的水体和大气污染物排放许可证制度；进一步推行限期治理制度，各级政府要对污染严重、布局不合理、总量超标、浓度超标的单位，分期分批下达限期治理任务。

3.环保法制机制

环境保护工作必须纳入法制化轨道，环保部门要坚持依法行政，在建设项目审批、排污费征收、限期治理制度和目标责任制实施、取缔土小企业等工作中要严格执行有关法律、法规，按照国务院《决定》和省政府《实施办法》的要求，严肃查处各种违法行为，加大执法力度，提高执法水平和执法效果。同时要加强环境行政执法监督，规范执行行为，建立所证复议制度，开展环境普法教育，提高决策者、执法者、经营者和公众的环境意识和法制观念。逐步形成有法必依、违法必究、执法必严的环境法制局面。

4.完善社会参与机制

环境保护是一项社会公益性事业，关系到人民群众的身体健康，各级政府要定期向社会公布环境质量状况，设立公众举报电话和举报信箱，认真处理群众来信来访，开展公众环境意识调查，建立听证、环境影响评价公众参与等制度，各县市每年除“六五世界环境日”以外，要组织一至两次大规模环保宣传活动，在党校和中小学及其它场合开设环保课，利用多种形式发展环境教育。逐步形成人人关心环保，人人参与环保，人人支持环保的局面。

（四）建立三个保障体系

1.资金投入保障体系

我区前 10 年环保投资占同期国内生产总值的 0.68%，予计今后 5 年，要实现我区环保目标，污染治理投入必须占到同期国内生产总值的 1.5%，5 年累积投入约需 15～17 亿元，平均每年投入 3～3.5 亿元。因此我们必须开辟多种资金渠道。

①按照“谁污染、谁治理”、“污染者付费”、“开发者保护”的原则，排污者和开发者应是环境投入的主体。环保部门要依法收取排污费，金融和环保部门对开发项目要加强环保投入的监管力度，确保环保设施建成并使其发挥效益。

②争取国家对基础设施的投入。

③争取省政府对汾河治理的专项投入。

④争取省外和国际投入。

⑤各级财政每年拿出一定的资金，支持重点环保项目。

2.环境科技和环保产业保障体系

今后 5 年，我区环境科技和环保产业的指导思想是：充分发挥科技是第一生产力的作用，通过科技进步解决环境问题，不断引导高新技术向环境领域的渗透，开展清洁生产工艺和污染治理技术的研究和推广，大力扶持环保产业，逐步培育我区的环保产品市场，使环境科技和环保产业更好地服务于经济建设。主要工作任务如下：

①开展重大环境问题的对策研究，为环境管理提供科学依据。2000年要完成《临汾地区2000年～2003年总量控制研究》、《临汾地区生态保护对策研究》和《临汾地区主要行业污染防治对策研究》。

②组织和联合大专院校、科研机构，针对我区环境污染的特点，有针对性地开展攻关研究，寻找适合于我区社会经济条件的污染治理技术，重点是：

（1）煤炭燃烧和烟尘脱硫除尘技术

（2）烧结改造治理技术

（3）高炉、焦炉煤气利用技术

（4）固体废物综合利用技术

（5）生态退化防治技术

③加强环境科技成果的推广工作。科技管理部门和环境部门要积极引进、筛选适合于我区的污染防治技术，举办科技成果展览，开展科技信息等交流工作，并建设一批污染治理示范工程。

④大力发展环保产业。目前我区环保产业基础还很薄弱，规模小、产值低，产品单一，远远不能满足本区环保产品市场的需求，今后我区环保产业发展的方向是：充分发挥机械加工优势，以机加工企业为龙头组建全区环保产业集团。瞄准市场需求，开发成套污染防治设备，建设示范工程，规范产品市场，使其成为可持续发展的新的经济增长点。

3.基础工作和环保队伍保障

①环境规划是环境保护工作的基础和先导，各县市和主要行业，如焦化、冶金、煤炭、建材要立即编制区域和行业环境保护规划，临汾市要尽快完成SO_2控制区规划。2000年之前，完成临汾地区生态环境保护规划工作的编制工作。

②开展环境功能区划分。临汾、侯马、霍州市在2000年之前完成城市大气和噪声功能区划分。

③加强环境监测建设。到2003年，全区所有环境监测站要有计划、按标准更新配齐监测设备，全面开展环境监测，逐步形成以地区环境监测站为中心，县市环境监测站为主力，企业环境监测站为补充的全区环境监测网络。进一步提高对监测数据处理能力和环境质量变化趋势分析能力，改革监测管理体制，更好地适应不断变化的环境管理需求。

④加强环境统计和信息网建设，进一步改革环保统计，加强统计分析，实行环境信息统一管理。2000年底前，地区和平川县市需加入全省环境信息网络，完善环境管理信息档案，逐步实现办公现代化，从而提高我区的环境管理水平。

⑤加强环境管理工作。进一步规范监理行为，推行环境稽查制度，形成地、县、乡三级环境稽查网络，建设一支装备先进，快速反应，能打硬仗的高素质的环境现场执法队伍。

⑥加强机构建设。环保机构的设置要适应当前环境治理任务的需要，县市都要设立独立的环保机构。内部机构设置坚持“三定”方针，并做好人员下岗分流的安置工作。

⑦坚持社会主义精神文明和物质文明“两手都要抓，两手都要硬”的方针。地区环保局和各县市环保局要有计划地、系统地开职业道德教育和业务素质培训，树立全心全意为人民服务的思想，增强系统的凝聚力，努力建设一支“思想好，作风正，懂业务，会管理”的环境保护队伍，使我区的环境保护工作以崭新的姿态跨入下世纪，迎接未来艰巨的挑战。

附表：

2000—2004年临汾地区环境保护重点工程计划

项目名称	规模	投资估算（万元）	起止年限	效益	备注
城市基础设施建设					
1、临汾市集中供热工程	240万m^2/日	25091	2000-2001	取代100多个烟囱，减少烟气污染	
2、霍州市集中供热工程	250万m^2/日	14000	2000-2001	减少煤烟污染	
3、侯马市城市煤气工程	10万m^3/日	16490	2000-2004	取代分散点源，减轻煤烟污染	
4、霍州市城市煤气工程	5万m^3/日	8424	2000-2001	缓解煤烟污染	
5、洪洞县煤气工程	10万m^3/日	20000	2001-2004	取代分散点源，减轻煤烟污染	
6、曲沃县煤气工程	5万m^3/日	5000	2000-2004	取代分散点源，减轻煤烟污染	
7、襄汾县煤气工程	5万m^3/日	10000	2000-2004	取代分散点源，减轻煤烟污染	
8、临汾市污水处理厂	10吨/日	10800	2000-2002	年减少悬浮物7200吨，COD9000吨	
9、侯马市污水处理厂	2万吨/日	4000	2001-2004	年减少悬浮物1000吨，COD2000吨	
10、洪洞县污水处理厂	4万吨/日	8300	2001-2004	120万吨废水达排放，缓解汾河污染	
11、霍州市污水处理厂	4万吨/日	8143	2000-2001	120万吨废水达标排放，缓解汾河污染	
12、临汾市垃圾处理场	800吨/日	3000	2000-2004	减少固体废物污染	
13、洪洞县垃圾处理场	200吨/日	1000		减少固体废物污染	
小计		134248			

2000—2004年临汾地区环境保护重点工程计划

项　目　名　称	规　模	投资估算（万元）	起止年限	效　　益	备　注
重点污 染治理项目					
1、临汾汾河制药厂污水处理	180吨/日	350	1999-2000	180吨/天含糖污水达标排放，减少汾河污染	
2、霍州发电厂粉煤灰治理工程	88吨/日	1400	2000-2001	年利用粉煤灰2.5万吨	
3、山西维尼纶厂污水处理回用	300万吨/年	600	1999-2001	年减少废水排放量300万吨	
4、山西焦化厂氨氮水治理	2400吨/日	500	1999-2001	80万吨/年氨氮废水达标排放	
5、临汾造纸厂废水处理	9000吨/日	379	1999-2000	年处理回用废水225万吨，年减少COD3965.7吨	
6、洪洞化肥厂两水回用及稀氨水治理	320万吨/年	410	1999-2000	年减少废水排放量324.72万吨，SS119.92吨	
7、襄汾纸厂碱回收配套	50吨/ 日	480	1999-2000	年减少COD排放5000吨	
8、霍州化肥厂氨氮废水治理		313	1999-2000	年减少氨氮300吨	
9、邓庄造纸厂黑液治理	340吨 /日	322	1999-2000	11.2万吨/年造纸黑液达标排放	
10、临汾钢铁公司污水处理回用	9600万吨/ 年	4000	1999-2002	年减少废水排放9000万吨	
11、临汾地区医院废水治理	500吨/ 日	100	1999-2002	杀灭致病菌，减少疾病传播	
12、山西三维集团电石炉改造		6000	2000-2003	减少粉尘污染	
13、乡宁煤矸石制高岭土	1万吨/年	3880	2000-2002	减少煤矸石排放1万吨/年	
14、洪洞纸厂黑液治理	80万吨/年	521	1999-2001	减少COD排放3000吨/年	

2000—2004年临汾地区环境保护重点工程计划

项目名称	规　模	投资估算（万元）	起止年限	效　益	备　注
15、甘亭纸厂废水治理	200万吨/年	500	1999-2001	减少COD排放3000吨/年	
16、曲沃化肥厂废水治理	200万吨/年	300	1999-2001	年回用放废水200万吨	
17、山西橡胶厂废水治理	30万吨/年	43	1999-2000	减少COD排放300吨/年	
小　计		20098			
生态工程					
1、大宁县水土保持					
2、永和县水土保持					
3、安泽国家级农业生态示范县					
4、吉县壶口名胜区生态环境综合整治					
5、临汾市沼气示范工程					
6、黄河百公里防护林带					
7、昕水河流域百公里生态经济林带					
8、沿汾河石坝百公里生物带					
9、沿霍侯一级公路百公里生物带					
小　计					
合　计					

中共临汾地委　临汾地区行署
关于贯彻十五届四中全会《决定》推进全区国有企业改革和发展的实施意见
（2000年2月18日）

党的十五届四中全会通过的《中共中央关于国有企业改革和发展若干重大问题的决定》，明确提出了国有企业改革和发展的主要目标和指导方针，并就若干重大问题作出了明确规定，是指导我国跨世纪推进国有企业改革和发展的纲领性文件。认真学习贯彻十五届四中全会《决定》精神，对解决我区国有企业面临的突出矛盾和问题，加快现代企业制度建设，推动国有企业尽快走出困境，从整体上搞好全区国有经济，具有重要的现实指导意义。为贯彻落实十五届四中全会《决定》，推进全区国有企业改革和发展，提出如下实施意见。

一、我区国有企业改革和发展的目标与原则

（1）我区国有企业改革和发展的主要目标是：到本世纪末，大多数国有亏损企业基本摆脱困境，大多数骨干企业初步建立现代企业制度。到2010年，全区国有经济战略性调整和国有企业改组基本完成，形成比较合理的产业结构和国有经济布局；骨干企业建立比较完善的现代企业制度，经济效益明显提高，科技开发能力、市场竞争能力显著增强。

（2）推进我区国有企业改革和发展应遵循的基本原则

①坚持“三个有利于”的根本原则，进一步解放思想，实事求是，勇于探索，大胆创新。

②坚持有进有退，有所为有所不为，加大国有企业战略重组力度，进一步放开搞活国有中小企业，大力发展混合所有制经济。

③坚持“三个结合”的原则，国有企业改革和发展同国有经济布局战略调整相结合，同产业结构优化升级相结合，同所有制结构调整完善相结合，着眼于从整体上搞好国有经济。

④坚持现代企业制度改革的方向，加快建立“产权清晰、权责明确、政企分开、管理科学”的现代企业制度。

⑤坚持“三改一加强”，改革、改组、改造和加强企业管理同步推进，注重整体效果。

⑥持从实际出发，统筹规划，分类指导，因企制宜，形式多样，不搞“一刀切”。

⑦坚持党对国有企业改革和发展的领导，发挥企业党组织的政治核心作用，全心全意依靠工人阶级，推动物质文明和精神文明建设协调发展。

二、下决心从战略上调整国有经济布局和改组。

（3）从战略上调整国有经济布局。按照调整布局、有进有退、加强重点、优化结构的战略方针，把调整国有经济布局同产业结构的优化升级和所有制结构的调整完善结合起来，通过重组，使国有资产逐步从一般竞争性行业中退出，盘活存量、优化增量，从整体上提高国有经济的质量。我区国有经济需要控制的行业和企业主要是：矿山等资源垄断行业，供水、供气等提供重要公共产品和服务行业的企业，支柱产业、高新技术产业中的骨干企业，以及开展政策性业务的企业。其它行业和领域的国有资产都可以逐步退出。商贸企业的国有资产2002年前要基本退出流通领域。

大力发展混合所有制经济，鼓励发展个体私营经济，积极支持非国有经济通过项目投资、嫁接改造、联合重组等形式，参与国有企业改革，参股、控股国有企业，推动国有资本向国民经济的关键领域和重要行业集中。

（4）区别不同情况，加大对国有企业改组的力度。对产品有市场，发展有前途的地县优势骨干企业，可通过增量扩股，广泛吸纳民间资本和吸引多方投资，扩大国有资本运营功能；对产品有市场，但负担过重、经营困难的企业，通过兼并、联合等形式，进行资产重组和结构调整，盘活存量资产；对产品无市场、长期亏损、扭亏无望和资源枯竭的企业，以及浪费资源、技术落后、质量低劣、污染严重的各类中小企业坚决依法实施破产、关闭。

（5）继续实行“抓大放小”战略。坚持扶强限劣的原则，大力实施品牌、集团战略。凡年提供税收500万元以上或实现利税1000万元以上的企业，作为优势龙头企业重点培育。目前要着重抓好临汾染化集团、平阳纸业集团、壶口酒业集团、洪洞焦化集团、特种煤洗选集团、汾河药业集团、铸造集团、五交化集团、工贸集团和临汾龙兴饮品公司、襄汾有色金属公司、霍州化工公司、洪洞金星啤酒分公司、晋利食品有限公司等企业。同时，集中人力、财力重点扶持染化集团公司的直接染料，鼎立化工公司的三元复合肥，曲沃乔山铸造有限公司的铸铁管件，汾河制药厂的柠檬酸，侯马纺织厂的人棉布，洪洞晋芳纸业公司的高档卫生纸，吉县酒厂的干红、干白，侯马科信生物公司的光合菌生物肥，亚华制盖公司的防盗瓶盖，翼城华尔铸造公司的缸体、飞轮，隰县天天饮料公司的金梨汁，飞马集团的鱼油，龙兴饮品公司的莲藕汁等潜力产品的开发。充分发挥优势龙头企业和潜力产品企业在资本营运、技术创新、开拓市场等方面的优势，使之成为我区国民经济的支柱和参与国际竞争的骨干力量，争取3年内1～2户企业股票上市。

“放小”工作要总结经验，继续采取改组、联合、兼并、租赁、承包经营和股份合作制、出售等方式，进一步加大放开放活中小企业的力度，深化和完善企业改制工作。对改制走了过场的企业要推倒重来；对改制时遗留的负资产、土地、保险、人员分流等问题，要结合实际，制定措施，妥善解决。应改未改的国有企业在 2000 年底前要全部完成改制。改制中，无论采取哪种形式，都要广泛征求职工意见，规范操作，同时要加强监督，防止逃废银行债务。

三、加快以现代企业制度改革为重点的国有企业体制创新

（6）继续推进政企分开。以机构改革为契机，进一步理顺政企关系。政府管理职能要面向全社会，主要承担社会管理和公共服务职能，企业与政府各部门不再存在行政隶属关系，政府不再直接干预企业的生产经营。通过国有资产授权经营，建立出资人制度，国家所有者权益以法定方式选派股东代表或董事进入企业，行使选择经营者、重大决策和收益分配等权利。企业要依法自主经营，照章纳税，对所有者的资产承担保值增值责任。取消企业行政级别，根据企业资产、营业额、利税等主要指标，建立新的企业分类分级制度。企业类别每两年界定一次，实行动态管理。

（7）建立健全国有资产管理体制及营运机制。通过建立国有资产管理委员会——国有资产经营公司——生产经营性企业三个层次的国有资产管理、运营和监督体系，逐步理顺政府、国资管理部门、国有资产运营机构及企业的关系，确保国有资产保值增值。根据中央“探索建立国有资产管理的具体方式”的精神，地直和国有资产存量较多的县市可选择若干行业进行试点，组建国有资产经营公司，行使国有资本出资人职能，对已改制企业的国有股权、剥离资产和企业改制中被置换但仍留在新企业有偿使用的产权收入以及尚未改制企业的国有资产等实行授权经营。

（8）严格实行规范的公司制改革。实行公司制改革的企业，要明确股东会、董事会、监事会和经理层的职责，形成各负其责、协调运转、有效制衡的公司法人治理机制。股东按出资额行使表决权，享有资产受益、重大决策和选择管理者等权利。董事会对股东会负责，对公司的发展目标和重大经营活动作出决策，聘任经营者，并对经营者业绩进行考核和评价。要规范董事会的工作程序，包括决策程序、议事程序、检查工作程序，董事会不干预经理层的日常经营。监事会要依法行使监督权，保障股东权益、公司利益不受侵犯。总经理由董事会聘任，对董事会负责。总经理根据董事会的决策，全面负责公司的生产经营。董事长与总经理一般应分设。党委书记和董事长可由 1 人担任。国有独资和国有控股公司党组织负责人可通过法定程序进入董事会、监事会。董事会、监事会、经理层及工会中的党员负责人，可按党章和有关规定进入党委会。董事会和监事会都要有职工代表参加。

（9）转换企业机制，深化企业内部制度改革。推进全员劳动合同制，建立企业与职工双向选择、人员能进能出的用人机制。改革人事管理制度，建立管理人员竞争上岗、能上能下的机制。企业要按照精干、效能的原则因事设岗，按照公开、公平、公正的原则，通过竞争择优聘用管理人员时，不受干部、工人、不同所有制职工的身份限制。按照省委办公厅晋办发[1998]48 号文件的有关规定，理顺劳动关系，特别是要理顺国有企业下岗职工和国有企业到集体、私营企业再就业职工的劳动关系，并及时签订、鉴证、履行、变更、解除劳动合同，依法维护劳动关系双方的合法权益。企业职工工资水平由企业根据当地社会平均工资和本企业经济效益决定。企业内部实行按劳分配，形成岗变薪变，职工收入能增能减的机制，适当拉开档次；建立按劳动与按生产要素相结合的分配制度，允许和鼓励企业员工以资本、技术、管理等生产要素参与企业收益的分配。

四、着力解决企业债务和社会负担问题

（10）根据中央债权转股权的政策，行署经委、财委会同银行等有关部门要抓紧组织实施，积极筛选符合规定条件的企业，分期分批实施债权转股权，降低企业负债率，优化企业负债结构。

（11）积极落实中国人民银行及国家经贸委等五部委联合下发的《封闭贷款管理暂行办法》，在全区选择部分包袱沉重，但产品有市场、经营有效益、发展有前景、政府部门有具体救助方案的国有企业，以封闭贷款的方式，适时有效地补充、注入信贷资金。

（12）对一些符合国家产业政策、产品有销路、扭亏有望但自我积累困难的国有企业，可将其“拨改贷”还原；对优势国有企业按有关规定实行增值税返还政策，经财政部门批准，将增值税留地方的25%全部或部分返还企业，用于转增国家资本金或股权；各级政府对企业的借款，可实行债转股。

（13）用足用活用好企业兼并、破产的优惠政策，国有和集体企业兼并国有企业可享受有关鼓励政策。企业兼并中，优势企业缴纳的所得税经财政部门批准在 3 年内部分或全额返还，被兼并企业的经营性亏损挂帐，可视同优势企业的亏损挂帐，允许在 5 年内用税前利润弥补。

（14）进一步扩大土地资产授权经营范围，大力推进国有土地作价入股。经土地行政主管部门批准，可根据行业、企业类型，采用不同的土地资产处置方式和管理政策。

对于自然垄断的行业，提供重要公共产品和服务的行业，以及支柱产业和高新技术产业中的重要骨干企业，主要采用授权经营和国家作价出资（入股）方式配置土地，国家以作价转为国家资本金或股本金的方式，向集团公司或企业注入土地资产。以作价出资（入股）方式处置的，土地使用权在使用年限内可依法转让、作价出资、租赁或抵押，改变用途的应补缴不同的用途的土地出让金差价；以

授权经营方式处置的，土地使用权在使用年限内可依法作价出资（入股）、租赁，或在集团公司直属企业、控股企业、参股企业之间转让，但改变用途或向集团公司以外转让时，应报经土地行政主管部门批准，并补缴土地出让金。对于一般竞争性行业，应以出让、租赁等方式配置土地。非国有资本购买、兼并、参股原国有企业时，可将企业原划拨土地评估作价后同其他国有资产一并转为国有股，逐步通过股权转让变现；也可分割出与企业净负债额相当的土地转为出让土地，参与企业整体拍卖和兼并，剩余土地，购买方或兼并方有优先受让权和承租权。对承担国家计划内重点技术改造项目的国有企业，原划拨土地可继续以划拨方式使用，也可以作价出资（入股）方式向企业注入土地资产。对其它采用成熟技术进行产品更新和技术改造的国有企业，经审查可将原使用的划拨土地按出让方式处置，土地收益可作为应付帐款暂留企业，全额用于技术改造，并参照技改贷款方式进行管理。

为减轻企业负担，国有企业在改革前可继续以划拨方式使用原有土地；改革后的企业用地符合《划拨供地项目目录》的，可仍以划拨方式使用。国有和集体企业兼并国有企业涉及的土地，不属于划拨供地范围的，经土地行政主管部门批准，也可在一定年限内维持划拨使用。

经土地行政主管部门批准，非上市国有企业转让原使用的划拨土地，必须到地县土地部门设立的土地交易场所挂牌交易变现，也可由土地行政主管部门收购储备或优先安排租赁、出让，土地收益专项用于企业增资减债或结构调整。在规划许可的前提下，允许非上市国有企业在其原用地范围内自行提高土地利用率。国有企业破产时，其原使用的划拨土地，可由各县市人民政府组织出让，变现资金设立专户，优先用于职工安置。

国有企业与外资进行合资、合作，凡以出让、租赁、国家作价出资（入股）方式取得土地使用权的，不再另行缴纳场地使用费；凡符合《划拨供地项目目录》的，经土地行政主管部门批准，可按划拨方式用地。

（15）对优势企业和重点扭亏企业收取的行政事业性收费，按 1997 年实际上交额在 3 年脱困期间缓征 30%～50%。

（16）减轻企业办社会负担。国有企业所办的学校、医院等社会服务机构，要通过逐步过渡、整体移交、产权有偿转让及企业化经营等多种方法与原企业分离，并采取积极措施，逐步与原企业彻底脱钩。所办学校 2003 年前一般要分离出去，纳入各级政府统筹管理范围，办学业经费 3～5 年内由政府和企业共同负担，到 2010 年实现完全由政府负担。企业所办学校要采取多种方式和途径进行分离：由地、市县教育行政机构接收或并入属地中小学校；以合资、合作方式，创办股份制学校，使之向私立、民办方向发展。企业所办医院，可按地域并入地市县级医院或成为其分支机构，也可经组合调整，组建医院集团，建立区域性诊治中心或医疗卫生服务中心。企业自办的食堂、托儿所、招待所等后勤服务机构，要与企业的生产经营主体分离，办成面向社会、有偿服务、独立核算、自负盈亏的经济实体。

五、大力推进国有企业技术进步和技术创新

（17）按照地委、行署《关于抓好打基础、调结构、治理环境三件大事的决定》和地区产业结构调整规划，进一步明确国有企业技术进步的方向与重点。以市场为导向，用先进技术改造传统产业；围绕增加品种、改进质量、提高效益，加强现有企业技术改造；以高新技术产业为先导，在微电子、通讯信息、高效节能和环保技术产业上，掌握核心技术，占领技术制高点。通过技术进步和产业升级，进一步实施名牌战略，积极参与国内外市场竞争。

（18）以“一增三优”为主攻方向，加大技术投入，促进产业结构调整。

努力改造传统产业。着力解决目前企业规模小、加工程度低、综合利用差、经济效益不高、资源浪费和环境污染严重等问题，把量的优势转化为质的优势。煤炭行业要坚持“关井压产、加工转化、联营改造、规模经营、发展名牌、扩大营销”的方针，坚决关闭小煤矿和布局不合理煤矿，集中力量，发展一批中型骨干矿井，增强煤炭洗选深加工能力。焦化行业要按照“治理整顿、总量控制、发展机焦、延伸加工、形成基地”的方针，取缔不符合环保要求的小焦炉，发展大机焦和适销对路的型焦，搞好煤焦油回收等深加工项目建设，开发苯萘等焦化产品。冶炼行业要按照“改进工艺，治污降耗，提高质量，形成规模”的方针，稳定生铁产量，提高产品质量，发展有色冶金，坚决关闭不符合国家产业政策污染严重的小高炉，重点发展 125 立方米以上的炼铁及炉前铸造。造纸行业要按照“调整原料结构，改进生产工艺，加快产品换代，加速规模扩张”的方针，逐步形成“集中制浆、分散造纸”的组织结构，带动发展一批高附加值产品。建材行业要坚持改造与开发并举，高标准起步，规模化发展以石膏加工为重点，发展轻型墙材、装饰材料和特种水泥、新型塑料建材。化工行业要开发医药化工、精细化工、生物化工、煤化工，形成完整的化工产业链。纺织行业要抓住我国加入 WTO 的机遇，压锭重组，减员增效，加快改革，提高档次，扩大出口创汇。

大力发展优势产业。着力培育铸造、食品加工、环保和高新技术产业。铸造业要多元发展，培育拳头、联合协作、形成规模，加快新工艺新技术的引进和应用，提高精密铸造、特种铸件的比重。食品加工业要瞄准市场，加快开发。重点发展果制品、奶畜制品、粮食转化制品及其它深加工产品。环保业要结合环境综合治理，推进集中供热，积极发展煤气，建设型煤生产基地，推广电力清洁能源，大力发展绿色产品。高新技术产业是先导产业，要抓紧抓好，突出搞好信息产业。鼓励科技创新，促进先进科研成果的引进、吸收和转化工作，全面实施“科教兴区”战略。

（19）采取有效措施，支持企业技术进步与技术创新。积极申报国家财政债券贴息重点技改项目计划，落实配套资金，强化“项目意识”。切实用好国家关于加速折旧、减免进口先进技术与设备关税和财贴息等鼓励企业技术进步的优惠政策。改变投入方式，将政府对企业的扶持资金由直接投入为主改为主要采取贴息入股、垫息等间接投入方式，以引导更多的资金支持国有企业技术进步。扶持科技型中小企业，使他们向“专、精、特、新”方向发展，同大企业建立密切的协作关系，提高生产社会化水平。

尽快建立科技风险投资等创业基金，培育风险担保公司，加强为企业技术创新服务的中介组织的建设，建立包括支持企业技改资金筹集、科技成果信息提供、科技项目孵化和产业化、市场风险预测在内的服务体系，为高新技术产业与风险资本的结合创造条件。

（20）强化企业技术进步的主体地位。企业要坚持“独立自主，自立更生”的方针，依靠深化改革，通过股票上市、中外合资和积极与民营企业联姻等途径，拓宽融资渠道，有效解决技术进步和技术创新所需资金。鼓励和支持有条件的优势骨干企业建立高层次、综合性的企业技术开发中心。企业要创造条件以各种形式吸纳优秀科技人员到企业工作，增加科技开发费用在企业销售额中的比重，一般企业占到 1%以上，高新技术企业占到 5%以上。主动与高等院校、科研机构联合进行科技成果转化研究，大力推动“产学研”联合。建立健全企业技术创新体系，形成生产一代，储备一代，研制一代，预研一代的良性循环。

（21）鼓励科技人员从事科研和技术开发工作。对科研成果获取显著经济效益的科技人员，可由企业从成果应用所创利润中，提取奖励有功人员。对在解决技术难题、节能降耗、环境保护、改进现有设备和产品等方面成效显著的有功人员及从事小发明、小创造成效显著者，也可根据实际给予一次性奖励。

六、加强和改善企业管理

（22）强化企业管理，提高科学管理水平，是建立现代企业制度的内在要求，也是增强企业竞争能力，扭亏增盈，提高经济效益的重要途径。要全面贯彻“三改一加强”方针，把加强和改善企业管理与企业改革紧密地结合起来，改变目前相当一部分企业存在的决策随意、制度不严、纪律松弛、管理粗放、水平低下的状况。

（23）下大力气搞好企业发展战略研究。企业要适应市场变化，及时制定以技术创新、营销策划为主要内容的发展战略，要通过科学和民主决策提高决策水平，化解市场和经营风险。

（24）建立健全各项规章制度。企业要适应产权制度的变化，及时修订企业的各项规章制度，建立各级、各部门、各个环节的工作规程和责任制度。做到企业各项工作有法可依、有章可循，并加强考核和监督检查。严格劳动纪律，增强法纪观念。广泛采用现代管理技术、方法和手段，推广先进管理经验，全面提高管理档次。

（25）突出管理重点，狠抓薄弱环节。当前企业管理要重点抓好成本管理、资金管理和质量管理。深入学习邯钢经验，全面强化成本管理，严格执行《两则》和实行全国统一的会计制度。加强财务监督，采取强有力措施解决做假帐、违犯财经纪律等问题，如实编制资产负债表、损益表和现金流量表，反映企业经营状况。进一步树立质量第一的观念，争创名牌产品和名牌企业，大力开拓国内外市场，提高产品竞争力。继续开展“管理年”活动，总结交流管理经验，不断提高管理水平。

七、加大下岗职工再就业和社会保障工作力度

（26）认真做好下岗职工再就业工作。通过发展非公有经济、第三产业和社区服务等，大力拓宽再就业渠道。鼓励有条件的企业自行消化和安置富余人员。劳动、财政、税务、工商、公安、城建等有关部门要紧密配合，切实把下岗职工再就业优惠政策落到实处，要加大下岗职工转岗转业培训的力度，千方百计提高下岗职工市场就业竞争力。建立劳动就业预备制度，缓冲就业和再就业压力。推进劳动力市场建设，形成劳动力合理有序流动的就业机制。企业和政府要共同办好再就业服务中心，规范职工下岗和基本生活保障费下发程序。

（27）建立健全城镇失业、基本养老和基本医疗保障制度。国有亏损企业下岗职工基本生活保障和再就业资金的筹集，实行政府、社会和企业“三家抬”的政策；对停产整顿企业、申请破产企业和特困企业职工的基本生活保障资金，实行社会和政府“两家抬”的办法；企业和社会无力筹足的，同级财政要给予保证；对破产终结后资产难以变现的企业，要采针对性措施，千方百计保障职工的基本生活。特困企业要设立工资预留户，保障职工最低工资的发放。进一步完善养老保险省级统筹制度，增强地区和县市两级基金调剂能力，确保离退休人员养老金按时足额发放。加快社会统筹和个人账户相结合的职工基本医疗保险制度建设。

（28）健全下岗职工基本生活保障、失业保险和城镇居民最低生活保障制度，搞好三条保障线的相互衔接。逐步推进离退休人员的社会化管理，加强社会保险的机构建设和社会保障资金的管理。扩大养老、失业、医疗社会保障的覆盖范围，强化征缴力度，切实清理企业欠缴的社会保险费。开辟社会保障资金筹集新渠道，将部分国有资产变现所得充实社会保险保障基金。严格按照国家劳动部、经贸委、财政部联合下发的劳社部发[1999]36 号《关于清理收回企业欠缴社会保险费有关问题的通知》文

件精神，对生产正常运行、工资能够正常发放的欠费企业要逐户制定补缴计划，在2000年年底前基本补清。严禁以物抵费，妥善处理原抵费实物。对实施《征缴条例》前企业抵顶应缴社会保障费实物，地县两级社保、评估机构要尽快公开拍卖处理，拍卖收入全部进入基金。原实物抵费金额与实际拍卖收入之间的差额，由劳动保障部门会同财政部门核定，报当地人民政府同意后，予以核销。今后，各类参保单位一律不准以物抵费。认真处理兼并、破产等企业的欠费问题。对于实施兼并后不再保留法人资格的被兼并企业，其欠缴的社会保险费由兼并方负责补缴。企业分利的，由分利各方按达成的协议分别补缴。企业被拍卖、出售或实行租赁的，其欠费不得免除，并应在拍卖、出售、租赁协议或合同中明确补缴欠费的办法。破产的企业，其欠费按《中华人民共和国民事诉讼法》、《中华人民共和国企业破产法》（试行）和国务院有关规定，在资产变现收入中予以清偿，无法完全清偿欠费的部分，经社会保险经办机构提出，劳动保障部门审核，财政部门复核，报当地人民政府批准后可以核销。实行公司制改造的企业，改造前应对欠费进行清理。整体改造的，应由改造后的企业负责补缴；分立式改造的企业，应根据企业分离和资产分离的性质划分补缴欠费的责任，分别予以补缴。对有缴费能力但不按规定缴费的企业，除按《征缴条例》予以处罚外，可采取以下行政措施：劳动保障行政部门通过新闻媒体向社会公布；证券监督管理机构不予批准企业上市；企业管理部门对不依法缴费的国有企业法定代表人、总会计师除不能晋级、评选先进和获得年终奖金外，拖欠当年的还要给予警告，次年仍拒不缴纳的，给予撤职处分；工商行政管理部门不予核准其独资、参股设立新企业，不予核准设立分支机构及增加经营范围。

八、不断改善国有企业改革和发展的外部环境

（29）转变政府职能，增强服务观念。各级政府部门对企业的管理要从以微观管理为主转变为以宏观管理为主，从以行政手段为主直接管理转变为以经济手段为主的间接管理，重点做好规划、监督、协调、服务等方面的工作，改革审批制度，提高行政效率。工商、财政、税务、金融、劳动、土地、环保、电力、技术监督等职能部门要寓监督、管理于扶持、服务之中，纪检、政法等部门要真正为企业保驾护航，保护企业的合法权益和合法经营活动。今后凡对列为地县（市）两级重点企业经营者进行的查处，要严格审批程序，必须报经地、县（市）党委、政府主要负责人同意后方可进行，并及时报告查处结果，作出查处结论。

（30）规范政府行为，严格依法行政。严肃查处乱收费、乱罚款、乱摊派、乱检查、乱评比等“五乱”行为，保护企业的合法权益。发展、完善市场组织，整顿市场秩序，规范执法行为。按规定到企业检查的执法人员，要持证上岗。有关部门要进一步制定对企业进行检查的控制措施，全面清理各种收费项目，公开收费目录，企业有权拒绝收费目录之外的一切收费。统一实行收费申报登记制度，办理收费登记卡，发放收费员证，定期开展企业评议“服务最差”部门活动，有效遏制“五乱”行为。有条件的县市可实行集中统一缴费管理（统一时间、统一标准、统一地点、统一票据）。

（31）继续实行“企业挂牌保护，封闭管理”办法，在首批已公布的27户挂牌企业的基础上，进一步扩大范围。总结、完善保护内容和措施，通过聘任维护企业合法权益监督员、定期召开联席会议、严肃查处违法违纪案件等，巩固成果，防止反弹。

（32）培育发展各类中介服务体系，改善企业的社会化服务环境。加快信息、金融和社区服务体系建设，逐步建立中小企业信用担保基金、资金融通、技术创新、人才开发、市场开发、创新辅导、法律援助、产权交易等服务体系。大力发展会计、律师、公证、评估、拍卖、咨询等方面的中介机构。地区要尽快筹建中小企业贷款担保机构。各类中介机构都要与政府部门彻底脱钩，实行企业化管理，并加强行业自律。

九、努力建设高素质经营管理者队伍

（33）各级政府要高度重视经营管理者队伍建设，要把经营管理者队伍建设作为实施企业改革和发展的头等大事来抓。对经营管理者的要求要按照中央《决定》精神，既要思想政治素质好，又要有强烈的事业心和责任感；既要有经营管理能力，又要遵纪守法，廉洁自律。选择经营管理者要坚持“四化”和德才兼备的用人标准。

（34）建立适应现代企业制度要求的选人用人机制。把组织考察推荐和引入市场机制、公开向社会招聘结合起来，把党管干部的原则和董事会依法选择经营管理者及总经理依法行使用人权结合起来。对企业经营者的选拔要走群众路线，实行公开选拔，竞争上岗。加快培育企业经营管理者人才市场，建立人才库，按照公开、平等、竞争、择优的原则，促进人才合理流动，优化人才资源配置，推进企业经营管理者的市场化、社会化、职业化。采取有效措施，保证大中专毕业生每年进入企业数量的增加，为企业经营管理者队伍不断输送人才。

（35）建立企业管理者培训和资格考核审查制度。有关部门要总结经验，继续组织和搞好企业经营管理干部的培训，建立企业管理者培训和资格考核审查制度。对现任经营管理者后备干部和申请从事经营的人员进行建档立卡，制定培训规划，多层次、多形式、多渠道搞好培训。经培训和任职资格评审后，符合条件的发给任职资格证书，逐步实现企业管理人员持证上岗，促进企业家队伍职业化建设。

（36）建立行之有效的激励和约束机制。企业经营者的待遇要与行政级别脱钩，其收入要与企业资产规模、经营效益挂钩，根据企业经营的业绩、难

度和风险合理确定。法人治理结构健全的企业，经营者可试行年薪制。地直和各县市都可选择1—3户企业试点。鼓励企业经营者持有本企业的股权。

建立健全企业经营者的奖励办法。实行物质奖励与精神鼓励相结合，对经营效益显著、经营者贡献大的企业，可按有关规定，以现金、股权或补充养老保险等形式，奖励企业经营者。对经营管理者实行效绩评价。

建立健全约束机制，加强对企业的外部监督。政府经济管理和监督部门要不断完善监督制度，通过注册登记、年检审计、财税检查等手段对企业进行监督。社会中介机构要严格执业规范，客观、公正地出具会计验证、年度审计、离任审计、资产评估等报告。

按照产权关系逐级建立企业经营决策失误追究制度。对企业（包括经营公司）的董事长、总经理，企业连续两年增加新的亏损不得续任； 不能实现任期目标的，必须离职；因决策失误，造成企业损失的，视损失大小和责任轻重，给予经济处罚或纪律处分；构成犯罪的，依法追究刑事责任。

十、加强对国有企业改革与发展的组织领导

（37）各级党委和政府要坚定地站在国有企业改革的前列，一把手负总责，把推进国有企业改革和发展当作头等大事来抓。要继续发挥地县企业改革领导组的作用，采取集体办公、现场办公等办法，及时协调解决企业改革与发展中的问题。注意抓好典型，及时总结推广全区国有企业改革和发展中创造的成功经验，通过典型示范，指导推动面上的工作。建立改革目标责任制、脱困包扶责任制，层层签订责任状。有关职能部门要树立全局观念，结合实际制定配套措施，用实际行动积极支持国有企业的改革和发展，保证国有企业改革与发展的各项方针政策的贯彻落实。

（38）充分发挥企业党组织的政治核心作用和党员的先锋模范作用，企业党组织要紧紧围绕国有企业改革与发展工作，加强企业思想政治工作，引导广大职工积极支持和参与改革。要积极参与企业重大问题的决策，确保党和国家方针政策的贯彻执行，确保企业改革和发展的顺利进行。要改进工作内容和活动方式，把党组织建成凝聚和带领职工群众完成企业改革和发展任务的坚强战斗堡垒。全心全意依靠工人阶级，切实尊重职工的主人翁地位，充分发挥职工群众的积极性、主动性和创造性。严格执行《劳动法》，坚持维护职工的经济利益，保障职工的民主权利，加强职工队伍和精神文明建设。困难企业和实行破产企业的党组织、工会尤其要深入细致地做好群众工作。

（39）各级党委和政府要认真组织学习党的十五届四中全会精神，充分认识推进国有企业改革和发展是全党一项重要而紧迫的任务，把思想统一到十五届四中全会《决定》上来，切实加强党对国有企业改革与发展工作的组织领导。要进一步解放思想、实事求是、坚持以“三个有利于”为标准，勇于开拓，大胆实践，为全区国有企业改革和发展目标的实现创造性开展工作。

（40）城镇集体企业、供销企业参照执行。

中共临汾地委　临汾地区行署
关于进一步实施科教兴区战略促进经济社会发展的实施意见
（20000年2月18日）

为进一步落实“科教兴国”战略，全面推动临汾经济的两个根本性转变，实现打基础、调结构、治环境“三件大事”的目标，必须认真贯彻全国和全省教育、科技创新工作会议精神，贯彻落实省委、省政府《关于深化改革，全面推进素质教育，大力振兴教育事业的决定》和《关于加强技术创新发展高科技实现产业化的决定》，结合我区科技、教育发展的现状以及经济工作的需要，坚持以市场为导向，以结构调整为核心，以科技创新 重点，以人才培养为根本，立足观念创新、机制创新、技术创新、管理创新，提高经济增长的质量与效益，构筑经济发展的新优势。

一、大力发展教育事业，夯实科教兴区的基础

科技的基础在教育，教育是实现科技进步的奠基工程。要坚持确立教育是推动科技进步和经济与社会发展的重要力量的观念、教育是新的经济增长点的观念，切实把教育作为先导性、全局性、基础性的知识产业和关键的基础设施，摆到优先发展的战略地位。大力加强基础教育、职业技术教育，力争用五年左右时间，把我区建成教育强区。

1. 全面实施素质教育，教育要坚持“三个面向”，坚持服务于当地经济建设，为经济建设和社会发展培养各类人才。要把素质教育作为教育工作的根本任务，贯穿于各类教育之中，贯穿于学校教育、家庭教育、社会教育各个方面，并将教育内容有机统一在德、智、体、美、劳等教育活动的各个环节中。在中小学阶段，要渗透职业教育，在学生中广泛开展科普活动，广泛开展小发明、小创造活动，从小培养学生的科技意识、创新意识。积极实施文明学校建设工程，每年创建省、地级文明学校50所。

2．切实强化基础教育。继续抓好“两基”的巩固、提高工作，2000 年大宁、永和两县完成普九达标任务，接受省政府评估。狠抓中小学布局调整，省首批重点中学、平川县市的非首批重点中学要逐步实行高中、初中分离，以扩大高中招生规模，到2003 年全区高中招生数由现在的 1 万名左右达到 1.5 万名。平川乡镇以 2 万人口建一所初中、山区乡镇以 1 万人口建一所初中、1～2 个贫困乡镇办一所初中为宜，平川乡镇取消八年制学校，到 2005 年全区初中减少到 300 所以下。城镇所在地小学，要重点解决班容量过大的问题，力争用 3 年左右的时间，班容量达到国家法定标准要求；山区乡镇要大力提介创办寄宿制小学。采取有效措施，遏制中小学学生辍学。大力改善办学条件，地区财政每年拿出 50 万元，以补代奖，用于改善办学条件和薄弱学校建设，到 2003 年全区乡镇所在地以上中心校 80%以上达到“四化学校”（校舍标准化、校园园林化、教学手段现代化、管理规范化）标准；3 年内每年完成 50 所薄弱学校的建设和改造。今后凡城市建设规划、旧城改造、小城镇建设等都要把中小学规划建设纳入统筹之中，做到同步发展建设。

3．大力发展职业教育和成人教育。大力发展职业教育，是立足区情，培养大量实用人才的根本出路。今后，我区教育工作的重点应放在职业教育上，特别是发展农村中等职业教育，采取多种途径和形式为新增劳动力和下岗转岗人员提供培训机会，从源头上解决劳动技能结构与实际需要构成相脱节的问题，真正形成“政府统筹、部门联办、社会参与、教委主管”的新体制。通过 3～5 年的努力，构筑起乡镇以农技校为依托，县、市以职教中心和重点职业中专为主体，地区以经济技术学院为龙头的三级体系。全区每年要有 10 所以上乡镇农技校达到国家级标准，使之真正成为农民学文化、学技术的阵地；加强职教中心建设。2003 年平川 7 县市要力争建成功能齐全、具有特色 的职教中心，山区要办好职业中学，积极筹建地区经济技术学院。办学规模和专业设置要与我区主导产业发展相适应，成为我区培养中、高级技术人才的摇蓝。教育、劳动等部门要统筹协调，建立新增劳动力培训持证上岗制度，进一步规范劳动就业行为。

4．引导、支持民办教育。目前全区民办教育各类学校已发展到 298 所，并涌现出宏昌国际学校、侯马通盛学校等一批标准较高学校，但普遍存在规模较小、师资不足、管理落后等方面问题。各级政府和教育主管部门，要加强对民办学校的引导和管理。设立教师交流中心，统一管理民办学校教师的档案、职称、教龄等方面的工作，进一步拓宽大中专院校毕业生到民办学校任教渠道。积极鼓励和支持社会力量以多种形式办学，形成以政府办学为主体，公办和民办学校共同发展的新格局，推动我区教育产业的发展。

5．全面深化教育体制改革。到 2000 年底全区中小学校完成内部管理体制改革，实行定编、定岗，全面实行“五制 ”，即：校长负责制、教师聘任制、考核奖惩制、工资总额包干制、校内结构工资制。，建立教师继续教育培训制度，力争 2003 年全区小学教师达专科学历者占到 30%，初中教师达本科学历者占 30%，高中教师达研究生学历者达到 7%。狠抓教师队伍的整顿工作，通过考试、考核等办法，把不合格教师清理出教师队伍。

二、积极推进科技兴农进程

6．推广优良品种和新技术。全面推广十大类农业科技成果，即农作物优良品种、有机旱作和节水农业科技成果。重点抓好洪洞、临汾、襄汾、安泽、乡宁等有机旱作农业示范工程；不同生态 区基本农田超高产栽培模式；新型肥料和先进施肥技术；新农药应用和病虫害综合防治技术；畜禽良种及规模养殖技术；干鲜果优良品种技术及集约化栽培技术；日光温室城郊保护地蔬菜高产栽培技术；机械深施化肥、农业种植配套机具；高效农畜产品加工技术。2000 年要重点抓好人字闸、旱井山地微灌工程建设与配套、机械深松、地膜覆盖、黄牛改良等关键技术的推广。

7．建立健全县、乡、村科技网络。建立健全科技管理体系。提高县一级、强化乡一级、完善村一级。县、乡、村确定分管科技的领导。各乡镇成立乡镇科委、村设科技服务组，形成“三位一体”管理体系。要落实中央及省有关政策，稳定县以下各类技术推广站（所）。完善科技培训体系，加强科技培训。

8．积极推进农科教结合。建立健全农村科技能手培训站和科技当家人培训基地，普及科技知识，培养科技人才，提高农民科技文化素质。乡镇干部都要接受科技培训，提高科技素质，乡镇主要领导都要围绕本地的实际和产业掌握 2～4 项专业技术，真正起到科技“二传手”的作用。同时，充分发挥县级农业技术推广中心、乡镇农技推广站、农村专业技术协会以及乡镇农技校的职能，培养一支科技成果推广队伍。每村选拔 1 名～2 名有文化、有知识、善于吸纳新技术、乐于助人的科技能手，培养一大批科技当家人，使 80%的农民掌握一至两项技术，普遍提高广大劳动者素质。

9．进一步搞好农业集团承包。各县市要采取更加灵活的办法，促使科技人员到农村开展技术承包活动。完善责任制及利益分配机制，切实解决科技人员承包费的兑现问题。政府要解决好技术承包引进新技术、新品种必需的底垫金及承包风险金，通过政、技、物、责、权、利结合，推动农业产业化和农村经济全面发展。

10．建立农业科技示范园区。用现代科技武装改造传统农业，各级财政要拨付专项资金，以建设洪洞李堡、临汾乔李、曲沃太子滩、侯马香邑、襄汾永固五个地级农业高科技示范园区为重点，发挥现代化农业科技的典型、示范作用，进一步提高农业科技含量；各县市建设一个县级农业科技园区和两个科技成果示范点，组织推广 8 个～10 项重点农业科技成果，各乡镇建立 1 个～2 个科技示范村，各村树立 2 个～3 个科技示范户，通过县、乡、村、户四级示范网络，提高科技成果转化率。

11．促进乡镇企业上档、升级。要转变低层次、低水平、小规模现状，大力开发科技含量和附加值高的产品，要根据农业产业需求，引进先进设备，建立与农业产业化相配套、与大市场相适应的农副产品加工、储藏、保鲜、运销基地，形成产业化龙头企业，促进畜牧业、林果业发展。

三、努力提高企业的科技创新能力

12．紧紧围绕产业和产品结构调整，大力进行企业技术创新。企业是技术创新的主体，要改变目前我区企业技术落后、高耗低效的局面，不断强化市场观念和科技意识，把提高技术创新能力作为企业走出困境、发展壮大的关键，把提高经济效益转到依靠技术进步和产业升级的轨道上来，力争 3 年～5 年内，全区科技进步达到全省科技先进水平。

13．加强企业技术改造。充分挖掘企业现有潜力，以高新技术改造传统产业为工作重点。以培育一批高新技术企业为切入点，推动全区产业结构调整。在生物工程、铸造行业、精细化工、煤炭化工、染料化工、新型建材、医药化工、食品加工与资源利用改造方面有所突破。力争 3 年～5 年内，培育一批具有一定市场竞争力的新产品。科技对经济增长的贡献率力争达到 40%。

14．不断建设新项目、开发新产品。要把好新上项目关。科委、计委、经委、乡镇局、调产办等部门对新上项目要进行科技咨询和审核，凡科技含量低的项目从严控制。集中财力重点扶持产业产品结构合理、科技含量较高的项目。指导协调好临汾、侯马两个经济技术开发区建设，帮助开发区引进技术、人才和设备，使其成为具有先进实用技术装备的、能辐射带动全区产业和产品升级的工业科技园区。

15．推进产学业研联合体建设。创造条件促进企业同大专院校、科研院所建立广泛联系与合作。可以共建中试实验室孵化高技术成果；大专院校与科研院所以技术和成果入股的股份比例不设上限；以大专院校和科研院所为依托，开展科技人员继续教育工程，有计划、有重点地培养自己的科技骨干。鼓励职工进行技术攻关，开展小改小革活动。重点抓好 20 个产学研联合示范点，5 个共建企业技术开发机构，推进高新技术产业化。

16．完善企业内部科研机构运行机制。建立以技术开发机构为主的技术创新体系，力争两年内全区产值在 500 万元以上的重点企业建立技术开发机构，产值 500 万元以下的企业建立科技攻关小组。3 年内，7 个平川县（市）和有条件的山区里，建立起面向市场，为中小企业服务的技术创新和信息网络体系。地区认定的企业技术开发机构，5 年内企业技术开发的实际支出不得低于全年销售收入的 1%。高新技术企业每年用于研究开发的经费要达到年销售额的 5%以上。企业独立开发、合作研究发或引进的科技成果，应从转化后效益的税后留利中连续三年提取不低于 10%的比例，奖励有功人员。股份制企业实施科技成果转化，也应按有关规定，对有贡献的人员予以奖励。

17．大力发展民营科技企业。认真贯彻山西省《民营企业管理条例》，采取政府引导、政策扶持等措施，鼓励科技人员和各类专业技术人员领办、创办民营科技企业。经批准创办的民营科技企业，在成果转让、银行贷款、技术培训、研究开发新技术、新产品、新工艺等方面，必须落实国家和省里已出台的相关优惠政策。帮助和支持民营科技企业理顺产权关系，在企业决策、管理、分配等方面充分保障个人的合法权益。对自愿到民营企业的大专院校毕业生分配予以优先，档案可暂存教育人才交流中心，工资待遇允许企业从优解决。

18．加强对科技先导型企业管理。要结合国家、省里的有关精神，制定地区科技先导型企业的标准。地县每年由科委、经委牵头，组织有关部门领导和专家，分别对地、县营企业科技创新工作进行一次评估，达到标准的以行署名义 命名挂牌，并给予政策倾斜。

四、加强领导，强化措施，确保科教兴区目标实现

19．切实加强领导。各级党委和政府要充分认识深化教育改革、推进素质教育以及加强技术创新、发展高科技、实现产业化的必要性和紧迫性，各级领导要充分认识加强科学技术创新的重要性和战略意义。“创新是一个民族进步的灵魂，是国家兴旺发达的不竭动力”。加强技术创新，发展高科技，实现产业化，核心是全面落实邓小平同志关于“科学技术是第一生产力”的重要思想，从体制、机制、政策等各方面，促进科技与经济的紧密结合。加强技术创新，就是要使我区企业应用创新的知识和新技术、新工艺，采用新的生产方式和经营管理模式，提高产品质量，开发生产新的产品，提供新的服务，占据市场并实现市场价值。组织领导广大群众实施科教兴区、兴县、兴乡活动，努力做好规划、协调、指导、服务工作。要建立健全科教工作目标管理责任制，定期听取科教工作汇报。各级领导特别是党政一把手都要定点联系学校、科研单位，抓典型、抓试点。强化对各级党政一把手科教工作实绩的考核，建立检查和奖惩制度，对于成绩突出者给予表彰奖励，对于违反科技和教育法律、法规、政策和规章的，必须坚决依法查处。科委、教委等有关部门要加强自身建设，要继续强化全国科技工作先进县（市）创建工作，用3～5年时间有条件的县（市）跨入全国科技工作先进县（市）行列。同时，要大力开展科普教育和宣传，使科教兴区成为全社会的广泛共识和自觉行动。

20．确保科教投入到位。科技投入是科技进步的基础和前提。地、县（市）要依照《教育法》、《科技进步法》及有关法规、条例要求，千方百计保证教育经费的三个增长，2000 年～2004 年的五年中，地、县两级财政支出中教育经费所占比例每年提高一个百分点。地县两级财政对科技三项费用按《条例》要求的投入足额到位。同时，全区财政每年用于科学技术投入的增长速度要高于财政收入的增长速度。设立奖教、奖学专项资金，地区每年拿出 20 万元，各县市拿出 5 万元，设立特困儿童助学专项资金，地区每年拿出 30 万元，各县市拿出 10 万～20 万元，设立中小学教师继续教育基金，由各级财政部门在教育事业费中按不少于当地中小学业教职工工资总额的 2.5%安排。金融部门要继续拓宽资金渠道，增加科技信贷规模；建立健全科技风险投资基金，扶持和鼓励高新技术产业的发展。在全区建立一个政府投入为引导，企业投入为主体，银行贷款为支撑，社会融资为补充的多层次、多渠道的科技开发投资体系。

21．加快科研机构的改革步伐。积极探索科技与生产紧密结合的路子，借鉴 10 个国家局所属 242 个科研机构和我省 18 个科研机构向企业化转制的做法，我区 6 个研究所要面向生产、面向市场、面向形成的产业，发展壮大自身实力。逐步把我区现有科研院所，尽快成建制进入企业或变为企业，促进企业形成有效的技术创新体系和运行机制。要进一步发挥各级科协的作用，建立产业或专业协会。协会是产业结构的载体，要围绕我区产业结构调整和优势产业，建立各种类型的协会，协会要组织科技人员按照市场需求，组织新产品开发，联合进行技术攻关，2000 年重点要把铸造协会、建材协会，化工协会等组织起来，尽快开展工作，对于新组建的专业协会，各级政府要给适当的开办经费。

22．建立科技人才的激励机制。培养和吸引高素质的科技人才是我区科技和经济发展的关键。一是要稳定、保护和鼓励现有人才，发挥好人才的作用，中高级科技人员每年都要进行考核评比，考评不合格的给予解聘。拔尖人才要有任务、有目标、有要求，每年重新评比，没有新的贡献者取消资格。按照有关政策规定，认真解决好他们的住房、医疗、工资待遇、职称评定、子女上学等方面的困难和问题，做到政治上关心、生活上照顾、工作上支持。二是要积极吸引和引进人才，除认真执行已出台的优惠政策外，各县市、各企业可以根据需要和可能，以更优惠的条件吸引外来人才，要建立和健全激励人才成长的机制，地区设立科技成果和推广奖，每年全区共奖 20 项，分两个等级，予以奖励。对在“三件大事”中作出突出贡献的，产品在市场占有一定份额、具有明显经济效益的科技人员，财政和企业都要给予重奖，并要加大宣传力度，树立科技典型，进一步鼓励全区广大干部群众学科技、用科技。

23．培育、完善技术市场。培育、完善技术市场，重点是加大科技执法力度，继续贯彻落实《合同法》、《知识产权保护法》，加强知识产权的管理和保护，建立技术合同仲裁机构，调解技术合同纠纷。地、县两级技术市场要进一步拓宽服务功能，实行资源优化配置，建立起企业性的科技中介服务机构，开展技术评估和技术经纪业务，为加速科技成果转化提供良好服务。建立起信息咨询机构，为企业特别是中小企业，以及农村产业化经济实体和专业户提供经营管理、组织生产、技术、市场营销、信息、人才、财务、金融、法律方面的服务，对于此类科技中介机构，经认定后可按非营利机构运作和管理。要重点抓好地、县科技信息网站设施建设，建立重大技术供需信息库，实现地、县连网，资源共享。实现组织网络化、功能社会化、经营企业化、服务产业化。

中共临汾市委　　临汾市人民政府
关于表彰临汾市红旗（先进）单位、先进集体和劳动模范的决定

（2001 年 2 月 28 日）

各县市区委，人民政府，市委各部委，市直各委、办、局，各人民团体，省、市属企业：

自 1998 年全市劳动模范大会以来，全市人民在市委、市政府的领导下，认真贯彻党的十五大精神，紧紧围绕以调结构为中心的三件大事，奋力开拓，锐意创新，开创了我市改革开放和现代化建设的新局面。我市综合经济实力显著增强基础设施大为改善，结构调整全面启动，改革创新取得突破，对外开放不断扩大，人民生活水平不断提高，精神文明建设成效显著，各项社会事业蓬勃发展，社会政治稳定局面进一步巩固。同时，3 年来，全市各行各业、各条战线涌现出一大批红旗（先进）单位、先进集体和模范个人。为表彰他们在我市改革、发展、稳定中做出的突出贡献，进一步调动全市上下实现率先发展，建设经济强市的积极性，推动我市的两个文明建设，市委、市政府决定授予 10 个红旗单位称号、授予 100 个先进单位称号，授予 64 个先进集体称号、授予 60 名同志临汾市特级劳动模范称号、授予 363 名同志临汾市劳动模范称号。

市委、市政府号召，全市人民要以劳动模范和

红旗（先进）单位为榜样，高举邓小平理论伟大旗帜，按照“三个代表”的要求，认真贯彻党的十五大和十五届五中全会精神，全面落实市委、市政府的总体部署，坚持以发展为主题，以结构调整为主线，以改革开放和科技进步为动力，以提高人民生活水平为根本出发点，加快推进“打基础、调结构、治环境”三件大事，突出抓好6大战略重点，实现“三个提高”，切实加强精神文明建设和民主法制建设，全力维护社会政治稳定，促进经济和社会全面进步，为实现在全省率先发展，建设中西部经济强市的宏伟目标而努力奋斗。

为经济建设服务红旗单位

临汾市水利局
临汾市交通局
临汾市农业综合开发办公室
临汾市项目办公室
临汾市地方税务局稽查局
临汾市尧都区建委
临汾市尧都区公安局
临汾日报社
中国农业银行临汾分行
临汾市纪委、监委

特级劳动模范名单（60名）

李宝文	李玉海	李纯泰
令狐文选	殷照义	张克功
王润宁（女）	崔惠民	马希贤
李广琴	张苏华（女）	李全锁
贺　洁（女）	王仟慧	赵光祖
赵　刚	郭明德	王彩萍（女）
荣泽忠	王春翔	孟援斌
杨和生	左东兰（女）	田治生
王建国	沈玉民	张贵本
李殿普	韩卫东	王梁虎
李爱元	王　震	陈金印
马长江	张欢虎	冯小明
刘建中	张共青	任　谦
李五四	乔建房	张毓哲
马平生	吴根平	吉天星
梁府义	孙中海	杨建平
张玉珍（女）	雷振宇	高根来
李　凯	任跟心（女）	任德成
曹全旺	张东才	续红彬（女）
许红星	吴晋龙	张占中

先进单位、先进集体名单

尧都区（11个）
尧都区公共交通（集团）总公司
山西金尧焦化有限公司
尧都区屯里镇
尧都区建材水泥厂
尧都区农机技术推广站
尧都区城郊信用合作社
尧都区河西电厂
尧都区环境卫生管理局清运队
尧都区中西医结合眼科医院
尧都区司法局公证处
尧都区国家税务局征收分局
侯马市（8个）
侯马市水利局
侯马市环卫处
侯马市物价局
侯马市市政工程公司
侯马市公安局路东派出所
侯马市张村乡大南庄村
侯马市供销合作联合社
侯马发电厂磨煤机检修班
霍州市（7个）
霍州市化学工业有限责任公司
霍州市宋庄煤矿
霍州市人民检察院反贪局
霍州市水利局
霍州市建筑安装有限公司
霍州市供电局用电营业所
霍州市国税局个体所
洪洞县（11个）
洪洞县经济委员会
洪洞县城关镇党委
霍州煤电集团洪洞焦煤股份有限公司
山西金星啤酒有限公司
洪洞县水利局
洪洞县国税局
洪洞县南王乡党委
洪洞县第三中学
洪洞县飞马集团公司 CO_2 萃取项目组
洪洞县曲亭粮站
洪洞县交警大队
襄汾县（7个）
襄汾县环保局
襄汾县地方税务局
襄汾县乡镇委
襄汾县邓庄纸业有限公司
襄汾县社会劳动保险事业所
襄汾县焦铁公司
襄汾县汾城中学
曲沃县（6个）
曲沃县农业综合开发办公室
曲沃县公安局交警大队
曲沃县中医医院
曲沃县电业局
曲沃县下斐中学

曲沃县粮食局
翼城县（5个）
翼城县北关村
翼城县殿儿垣煤炭有限公司
翼城县电业局调度班
翼城县翔宇建材有限责任公司
翼城县浍史村
安泽县（4个）
安泽县焦化总公司
安泽县汽车站
安泽县大型农机站
安泽县食用菌研究所
浮山县（3个）
浮山县北峰选矿厂有限责任公司
浮山县电业局
浮山县国税局稽查局
古　县（3个）
古县焦化有限公司
古县国税局
古县北平镇北平村
汾西县（4个）
汾西县水利局
汾西县财政局
汾西县电业局
汾西县第一小学
蒲县（3个）
蒲县教育局
蒲县人民法院
蒲县水务局
乡宁县（4个）
乡宁县台头煤矿
乡宁县水利水保局
乡宁县食品加工有限公司
乡宁县煤炭实业有限公司焦化车间
隰县（3个）
隰县劳动局
隰县水利水保局
隰县晋利源建材有限责任公司
永和县（3个）
永和县水务局
永和县文昌印刷公司
永和县农业银行
大宁县（2个）
大宁县黄河化工公司
大宁县煤矿安全生产科
吉县（3个）
吉县水利局
吉县窑渠乡
吉县果业局
市直单位（25个）
临汾市财政局
临汾市国家税务局
临汾市地方税务局
临汾市审计局
临汾市对外经济贸易局
临汾市计划委员会
临汾市劳动局
临汾市公安局
临汾市人民检察院
临汾市中级人民法院
临汾市广播电视局
临汾市教育委员会
临汾市卫生局
中共临汾市委办公厅
中共临汾市直属机关工作委员会
临汾市人民政府机关事务管理中心
中共临汾市委、临汾市人民政府信访局
中共临汾市委组织部
临汾市经济委员会
临汾市环保局
临汾市统计局
临汾市乡镇企业局
临汾市化工公司
临汾市重工工业公司
临汾市政府办公厅文秘科
中央、省、市属企、事业单位（51个）
霍州煤电集团有限责任公司
霍州煤电集团公司辛置煤电分公司
霍州煤电集团公司机电修配分公司
霍州集团辛置煤电分公司辛置矿采煤二队
霍煤集团李雅庄煤电分公司开拓二队
霍煤集团团柏焦煤分公司采煤二队
霍煤集团白龙焦煤分公司采煤一队
霍煤集团煤炭化工分公司采煤二队
霍煤集团洪洞煤焦股份有限公司三交河矿综采队
山西新临钢钢铁有限公司
山西新临钢公司炼钢厂
太钢集团临钢公司焦化厂
临钢新临钢公司科技环保处
临钢新临钢公司供销处
山西新临钢公司炼钢厂冶炼车间
山西新临钢公司炼铁厂三高炉车间
太钢集团临钢公司动力厂制水车间
山西焦化集团有限公司生产技术处
山西焦化集团有限公司合成车间
山西焦化集团有限公司铁路运输站
山西焦化集团有限公司小车班
山西三维集团股份有限公司
山西三维集团公司热力分厂
山西三维集团公司人事教育处
山西三维集团公司检验处
霍州发电厂
霍州发电厂检修公司锅炉工程部
霍州发电厂辛能公司碳素分公司

山西省临汾汽车运输(集团)有限责任公司
山西省电信公司临汾市分公司
临汾市邮政局
山西省移动通信公司临汾分公司
山西省石油总公司临汾公司
临汾公路分局
临汾市供电分公司计量测试所
中铁十五局三处三队
临汾市医药公司
临汾市卫生学校
中国工商银行临汾分行
临汾市荣军康复医院
临汾市企调队
临汾工艺美术印刷公司
临汾染化（集团）公司二硝车间
临汾市矿山救护大队
临汾市煤炭运销公司
临汾市晋利食品有限公司
临汾师范附属小学
临汾蒲剧院实验蒲剧团
临汾市眉户团
临汾经济技术开发区北城坂下村
临汾市艺校美术组
隰县师范学校

劳动模范名单

尧都区（18名）

张艳云（女） 席正新 杨天雄 孙 库
苏敬泽 左万春 刘振保 杨福平
赵波峰 陈随生 张爱如（女）
高胡成 武芙莲（女） 段风英（女）
赵景范 吕军萍（女） 杨家锁 边小虎

侯马市（17名）

吴建邦 李俊胜 王继业 蒋忠仁
刘德功 李光明 李新潮 崔凯毅
田怀宇 苏海梁 马兴民 李俊杰
吉仁谦 袁世俊 冯玉金 张清政
杨有义

霍州市（16名）

杨令平 刘启文 成基虎 赵 军
牛吉荣 孙国红 刘臻虎 成晓宇
任麦杏 焦玉俊 韩会明 陈金宝
闫翠凤(女) 杨建平 胡新明 毕爱宝

洪洞县（20名）

柴继红 蔺春林 张三代 李三平
郭 星 黄黑蛋 程希莲(女) 刘国柱
梁武奎 申腊生 李英建 孙国华
贺喜喜 靳定国 杨高峰 李 钰
任月拽 郭月才 贾长敏 高振武

襄汾县（21名）

邓根旺 陈敏芳(女) 刘晋生 沈桂莲(女)
张爱民 杨益明 孙兆华 杨新柱
窦慧萍(女) 陈德业 刘江波 李玲梅(女)
柴好管 杜明月(女) 张有成 王金穴
卫爱国 张新荣 原国民 郝福生
郭兰平(女)

曲沃县（15名）

傅孟喜 魏丕振 赵全兴 李海潮
袁 平 王金刚 王鸿恩 张席庆
周瑞华 黄文生 李三保
孙爱芳(女) 李永堂 张文霞(女) 郭全景

翼城县（14名）

孙中海 李本夺 宋建文 李振荣
杨 海 史德胜 黄登高 李红儒
宁 浩 张 强 胡伟芳(女) 王沁煜
范志忠 李小龙

安泽县（7名）

田淑珍(女) 邢建立 李春耕 李建明
李 健 刘忠富 李 勇

浮山县（8名）

李 非 冯双义 贾俊明 吉建国
庞青战 郑生良 孙 健 文秀梅(女)

古 县（7名）

郭国雄 董玲爱(女) 周福太 高生泽
王太平 张保存 郭生勤

汾西县（7名）

陈长水 牛春平(女) 师香琳(女) 赵有庆
孔洪生 庞保明 仇泰玲

蒲 县（7名）

窦建林 杨海顺 崔保彦 卫红胜
刘建勇 席成祥 申刘根

乡宁县（11名）

贾二元 刘万青 王胜明 刘耀狮
薛殿奎 曹发家 董正虎 王久成
文红亮 程家林 王俊平

隰 县（7名）

丁和顺 卢天蓉 杜志刚 王建红
曹忙小 杨云荔(女) 刘向阳

永和县（6名）

李保和 祁军社 药金瑞 李益民
王学诗 刘迎虎

大宁县（6名）

李海龙 张晋臣 房米换 贺三兰(女)
贺纪明 尉晓红（女）

吉 县（7名）

牛建中 史红波 郑 宏 苏月德
葛翠梅(女) 葛中旺 冯立山

市直单位（79名）

孙运启 李国庆 弓国龙 刘跃忠
弓忠民 邓俊英(女) 樊红平 安东升
李文民 关云山 宿 辉 戴有学
李连友 李建华 李英泽 冯建宁

张小俊　张友邦　傅文明　陈振虎
景国平　姚泽生　赵素珍(女)李云廷
杨泉林　李峰义　郭学会　张晓敏
丁满升　陈长森　许　高　张德山
吴世相　郑建强　霍燕凌　王恩辰
许向荣　薛新宏　李柏山　乔福保
李俊平(女)孙　静(女)温建平　杜志学(女)
王树旗　张　婕(女)郭春平　胡立新
周梅树　樊树昌　任建设　王　刚
任　炯　田宝林　孙玉庭　姚国平
吴万海　张腊虎　刘生明　杨安虎
田雄生　白顺清　王满堂　陈毅林
游明静　董彩霞(女)王金凤(女)孙晓东
丁　逸(女)苗建荣　郭根生　张红娟(女)
王李燕(女)师万红　杨春明　李林生
黄俊英　许聪信
临汾国家安全局1人

中央、省、市属企、事业单位(90名)

朱良惠　曹耀丰　苗全兴　行子芳
焦启明　周保林　李兰杏　李文祥
尤丽华　路国富　李正思　郝治平
闫孟仁　宗建斌　张保才　沈永耀
孙　虎　范海旺　杨克朝　黄占平
刘德胜　崔鸿秀　刘安平　张旭升
任效华　王　芳(女)甄建军　杨合心
杨向兵　祁百发　高俊峰　田建文
庞新水　史瑞清　王新生　张生华
陈伏生　乔雅琦　荀庆生　孙明旺
张国飞　张学梅(女)李兴忠　牛志强
马保安　田志杰　陕　光　李新亮
卫福明　咸宝虎　乔康顺　高　潮
邢昭明　李志刚　赵跟进　陈灵枝(女)
陈宝珠　王汉中　祁东木　袁　瑞
苗　蕾(女)胡文安　贺小兰(女)张春蓉(女)
梁自河　亢　平　薛　明　张中红
孙玉涛(女)孙金泉　翟爱君(女)沈晓宏
刘凤莲(女)郭来兴　崔　云　武卫河
李文水　刘高胜　武洪胜　常海宏
王黎鹏　陈龙华　赵玉琴(女)王建辉
张根龙　仝春平(女)刘道柱　葛亚玲(女)
李晋梅(女)王乐南

临汾市2000年度先进单位

2000年,全市各县(市区)、各部门把加快经济结构调整,全力推进“三件大事”和确保完成省定各项工作目标作为工作重点,明确责任,狠抓落实,奋力拼搏,进一步推动了经济建设和社会事业的全面发展。为了总结经验,鼓励先进,鞭策后进,推动工作,市委、市政府决定对在2000年度各项工作中做出突出贡献的先进单位给予表彰奖励。

一. 目标责任制考评综合奖(13名)

特等奖:襄汾县、浮山县
优秀奖:尧都区、隰县、侯马市、吉县、蒲县、翼城县、洪洞县
先进奖:古县、乡宁县、安泽县、曲沃县

获奖县市区颁发奖牌一块,奖励获奖县市区领导特等奖5万元,优秀奖3万元,先进奖2万元。

二、目标责任制考评单项奖(28名)

生态建设:永和县、大宁县
饮水解困:乡宁县、吉　县
工业企业技术进步:洪洞县、侯马市
发展乡镇企业:浮山县、襄汾县
市场建设:临汾经济技术开发区、尧都区
财税贡献:尧都区、洪洞县
科技工作:翼城县、吉　县
教育工作:尧都区、曲沃县
卫生工作:襄汾县、汾西县
综合治理:侯马市、翼城县
城镇建设:侯马市、襄汾县
县乡公路建设:乡宁县、霍州市
旅游开发:霍州市、尧都区
广播电视村村通:隰　县、安泽县
获奖单位颁发奖牌一块。

三、“三件大事”重点项目奖(16项)

1、调结构项目(8项)

①襄汾有色金属实业有限公司
金属锌二期扩建项目
②汾河生化有限公司
洪洞柠檬酸项目
③霍州文通化工有限公司
粒状碳酸钾项目
④侯马晋光制药厂
猴头健胃灵项目
⑤曲沃晋星糖制品公司
低聚糖2万吨/年项目
⑥临汾华翔实业有限公司
精密铸件项目
⑦侯马大李焦化厂
50万吨机焦项目
⑧洪洞鼎立化工有限公司
10万吨复合肥项目

2、水污染治理项目(2项)

①临汾金尧焦化有限公司
焦化废水废气治理项目
②临汾染化集团
废水治理项目

3、打基础项目(6项)

①霍州市城市供水工程指挥部
城市供水工程
②襄汾县汾城镇
小城镇建设工程

③尧都区建委
解放路、平阳北街改造工程
④临汾师范学院筹备组
临汾师范学院改扩建工程
⑤临汾人民警察学校
校园改扩建工程
⑥永大扶贫路建设指挥部
永大扶贫路建设工程
获奖单位颁发奖牌一块。

四、纳税贡献奖（17名）

1、特别贡献奖（1名）

实现税金超亿元企业
临汾钢铁公司

2、突出贡献奖（9名）

实现税金超千万元企业
霍州矿务局
山西三维集团股份有限公司
山西焦化集团公司
太原卷烟厂曲沃分厂
侯马普天通讯电缆厂
临汾金尧焦化公司
霍州矿务局洪洞煤焦总公司
乡宁台头煤矿
蒲县煤炭运销公司

3、贡献奖（7名）

实现税金超五百万元企业
安泽焦化总公司
临汾染化集团
临汾石油公司
临汾二峰山铁矿
临汾纺织厂
山西平阳机械厂
鸿昕焦化公司襄汾选煤厂

获奖单位颁发奖牌一块。按照属地原则，由所在县市区奖励企业班子税金超亿元企业10万元，超5千万元企业8万元，超2千万元企业5万元，超千万元企业3万元，超5百万元企业2万元。

注：本文件中“临汾市”，均指地级临汾市。

2000年临汾地区全国劳动模范名单

姓　名	性别	年龄	政治面貌	工　作　单　位	职　务
李纯泰	男	65	党员	翼城县北关村	支部书记
张连水	男	38	党员	乡宁县枣岭乡刘岭行政村	农民
申公元	男	50	党员	临汾行署公安处	处长
崔惠民	男	48	党员	临汾地区医药管理局	局长
曹学义	男	48	党员	临汾市粮食局	局长
刘文革	男	32	党员	临汾钢铁公司炼钢分厂炉前丙班	班长
孙自瑾	男	42	党员	山西三维集团公司技术处	处长

2000年临汾地区荣记一等功集体个人名单

荣获一等功集体（4名）

单　　　位	单位人数	所属行业	单位性质	代表姓名
霍州矿务局煤电公司	5463	煤炭	国有	朱良惠
临汾地区地方税务局稽查局	23	财贸	行政	白京管
临汾日报	500	新闻	事业	孙延林
临汾地区电视台	62	新闻	事业	刘新德

荣获一等功个人（8 名）

姓　名	性别	民族	年龄	文化程度	工作单位
梁赛金	男	汉	32	初中	临汾地区侯马纺织厂织布车间
史新寅	男	汉	53	大专	临汾地区五交化（集团）有限公司
田怀宇	男	汉	41	大学	侯马市交通局
翟红荣	男	汉	36	大学	霍州市公安局
董苏敏	男	汉	44	大学	临汾地区电信局
张　胜	男	汉	49	大学	临汾行署粮食局
荣泽忠	男	汉	42	大专	临汾市第二建筑安装总公司
赵蒲荣	男	汉	45	大学	临汾市人民检察院

2000 年临汾十大新闻人物

崔惠民

崔惠民，男，临汾医药管理局党委书记、局长。几年来，崔惠民带领党委一班人把强化药品监管、维护人民健康。发展民族医药产业贯穿于实际工作中，在全国同行业没有任何模式的情况下，开创了医药打假的先列，成为闻名全国的医药打假先进典型，跻身于全国医药行业百强之列，国家两次在临汾召开医药市场整顿现场会，推广学习其先进经验。

李纯泰

（事迹从略，见人物栏目“人物简介”）

李光辉

李光辉，男，行署公安处交警支队副支队长，尧都区公安局副局长兼交警大队大队长。1997 年担任尧都区交警大队长以来，始终坚持政治建警、业务强警、科技兴警的交管方针，带领全体交警锐意改革，开拓创新，使各项交管工作均取得突出成绩，被市（地级）劳动竞赛委员会记个人特等功 1 次、大队连续 6 年被省公安厅评为全省“红旗大队”，在全省县级市首家采用交通路口电子警察监控，为改善交通环境创造了条件。大队推行的事故处理阳光作业机制被公安部在全国推广。

宣为民

（事迹从略，见人物栏目“人物简介”）

王春翔

王春翔，男，中日合作山西临汾华翔实业有限公司执行董事长兼总经理、党总支书记，山西国际商会副会长，临汾企业家协会副会长。王春翔是一个开拓者，20 世纪 80 年代初，23 岁的他担任临汾牧工商公司经理期间，将临汾肉食品首次大批量出口伊斯兰国家。1986 年担任临汾冶金公司总经理后，在临汾首创一年出口生铁 11 万吨的最高历史记录。1999 年由他倡导并主持创立了中日合作山西临汾华翔实业有限公司，在全市（地级）首次引进了世界工艺技术领先的 V 法铸造生产线，企业管理获得 ISO9002 质量认证体系证书。在全市（地级）首创一年出口铸件 2 万吨，创汇 662 万美元的历史最高记录。

王红星

王红星，男，襄汾县交通局局长，省“五一劳动奖”获得者。上任 5 年来，他带领全系统干部职工艰苦创业，奋发进取，一年修筑三级以上油路 493 公里，相当于建国 48 年油路总里程的 1.3 倍，快速、高质、高效的襄汾速度列全市（地级）之首；在襄汾境内 47 公里的汾河之上飞架 4 座大桥，在汾河架桥密度上创地级之最；通村油路总里程 771 公里，其中一年修水泥路 39 公里，为地级之冠。一年义务拓宽改造省道、国道 48.5 公里，领全市（地级）之先，在全省义务修路陵川现场会上，副省长杜五安高度评价了襄汾县交通工作。不仅如此，王红星还兴办了第三产业，建起本市（地级）交通系统现代化的星级宾馆，安置从业人员 150 人，为再就业工程闯出一条路子。

杨银奎

杨银奎，男，山西虹通酒类饮料有限公司董事长兼总经理。1984 年以来，他带领公司员工艰苦创业，开拓创新，使公司从一个小卖部发展成为地级规模最大、信誉最高、效益最好的集体化酒类饮料商贸企业。2000 年，他抓住全市（地级）实施调整结构战略的有利时机，成功地引资上亿元，建起了山西最大的啤酒生产基地，成为全市（地级）调整产业结构亮点。金星啤酒厂 3 月 8 日正式投料生产，

3 月底顺利出酒，4 月初销售旺季到来之前，全面批量上市，有力地拓展了市场，取得了良好的效益。

王建国

王建国，男，襄汾县有色金属实业有限公司总裁，临汾企业家协会副会长，晋商国际联合会理事，先后被省、市授予二等功臣、产业大王、十佳经理厂长、再就业明星、中华之星等光荣称号。在自己当年插队的第二故乡襄汾，创建了襄汾县有色金属实业有限公司，这是一家集冶炼、化工为一体的高科技民营企业，填补了山西工业的一项空白公司现有固定资产 6000 多万元，年产锌锭 5000 吨，磷肥 5 万吨，年产值 8000 多万元，利税 1300 多万元；在建的二期工种已被列为重点调产项目，并进入 361 序列，总投资额 1.6 亿多元，将于 2001 年 2 月初投产。

陆桂莲

陆桂莲，女，研究员职称。1997 年从省科委选派到古县任科技副县长至今。上任后，她狠抓支柱产业——核桃的深加工，组建了古岳食品有限公司，开发出了“古岳牌”核桃系列产品，同时进行了以双孢菇为主的食用菌产业的开发。2000 年双孢菇栽培达到 2000 棚，40 万平方米，年产量为 3000 吨，总产值 1200 万元，使古县一跃成为全省最大的双孢菇生产基地。产品远销日本、台湾、以色列等地。3 年来，她撰写论文 10 余篇，为古县引进奖金 74 万元，筹资 200 万元，立项 700 万元，为县域经济发展创收 2242 万元。2000 年 12 月被授予全国科技扶贫先进个人称号。

郑步电

郑步电，男，曲沃县高显镇党委书记。在高显镇工作期间，他提出“以农稳镇、以企富镇、以商活镇、以科兴镇”的发展战略，全镇形成了劲往一处使，团结一心干工作的局面，高显镇各项事业得到了飞速发展，高显镇多次被评为全市（地级）先进乡镇党委，1997 年被评为全省精神文明建设先进乡(镇)，1998 年被省委组织部授予先进乡(镇)企业，2000 年 10 月获得全国亿万农民健身活动先进乡(镇)奖。郑步电本人也多次被各级政府评为先进工作者，曾被省农田基本建设指挥部评为乡(镇)农建先进领导干部。

特别新闻人物

张　健

张健，行署水利局局长，全国防汛抗旱先进个人，省劳模，山西省优秀领导干部。围绕市委（地级）、行署“打基础、调结构、治环境”三件大事，张健狠抓了治汾、节水、世行水保项目和农村人畜饮水解困工程，使市（地级）水利工作项项创新高，连年上台阶。苦战数载建成的汾河百公里石坝被誉为全国中小河流治理典范，世行员称赞市（地级）项目建设为“黄土高原的一面旗帜”，市（地级）在全省率先发展起的旱井集雨节灌工程、人字闸坝和人畜饮水解困工程在全省被列为典型，加以推广。

陈玉士

陈玉士，男，襄汾县县长。在翼城县城关镇任党委书记期间曾创全省第一个超十亿元产值乡(镇)的佳绩；在安泽任县委副书记期间，分管的工业连年翻番；到襄汾后着力狠抓产业结构调整，农业上提出了“三个改变”的思路，工业上提出了脱胎换骨改造产业，全力以赴发展新兴产业；新上了 10 个年产 40 万吨以上的机焦企业，一个 125 立方米以上的炼铁企业，保水剂项目已上马，煤、焦、油化工项目正在进行科研论证。采取的最有力措施是破解资金难题，一是成立担保公司；二是四两拨千斤。企业投入 75%时，剩余 25%政府予以支持，从而加快了调产步伐。

旅游资源简介

尧　庙

尧庙位于临汾市秦蜀路南端，为山西省重点文物保护单位。临汾史称平阳，《尚书》载“尧都平阳”。司马迁《史记》云：“学者多称五帝尚矣，然《尚书》独载尧以来”。足见华夏文明自尧始。

尧庙原建于汾河西岸，晋元康中徙汾东，唐显庆三年（685 年）迁至今址，距今已 1300 余年；历代均为国家级祭祀之所，并进行过多次修葺与扩建，清康熙和光绪帝以及慈禧太后曾御驾临此。

尧庙现占地 5.33 公顷，主要有山门、五凤楼、尧井亭、广运殿、寝宫等古建筑群，以及距今已 1600 余年的汉代奇树柏抱槐、柏抱楸、鸣鹿柏、夜笑柏等景观。

清代以前每年的 4 月 28 日在此举行祭尧仪式并逢庙会，康熙帝巡幸尧庙时，定为皇会，届时全国各省、各族及海外炎黄子孙纷纷前来谒祭，庙会之盛为华北之冠。历代帝王将相，达官显贵，墨客骚人，对尧庙吟咏甚多，赞叹备至。

帝尧陵

临汾市城东郭行乡北郊村涝河北岸山水清秀，古柏葱茏，苍翠茂郁中有帝尧陵寝在焉。陵高50余米，周围300余米，相传帝尧驾崩，万民悲悼，临穴掬土，遂成陵丘，陵丘之南，建有陵园。山门为阁楼式戏台通道；入山门，东西建有看楼；北为仪门，斗拱层迭，飞檐凌空，由两柱平地托起，谒陵至此，均须下马落轿，故亦称下马坊。仪门之北为献殿；东西为配殿，献殿往北登石阶，入碑亭，可见正中明万历十八年（1590年）所飨“古帝尧陵”四个大字，旁竖历代石碑四憧；再北即帝尧陵寝。整个陵园建筑布局紧凑，结构巧妙。陵园祠宇，相传为唐初改建。据金泰和二年（1202年）碑载，唐太宗李世民曾晋谒尧陵。唐显庆三年（658年）重修祠宇，此后历朝均进行过修葺与补建。祭尧历代被奉为国祭，明清时代设春秋二祭。祭祀时节，游人如织，商贾云集，百艺献技，香火繁盛。

平阳鼓楼

平阳鼓楼，又名大中楼，位于临汾城中心，基座呈正方形，周长160米，楼高43.76米，依云逼日，为我国现存最高的鼓楼。平阳鼓楼始建于北魏，楼上存有金明昌七年（1196年）所铸2500余公斤大铁钟一口。据方志和碑碣记载，历史上临汾鼓楼曾有过七次修建；现在的鼓楼是1987年重建的。大中楼基座券砌门洞，十字相交，通连四条主街。门洞上方各嵌有依明万历三十一年（1603年）原刻复制的巨形石雕匾额，分别为“东临雷霍”、“西控河汾”、“南通秦蜀”、“北达幽并”。楼基东西两侧各建有门楼，东曰“远眺”，西曰“云梯”。入门楼，沿级再登，拾级而上至中楼台坪及中、上楼层，近观远眺，别有风光。大中楼门厅匾额题词为明清两代所传，由徐向前元帅、著名书法（画）家启功、李铎、董寿平、段云、舒同、赵朴初诸先生书写，名人名作荟萃，确为鼓楼增辉。

平阳古刹大云寺

平阳大云寺俗称临汾铁佛寺，为山西省重点文物保护单位，位于临汾市西南隅，始建于唐贞观六年（公元632年）。现存主要建筑有山门、过厅、大雄宝殿、金顶琉璃宝塔、藏经楼及配殿、厢房等，多为清康熙五四年（公元1716年）重修。六级金顶琉璃宝塔系大云寺建筑之精粹，方形实心，高约30米。宝塔一至五层为正方形，六级为平面八角形，顶端塔刹为鎏金宝珠，祥光熠熠。各层均建有仿木结构之塔檐，正檐顶端悬以铁马铃铎，徐风吹拂，叮当谐鸣。宝塔二层以上镶有58幅佛教浮雕琉璃图案，佛像造型，千姿百态。宝塔底层供有唐代铁铸释迦牟尼佛头一尊，高约6米，周长约16米，丰面隆准，凤目阔唇，双耳垂肩，庄重慈祥。佛头中空，相传是藏放经书及镇寺宝物之所在。据专家言，佛头以数万公斤生铁一次浇铸而成，如此精湛技艺，令人叹为观止。

姑射仙洞

2300多年前，庄子在其《南华经·逍遥游》中写道：“藐姑射之山，有神人居焉”“尧治天下之民，平海内三政，往见四子藐姑射之山。”仙洞景区即位于姑射山中。景区总面积40余平方公里，已发现的人文和自然景观有48处。人文景观历史悠久，自唐至清逐步形成了南、北仙洞及照天池三大寺庙群体；自然景观随处可见，且多数都与神厅的传说相伴，如“华夏第一洞房”乃尧王成婚之所；“棋盘石”即尧王教子下棋处。景区地势较高，主峰尧山海拔1418米，气侯因时而化，四季风光无限。春日山花烂漫；盛夏清凉宜人；深秋红叶似火，隆冬雪压冰悬。这里栖息着黑鹳、褐马鸡等珍稀动物，生长着豹榆、青檀、白皮松等名贵树木。仙洞沟，果然为人间仙境。

仓颉造字处

临汾城南门外之西赵村东路口曾竖石碑一座，其文曰：“仓颉造字处”。相传，汉字乃仓颉所造。《汉学堂丛书》等史籍云：“上古仓颉为黄帝左史，穷天地之变，仰观魁星圆曲之势，俯察龟文鸟语山川，指掌而拼文字”。“仓颉造字处”碑，系清乾隆四十九年（1784年）秋临汾县令李甲荣立，高1.25米，宽0.67米，厚0.18米，青石所制，现存市博物馆内。

前人曾有《观仓史造字处有感》诗云：雨粟鬼哭半信疑，蝌蚪鸟迹总出奇。六书造成开草味，从此文明无尽时。

击壤处

临汾城东北有一村名叫康庄，村东头曾立有一幢石碑，上书“击壤处”三个大字，系清康熙年间所立，民国时期，山西省督军兼省长阎锡山巡视临汾时，见原碑破损，复制一幢竖原处。该村原叫康衢，后改称康庄。

据《史记》及《纲鉴·帝尧陶唐氏》载“尧治天下五十载，不知天下治与不治，问左右不知，乃游于康衢，儿童谣曰：‘立我庶民，莫匪尔极，不识不知，顺帝之则’。有老人击壤而歌曰‘日出而作，日入而息，凿井而饮，耕田而食，帝力何有于我哉！’”此即为我国最早的童谣《康衢谣》和诗歌《击壤歌》。据说尧听了这两则歌谣之后，很受启发，决心荐贤任能进一步把国家治理得更好，于是就有了“举天下而传之舜”的禅让佳话。成语“康庄大道”即源于此。

东羊后土圣母庙

东羊后土庙位于临汾市土门镇东羊村，是一座集庙宇、亭台、园林为一体的玲珑别致的建筑群体。庙内的戏台建于元至正四年（1345 年），雄奇敞阔，格调雅致。台前竖有两根方形抹角石柱，柱上浮雕为莲花童子图案，下有复莲柱础，其顶部为十字歇山顶，内檐梁架上斗拱三层叠成藻井，以其独特的巧妙结构，构成规范的八卦形，故又称八卦亭，民间俗传为鲁班所建，在古戏台建筑中独领风骚。圣母殿内以现存稀世珍宝，明代泥质悬雕塑像而闻名于世。整个庙区殿堂、牌坊、钏鼓楼、山门和庙前的围有青石雕刻栏板、假山龙头喷泉的天池紧凑而有致地浑然结合成一体，既有庙宇的肃穆，又有园林的恬静。

王曲元代戏台

王曲元代戏台，位于临汾市西北吴村镇王曲村东岳庙内，现为省级文物保护单位。戏台始建于元代初年，为研究我国戏曲发展史的重要实物资料。现存的戏台分前后两部分，前部为民国年间重修时增建；后部为元代建筑。平面正方形，前檐两根粗大的木柱支撑大额，后檐及两山为土坯砌筑，形成了三面砌墙正面敞口的形式。斗拱为重拱双下昂计心造做法，内檐梁架结构较为别致，层顶为单檐歇山式并使用琉璃瓦件剪边，虽年代久元，但其风姿犹存。

帝尧“茅茨土阶”

临汾城西南 5 公里，汾河东岸有伊村，相传乃帝尧故乡。村西南一土台，村人称“尧王圪塔”者，据说是帝尧之所居处。《水经注》所记台上有“神尧屋碑”。“屋碑”今已无存，唯留有明朝万历年间所立古碑一座，兀立于危岸挺拔的土台之上，碑文为“帝尧茅茨土阶”。

“尧王圪塔”西南有古井一眼，相传为尧王亲手所凿，人称“尧王井”。“尧王圪塔”周围多酸枣树。有趣的是，别处的酸枣树长着带钩的弯刺，唯独这里的酸枣树长的是直刺。传说帝尧和夫人下田劳动，常被弯刺钩住衣服，不胜其苦。有一次，尧王边拔刺边自言自语道：“这些刺何必长钩呢？长成直的多好！”此后，这里的酸枣树再也不长弯刺了。

魏村元代戏台

魏村元代戏台，位于临汾市西北魏村镇卫村牛王庙内，1962 年被列为省级重点文物保护单位。

戏台建于元至二十年（公元 1283 年），坐南向北，与牛王庙献亭相对，正面敞朗。前檐两柱距 7.5 米，均为小八角雕花柱；两山各立山柱一根；进深为两间，后面一间被三面墙体包围；戏台建于 1.1 米高的台基之上，台基长宽均为 10.75 米，成正方形；总高度 11.40 米。木构部分的斗拱为重拱双下昂计心造做法，耍头为蚂蚱头，梁架前檐采用大额枋加雀替的手法，上部为层层叠架的井枋及异形拱向上托起成为八角藻井，结构精巧。顶部用青水瓦作单檐歇山顶。

魏村戏台为我国现存最早的元代戏台之一，是研究元杂剧在平阳一带的发展史和金元时期戏台建造规制的实物见证。

临汾市人民公园

临汾市人民公园座落于鼓楼西大街，始建于 1958 年 5 月。总面积约 7 公顷，其中水面积 11400 平方米。园内现有长廊水榭 47 间，长堤 115 米，假山 5 座，仿古亭台 8 个，蘑菇亭 1 组，石桥、钢盘砼桥 1 座。狮房、虎舍、熊池、猴山、禽舍、鹿舍、鹿棚等动物笼舍 10 处共 1000 余平方米。展出的珍贵动物有东北虎、非洲狮、广西弥猴、澳洲鸸鹋、褐马鸡等 20 余种，100 多只（头）。园内有樱花、紫薇、紫荆、桃梅、丁香、月季、雪松、塔柏、法桐、白腊、黄杨等 20 多种 10000 多株花木。同时新增和更新了碰碰车、滑翔龙、弹跳城、大型转马、飞船、高架飞机、游艇、赛车、龙宫、迷阵等 20 多种高档游乐设施。临汾公园是一处集休闲、娱乐、教育于一体的综合性活动场所。

临汾市烈士陵园

临汾市烈士陵园位于临汾市秦蜀路南端，与闻名遐迩的尧庙相邻，始建于 1958 年，占地面积 66000 余平方米，为国家民政部、山西省委、省政府确认的“爱国主义教育基地”。陵园由烈士纪念碑、烈士墓展厅、牌楼、门楼、长廊、接待室等建筑组成，布局对称，庄严肃穆。陵园内松柏参天，百花荟萃，草坪连片，夏有荫，秋有果，四季均是一派优雅气象。陵园代表建筑是 1997 年重新修建的烈士纪念碑。碑高 24.8 米，碑身四面镌刻着朱德、徐向前、陶鲁茄、王世英的题词。浮雕面积 100 平方米，为全国纪念碑浮雕之最。

临汾市西沙游乐园

西沙游乐园位于临汾市市区西南汾河西岸，兴建于 1997 年，为汾河滩涂开发利用的一大工程。公园林木成荫，花草繁茂，空气清新，因毗邻农村，又呈一派田园风光。公园游乐及服务设施之齐全，在临汾地区首屈一指。除名目繁多的游乐项目和军体游乐项目外，尤以水上游乐项目为最大特色，摩托艇、巡洋快艇、急流勇进、象形船、碰碰船、宇宙船、龙舟一应俱全。各种项目健康、新奇、惊险。度假村、茶座、风味小吃、歌舞厅等更为休憩、餐饮娱乐提供了极大方便。

涝河避暑山庄

涝河避暑山庄地处临汾市大阳镇东北部的涝河水库南岸，库区周围山脉沟壑连绵起伏，纵横交错，绿树掩映，山清水秀，环境幽雅，气侯宜人。涝河避暑山庄由住宿区、餐饮服务区、会议区、娱乐区、水上娱乐区、珍稀动物观赏区、懒泉寺游览区等几大区域构成。住宿区之窑洞内部设施新潮，冬暖夏凉，有“自然空调”之美誉；服务以传统的山乡饭菜系列为主要特色，同时兼做中、高档美味佳肴；窑洞会议室、窑洞歌舞厅，设施一流，舒适幽雅，水上娱乐项目繁多，快艇、游艇、脚踏船、碰碰船、气垫船等应有尽有。

文化博览城

侯马文化博览城建于 1993 年，位于繁华的市府西路，与体育馆、体育场、动物园毗邻，占地 10000 平方米，建筑面积 4000 平方米，是山西省首座大型仿古人文景观。

文化博览城正门矗立着一座雄伟的大型石牌楼，广场正中塑有一座 7 米高的晋文公立马安天下的仿铜巨像，主建筑由晋文公宫、武圣关帝宫、西游记宫和晋国出土文物展厅四部分组成。内有如来佛大殿、凌霄宝殿、花果山、大闹天宫、三打白骨精、关圣观春秋、重耳周游列国、城濮大战、晋文公称霸等 26 个景观，人物塑像 500 余个，并辅以声、光、电等高新技术，关山河海，奇花异木；电闪雷鸣，云蒸霞蔚；天宫地府，神头鬼脸，令人流连忘返。

台 骀 庙

台骀庙位于侯马市西北西台神村北、汾河岸边。据《新修曲沃县志》记载，台骀庙创建于春秋时期晋平公年间，现存建筑多为明清所建。整个建筑群全部座落在高约 10 米的“古翠岭”上，外围以青砖砌筑，呈城堡形式，建筑主要有台王宝殿、娘娘殿及其献殿和春秋楼。

台王宝殿座落在神庙的中轴线上，坐北朝南；娘娘殿位于台王宝殿及其献殿的东侧；两座献殿房顶部分相连，下留一通道，殿檐下为门楼形式；春秋楼即以门楼下的通道为中轴线而建，乃祭祀关帝之场所。

金代砖墓

金代砖墓是考古工作者于 1959 年在侯马市西郊牛村南发掘的，当年迁移复原于市内。

金代仿木砖墓建于金卫绍王大安二年（1210 年），即金章宗明昌七年（1196 年），墓主为金代董明、董海。两墓均为“四合院”形式，南廊北厅东西厢房。墓室四壁用砖雕出墓主人的家居生活情景。装饰的花木千姿百态，间有鸟雀，生动活泼。北壁雕出的五个作戏彩俑，造型优美，颇为罕见，比如“尉迟恭单鞭夺槊”等刀马人物，亦英姿勃勃。砖雕在我国历史悠久，但宋金时发现很少，此砖墓对于研究我国古代美术、雕刻、戏剧等均有重要价值。

彭真故居

彭真同志是伟大的无产阶级革命家，是党和国家的重要领导人之一。

彭真原名傅懋恭，1902 年生于侯马市垤上村，并在这里度过他的青少年时代。1937 年中共同蒲铁路工作委员会成立，工作地点就在彭真家的窑洞里。彭真同志生前曾三次回到故居，并在这里向乡亲们发表了讲话。

彭真故居是革命的象征，现有院落一处，占地约 300 平方米，有西窑三孔，北房三间。1986 年，侯马市对故居进行了加固修缮，恢复了当年的历史面貌。故居中陈列着当年彭真同志用过的桌椅、农具和彭真同志从事革命活动的珍贵照片。

浍河二库景区

浍河二库位于侯马市东南之香邑村南，库容 1932 万立方米，控制流域面积 527.4 平方公里。水库自 1974 年动工，1976 年建成。二库为侯马市惟一的地表水资源，水面宽阔，环境清幽，地理位置优越，交通十分便利，极具旅游价值。目前已建成水上乐园，游客不仅可挥臂击水，亦可乘游艇穿梭其中，与鱼同乐。库区紫湖宾馆、桑拿浴池、饭店等设施豪华、服务周到，是养情怡性之绝佳处。

霍州鼓楼

鼓楼，又称文昌阁，位于霍州市中心，始建于明万历十一年（公元 1583 年）。建筑精巧玲珑，独具一格，为明代建筑艺术精华，已载入《中国名胜辞典》。鼓楼，建筑面积为 225 平方米，总高 27 米。底部砖砌十字卷拱式，通道贯穿东南西北四条大街。阁楼一层四周屋面楣额上方各悬挂贴金匾额一块，楼上二层回廊外沿设有观景台，木制围栏，刻有各式图案，做工精细，文物专家认为是明代雕刻之杰作。鼓楼虽经历史沧桑，但其历史魅力犹存。

霍州署

霍州署位于霍州市东大街北，始建于唐代，现存古建筑为元、明、清古文化遗产。原建筑面积 38500 平方米。分中轴线、东西副线三大建筑群。署西南隅原设明代监狱一座（文革时期拆毁）。现存面积为 18700 平方米。以中轴线为主的大部分建筑基本保存完好，由南至北分别有：樵楼（1986 年复建）、单墀、仪门（包括人门、鬼门）、甬道、戒石亭、东西厢房、月台、抱厦、大堂及东西耳房、二堂、内宅、东宅、静怡轩、大院、后院等。大堂是州署整体建筑中的重要组成部分，建于元大德八年。州署大堂结构布局严谨，雄伟壮观，是我国元代木构件建筑保存完整的典型代表。1996 年列为全国重点文物保护单位。

千佛崖

千佛崖，俗称石佛崖，又名佛峡，位于霍州市城南郭庄村西，占地面积约 200 平方米，大小佛像千余尊。

佛像中，最大一尊大佛高 8 米，端庄而坐，体态丰满，神情专注，唐长庆年间雕刻，为千佛崖主佛。另千手千眼观音像高 2 米，其余小佛多为三躯一龛，亦有单佛一龛者。从现存石佛铭文考证，千佛崖造像历经唐宋元明数代雕刻而成，极具历史、文物价值。

悬泉山

悬泉山位于霍州城东 20 公里的霍山中麓，海拔约 1800 米，奇峰峭壁、流水飞瀑，风光十分迷人，主要景观有："驴蹄"石印、莲台峰、龙泉洞、悬泉阁、八仙桥与望亭、石塔、夏王避暑山庄、洞宾戏女处、七星堂、琵琶峰、双龙盘、悬泉飞瀑、石盘古柏等。

许村民居

许村民居位于霍州市什林镇许村，西靠吕梁山，东望汾河，居高临下，为明末清初我国北方典型的四合院砖木结构建筑。许村民居以西高东低地势而建，为不规则庭院。上院建筑保存较为完好，其特点是：东、西、北房均为窑洞回廊报厦，报厦均为 4 根檐柱，柱头额枋雕有精致花纹和鸟兽人物图案。东西抱厦斗拱为雀替作，龙饰木雕，横梁彩绘图案保存完好。南房为过厅，面阔三间，进深两间，硬山式建筑。过厅外设观景台，从台上可观全村风貌。

许村民居木雕精细，窗棂独特，独具风格，为古建筑专家所关注。

雁塔

雁塔本名肠谷塔，位于霍州市城关镇南坛村东南一山丘上，因塔上雁巢甚多而得名，当地又称南塔，明嘉靖四十二年（1563 年），时任知州李春为振兴文风而建。

塔身为砖木结构，高 16 米，平面呈八角形，五层密檐式，空心，层层内收，每层檐部均有仿木砖雕斗拱，异形拱等。塔一层北边设门，高 2 米；塔身内外均为砖砌，每层隅角均有依柱，一、二层依柱在墙内，而三、四、五层均在墙外。该塔结构精巧，比例和谐，极具文物及观赏价值。

祝圣寺

祝圣寺位于霍州市内，原名东福昌寺，始建于唐贞观四年（公元 630 年），后毁于地震；元延四年重建后，又毁；明景泰元年再建；明万历三十七年重修；清乾隆年再修。

寺中宝殿坐北向南，面宽五间，进深三间，斗拱五辅作，悬山顶，屋面琉璃剪边，灰瓦覆盖，琉璃脊兽。后大殿面宽三间，进深三间，歇山顶，斗拱五辅作，屋面琉璃剪边，灰瓦覆盖，琉璃脊兽，题记有"景泰元年建"。东西厢房面宽各为五间，进深各一间。

该圣寺现存古建筑保存基本完好，特别是琉璃脊兽，其色泽、形制、体态均为明代琉璃制品之精品。

娲皇庙壁画

娲皇庙位于霍州市贾村，为省级重点文物保护单位。据传，此庙始建于明代，后毁，清同治四年重修。娲皇庙内现存有悬塑及壁画，尤以正殿内壁画而闻名。

正殿东一侧的壁画高 4 米，长 6.5 米，面积为 26 平方米；娲皇圣像左侧壁画，高 4 米，长 3 米，面积为 12 平方米，与东侧壁画连为一体。整组画面表现了圣母宴请百官时，宫廷内忙碌、热闹的生动情景。

西壁画与东壁画背景相同，整组画面，表现了圣母临朝前及百官上朝途中情景。经文物专家考证，娲皇庙画为我省现存清代人物画中之精品。

广胜寺

广胜寺位于洪洞县城 17 公里处的霍山南麓，1961 年被国务院列为全国重点文物保护单位。该寺始建于东汉建和元年（公元 147 年），后历经唐、元、明三代扩修重建，始成现存规模。广胜寺由上寺、下寺和水神庙三部分组成，上寺主要建筑有山门、飞虹塔、前殿、中殿、后殿及东西配殿等，其中飞虹塔是我国明代琉璃建筑的代表作，为我国"四大名塔"之一。现存北京图书馆的稀世之宝赵城金藏 800 年来一直保存于该寺。下寺主要由天王殿、前佛殿和后大殿组成，建筑风格独特，与上寺相映成趣。水神庙位于下寺西侧，除众多的栩栩如生的泥塑外，还有四壁的元代壁画，这些壁画均为研究元代历史的旷世之珍。

元代壁画

洪洞广胜寺元代戏曲壁画反映了我国元代杂剧盛行时期的真实情景，是研究我国戏剧史的珍贵资料。画面表现的是一个戏班集体亮相的场面，11 个人物中，生旦净末丑齐全，脸谱构画生动；笏板、刀、宫扇等道具的运用，鼓、笛、拍板等乐器的演奏，反映了当时戏剧的规模。这幅壁画为我国目前发现的惟一元代戏剧壁画，现存于广胜寺下寺西侧的水神庙。

大槐树（之一）

大槐树位于广济寺内，广济寺始建于唐贞观二年，殿宇巍峨，僧众济济，香客络绎。寺旁有一株“树身数围荫遮数亩”的汉槐，阳关古道从树荫下通过，汾河滩上的老鹳在古树叉构巢筑窝。明初迁民时，在广济寺和大槐树下设局驻员，集中移民编排队伍并发“凭照川资”，当移民们启程时，依依惜别，不忍离去，频频回首，看见的就是大槐树和树上的老鹳窝，因此，大槐树和老鹳窝就成为惜别家乡的标志。第一代大槐树干枯后，在其东旁同根蘖生出第二代古槐，第二代古槐干枯后，在其北侧又同根蘖生出第三代古槐，现枝繁叶茂，可谓嘉村延年，代代相接。每年清明时节，平日不见踪影的老鹳，成群结队而来，立于古槐枝头，成为一大奇景。

大槐树（之二）

大槐树寻根祭祖园位于洪洞县城北郊，是闻名全国的明代迁民遗址，是千百万迁民子孙“根”的所在地，是海内外数以亿计古槐后裔寻根祭祖的圣地。园内有“根”字影壁、明代迁民壁画，四角三门牌坊、茶坊、古大槐树碑亭、金代石经幢、祭祖堂等建筑。“根”字影壁上的“根”字为中国工艺美术学院院长张仃所书，它饱含了海内移民后裔的悠悠思乡之情，凝聚了槐乡父老乡亲的浓浓桑梓之意。从1991 年以来，每年 4 月 1 日至 4 月 10 日在这里举办的“寻根祭祖节”，吸引了千千万万的四海亲人千里寻根，溯源祭祖。

苏三监狱

苏三监狱位于洪洞县城古槐南路，总面积 610 平方米，始建于明洪武二年（1396 年），是我国迄今为止现存最完整的惟一一座明代县衙监狱，1959 年被列为山西省重点文物保护单位。监狱有两道门，双层围墙，墙垣高耸，内有若干窑洞式牢房以及囚犯用的水井、水槽等。在普通牢房南端西侧狱墙半腰处，内有 3 尊神像，居中为首为狱神皋陶。后院门首挂有虎头牌，是关押重犯或死囚的牢房。苏三就关在此院窑洞内，故称苏三监狱。苏三监狱的布局和刑制是研究封建社会官衙监狱规制的重要资料，也是研究戏剧《玉堂春》、《女起解》、《三堂会审》的主要实物资料。.

虎头牢是明代监狱中关押重刑犯和死囚的地方，亦称为狴犴牢。牢门高约 1.6 米，过道长约 3 米，犯人进出此通道都必须两次低头弯腰，以示低头认罪，显示刑律之威严。虎头牢外的南北通道上空，挂有铁网，网上系有响铃多个，若有犯人外逃，触网铃响，必惊动看守，可谓“天网恢恢，疏而不漏”。明代监狱防守之严，由是可见一斑。

兴唐寺

兴唐寺位于洪洞县城东北 25 公里处的苑川乡，始建于唐贞观元年，后几毁几建，目前建筑为金大定二年所建。兴唐寺规模庞大，殿宇轩昂，寺院塔林掩映于参天古木之中，历千年风雨而巍然屹立，是该寺最具特色的景观之一。兴唐寺东连古县、北接霍州，黎明时分于寺中，可遥听三县鸡鸣，颇有古趣。兴唐寺周围还有中镇庙、马刨泉、慈云寺、真武庙、魁星楼、柏树帛等人文与自然景观，形成系列旅游区。到兴唐寺游玩，可饱览翠峰风光，静聆阵阵松涛。品尝野味山珍，啜饮山间清泉，实为一大快事。

历　山

历山又名英神山，全山分五大景区：主峰、神象岭、百鸟峰、舜田、舜井。其中主峰状类龟，头南尾北，立于龟背之上，极目四周，视野辽阔，霍山千秋雪，尧都万古城。可尽收眼底，青山叠翠，汾水环绕，风光十分壮美。

历山原有舜庙、娥皇女英庙、玉皇庙、东岳庙、关帝庙、老君庙等大小古庙十四处，还有分布于各个景区的神象亭、百鸟楼、望都台、望亲台等建筑多处，可惜或毁于天灾，或毁于人祸，只留下残碑断碣，令人睹物怀古。

现历山已重建舜庙、娥皇女英庙、尧庙、子孙庙、神寝戴新、庙貌如故，昔日旧制，即可恢复。游人既来，可一睹历山自然风光，又可略人文景观，定有心旷神怡之体味，又有满载而归之收获。

唐尧故园

唐尧故园位于洪洞城南 15 公里处，相传尧帝驾崩后，方圆百姓感其圣德，于此地建祠塑像。先后建有尧庙、后宫、皇姑殿、献亭，供献牲牢，祭奠醴酹，演奏丝竹，鸣铳炮，展彩旗，敲打威风锣鼓，风延 4000 余年。不幸民国壬年仲秋皇姑殿毁于兵燹，其余建筑毁于文革。1987 年，当地人民政府重建唐尧故园，由尧庙、后宫、献亭、皇姑庙、子孙庙、陶唐舞台、九龙壁、虞舜寝宫等建筑群构成，规模宏大，为 4000 余年来唐尧故园之最盛。自此，每年隆庆时节，在此举行盛大庆典，海内外游客咸集，四乡里百姓同来，祭尧拜祖十分壮观。

丁村民俗博物馆

丁村民俗博物馆位于襄汾县丁村附近的汾河两岸，系全国重点文物保护单位。1954 年发现旧石器地点 11 处，动物化石点 3 处，人牙 3 枚，旧石器 2005 件。1976 年又发现一块小孩右顶骨化石。因牙齿和顶骨化石发现于丁村，故取名为“丁村人”。“丁村人”形态介于现代人和北京猿人之间，生存年代距今约 10 万年左右，由于“丁村人”使用的石器特征代表着一个新的文化系统，因而定名为“丁村文化”，“丁村人”及文化的地质时代属晚更新世早期，为目前我国旧石器时代中期文化的代表。1988 年，丁村四十余间明清民宅又被国务院定为第三批文物保护单位，在此基础上建起了“丁村民俗博物馆”，使丁村遗址的出土文物得以向游人开放重放光彩。

龙澍峪风景区

黄崖龙澍峪旅游风景区位于县城西北的姑射山中，占地约 30 平方公里。

龙澍峪自然风光秀丽，古代建筑各具千秋，古老传说美丽动人，人文景观星罗棋布，“龙斗双阙”是自然景观中最为著名者；100 余间庙宇或横空出世，或半藏半露，气势宏伟，古朴典雅，内中塑像，千姿百态，堪称艺术瑰宝；摩崖石刻汇集了古代名家遗墨数十处，真、草、隶、篆，苍劲婉约，庄重潇洒，各具神韵。1996 年，景区被省政府确立为社会办旅游先进典型，并列入全国热线旅游线路。

陶寺遗址

陶寺遗址位于襄汾县城东北的陶寺村附近，总面积 432 万平方米，是以陶寺文化 （前称：中原龙山文化·陶寺类型）为主要内涵的遗址。1958 年，在文物普查中发现，1961 年列为省级重点文物保护单位，1988 年列为全国重点文物保护单位。目前已清理墓葬 1300 余座，获得一批陶、木、石、玉、骨器，发现了我国夏代文化的蓝本和我国最早的蟠龙图腾，以及我国最早的青铜铸件。

随着旅游业的兴起，襄汾县委、县政府非常重视陶寺遗址的开发利用，准备筹建陶寺夏文化博物馆为研究陶寺龙山文化提供实物资料。

普净寺

普净寺，位于襄汾县城西南 30 公里处。该寺东、南有汾水环绕，西、北毗邻吕梁山麓，恰处晋南灵秀之地。现存建筑系由山门、天王、菩萨、关王、药王、大雄宝殿等殿宇组成，集古代建筑、雕塑、服饰、绘画、书法诸艺术于一体的古文物群。其中大雄宝殿，释迦塑像和历经千年尚枝繁叶茂的古木瓜树，合称普净寺三宝，令观者叫绝。

汾城古建

汾城镇原是“太平县”的县治所在地。屹立在城内外的各类古建筑群落，如庄严的文庙，华丽的城隍庙、雄伟的鼓楼、威耸的大堂、凌空的砖塔、整齐的城墙、建造精巧的洪济桥、古色浓郁的店铺房，反映了历史上县城建设的结构布局，是劳动人民智慧的结晶，是研究古代城市建设史以及建筑风格、结构、布局的重要实物资料。

碑林

碑林位于襄汾县城西南方向的汾城镇文庙明伦堂内，筹建于 1992 年，于 1994 年竣工。有石碑 100 余通，内容丰富，刻工精细，形象秀美，其中川北魏正光二年（公元 521 年）的造像碑与西安大雁塔相同，四面有圆形佛龛的唐代石塔最为典型；其次还有北齐、隋、唐的小造像碑，明代的百福、百寿碑、文征明、郑板桥手书及明仿吴道子的玄武碑，记载当地地震、水利、庙宇修建捐赠碑等，为研究书法、雕刻艺术提供了珍贵的资料。

薛家大院

薛家大院系清代民居，该院一套三院，两层阁楼，砖木结构，古朴典雅，现为曲沃县博物馆。馆藏文物 3000 余件，其中三级以上珍贵文物 200 余件，分为石器、化石、铁器、陶器、瓷器、铜器、玉器、木器、银器、字画等 13 类。晋侯苏鼎及旧石器时代的大象牙齿化石、新石器时代的磨制石器、汉代的绿釉陶瓶、彩绘 陶罐、银白釉陶灶，宋元时代的钧密瓷碗，清代缠花彩瓷鼓凳等，是馆藏文物中的精品。

景明旅游区

景明旅游区位于曲沃县城西 8 公里处，由龙岩寺、白寺楼、景明瀑布、景明竹林、沸泉水库、千年银杏树、龙底泉等景点组成，其中景明瀑布极为壮观，由发源于绛县的活泉流经青山倒映其中，湖中游船如织，可一览景明湖光山色。龙岩寺极富人文底蕴，是道佛合一的著名古建筑。

星海温泉

曲沃星海温泉位于县城东北距大运公路 15 公里处的西常乡西海村。据县志称，它出之唐永徽元年，至宋朝嘉三年修池建庙形成规模，为三晋古都曲沃历史上八大景区之一，星海温泉出自奥系石灰岩溶洞，水温 37℃，自流水量 0.37 立米/秒，水质优良，富含对人体有益的多种矿物质及化学成份。该泉七眼，如星斗排列，俗称七星海，海畔建有龙王庙，庙前筑“八角海”，方圆数里，绿树红莲，热雾蒸腾，冬无寒意。这里已成为集生态经济区，文化娱乐区，疗养健身区，会议培训中心于一体的综合旅游区。

曲村遗址及晋侯墓地

曲村遗址位于曲沃县曲村镇，北依崇山，东、南面为滏河，东西长 3800 米，南北宽 2800 米，总面积约1000余万平方米，为全国重点文物保护单位。该遗址有新石器时代的仰韶、龙山文化层、夏文化层、西周至战国文化层，以及秦汉元明文化层。有15000余平方米的晋侯墓地，10000余座西周至战国古墓。目前已发掘出周代墓600多座，出土了280余件青铜礼器，大量青铜兵器、车马器、完整陶器1000余件，以及数万件玉、石、骨、贝、蚌、铅器等。根据青铜器铭文的推测，晋之始封地即最早的晋都就在曲沃境内，同时M8的陪祀车马坑为全国同时期最大的车马坑，目前已清理出陪祀马100匹，战车正在进一步清理发掘中，文化内涵十分丰富。

绵山介子推遗址

绵山位于翼城县城西北方向5公里处，因其平地突兀而起，人称孤堆坡山；远望又如一口倒扣的大锅，故又称覆釜山。现存绵山之巅的古庙之内，有介子推母亲的雕塑石像，介子推跪拜于其母身边，令人回想起2000余年前发生于此处的介子推割肉奉君母子亡命的故事。

目前绵山正进一步绿化开发，当年苍山如海的旧貌不日即可恢复，另又建起山门、楹门、步行长阶、绵山纪念碑、介子推遗址等建筑，游客可在凭吊古人遗址的同时，欣赏绵山秀丽风光。

舜王坪

舜王坪位于翼城城东南70公里处，由舜王当年驾牛执鞭躬耕历山得名。历山主峰海拔2321米，坪顶260公顷，于坪顶可眺望垣曲、沁水、翼城3县。层峦叠嶂，群峰耸峙，溪水潺潺，古木参天，珍禽异兽，生息其间，为山西省著名风景旅游区。舜王坪著名景点有白龙潭、黑龙潭三级瀑布，珍珠帘、紫金沟，娥皇、女英二妃洗面盆、梳妆台、舜帝饮马的将军潭、绊马石、偏食牌楼、闪光峰、奇石沟、垛峰等一百余处，星罗棋布，美不胜数。大自然的神奇造化，鬼斧神工，令游客叹为观止，流连忘返。

关帝庙

关帝庙位于翼城城内南部，现存建筑有春秋楼一座，配殿三座。春秋楼建于清乾隆七年，顶部为十字歇山顶，呈两层楼阁式，房脊饰有彩色琉璃，平面近方形，四周有一米宽的围廊，石栏石柱上雕有各类动物，形态逼真，惟妙惟肖。20根木柱支撑全楼，气宇轩昂。配殿位于春秋楼两侧，面阔各为三间，进深为一间，为二层楼阁悬山式建筑。关帝庙院内有石狮、石羊、石龟多尊，神态各异，雕刻精美，有极高的考古价值。

剪桐封国遗迹

“剪桐封国”典出周代。时叔虞为周成王的胞弟，据传叔虞与成王玩耍，成王把一桐叶剪成一个似玉娃娃的玩具，对叔虞说：我将拿着玉娃封你，史称“剪桐封弟”。公元前841年，周公灭唐，周成王果封叔虞于唐，建都于今翼城县城15公里处的唐城村。现存“剪桐封国”遗迹，其砖基经岁月剥蚀，古韵犹存。于此处浏览凭吊，数千年往事，注到心头，顿生昔日金戈铁马，已成历史烟云之感喟。

马鞍桥

马鞍桥位于翼城东南6公里处武池乡马册村南50米处，始建年代不详。明嘉靖九年（1534年）被冲坏，现存建筑为明嘉靖天启七年（1621年）原构，结构形制与明嘉靖碑纪形制相同。马鞍桥为纯木结构，形同马鞍，长约15米，宽6米，横跨于一条小溪之上，桥面下有一石龙，龙头和龙尾均在桥中两侧，龙头向东，伸出桥壁二尺有余；龙尾向西，呈弓字形伸展，是一座十分独特罕见的大桥。桥下有一荷花池，盛夏时节，池中荷叶如盖，青翠欲滴；菡萏如霞，芳气袭人。古桥、石龙、荷花相映成趣，于阡陌田畴之中，形成一道北国江南独特的风景线。

木牌楼

木牌楼位于翼城县城内，始建年代已不可考。其顶部为重檐歇山式，一层四角设有小式歇山，形成八角拱起的独特结构。各层檐下斗拱华丽，形制繁多，集中国斗拱之大成，呈现出鲜明的中国北方建筑特色和浓郁的地方文化艺术氛围。牌楼的四面额枋下均有题字，系古代著名书法家所为，正面为“封翕·龙章宠赫”，左侧为“乡科·拱殿奇香”，右侧为“甲科·澹墨传芳”，背面为“明经·官墙脱颖”。柱廊上方，有小型彩绘 壁画，牌楼下有石碣。种种史迹表明，该牌楼为皇帝所赐而建。

石牌楼

石牌楼位于翼城城内，属街心牌楼，可四面通行。其建筑形式奇特，整座牌楼以四根大石柱支撑，坊顶为木结构，十字歇山顶，以灰筒瓦覆盖，通高15米，斗拱为仿木结构，四周的石檐上有各种人物、花卉、动物等浮雕，形象生动，造型优美，刀法洗炼，玲珑剔透，有江南牌楼的隽秀，又有北方牌楼的雄旷，实属牌楼建筑中的珍品。

目前，石牌楼的原貌已因近代战争等多种因素被毁坏，只留下几处依稀可辨的石雕，向游人倾诉着历史的沧桑。

金代大钟

金代大钟原为中卫法寺院之物，原存于翼城城内。金代时为防外敌入侵，于城内建造钟楼。钟楼高10米，底部全用砖砌，中间有南北通道，楼身四面各有一拱门，上以四根木柱撑着十字歇山顶，楼内设有木架以悬挂大钟。一有敌情，即鸣钟以召官兵御敌。金代大钟高 3.1 米，下口直径 2.1 米，厚 0.15 米，龙头鼻纽，上顶圆浑，顶部有 6 个圆孔，孔的周围和下部均铸有花纹图案，腹部内收，钟上铸有“佛日增辉”“法轮常转”等文字。此钟声音浑厚响亮，方圆 10 公里以外，闻之如在耳边，故有神钟之称。

元代舞楼

元代舞楼位于翼城县城南 5 公里处的武池村，始建于元朝泰定元年（1324 年），是我国戏曲文化历史悠久的见证，在 1992 年全国文物大会上，是我省推出的十大文物之一，其模型曾参加过国际文物展览，是我国现存元代舞楼中规模最大的一座，它对研究我国戏曲文化有着十分重要的价值和意义。

该舞楼台基高 1.5 米，长 13.3 米，进深为 9.3 米，呈正方形，台上有八根柱支撑屋架，呈井字形排开，整个屋架均为木制结构，藻井奇巧，斗拱粗旷，前面斗拱 11 朵，后面 8 朵，两侧各 9 朵，顶部为单檐歇山顶，琉璃脊饰，顶部左右两侧各有一巨龙，两龙听龙头均向内，龙尾向上外跷，形似二龙戏珠，栩栩如生，整个舞台如神工造就一般，令人叹为观止。

蔺相如故里

蔺相如故里位于古县东北约 50 公里处的蔺子坪村，村南 200 米许，有蔺相如墓，墓高约 8 米，围约 50 余米；墓前有一石碑，其碑文历千年岁月已不可辨，然其正面之“赵上卿蔺相如墓”

几个大字犹十分清晰。游客来此，掬蔺河之水，聆故里乡音，抚墓前碑碣，断不会思蔺相如当年之往事，发思古之幽情；太史公《史记》中的蔺相如事略，亦会浮现眼前。

而今，蔺相如故里在古县县政府的精心保护下，又重新焕发出耀眼夺目的光彩。

关帝庙

关帝庙位于古县境内热留村，始建于唐，后经明清两代缮修，总面积为 1217 平方米。该建筑为四合院布局，由正殿、献殿、戏台、配殿、山门等组成，气势恢宏，规模宏大。正殿除关圣大帝、关平、周仓等巨型雕塑外，四壁皆悬空绘画，内容述尽关羽一生事略。人物呼之欲出，配景生动逼真，令人叹为观止。戏台坐南向北，台基高 5.8 米，面宽 10 余米。东西配殿各五间，殿前加筑走廊。整个建筑体现了我国古代寺庙建筑的艺术风格，表现了我国古代劳动人民的聪明与智慧。

延庆观

延庆观位于古县县城东北之屏风山上，始建于宋宣和二年，竣工于辽延庆初年。观内上院有三清殿，壮丽巍峨，殿前有古松一株，高 18 米，围 4 米余，为省级保护文物。神龙洞于其东侧，石崖间有泉水流出，循院中明暗二渠，经石龙之口注入鱼池之中，人称“活水龙吟”。神龙寺南有石窑三孔，上建翠云亭。观外翠柏荫蔽翳日，山中名禽，翔集其中。登临此山，观其中古趣，山中风光，常使人流连忘返。

抗战时期八路军总部旧址

1938 年 2 月下旬至 3 月上旬，八路军总部曾在浮山县山交村短驻。总部设在农民赵家歧院内，朱德总司令住在该院正北靠东的一孔土窑洞内，彭德怀、左权、任弼时等住在距朱总司令不远的李家院落中。这些土窑洞及窑洞内的麻油灯、小桌子等，是当年老一辈无产阶级革命家在浮山指挥抗日战争的历史见证。

文庙大成殿

文庙大成殿位于浮山县城中心，始建于元代，后经明清两代重修扩建，规模宏大，铺排典雅。主体建筑大成殿筑于高台之上，坐北向南，朱棂碧瓦，堂皇壮观。由全国著名书法家书写的《论语》箴言碑林，镶于庙内壁上，游客既可参悟孔子及其弟子治学、从政、修德等方面的论述，又可瞻仰书法家的墨宝。

清微观

清微观位于浮山县城北 2.5 公里处，始建于唐，经宋、元、明三代重建重修。该观为宫廷式建筑，分为前院、中院、后院三个部分，三院同位于一条中轴线上。全观主要建筑有舞亭、山门、月台、献殿、老君殿及伶房、东西道房、财神殿、三宫殿、圣母殿、浮山神殿等，气魄雄伟，布局合理。殿前阶上竖碑 9 幢，其中，《重建清微观记》碑高 1.75 米，宽 1.10 米，座高 0.65 米，为宋元佑七年（1092 年）重建时记事碑。雕刻精细，虽历 900 余年，碑文仍清晰可辨，详述了重建经过，与其他 8 幢牌同成为研究历史的珍贵资料。

老君洞

老君洞位于浮山县城南 5 公里处，占地面积 1224 平方米，始建于唐武德二年（619 年），历唐、宋、元、明、清五朝，有毁有建，始成现存规模，1957 年被列为山西省文物保护单位。整个建筑分前、中、后三部分，由南而北建于一条中轴线上。老君洞洞深 8.3 米,宽 10.1 米，洞内左右各卷石洞一个，有石碑各一立于洞中。石梁殿为洞上二层建筑，结构奇特，殿、梁、檩、栋、椽、宇、檐、瓦等纯为石制，无寸木片瓦。殿门两壁嵌有《太上显化图》线刻石雕组画 81 块，殿内神台上雕有李老群石像，四壁有元代壁画《黄录朝圣》，绘有 115 组 612 个神话人物，线条流畅，主题突出，造型生动，手法浪漫夸张，透视合理匀称。《人民日报》、《新华文摘》等报刊曾对其进行了刊载，是研究我国道教文化、老子哲学思想及古代美术雕刻艺术的极其珍贵的资料。

龙角山庆唐观

庆唐观位于浮山县城南 17 公里处，始建于唐 武德三年（620 年）。该观为仿唐 宫建筑，前有影壁、棂星门、山门、舞亭；中有老君殿、三清殿、三皇殿，两侧东有烟霞阁，西有藏经楼，后有寝宫。全观共有各种神殿 300 余间，围绕老君殿形成主次分明，错落有致的宏伟建筑群。观中的《龙角山纪圣铭》、《太上老君道德经幢》、《乐舞经幢》均系唐朝文物 ，《蒙哥皇帝圣旨里》为元代文物，铭文铭图虽历经千年风雨剥蚀，至今清晰可辨，实为全国少见的文物珍品。除此以外，观中还有吴道子的“龟蛇图”，岳飞的“墨庄”及“关公风雨竹”等珍贵文物。优美的自然环境，宏大的宫观建筑，珍贵的历史文物，使庆唐观成为我省著名的游览胜地。

麻衣寺砖塔

麻衣寺砖塔位于安泽县城和川镇内，始建于金代，至今保存完好。该塔为八角九纫密檐式实心塔，四周嵌有佛龛，336 尊佛像分布于各层，对研究佛教文化有极为珍贵的价值，1996 年被列为山西省重点文物保护单位。该塔建于海拔近 2000 米的高山顶上，登高谒塔，受佛教文化之熏染；放眼四望，收苍山碧水于眼底，听松涛阵阵，嗅野芳幽香。

千年古槐

千年古槐位于安泽县城西北 10 公里处，高约 35 米，树围 6 米，树皮已脱落，树心为一空洞，千年岁月的风雨，把这株古槐雕琢成一个从不同角度观赏皆成一景的奇特形象：一面无枝无叶，一面却枝茂叶繁；远望似带柄木梳，近看又如金鸡独立；朝霞初长，古槐如亭亭少女，夕阳西下，又如鹤发老翁。山中珍禽，在古槐顶上筑巢，每逢古槐开花，千万蜜蜂上下飞动，置身于古槐之下，聆牛羊哞咩，睹农人耕耘、不能不令人赞叹田园风光之美。

海东摩崖

海东摩崖位于安泽县城南 40 公里处，始建于北朝，距今约 1000 余年。摩崖上几十尊石刻佛雕神态安祥，衣纹流畅，栩栩如生，是临崖而筑的石雕珍品，对研究我国古代佛教文化有十分重要的价值。摩崖下面是滔滔沁河，所有石刻佛雕均位于崖顶 10 米处，在如此险要之处凿石雕像，可见古代劳动人民惊人的智慧与巧夺天工 的艺术水平。沁河水流过了千年岁月，却把这珍贵的文化遗迹永留于人间，令人不能不惊叹于天地造化之神功伟力。

郎寨浮图

郎寨浮图位于安泽县城南郎寨村，当地人称郎寨塔，始建于宋代。塔原高九级，合九级浮图之意，现存六级，虽上层三级已塌毁，仍不失巍峨壮丽。塔为八角密檐式结构，每面均雕有假门假窗，假窗内各镶一红色碣石，碣石上镶有文字。西面镶有清嘉庆八年（1803 年）石碣一块，碣上书诗一首，其中“但将砖块千层垒不着泥灰八面牢”道出了该塔不用泥灰所筑的特点，塔身二至六层均雕有佛龛。该塔东临沁水，北依石峰，南界通衢，西据古寨。“浮图夕照”已成为安泽县境内的旅游胜境之一。

大豁子林区

大豁子林区，位于安泽县城南部，面积达 620 余公顷，主要树种以油松、华山松、落叶松、刺槐为主。林区四季风光绚丽，春夏秋冬天蓝云白，树茂溪清，空气洁净，纯朴秀美的自然景色让人流连忘返。有“太行山绿色明珠”之美誉。

东 岳 庙

东岳庙相传为东岳大帝黄飞虎的行宫，位于蒲县县城东 2 公里处的柏山之巅。该庙始建年代已无法考证，据光绪六年版《蒲县县志》载，唐贞观以来即多次修葺，现存建筑重修于元延佑五年（公元 1318 年）。全庙占地面积约 1 万平方米，共有各类建筑 280 余间，主要建筑有行宫大殿、东楼、天王殿、议事厅、地狱、七十二司、华池宫等。全庙以行宫大殿为中心，主次分明，左右对称，规模宏大，气势雄伟。庙外有绵延数公里的苍松翠柏，与东岳庙的红墙碧瓦相互掩映，景色十分壮美。每年农历三月二十八日为东岳大帝诞辰，八方香客络绎不绝，历代沿袭，形成广有影响的大规模传统庙会。

段云书艺馆

段云书艺馆为仿古建筑，庭园布局，重檐歇山，木柱环绕，红墙黄瓦，雄伟壮丽。位于馆中央的展览楼为四层建筑，四周附以曲道走廊、亭台榭阁和名人书画碑碣，楼后有储水源和假山，湖中建有茶阁，弯曲架桥贯通其上。馆内展有我国著名经济学家和书法家捐给故乡的 5000 余册藏书和 900 余幅书画作品。馆名为著名书法家赵朴初所题。

五 鹿 山

五鹿山位于蒲县城北 25 公里处，海拔 1946.3 米，是全县高点，伫立峰顶可遥望蒲县、隰县、洪洞、汾西 4 县。整座山峰险林密，风光秀丽，时有山鹿、野猪、褐马鸡等珍奇动物出没，是一处保护完好的原始森林。半山腰有一个天然石洞，内建有“五龙”圣母庙，农历 5 月 18 日是圣母生日，四方百姓纷纷来此看戏求雨祭祀，故又名五龙山。

小西天

小西天位于隰县城西 1 公里处，原名千佛庵，明崇祯七年（1634 年）东明禅师始建，虽历 360 余年，至今保存完好，是全国重点文物保护单位。小西天高踞凤凰山之巅，下临紫川田园，粼粼昕水，过通天桥，拾阶而上，穿过洞天，即可入山门而进“西天”净土。小西天依山傍势，构建奇特。全寺由三个建筑群构成，孤桐峰上的观音阁筑于凤头之上，下院筑于凤背，沟两旁的山翼为凤凰展开的双翅，大雄宝殿背山而筑，与东端的摩去阁遥相呼应，俗称凤尾。三个建筑群自成体系又浑然一体，诚如古书所载：“有山翼然，面绕城堞，背拥风峦，大河平涵，旁溪潆带，山形奇绮，俱含飞动之情；脉络纵横，实挟回翔军官势”。

悬　塑

小西天的悬塑是明代雕塑艺术的珍品，大雄宝殿的 1000 余尊大小佛像衣饰流畅生动，肌肉丰满柔润，形体自然生动，动作协调大方，表情富于变化，可谓形神兼备。佛像大者高达 3 米，小者可置于掌心。除药师、弥陀、释迦、毗卢、弥勒五名主佛外，几乎所有墙壁和梁檩之上都塑有神态各异栩栩如生的人物和珍禽异兽，经年不染纤尘，现实中的宫殿与想象中的西方净土结合与一体，匠心独运，充分显示出古代艺术家令人叹止的雕塑水平和不朽的艺术价值。

观音寺

观音寺位于隰县城西 2 公里处的凤凰山左翼之下，始建于宋仁宗皇佑初年（1050 年）。该寺在历史上经历了 5 次大的维修，现存观音寺是 1994 年重新修建的。

观音寺布局合理，体系完整。寺院的山门，三门并立，中间是一大门，两旁各一小门，全寺由上下两院组成。下院成四合院布局，下面为主殿观音殿，东西窑洞各 3 间，东面供奉送子观音，西面供奉地藏王。上院为大雄宝殿。上院、下院和山门 3 个主体部分把整个寺院分隔得错落有致。飞檐斗拱，与色彩艳丽的琉璃瓦相互辉映，典雅肃穆，十分壮丽。

结义庙

结义庙位于乡宁城西，因奉祀蜀汉明贤臣刘备、关羽、张飞，故又名三义庙。始建于明嘉靖二十七年，清康熙二年重修，乾隆三十八年改建，迄今已有近 450 年的历史。原建筑群坐北向南，倚山临水，上下相叠，错落有致。庙宇设正殿、献殿、配殿、寝殿、长廊、戏台、牌坊、钟楼、鼓楼，碧瓦红墙，飞檐斗拱，规模宏大，蔚为壮观。建筑额木立柱镂有山水花鸟、车马龙凤、舟船亭榭及人物故事图案，构思之精巧，雕工之细腻，令人叹为观止。其中明代额枋整板木雕刀法尤为利落流畅，细腻精巧。无论从高低远近哪个角度欣赏，都是巧夺天工的瑰宝。

千佛洞

俗称洞儿庙，省级文物保护单位。位于乡宁城东 5 公里营里村东，坐北向南，佛洞凿于一突出崖巨石之腰，巨石长宽各 20 米有余，体积 800 立方米以上。洞窟高 3.1 米，长宽各 4.5 米有余，体积 800 立方米以上。洞窟高 3.1 米，长宽各 4.5 米。据《中国名胜词典》载：“洞内造像风格原是隋唐作品，洞前两进院落为明清建筑”。洞内佛像原有 1000 余尊，尽管经千年风蚀及人为损坏，仍依稀可辨其当年风韵。

云邱山

云邱山位于乡宁县城 45 公里处，北依吕梁诸峰，南临晋南平原，东傍姑射余脉，西托寒山古校场。其主要景观有：一天门、二天门、三天门、蜡台、祖师顶、玉皇顶、三宫洞、秦王庙、箭泉、摩崖石刻、五龙宫等，著名的“绝顶清云，天门樵唱，玉莲攀盆，香厨飞瀑，神塔堆翠，石穴藏冰，山阁清钟，马首朝日”云邱八景，吸引了天下来来往往的游客。云邱山秀美的自然景观与文化底蕴深厚的人文景观，令人痴醉神迷，流连忘返。

马斗关

马斗关位于大宁县城西 30 公里处，东临巍巍群山，西毗滔滔黄河，是自古以来的兵家必争要冲。关上有古建筑多处，其中以曹仙媪祠和花娘娘庙、北庙最为有名。曹仙媪祠始建于元大德元年（1297 年），靖咸丰四年（1854 年）重修，至今保存完好。花娘娘庙和北庙体现了黄河岸边山区筑庙的风格，以石窑和无梁殿为主，山门、戏台、正殿、配殿一应俱全。除此以外，马斗关还有仙来石、望乡亭、朝天洞、悬胆、清心泉等景点。雄关漫道，苍山如海，令人流连忘返。

壶口胜景

黄河壶口瀑布在吉县城西北 45 公里处的晋陕峡谷中，为“中国旅游胜地 40 佳”和“推向世界的 35 张王牌景点之一”。

滔滔黄河水，在流经吉县龙王山附近时，由 300

米乍缩为50米，飞流直下，猛跌深槽，如壶注水然，故曰“壶口”。骇浪翻滚，惊涛拍岸，云雾排空，其雄壮之势，无与伦比。与瀑布相关的景观还有“千米龙槽”、“水里冒烟”、“长虹卧波”、“旱地行船”等。壶口景色，四时各异，严冬则冰封河面，顿失滔滔；春来则凌汛咆哮，如雷贯耳；盛夏则大洪盈岸，蔚为壮观；秋季则洋洋洒洒，彩虹通天。

克难坡

克难坡，距吉县县城西北 30 公里处，西与壶口瀑布相邻，本名“南村坡”，阎锡山为避讳“难存”，改之。村东西长约 1 公里，南北宽约 0.5 公里，乃一三面临沟河，一面通高原的葫芦状独立山梁，地势险要。1940 年至 1945 年阎锡山的第二战区司令官总部、山西省政府、民族革命同志会等首脑机关曾驻扎在这里，人称“小太原”。现在建筑有阎公馆、实干堂、克难室、田步室、批评室、竞赛室、检讨室、真理室及望河亭、忠义祠等。除满山遍野的土窑洞外，重要建筑均为石头干砌，建筑技巧堪称一绝。莅此可访史怀古，别有风味。

人祖神庙

在吉县城北面的人祖山上，矗立着一座远古庙宇。“人祖之根，出自吉州”的传说即源于此。

相传上古时代，洪水泛滥，大地一片汪洋，生灵涂炭，只剩伏羲、女娲兄妹二人。洪水退却后，兄妹二人亦长大成人，他们通过隔沟滚滚磨盘，隔山穿针引线等顺合天意的方式结为夫妻，繁衍生子。后人遂将此山命名为人祖山，修建庙宇以示纪念。人祖神庙占地 0.27 公顷，建有后宫、献亭、乐楼、僧寮等，常有寻根祭祖者和善男信女们前来拜谒敬香。

人祖山气势雄伟，景色瑰丽，奇花异草，林海雾涛，令人陶醉。卧云台、天盆、伏羲岩、舍身崖、风云洞等自然景观更与人祖之轶事相融，尤见美丽动人。

观日亭

出吉县县城往壶口中途 15 公里处，层峦叠嶂、景色秀丽的管头山主峰侧翼上，建有观日亭，系仿古纯木结构的泰山极顶式建筑。游人登临此亭，早观东方日出，其美妙不亚于泰山之日观峰。又可观四时景象，春夏之际群山竞黛，万壑碧透，雨后云海茫茫，烟雾缭绕；深秋时节又红叶似火，满山披锦，严冬季节雪压青松，冰肌玉肤，风光无限。

皇天后土庙

皇天后土庙又名坤柔圣母庙，原址在吉县城东北的谢悉村，为省级重点保护文物，始建于宋天圣元年（1023 年），现存建筑建于元代，年久失修已倾塌。1996 年，在城南挂甲山上又依 1∶1 之比例仿建了一座，面宽进深各 3 间，结构极为巧妙，整个建筑基本不用钉、铆等固定物，建筑工艺为古之少有。庙内塑有伏羲、女娲巨像，下以制陶、渔猎等群塑辅之，再现往古先人之原始生活，庙下台阶建钟鼓楼各一，钟铸于金代天眷元年，重达千斤，发声清越洪亮，可达数十里之远。

观瀑洞

观瀑洞位于黄河东岸河槽壁之上，距壶口瀑布 40 多米，它是在原天然地形的基础上，由吉县旅游局历时 9 个月，耗资 60 余万元建成的新景点，由观瀑竖井与观瀑平台两部分组成。观瀑竖井直径 3.8 米，深 13.8 米。一根直径 6 米的桔红色无缝钢管立于竖井中央。68 级铁制台阶沿钢管螺旋焊接。

沿台阶旋转而下，即至观瀑平台。平台剖面呈返 C 状，高约 2 米，宽 4 米，长 16 米，共 60 平方米左右，可同时容纳 30 余人自下而观赏壶口瀑布。

洞中观瀑，方可体会到“黄河之水天上来”的真实意趣。洞顶岩石上滴水如帘，清澈甘洌，游客常以口承之，誉为正宗矿泉水。

姑射山原始森林

姑射山位于汾西城西部边界，距县城 30 公里，海拔 1890.8 米。风光绮丽，四季宜人，山峰叠翠，树木葱茏，鸟鸣泉泠，松涛啸吟，大片的原始森林展现了大自然的原始风貌。日出而林霏开，云归而岩穴暝，朝晕夕阴，气象万千，春秋时节登高揽胜，可壮观天地一消胸中块垒。夏季清爽宜人，是避暑的胜地。冬天山寒水瘦，银装素裹，好一幅北国风光图。看云卷云舒，叹造化无常，油然而生“青山秀色亘天地，玉垒浮云变古今”之慨，而耸峰幽谷的自然景观最能淡泊人的心境，感红尘渐远，心灵澄碧，萌生“鸢飞戾天者，望峰息心；经论世务者，窥谷忘返”的流连之情。

师家沟民居

师家沟清代民居，位于汾西县城东南 5 公里处。建于清乾隆三十二年，历经嘉庆、道光、咸丰、同治年间扩建而成。总面积 40000 多平方米，分主体和附属建筑两部分。主体建筑布局合理，浑然一体，依山附势，雄浑壮观。其院中建筑格式多样，各有特色。有园门、耳门、偏门、楼门、屏门、暗洞，上下左右，互相贯通且衔接自然，形成了由下而上，楼上楼、院中院的奇特格局。游客可上院观下院，前院望后院，出院又进院，如入迷离之宫。雕刻在门楼、走廊、过道上的各种木雕，砖雕，石刻题迹等文物古迹均保存完好。清代之时号称“天下第一村”。虽经 200 余年的风雨剥蚀，但纵观全貌仍不失其当年的雄姿和风韵，是北方民居建筑的典范，是一座具很高文物价值的古建文物宝库。

老爷顶真人祠

真人祠位于风光绮丽的姑射山主峰老爷顶，始建年代不详，元代毁于地震，元皇庆元年重建。真人祠占地3700平方米，整体建筑由6个四合院组成，丁字形排列，中轴线布局。主体四院呈梯形状，分别为文殿、武殿、金顶铜殿、圣母宫、玉皇楼。4米宽的石阶，由下而上直达玉皇顶。女禅院与仓房分置于石阶两旁。除此以外，还有头天门、二天门、三天门、魁星楼等附属建筑，与100余尊碑碣石刻共同构成“飞檐屿其霞举，广厦郁以云布”的规模宏大的建筑群。1992年汾西县政府对这座千年宝刹进行了抢修，使这一姑射山最宏伟的人文景观成为该县的旅游胜景。

永和关

永和关位于永和县城西35公里的南庄乡，是历史悠久的古渡口之一，也是西去陕西的交通要塞。传说这里曾是永和旧县城的遗址，城墙、烽火台、禹王磴、守关犬、前城坪、后城坪等遗址保存完好。境内危岩奇石，妙趣天成，长达数千米的凤雅长廊千姿百态，造型各异。这里地势险要，沙滩宽广，气势雄浑，与关门楼、吟诗亭、红军崖、望河楼等景点，形成系列旅游景点群，游客可乘秦晋快艇一日游，亦可牵毛驴沿河百里走，尽览黄土高原风情。

毛主席旧居

1936年红军东征时，毛主席在永和上退干村小住。从此以后，这个黄土高原上的普通土窑洞院落就有了不平凡的意义。千千万万的青少年在这里接受革命教育，这里成为进行革命传统教育的重要基地，也成为吸引海内外游客的著名景点。

四十里山

位于永和境内的40里山森林公园，拥有0.93万公顷林地，号称百里林区。林区内有青松、侧柏、白杨、丁香、柠冬、天香等多种树种，以及山羊、山猪、山鸡、麝香、狐狸、狼、金钱豹、杜鹃、山雀等野生动物，是该县一个著名的自然风景区。游客可在这里狩猎、跑马、游泳、垂钓，尽享野趣。

石窑洞水神庙

位于永和县城10公里处的水神庙为明代建筑，其整体格局为三进四合院式，自南向北依次为前、中、后三院，前院有石砌戏台一座，中院的石窑洞内有20尊栩栩如生的各路神仙雕塑。后院有大雄宝殿等建筑，分置于各殿内的如来、文殊、普贤及十八罗汉等塑像，衣纹流畅，神态各异。沿大雄宝殿西侧崖上有一天然洞穴，洞底有石雕佛像一尊，左右各有罗汉塑像九尊，一庙之内，两处有十八罗汉，亦属少见。洞内崖壁上有一泓清泉，四季滴水不已，与庙外石坪之上的水泉相映成趣，四方百姓常于干旱之年于此求祈天降甘霖，故名曰“水神庙”。

朝阳寺（牡丹园）

朝阳寺位于永和县城北7.5公里处，寺内僧舍俨然，曲径通幽，花草葱茏，古木参天。每日朝夕，伴随着寺内的晨钟幕鼓，僧人们的诵经之声不绝于耳，萦绕于坡顶崖际，平添了几份祥瑞之气。该县县志所载“有牡丹茂盛，足堪咏赏”由一传说而来，300多年前某日黄昏，有两淑女入寺进香，多日未出，原来变作两株白牡丹长于寺中。故该寺又有“牡丹园”之称。现该寺牡丹葳蕤，每逢花事盛时，冲天香阵，令人忘返。

楼山寺

楼山寺坐落在县城南30公里处的楼山主峰之巅，庙宇依山取势，是以圣母、龙王、菩萨、关帝、山神等庙组成上下两寺的古建筑群。下寺以圣母庙为主，始建年代无考。圣母庙坐北向南呈四合院式，占地2000平方米，有窑洞15孔，戏楼一座。上寺以龙王、关帝、菩萨等庙为主，只有一条石径可通。龙王庙建于元至十二年，庙前悬有清同治十四年间铸造铁钟一口。龙王庙之北便是菩萨庙和关帝庙，这种两庙合为一体的寺庙建筑实属罕见。楼山寺是永和八大景观之一。“九重天上朝圣母，万里人间乞子孙”，说尽了山寺香火之盛。登此山寺，但见群山如海，柏翠松青，黄河南下，萦绕如带，墨客骚人，每有题咏，实为福山宝地。

双锁山

双锁山，又名石门山，位于永和县城东南15公里处，是该县海拔最高处。山头层峦叠嶂，危岩峭壁，造型神奇；山上松柏常青，百花争艳。据永和县志记载，“双山霁雪”是该县古八大景之一。双锁山是古东去平阳、西达陕北的交通要塞，历来为兵家必争之地。相传在宋时，巾帼女将刘金定曾在这里剿匪保民，随夫高俊保率兵抗辽，屡建奇功，她当年安营扎寨时的烽火台、上哨台、下哨台、饮马池、点将台以及吊夫招亲的古树桩至今犹保存完好，双锁山的石崖上有为她雕塑的石像。在其塑像的左侧依山凿有一孔深4余米、宽3余米的石洞，洞内置观音坐像一尊，两侧有六合、降龙、伏虎、度厄等16尊石雕罗汉。

（段协平、天保山、董杰、荆考敏、冯彦山、杨东俊、周晓文）

统计资料

表一 建国以来国民经济主要指标

年份	总人口（万人）	人口自然增长率（‰）	社会从业人员（万人）	#职工人数	国内生产总值（万元）	第一产业	第二产业	第三产业
1949	138.7	11.33	56.5	1.2	9 917	7 427	348	2 142
1952	149.3	14.84	62.8	2.5	15 450	11 503	852	3 095
1957	170.7	17.06	74.0	6.5	22 108	13 288	3 059	5 761
1965	215.2	21.39	83.5	9.4	32 376	15 695	7 907	8 774
1970	245.9	22.39	94.2	13.6	41 843	16 947	15 820	9 076
1975	277.2	14.55	106.5	19.9	63 083	25 285	26 393	11 405
1978	289.5	10.72	111.4	24.3	83 730	22 621	42 446	18 663
1979	292.9	10.34	111.1	24.8	94 898	24 443	49 743	20 712
1980	297.5	9.54	113.3	26.1	105 445	29 867	54 039	21 539
1981	301.8	10.26	115.8	26.9	95 359	31 900	40 127	23 332
1982	304.9	10.56	118.9	27.4	123 918	45 886	52 764	25 268
1983	306.9	8.38	122.2	28.4	137 580	54 240	54 551	28 789
1984	311.6	8.68	128.0	29.1	180 077	74 566	70 313	35 198
1985	315.6	7.71	134.2	31.2	201 541	69 597	88 090	43 854
1986	319.5	8.37	136.6	32.8	198 246	58 141	83 112	56 993
1987	324.4	8.38	142.3	34.0	216 039	52 760	95 111	68 168
1988	331.0	9.03	146.3	35.7	272 106	71 387	115 899	84 820
1989	336.3	10.07	149.4	35.8	318 952	86 664	140 454	91 834
1990	346.6	14.24	155.8	36.7	380 878	115 573	157 550	107 755
1991	352.0	11.09	161.4	39.9	388 299	98 959	160 299	129 041
1992	358.2	9.32	166.5	40.7	473 468	127 343	196 126	149 999
1993	364.1	10.31	167.7	40.8	628 281	148 929	294 179	185 173
1994	368.5	8.85	172.2	42.0	801 686	203 964	376 379	221 343
1995	372.9	8.44	178.4	42.2	958 015	265 617	416 131	276 267
1996	378.8	8.73	180.7	42.6	1 191 931	310 407	535 839	345 685
1997	384.2	8.21	182.1	42.1	1 386 920	282 945	666 743	437 232
1998	387.3	8.29	177.4	36.1	1 557 076	292 273	777 175	487 628
1999	393.6	9.78	176.9	35.4	1 584 092	246 018	808 686	529 388
2000	401.2	15.41	176.7	35.3	1 703 286	223 188	887 640	592 458

注：1998 年以后从业人员不包括离岗人员，1992—1999 年国内生产总 值资料依据国家统一规定进行调整。

续表 1

年份	人均国内生产总值（元）	耕地面积（千公顷）	#水田水浇地	农林牧渔业总产值（万元）	粮食产量（吨）	#小麦	棉花产量（吨）	油料产量（吨）
1949	72	485.1	22.3	9 801	348 450	168 610	8 770	5 829
1952	104	513.0	27.1	15 178	400 555	164 195	21 980	4 714
1957	131	507.5	36.3	21 076	410 795	193 015	29 400	2 429
1965	152	465.4	73.8	21 028	655 120	328 325	25 605	2 686
1970	172	450.3	85.9	23 278	501 095	177 405	20 475	1 710
1975	230	129.7	541.3	34 648	874 965	400 940	16 495	2 387
1978	291	436.3	126.5	32 439	861 260	244 560	14 368	1 627
1979	326	434.9	129.5	37 390	970 170	369 640	16 550	3 158
1980	357	433.5	129.1	48 987	839 600	273 725	18 125	9 380
1981	318	431.9	127.3	47 175	748 405	331 865	11 674	9 862
1982	408	431.2	127.7	65 271	933 805	496 010	23 877	10 826
1983	449	430.7	127.8	76 908	1 165 995	627 690	26 656	13 955
1984	582	430.1	130.1	108 481	1 492 460	768 685	34 960	25 664
1985	643	421.8	128.1	101 287	1 316 487	768 746	16 746	41 881
1986	624	420.6	126.5	87 964	1 125 325	708 310	13 644	28 422
1987	671	420.2	133.5	82 005	936 010	521 359	13 684	17 917
1988	830	415.3	134.2	108 466	1 111 569	485 662	13 543	26 532
1989	956	414.2	137.0	131 990	1 401 219	786 216	19 132	25 018
1990	1 115	413.3	138.5	170 174	1 502 065	862 708	21 128	28 396
1991	1 112	412.3	139.4	158 316	1 199 482	763 104	20 935	16 255
1992	1 333	410.7	141.1	195 474	1 378 453	710 594	21 076	18 621
1993	1 740	409.4	140.4	224 095	1 565 192	777 719	14 446	23 798
1994	2 189	407.3	141.4	307 522	1 442 589	824 775	17 224	28 766
1995	2 584	406.0	142.6	401 480	1 524 000	733 502	16 279	36 747
1996	3 170	405.5	142.4	466 666	1 711 561	903 427	12 634	45 096
1997	3 634	523.7	122.7	431 391	1 518 227	953 987	5 193	28 866
1998	4 037	521.2	125.3	454 609	1 714 908	826 007	6 198	46 037
1999	4 057	520.6	127.6	396 361	1 530 932	777 536	3 824	38 470
2000	4 286	520.2	128.2	378 062	1 208 506	511 027	2 557	47 693

续表 2

年 份	水果产量（吨）	蔬菜产量（吨）	猪牛羊肉总产量（吨）	大牲畜年末头数（头）	猪年末头数（头）	羊年末只数（只）	乡镇企业总产值（万元）	乡镇企业营业收入（万元）
1949	5 267	44 847	1 277	184 425	40 902	230 806		
1952	6 853	46 575	1 873	239 595	59 995	348 923		
1957	10 090	77 762	6 945	271 600	222 515	762 630		
1965	6 393	74 538	8 732	268 198	436 272	1 168 698		
1970	5 947	101 435	5 711	294 009	388 879	1 471 643		
1975	14 275	139 830	10 577	281 550	584 737	1 477 975		
1978	27 897	188 259	14 929	275 081	658 457	1 370 590	14 828	11 789
1979	23 250	194 487	12 840	276 866	659 957	1 444 731	7 081	13 318
1980	25 370	172 445	18 937	283 809	665 798	1 468 380	14 856	12 822
1981	27 914	143 935	24 721	289 256	579 915	1 298 154	11 590	13 778
1982	28 903	212 475	17 673	302 139	500 783	1 340 345	12 084	14 903
1983	31 423	200 435	16 667	324 868	409 245	1 219 883	12 826	17 962
1984	39 836	327 785	21 505	351 857	430 713	775 025	26 612	28 722
1985	43 540	331 097	25 353	378 509	495 921	507 981	32 646	45 171
1986	42 491	327 043	22 242	396 652	475 297	525 760	68 605	56 485
1987	42 026	362 871	22 564	398 713	360 810	599 715	86 728	74 742
1988	59 117	424 184	22 834	409 422	372 628	776 159	116 910	101 592
1989	46 719	374 580	26 523	423 647	446 830	950 729	135 481	123 998
1990	52 121	384 086	33 800	433 660	445 248	929 154	175 282	148 253
1991	53 654	343 169	36 166	442 774	447 840	913 833	209 405	182 720
1992	79 585	447 205	38 599	458 697	494 615	968 220	359 565	315 728
1993	90 168	462 841	43 385	489 638	555 450	1 063 358	951 051	794 503
1994	101 712	445 232	53 680	525 090	645 263	1 217 423	1 619 549	1 339 089
1995	136 973	565 233	68 082	593 569	790 769	1 425 817	2 039 864	1 699 957
1996	152 460	595 394	83 360	660 816	854 130	1 627 723	2 175 872	1 899 245
1997	179 578	696 826	60 090	531 612	594 705	1 391 244	2 857 000	2 590 000
1998	204 553	788 937	64 613	550 104	645 812	1 440 918	1 439 454	1 323 236
1999	203 312	767 076	67 163	542 136	668 107	1 428 291	1 738 542	1 649 004
2000	196 479	847 640	70 502	528 048	704 392	1 360 402	2 380 006	2 121 900

注：1998 年以后乡镇企业总产值、乡镇企业营业收入为国家统计新口径。

续表 3

年 份	全部工业总产值（万元）	限额以上工业总产值（万元）			主要工业产品产量（万吨）			
			轻工业	重工业	原 煤	焦 炭	生 铁	洗精煤
1949	897	897	469	428	23	1.0	0.01	
1952	2 040	2 040	1 192	848	30	1.6	0.03	
1957	5 415	5 415	3 300	2 115	85	6.8	0.04	
1965	16 330	14 465	8 081	6 384	246	4.5	6.4	
1970	27 587	25 292	7 763	17 529	335	10.8	5.1	8.5
1975	59 485	56 650	17 143	39 507	391	45.0	10.9	28.5
1978	86 272	80 481	27 363	53 118	553	67.0	16.5	27.8
1979	95 533	86 980	29 380	57 600	610	74.3	18.7	28.6
1980	98 215	86 913	31 782	55 131	695	83.8	18.2	26.5
1981	92 961	82 586	32 354	50 232	735.9	81.2	13.9	20.8
1982	107 689	96 187	34 213	61 974	800.5	111.3	16.6	37.6
1983	124 977	111 327	37 707	73 620	875.4	106.1	18.0	47.8
1984	151 665	126 845	37 091	89 754	1 151.6	123.2	20.7	56.1
1985	182 349	151 444	43 818	107 626	1 328	119.2	25.5	70.6
1986	198 081	158 682	52 334	106 348	1 342	177.3	38.8	81.7
1987	227 587	185 281	62 288	122 993	1 316	226.3	59.9	145.7
1988	294 115	235 538	76 710	158 828	1 445	282.6	65.0	212.2
1989	378 588	301 054	87 142	213 912	1 715	310.8	70.8	284.9
1990	422 014	328 419	86 382	242 037	1 699	348.7	80.6	394.9
1991	457 235	352 119	93 920	258 199	1 590	302.0	90.9	412.0
1992	609 848	426 502	102 297	324 205	1 962	410.8	117.3	447.8
1993	1 129 244	600 400	93 500	506 900	2 352	808.6	232.1	784.7
1994	1 672 989	705 061	109 428	595 633	2 719	1 354.5	339.5	967.7
1995	1 774 089	751 039	125 515	625 524	3 271	1 680.6	363.0	1 187.7
1996	2 176 943	900 537	136 756	763 781	3 110	1 566.4	391.0	1 347.9
1997	2 549 786	1 014 725	154 484	860 241	2 940	1 678.1	437.1	1 346.2
1998	2 587 798	1 000 481	128 030	781 680	3 222	1 795.5	470.3	1 328.7
1999	2 400 964	1 034 619	116 333	918 286	2 405	1 381.9	473.9	1 338.7
2000	2 231 820	1 158 996	114 895	1 044 101	2 540	1 406.1	576.7	1 381.2

注：1998 年以前限额以上工业总产值为乡及乡以上口径。

续表 4

年　份	主要工业产品产量							
	发电量（万千瓦时）	钢（万吨）	化肥(折纯)（吨）	水泥（万吨）	染料（吨）	纱（吨）	棉布（万米）	机制纸及纸板（吨）
1949	42						14	
1952	72						34	
1957	269						59	
1965	6 124			0.1			148	556
1970	31 100		2 012	0.4		2 448	1 470	2 734
1975	161 913	0.3	10 484	6.4		11 635	4 576	9 282
1978	227 165	0.5	20 001	10.9		14 661	7 056	17 650
1979	258 118	0.3	15 000	10.8		15 837	7 867	20 625
1980	284 927	0.2	18 054	11.3		16 747	8 332	21 287
1981	260 703	0.1	15 000	8.5		17 063	8 497	20 578
1982	287 504	0.1	19 000	12.5	1 481	18 690	9 450	22 439
1983	308 922	0.1	29 000	14.1	750	17 416	9 169	25 087
1984	345 991	0.1	35 424	15.3	1 249	12 083	6 839	26 233
1985	358 714	0.2	28 734	20.8	3 551	14 261	7 586	30 395
1986	354 182	0.4	33 359	24.8	5 549	17 712	8 574	33 520
1987	351 431	0.9	97 728	29.4	2 794	19 743	9 407	47 586
1988	347 970	3.1	69 066	31.7	3 866	20 398	9 823	58 036
1989	377 884	8.3	63 342	33.8	2 857	15 540	7 631	73 685
1990	368 800	10.6	69 531	35.7	3 152	12 271	6 646	78 788
1991	359 846	15.1	68 672	38.7	3 125	12 948	7 234	72 454
1992	334 815	20.2	71 663	53.9	3 360	13 494	7 846	97 227
1993	340 603	22.8	71 663	83.8	4 675	10 469	7 074	75 859
1994	352 119	27.1	70 076	85.0	4 265	11 210	6 592	75 456
1995	358 007	33.0	73 245	106.5	4 113	11 245	6 962	93 176
1996	367 992	40.1	97 552	110.2	5 200	9 408	6 255	106 624
1997	376 903	43.4	108 825	116.8	8 172	11 107	6 390	88 674
1998	337 515	48.1	128 069	106.7	11 695	8 162	4 754	96 670
1999	342 100	56.5	140 001	128.0	20 716	9 597	5 297	80 871
2000	365 200	74.1	146 100	146.9	20 933	14 200	7 413	72 600

续表 5

年　份	限额以上工业企业主要指标(万元)				公路通车里程（公里）	公路客运量（万人）	公路货运量（万吨）
	固定资产原价	固定资产净值年平均余额	资产总计	利税总额			
1949					307	3	
1952					418	11	2
1957					825	34	8
1965					2 918	117	168
1970					3 524	180	137
1975					3 671	262	279
1978	98 037	78 407		6 449	3 240	422	563
1979	118 491	88 782		7 685	3 281	474	590
1980	101 734	76 231		6 145	3 281	536	637
1981	118 926	89 464		4 630	3 299	618	565
1982	131 457	96 877		8 432	3 321	748	408
1983	139 227	101 473		12 140	3 334	949	761
1984	174 200	124 498		13 984	3 345	1 038	962
1985	202 813	150 796		16 819	3 345	1 241	956
1986	222 374	163 105		20 409	3 398	1 417	1 053
1987	244 956	177 818		21 152	3 429	1 661	1 499
1988	274 564	198 901		34 095	3 489	1 728	1 509
1989	325 137	238 044		40 905	3 521	1 898	1 520
1990	374 292	273 945		37 319	3 620	1 606	1 698
1991	419 523	303 068		30 331	3 635	1 745	1 794
1992	473 071	304 387		46 551	3 713	1 858	2 060
1993	549 100	373 700	906 200	83 500	3 768	1 919	2 224
1994	651 685	440 099	1 023 977	69 409	3 832	2 130	2 614
1995	822 172	525 269	1 245 672	63 622	3 921	2 337	3 111
1996	940 398	616 800	1 396 230	90 455	3 960	3 099	3 943
1997	1 061 189	704 258	1 577 159	103 981	6 690	3 405	4 628
1998	1 168 423	723 392	1 692 703	99 592	7 734	4 077	5 357
1999	1 268 132	852 472	1 880 183	84 920	8 355	4 535	5 555
2000	1 442 222	962 069	2 205 262	103 673	8 714	4 171	5 773

注：工业企业 1998 年以前为独立核算口径。

续表 6

年　份	公路旅客周转量（万人公里）	公路货物周转量（万吨公里）	邮电业务量（万元）	电话机（部）	全社会固定资产投资（万元）	#国有经济	#基本建设	#更新改造
1949	124	4	0.5		15	10	10	
1952	491	103	22.5	205	127	60	60	
1957	1 792	426	93.8	1 400	1 420	932	932	
1965	6 095	3 105	281.3	9 695	4 660	3 989	3 989	
1970	7 864	3 606	230.4	7 239	14 490	12 668	12 668	
1975	11 621	6 228	298.7	12 241	11 471	9 440	9 440	
1978	18 280	9 973	363.5	14 494	22 900	18 117	16 797	1 320
1979	20 539	12 466	370.8	14 372	20 549	15 327	14 564	763
1980	23 438	16 763	561.0	14 180	19 584	13 724	12 582	1 142
1981	24 274	17 996	567.2	13 068	14 300	7 754	6 801	953
1982	29 520	23 311	568.7	14 251	21 384	13 255	9 219	4 036
1983	34 167	27 256	603.1	14 568	21 616	12 140	6 580	5 515
1984	39 987	33 908	645.2	15 701	28 954	16 871	10 440	5 963
1985	47 910	37 037	728.9	16 213	38 554	24 441	15 059	8 882
1986	52 758	38 303	729.1	16 257	47 225	32 336	22 123	9 473
1987	59 428	44 963	784.8	18 018	49 850	35 178	22 456	11 922
1988	71 115	51 609	844.1	19 037	55 486	37 377	20 713	15 764
1989	81 717	58 507	1 003.6	20 090	47 766	31 082	16 865	13 143
1990	68 628	71 021	2 166.9	22 394	63 280	39 861	22 960	14 542
1991	87 250	77 240	2 624.8	25 355	80 401	55 234	26 991	23 230
1992	94 986	88 751	3 263.0	29 865	90 791	64 768	36 525	23 306
1993	96 825	98 664	4 216.7	34 449	137 988	94 781	47 663	37 562
1994	108 031	105 471	7 214.6	45 340	165 419	110 534	78 385	22 169
1995	115 687	127 585	12 239.0	63 965	154 184	110 447	66 578	31 693
1996	140 300	150 073	19 473.0	94 850	225 521	158 909	104 186	36 683
1997	145 971	182 952	25 369.0	125 175	243 038	169 525	120 668	36 418
1998	166 505	218 162	36 294.5	167 633	346 200	253 075	186 818	58 605
1999	167 120	225 389	50 229.0	224 577	421 326	291 699	204 881	74 086
2000	175 303	231 581	71 009.0	297 958	451 096	240 824	173 485	57 865

续表 7

年　份	集体经济投资（万元）	全社会固定资产投资新增固定资产（万元）	财政总收入（万元）	#一般预算收入	地方财政支出（万元）	社会消费品零售总额（万元）	商品零售价格指数（%）	居民消费价格指数（%）
1949	44	2				3 724		
1952	13	122	1 679	1 679	499	5 358		
1957	189	1 370	2 488	2 488	1 673	9 369		
1965	301	4 913	4 660	4 660	3 205	13 950		
1970	820	10 648	4 172	4 172	6 827	19 143		
1975	814	5 582	7 048	7 048	9 237	27 532		
1978	993	14 406	9 411	9 411	14 188	33 151		
1979	1 212	12 523	8 530	8 530	14 412	35 540		
1980	1 430	22 450	9 251	9 251	12 823	44 334		
1981	1 621	20 190	9 008	9 008	11 375	47 236		
1982	2 894	20 372	10 275	10 275	14 404	52 688		
1983	3 494	18 424	12 948	12 948	16 484	57 407		
1984	6 254	20 203	14 859	14 859	20 059	63 677		
1985	6 645	26 443	14 943	14 943	23 048	79 585		
1986	5 489	32 786	16 996	16 996	28 168	91 262		
1987	5 765	41 453	19 792	19 792	29 159	102 419		
1988	7 941	60 291	23 021	23 021	34 596	141 047		
1989	5 877	39 236	28 380	28 380	40 303	135 274	116.1	115.7
1990	6 661	53 878	30 860	30 860	43 197	134 538	100.1	101.1
1991	9 964	71 199	30 513	30 513	46 479	148 080	104.3	104.9
1992	8 530	108 272	33 025	33 025	51 030	172 337	104.5	105.8
1993	15 773	87 588	49 123	26 564	64 443	199 593	109.4	111.9
1994	12 694	129 003	59 990	32 466	79 246	257 282	120.0	120.7
1995	9 718	123 343	80 578	44 224	91 729	313 306	114.7	115.0
1996	14 528	137 665	100 114	56 977	110 082	388 255	105.9	106.4
1997	16 957	206 658	113 220	62 782	118 638	455 641	101.1	102.1
1998	26 168	207 789	126 187	74 533	135 388	493 919	96.9	97.9
1999	14 787	386 605	133 988	81 135	149 994	542 983	97.5	97.4
2000	21 220	413 990	149 265	88 205	171 626	584 564	98.0	99.6

续表 8

年　份	职　工工资总额（万元）	#国　有单　位	职工平均货币工资（元）	农民人均纯收入（元）	农民人均生活费支出（元）	城镇居民人均可支配收入（元）	城镇居民人均消费性支出（元）
1949	328	328	281				
1952	788	754	348				
1957	2 586	2 240	465				
1965	5 144	4 390	574	56			
1970	7 068	6 201	542	43			
1975	10 997	9 381	574	56			
1978	13 976	12 302	585	57			
1979	15 941	14 103	662	68			
1980	17 519	15 479	697	63			
1981	18 355	16 312	701	58			
1982	19 650	17 525	732	116			
1983	21 095	18 706	757	210			
1984	26 869	22 758	950	334			
1985	29 633	25 272	983	335			
1986	35 567	30 527	1 114	315	256		
1987	40 164	34 560	1 212	314	271		
1988	49 023	42 812	1 417	366	329		
1989	56 820	49 906	1 614	426	354	932	
1990	73 201	64 965	1 898	501	390	1 019	795
1991	80 419	71 093	2 045	514	403	1 209	946
1992	91 439	81 563	2 291	618	403	1 364	975
1993	108 490	97 487	2 706	709	511	1 610	1 147
1994	142 922	129 843	3 507	868	561	2 153	1 492
1995	174 560	159 645	4 225	1 130	613	2 780	1 940
1996	192 699	175 562	4 652	1 528	860	3 178	2 344
1997	201 723	180 820	4 953	1 872	990	3 277	2 527
1998	198 522	175 055	5 484	2 038	846	3 406	2 504
1999	214 313	191 424	6 045	2 012	859	3 769	2 679
2000	239 060	214 638	6 790	2 195	1 048	4 158	3 073

注：1998 年以后为在岗职工工资。

续表 9

年　份	在校学生数（万人）		专任教师数（人）		毕业生数（万人）		医　院床位数（张）	医　院医生数（人）
	小　学	普通中学	小　学	普通中学	小　学	普通中学		
1949	12.4	0.1	4 000	199	1.1	0.1	31	147
1952	18.2	0.6	5 252	369	1.9	0.1	162	271
1957	22.4	1.6	7 128	896	3.4	0.3	527	506
1965	34.9	2.6	11 130	1 648	4.4	0.7	2 022	2 179
1970	40.7	9.3	14 055	5 407	6.2	3.0	2 774	2 356
1975	47.2	16.1	17 275	8 947	8.3	6.1	5 020	3 130
1978	45.9	21.0	17 733	12 774	7.3	9.1	6 010	3 843
1979	47.2	19.8	19 310	12 313	7.1	9.2	6 167	4 909
1980	47.0	21.0	19 971	11 704	7.1	2.6	7 033	4 462
1981	48.3	18.8	19 652	11 508	7.0	6.4	6 898	5 995
1982	47.7	17.8	20 036	11 070	7.2	4.3	7 805	5 283
1983	46.2	16.6	20 417	10 594	7.3	4.2	7 955	5 455
1984	44.2	16.9	20 312	10 101	7.4	3.9	8 073	5 247
1985	42.8	16.9	21 153	10 368	7.1	3.9	8 872	5 180
1986	40.8	16.6	21 985	13 794	7.3	3.9	9 385	5 270
1987	35.1	16.7	22 475	11 045	7.0	4.9	10 104	5 375
1988	39.2	16.6	22 576	11 819	6.8	4.7	10 519	5 899
1989	38.9	15.9	22 758	11 981	6.8	5.1	10 539	6 403
1990	38.6	13.6	22 392	12 245	6.8	4.9	10 695	6 657
1991	38.8	16.7	22 026	15 849	6.8	4.9	10 814	6 785
1992	39.7	17.2	22 269	12 589	6.8	4.9	10 869	6 898
1993	39.9	17.1	22 487	15 987	6.8	5.2	10 716	6 848
1994	40.4	18.0	24 160	16 292	7.2	5.1	10 520	7 078
1995	40.9	19.3	22 287	12 735	7.1	5.3	10 767	7 089
1996	42.1	20.9	21 790	13 272	7.4	5.1	7 327	8 145
1997	43.3	22.2	21 620	13 687	7.9	6.3	7 458	8 282
1998	43.9	23.7	21 955	17 506	7.8	6.6	7 401	9 860
1999	43.4	25.1	22 418	14 669	8.4	7.7	7 594	7 611
2000	43.0	26.6	22 815	14 955	8.4	7.6	7 591	8 644

表二 建国以来国民经济主要指标发展速度

指　　标	2000年为各年%					平均每年增长%		
	1949年	1978年	1990年	1995年	1999年	1949－2000	1979－2000	1996－2000
一、年末总人口	**289.23**	**138.57**	**115.74**	**107.58**	**101.92**	**2.1**	**1.5**	**1.5**
二、年末社会从业人员	**312.74**	**158.62**	**113.41**	**99.05**	**99.89**	**2.3**	**2.1**	**－0.2**
职工人数	2 941.67	145.27	96.19	83.65	99.72	6..9	1.7	－3.5
三、国内生产总值	**3 078.32**	**659.50**	**289.05**	**162.70**	**108.50**	**7.0**	**9.0**	**10.2**
第一产业	499.31	270.43	136.85	108.00	96.80	33.2	4.6	1.6
第二产业	58 534.38	793.32	392.75	175.17	110.80	13.3	9.9	11.9
第三产业	4 336.72	950.97	289.74	176.78	110.80	7.7	10.8	12.1
人均国内生产总值	1 116.02	494.01	256.97	156.76	108.60	4.8	7.5	9.4
四、农村经济								
农林牧渔业总产值	741.41	272.09	138.34	102.57	9101.70	4.0	4.7	0.5
主要农产品产量								
粮　食	346.82	140.32	80.64	79.30	79.94	2.5	1.6	－4.5
#小　麦	303.08	208.96	59.24	69.67	65.72	2.2	3.4	－7.0
棉　花	29.16	17.80	12.10	15.71	66.87	－2.4	－7.5	－30.9
油　料	818.20	2 931.35	167.96	129.79	123.97	4.2	16.6	5.4
水　果	3 730.38	704.30	376.97	143.44	96.64	7.4	9.3	7.5
猪牛羊肉产量	5 520.91	472.25	208.59	103.55	104.97	8.2	7.3	0.7
大牲畜年末数	286.32	191.96	121.77	88.96	97.40	2.1	3	－2.3
猪年末数	1 722.15	106.98	158.20	89.08	105.43	5.7	0.3	－2.3
羊年末数	589.41	99.26	146.41	95.41	95.25	3.5	－0.03	－0.9
五、工业生产								
限额以上工业总产值		506.63	233.81	142.28	111.54		7.7	7.3
主要工业产品产量								
原　煤	11 043.48	459.31	149.50	77.65	105.61	9.7	7.2	－4.9
焦　炭	140 610.00	2 098.66	403.24	83.67	101.75	15.3	14.8	－3.5
生　铁	5 767 000.00	3 495.15	715.51	158.87	121.69	24.0	17.5	9.7
洗精煤		4 968.35	349.76	116.29	103.17		19.4	3.1

续表

指　　标	1999 年为各年%					平均每年增长%		
	1949 年	1978 年	1990 年	1995 年	1999 年	1949－2000	1979－2000	1996－2000
发电量	869 523.81	160.76	99.02	102.01	106.75	19.5	2.2	0.4
水　泥		1 347.71	411.48	137.93	114.77		12.5	6.6
化　肥		730.46	210.12	199.47	104.36		9.5	14.8
纱		96.86	115.72	126.28	147.96		－0.1	4.8
棉　布	52 950.00	105.06	111.54	106.48	139.95	13.1	0.2	1.3
机制纸及纸板		411.33	92.15	77.92	89.77		6.6	－4.9
限额以上工业企业主要经济指标								
固定资产原价		1 471.10	385.32	175.42	113.73		13.0	11.9
固定资产净值年平均余额		1 227.02	351.19	183.16	112.86		12.1	12.9
利税总额		1 607.58	277.80	162.95	122.08		13.5	10.3
六、运输邮电								
公路通车里程	2 838.44	268.95	240.72	222.24	104.30	6.8	4.6	17.3
邮电业务量	14 201 800.00	19 534.80	3 276.99	580.19	141.37	26.2	27.1	42.1
七、财贸经济								
财政总收入		1586.07	483.68	185.24	111.40		13.4	13.1
#一般预算收入		937.25	285.82	199.45	108.71		10.7	14.8
地方财政支出		1 209.66	397.31	187.10	114.42		12.0	13.3
社会消费品零售总额	15 697.21	1 763.34	434.50	186.58	107.66	10.4	13.9	13.3
八、人民生活								
职工工资总额	72 884.15	1 710.50	326.58	136.95	111.55	13.8	13.8	6.5
#国有单位	65 438.41	1 744.74	330.39	134.45	112.13	13.6	13.9	6.1
职工平均货币工资	2 416.37	1 160.68	357.74	160.71	112.32	6.4	11.8	10.0
农民人均纯收入		3 850.88	438.12	194.25	109.10		18.1	14.2
农民人均生活消费支出			268.72	170.96	122.00			11.3
城镇居民人均可支配收入			408.05	149.57	110.32			8.4
城镇居民人均消费性支出			386.54	158.40	114.71			9.6

表三　社会经济主要指标人均水平

指　　标	单位	1949年	1978年	1990年	1997年	1998年	1999年	2000年
一、国内生产总值	元	**7**	**291**	**1 115**	**3 634**	**4 037**	**4 057**	**4 286**
二、农林牧渔业总产值	元	**71**	**143**	**491**	**1 123**	**1 174**	**1 007**	**942**
三、主要产品产量								
原　煤	千克	168	1 910	4 901	7 652	8 320	6 110	6 332
焦　炭	千克	14	231	1 006	4 368	4 637	3 511	3 505
生　铁	千克	0.1	57	233	1 138	1 214	1 204	1 438
洗精煤	千克		96	1 139	3 504	3 431	3 401	3 443
发电量	千瓦时	0.3	785	1 064	981	872	869	910
水　泥	千克		38	103	304	276	325	366
纱	千克		5	4	3	2	2	4
布	米	…	24	19	17	12	13	18
机制纸及纸板	千克		6	23	23	25	21	18
粮　食	千克	251	298	433	395	443	389	301
棉　花	千克	6	5	6	1	2	1	1
油　料	千克	4	1	8	8	12	10	11
水　果	千克	4	10	15	47	53	51	49
肉类总产量	千克	1	5	11	17	18	19	19
四、财政总收入	元	**12**	**33**	**89**	**295**	**326**	**340**	**372**
五、社会消费品零售额	元	**27**	**115**	**388**	**1 186**	**1 275**	**1 379**	**1 457**
六、邮电业务量	元	…	**1**	**3**	**66**	**83**	**128**	**177**
电话机	部/百人	0.01	0.5	0.6	3.3	4.3	5.7	7.7
七、人民生活								
职工平均货币工资	元	281	585	1 898	4 953	5 484	6 045	6 790
#国有单位	元	281	604	1 965	5 263	5 823	6 376	7 175
农民人均纯收入	元		57	501	1 872	2 038	2 012	2 195
农民家庭生活消费支出	元			390	990	846	859	1 048
城镇居民人均可支配收入	元	43	438	1 019	3 277	3 406	3 369	4 158
城镇居民消费性支出	元			795	2 527	2 504	2 679	3 073

表四　居民人均消费水平及指数

按当年价格计算　　　　单位：%

年份	居民总消费（元/人）	农村居民	城镇居民	以上年为100 居民总消费	以上年为100 农村居民	以上年为100 城镇居民	以1949年为100 居民总消费	以1949年为100 农村居民	以1949年为100 城镇居民
1949	63	59	129				100.0	100.0	100.0
1952	85	78	189	112.9	115.5	101.6	140.0	143.6	123.6
1957	95	84	202	99.2	96.5	111.1	165.2	185.5	170.0
1965	110	95	262	107.0	118.6	97.7	142.4	171.9	167.4
1970	88	70	270	98.3	81.2	130.8	141.3	131.6	200.1
1975	114	86	340	103.5	104.7	99.1	158.6	152.0	221.1
1978	114	86	325	101.6	101.1	99.3	171.9	155.4	230.8
1979	120	96	295	99.7	102.0	92.4	171.4	158.5	213.2
1980	152	123	352	99.4	103.2	88.3	170.3	163.6	188.3
1981	174	144	372	101.9	101.6	99.2	173.6	166.2	186.8
1982	199	155	477	108.3	93.5	122.6	188.0	155.4	229.0
1983	247	197	562	97.7	107.8	93.2	183.7	167.5	213.4
1984	310	255	639	102.6	102.7	100.0	188.4	172.0	213.4
1985	334	277	663	101.1	101.9	96.9	190.5	175.3	206.8
1986	351	283	729	103.4	102.5	103.6	197.0	179.7	214.2
1987	368	292	774	103.3	102.1	103.3	203.5	183.4	221.3
1988	436	355	858	110.8	112.8	105.4	225.5	206.9	233.3
1989	463	373	924	94.6	95.4	93.8	213.3	197.4	218.8
1990	503	411	968	99.2	100.0	97.2	211.6	197.4	212.7
1991	522	413	1 056	99.4	97.1	103.4	210.3	191.7	219.9
1992	681	502	1 334	125.2	117.3	118.9	263.3	224.8	261.5
1993	787	634	1 571	103.5	113.2	101.8	272.5	254.5	266.2
1994	966	772	1 864	102.0	101.3	102.1	278.0	257.8	271.8
1995	1 192	942	2 310	107.4	106.1	107.9	298.5	273.6	293.2
1996	1 395	1 117	2 583	110.0	111.6	105.0	328.4	305.3	307.9
1997	1 492	1 176	2 784	104.6	103.1	105.5	343.5	314.7	324.8
1998	1 522	1 183	2 858	103.1	101.8	103.5	354.2	320.4	336.2
1999	1 591	1 226	2 981	106.3	105.4	106.0	376.5	337.7	356.4
2000	1 674	1 248	3 243	106.8	103.2	110.9	402.1	348.5	395.2

表五　国内总支出

指标	按当年价格计算（万元） 1999年	按当年价格计算（万元） 2000年	构成（%） 1999年	构成（%） 2000年	2000年为1999年%
国内总支出	**1 581 045**	**1 688 587**	**100.0**	**100.0**	**107.6**
最终消费	850 429	908 724	53.8	53.8	107.9
居民消费	621 150	665 128	39.3	39.4	108.7
农村居民	379 181	389 928	24.0	23.1	104.2
城镇居民	241 969	275 200	15.3	16.	116.0
政府消费	229 279	243 596	14.5	14.4	105.8
资本形成总额	774 896	823 034	49.0	48.7	106.7
固定资本形成总额	564 899	607 286	35.7	36.0	107.8
存货增加	209 997	215 748	13.3	12.8	103.6
货物和服务净出口	－44 280	－43 171	－2.8	－2.6	97.5
出口	424 937	435 861	26.9	25.8	100.9
进口	469 217	479 032	29.7	28.4	100.6
统计误差	3 047	14 699	0.2	0.9	

注：发展速度按可比价格计算。

表六 总 产 出

指 标	绝对额（万元）		以上年为100指数(%)		构成(%)	
	1999年	2000年	1999年	2000年	1999年	2000年
总产出	**4 282 288**	**4 602 968**	**106.0**	**110.5**	**100.0**	**100.0**
第一产业	**396 361**	**378 062**	**95.8**	**96.9**	**9.3**	**8.2**
农 业	300 607	271 926	94.4	92.7	7.0	5.9
林 业	14 999	19 764	85.3	122.9	0.4	0.4
畜牧业	79 093	84 016	102.7	103.3	1.8	1.8
渔 业	1 662	2 356	104.6	101.6	0.0	0.1
第二产业	**2 729 668**	**2 958 351**	**105.9**	**111.9**	**63.7**	**64.3**
工 业	2 290 130	2 518 730	103.8	113.2	53.5	54.7
采掘业	637 074	667 041	92.3	107.6	14.9	14.5
制造业	1 571 449	1 765 755	109.3	115.4	36.7	38.4
电力、煤气及水的生产和供应业	81 607	85 934	92.1	108.1	1.9	1.9
建筑业	439 538	439 621	126.1	101.0	10.3	9.6
第三产业	**1 156 259**	**1 266 555**	**111.0**	**110.8**	**27.0**	**27.5**
农林牧渔服务业	5 996	7 668	102.3	127.6	0.1	0.2
地质勘查业、水利管理业	8 947	9 716	103.8	108.4	0.2	0.2
交通运输、仓储及邮电通信业	326 204	377 870	110.3	115.7	7.6	8.2
交通运输和仓储业	284 615	325 884	108.3	113.9	6.6	7.1
邮电通信业	41 589	51 986	120.0	123.5	1.0	1.1
批发和零售贸易、餐饮业	349 281	367 816	111.7	110.1	8.2	8.0
批发和零售贸易业	308 872	321 750	112.2	109.4	7.2	7.0
餐饮业	40 409	46 066	108.3	115.3	0.9	1.0
金融保险业	106 321	95 073	104.4	90.4	2.5	2.1
金融业	98 212	92 100	103.5	94.3	2.3	2.0
保险业	8 109	2 973	119.0	37.2	0.2	0.1
房地产业	19 193	22 637	120.3	115.1	0.4	0.5
房地产管理业	1 820	1 866	109.6	103.1	0.0	0.0
房地产开发与经营业	2 682	2 736	106.3	102.2	0.1	0.1
城镇居民自有住房	3 669	3 946	106.9	105.8	0.1	0.1
农村居民自有住房	11 022	14 089	130.0	121.7	0.3	0.3
社会服务业	79 811	93 377	114.1	119.4	1.9	2.0
卫生、体育和社会福利业	48 630	51 593	110.8	107.2	1.1	1.1
教育、文艺及广播电影电视业	55 389	62 275	112.5	113.9	1.3	1.4
科学研究和综合技术服务业	5 314	5 969	111.0	113.1	0.1	0.1
国家机关、政党机关和社会团体	142 311	163 713	116.1	117.3	3.3	3.6
其它行业	8 862	8 848	92.0	96.7	0.2	0.2

注：发展速度按可比价格计算。

表七　国内生产总值构成项目(2000 年)

按当年价格计算

指　　标	增加值(万元)	劳动者报　酬	固定资产折　　旧	生产税净　额	营　业盈　余
国内生产总值	**1 703 286**	**855 552**	**164 409**	**222 331**	**460 994**
第一产业	**223 188**	**174 153**	**6 966**	**4 464**	**37 605**
农　业	161 658	125 885	5 415	3 233	27 125
林　业	14 037	10 267	1 187	281	2 302
畜牧业	45 545	36 497	289	911	7 848
渔　业	1 948	1 504	75	39	330
第二产业	**887 640**	**382 968**	**127 232**	**147 325**	**230 115**
工　业	763 880	326 162	115 525	136 063	186 130
采掘业	232 981	95 585	32 625	41 155	63 616
制造业	493 822	217 390	78 135	85 321	112 976
电力、煤气及水的生产和供应业	37 077	13 187	4 765	9 587	9 538
建筑业	123 760	56 806	11 707	11 262	43 985
第三产业	**592 458**	**298 431**	**30 211**	**70 542**	**193 274**
农林牧渔服务业	4 358	3 343	210	412	393
地质勘查业、水利管理业	5 530	4 478	61	701	290
交通运输、仓储及邮电通信业	165 018	61 422	10 864	23 633	69 099
交通运输和仓储业	146 324	53 213	9 003	17 121	66 987
邮电通信业	18 694	8 209	1 861	6 512	2 112
批发和零售贸易、餐饮业	134 526	50 718	7 133	10 435	66 240
批发和零售贸易业	111 168	45 579	4 331	8 893	52 365
餐饮业	23 358	5 139	2 802	1 542	13 875
金融保险业	68 808	23 093	7 620	3 637	34 458
金融业	－3 223	21 435	6 704	3 261	－34 623
保险业	16 433	1 658	916	376	13 483
其　它	55 598				55 598
房地产业	20 734	1 226	372	18 509	627
房地产管理业	1 003	691		312	
房地产开发与经营业	1 696	535	372	162	627
城镇居民自有住房	3 946			3 946	
农村居民自有住房	14 089			14 089	
社会服务业	43 842	23 420	2 678	1 832	15 912
卫生、体育和社会福利业	21 177	14 976	123	989	5 089
教育、文艺及广播电影电视业	45 739	41 814	112	3 131	682
科学研究和综合技术服务业	3 368	2 460	133	291	484
国家机关、政党机关和社会团体	70 895	63 018	905	6 972	
其它行业	8 463	8 463			

表八 按行业分组的企业登记管理基本情况(2000年)

单位：户

类别	年末企业数	企业法人			营业单位			注册资本(万元)
		年末企业数	本年开业	本年注销	年末企业数	本年开业	本年注销	
合计	**11 012**	**5 352**	**420**	**636**	**5 660**	**470**	**950**	**905 893**
农、林、牧、渔、水利业	241	165	30	17	76	10	14	8 528
农业	46	39	7	3	7	1	1	2 432
林业	35	22	3	1	13	1		826
畜牧业	65	49	8	3	16	1	2	2 937
渔业	6	6	2	1				108
农、林、牧、渔服务业	89	49	10	9	40	7	11	2 225
采掘业	504	386	31	67	118	12	17	100 035
煤炭采选业	415	326	23	59	89	8	16	91 855
黑色金属矿采选业	63	41	7	5	22	4		4 657
有色金属矿采选业	7	6			1			2 742
非金属矿采选业	14	9	1	2	5		1	143
其他矿采选业	2	2						605
木材及竹材采运业	3	2			1			33
制造业	1 620	1 229	85	200	391	52	83	349 891
食品加工业	158	109	14	7	49	16	11	16 273
食品制造业	75	50	3	4	25	3	5	3 126
饮料制造业	44	30	2	2	14	9	2	12 065
烟草加工业	5	5	2	1				1 400
纺织业	29	23	1	3	6	1	4	6 040
服装及其他纤维制品制造业	28	18		9	10		2	621
皮革、毛皮、羽绒及其制品业	11	7	2	1	4			512
木材加工及竹、藤、棕、草制品业	19	14	3	2	5	1	2	1 149
家具制造业	39	29	2	3	10	1	4	1 795
造纸及纸制品业	42	37	1	7	5	1		8 840
印刷业、记录媒介的复制	44	27	1	3	17	1	2	2 616
文教体育用品制造业	15	9	1	2	6	1		575
石油加工及炼焦业	226	186	12	34	40	1	8	33 766
化学原料及化学制品制造业	70	59	2	5	11	3	1	10 542
医药制造业	17	16		2	1			4 345
化学纤维制造业	2	1		1	1			224
橡胶制品业	8	7	1	2	1		1	2 414
塑料制品业	35	26	3	3	9	1		2 560
非金属矿物制造业	127	98	4	18	29	3	5	10 294
黑色金属冶炼及压延加工业	241	198	9	39	43	4	9	136 656
有色金属冶炼及压延加工业	10	9	2	6	1		1	50 865
金属制品业	48	40	6	4	8		1	5 174
普通机械制造业	60	52	2	10	8	2	3	7 363
专用设备制造业	44	34		4	10		5	5 174
交通运输设备制造业	43	27		2	16		7	5 508
电气机械及器材制造业	16	10	4	6	6		2	2 677
电子及通信设备制造业	7	7	3	3			1	551
仪器仪表及文化、办公用机械制造业	5	5	2	1				229
其他制造业	152	96	3	16	56	4	7	16 537
电力、煤气及水的生产和供应业	91	46	1	3	45	5	4	20 750
电力、蒸汽、热水的生产和供应业	66	24	1	1	42	5		15 129
煤气生产和供应业	7	5		2	2			3 169
自来水的生产和供应业	18	17			1		4	2 452
建筑业	543	214	7	39	329	35	23	74 790
土木工程建筑业	418	156	6	31	262	31	21	68 209
线路、管道和设备安装业	80	36	1	5	44	2	2	3 489
装修装饰业	45	22		3	23	2		3 092
地质勘查业、水利管理业	37	23	5	4	14	4		2 044
地质勘查业	26	16	3	4	10	4		1 914
水利管理业	11	7	2		4			130

续表

单位：户

类　　别	年末企业数	企业法人			营业单位			注册资本（万元）
		年末企业数	本年开业	本年注销	年末企业数	本年开业	本年注销	
交通运输、仓储及邮电通信业	632	183	15	43	449	16	9	87 259
铁路运输业	88	38	2	17	50	8	3	40 443
公路运输业	205	94	9	10	111	2	3	13 618
管道运输业	1				1			50
水上运输业								
航空运输业								
交通运输辅助业	40	16	1	8	24	4	3	26 973
其他交通运输业	3	2			1			119
仓储业	44	29	2	8	15	2		5 491
邮电通信业	251	4	1		247			565
批发和零售贸易、餐饮业	5 281	2 188	156	214	3 093	252	592	172 454
食品、饮料、烟草、家庭日用品批发业	1 351	655	24	42	696	18	56	51 784
石油和天然气批发业								
能源、材料和机械电子设备批发业	900	590	9	61	310	18	61	57 968
其他批发业	491	269	46	40	222	26	43	20 449
零售业	2 235	585	44	49	1 650	166	391	29 396
商业经纪与代理业	19	10	8	5	9	7	16	2 622
餐饮业	285	79	25	17	206	17	25	10 235
金融、保险业	850	254	13		596	16	83	34 773
金融业	815	245	13		570	15	82	34 424
保险业	35	9			26	1	1	349
房地产业	78	57	12		21	7	3	6 782
房地产开发与经营业	44	36	3		8	2	1	5 450
房地产管理业	27	16	6		11	3	2	1 219
房地产经纪与代理业	7	5	3		2	2		113
社会服务业	855	432	54	42	423	38	96	34 823
公共设施服务	39	27	7	8	12	2	2	1277
居民服务业	153	56	11	3	97	5	28	3 491
旅馆业	217	95	6	5	122	9	20	7 156
租赁服务业	23	7	1	1	16	4	4	480
旅游业	26	20	2	1	6	1		870
娱乐服务业	32	15	2	2	17	2	6	1 520
信息、咨询服务业	165	116	16	15	49	9	21	6 440
计算机应用服务业	29	17	6	3	12	2	4	1 079
其他社会服务业	171	79	3	4	92	4	11	12 510
卫生、体育和社会福利业	9	5		4	4		2	76
卫　　生	4	2		2	2			50
体　　育	1	1						10
社会福利保障业	4	2		2	2		2	16
教育、文化艺术及广播电影电视业	99	59	5	1	40	2	3	3 618
教　　育	9	7			2			223
文化艺术	28	23	1		5	2	1	1 329
广播电影电视业	62	29	4	1	33		2	2 066
科学研究和综合技术服务业	98	73	5	2	25	3	7	4 636
科学研究业	9	8			1	1		1 049
综合技术服务业	89	65	5	2	24	2	7	3 587
其他行业	74	38	1		36	18	14	5 434

表九 总人口及构成

单位：人

年份	总人口	按性别分		按城乡分		按农业非农业分	
		男性	女性	市镇人口	乡村人口	非农业人口	农业人口
1949	1 380 715	711 089	675 626	134 285	1 252 430	76 543	1 310 172
1952	1 493 178	770 426	722 752	70 841	1 422 337	92 158	1 401 020
1957	1 706 885	891 889	814 996	117 839	1 589 046	152 109	1 554 776
1965	2 151 789	1 100 710	1 051 079	16 250	1 989 539	188 383	1 963 406
1970	2 458 590	1 262 196	1 196 394	199 053	2 259 537	227 556	2 231 034
1975	2 771 561	1 426 370	1 345 191	266 105	2 505 456	302 381	2 469 180
1978	2 894 823	1 483 295	1 411 528	303 720	2 591 103	339 275	2 555 548
1980	2 975 484	1 522 853	1 452 631	348 768	2 626 716	388 765	2 586 719
1985	3 155 759	1 625 139	1 530 620	1 836 560	1 319 199	472 352	2 683 407
1989	3 363 220	1 726 939	1 636 281	2 046 901	1 316 319	554 559	2 808 661
1990	3 466 449	1 774 046	1 692 403	2 163 494	1 302 955	580 983	2 885 466
1991	3 520 212	1 800 517	1 719 695	2 198 755	1 321 413	592 756	2 927 456
1992	3 582 323	1 831 967	1 750 356	2 241 946	1 340 377	611 155	2 971 168
1993	3 641 242	1 862 018	1 779 224	2 283 299	1 357 943	632 654	3 008 588
1994	3 684 774	1 892 931	1 791 843	2 318 005	1 366 769	667 086	3 017 688
1995	3 729 449	1 908 923	1 820 526	2 354 533	1 374 916	689 478	3 039 971
1996	3 789 875	1 955 897	1 831 978	2 405 463	1 382 412	733 449	3 054 426
1997	3 842 121	1 966 860	1 875 261	2 453 765	1 388 356	766 974	3 075 147
1998	3 872 458	1 981 127	1 891 331	2 479 904	1 392 554	792 826	3 079 632
1999	3 936 216	2 012 717	1 923 499	2 531 239	1 404 977	830 534	3 105 682
2000	4 011 609	2 043 824	1 967 785	—	—	866 730	3 144 879

表十 人口自然变动

单位：人

年份	出生		死亡		自然增长	
	人数	出生率（‰）	人数	死亡率（‰）	人数	自然增长率（‰）
1949	31 677	22.84	15 955	11.51	15 722	11.33
1952	37 554	25.46	15 656	10.62	21 898	14.84
1957	46 821	27.74	18 019	10.68	28 802	17.06
1965	64 963	30.55	19 467	9.16	45 496	21.39
1970	71 833	29.64	17 568	7.25	54 265	22.39
1975	59 157	21.51	19 150	6.96	40 007	14.55
1978	46 679	16.24	15 853	5.52	30 826	10.72
1980	45 129	15.29	16 973	5.75	28 156	9.54
1985	40 794	13.01	16 610	5.30	24 184	7.71
1989	50 012	14.99	16 406	4.92	33 606	10.07
1990	66 590	19.50	17 953	5.26	48 637	14.24
1991	55 823	15.98	17 092	4.89	38 731	11.09
1992	50 065	14.10	16 063	4.78	34 002	9.32
1993	53 301	14.76	16 085	4.45	37 216	10.31
1994	49 573	13.53	17 163	4.69	32 410	8.85
1995	47 994	12.95	16 714	4.51	31 280	8.44
1996	49 331	13.12	16 520	4.40	32 811	8.73
1997	47 815	12.53	16 482	4.32	31 333	8.21
1998	51 522	13.36	19 569	5.07	31 953	8.29
1999	53 265	13.64	15 077	3.86	38 188	9.78
2000	89 232	22.45	27 957	7.04	61 275	15.41

表十一 全社会从业人员

单位：人

年份	从业人员合计	职工人数				其他从业人员	城镇个体及私营从业人员	农村经济从业人员
		合计	国有单位	集体单位	其他单位			
1949	564 822	12 114	12 114				5 283	547 425
1952	627 207	23 811	22 773	1 038			11 053	592 343
1957	734 839	60 033	50 893	9 140			1 560	673 246
1965	834 694	94 433	76 646	17 787			292	739 969
1970	941 784	136 321	116 881	19 440			80	805 383
1975	1 065 445	199 230	163 000	36 230			71	866 144
1978	1 113 986	242 851	209 907	32 944			26	871 109
1979	1 111 441	248 256	214 367	33 889			748	862 437
1980	1 132 912	260 719	224 453	36 266			1 238	870 955
1981	1 158 188	269 462	232 307	37 155			2 422	886 304
1982	1 189 447	273 617	236 027	37 590			3 275	912 555
1983	1 222 225	284 467	242 450	42 017			7 125	930 633
1984	1 279 652	290 578	234 935	55 643			10 437	978 637
1985	1 341 726	312 025	250 808	61 217			18 663	1 011 038
1986	1 365 714	327 725	264 540	63 149	36		17 984	1 020 005
1987	1 422 564	340 130	276 230	63 882	18		32 040	1 050 394
1988	1 462 956	357 214	291 501	65 560	153		18 815	1 086 927
1989	1 494 053	358 475	293 178	65 056	241		17 957	1 117 621
1990	1 581 323	390 386	321 821	68 364	201		22 321	1 168 616
1991	1 613 935	399 436	332 215	67 076	145		27 564	1 186 935
1992	1 665 074	407 045	341 218	65 435	392		45 407	1 212 622
1993	1 677 200	407 940	345 602	59 354	2 984	12 498	39 334	1 217 428
1994	1 722 208	420 260	354 167	62 119	3 974	12 822	46 706	1 242 420
1995	1 783 620	422 224	361 692	56 022	4 510	12 499	51 674	1 297 223
1996	1 807 475	426 130	367 375	53 671	5 084	11 505	61 654	1 308 186
1997	1 820 855	420 802	352 688	47 919	20 195	9 686	68 683	1 321 684
1998	1 773 990	361 368	299 612	30 504	31 252	9 145	69 252	1 334 225
1999	1 769 290	354 052	299 886	27 091	27 075	8 656	58 178	1 348 404
2000	1 766 820	352 701	299 960	26 622	26 119	7 641	45 342	1 361 136

注：1990 年以前不包括临汾铁路分局，1998 年以后从业人员不包括离岗人员。

表十二 职工工资

年份	工资总额（万元）			平均货币工资（元）			货币工资指数（上年=100）
		# 国有经济	# 集体经济	全 部	国 有	集 体	
1949	328	328		281	281		
1952	788	754	34	348	348	343	108.4
1957	2 586	2 240	346	465	477	396	102.2
1965	5 144	4 390	754	574	599	459	98.5
1970	7 068	6 201	867	542	558	446	99.8
1975	10 997	9 381	1 616	574	594	483	100.2
1978	13 976	12 302	1 674	585	604	477	104.3
1979	15 941	14 103	1 838	662	680	548	113.2
1980	17 519	15 479	2 030	697	714	594	105.3
1981	18 355	16 312	2 043	701	723	563	100.6
1982	19 650	17 525	2 124	732	755	583	104.4
1983	21 095	18 706	2 389	757	790	573	103.4
1984	26 869	22 758	4 110	950	992	766	125.5
1985	29 633	25 272	4 361	983	1 036	756	103.5
1986	35 567	30 527	5 035	1 114	1 184	821	113.3
1987	40 164	34 560	5 601	1 212	1 279	915	108.8
1988	49 023	42 812	6 200	1 417	1 519	969	116.9
1989	56 820	49 906	6 882	1 614	1 729	1 090	113.5
1990	73 201	64 965	8 203	1 898	2 030	1 254	113.7
1991	80 419	71 093	9 297	2 045	2 165	1 436	107.7
1992	91 439	81 563	9 799	2 291	2 431	1 547	112.0
1993	108 490	97 487	10 470	2 706	2 863	1 805	118.1
1994	142 922	129 843	12 112	3 507	3 757	2 066	129.6
1995	174 560	159 645	13 667	4 225	4 482	2 582	120.4
1996	192 699	175 562	150 763	4 652	4 889	3 001	110.1
1997	201 723	180 850	14 459	4 953	5 263	3 219	106.5
1998	198 552	175 055	10 739	5 484	5 823	3 529	110.7
1999	214 313	191 424	10 556	6 045	6 376	3 869	110.2
2000	239 060	214 638	11 523	6 790	7 175	4 304	112.3

注：1998 年后为在岗职工工资

表十三　单位从业

类　　别	单位从业人员	#女　性	#使用的农村劳动力	在岗职工合计	#专业技术人员	#女　性
总　　计	**360 342**	**128 932**	**21 204**	**352 701**	**89 147**	**43 271**
按企业、事业、机关分组						
企　业	214 018	69 501	17 881	212 371	36 103	13 464
事　业	86 434	41 929	2 532	80 681	53 044	29 807
机　关	59 890	17 502	791	59 649		
按国民经济行业分组						
农、林、牧、渔业	6 617	1 914	191	6 506	1 896	629
农　业	793	229	48	793	74	23
林　业	2 613	629	80	2 590	560	130
畜牧业	324	67		254	6	
渔　业	31	9	1	31	3	1
农、林、牧、渔服务业	2 856	980	62	2 838	1 253	475
采掘业	34 763	7 112	5 934	34 612	4 132	1 347
煤炭采选业	33 927	6 877	5 701	33 777	4 011	1 330
黑色金属矿采选业	398	56	163	398	58	5
有色金属矿采选业	395	174	39	394	60	12
非金属矿采选业	43	5	31	43	3	
制造业	75 982	28 246	6 728	75 734	12 591	4 854
食品加工业	1 198	579	190	1 198	98	31
食品制造业	748	329	202	736	130	40
饮料制造业	458	192	25	457	72	15
烟草加工业	648	340	266	648	107	47
纺织业	8 040	4 746	752	8 040	817	440
服装及其他纤维制品制造业	171	124	1	170	27	12
皮革、毛皮、羽绒及其制品业	25	6		25	6	6
木材加工及竹、藤、棕、草制品业	249	82		249	88	34
家具制造业	131	41		128	19	3
造纸及纸制品业	2 853	949	370	2 850	272	77
印刷业、记录媒介的复制	1 067	672	41	1 066	167	77
文教体育用品制造业	12	8		12	2	
石油加工及炼焦业	3 820	1 261	766	3 787	665	215
化学原料及化学制品制造业	12 014	4 479	689	12 014	2 022	788
医药制造业	1 625	1 122		1 625	349	188
橡胶制品业	1 014	385		1 014	94	38
塑料制品业	766	352	10	762	68	30
非金属矿物制品业	4 329	1 281	669	4 255	433	112
黑色金属冶炼及压延加工业	19 730	5 174	2 481	19 730	3 477	1 297
有色金属冶炼及压延加工业	1 981	753		1 980	508	188
金属制品业	844	370	132	831	95	38
普通机械制造业	6 692	2 352	1	6 602	1 643	625

人员(2000 年)

单位：人

按用工期限分		其他从业人员	#聘用的离退休人员	#聘用的港澳台和外籍人员	离开本单位仍保留劳动关系的职工	#内部退养职工
长期职工	临时职工					
331 686	**21 015**	**7 641**	**500**	**11**	**56 900**	**5 693**
196 904	15 467	1 647	253	11	54 839	5 269
76 738	3 943	5 753	202		1 270	320
58 044	1 605	241	45		791	104
6 264	242	111	20		187	12
676	117				11	
2 545	45	23	2		58	
248	6	70			28	
30	1				3	
2 765	73	18	18		87	12
32 353	2 259	151	9		7 079	1 515
31 606	2 171	150	8		6 515	1 426
378	20				155	13
357	37	1	1		357	76
12	31				52	
70 060	5 674	248	126	11	23 423	1 700
997	201				537	12
539	197	12	7	5	406	42
421	36	1	1		251	
429	219				46	46
7 738	302				1 905	190
157	13	1	1		487	
25					665	
249					78	8
128		3	3		239	
2 487	363	3	2		874	62
1 013	53	1	1		831	30
10	2				20	
3 235	552	33	20	3	117	
11 192	822				2 825	302
1 602	23				223	55
1 014					136	
752	10	4			396	25
3 575	680	74	17		1 914	79
17 997	1 733				2 212	189
1 970	10	1	1		629	1
794	37	13	10	3	1 201	17
6 482	120	90	51		3 400	31

续

类　　别	单位从业人　员	#女　性	#使用的农村劳动力	在岗职工合计	#专业技术人员	#女 性
专用设备制造业	3 762	1 303	42	3 762	692	268
交通运输设备制造业	1 413	502	68	1 410	194	80
电气机械及器材制造业	2 243	809	23	2 235	518	192
电子及通信设备制造业	80	28		79	25	13
仪器仪表及文化办公用机械制造业						
其他制造业	69	7		69	3	
电力、煤气及水的生产和供应业	10 171	3 374	779	10 167	2 317	735
电力、蒸汽、热水的生产和供应业	8 544	2 638	716	8 541	2 095	628
自来水的生产和供应业	1 627	736	63	1 626	222	107
建筑业	13 818	2 962	2 037	13 608	2 682	813
土木工程建筑业	13 171	2 818	1 990	12 961	2 560	800
线路、管道和设备安装业	443	75	45	443	84	8
装修装饰业	204	69	2	204	38	5
地质勘查业、水利管理业	4 309	1 176	217	4 286	1 180	466
地质勘查业	1 928	492	80	1 926	467	232
水利管理业	2 381	684	137	2 360	713	234
交通运输、仓储及邮电通信业	40 912	10 207	1 344	40 635	4 949	1 861
铁路运输业	27 229	6 173		27 229	3 034	1 203
公路运输业	3 963	1 009	25	3 963	550	169
交通运输辅助业	5 736	1 488	1 088	5 724	687	201
其他交通运输业	172	117		116	53	39
仓储业	719	248	12	719	115	56
邮电通信业	3 093	1 172	219	2 884	510	193
批发和零售贸易、餐饮业	24 814	10 948	706	24 664	3 482	1 436
食品、饮料、烟草和家庭用品批发业	5 851	2 612	98	5 825	1 097	437
能源、材料和机械电子设备批发业	6 652	2 336	443	6 586	861	344
其他批发业	2 002	878	71	1 984	398	158
零售业	9 710	4 824	93	9 671	1 100	488
餐饮业	599	298	1	598	26	9
金融、 险业	9 727	4 465	318	9 185	5 378	2 241
金融业	9 117	4 235	294	8 697	5 144	2 164
保险业	610	230	24	488	234	77
房地产业	757	354		756	157	58
房地产开发与经营业	339	139		339	81	26
房地产管理业	369	200		368	73	30
房地产经纪与代理业	49	15		49	3	2
社会服务业	7 680	4 259	579	7 507	1 596	922
公共服务业	3 981	2 264	394	3 978	287	135
居民服务业	237	117	5	237	41	10
旅馆业	1 284	658	148	1 283	128	45

表 1

单位：人

按用工期限分		其他从业人员	#聘用的离退休人员	#聘用的港澳台和外籍人员	离开本单位仍保留劳动关系的职工	#内部退养职工
长期职工	临时职工					
3 719	43				1 807	90
1 329	81	3	3		388	6
2 085	150	8	8		1 170	440
79		1	1		52	4
					584	71
42	27				30	
9 748	419	4	4		372	56
8 231	310	3	3		203	15
1 517	109	1	1		169	41
10 360	3 248	210	46		3 028	200
9 770	3 191	210	46		2 966	197
388	55				38	3
202	2				24	
4 088	198	23	6		436	23
1 890	36	2			281	3
2 198	162	21	6		155	20
39 047	1 588	277	20		2 671	749
27 229					1 185	429
3 926	37				1 149	110
4 387	1 337	12	12		49	14
116		56			10	10
698	21				109	50
2 691	193	209	8		169	136
23 691	973	150	27		16 571	788
5 751	74	26	7		2 764	139
6 073	513	66	5		4 329	399
1 913	71	18	3		711	28
9 416	255	39	11		8 546	222
538	60	1	1		221	
7 849	1 336	542	26		243	198
7 422	1 275	420	15		223	192
427	61	122	11		20	6
756		1			356	
339					349	
368		1			7	
49						
6 491	1 016	173	23		703	179
3 230	748	3	3		122	8
229	8				27	
1 037	246	1	1		243	19

续

类　　别	单位从业人　员	#女　性	#使用的农村劳动力	在岗职工合计	#专业技术人员	#女　性
旅游业	26	16		26	10	5
信息、咨询服务业	444	179		425	156	62
计算机应用服务业	1 201	744	32	1 051	898	626
其他社会服务业	507	281		507	76	39
卫生、体育和社会福利业	12 950	8 060	153	12 787	9 393	5 857
卫　生	12 313	7 812	115	12 150	9 281	5 795
体　育	23	8		23	10	4
社会福利保障业	614	240	38	614	102	58
教育、文艺和广播电影电视业	50 790	25 738	1 174	45 455	37 559	21 294
教　育	47 346	24 096	903	42 058	36 189	20 695
#普通高等教育	1 869	579	204	1 869	1 076	510
普通中学	12 764	5 703	101	11 722	10 060	5 168
小学校	28 474	15 698	532	24 257	22 125	13 432
文化艺术业	2 123	1 098	215	2 078	909	427
广播电影电视业	1 321	544	56	1 319	461	172
科学研究和综合技术服务业	2 442	880	8	2 439	793	324
科学研究业	816	291	3	816	327	135
自然科学研究	769	265	3	769	304	122
社会科学研究	5	5		5	2	2
其他科学研究	42	21		42	21	11
综合技术服务业	1 626	589	5	1 623	466	189
气　象	191	85	1	191	97	44
地　震	80	22		80	9	5
技术监督	658	220		658	107	36
环境保护	299	109	1	299	72	29
技术推广和科技交流服务业	80	21		80	26	9
工程设计业	274	112	2	271	122	48
其他综合技术服务业	44	20	1	44	33	18
国家机关、政党机关和社会团体	63 070	18 648	910	62 821	853	377
#国家机关	59 557	17 666	903	59 315	845	374
政党机关	2 899	659	7	2 892		
其他行业	1 540	589	126	1 539	189	57
#企业管理机构	1 527	579	126	1 526	187	57

表 2

单位：人

按用工期限分		其他从业人员	＃聘用的离退休人员	＃聘用的港澳台和外籍人员	离开本单位仍保留劳动关系的职工	＃内部退养职工
长期职工	临时职工					
26						
421	4	19	19		11	
1 041	10	150			122	122
507					178	30
12 402	385	163	29		168	12
11 789	361	163	29		167	12
23						
590	24				1	
43 947	1 508	5 335	114		348	107
40 848	1 210	5 288	102		122	98
1 665	204					
11 539	183	1 042	1		12	10
23 561	696	4 217	90		100	88
1 815	263	45	10		44	4
1 284	35	2	2		182	5
2 411	28	3	3		133	5
812	4					
766	3					
5						
41	1					
1 599	24	3	3		133	5
184	7				5	4
79	1					
645	13				123	1
299						
79	1					
269	2	3	3			
44					5	
60 833	1 988	249	47		767	119
57 412	1 903	242	45		747	116
2 848	44	7	2		17	
1 386	153	1			415	30
1 373	153	1			415	30

表十四 全社会固定资产投资

单位:万元

类　　别	1978 年	1990 年	1995 年	1996 年	1997 年	1998 年	1999 年	2000 年
投资总额	**22 900**	**63 280**	**154 184**	**225 521**	**243 038**	**346 200**	**421 326**	**451 096**
按管理方式及经济类型分								
基本建设	16 797	22 960	66 578	106700	123 543	192 305	214 662	202 067
#国有单位	16 797	22 960	66 578	104186	120 668	186 818	204 881	173 483
更新改造	1 320	14 542	31 693	49 858	48 007	70 982	106 208	132 942
#国有单位	1 320	14 542	31 693	36 683	36 418	58 605	74 086	57 865
其他投资	93	732	16 903	21 686	16 706	13 724	39 102	55 300
#国有经济			9 427	15 614	8 465	2 057	9 269	2 845
城镇集体	93	732	3 295	1 122	1 511	2 507	3 576	16 119
股份有限公司			1 905	941				585
中外合资经营			300	600	300	810		
与港澳台合资经营			1 826	3 404			243	60
房地产开发		1 238	3 790	3 111	5 709	10 818	8 605	9 371
国有经济		1 238	2 532	2 213	3 151	4 409	2 558	5 597
集体经济			320	190	1 568	4 092	580	1 783
其他各种经济			928	708	990	2 317	5 467	1 991
农村集体投资	900	5 929	6 423	13 406	13 878	19 569	10 631	7 402
国有零星固定资产投资		1 121	617	213	980	1 186	905	1 034
城镇及工矿区私人建房	90	6 952	7 267	8 334	10 001	12 103	12 830	13 980
农村私人建房	3 700	9 806	20 913	22 213	24 214	25 513	28 383	29 000
按隶属关系分								
中　央	1 126	15 185	34 746	73 013	59 117	66 256	65 357	79 432
地　方	21 774	48 095	119 438	152 508	183 921	279 944	355 969	371 664
省　属	11 980	11 423	34 730	47 067	44 945	48 681	74 855	105 616
市县及以下	9 794	36 672	84 708	105 441	138 976	138 976	281 114	266 048
按资金来源分								
国家预算内投资	14 150	1 299	3 638	4 379	8 018	8 167	22 105	29 826
其他投资	8 750	61 981	150 546	221 142	235 020	338 033	399 221	422 080
按构成分								
建筑安装工程	15 399	46 529	108 420	159 136	174 390	262 500	324 201	307 350
设备工器具购置	6 322	11 475	33 078	44 987	38 324	57 201	75 854	111 843
其他费用	1 179	5 276	12 686	21 398	30 324	26 499	21 271	31 903

表十五　全社会新增固定资产

单位：万元

类　　别	1978 年	1990 年	1995 年	1996 年	1997 年	1998 年	1999 年	2000 年
总　计	**14 406**	**53 878**	**123 343**	**137 665**	**206 658**	**207 789**	**386 605**	**413 990**
基本建设	8 923	17 980	49 881	47 355	95 927	97 202	259 860	158 223
#国　有	8 923	17 980	49 881	46 505	92 239	92 931	250 031	140 463
更新改造	810	10 678	19 813	32 557	50 848	40 012	43 576	166 427
#国　有	810	10 678	19 813	21 666	29 875	25 943	26 007	136 413
其他投资	83	729	16 440	22 005	9 549	4 566	27 275	34 520
#国有经济			8 452	14 419	8 515	2 057	11 083	2 435
城镇集体	83	729	4 952	1 290	1 034	2 009	3 642	4 493
房地产开发		1 276	1 813	5 201	1 592	8 944	5 740	4 668
#国有经济		1 276	1 604	2 619	1 592	6 594	360	2 006
城镇集体			199	172				151
农村集体投资	800	5 336	6 799	13 552	13 595	18 429	7 943	6 126
国有零星投资		1 121	417	213	932	1 020	998	1 046
城镇及工矿区私人建房	90	6 952	7 267	8 334	10 001	12 103	12 830	13 980
农村私人建房	3 700	9 806	20 913	22 213	24 214	25 513	28 383	29 000

表十六　历年基本建设投资额

单位：万元

年份	投资总额	按资金来源分		按投资构成分		
		国家预算内	其他投资	建筑安装工程	设备工器具购置	其他费用
1952	60	57	3	55	3	2
1957	932	746	186	537	241	154
1962	1 490	1 267	223	858	534	98
1965	3 989	3 785	204	2 486	1 267	236
1970	12 668	7 878	4 790	4 143	2 990	5 535
1975	9 440	8 109	1 331	5 785	3 070	585
1978	16 797	14 150	2 647	10 119	5 499	1 179
1979	14 564	10 886	3 678	9 422	3 578	1 564
1980	12 582	6 892	5 690	7 972	2 474	2 136
1981	6 801	2 396	4 405	4 261	1 147	1 393
1982	9 219	2 474	6 745	5 314	918	2 987
1983	6 580	3 288	3 292	5 491	559	530
1984	10 440	4 490	5 950	6 426	1 392	2 622
1985	15 059	4 476	10 583	10 433	2 568	2 058
1986	22 123	7 765	14 358	15 150	5 194	1 779
1987	22 456	9 996	12 460	13 938	6 161	2 357
1988	20 713	11 572	9 141	13 120	5 731	1 862
1989	16 865	2 524	14 341	11 487	3 572	1 806
1990	22 960	1 299	21 661	15 444	3 436	4 080
1991	26 991	8 846	18 145	18 133	3 355	5 503
1992	36 525	6 970	29 555	24 063	8 915	3 547
1993	47 663	2 715	44 948	31 529	10 447	5 687
1994	78 385	2 810	75 575	50 048	22 063	6 274
1995	66 578	3 280	63 298	42 039	16 895	7 644
1996	106 700	4 105	102 595	72 283	20 954	13 463
1997	123 543	8 018	115 525	89 276	12 134	22 133
1998	192 305	6 786	185 519	162 138	14 052	16 115
1999	214 662	22 105	192 557	194 965	12 629	7 068
2000	202 067	28 034	174 033	155 275	26 569	20 223

续表

单位：万元

年份	按用途分			按建设性质分		
	第一产业	第二产业	第三产业	新建	改扩建	其他
1952		29	31	32	28	
1957	41	384	507	486	446	
1962	69	1 154	267	867	623	
1965	97	3 224	668	2 776	1 213	
1970	48	11 615	1 005	7 309	5 359	
1975	327	7 279	1 834	7 292	2 148	
1978	393	14 166	2 238	11 028	5 753	16
1979	716	10 471	3 377	8 350	6 214	
1980	627	9 005	2 950	9 788	2 794	
1981	216	4 641	1 944	5 233	1 568	
1982	249	5 299	3 671	6 576	1 617	1 026
1983	134	4 342	2 104	2 211	3 735	634
1984	185	6 510	3 745	5 767	4 284	389
1985	134	9 937	4 988	7 901	6 331	827
1986	139	15 867	6 117	12 269	8 512	1 342
1987	169	16 595	5 692	13 355	8 413	688
1988	404	15 966	4 343	2 596	17 061	1 056
1989	556	11 788	4 521	1 734	10 836	4 295
1990	485	16 604	5 871	2 884	18 516	1 560
1991	334	19 872	6 785	4 423	20 801	1 767
1992	494	25 811	10 220	5 434	27 473	3 618
1993	478	32 942	14 243	4 624	40 432	2 607
1994	319	59 874	18 192	12 336	64 257	1 792
1995	293	38 972	27 313	8 655	54 378	3 545
1996	546	72 397	33 757	18 232	77 586	10 882
1997	766	59 358	63 419	13 398	98 885	11 260
1998	1 378	26 453	164 474	15 523	138 737	38 045
1999	4 050	34 451	176 161	13 817	169 591	31 254
2000	13 002	82 423	106 642	23 521	154 813	23 733

表十七 房地产开发投资（2000年）

单位：个、万元

类别	企业个数	累计完成投资	累计新增固定资产	本年计划投资	本年完成投资		
						#商品房投资	#土地开发
总计	**22**	**16 441**	**4 668**	**11 713**	**9 371**	**7 857**	**103**
按登记注册类型分：							
国有	12	8 297	2 006	7 939	5 597	4 178	48
集体	5	1 883	151	1 783	1 783	1 743	
其他有限责任公司	2	1 311	1 311	491	491	451	40
股份有限公司	1	1 200	1 200	350	350	350	
合资经营	1						
独资	1	3 750		1 150	1 150	1 135	15
按隶属关系分：							
市	4	2 580		2 050	1 380	880	
县	14	6 600	2 157	6 772	5 100	4 141	48
其他	4	7 261	2 511	2 891	2 891	2 836	55
按资质等级分：							
三级	5	3 840	1 901	2 272	1 820	1 280	40
四级	12	6 953	1 351	3 403	3 403	3 348	15
其他	5	5 648	1 416	6 038	4 148	3 229	48

续表1

单位：万元、平方米

类别	建筑工程	安装工程	设备工器具购置	其他费用	本年完成开发土地面积	正在开发的土地面积	待开发土地面积	本年购置土地面积
总计	**8 637**	**12**	**36**	**686**	**72 340**		**22 400**	**82 809**
按登记注册类型分								
国有	4 968	10	28	591	51 741		22 400	74 141
集体	1 743			40				8 668
其他有限责任公司	441	2	8	40	16 866			
股份有限公司	350							
独资	1 135			15	3 733			
按隶属关系分								
市	1 330			50				
县	4 481	10	28	581	51 741		22 400	82 809
其他	2 826	2		55	20 599			
按资质等级分								
三级	1 720	2	8	90	16 866			
四级	3 348			55	3 733			8 668
其他	3 569	10	28	541	51 741		22 400	74 141

续表 2

单位：万元

类别	按工程用途分						本年新增固定资产
	住宅	#别墅公寓	#安居工程	办公楼	商业营业用房	其他	
总计	**8 974**		**6 918**		**233**	**164**	**4 668**
按登记注册类型分							
国有	5 305		4 805		203	89	2 006
集体	1 763		1 763			20	151
其他有限责任公司	451					40	1 311
股份有限公司	350		350				1 200
独资	1 105				30	15	
按隶属关系分							
市	1 380		880				
县	4 788		4 788		203	109	2 157
其他	2 806		1 250		30	55	2 511
按资质等级分							
三级	1 600		649		180	40	1 901
四级	3 338		2 233		30	35	1 351
其他	4 036		4 036		23	89	1 416

续表 3

类别	竣工房屋住宅套数（套）	#别墅高档公寓	#安居工程	拆迁还建竣工房屋面积（平方米）	统建代建竣工房屋面积（平方米）	年末职工人数（人）	全年职工工资总额（万元）
总计	**651**		**427**		**24 088**	**500**	**255**
按登记注册类型分							
国有	271		271			363	181
集体	36		36		2 821	56	31
其他有限责任公司	224				21 267	42	21
股份有限公司	120		120			10	4
合资经营						9	6
独资						20	12
按隶属关系分							
市						60	26
县	307		307		2 821	375	194
其他	344		120		21 267	65	35
按资质等级分							
三级	322		98		21 267	282	161
四级	156		156		2 821	177	75
其他	173		173			41	19

续表 4

单位：万元

类别	资本金合计	资产总计	固定资产累计折旧	#本年折旧	负债总计	所有者权益合计	经营收入合计	#土地转让收入
总计	**4 184**	**26 013**	**249**	**22**	**22 343**	**3 670**	**7 613**	
按登记注册类型分								
国有	1 643	15 176	134	11	14 599	577	4 863	
集体	1 159	4 203	68	5	2 212	1 991	279	
其他有限责任公司	244	1 271	41	5	1 230	41	12	
股份有限公司	414	1 577	5	1	1 163	414	1 167	
合资经营	24	62	1		115	－53	0	
独资	700	3 724			3 024	700	1 292	
按隶属关系分								
市	642	6 279	60	1	5 979	300	1 713	
县	2 078	11 956	136	15	10 845	1 111	3 429	
其他	1 464	7 778	53	6	5 519	2 259	2 471	
按资质等级分								
三级	1 430	12 104	103	11	12 591	－487	1 429	
四级	2 654	8 881	144	10	5 936	2 945	2 605	
其他	100	5 028	2	1	3 816	1 212	3 579	

续表5

单位:万元

类　别	商品房屋销售收入	#商品住宅	房屋出租收入	其他收入	经营成本	经营税金及附加	利润总额
总　计	**7 481**	**7 481**	**12**	**120**	**6 557**	**224**	**44**
按登记注册类型分							
国　有	4 754	4 754	12	97	4 465	128	-9
集　体	268	268		11	214	3	-98
其他有限责任公司				12	1	1	
股份有限公司	1 167	1 167			1 016	27	3
独　资	1 292	1 292			861	65	148
按隶属关系分							
市	1 701	1 701	12		1 593	46	-38
县	3 321	3 321		108	3 086	85	-69
其　他	2 459	2 459		12	1 878	93	151
按资质等级分							
三　级	1 310	1 310	12	107	1 212	30	-44
四　级	2 592	2 592		13	1 984	99	126
其　他	3 579	3 579			3 361	95	-38

表十八 全市用电量及分类

单位：万千瓦时

年份	用电量总计	生产建设用电					人民生活用电		
		合计	农业	工业	交通运输	其它	合计	城镇	乡村
1975	36 083	33 726	6 857	26 036	172	661	2 357	1 549	808
1978	56 026	52 999	11 354	40 093	203	1 349	3 027	1 842	1 185
1979	62 967	59 747	13 108	44 868	224	1 547	3 220	1 938	1 282
1980	66 992	63 653	13 856	47 536	451	1 810	3 339	1 983	1 356
1981	64 759	61 193	13 956	45 220	532	1 485	3 566	2 163	1 403
1982	74 031	69 760	12 104	55 281	678	1 697	4 271	2 672	1 590
1983	79 707	74 433	10 912	60 577	879	2 065	5 274	3 627	1 647
1984	86 960	80 203	12 883	64 322	866	2 132	6 757	4 738	2 019
1985	99 067	91 203	12 139	75 537	1 102	2 425	7 864	5 329	2 640
1986	121 486	112 773	15 680	90 746	1 030	5 317	8 713	5 392	3 321
1987	140 616	131 089	18 750	106 679	1 354	4 306	9 527	5 632	3 895
1988	151 271	141 749	19 234	117 681	1 088	3 746	9 522	4 518	5 004
1989	159 403	148 467	19 063	124 729	1 205	3 470	10 936	6 204	4 732
1990	161 836	148 108	18 760	123 088	1 741	4 519	13 728	9 000	4 728
1991	178 990	163 396	25 114	131 590	2 233	4 459	15 594	8 283	7 311
1992	191 590	173 556	25 180	142 645	2 019	3 712	18 034	10 359	7 675
1993	212 705	191 274	20 755	162 492	2 235	5 792	21 431	12 597	8 834
1994	230 107	207 505	25 933	171 260	2 456	7 856	22 602	13 009	9 593
1995	250 991	226 038	26 744	188 358	2 313	8 623	24 953	15 095	9 858
1996	270 835	242 908	25 940	204 873	3 281	8 814	26 795	16 191	10 604
1997	295 128	264 644	31 784	220 103	4 982	7 775	26 176	15 077	11 099
1998	300 917	268 318	28 476	226 442	5 633	7 767	26 549	11 323	15 226
1999	315 537	286 750	29 219	235 955	6 212	15 364	28 787	16 683	12 104
2000	359 882	329 259	30 423	270 948	6 903	20 985	30 623	17 918	12 705

表十九 煤炭消费量与构成

单位：万吨

年份	煤炭消费量	生产建设消费				生活消费		入洗原煤
		消费量	# 发电用煤	# 炼焦用煤	比重(%)	消费量	比重(%)	
1949	20.0	3.2	0.2	2.0	16.0	16.8	84.0	
1952	27.9	4.4	0.2	3.1	15.8	23.5	84.2	
1957	67.8	32.0	0.5	13.6	47.2	35.8	52.8	
1965	108.2	52.9	6.4	9.0	48.9	55.3	51.1	9.9
1970	134.1	66.7	25.4	21.6	49.7	67.4	50.3	16.0
1975	309.6	228.5	105.6	77.8	73.8	81.1	26.2	42.0
1978	356.0	267.7	135.2	121.2	75.2	88.3	24.8	42.2
1979	420.5	330.6	143.8	132.3	78.5	90.5	21.5	45.4
1980	431.5	338.4	146.5	146.7	78.4	93.1	21.6	43.9
1981	439.8	344.1	135.7	140.0	78.4	95.7	21.8	36.0
1982	522.8	424.6	153.4	188.0	81.2	98.2	18.8	51.8
1983	520.5	420.3	168.4	176.0	80.7	100.2	19.3	80.7
1984	577.8	475.0	186.1	200.8	82.2	102.8	17.8	91.2
1985	672.4	566.7	196.4	190.7	84.3	105.7	15.7	111.5
1986	733.4	625.1	197.4	278.4	85.2	108.3	14.8	137.6
1987	828.4	716.6	190.8	348.5	86.5	111.8	13.5	208.0
1988	951.6	836.4	198.1	426.7	87.9	115.2	12.1	324.8
1989	1 057.9	940.2	214.5	489.7	88.9	117.7	11.1	437.2
1990	1 097.6	976.3	204.7	551.1	88.9	121.3	11.1	602.6
1991	1 233.8	1 113.4	206.2	677.2	90.2	120.4	9.8	630.0
1992	1 501.5	1 367.5	196.7	920.8	91.1	134.0	8.9	685.1
1993	1 995.2	1 851.0	212.7	1 338.3	92.8	144.2	7.2	1 158.7
1994	2 445.6	2 296.0	206.9	1 759.1	93.9	149.6	6.2	1 370.4
1995	2 946.7	2 795.7	214.9	2 080.8	94.9	151.0	5.2	1 603.2
1996	3 026.8	2 873.9	214.3	2 059.6	94.9	152.9	5.1	1 967.9
1997	3 177.8	3 024.2	215.8	2 258.3	95.2	153.6	4.8	2 021.1
1998	3 264.9	3 111.5	202.7	2 410.2	95.3	153.4	4.7	1 993.8
1999	2 964.3	2 810.8	195.9	2 003.6	94.8	153.5	5.2	1 907.7
2000	3 044.6	2 893.9	225.9	2 038.9	95.1	150.7	4.9	1 968.3

表二十　煤炭产品产、销、存

单位:万吨

年　份	年初库存	生产量	销售量			年末库存
			合　计	省内地销	销售外省市	
1980	68.0	332.8	349.8	310.7	39.1	47.1
1981	88.7	575.3	553.8	469.4	84.4	101.5
1982	109.0	807.0	781.0	642.0	139.0	140.0
1983	161.0	875.0	908.0	751.0	157.0	230.0
1984	227.4	1 329.7	1 178.6	1 001.5	177.1	363.8
1985	306.4	1 061.2	761.3	691.4	69.9	434.3
1986	401.4	986.7	728.7	663.6	65.1	474.0
1987	477.4	1 026.1	971.1	918.4	52.7	266.8
1988	266.2	1 112.1	996.8	920.9	75.9	215.0
1989	215.0	1 910.0	1 726.0	1 335.0	391.0	248.0
1990	248.0	2 190.4	1 610.6	1 238.9	371.7	395.7
1991	395.7	2 189.6	1 621.8	1 258.2	363.6	455.8
1992	453.2	2 478.7	1 944.3	1 523.1	421.2	346.6
1993	355.3	3 089.7	2 532.0	2 075.4	456.6	286.8
1994	286.8	3 879.1	3 186.5	2 804.0	382.5	264.0
1995	264.1	4 265.6	3 490.5	3 138.0	352.5	289.6
1996	289.6	4 802.1	3 950.3	3 702.6	247.7	331.8
1997	331.9	4 578.4	3 843.2	3 436.2	407.0	220.2
1998	220.2	4 695.7	3 754.7	3 307.2	447.5	225.3
1999	225.8	4 028.8	3 067.7	2 518.0	526.3	237.2
2000	237.2	4 103.5	3 156.5	2 612.6	550.9	182.0

表二十一 焦炭产品产、销、存

单位:万吨

年 份	年初库存	生产量	销 售 量			年末库存
			合 计	省内销售	销售外省市	
1980	3.18	53.12	39.79	38.79	1.00	3.96
1981	3.96	62.52	61.14	59.27	1.87	19.28
1982	19.28	111.26	118.19	85.19	33.00	12.35
1983	12.35	125.08	119.53	110.25	9.28	17.62
1984	11.87	71.71	66.03	58.38	7.65	16.26
1985	15.96	71.48	65.10	46.45	18.65	18.59
1986	18.59	81.84	71.74	60.49	11.25	25.68
1987	25.68	118.19	121.00	90.39	30.61	19.94
1988	19.94	148.92	129.83	115.70	14.13	32.93
1989	6.67	99.11	70.19	29.85	40.34	10.33
1990	37.09	242.26	227.56	182.38	45.18	37.56
1991	37.56	193.92	181.67	150.00	31.67	42.91
1992	42.91	297.82	284.22	231.64	52.58	49.82
1993	57.70	807.20	752.30	678.50	73.80	82.00
1994	82.03	1 318.60	1 292.40	1 197.20	95.20	83.50
1995	83.87	1 670.10	1 603.20	1 260.21	342.99	115.71
1996	115.71	1 551.11	1 506.30	1 293.70	212.60	115.30
1997	115.30	1 776.10	1 739.50	1 550.84	188.66	102.05
1998	102.05	1 795.46	1 734.61	1 577.98	156.63	110.96
1999	111.04	1 381.30	1 375 622	1 092.50	168.70	112.08
2000	112.08	1 406.13	1 415.22	1 176.97	254.97	96.87

表二十二 售给外省市的煤炭和焦炭（2000年）

单位:万吨

类别	通过公路出省		通过铁路出省焦炭
	煤炭	焦炭	
总计	**78.93**	**224.09**	**130.73**
北京			4.32
天津		2.46	9.52
河北省	23.95	71.22	30.12
辽宁省			4.13
吉林省			
黑龙江			0.53
上海市			0.99
江苏省			4.81
浙江省			1.20
安徽省			0.04
福建省			
江西省			2.70
山东省	0.15	25.91	35.56
河南省	47.33	120.58	1.67
湖北省	2.07	0.02	10.30
湖南省			2.02
广东省			6.11
广西省			0.69
四川省			
陕西省	5.43	3.10	0.03
甘肃省			0.07
青海省			
外贸出口		0.80	15.92

表二十三　商品零售价格分类指数

上年＝100　　　　单位：%

类　别	1998年	1999年	2000年	类　别	1998年	1999年	2000年
总 指 数	**96.9**	**97.5**	**98.0**	其它衣着	95.0	97.9	99.8
食品类	**94.8**	**95.6**	**95.0**	**纺织品类**	**98.2**	**99.3**	**99.0**
粮　食	95.0	97.7	86.8	棉　布	100.7	99.2	97.6
细　粮	94.2	99.4	85.3	棉花花纤混纺布	102.4	100.9	99.1
粗　粮	99.6	88.8	95.9	化纤布	96.5	99.4	98.2
油　脂	103.2	91.9	83.6	呢　绒	98.5	99.3	100.1
肉禽蛋	93.9	85.8	98.9	绸　缎	98.6	98.9	98.6
水产品	94.4	89.8	95.5	其它纺织品	96.3	98.5	100.0
鲜　菜	90.8	103.1	106.1	**中、西药品类**	**102.5**	**102.5**	**99.5**
干　菜	96.6	88.6	95.0	中　药	107.7	104.9	104.9
鲜　果	83.1	99.1	98.3	西　药	99.4	100.8	95.4
其它食品	100.0	97.9	100.4	**化妆品类**	**99.3**	**101.9**	**101.6**
调味品	102.9	100.1	102.6	**书报、杂志类**	**111.4**	**104.3**	**106.2**
食　糖	98.0	89.9	98.9	**文化体育用品类**	**100.8**	**98.9**	**99.6**
糖　果	97.1	101.1	98.4	文化用品	100.9	98.7	100.1
糕　点	100.7	100.1	99.7	体育用品	100.6	99.7	97.9
奶及奶制品	99.6	99.3	100.3	**日用品类**	**100.6**	**98.9**	**99.0**
罐　头	98.9	96.0	100.1	一般日用品	98.1	98.6	98.8
饮食业	97.8	98.5	97.4	家　具	98.0	98.9	99.4
饮料、烟酒	**95.5**	**98.8**	**96.4**	日用杂品	111.9	99.7	98.9
饮　料	97.5	99.3	97.0	**家用电器类**	**94.1**	**95.1**	**99.6**
烟　酒	94.8	98.6	96.2	**首饰类**	**96.9**	**100.6**	**98.8**
服装、鞋帽类	**96.1**	**98.4**	**99.7**	**燃料类**	**98.9**	**98.1**	**110.4**
服　装	95.3	98.7	99.6	**建筑装璜材料类**	**98.4**	**98.0**	**96.7**
鞋	98.1	98.0	110.0	**机电产品类**	**93.9**	**95.0**	**93.0**

表二十四　居民消费价格分类指数

上年 = 100　　　　单位：%

类　别	1998 年	1999 年	2000 年	类　别	1998 年	1999 年	2000 年
总 指 数	**97.9**	**97.4**	**99.6**	鞋　类	100.4	97.9	98.6
食品类	**95.8**	**94.5**	**95.4**	袜　类	91.1	92.5	100.1
粮食类	95.4	97.5	86.0	帽　子	100.3	103.0	99.0
细　粮	94.6	99.2	84.8	其他衣着	100.0	98.0	100.9
粗　粮	100.2	87.1	95.8	**家庭设备及用品类**	**98.8**	**98.8**	**98.9**
淀粉及薯类	99.6	95.1	99.2	耐用消费品	98.5	97.4	98.9
干豆类及豆制品类	100.3	76.6	102.1	家　具	98.9	98.8	98.2
油脂类	103.7	92.4	83.1	家庭设备	98.2	96.5	99.4
肉禽及其制品类	90.8	84.0	106.7	室内装饰品	99.9	100.5	97.5
蛋　类	101.1	89.3	83.6	床上用品	97.4	99.5	99.6
水产品类	93.9	87.5	96.7	家庭日用杂品	99.2	99.2	98.8
菜　类	93.5	101.8	105.0	其他日用品	99.0	100.4	99.2
鲜　菜	93.8	101.7	106.3	**医疗保健类**	**101.9**	**102.1**	**99.4**
干　菜	88.8	107.2	93.2	医疗器具及保健用品	100.6	102.8	99.0
菜制品	95.8	94.7	99.1	中　药	105.3	103.3	106.0
调味品类	101.7	99.9	104.3	西　药	99.8	101.1	95.1
糖　类	96.7	92.7	99.5	**交通和通讯工具类**	**95.8**	**96.5**	**95.3**
烟草类	96.1	98.5	95.3	交通工具	96.7	97.5	99.2
酒和饮料	96.1	98.4	98.8	通讯工具	93.2	93.2	86.3
干鲜瓜果类	85.7	97.3	99.0	**娱乐教育文化用品类**	**100.2**	**97.2**	**100.5**
鲜　果	82.8	97.7	99.0	文娱用耐用消费品	93.0	93.6	99.2
干　果	94.1	96.2	99.0	教材及参考书	118.1	104.4	103.3
糕点类	101.5	99.8	99.1	文化娱乐用品	100.9	100.0	100.3
奶及奶制品类	99.6	99.2	100.3	文娱用品	98.8	99.6	98.9
其他食品类	99.1	95.8	101.0	报纸杂志	103.7	100.6	102.5
饮食业类	98.6	98.7	97.8	**居住类**	**101.3**	**100.4**	**101.4**
主　食	97.9	101.0	95.1	住　房	96.8	101.7	98.8
炒　菜	99.0	98.1	98.5	建筑材料	97.9	100.9	98.1
地方小吃	99.2	96.3	101.6	房　租	95.0	103.0	99.9
衣着类	**97.1**	**98.2**	**99.8**	水、电、燃料	105.6	99.1	103.9
服　装	95.2	98.3	100.6	**服务项目**	**104.1**	**108.5**	**126.3**
衣着材料	98.0	98.6	99.2	电讯费	105.3	97.3	99.8
棉　布	99.8	99.5	98.0	邮　费	100.0	125.8	106.3
棉花化纤混纺布	101.1	102.5	99.7	交通费	100.5	101.5	110.4
化纤布	96.9	99.3	98.6	洗理美容费	99.3	98.4	101.8
呢　绒	99.0	98.8	100.1	文娱费	100.2	100.5	99.9
绸　缎	97.7	97.6	98.9	学杂保育费	110.1	118.3	180.9
毛　线	96.4	96.1	99.7	修理及其他服务费	102.3	103.5	103.0
鞋袜帽及其衣着	99.5	97.7	98.9	医疗保健服务费	102.1	105.7	103.4

表二十五　城镇居民家庭基本情况

指　　标	单位	1990年	1995年	1996年	1997年	1998年	1999年	2000年
调查户数	户	310	310	310	310	310	310	310
平均每户家庭人口数	人	3.6	3.4	3.4	3.3	3.3	3.3	3.4
平均每户就业人口数	人	2.0	1.9	1.9	1.9	1.9	1.9	1.9
平均每一就业者负担人数	人	1.8	1.8	1.8	1.8	1.7	1.7	1.8
平均每人全年可支配收入	元	1 021.24	2 779.59	3 178.47	3 277.20	3 405.45	3 769.38	4 158.30
高收入户	元	1 930.13	4 340.33	5 196.66	5 492.30	6 661.27	6 273.99	7 205.60
中等收入户	元	1 060.13	2 736.56	3 054.75	3 171.69	3 207.74	3 617.99	3 930.06
低收入户	元	668.85	1 727.48	2 008.90	1 985.05	2 327.02	2 225.02	2 236.99
平均每人全年消费性支出	元	795.37	1 940.03	2 344.15	2 527.38	2 503.62	2 678.89	3 073.46
高收入户	元	1 500.88	2 765.78	3 397.40	3 776.76	4 324.24	4 069.54	4 576.30
中等收入户	元	811.99	1 935.05	2 267.55	2 489.77	2 360.41	2 589.06	3 041.78
低收入户	元	534.45	1 334.18	1 765.51	1 739.21	1 993.90	1 837.56	1 901.39

表二十六　城镇居民家庭人均全年消费性支出及构成

类　　别	单位	1990 年	1995 年	1996 年	1997 年	1998 年	1999 年	2000 年
消费性支出	元	**795.37**	**1 940.03**	**2 344.15**	**2 527.38**	**2 503.62**	**2 678.89**	**3 073.46**
食　品	元	403.31	993.63	1 156.32	1 159.79	1 147.53	1 075.25	1 093.44
#粮　食	元	86.02	268.46	333.36	300.03	277.02	259.68	233.46
油　脂	元	16.21	62.29	66.00	63.93	77.26	65.75	67.76
肉禽及制品	元	52.89	126.13	139.56	148.10	129.35	118.03	116.11
蛋　类	元	29.35	75.78	85.92	82.45	74.02	67.87	58.14
水产品类	元	5.72	13.63	15.72	16.57	13.29	12.62	14.58
鲜　菜	元	54.63	119.10	136.47	141.94	126.69	134.04	119.32
衣　着	元	135.67	360.78	403.68	470.58	366.52	401.60	491.80
家庭设备用品及服务	元	88.29	101.78	125.28	128.16	145.15	155.04	205.97
医疗保健	元	20.43	76.36	127.92	186.39	161.01	189.31	210.84
交通和通讯	元	6.62	53.46	79.92	90.17	98.53	194.50	297.58
娱乐、教育、文化服务	元	64.52	155.58	220.32	221.39	256.24	303.14	364.58
居　住	元	47.28	103.59	121.44	157.83	172.91	204.79	259.71
杂项商品及服务	元	37.80	94.84	108.84	113.06	155.73	155.26	149.53
消费性支出构成	%	**100**	**100**	**100**	**100**	**100**	**100**	**100**
食　品	%	50.7	51.2	49.3	45.8	45.8	40.1	35.6
#粮　食	%	10.8	13.8	14.2	11.9	11.1	9.7	7.6
油　脂	%	2.0	3.2	2.8	22.5	3.1	2.5	2.2
肉禽及制品	%	6.7	6.5	6.0	5.9	5.2	4.4	3.8
蛋　类	%	3.7	3.9	3.7	3.3	3.3	2.5	1.9
水产品类	%	0.7	0.7	0.7	0.7	0.5	0.5	0.5
鲜　菜	%	6.9	6.1	5.8	5.6	5.1	5.0	3.9
衣　着	%	17.1	18.6	17.2	18.6	14.6	15.0	16.0
家庭设备用品及服务	%	11.2	5.3	5.4	5.1	5.8	5.8	6.7
医疗保健	%	2.6	3.9	5.5	7.4	6.4	7.1	6.9
交通和通讯	%	0.8	2.8	3.4	3.6	3.9	7.3	9.7
娱乐、教育、文化服务	%	6.9	8.0	9.4	8.8	10.2	11.3	11.9
居　住	%	5.9	5.3	5.3	6.2	6.9	7.6	8.5
杂项商品及服务	%	4.8	4.9	4.5	4.5	6.2	5.8	4.9

表二十七　城镇居民家庭人均全年消费性支出及构成

类　　别	单位	1990 年	1995 年	1996 年	1997 年	1998 年	1999 年	2000 年
消费性支出	元	**795.37**	**1 940.03**	**2 344.15**	**2 527.38**	**2 503.62**	**2 678.89**	**3 073.46**
食　品	元	403.31	993.63	1 156.32	1 159.79	1 147.53	1 075.25	1 093.44
#粮　食	元	86.02	268.46	333.36	300.03	277.02	259.68	233.46
油　脂	元	16.21	62.29	66.00	63.93	77.26	65.75	67.76
肉禽及制品	元	52.89	126.13	139.56	148.10	129.35	118.03	116.11
蛋　类	元	29.35	75.78	85.92	82.45	74.02	67.87	58.14
水产品类	元	5.72	13.63	15.72	16.57	13.29	12.62	14.58
鲜　菜	元	54.63	119.10	136.47	141.94	126.69	134.04	119.32
衣　着	元	135.67	360.78	403.68	470.58	366.52	401.60	491.80
家庭设备用品及服务	元	88.29	101.78	125.28	128.16	145.15	155.04	205.97
医疗保健	元	20.43	76.36	127.92	186.39	161.01	189.31	210.84
交通和通讯	元	6.62	53.46	79.92	90.17	98.53	194.50	297.58
娱乐、教育、文化服务	元	64.52	155.58	220.32	221.39	256.24	303.14	364.58
居　住	元	47.28	103.59	121.44	157.83	172.91	204.79	259.71
杂项商品及服务	元	37.80	94.84	108.84	113.06	155.73	155.26	149.53
消费性支出构成	%	**100**	**100**	**100**	**100**	**100**	**100**	**100**
食　品	%	50.7	51.2	49.3	45.8	45.8	40.1	35.6
#粮　食	%	10.8	13.8	14.2	11.9	11.1	9.7	7.6
油　脂	%	2.0	3.2	2.8	22.5	3.1	2.5	2.2
肉禽及制品	%	6.7	6.5	6.0	5.9	5.2	4.4	3.8
蛋　类	%	3.7	3.9	3.7	3.3	3.3	2.5	1.9
水产品类	%	0.7	0.7	0.7	0.7	0.5	0.5	0.5
鲜　菜	%	6.9	6.1	5.8	5.6	5.1	5.0	3.9
衣　着	%	17.1	18.6	17.2	18.6	14.6	15.0	16.0
家庭设备用品及服务	%	11.2	5.3	5.4	5.1	5.8	5.8	6.7
医疗保健	%	2.6	3.9	5.5	7.4	6.4	7.1	6.9
交通和通讯	%	0.8	2.8	3.4	3.6	3.9	7.3	9.7
娱乐、教育、文化服务	%	6.9	8.0	9.4	8.8	10.2	11.3	11.9
居　住	%	5.9	5.3	5.3	6.2	6.9	7.6	8.5
杂项商品及服务	%	4.8	4.9	4.5	4.5	6.2	5.8	4.9

表二十八　农村住户收入和支出增长情况

年份	农村住户人均纯收入					农村住户人均生活消费支出				
	绝对值（元）	比上年增加额（元）	比上年增长（%）	扣除物价因素		绝对值（元）	比上年增加额（元）	比上年增长（%）	扣除物价因素	
				绝对值（元）	比上年增长（%）				绝对值	比上年增长（%）
1989	426			426		354.25			354.25	
1990	501	75	17.6	496	16.3	390.43	36.18	10.2	386.18	9.0
1991	514	13	2.6	482	-2.2	402.57	12.14	3.1	377.29	-1.7
1992	618	104	20.2	544	13.6	402.77	0.20	0.1	354.55	-5.4
1993	709	91	14.7	570	2.5	511.26	108.49	26.9	410.98	13.4
1994	868	159	22.4	578	1.4	560.62	49.36	9.7	373.50	-9.1
1995	1 130	321	39.7	654	21.5	613.41	52.79	9.4	355.19	1.0
1996	1 528	398	35.2	832	27.1	860.23	246.82	40.2	468.28	31.8
1997	1 872	344	22.5	998	20.0	836.44	-23.79	-2.8	445.86	-0.9
1998	2 038	166	8.9	1 109	11.2	846.23	9.79	1.2	460.77	3.5
1999	2 012	-26	-1.3	1 125	1.3	858.99	12.76	1.5	480.42	4.2
2000	2 195	183	9.1	1 232	9.5	911.65	52.66	6.1	511.88	6.5

注：物价因素以1989年价格为100计算。

表二十九　农村住户基本情况(2000年)

指　　标	单　位	户　均	人　均	指　　标	单　位	户　均	人　均
一、常住人口	**人**	**4.40**		六、劳动力就业地点			
#整半劳动力	人	2.80		#乡　内	人	2.56	
整劳动力	人	2.20		县内乡外	人	0.16	
半劳动力	人	0.60		省内县外	人	0.06	
6岁及以下人口	人	0.20		省　外	人	0.02	
7-15岁人口	人	1.00		七、年内从事各种行业时间			
#在校人口	人	1.00		#农　业	月	15.37	3.50
16-60岁人口	人	3.00		非农业	月	6.64	1.51
#在校人口	人	0.20		外出从业	月	1.74	0.40
61岁及以上人口	人	0.20		资产情况			
二、劳动力文化程度				**一、年末生产用固定资产原值**	**元**	**3 749.90**	**854.10**
文盲或半文盲人数	人	0.05		役畜、产品畜	元	784.00	178.60
小学程度人数	人	0.70		大中型铁木农具	元	136.60	31.10
初中程度人数	人	1.70		农林牧渔业机械	元	546.30	124.40
高中程度人数	人	0.30		工　业	元	83.30	19.00
中专程度人数	人	0.03		建筑业	元	10.70	2.50
大专以上人数	人	0.02		交通运输业	元	1 092.10	248.80
三、劳动力就业情况				生产用房	元	737.90	168.10
农　业	人	2.20		其他生产用固定资产	元	359.00	81.60
林　业	人	0.02		二、年末拥有主要固定资产			
牧　业	人	0.02		汽　车	辆	0.14	0.03
工　业	人	0.20		大中型拖拉	台	0.22	0.05
建筑业	人	0.04		小型和手扶拖拉机	台	1.66	0.38
交通运输业	人	0.06		机动脱粒机	台	0.23	0.05
批发和零售贸易餐饮业	人	0.09		胶轮大车	辆	1.54	0.35
社会服务业	人	0.06		农用动力机械	台	0.90	0.21
其　他	人	0.11		房屋及建筑物	平方米	17.62	4.01
四、外出从业劳动力人数	**人**	**2.80**		水　泵	台	0.48	0.11
#累计外出6个月以上	人	0.20		役　畜	头	6.50	1.48
五、在本地企业从业人数	**人**	**0.05**		产品畜	头	1.69	0.38

续表

指　　标	单位	户　均	人　均	指　　标	单　位	户　均	人　均
一、土地经营情况				新建(购)住房面积	平方米	1.19	0.27
＃耕地面积	亩	11.21	2.55	新建(购)住房价值	元	280.60	63.91
＃自留地面积	亩	0.42	0.10	新建(购)住房类型			
山地面积	亩	0.97	0.22	＃楼房面积	平方米		
园地面积	亩	0.51	0.12	砖瓦房面积	平方米	1.19	0.27
牧草地面积	亩	…	…	其　他	平方米		
养殖水面面积	亩	…	…	新建(购)住房结构			
二、耕地流转情况				＃钢筋混凝土结构面积	平方米	0.37	0.08
年初经营耕地面积	亩	11.19	2.54	砖木结构面积	平方米	0.82	0.19
年内转入耕地面积	亩	0.09	0.02	其　他	平方米		
年内转出耕地面积	亩	0.07	0.01	**五、期内新建(购)住房资金来源**			
年末经营耕地面积	亩	11.21	2.55	自　筹	元	198.51	45.22
三、期末住房情况				银行、信用社贷款	元	3.73	0.85
住房面积	平方米	96.18	21.91	其　他	元	35.07	7.99
＃租用住房面积	平方米	0.49	0.11	**六、居住条件**			
住房价值	元	13 494.96	3 073.81	住房有卫生设备的户数	户	0.99	
住房类型				生活用电数量	度	121.52	27.68
＃楼房面积	平方米	1.46	0.33	使用安全饮用水的户数	户	0.51	
砖瓦平房面积	平方米	66.47	15.14	有取暖设备的户数	户	0.93	
其　他	平方米	28.25	6.44	＃暖　气	户	0.05	
住房结构				火　炕	户	0.87	
＃钢筋混凝土结构面积	平方米	12.09	2.75	燃料使用情况			
砖木结构面积	平方米	62.87	14.32	＃液化气	户	…	
其　他	平方米	21.22	4.84	煤　炭	户	0.84	
四、期内新建(购)住房情况				柴　草	户	0.15	

表三十　农村基层组织情况

指　　标	单位	1995年	1996年	1997年	1998年	1999年	2000年
一、农村基层组织情况							
(一)乡镇政府个数	个	249	249	249	249	249	248
乡政府	个	178	177	176	175	174	171
#农业办事处	个	7	6	6	6	6	5
镇政府	个	71	72	73	74	75	77
(二)村民委员会个数	个	3 372	3 373	3 374	3 374	3 375	3 375
二、农村社会基础设施							
自来水受益村数	个	1 546	1 612	1 662	1 735	1 808	1 853
通汽车村数	个	3 185	3 267	3 273	3 289	3 304	3 309
通电话村数	个	918	1 048	1 343	1 712	2 066	2 184
通电村数	个	3 330	3 336	3 355	3 360	3 365	3 361
通公路村数	个			3 334	3 362	3 363	3 358
通公路乡数	个	249	249	249	249	235	234
三、乡村户数	**户**	**719 347**	**723 020**	**726 929**	**730 069**	**733 802**	**741 460**
四、乡村人口数	**人**	**2 997 567**	**3 003 315**	**3 023 152**	**3 040 886**	**3 057 448**	**3 075 054**
五、乡村劳动力资源总数	**人**	**1 715 302**	**1 732 798**	**1 752 182**	**1 769 442**	**1 788 418**	**1 801 336**
六、乡村实有劳动力	**人**	**1 297 241**	**1 308 186**	**1 321 682**	**1 334 225**	**1 348 404**	**1 361 136**
(一)按性别分组							
男劳动力	人	713 029	717 533	723 982	731 347	740 039	746 484
女劳动力	人	584 212	590 653	597 700	602 878	608 365	614 652
(二)按部门分组							
农林牧渔业劳动力	人	836 757	834 127	838 747	846 226	853 989	858 935
农　业	人	761 777	757 291	760 147	765 795	772 238	773 821
林　业	人	19 071	20 072	20 898	21 287	22 090	23 012
牧　业	人	54 768	55 632	56 549	57 941	58 467	60 844
渔　业	人	1 141	1 132	1 153	1 203	1 194	1 258
农村工业劳动力	人	190 117	193 498	193 759	188 375	186 908	188 418
建筑业劳动力	人	59 924	62 434	63 972	65 480	68 479	70 816
交通运输仓储和邮电通讯	人	77 187	80 792	83 204	85 499	87 491	89 070
批发、零售贸易餐饮业	人	54 770	57 893	60 619	63 687	65 538	68 992
其他劳动力	人	78 486	79 442	81 381	84 958	85 999	84 905

表三十一　耕地面积

年　份	耕地面积（公顷）	水田	旱地	#水浇地	水田水浇地占耕地比重（%）	每一农业人口占有耕地（公顷）
1949	485 124	578	484 546	21 748	4.60	0.37
1952	512 999	616	512 383	26 474	5.28	0.37
1957	507 523	609	506 914	35 693	7.15	0.33
1962	469 377	563	468 814	63 643	13.68	0.25
1965	465 382	558	464 824	73 274	15.86	0.24
1970	450 265	540	449 725	85 371	19.08	0.20
1975	440 654	529	440 125	129 132	29.42	0.18
1978	436 313	524	435 789	125 938	28.98	0.17
1979	434 901	431	434 470	129 097	29.78	0.17
1980	433 487	847	432 640	128 247	29.78	0.17
1981	431 923	515	431 408	126 806	29.48	0.17
1982	431 191	284	430 907	127 387	29.61	0.17
1983	430 673	301	430 372	127 501	29.67	0.16
1984	430 058	397	429 661	129 680	30.25	0.16
1985	421 773	460	421 313	127 607	30.36	0.16
1986	420 627	473	420 154	126 053	30.08	0.16
1987	420 220	487	419 733	132 980	31.76	0.15
1988	415 313	480	414 833	133 746	32.32	0.15
1989	414 180	513	413 667	136 460	33.07	0.15
1990	413 273	580	412 693	137 880	33.50	0.14
1991	412 260	580	411 680	139 550	33.82	0.14
1992	410 730	650	410 080	140 460	34.36	0.14
1993	409 380	530	408 850	139 850	34.29	0.14
1994	407 343	533	406 810	140 864	34.71	0.13
1995	405 969	533	405 436	142 088	35.13	0.13
1996	405 537	522	405 015	141 913	35.12	0.13
1997	523 703	897	522 806	121 760	23.42	0.17
1998	521 249	880	520 369	124 400	24.03	0.17
1999	520 565	876	519 689	126 751	24.52	0.17
2000	520 209	897	519 312	127 258	24.64	0.17

注：1997年为农业普查衔接数。

表三十二　耕地面积增减变动情况

指　　标	单位	1990年	1995年	1996年	1997年	1998年	1999年	2000年
年初实有耕地面积	**公顷**	**414 180**	**407 343**	**405 969**	**529 580**	**523 703**	**521 249**	**520 565**
年内增加耕地面积	**公顷**	**506**	**504**	**859**	**1 546**	**523**	**999**	**2 292**
#新开荒地面积	公顷	180	190	478	898	91	121	168
当年减少耕地面积	**公顷**	**1 413**	**1 878**	**1 291**	**7 423**	**2 977**	**1 683**	**2 648**
#国家基建占地	公顷	260	221	56	80	1 137	405	113
乡村集体基建占地	公顷	140	225	112	585	765	442	115
农村居民个人建房占地	公顷	173	206	100	287	266	131	79
年末实有耕地面积	**公顷**	**413 273**	**405 969**	**405 537**	**523 703**	**521 249**	**520 565**	**520 209**
水　田	公顷	580	533	522	897	880	876	897
旱　地	公顷	412 693	405 436	405 015	522 806	520 369	519 689	519 312
#水浇地	公顷	137 880	142 088	141 913	121 760	124 400	126 751	127 258
水田水浇地合计	公顷	138 460	142 621	142 435	122 657	125 280	127 627	128 155
附：年末耕地中国有单位耕地	公顷	847	780	770	2 102	2 102	2 095	2 106

注：1997年为农业普查衔接数。

表三十三　农林牧渔业总产值

按 1990 年不变价格计算

年　份	农林牧渔业总产值（万元）	农　业产　值	# 种植业	林　业产　值	牧　业产　值	渔　业产　值
1949	33 827	30 600	28 462	463	2 764	
1952	48 160	43 341	40 238	977	3 842	
1957	57 415	48 811	44 595	2 254	6 350	
1962	47 271	39 596	39 022	1 289	6 386	
1965	68 508	57 023	56 282	2 805	8 673	7
1970	64 231	51 817	51 262	2 557	9 844	13
1975	97 783	74 331	73 938	9 828	13 604	20
1978	92 176	72 106	71 238	5 736	14 314	20
1979	105 877	83 413	82 432	6 899	15 532	33
1980	100 316	73 981	72 345	9 345	16 967	23
1981	93 358	67 015	64 973	8 831	17 479	33
1982	118 634	91 099	88 091	9 561	17 940	34
1983	141 287	109 883	105 145	12 375	18 985	44
1984	191 333	150 249	138 956	16 126	24 870	88
1985	173 337	131 887	123 606	14 876	26 462	112
1986	141 161	105 450	103 123	10 003	25 540	168
1987	123 494	89 449	86 992	8 615	25 176	254
1988	141 142	105 836	102 493	8 254	26 685	367
1989	165 541	127 170	124 352	8 541	29 407	423
1990	181 284	139 211	136 258	8 945	32 550	578
1991	161 692	116 544	113 284	9 434	35 037	677
1992	186 746	137 952	134 391	10 385	37 661	748
1993	202 143	149 488	145 717	11 205	40 621	829
1994	207 025	142 802	138 759	12 020	51 288	915
1995	233 083	154 404	149 909	15 608	62 059	1 012
1996	258 667	170 153	164 329	16 291	71 151	1 072
1997	233 056	161 682	153 642	15 579	54 643	1 152
1998	257 486	182 951	174 692	15 579	57 710	1 246
1999	246 605	172 701	164 492	13 298	59 302	1 304
2000	239 074	160 134	151 161	16 344	61 270	1 326

农林牧渔业总产值

按当年价格计算

年　份	农林牧渔业总产值（万元）	农　业产　值	# 种植业	林　业产　值	牧　业产　值	渔　业产　值
1949	9 801	9 074	8 389	102	625	
1952	15 178	13 999	12 919	234	945	
1957	21 076	18 626	16 915	630	1 820	
1962	14 482	12 654	12 396	301	1 527	
1965	21 028	18 295	17 949	654	2 078	1
1970	23 278	19 784	19 454	705	2 785	4
1975	34 648	28 231	27 913	2 650	3 762	5
1978	32 439	26 967	26 483	1 535	3 932	5
1979	37 390	31 245	30 691	1 855	4 281	9
1980	48 987	41 915	41 117	1 495	5 567	10
1981	47 175	38 465	36 158	3 170	5 532	8
1982	65 271	56 100	53 075	3 660	5 502	9
1983	76 908	63 792	60 495	5 099	7 996	21
1984	108 481	89 412	80 527	7 960	11 066	43
1985	101 287	80 068	73 371	7 562	13 595	62
1986	87 964	68 739	66 918	5 649	13 471	105
1987	82 005	62 121	60 144	5 070	14 635	179
1988	108 466	81 531	78 944	5 415	21 179	341
1989	131 990	102 424	100 028	5 558	23 596	412
1990	170 174	134 897	132 399	7 195	27 507	575
1991	158 316	118 575	115 738	7 949	31 118	674
1992	195 474	150 886	147 697	9 072	34 688	828
1993	224 095	173 652	170 243	10 903	38 572	968
1994	307 522	227 931	224 230	12 552	65 897	1 142
1995	401 480	295 533	291 331	16 973	87 627	1 347
1996	466 666	345 900	340 255	17 351	101 969	1 446
1997	431 391	328 396	320 168	17 987	83 406	1 602
1998	454 609	351 308	342 850	17 869	83 751	1 681
1999	396 361	300 607	292 211	14 999	79 093	1 662
2000	378 062	271 926	262 953	19 764	84 016	2 356

农林牧渔业总产值（2000年）

单位：万元

类　　别	按1990年不变价格计算	按现行价格计算	类　　别	按1990年不变价格计算	按现行价格计算
农林牧渔业总产值	**239 074**	**378 062**	采集野生植物	3 735	3 735
一、农业产值	**160 134**	**271 926**	农民家庭兼营商品性工业	5 238	5 238
（一）种植业	151 161	262 953	**二、林业产值**	**16 344**	**19 764**
1.主产品产值	141 927	252 896	营　林	12 005	12 661
粮食作物总计	66 456	141 823	林产品	3 673	6 332
谷　物	53 600	109 769	村及村以下竹木采伐	666	771
豆　类	8 373	13 586	**三、牧业产值**	**61 270**	**84 016**
薯　类	4 483	18 468	（一）牲　畜	35 461	56 952
油　料	6 605	11 146	1.大牲畜的繁殖、增长、增重	5 610	9 121
棉　花	1 861	3 638	牛	4 998	8 361
麻　类	6	9	马	103	112
糖　类			驴	287	397
烟　叶	1 896	1 606	骡	222	251
药材类	9 603	9 603	骆　驼		
蔬菜、瓜类	29 753	58 396	2．猪	26 504	39 547
桑叶、水果	22 846	23 718	3．羊	3 302	8 239
其他种植业	2 901	2 957	4.其　他	45	45
# 饲料作物	134	140	（二）家禽的饲养	2 296	3 093
2.副产品产值	9 234	10 057	（三）活的畜禽产品	22 111	22 050
粮食作物副产品	8 885	9 690	（四）捕　猎	226	237
# 谷物副产品	7 903	8 755	（五）其他动物饲养	1 176	1 684
其他副产品	349	367	**四、渔业产值**	**1 326**	**2 356**
（二）其他农业	8 973	8 973	# 养　殖	1 326	2 356

表三十四　主要农作物播种面积

单位：千公顷

年　份	总播种面积	粮食作物	#谷　物	油　料	棉　花	烟　叶	蔬　菜
1949	502.90	443.53	404.09	11.91	36.55	2.21	3.11
1952	548.32	462.02	410.49	9.22	65.32	2.36	3.02
1957	565.19	451.83	406.00	7.92	88.28	1.95	5.63
1962	540.80	467.97	416.83	5.41	43.04	2.23	5.85
1965	536.84	441.59	396.98	5.53	66.47	1.91	3.93
1970	551.43	458.93	414.08	4.31	65.73	0.95	6.14
1975	541.25	450.04	423.13	4.85	64.67	1.33	5.90
1978	536.71	458.01	418.62	4.63	48.99	1.33	6.08
1979	518.47	435.49	402.81	5.24	53.38	0.69	6.29
1980	515.01	422.35	392.12	9.57	56.63	0.50	5.91
1981	490.86	410.14	384.58	11.09	43.21	1.73	5.32
1982	484.63	395.79	368.71	11.39	53.34	1.61	6.29
1983	489.64	403.84	373.33	11.09	53.48	0.23	6.37
1984	510.97	416.44	384.50	14.51	47.72	0.23	8.33
1985	478.45	388.07	357.97	35.30	25.70	0.24	8.68
1986	478.27	408.99	376.13	25.29	17.95	0.08	10.27
1987	488.55	425.43	387.81	19.69	19.99	0.12	10.37
1988	489.82	421.31	381.92	21.35	22.69	0.36	11.09
1989	488.23	423.47	380.61	20.23	23.14	1.29	10.06
1990	490.31	426.28	375.70	19.41	25.09	1.57	9.80
1991	490.26	420.49	377.45	17.05	30.39	4.75	9.87
1992	497.46	422.33	378.54	15.24	31.65	7.05	11.07
1993	498.70	429.12	380.25	16.73	23.75	5.27	11.96
1994	501.36	426.79	377.12	22.07	28.70	3.59	11.91
1995	504.74	431.59	384.97	23.81	25.40	3.07	13.61
1996	510.52	440.59	393.42	26.04	19.56	3.48	14.18
1997	471.84	407.37	365.11	21.82	11.83	5.78	17.11
1998	510.82	446.43	391.75	24.37	9.95	2.54	18.56
1999	519.85	452.99	392.78	26.94	7.07	2.94	19.39
2000	512.99	440.46	374.12	30.56	3.66	3.37	26.23

表三十五 主要农作物产量

单位：吨

年 份	粮 食	1.谷 物	#稻 谷	#小 麦	#玉 米	#谷 子	#高 粱
1949	348 450	321 407		168 610	88 275	31 315	13 580
1952	400 555	362 996		164 195	112 355	48 515	15 255
1957	410 795	374 414		193 015	105 535	38 465	14 300
1962	513 090	455 694		198 495	154 000	46 290	14 305
1965	655 120	606 976		328 325	207 730	37 115	16 710
1970	501 095	454 831		177 405	188 400	46 065	16 915
1975	874 965	822 687		400 940	299 405	56 265	32 915
1978	861 260	779 796		244 560	389 000	68 560	39 655
1979	970 170	914 951	3 530	369 640	437 900	51 425	24 665
1980	839 600	789 700	3 670	273 725	418 920	52 055	16 590
1981	748 405	715 117	2 385	331 865	287 020	53 130	9 000
1982	933 805	888 712	2 770	496 010	298 735	56 675	14 570
1983	1 165 995	1 104 379	2 440	627 690	359 900	71 705	20 705
1984	1 492 460	1 409 358	3 410	768 685	498 425	77 610	31 445
1985	1 316 487	1 231 281	2 779	768 746	363 780	52 420	25 744
1986	1 125 325	1 065 457	1 792	708 310	292 657	34 006	16 494
1987	936 010	873 078	1 649	521 359	288 000	35 697	12 856
1988	1 111 569	1 013 085	1 872	485 662	419 887	56 513	27 481
1989	1 401 219	1 300 155	3 057	786 216	415 309	51 574	26 096
1990	1 502 065	1 390 535	2 847	862 708	429 790	52 953	28 665
1991	1 199 482	1 136 634	3 106	763 104	319 164	27 568	15 796
1992	1 378 453	1 276 142	2 486	710 594	462 813	52 503	24 749
1993	1 565 192	1 427 783	3 161	777 719	521 883	66 209	29 957
1994	1 442 589	1 345 106	3 178	824 775	436 082	41 030	25 828
1995	1 524 000	1 389 297	3 204	733 502	537 425	65 479	25 576
1996	1 711 561	1 585 708	3 803	903 427	565 707	62 637	26 955
1997	1 518 227	1 425 435	3 569	953 987	402 997	36 239	15 753
1998	1 714 908	1 561 397	3 760	826 007	599 407	76 664	24 444
1999	1 530 932	1 390 398	3 549	777 536	509 077	60 012	20 097
2000	1 208 506	1 040 231	2 794	511 027	422 417	61 197	15 323

续表

单位：吨

年 份	2.豆 类	3.薯 类	油 料	棉 花	麻 类	烟 叶	蔬 菜
1949	20 068	6 975	5 829	8 770	78	1 741	44 847
1952	28 769	8 790	4 714	21 980	141	2 918	46 575
1957	25 871	10 510	2 429	29 400	195	1 633	77 762
1962	23 401	33 995	1 338	10 520	173	1 187	90 148
1965	26 134	22 010	2 686	25 605	130	559	74 538
1970	23 979	22 285	1 710	20 475	106	531	101 435
1975	20 998	31 280	2 387	16 495	108	488	139 830
1978	26 704	54 760	1 627	14 368	89	568	188 259
1979	18 574	36 645	3 158	16 550	86	358	194 487
1980	17 755	32 145	9 380	18 125	67	295	172 445
1981	12 658	20 630	9 862	11 674	38	1 613	143 935
1982	18 033	27 060	10 826	23 877	33	2 578	212 475
1983	28 281	33 335	13 955	26 656	49	284	200 435
1984	29 002	54 100	25 664	34 960	58	490	327 785
1985	24 841	60 365	41 881	16 746	145	548	331 097
1986	25 024	34 844	28 422	13 644	85	136	327 043
1987	29 667	33 265	17 917	13 684	50	175	362 871
1988	38 289	60 195	26 532	13 543	72	665	424 184
1989	43 488	57 576	25 018	19 132	45	1 816	374 580
1990	56 054	55 476	28 396	21 128	33	2 635	384 086
1991	25 474	37 374	16 255	20 935	18	6 854	343 169
1992	39 571	62 740	18 621	21 076	20	10 053	447 205
1993	47 382	90 027	23 798	14 446	27	7 675	462 841
1994	37 510	59 973	28 766	17 224	32	5 436	445 232
1995	46 696	88 007	36 747	16 279	34	4 745	565 233
1996	44 846	81 007	45 096	12 634	38	5 953	595 394
1997	27 935	64 857	28 866	5 192	18	8 699	696 826
1998	58 202	95 309	46 037	6 198	31	4 472	788 937
1999	56 273	84 261	38 470	3 824	29	4 861	767 076
2000	73 324	94 951	47 693	2 557	30	6 226	847 640

表三十六 主要农作物单位面积产量

单位：千克/公顷

年 份	粮 食	1.谷 物	#稻 谷	#小 麦	#玉 米	#谷 子	#高 粱
1949	780	795		660	1 275	732	1 011
1952	870	884		630	1 590	1 106	1 123
1957	915	922		750	1 665	985	1 199
1962	1 095	1 093		825	1 980	1 176	1 421
1965	1 485	1 529		1 380	2 175	1 110	1 850
1970	1 095	1 098		765	1 965	1 225	1 585
1975	1 950	1 944		1 695	2 820	1 570	2 469
1978	1 875	1 863		1 080	3 555	1 832	2 506
1979	2 235	2 271	4 238	1 680	3 795	1 623	2 226
1980	1 995	2 014	4 493	1 245	3 705	1 776	2 020
1981	1 830	1 859	3 863	1 530	2 850	1 601	1 742
1982	2 355	2 410	5 085	2 220	3 225	2 122	2 321
1983	2 880	2 958	5 183	2 745	3 975	2 394	2 962
1984	3 585	3 665	5 865	3 300	5 100	2 725	4 111
1985	3 390	3 440	5 955	3 180	4 650	2 661	3 481
1986	2 745	2 833	5 076	2 790	3 480	1 725	2 514
1987	2 205	2 251	5 160	2 070	3 075	1 635	2 025
1988	2 640	2 653	4 395	1 965	4 680	2 715	4 065
1989	3 315	3 416	5 655	3 135	4 680	2 664	3 910
1990	3 525	3 701	5 550	3 435	4 965	2 643	4 266
1991	2 852	3 011	4 930	3 017	3 672	1 437	2 507
1992	3 264	3 371	5 524	2 814	5 317	2 691	4 153
1993	3 647	3 755	5 854	3 132	5 725	3 283	4 546
1994	3 380	3 567	5 996	3 295	4 882	2 108	3 931
1995	3 531	3 609	6 045	2 976	5 451	3 232	4 464
1996	3 885	4 031	6 037	3 606	5 521	2 964	4 252
1997	3 727	3 904	7 435	3 836	4 579	2 565	2 890
1998	3 841	3 986	6 373	3 302	5 904	3 463	4 485
1999	3 380	3 540	6 015	3 143	4 782	2 781	3 551
2000	2 744	2 780	6 652	2 076	4 796	2 911	3 765

续表

单位：千克/公顷

年 份	2.豆 类	3.薯 类	油 料	棉 花	麻 类	烟 叶
1949	547	1 088	495	240	221	788
1952	644	1 277	510	330	291	1 237
1957	661	1 572	300	330	317	838
1962	655	2 203	240	240	294	533
1965	777	2 004	480	390	354	293
1970	718	1 945	390	315	426	560
1975	1 212	3 262	495	255	456	368
1978	1 250	3 038	345	300	430	426
1979	896	2 614	600	315	452	522
1980	980	2 654	975	315	459	593
1981	739	2 037	885	270	368	933
1982	984	2 558	945	450	463	1 597
1983	1 335	2 916	1 260	495	472	1 227
1984	1 480	3 788	1 770	735	541	2 150
1985	1 833	3 651	1 185	645	889	2 243
1986	1 389	2 348	1 125	765	638	1 700
1987	1 380	2 025	915	690	435	1 455
1988	1 695	3 540	1 245	600	600	1 845
1989	1 651	3 488	1 230	825	563	1 411
1990	1 630	3 424	1 470	840	450	1 675
1991	1 451	2 154	953	689	300	1 446
1992	1 442	3 837	1 222	666	400	1 426
1993	1 670	4 392	1 422	608	540	1 456
1994	1 233	3 117	1 303	600	457	1 514
1995	1 802	4 252	1 543	907	641	1 546
1996	1 664	4 006	1 732	646	1 267	1 711
1997	1 380	2 947	1 323	439	450	1 505
1998	1 793	4 289	1 889	623	775	1 761
1999	1 530	3 598	1 428	541	725	1 653
2000	1 762	3 841	1 561	699	1 000	1 847

表三十七 畜牧业生产情况

指标	单位	1990年	1995年	1996年	1997年	1998年	1999年	2000年
一、大牲畜年末存栏	**头**	**433 660**	**593 569**	**660 816**	**531 612**	**550 104**	**542 136**	**528 048**
#从事农事劳役的	头	322 142	409 677	444 514	346 167	347 837	348 841	334 348
牛	头	285 243	444 302	512 815	424 549	442 172	437 560	425 388
#良种及改良种乳牛	头	1 384	2 284	3 427	3 798	4 305	4 665	4 718
马	匹	19 613	19 792	19 509	7 603	7 893	8 102	8 468
驴	头	66 962	63 352	62 595	43 516	43 533	42 160	42 100
骡	头	61 842	66 123	65 897	55 944	56 506	54 314	52 091
二、猪年末存栏	**头**	**445 248**	**790 769**	**854 130**	**594 705**	**645 812**	**668 107**	**704 392**
#能繁殖的母猪	头	35 335	68 710	73 440	49 868	54 178	56 305	58 691
三、羊年末存栏	**只**	**929 154**	**1 425 817**	**1 627 723**	**1 391 244**	**1 440 918**	**1 428 291**	**1 360 402**
山羊	只	725 822	1 159 491	1 323 259	1 152 164	1 187 455	1 169 339	1 078 661
绵羊	只	203 332	266 326	304 464	239 080	253 463	258 952	281 741
四、家禽年末存栏	**只**	**5 911 564**	**9 475 033**	**10 023 245**	**7 741 987**	**8 290 419**	**8 436 665**	**9 070 750**
五、养蜂年末箱数	**箱**	**17 289**	**16 985**	**16 915**	**16 714**	**16 934**	**16 354**	**16 206**
六、养兔年末存栏	**只**	**496 513**	**596 061**	**573 090**	**606 633**	**546 577**	**509 650**	**572 543**
七、猪、牛、羊出栏								
猪全年出栏	头	379 271	700 960	838 962	617 669	657 620	703 529	735 798
牛全年出栏	头	27 597	91 482	114 316	77 862	84 525	79 693	83 173
羊全年出栏	只	333 274	510 561	589 510	502 385	524 498	552 948	617 291
八、当年肉类总产量	**吨**	**38 256**	**74 960**	**90 945**	**66 237**	**70 830**	**73 575**	**77 363**
#猪肉产量	吨	26 360	50 207	61 654	44 116	47 451	50 151	52 421
牛肉产量	吨	3 279	11 220	14 027	9 488	10 391	9 885	10 138
羊肉产量	吨	4 161	6 655	7 679	6 486	6 771	7 127	7 943
禽肉产量	吨	2 075	4 381	4 829	3 659	3 957	4 184	4 489
兔肉产量	吨	1 848	1 576	1 579	1 704	1 569	1 520	1 600
九、畜禽产品产量								
奶类	吨	12 856	19 768	22 810	24 592	26 142	28 169	27 626
#牛奶	吨	2 509	4 938	6 242	8 236	8 550	9 168	9 418
绵羊毛产量	吨	208	261	287	220	221	225	248
山羊毛产量	吨	175	311	349	306	270	290	265
羊绒产量	吨	63	117	141	110	116	105	99
禽蛋产量	吨	19 396	42 404	46 430	34 932	37 441	37 774	39 354
蜂蜜产量	吨	354	356	374	365	364	354	349
蚕茧产量	吨	56	182	236	83	61	58	52

表三十八 农业机械拥有量

类别	单位	1990年	1995年	1996年	1997年	1998年	1999年	2000年
农业机械总动力	**万千瓦特**	**125.40**	**184.48**	**194.42**	**163.82**	**188.32**	**214.31**	**226.66**
每百公顷耕地拥有机械动力	千瓦特	303.43	454.4	479.4	312.81	361.2	411.1	435.7
大中型农用拖拉机	台	3 780	2 836	2 483	2 558	2 343	2 579	3 056
	万千瓦特	11.48	9.42	8.37	8.39	7.96	8.73	10.27
小型农用拖拉机	台	28 234	34 852	33 723	41 528	32 841	34 506	33 484
	万千瓦特	26.13	33.30	31.80	41.47	30.38	31.92	31.67
大中型拖拉机配套机具	部	3 869	3 561	3 541	2 472	4 013	4 557	4 630
小型拖拉机配套机具	部	20 895	33 804	34 595	21 543	35 010	37 590	30 160
农用排灌动力机械	台	14 287	15 438	15 573	7 150	13 724	15 115	12 795
	万千瓦特	17.53	17.45	17.40	8.31	15.85	17.50	16.41
农用水泵	套	13 898	15 686	15 879	16 506	16 854	17 771	14 317
联合收割机	台	63	509	544	686	936	1 120	1 119
机动收割机	台	2 967	5 676	5 563	5 373	5 494	5 885	3 564
机动脱粒机	台	13 210	12 714	12 515	10 483	12 062	12 284	12 762
碾米机	台	4 897	5 317	5 447	5 476	5 531	5 569	-
磨面机	台	9 726	9 418	9 399	9 168	8 996	8 975	-
轧花机	台	1 400	522	464	459	381	491	-
榨油机	台	1 806	1 760	1 689	1 646	1 576	1 590	1 051
农用载重汽车	辆	4 613	6 161	6 568	3 176	4 027	4 977	5 343
	万千瓦特	39.13	51.87	55.95	26.85	36.63	40.05	45.96
机动喷粉(雾)器	部	128	1 135	1 339	1 349	2 038	1 536	1 383
农用固定动力机械	台	51 502	55 002	54 589	27 326	45 434	52 230	67 197
	万千瓦特	45.89	47.40	47.00	23.66	40.76	45.89	43.95
#电动机	台	44 578	49 212	48 770	23 249	40 467	46 946	62 399
	万千瓦特	38.12	41.38	41.11	19.24	35.78	40.10	38.70
柴油机	台	6 924	5 790	5 819	4 077	4 967	5 284	4 798
	万千瓦特	7.77	6.02	5.89	4.42	4.98	5.79	5.23

表三十九　造林和果桑园面积

类　别	单　位	1990年	1995年	1996年	1997年	1998年	1999年	2000年
一、当年造林面积	**千公顷**	**26.32**	**56.35**	**60.19**	**60.44**	**56.97**	**54.63**	**74.75**
#用材林	千公顷	7.45	10.95	12.60	13.02	13.20	10.50	3.93
经济林	千公顷	6.96	30.20	29.27	23.94	23.18	22.97	23.41
防护林	千公顷	11.91	15.19	18.29	23.47	20.59	21.09	46.91
二、育苗面积	**千公顷**	**2.01**	**3.56**	**4.14**	**3.62**	**3.44**	**3.29**	**4.58**
#本年新育	千公顷	1.45	1.71	2.17	1.72	1.94	1.91	2.17
三、零星植树	**万　株**	**3 168.00**	**4 351.30**	**4 506.00**	**4 486.20**	**4 493.00**	**3 998.68**	**3 224.31**
四、年末果园面积	**千公顷**	**18.05**	**24.27**	**25.12**	**32.92**	**33.03**	**32.99**	**31.55**
#苹果园	千公顷	13.10	18.96	19.50	26.85	26.87	26.51	24.74
梨　园	千公顷	1.94	2.28	2.62	2.77	2.83	3.17	3.22
葡萄园	千公顷	0.17	0.25	0.32	0.34	0.33	0.32	0.57
五、年末桑园面积	**千公顷**	**0.37**	**0.96**	**0.88**	**0.49**	**0.41**	**0.33**	**0.26**

表四十　主要林产品产量

单位：吨

类　别	1990年	1995年	1996年	1997年	1998年	1999年	2000年
一、主要林产品产量							
核　桃	3 443	8 801	6 496	7 054	8 699	6 230	9 487
花　椒	141	757	561	738	578	287	456
松　籽			34	34	38	78	85
二、水果产量	**52 121**	**136 973**	**152 460**	**179 578**	**204 553**	**202 312**	**196 479**
#苹　果	25 397	103 436	117 805	143 477	163 214	162 988	156 552
梨	5 657	7 454	8 126	8 886	10 368	10 060	10 632
葡　萄	1 122	2 691	3 023	2 518	2 509	2 825	3 635
红枣(鲜)	5 037	6 261	6 126	7 801	9 707	8 652	8 478
柿子(鲜)	9 782	8 002	7 958	6 930	7 150	6 652	6 524
沙　果	433	517	498	534	533	525	460
桃	2 361	4 486	5 018	5 734	6 832	6 690	6 188
杏	1 024	1 437	1 387	1 426	1 697	1 636	1 500

第四十一　乡镇企业基本情况（2000年）

类别	企业单位数（个）	年末职工人数（个）	现价总产值（万元）	增加值（万元）	#生产税净额
合　计	**83 505**	**488 075**	**2 380 006**	**649 272**	**73 109**
按经济类型分					
集　体	2 364	96 742	594 933	159 401	24 429
私　有	8 787	206 861	1 446 834	382 824	30 796
个　体	72 354	184 472	338 239	107 047	17 884
按国民经济部门分					
农业企业	681	7 784	17 794	4 368	393
工业企业	17 683	289 594	1 685 859	453 603	47 896
建筑企业	2 715	38 180	186 793	53 110	6 301
交通运输企业	37 527	75 506	236 296	65 102	6 506
批发零售贸易企业	16 776	47 373	163 962	48 564	8 674
饮食旅游服务企业	7 607	28 273	83 600	23 242	3 243
其他企业	516	1 365	5 702	1 283	96

表四十二　限额以上工业总产值

按当年价格计算　　单位：万元

年份	工业总产值	按轻重工业分		按企业登记注册类型分			按隶属关系分			
		轻工业	重工业	国有及其控股企业	集体企业	其他企业	中央	省属	市属	市属以下
1949	897	469	428	195		702		5	126	766
1952	2 040	1 193	847	879	94	1 067		110	260	1 670
1957	5 415	3 300	2 115	3 462	1 592	361		415	711	4 289
1962	9 961	5 000	4 961	7 963	1 991	7	20	3 055	1 263	5 623
1965	14 465	8 081	6 384	12 301	2 164		84	3 231	2 533	8 617
1970	25 292	7 763	17 529	21 920	3 372		4 756	8 114	3 627	8 795
1975	56 650	17 143	39 507	47 053	9 597		5 083	19 783	10 148	21 636
1978	80 481	27 363	53 118	65 169	15 312		8 980	25 250	13 850	32 401
1979	86 980	29 380	57 600	71 588	15 392		7 259	29 787	16 703	66 231
1980	86 913	31 782	55 131	71 599	15 314		5 420	32 989	16 470	32 034
1981	82 586	32 354	50 232	68 134	14 452		4 884	29 502	17 886	30 314
1982	96 187	34 213	61 974	80 218	15 969		23 708	18 778	18 287	35 414
1983	111 327	37 707	73 620	92 865	18 462		28 339	23 394	19 878	39 716
1984	126 845	37 091	89 754	103 060	23 785		34 869	26 961	18 193	46 822
1985	151 444	43 818	107 626	122 550	28 836	58	40 318	33 032	22 015	56 079
1986	158 682	52 334	106 348	123 836	34 846		36 288	34 184	23 946	64 264
1987	185 281	62 288	122 993	145 058	40 223		39 699	41 342	29 008	75 232
1988	235 538	76 710	158 828	179 700	55 838		48 336	48 612	36 182	102 408
1989	301 054	87 142	213 912	226 064	74 764	226	62 978	63 686	39 735	134 655
1990	328 419	86 382	242 037	250 138	77 934	347	69 019	73 288	45 179	140 933
1991	352 119	93 920	258 199	270 195	81 510	414	59 132	96 548	45 833	150 606
1992	426 502	102 297	324 205	314 617	110 035	1 850	73 507	105 547	56 089	191 359
1993	600 400	93 500	506 900	404 877	188 489	7 034	109 684	128 402	65 095	297 219
1994	705 061	109 428	595 633	435 103	257 851	12 107	113 986	136 054	68 347	386 674
1995	751 039	125 515	625 524	460 111	263 457	27 471	116 940	149 792	72 468	411 839
1996	900 537	136 756	763 781	567 840	294 260	38 437	125 530	228 850	62 809	483 348
1997	1 008 952	154 485	854 467	544 761	353 931	110 260	141 246	229 141	67 613	570 952
1998	1 000 481	104 405	896 076	550 844	228 925	319 273	133 391	256 326	54 969	555 795
1999	1 034 619	116 333	918 286	569 406	213 158	500 054	111 858	297 139	66 362	559 260
2000	1 158 996	114 895	1 044 101	645 904	198 407	633 274	130 280	350 258	67 914	610 544

注：1998年以前为乡及乡以上口径。

表四十三　限额以上工业总产值构成

按当年价格计算　　单位：%

年份	工业总产值	按轻重工业分		按企业登记注册类型分			按隶属关系分			
		轻工业	重工业	国有及其控股企业	集体企业	其他企业	中央	省属	市属	市属以下
1949	100	52.29	47.71	21.74		78.26		0.56	14.05	85.39
1952	100	58.48	41.52	43.09	4.61	52.30		5.39	12.75	81.86
1957	100	60.94	39.06	63.93	29.40	6.67		7.66	13.13	79.21
1962	100	50.20	49.80	79.94	19.99	0.07	0.20	30.67	12.68	56.45
1965	100	55.87	44.13	85.04	14.96		0.58	22.34	17.51	59.57
1970	100	30.69	69.31	86.67	13.33		18.80	32.08	14.34	34.78
1975	100	30.26	69.74	83.06	16.94		8.97	34.92	17.91	38.20
1978	100	34.00	66.00	80.97	19.03		11.16	31.37	17.21	40.26
1979	100	33.78	66.22	82.30	17.70		8.35	34.25	19.20	38.20
1980	100	36.57	63.43	82.38	17.62		6.24	37.96	18.95	36.85
1981	100	39.18	60.82	82.50	17.50		5.91	35.72	21.66	36.71
1982	100	35.57	64.43	83.40	16.60		24.65	19.52	19.01	36.82
1983	100	33.87	66.13	83.42	16.58		25.46	21.01	17.86	35.67
1984	100	29.24	70.76	81.25	18.75		27.49	21.26	14.34	36.91
1985	100	28.93	71.07	80.92	19.04	0.04	26.62	21.81	14.54	37.03
1986	100	32.98	67.02	78.04	21.96		22.87	21.54	15.09	40.50
1987	100	33.62	66.38	78.29	21.71		21.43	22.31	15.66	40.60
1988	100	32.57	67.43	76.29	23.71		20.52	20.64	15.36	43.48
1989	100	28.95	71.05	75.09	24.83	0.08	20.92	21.15	13.20	44.73
1990	100	26.30	73.70	76.16	23.73	0.11	21.02	22.32	13.76	42.90
1991	100	26.67	73.33	76.73	23.15	0.12	16.79	27.42	13.02	42.77
1992	100	23.99	76.01	73.77	25.80	0.43	17.23	24.75	13.15	44.87
1993	100	15.57	84.43	67.43	31.39	1.18	18.27	21.39	10.84	49.50
1994	100	15.52	84.48	61.71	36.57	1.72	16.17	19.30	9.69	54.84
1995	100	16.71	83.29	61.26	35.08	3.66	15.57	19.94	9.65	54.84
1996	100	15.19	84.81	63.06	32.68	4.26	13.94	25.41	6.97	53.68
1997	100	15.31	84.69	53.99	35.08	10.93	14.00	22.71	6.70	56.59
1998	100	10.44	89.56	55.06	22.88	31.91	13.33	25.62	5.49	55.56
1999	100	11.24	88.76	55.04	20.60	48.33	10.81	28.72	6.41	54.05
2000	100	9.91	90.09	55.73	17.12	54.64	11.24	30.22	5.86	52.68

注：1998年以前为乡及乡以上口径。

表四十四　限额以上工业总产值指数

上年 = 100　　　　　　　　　　　　　　　　　　　　单位：%

年份	工业总产值	按轻重工业分		按企业登记注册类型分			按隶属关系分			
		轻工业	重工业	国有及其控股企业	集体企业	其他企业	中央	省属	市属	市属以下
1949										
1952	137.56	135.84	143.01	289.42	277.14	93.11		470.83	261.76	122.76
1957	113.56	113.99	112.57	123.65	127.65	50.00		80.65	121.07	116.98
1962	74.87	80.37	69.78	77.35	68.64	6.38	100.00	75.73	69.32	75.69
1965	136.61	151.90	120.44	140.33	118.73		103.95	112.27	128.23	152.40
1970	187.09	145.89	215.70	194.00	151.92		433.93	230.22	226.99	120.47
1975	118.81	111.48	122.74	119.26	116.63		132.10	122.54	111.69	116.30
1978	120.28	111.69	125.02	122.22	112.66		125.22	138.34	117.71	109.01
1979	105.09	103.79	105.73	106.81	97.75		78.60	114.71	117.27	99.73
1980	97.06	109.52	91.04	97.15	96.64		72.52	107.58	95.78	93.64
1981	95.37	104.81	89.88	95.51	94.72		90.45	89.76	109.00	94.98
1982	115.08	104.11	122.07	116.19	109.83		511.45	62.23	103.54	113.84
1983	110.01	101.18	114.81	110.04	109.89		113.62	118.42	103.32	106.60
1984	113.09	101.40	118.68	110.15	127.87		122.12	114.39	90.84	117.01
1985	110.57	112.85	109.64	110.13	112.28		107.09	113.47	112.07	110.92
1986	104.73	115.31	100.28	101.01	120.79		89.96	103.44	108.72	114.55
1987	107.72	109.76	106.74	108.07	106.50		100.93	111.58	111.76	108.00
1988	113.18	108.57	115.47	110.29	123.59		108.40	104.69	111.05	121.19
1989	105.73	94.73	110.88	104.07	110.76		107.78	108.37	90.85	108.77
1990	104.23	99.87	105.97	105.72	99.60	147.52	104.71	109.95	108.64	100.00
1991	104.86	105.97	104.49	102.04	115.85	65.98	99.87	105.89	100.38	107.78
1992	114.06	108.86	115.84	109.65	127.12	420.85	117.063	102.94	115.24	119.65
1993	116.42	89.84	124.98	106.42	141.66	314.33	123.40	100.61	95.98	128.45
1994	109.75	101.51	111.66	100.44	127.85	160.85	97.12	99.03	98.13	121.59
1995	107.53	108.89	107.24	106.75	103.14	229.06	103.56	111.14	107.03	107.51
1996	116.40	110.578	117.64	106.25	129.79	157.84	103.15	105.38	94.00	128.11
1997	110.82	106.82	111.62	97.16	111.87	256.49	120.23	104.01	116.41	109.98
1998	95.49	72.79	100.00	102.63	59.87	273.58	102.84	130.27	90.21	86.67
1999	103.56	109.66	102.67	103.00	92.31	151.13	75.18	127.20	116.70	101.54
2000	111.54	97.40	113.73	114.88	90.81	125.79	124.52	117.39	102.50	107.83

注：指数按各时期不变价格计算。

表四十五　限额以上工业分行业构成

单位：%

行业	工业总产值构成			行业	工业总产值构成		
	1998 年	1999 年	2000 年		1998 年	1999 年	2000 年
总　计	**100**	**100**	**100**	医药制造业	0.92	1.11	1.24
煤炭采选业	20.50	18.66	17.00	橡胶制品业			0.03
黑色金属矿采选业	1.41	1.35	1.70	塑料制品业	0.44	0.46	0.44
有色金属矿采选业	0.09	0.06	0.04	非金属矿物制品业	2.18	2.44	2.31
非金属矿采选业	0.01	0.01	0.01	黑色金属冶炼及压延加工业	27.89	30.48	34.02
食品加工业	0.70	1.00	1.01	有色金属冶炼及压延加工业	0.62	0.76	1.71
食品制造业	0.26	0.20	0.20	金属制品业	0.84	0.70	0.38
饮料制造业	0.36	0.72	1.02	普通机械制造业	3.37	3.50	4.03
烟草加工业	0.69	0.59	0.20	专用设备制造业	1.04	0.96	1.05
纺织业	1.79	1.82	2.17	交通运输设备制造业	0.61	0.38	0.33
木材加工及竹、藤、棕、草制品业	0.01		0.01	电气机械及器材制造业	3.68	1.84	1.91
造纸及纸制品业	2.10	1.76	1.56	电子及通信设备制造业	0.01	0.01	
印刷业	0.18	0.18	0.12	仪器仪表及文化、办公用机械制造业		0.04	0.02
文教体育用品制造业	0.18	0.42	0.47	电力、蒸汽、热水的生产和供应业	6.63	6.38	6.15
石油加工及炼焦业	11.87	12.65	10.48	自来水的生产和供应业	0.55	0.56	0.49
化学原料及化学制品制造业	11.06	10.95	9.90				

表四十六　限额以上工业主要经济指标

指　　标	单位	1992年	1995年	1998年	1999年	2000年
一、工业企业单位数	个	**1 200**	**1 315**	**505**	**419**	**416**
#轻工业	个	456	410	95	80	74
重工业	个	744	905	410	339	342
#国有及其控股	个	375	416	142	151	154
集体经济	个	822	850	177	123	106
其他经济类型工业	个	3	49	186	176	196
#大中型工业	个	27	33	35	38	38
#农村工业	个	517	574	161	120	100
二、工业总产值(当年价格计算)	万元	**426 502**	**751 039**	**1 000 481**	**1 034 619**	**1 158 996**
#轻工业	万元	102 297	125 515	104 405	116 333	114 895
重工业	万元	324 205	625 524	896 076	918 286	1 044 101
#国有及其控股	万元	314 617	460 111	550 844	569 406	645 904
集体经济	万元	110 035	263 457	228 925	213 158	198 407
其他经济类型工业	万元	1 850	27 471	319 273	500 054	633 274
#大中型工业	万元	223 363	360 361	461 541	438 713	472 685
#农村工业	万元	53 245	169 579	247 512	226 302	114 895
三、工业总产值指数(上年=100)	%	**114.06**	**107.53**	**95.49**	**103.56**	**111.54**
#轻工业	%	108.86	108.89	72.79	109.66	97.40
重工业	%	115.84	107.24	100.00	102.67	113.73
#国有及其控股	%	109.65	106.75	102.63	103.00	114.88
集体经济	%	127.12	103.14	59.87	92.31	90.81
其他经济类型工业	%	420.85	229.06	273.58	151.13	125.79
#大中型工业	%	117.37	104.01	108.22	95.78	111.08
#农村工业	%	138.11	103.03	76.12	90.30	92.07
四、固定资产原值	万元	**473 071**	**822 172**	**1 168 423**	**1 268 132**	**1 442 222**
#轻工业	万元	74 612	82 357	87 880	92 542	95 773
重工业	万元	398 459	729 815	1 080 543	1 175 590	1 346 449
#国有及其控股	万元	420 292	697 084	998 387	1 058 397	1 210 097
集体经济	万元	49 394	99 902	75 725	88 075	76 784
其他经济类型工业	万元	3 385	25 186	241 632	435 804	533 998
#大中型工业	万元	335 748	552 835	903 090	846 431	905 137
#农村工业	万元	25 981	73 089	77 945	97 997	87 810
五、利润和税金总额	万元	**46 551**	**63 622**	**99 592**	**84 920**	**101 320**
#轻工业	万元	10 956	7 298	1 091	4 034	5 000
重工业	万元	35 595	56 324	98 501	80 886	96 320
#国有及其控股	万元	38 265	38 923	44 476	39 080	59 210
集体经济	万元	7 828	24 919	30 947	23 562	20 426
其他经济类型工业	万元	458	220	39 896	49 781	60 039
#大中型工业	万元	26 986	26 345	35 853	31 124	46 796
#农村工业	万元	5 345	21 395	35 179	25 836	20 055

注：1998年以前为乡及乡以上口径。

表四十七　主要工业产品产量

类　　别	单　位	1995 年	1997 年	1998 年	1999 年	2000 年
原　煤	万吨	3 278.83	2 939.89	3 221.58	2 405.42	2 539.72
洗精煤	万吨	1 187.66	1 346.20	1 328.71	1 338.65	2 381.2
* 铁矿石原矿量	万吨	787.79	78.75	93.31	175.59	161.15
铁矿石成品矿	万吨	433.68	702.41	523.67	45.41	60.07
* 铜金属含量(铜精矿含铜量)	吨	608	182	264	171	196
* 硫铁矿(折硫 35%)	吨	63 563	6 825	7 919	6 944	8 225
木　材	立方米	60 066	61 066	45 178	25 039	-
发电量	亿千瓦小时	35.80	37.69	33.75	34.21	36.52
* 供电量	亿千瓦小时	25.83	30.36	30.86	32.51	37.32
* 自来水生产量	万吨	3 454.16	4 265.09	4 559.76	4 851.94	4 790.47
* 小麦粉	万吨	67.43	4.8	1.72	2.38	3.23
* 配混合饲料	吨	12 705	11 411	11 352	17 454	25 005
* 乳制品	吨	409	484	489	258	270
* 酱　油	吨	589	60	63	162	126
饮料酒(商品量)	吨	11 613	5 045	5 742	5 899	21 935
# 白　酒	吨	5 195	5 045	5 742	5 869	5 600
啤　酒	吨	-	-	-	-	15 700
* 软饮料	吨	865	1 841	1 810	5 001	6 891
卷　烟	箱	45 000	24 736	30 916	18 498	-
纱	吨	11 246	11 107	8 162	9 597	14 200
布	万米	6 963.46	6 390.47	4 753.5	5 297.11	7 412.61
机制纸及纸板	吨	93 176	88 674	96 670	80 871	72 600
* 单色印刷品	万令	16.63	15.3	16.33	15.67	18.05
焦　炭	万吨	1 674.07	1 678.07	1 795.47	1 381.85	1 406.13
# 机　焦	万吨	110.92	144.41	180.24	198.42	255.46
* 煤　气	万立方米	15 821.1	13 349.17	13 755.18	12 703.67	14 233.42
硫酸(折 100%)	吨	21 864	33 663	31 641	42 418	61 533
* 碳化钙(电石)(折 300 升/千克)	吨	45 420	57 951	55 314	65 270	72 320
* 合成氨	万吨	9.04	13.20	15.80	16.28	15.29
农用氮、磷、钾化学肥料总计(折纯)	万吨	7.32	10.88	12.81	14.00	14.61
# 氮肥(含 NP100%)	万吨	6.77	9.82	11.80	12.28	11.44
磷肥(含 P205100%)	万吨	0.56	1.06	1.01	1.72	3.17

续表

类　　别	单　位	1995 年	1997 年	1998 年	1999 年	2000 年
化学农药	吨	328	199	310	405	522
*纯　苯	吨	3 840	4 554	4 574	4 164	4 187
*甲　醛	吨	2 307	4 462	5 618	8 485	9 156
*油　漆	吨	960	1 319	1 504	1 249	1 036
染　料	吨	4 113	8 172	11 695	20 716	20 933
*合成纤维聚合物	吨	17 002	22 438	27 357	28 116	30 403
*铵梯炸药	吨	6 100	4 819	5 226	5 228	5 500
*化学原料药	吨	68	36	50	17	87.6
*中成药	吨	163	108	48	159	173
*轮胎外胎	条	105 067	41 069	-	-	1 950
*塑料制品	吨	7 988	5 875	6 086	7 137	7 411
水　泥	万吨	106.49	116.78	106.68	128.04	146.89
*水泥排水管	吨	980	9 600	7 709	9 271	-
*水泥压力管	吨	4 569	766	1 837	2 097	-
*釉面砖	万平方米	3.42	39	115	107.00	134.37
*耐火材料制品	吨	1 176 290	360	90	4 509	4 966
*石墨及碳素制品	吨	13 027	6 053	4 030	4 315	97
铜	吨	-	-	-	-	6 888
生　铁	万吨	365.03	437.09	470.33	473.86	576.71
钢	万吨	33.04	43.37	48.09	56.48	74.08
成品钢材	万吨	1.55	7.43	8.19	10.89	13.79
*铜加工材	吨	572	669	706	617	956
*金属结构制品	吨	776	700	364	584	-
*铸铁管	吨	13 001	8 000	11 275	19 725	34 462
*金属制包装物品	吨	447	215	156	232	296
*金属制气体贮藏罐	吨	565	1 964	1 980	396	-
*　锁	万把	446.00	410	222.52	183.05	118.18
*轴　承	万套	43.2	69.8	75.4	76.3	67.3
*标准紧固件	吨	119	90	213	-	-
*铸　件	吨	134 447	3 488	3 921	39 350	43 924
*锻　件	吨	2 985	2 974	4 138	4 265	5 372
*高压开关板	面	117	76	67	116	100
*低压开关板	面	37	253	231	100	345
*通讯电缆	公里	20 863	29 941	32 098	15 779	23 276

注："*"产品 1997、1998、1999 年度为限额以上口径。

表四十八　2000年限额以上工业企业主要经济指标(一)

单位：千元

类　别	企业单位数(个)	#亏损企业	工业总产值(不变价)	工业总产值(当年价)	#新产品产值	工业销售产值(当年价)	#出口交货值
总　计	**416**	**49**	**8 767 368**	**11 589 961**	**177 368**	**11 452 870**	**419 205**
一、按登记注册类型分组							
内资企业	403	45	8 503 436	11 252 001	137 392	11 132 030	391 106
国有企业	114	19	2 543 836	3 273 151	24 083	3 226 226	101 978
中央企业	11	3	1 104 868	1 302 803	23 072	1 293 582	10 310
地方企业	103	16	1 438 968	1 970 348	1 011	1 932 644	91 668
集体企业	106	7	1 591 189	1 984 068		1 964 999	12 630
股份合作企业	6	1	77 081	95 834		95 531	15 245
联营企业	3	1	77 637	87 066		85 974	
集体联营企业	3	1	77 637	87 066		85 974	
有限责任公司	76	10	2 452 094	3 583 196	7 177	3 555 336	204 021
国有独资公司	3		293 122	396 945	7 177	390 436	22 048
其他有限责任公司	73	10	2 158 972	3 186 251		3 164 900	181 973
股份有限公司	2	1	356 226	448 208	106 132	456 838	681
私营企业	96	6	1 405 373	1 780 478		1 747 126	56 551
私营独资企业	70	6	1 111 675	1 360 163		1 331 512	56 551
私营合伙企业	14		111 190	162 301		160 418	
私营有限责任公司	11		158 940	218 734		215 916	
私营股份有限公司	1		23 568	39 280		39 280	
港、澳、台商投资企业	8	4	171 347	207 533		208 070	3 669
合资经营企业(港或澳、台资)	6	3	106 456	100 858		95 793	3 669
合作经营企业(港或澳、台资)	1		62 348	101 380		107 088	
港澳台商独资企业	1	1	2 543	5 295		5 189	
外商投资企业	5		92 585	130 427	39 976	112 770	24 430
中外合资经营企业	4		66 157	90 451		88 340	
中外合作经营企业	1		26 428	39 976	39 976	24 430	24 430
二、按经济组织类型分组							
独资企业	291	33	5 249 243	6 622 677	24 083	6 527 926	171 159
国有企业	114	19	2 543 836	3 273 151	24 083	3 226 226	101 978
集体企业	106	7	1 591 189	1 984 068		1 964 999	12 630
私营独资企业	70	6	1 111 675	1 360 163		1 331 512	56 551
港澳台商独资经营企业	1	1	2 543	5 295		5 189	
合作、合伙企业	25	2	354 684	486 557	39 976	473 441	39 675
股份合作企业	6	1	77 081	95 834		95 531	15 245
集体联营企业	3	1	77 637	87 066		85 974	
私营合伙企业	14		111 190	162 301		160 418	
港或澳、台资合作经营企业	1		62 348	101 380		107 088	
中外合作经营企业	1		26 428	39 976	39 976	24 430	24 430
股份有限公司	3	1	379 794	487 488	106 132	496 118	681
股份有限公司(内资)	2	1	356 226	448 208	106 132	456 838	681
私营股份有限公司	1		23 568	39 280		39 280	
有限责任公司	97	13	2 783 647	3 993 239	7 177	3 955 385	207 690
国有独资公司	3		293 122	396 945	7 177	390 436	22 048
私营有限责任公司	11		158 940	218 734		215 916	
港澳台合资经营企业	6	3	106 456	100 858		95 793	3 669
中外合资经营企业	4		66 157	90 451		88 340	
其他有限责任公司	73	10	2 158 972	3 186 251		3 164 900	181 973
三、在总计中：亏损企业	**49**	**49**	**1 308 809**	**1 361 342**	**7 842**	**1 311 304**	**21 860**
在总计中：国有控股企业	154	26	4 720 899	6 459 038	137 392	6 427 227	273 571
在总计中：农村工业	100	10	1 638 599	2 129 695		2 101 098	27 875
在总计中：轻工业	74	10	1 024 090	1 148 949		1 118 167	228 726
以农产品为原料	45	7	642 827	756 089		729 442	56 618
以非农产品为原料	29	3	381 263	392 860		388 725	172 108
重工业	342	39	7 743 278	10 441 012	177 368	10 334 703	190 479
采掘工业	91	6	1 397 207	1 980 133		1 972 145	
原料工业	205	25	4 682 010	6 746 968	106 132	6 702 665	119 411
加工工业	46	8	1 664 061	1 713 911	71 236	1 659 893	71 068
大一型企业	4	1	1 275 586	1 517 510	121 041	1 495 700	22 819
大二型企业	9	3	1 314 530	2 090 813	15 450	2 078 153	69 271
中一型企业	4	2	208 509	224 655		222 301	
中二型企业	21	2	717 642	893 874		901 001	143 800
小型企业	378	41	5 251 101	6 863 109	40 877	6 755 715	183 315

续表

单位：千元

类　别	企　业单位数（个）	#亏　损企　业	工　业总产值（不变价）	工　业总产值（当年价）	#新产品产　值	工业销售产值（当年价）	#出　口交货值
四、按隶属关系分：中央	11	3	1 104 868	1 302 803	23 072	1 293 582	10 310
省	28	9	2 201 676	3 502 582	153 395	3 464 526	108 685
市	29	9	677 644	679 138	901	665 557	179 006
县	133	8	1 396 923	1 799 260		1 788 069	
乡	61	5	1 002 992	1 278 717		1 258 308	27 875
村委会	39	5	635 607	850 978		842 790	
乡以下其他	115	10	1 747 658	2 176 483		2 140 038	93 329
在总计中：国有企业	114	19	2 543 836	3 273 151	24 083	3 226 226	101 978
#中央	11	3	1 104 868	1 302 803	23 072	1 293 582	10 310
省	19	7	557 672	908 067	110	874 532	1 662
市	22	6	478 207	500 496	901	489 992	90 006
县	62	3	403 089	561 785		568 120	
在总计中：集体企业	106	7	1 591 189	1 984 068		1 964 999	12 630
#省	1		55 536	69 600		68 252	
县	18	1	218 311	264 790		257 914	
乡	54	1	838 406	1 016 880		1 003 063	12 630
村委会	31	4	432 049	585 911		582 484	
乡以下其他	2	1	46 887	46 887		53 286	
五、按行业分							
煤炭采选业	80	4	1 470 420	1 970 873		1 962 844	
黑色金属矿采选业	12	1	85 133	196 525		195 601	
有色金属矿采选业	1	1	3 560	4 945		6 292	
非金属矿采选业	3		1 809	940		914	
食品加工业	11	2	75 303	116 893		113 835	
食品制造业	6	1	17 208	22 688		21 909	
饮料制造业	8	1	95 052	118 062		109 617	
烟草加工业	1		642	23 010		22 311	
纺织业	4	1	264 063	252 201		249 047	56 306
木材加工及竹、藤、棕、草制品业	1	1	811	811		569	
造纸及纸制品业	6	1	162 194	181 413		180 119	
印刷业	6	1	13 609	13 755		13 586	
文教体育用品制造业	2		46 366	53 927		51 978	49 408
石油加工及炼焦业	48	2	1 057 513	1 214 099		1 202 463	18 914
化学原料及化学制品制造业	14	2	968 338	1 147 178	114 210	1 138 306	111 729
医药制造业	8	2	142 740	143 667		135 594	34 012
橡胶制品业	1		3 854	3 854			
塑料制品业	3		54 633	51 553		55 292	
非金属矿物制品业	19	2	214 972	267 510		250 154	
黑色金属冶炼及压延加工业	120	16	2 569 491	3 943 477		3 927 163	56 195
有色金属冶炼及压延加工业	3		170 810	198 477		218 369	43 621
金属制品业	3		39 693	44 349		43 209	
普通机械制造业	13	4	418 238	467 387	55 426	434 154	38 710
专用设备制造业	8	3	108 443	121 260		114 265	10 220
交通运输设备制造业	3		27 286	37 917		37 935	
电气机械及器材制造业	3	1	385 264	220 970	7 732	204 701	90
仪器仪表及文化、办公用机械制造业	1		1 789	2 412		2 401	
电力、蒸汽、热水的生产和供应业	11	3	355 483	713 047		706 438	
自来水的生产和供应业	17		12 651	56 761		53 804	

表四十九　公路通车里程

年　份	公路通车里程（公里）	#干线公路	#沥青路	通油路的乡镇（个）
1949	307	132		
1952	418	233		
1957	825	411		
1960	2 706	443		
1962	1 911	443		
1965	2 918	443	12	1
1970	3 524	756	63	8
1975	3 671	964	307	37
1978	3 840	964	613	58
1979	3 281	1 125	782	73
1980	3 281	1 125	866	74
1981	3 299	1 125	904	77
1982	3 321	1 125	28	77
1983	3 334	1 125	931	79
1984	3 345	1 155	949	82
1985	3 345	1 155	949	81
1986	3 398	1 155	949	86
1987	3 429	1 155	1 100	94
1988	3 489	1 155	1 130	98
1989	3 521	1 145	1 103	99
1990	3 620	1 237	1 073	99
1991	3 635	1 236	1 282	107
1992	3 713	1 238	1 345	114
1993	3 768	1 239	1 498	129
1994	3 832	1 253	1 681	142
1995	3 921	1 264	1 898	159
1996	3 960	1 501	2 267	178
1997	6 690	1 501	3 927	214
1998	7 734	1 512	4 386	219
1999	8 355	1 512	4 584	227
2000	8 714	1 538	4 702	229

续表

年　份	公路通车里程中			等级里程小计				等外公路
	县公路	乡公路	专用公路		二级公路	三级公路	四级公路	
1979	1 619	543	4	1 902		335	1 567	1 379
1980	1 619	543	4	1 902		335	1 567	1 379
1981	1 627	543	4	1 903		335	1 568	1 396
1982	1 635	557	4	1 980		396	1 584	1 341
1983	1 648	557	4	2 000	30	420	1 550	1 334
1984	1 662	533	4	2 035	34	449	1 552	1 310
1985	1 662	533	4	2 037	34	449	1 554	1 308
1986	1 690	558	4	2 147	34	541	1 572	1 251
1987	1 722	558	4	2 247	53	629	1 565	1 182
1988	1 762	578	4	2 349	53	703	1 593	1 140
1989	1 774	598	4	2 486	53	770	1 663	1 035
1990	1 757	622	4	2 636	166	843	1 627	984
1991	1 790	605	4	2 657	169	886	1 602	978
1992	1 858	613	4	2 774	226	972	1 576	939
1993	1 875	650	4	2 884	311	1 103	1 470	884
1994	1 909	666	4	3 056	427	1 088	1 514	803
1995	1 952	701	4	3 173	503	1 118	1 525	775
1996	1 693	762	4	3 284	626	1 310	1 348	676
1997	1 693	3 492	4	6 180	936	2 520	2 724	510
1998	2 127	4 015	80	7 405	1 191	3 064	3 144	329
1999	2 127	4 610	80	8 033	1 162	3 060	3 670	322
2000	2 127	4 972	80	8 430	1 222	3 186	3 881	284

表五十 社会消费品零售总额

单位：万元

年 份	社会消费品零售总额	市	县	县以下
1949	3 724	1 006	1 000	1 718
1952	5 359	2 148	1 308	1 903
1957	9 369	3 331	2 486	3 552
1962	13 119	5 521	3 733	3 865
1965	13 950	5 758	4 286	3 906
1970	19 143	7 661	5 944	5 538
1975	27 532	10 973	10 505	6 054
1978	33 151	10 874	12 011	10 266
1979	35 540	11 158	10 545	13 837
1980	44 334	14 796	14 011	15 527
1981	47 236	15 823	13 131	18 282
1982	52 688	18 825	15 981	17 882
1983	57 407	24 195	16 153	17 059
1984	63 677	24 406	19 431	19 840
1985	79 585	30 141	27 000	22 444
1986	91 262	34 766	31 000	25 496
1987	102 419	41 015	33 781	27 623
1988	141 047	68 059	37 416	35 571
1989	135 274	61 004	36 102	38 168
1990	138 261	66 156	32 071	36 311
1991	148 080	74 195	38 166	35 719
1992	172 337	88 683	41 233	42 421
1993	199 593	107 904	49 974	41 715
1994	257 282	128 325	61 236	67 721
1995	313 306	146 845	80 031	86 429
1996	388 255	181 710	92 706	113 839
1997	455 641	196 099	106 737	152 805
1998	493 919	210 686	113 406	169 827
1999	542 983	221 852	128 949	192 182
2000	584 564	234 885	138 170	211 509

社会消费品零售总额

单位：万元

类 别	1999 年	2000 年	类 别	1999 年	2000 年
社会消费品零售额	**542 983**	**584 564**	按行业分		
按销售地区分			批发、零售业	359 987	391 737
市的零售额	221 852	234 885	餐饮业	38 697	44 696
县的零售额	128 949	138 170	制造业	24 542	25 483
县以下的零售额	192 182	211 509	农业生产者	90 741	89 434
			其 他	19 016	33 214

表五十一　外贸进出口贸易总额

单位：万美元

年　份	进出口总　额	进　口总　额	出　口总　额	外贸企业自营出口	三资企业出　　口	占进出口总额比重(%)进口总额	占进出口总额比重(%)出口总额
1990							
1991							
1992							
1993	779	50	729	108	621	6.4	93.6
1994	1 269		1 269	335	934		100.0
1995	2 206		2 206	1 077	1 129		100.0
1996	2 704	812	1 952	847	1 105	29.4	70.6
1997	3 225	513	2 712	1 309	1 336	15.9	84.1
1998	4 246	1 465	2 781	1 164	1 159	34.5	65.5
1999	1 743	427	1 316	427	350	24.5	75.5
2000	4 753	3 734	1 019	688	853	78.6	21.4

表五十二　利用外资及旅游

年　份	利用外资签订协议数（个）	#外商直接投　　资	实际利用外资额（万美元）	#外商直接投　　资	接待旅游总人数（人次）	#外国人	#华侨	#港澳和台湾同胞	旅游外汇收入（万美元）
1984	1	1	12	12					
1985					496 063				
1986					600 350				
1987					940 530				
1988	3	3	87	87	1 000 903				
1989	3	3	13	13	738 450				
1990	2	2			735 810	186		59	
1991	1	1	3	3	764 230	920	70	340	8
1992	18	18	134	134	784 580	774	26	780	9
1993	43	43	562	562	838 516	755		292	4
1994	30	30	626	626	896 972	1 716	124	732	60
1995	14	14	1 486	1 486	984 000	993	34	1 035	42
1996	5	5	1 647	1 647	1 080 000	1 987	36	901	65
1997	10	10	449	449	1 341 000	2 101	38	3 257	131
1998	3	3	602	602	1 288 000	2 175	88	2 856	128
1999	6	6	1 760	1 760	1 426 200	4 053	318	3 841	119
2000	9	9	50	50	1 603 000	4 604	370	2 192	171

表五十三　接待国际旅游情况

类　　别	人数（人）1995年	1996年	1997年	1998年	1999年	2000年	人天数(人天)1995年	1996年	1997年	1998年	1999年	2000年
合　计	**2 062**	**2 924**	**5 396**	**5 119**	**8 212**	**9 561**	**3 448**	**4 772**	**9 200**	**7 022**	**10 912**	**13 717**
外国人	993	1 987	2 101	2 175	4 053	4 604	4 974	3 453	3 996	3 303	5 337	6 839
华　侨	34	36	38	88	318		69	36	51	101	415	
港澳台同胞	1 035	901	3 257	2 856	3 841	4 587	1 645	1 283	5 159	3 618	5 160	6 878
#台湾同胞	586	485	1 372	1 600	2 000	2 192	965	644	1 882	2 028	2 650	3 114

注：2000年华侨计入外国人中。

表五十四 分国别外贸进出口贸易总额

单位：万美元

国别（地区）	1997年			1998年			1999年			2000年		
	进出口	出口	进口	进出口	出口	进口	进出口	出口	进口	进出口	出口	进口
合计	**1 394**	**1 309**	**85**	**4 111**	**2 651**	**1 460**	**847**	**1 263**	**416**	**3 882**	**2 858**	**1 024**
一、亚洲												
香港	274	274		999	324	675	67	67		35	35	
澳门										40	40	
台湾省			158	131	27		50	18	32	30	30	
朝鲜	120	120								43	43	
越南	123	123					75	75				
日本			75	74	1		73	9	64	400	395	5
泰国	85		85	21	21		38	38		55	55	
新加坡	12	12		21	21		45	45		283	283	
巴基斯坦				17	17		4	4		1	1	
伊朗				372	372		69	69		17	17	
阿联酋				2	2		4	4				
韩国	56	56		101	31	70	73	54	19	196	180	16
土耳其				1	1					24	24	
科威特				1	1					1	1	
印度				1	1		26	26		68	68	
菲律宾				26	26					2	2	
印尼				15	15		28	28		37	37	
孟加拉国				2	2		46	46		14	14	
叙利亚				29	29							
斯里兰卡										2	2	
约旦										3	3	
以色列										12	12	
二、非洲												
埃及				113	113					2	2	
突尼斯				2		2				2	2	
津巴布韦				3	3							
南非				50	50		2	2		2	2	
保加利亚										3	3	
三、欧洲												
罗马尼亚	24	24										
法国	37	37					75	75		81	81	
意大利										6	6	
荷兰	77	77		91	91		82	82		345	345	
英国	194	194		566	26	540	26	26		17	17	
瑞士				404	404		43	43		85	85	
瑞典				134	134							
比利时				21	21		3	3		154	154	
德国				30	30					3	3	
南斯拉夫	80	80		4	4		14	14				
挪威				2	2							
马尔他							6	6				
匈牙利							18	18				
斯洛文尼亚							13	13		26	26	
立陶宛							2	2		10	10	
葡萄牙							4	4				
保加利亚										13	13	
西班牙										14	14	
希腊										2	2	
四、美洲												
美国	312	312		634	487	147	199	199				
巴拿马				34	34		33	33		586	540	46
巴西				135	135		32	32		189	189	
加拿大				19	19		17	17		57	57	
阿根廷							10	10				
墨西哥							1	1		62	62	
乌拉圭										2	2	
五、大洋洲及太平洋岛												
澳大利亚							301		301	958	1	957

注：本表为外贸自营企业口径。

表五十五 接待外国旅游人数

单位：人

国别(地区)	1995年	1996年	1997年	1998年	1999年	2000年
合　计	**993**	**1 987**	**2 101**	**2 175**	**4 053**	**4 974**
一、亚州小计	**483**	**1 238**	**1 590**	**994**	**2 758**	**3 182**
日　本	323	702	1 119	440	1 228	1 638
菲律宾		11	3	10	62	17
新加坡	45	335	306	265	629	641
泰　国	20	5	4	112	247	269
印　尼		12	5	9	61	43
马来西亚	31	59	78	32	158	137
韩　国			71	44	207	286
蒙　古				12	24	9
印　度	1	14		23	11	8
其　他	7	21		47	131	134
二、美州小计	**149**	**159**	**192**	**672**	**511**	**552**
美　国	108	118	150	470	298	374
加拿大	40	39	41	189	155	163
其　他	1	2	1	13	58	15
三、欧州小计	**281**	**541**	**285**	**420**	**673**	**1065**
英　国	71	27	46	52	90	266
法　国	25	247	70	108	143	444
德　国	27	52	48	56	112	137
意大利	47	36	28	33	53	36
瑞　士	1	74	48	55	81	81
瑞　典		3	14	7	40	3
荷　兰	2	3	2	7	15	10
俄罗斯	92	9	7	96	73	58
西班牙		1		3	10	3
其　他	16	89	22	3	56	27
四、大洋州小计	**53**	**49**	**34**	**89**	**111**	**175**
澳大利亚	12	41	32	88	78	165
新西兰		3	2	1	24	10
其　他	41	5			9	
五、非州小计	**1**					
六、其他小计	**26**					

表五十六　财政收支

单位：万元

年　份	财政总收入	地方财政收入	#各项税收	地方财政支出	#基本建设支出	#支援农业生产及农业事业费支出	#文教科卫支出	#教育事业费支出
1952	1 679	1 679	1 602	499	16		243	
1957	2 488	2 488	2 191	1 673	261		7 770	
1962	3 084	3 084	2 683	2 758	780		1 069	
1965	4 660	4 660	3 048	3 205	765		1 156	
1966	4 857	4 857	2 752	3 262	615		1 389	
1967	4 301	4 301	2 620	5 358	3 015		1 286	
1968	3 609	3 609	2 210	4 855	2 689		1 177	
1969	3 395	3 395	2 413	5 533	3 332		1 036	
1970	4 172	4 172	3 090	6 827	3 798		1 224	
1971	4 879	4 879	3 617	8 337	4 277		1 571	
1972	5 780	5 780	4 404	8 237	5 012		1 450	
1973	6 200	6 200	4 920	8 628	4 170		1 511	
1974	5 703	5 703	5 489	9 377	4 229		1 916	
1975	7 048	7 048	6 275	9 237	3 653		2 058	
1976	6 056	6 056	6 162	9 153	3 718		2 151	
1977	8 198	8 198	7 484	10 141	4 141		2 294	
1978	9 411	9 411	8 223	14 188	3 899	3 059	2 804	1 742
1979	8 530	8 530	7 999	14 412	2 690	3 793	3 097	1 920
1980	9 251	9 251	8 164	12 823	372	3 054	3 928	2 546
1981	9 008	9 008	8 162	11 375	352	2 403	3 892	2 521
1982	10 275	10 275	9 803	14 404	634	2 335	5 025	3 206
1983	12 948	12 948	11 504	16 484	310	2 922	5 718	3 422
1984	14 859	14 859	13 256	20 059	605	2 898	6 472	4 127
1985	14 943	14 943	15 213	23 048	998	2 771	7 178	4 482
1986	16 996	16 996	15 001	28 168	668	3 723	8 739	5 436
1987	19 792	19 792	17 065	29 159	338	3 748	9 407	6 013
1988	23 021	23 021	20 471	34 596	53	4 161	11 002	7 065
1989	28 380	28 380	25 836	40 303	205	4 606	12 740	8 214
1990	30 860	30 860	29 751	43 197	155	4 816	13 887	8 774
1991	30 513	30 513	29 324	46 479	120	5 060	14 925	9 307
1992	33 025	33 025	34 514	51030	240	5 622	17 954	11 384
1993	49 123	26 564	23 334	64 443	160	5 561	20 623	13 457
1994	59 990	32 466	28 146	79 246	475	7 806	29 691	20 167
1995	80 578	44 224	35 753	91 729	486	7 536	31 130	20 585
1996	100 114	56 977	44 207	110 082	752	8 026	27 856	23 366
1997	113 220	62 782	49 881	118 638	626	9 418	34 907	25 434
1998	126 187	74 533	55 421	135 388	821	9 781	40 770	27 333
1999	133 988	81 135	58 560	149 994	985	10 403	42 874	28 343
2000	149 265	88 205	68 977	171 626	856	6 577	49 695	33 641

注：1977 年以前基本建设支出为老口径的经济建设费支出。

表五十七　地方财政支出（2000 年）

单位：万元

类　别	金　额	类　别	金　额
支出总计	**171 626**	广播电影电视事业费	1 019
一、基本建设支出	856	计划生育事业费	1 337
二、企业挖潜改造资金	733	党政群干部训练事业费	527
三、简易建筑费	–	十二、教育事业费类	33 641
四、科技三项费用	1 203	十三、科学事业费	507
五、流动资金	–	十四、卫生经费	10 535
六、支援农业生产支出	4 896	# 卫生事业费	5 789
# 小型农田水利和水土保持补助费	2 474	十五、税务统计财政审计等部门事业费	2 768
支援农村合作生产组织资金	644	十六、抚恤和社会福利救济费	5 337
农村农技推广和植保补助费	811	十七、行政事业离退休经费	14 801
农村草场和畜禽保护补助费	140	十八、社会保障补助支出	6 152
农村造林和林木保护补助费	178	# 财政对社会保险基金的补贴支出	4 069
农村水产补助费	30	社会保险经办机构经费	250
粮食自给工程资金	619	城镇就业补助费	6
七、农业综合开发支出	4 429	下岗职工基本生活补助	1 737
八、农林水利气象部门事业费	6 867	十九、国防支出	–
# 农业事业费	1 681	二十、行政管理费	34 261
畜牧事业费	800	二十一、外交外事支出	16
农机事业费	224	二十二、武装警察部队支出	4
林业事业费	858	二十三、公检法司支出	16 611
水利事业费	962	二十四、城市维护费	4 009
气象事业费	94	二十五、政策性补贴支出类	3 185
乡镇企业事业费	54	# 国家粮油差价补贴	20
土地管理事业费	687	粮食风险基金	465
九、工业交通等部门的事业费类	1 022	国家储备粮油利息费用补贴	115
十、流通部门事业费类	230	粮食政策性财务挂帐利息补贴	45
十一、文体广播事业费	5 016	粮食政策性财务挂帐消化款	1 021
文化事业费	1 036	地方粮油价外补贴	1 026
体育事业费	323	二十六、支援不发达地区支出	3 320
文物事业费	368	二十七、土地和海域开发建设支出	–
档案事业费	199	二十八、专项支出	4 143
地震事业费	95	二十九、其他支出	6 994

表五十八　各级各类学校基本情况(2000年)

类　　别	学校数（所）	毕业生数（人）	招生数（人）	在校生数（人）	毕业班学生数（人）	专任教师（人）
总　　计	**6 771**	**168 785**	**189 452**	**848 049**	**178 290**	**45 028**
高等学校	1	1 792	3 218	9 435	1 560	788
中等学校	10	2 189	5 923	14 690	3 003	757
成人学校	17	688	130	329	199	292
普通中学	393	76 266	94 578	266 338	81 301	14 955
#初　中	343	67 392	79 450	229 135	71 245	12 628
高　中	10	8 874	15 128	37 203	10 056	2 327
职业学校	46	3 633	4 978	13 211	4 605	1 021
#初　中	2	741	1 202	2 994	819	174
高　中	39	2 892	3 776	10 217	3 786	847
小　学	4 822	84 202	80 470	429 797	87 594	2 251
特殊教育	7	30	155	551	28	102
幼儿园	1 475			113 698		4 298

表五十九　高等学校基本情况

年份	学校数（所）	教职工数（人）	#专任教师	在校学生（人）	平均每一教师负担学生数(人)	招生数（人）	毕业生数（人）
1958	3	119	49	595	12	595	
1965	1	179	88	628	7	236	85
1970	1						
1975	1	504	214	1 524	7	560	28
1978	2	756	359	2 168	6	916	539
1979	2	706	349	2 280	7	816	499
1980	3	1 334	606	3 029	5	814	
1981	3	1 060	399	3 517	9	784	194
1982	3	1 136	448	2 675	6	619	1 292
1983	3	1 161	464	2 941	6	766	812
1984	3	1 261	464	3 027	7	908	843
1985	3	1 395	583	4 341	7	1 269	709
1986	3	1 622	622	4 604	7	1 342	879
1987	3	1 703	694	4 574	7	1 109	883
1988	3	1 678	699	4 833	7	1 508	1 771
1989	3	1 704	717	4 907	7	1 491	1 438
1990	3	1 707	700	5 060	7	1 630	1 535
1991	3	1 699	690	5 258	7	1 623	1 495
1992	2	1 704	696	5 594	8	1 810	1 534
1993	2	1 691	621	5 811	9	1 825	1 725
1994	2	1 727	659	6 297	9	1 807	1 542
1995	2	1 705	661	6 188	9	1 791	1 968
1996	2	1 447	585	5 027	8	1 521	1 780
1997	2	1 115	538	5 193	9	1 557	1 417
1998	2	1 643	636	6 767	10	2 414	1 940
1999	1	1 488	645	8 569	13	3 629	1 823
2000	1	1 483	788	9 435	12	3 218	1 797

表六十　中等专业学校基本情况

年份	学校数（所）	教职工数（人）	# 专任教师	在校学生（人）	平均每一教师负担学生数(人)	招生数（人）	毕业生数（人）
1949	2	48	25	380	15	310	
1952	2	183	110	1 664	15	980	558
1957	3	168	101	865	9	492	335
1965	6	316	184	2 504	14	940	397
1970	5						
1975	6	381	199	1 983	10	1 144	717
1978	6	464	251	1 849	7	1 015	790
1979	6	502	249	2 742	11	1 480	586
1980	6	577	290	3 399	12	1 035	827
1981	6	671	304	3 212	11	1 048	1 083
1982	6	718	316	2 602	8	982	1 588
1983	7	760	351	3 079	9	982	663
1984	7	888	382	3 122	8	1 083	1 041
1985	7	805	351	3 053	9	1 335	1 190
1986	8	738	370	3 329	9	1 313	1 130
1987	9	998	369	3 943	11	1 402	975
1988	9	823	407	4 745	12	1 795	1 160
1989	9	908	453	5 461	12	1 868	1 813
1990	9	962	492	5 665	12	1 929	1 765
1991	9	955	507	5 932	12	1 915	1 652
1992	9	978	525	5 578	11	1 860	2 224
1993	9	1 009	548	5 926	11	2 065	1 752
1994	9	1 072	572	6 091	11	2 238	2 078
1995	9	1 093	601	6 371	11	2 115	1 901
1996	9	1 146	626	6 342	10	2 055	2 024
1997	9	1 186	647	6 953	11	2 752	2 124
1998	10	1 307	699	7 425	11	2 825	2 133
1999	10	1 402	727	10 366	14	4 409	2 157
2000	10	1 490	757	14 690	19	5 923	2 189

表六十一　普通中学基本情况

年份	学校数（所）	教职工数（人）	# 专任教师	在校学生（人）	平均每一教师负担学生数(人)	招生数（人）	毕业生数（人）
1949	6	276	199	1 287	6	611	500
1952	12	506	369	5 883	16	3 725	661
1957	35	1 360	866	16 289	18	6 249	3 378
1965	106	2 341	1 648	25 973	16	10 308	6 953
1970	941	6 931	5 407	93 109	17	42 989	29 606
1975	1 503	11 890	8 947	160 965	18	95 602	60 760
1978	1 695	16 093	12 774	209 749	16	102 305	90 734
1979	1 467	15 979	12 343	197 673	16	89 090	92 439
1980	1 003	15 249	11 704	210 707	18	58 875	25 594
1981	910	14 985	11 508	188 072	16	68 844	64 075
1982	792	14 379	11 070	177 659	16	74 951	43 249
1983	655	13 741	10 792	169 907	16	63 021	43 460
1984	550	13 269	10 101	169 333	17	56 001	38 707
1985	542	13 558	10 368	169 035	16	57 034	39 180
1986	392	13 794	10 614	165 523	16	56 227	39 101
1987	353	14 471	11 045	166 671	15	46 927	41 346
1988	384	15 304	11 819	166 079	14	55 273	47 188
1989	409	15 425	11 981	159 438	13	53 989	50 690
1990	414	15 658	12 245	161 053	13	56 977	49 285
1991	403	15 849	12 423	166 909	13	59 542	50 352
1992	393	15 954	12 589	171 747	13	61 742	48 809
1993	389	15 687	12 644	170 911	13	62 105	51 978
1994	395	16 292	12 914	180 346	13	69 096	51 305
1995	386	16 562	12 735	193 367	15	71 287	52 512
1996	388	16 935	13 272	209 148	15	77 094	17 994
1997	391	17 128	13 687	222 399	16	81 298	62 961
1998	394	17 506	14 041	236 571	17	85 080	66 179
1999	397	18 179	14 669	251 375	17	90 934	72 055
2000	393	18 248	14 955	266 338	18	94 578	76 266

表六十二　职业中学基本情况

年 份	学校数（所）	教职工数（人）	# 专任教师	在校学生（人）	平均每一教师负担学生数(人)	招生数（人）	毕业生数（人）
1979	51	178	151	2 817	19	2 296	
1980	17	78	60	758	13	250	95
1981	6	29	19	245	13	166	49
1982	21	139	113	1 559	14	1 390	209
1983	26	337	182	2 387	13	2 180	70
1984	55	704	453	6 334	14	4 223	714
1985	61	598	382	7 484	20	3 482	1 085
1986	41	629	389	5 755	15	2 612	2 123
1987	34	624	361	5 992	17	3 447	1 906
1988	34	635	410	6 110	15	3 427	1 843
1989	34	695	450	5 999	13	3 050	2 167
1990	33	661	429	5 580	13	2 518	2 066
1991	32	711	467	7 348	16	2 967	2 189
1992	37	924	600	10 572	18	6 805	3 430
1993	32	931	609	9 503	16	2 751	2 329
1994	49	1 137	807	12 934	16	4 548	2 533
1995	41	1 145	826	11 054	13	4 838	4 756
1996	41	1 130	821	11 283	14	4 898	3 519
1997	41	1 221	887	9 831	11	4 278	3 539
1998	46	1 337	967	11 442	12	4 582	3 124
1999	46	1 173	913	11 522	13	4 797	3 560
2000	46	1 311	1 021	13 211	13	4 978	3 633

表六十三　小学基本情况

年 份	学校数（所）	教职工数（人）	# 专任教师	在校学生（人）	平均每一教师负担学生数(人)	招生数（人）	毕业生数（人）
1949	2 821	4 153	4 000	123 928	31	24 323	10 813
1952	3 402	5 508	5 252	181 989	35	41 247	19 385
1957	3 581	7 819	7 128	223 730	31	45 108	34 228
1960	4 249	10 153	9 406	295 630	31	67 694	41 968
1962	4 477	11 068	9 921	297 842	30	57 459	41 817
1965	5 090	12 463	11 130	348 687	31	68 420	44 002
1970	5 066	14 342	14 045	407 280	29	95 425	62 410
1975	5 502	17 633	17 275	472 020	27	105 239	82 569
1978	5 481	18 080	17 733	459 079	26	116 565	72 689
1980	6 346	20 607	19 971	469 625	24	82 661	71 386
1985	6 640	22 776	21 492	433 478	20	92 638	72 475
1990	6 503	24 036	22 392	385 630	17	71 958	67 704
1991	6 441	23 812	22 026	387 969	17	77 420	68 410
1992	6 388	24 128	22 269	396 701	17	81 147	67 830
1993	6 290	24 432	22 487	399 428	17	90 502	67 729
1994	6 247	24 160	22 274	404 201	18	83 812	71 611
1995	6 130	24 464	22 287	408 601	18	79 108	70 801
1996	5 962	23 789	21 790	420 499	19	88 679	74 292
1997	5 851	23 650	21 620	433 069	19	91 668	78 533
1998	5 864	24 010	21 955	439 365	20	85 706	78 058
1999	5 776	24 421	22 418	433 914	19	80 128	83 959
2000	4 822	24 761	22 815	429 797	19	80 470	84 202

表六十四　幼儿园基本情况

年份	幼儿园数（个）	在园幼儿数（人）	教职工数（人）	#教养员	平均每一教养员负担幼儿数(人)
1949	1	20	12	1	20
1952	2	60	14	4	15
1957	128	4 667	185	153	31
1965	327	5 891	242	184	32
1970	192	4 888	180	145	34
1975	1 086	40 820	1 562	1 245	33
1978	798	25 488	1 138	891	29
1979	1 108	41 169	1 767	1 300	32
1980	890	35 031	1 416	1 154	30
1981	465	55 843	1 776	1 646	34
1982	543	55 141	2 028	1 356	41
1983	476	50 090	2 160	1 828	27
1984	195	12 522	1 092	639	20
1985	404	62 423	2 261	1 929	33
1986	616	70 352	2 521	2 389	29
1987	615	81 993	3 043	2 624	31
1988	674	81 184	2 965	2 589	31
1989	612	86 419	3 414	2 863	30
1990	726	92 103	3 869	3 103	30
1991	670	98 848	3 798	3 221	31
1992	581	113 003	4 146	3 827	30
1993	705	107 503	4 527	3 966	27
1994	878	111 534	4 300	3 943	28
1995	882	109 739	4 328	3 939	28
1996	1 001	112 154	4 280	3 935	28
1997	1 142	114 390	4 431	4 034	28
1998	1 233	116 066	4 820	4 820	24
1999	1 316	116 381	4 954	4 281	27
2000	1 475	113 698	4 993	4 298	26

表六十五　文化、广播事业发展情况

年　份	文化馆（个）	公共图书馆（个）	艺术表演团体（个）	电影放映单位（个）	影剧院（座）	广播站（台）		广播喇叭（万只）
						县（市）	乡镇	
1990	18	17	21	406	16	17	242	50.00
1991	18	17	21	406	16	17	245	50.03
1992	18	17	21	406	16	17	245	67.43
1993	18	17	21	406	17	17	245	67.40
1994	18	17	21	406	19	17	245	67.00
1995	18	17	21	406	19	16	245	13.85
1996	18	17	21	406	19	17	241	11.97
1997	18	17	21	406	19	17	241	12.00
1998	18	17	21	406	19	17	245	11.45
1999	18	17	21	406	19	17	245	9.19
2000	18	17	21	406	19	17	245	9.19

注：1996年电影放映单位不包括村级放映队。

表六十六　民政主要指标

指　标	单位	1990年	1992年	1994年	1995年	1997年	1998年	1999年	2000年
预算内抚恤支出	万元	798.0	834.3	1 123.2	1 175.6	1 559.0	1 579.0	2 014.0	2 290.9
预算内社会救济支出	万元	172.0	179.9	230.6	239.1	432.0	1 000.0	993.9	617.3
对象人数	人	135 817	136 942	133 574	133 790	134 837	134 659	138 872	139 580
自然灾害成灾人数	人	1 218 952	1 460 442	1 616 846	1 050 975	1 000 000	1 321 549		
困难户人数	人	208 863	220 480	243 142	236 796	269 738	223 924	261 655	266 668
供养孤老残幼	人	3 265	3 501	3 249	3 431	3 172	3 392		
老院收养人数	人	496	625	627	685	712	755	656	668
社会福利事业单位	个	1	1	118	118	113	115	117	117
社会福利院	个	1	1	1	1	1	1	1	1
人数	人	53	53	53	50	50	65	81	30
退休人数	人	728	614	517	553	557	523	510	368
退休金	万元	195.0	237.0	398.9	449.8	458.0	435.2	467	563.
数	对	26 912	24 965	17 696	19 775	16 008	16 417	16 128	14 965
人结婚率		15.5	13.5	9.6	10.5	8.3	8.4	8.3	7.6
数	对	798	749	679	748	554	713	737	995
人离婚率		0.5	0.4	0.37	0.4	0.3	0.4	0.4	0.5

表六十七　体育事业发展情况

单位：个、次、人

年份	少体校		举办县以上运动会情况		国家体育锻炼达标人数	体育系统职工情况			体育事业费（万元）
	校数	在校学生数	次数	参加人数		合计	专职教练	专职教师	
1952			2	2 500					
1957			7	4 100					
1965	8	940	36	23 000		74	39		
1970	13	1 210	45	23 000	9 250	73	37		
1975	13	1 313	110	31 000	10 889	127	54		29.9
1978	19	1 410	99	32 000	10 022	139	62		34.6
1979	18	1 200	101	34 800	11 663	155	74		37.7
1980	16	1 059	84	21 857	11 858	138	60		39.0
1981	16	1 051	84	19 234	12 148	141	56	4	42.0
1982	16	967	99	21 042	15 506	151	56	4	43.0
1983	17	935	107	23 854	69 903	176	65	7	41.5
1984	17	1 002	140	48 840	99 106	184	59	12	46.7
1985	15	943	104	24 105	120 827	190	60	13	69.0
1986	16	844	249	45 343	125 090	214	66	13	71.7
1987	17	1 046	190	56 051	140 819	228	61	14	66.0
1988	19	983	128	34 434	141 593	258	80	17	110.2
1989	19	1 196	194	85 654	155 613	277	79	17	161.7
1990	20	1 290	178	55 900	221 900	306	87	17	232.8
1991	17	1 083	162	49 330	225 000	315	94	20	258.6
1992	17	1 100	162	80 607	333 655	338	91	21	246.5
1993	17	1 128	137	42 011	330 766	386	100	21	2 654.4
1994	17	1 136	127	43 123	356 259	269	18	24	1 980
1995	17	1 144	183	19 154	352 187	318	99	27	2 207
1996	17	1 430	128	52 137	378 062	446	110	30	633.4
1997	17	1 377	126	108 378	365 779	473	102	30	245.9
1998	15	1 815	169	33 818	396 736	445	108	25	475.4
1999	15	1 811	170	33 910	396 536	539	100	25	485.0
2000	17	1 823	145	35 504	465 639	535	91	25	219.8

表六十八　卫生事业机构数

年　份	卫生机构数(个)	医院	门诊部、所	专科防治所、站	卫生防疫站	妇幼保健站、所	其他卫生事业机构
1990	705	342	298	1	19	18	27
1991	700	343	298	1	19	18	14
1992	723	343	321	1	19	18	14
1993	723	343	293	1	19	18	7
1994	671	334	274	1	19	18	5
1995	666	327	272	1	19	18	6
1996	413	101	5	1	19	18	17
1997	418	101	5	1	19	18	6
1998	418	101	5	1	19	18	6
1999	421	103	5	1	19	18	6
2000	418	101	5	1	19	18	6

注：1995年以后“门诊部、所”中只包括“门诊部”；“医院”中不包括“卫生院”数。

表六十九　工业污染治理情况

类　别	1999年	2000年	类　别	1999年	2000年
汇总工业企业数(个)	**38**	**39**	综合利用利润留成资金(万元)	302	177
本年施工项目总数(个)	**46**	**49**	环境保护补助资金		8
#治理废水	12	12	环保贷款	585	66
治理废气	27	28	其他资金	2 212	1 625
治理固体废物	1	3	#利用外资		1
治理噪声	1	3	**本年竣工项目数(个)**	**44**	**32**
治理其他	5		#治理废水	10	8
污染治理项目本年完成投资合计(万元)	**3 376**	**2 520**	治理废气	27	20
#治理废水	1 885	936	治理固体废物	1	3
治理废气	1 007	769	治理噪声	1	1
治理固体废物	250	805	治理其他	5	
治理噪声	4	10	**本年竣工项目新增设处理能力**		
治理其他	230		治理废水(吨/日)	485	5 192
污染治理项目本年投资来源合计(万元)	**3 376**	**2 520**	治理废气(标立方米/时)	5 469	1 301 974
#基本建设国家预算内资金	120		治理固体废物(吨/日)		
更新改造国家预算内资金	157	644			

索　　引

说明：

1、本索引采取主题分析方法，按汉语拼音字母顺序排列。

2、索引名称后的数字表示内容所在的页码、数字后的拉丁字母（a b）表示该页自左至右的栏别。

3、文献、大事记、附录、图、表不作索引。

中国人民银行临汾市中心支行

人行总行副行长史纪良（中）来调研临汾市推动农村信用社千村信用工程情况。张转芳行长(左)、卢文礼副行长(右)在汇报工作

人总行副行长吴晓玲（右二）、天津分行行长刘崇明(右三)在翼城县南唐布朗李子种植基地调研，张转芳行长(右一)陪同。

职工秋季运动会现场

电子联行运作一瞥

2000年，人民银行临汾中心支行在天津分行党委的正确领导和临汾地委、行署的关心支持下，认真贯彻落实总、分行会议精神，严格按照分行工作要点，围绕对外加强金融监管，对内强化内部管理的主线，依法加强金融监管，化解处置城乡信用社金融风险；贯彻落实货币信贷政策，积极改善金融服务；加强党建工作，积极开展“双文明”单位创建活动，狠抓全面规范化管理，较好地完成了各项工作任务。截止12月末，全区各项存款余额达到193亿元，较年初增加27亿元，增长16.31%；各项贷款余额141.19亿元，较年初增加2.07亿元，下降1.14%，剔除剥离贷款17.8亿元，实际增加15.73亿元，增长11%，社会货币供应量M_0为54.1亿元，比上年同期增长10.4%，M_1为83.55亿元，增长13.61%，M_2为245.03亿元，增长14.7%。累计投放现金14.6亿元，同比多投6196万元。货币供应量适应了经济增长需要，支持了地方经济发展。

人行临汾市中心支行办公大楼

中国工商银行 临汾分行

ICBC INDUSTRIAL AND COMMERCIAL BANK OF CHINA LINFENBRANCH

党委书记 行长葛广生

←

①"六一"期间为小学生赠送小黄帽

②办公大楼

↑ 获得的部分荣誉

③2002年行领导在平阳办事处检查指导工作 葛广生行长（右一）、王庆元副行长(右二)、贾秀斌副行长(右三)、纪检书记韩震(左三)

④市分行领导陪同省分行行长隋运生(左二)在营业网点检查工作 葛广生行长(左一)、王庆元副行长(左三)、副总稽核王凯丁(右一)

↓

您身边的银行 可信赖的银行

中国农业银行
AGRICULTURAL BANK OF CHINA

临汾分行
LINFEN BRANCH

党委书记　行长　师兴无

① 中国农业银行山西省分行党委书记、行长程少贤(左三)，由市分行党委书记、行长师兴无等领导陪同，在尧都区支行调研
② 左起：党委委员、纪委书记贺卫萍，党委副书记副行长任鹏，党委书记、行长师兴无，党委委员、副行长翟红星
③ 员工们正在进行健美操比赛

中国建设银行 China Construction Bank 临汾分行

行长 党委书记 王小新

建设银行临汾分行是一家区域性大型国有商业银行二级分行，辖14个县（市）支行、办事处，56个储蓄网点，员工总数978人。各项存款25亿元，各项贷款10亿元。

建行以支持地方经济发展为己任，立足地方实际，把握信贷投向，优化信贷结构，2000年向山焦等重点企业和一批中小绩优民营企业贷款2.7亿元，有力地促进了全市结构调整和经济发展。服务房改，累计发放个贷1亿多元，帮助5000多户居民提前圆了住房梦。

坚持以效益为目标，以市场和客户为中心开展各项工作。以改革为手段，积极推进信贷、财务、干部管理以及人事激励与约束机制改革，进一步提高全行综合经营管理水平和防御风险能力。以创新为动力，不断加快信息科技建设和产品、服务创新步伐，建立了以城市综合网、资金清算网、企业信息网三大网络系统为支撑平台，以证银联、速汇通等六大网上运行产品和两卡一汇为主要服务品种，以十几种代收代付代扣业务构成的跨部门、多层次产品分销渠道和手段先进、高效运作、机制畅通的服务体系。以服务为主线，强化网点建设、素质培训和一线员工的服务意识、服务效率、服务质量，全面提升零售网点柜面综合业务处理能力、全员综合素质和核心竞争力，开创了一流的服务和一流的业绩，形成了个银业务、公司业务、中间业务、房改金融业务四大支柱业务齐头并进、蓬勃发展的良好格局，促进全行存款规模、资产质量、经营效益大幅度提高，综合竞争实力跃居当地同业、全省系统前茅。

办公大楼

行长王小新陪同省行梁福成行长在山焦焦炉易地改造工地调研

银企合作

中国农业发展银行

临汾分行

← 团结奋进、求真务实的领导班子

← 省分行在临汾市襄汾支行召开现场会

丰富多采的文体活动 →

粮农踊跃售粮场景 →

侯马冶炼厂

厂长：何小青

← 副厂长裴明杰在山西华铜铜业有限公司开业典礼大会上致辞

→厂区远景

→歌咏庆党建

←厂领导班子一起研究开拓销售市场

→美国冶炼专家一行来厂进行技术交流

侯马冶炼厂办公大楼

山西新临钢钢铁有限公司
太钢集团临汾钢铁有限公司

总经理 党委书记　李宝文

新临钢炼钢厂一角

新临钢铁厂板坯连铸机

厂长 总经理 安建国

党委副书记 杨胜利

侯馬電廠

侯马电厂始建于1965年，1968年8月第一台机组投产，1972年9月第四台机组投产，总装机容量4×25MW，现有职工1135人。1993年开始为城市集中供热，现供热面积60余万平方米。电厂投产初期是晋南地区的主力电厂，担负着全区工农业生产用电，在地方经济发展中起着重要的能源供给作用。随着电力工业的发展，从20世纪80年代开始，成为山西电网主力调峰电厂。30多年来，累计发电量200多亿千瓦时，先后得到水利电力部、能源部、省委、省政府、华北电力集团公司、山西省电力公司、临汾地委、行署、侯马市委、市政府授予的各种荣誉80多项（次）。

近年来，面对国家产业结构调整和激烈的市场竞争，在厂长安建国、党委副书记杨胜利等的带领下，全厂干部职工坚持以安全文明生产为基础，以提高经济效益为中心，以实现企业可持续发展为目标，围绕“强化管理创效益，扩建技改抢时间，拓宽多经求发展”的工作思路，团结拼搏，锐意开拓，先后实现了省电力公司安全文明生产达标、无渗漏企业和党建达标，走在全省中小发电企业的前列。企业管理推行全方位的模拟市场管理，取得了良好的经济效益；后勤工作与物业管理迈上规范化轨道，生活小区被评为“省级文明社区示范点”；多种经营开始步入了新的发展阶段；企业党建工作，精神文明建设和企业文化建设连续多年被省电力公司、地、市授予“文明单位”称号；被全厂职工视为生命工程的三期扩建2×50MW循环流化床机组于2001年9月15日正式开工建设，利用城市污水处理满足发电生产需要，被国家经贸委列为优选示范项目；现运行的4×25MW机组技术改造工程取得省经贸委的立项批复，这标志着企业初步迈上了持续、健康、全面发展的轨道。

面对新世纪、新挑战、新机遇，侯马市电厂1100多名职工正发扬“开拓进取、从严要求、团结奋进、争创一流”的企业精神，自加压力，真抓实干，实现二次创业，创造更加辉煌灿烂的明天。

电厂全景

晋田热电有限公司全景

新田大地一颗璀璨的明珠

中国移动通信 临汾分公司

CHINA MOBILE

临汾移动通信分公司始终坚持“以客户为中心”的经营服务理念，进一步加快基础网的建设，保持网络优势；加强客户服务工作，巩固品牌优势；加大新业务开发力度，打造业务优势，竭诚为全市人民提供优质、快捷、高效的移动通信服务，为临汾市实现“遥遥领先”的战略目标做出贡献！

党委书记 经理 马志鹏

分公司马志鹏经理深入客服中心了解情况

领导班子成员：党委书记 经理马志鹏（右二），副经理陈证启（左二），副经理刘志成（右一），副经理尹君宇（左一）

中国联通临汾分公司

←2000年8月中国联通临汾分公司开业典礼

临汾市政协主席张岚瑆（右一）与部分政协委员到联通临汾分公司参观（左一为联通临汾分公司总经理陈龙华）→

←中国联通山西分公司总经理骆耕清（左三）在联通临汾分公司调研

中国联通临汾分公司领导班子成员：→
总 经 理：陈龙华（中）
副总经理：党建军（右）
胡平顺（左）

←联通临汾分公司职工文化生活丰富多彩

临汾供电分公司

2002年3月28日，山西省最大的500千伏变电站在本市竣工投产，省、市领导参加剪彩仪式并参观站容站貌

① 临汾供电分公司经理张毓哲（右）与党委书记赵生玉（左）在一起研究工作

② 召开“电力市场整顿和优质服务年活动”新闻发布会，向社会公开九项服务承诺

③ 2002年元月13日，大宁县曲娥镇金疙瘩村通电，从此这里的老百姓告别了祖祖辈辈相伴的油灯，过上亮亮堂堂的日子

→在农村电网改造中，坚持不扰民、不给农村和农民增加负担，深受村民的赞扬

临汾医药药材公司

临汾医药药材公司位于尧王古都广宣街，为国有中型二级医药批发企业，具有一级法人资格。所辖22个非法人药品批发企业，担负着临汾17个县、市（区）400万人口的中西药品、医疗器械、化学试剂、玻璃仪器四大类8000余种医药商品的供应任务。

2000年本公司被山西省经贸委、省总工会等5家单位命名为"山西省质量管理优秀企业"；1996至1998年，连续三年跻身国家医药商业企业销售、利税百强行列；2001年10月成为全国首批GSP认证单位（GSP即<<药品经营质量管理规范>>，通过GSP认证的企业所经营的药品是安全、放心、有效的）。2001年3月被中国消费者协会授予"诚信单位"；1992年至今，公司先后荣获"全国法制先进单位"、"全国医药行业优秀单位"、"全国中医药法制宣传教育先进单位"等国家级大奖，连续十年被省、市有关部门授予"重合同守信用先进单位"、"消费者信得过单位"称号。2001年实现销售收入3.2亿元，创历史最好水平，名列全省同行业前茅。临汾医药将以一流的质量服务大众，竭诚欢迎各界人士前来洽谈合作。

总经理 祁宝宏

现代化服务管理网络

服务规范的山西临汾竹林大药房连锁店

临汾市自来水公司

市长张茂才在净水厂调研

团结奋进的领导班子

荣获的各种奖牌

临汾市自来水公司建厂60周年文艺晚会

公司外景

净水厂一角

台头煤矿

乡宁县地方国营台头煤矿，1958年由社队煤矿转为国营矿，“七五”初被列入全省60座重点改扩建矿井。“八五”时期自筹资金1600万元，先后对后湾子坑口、王蟒沟坑口、前湾子坑口进行了配套改造，使全矿实现运输机械化，年产量由20万吨提高到45万吨。“九五”以来，实行长壁采煤，新上一套综采设备，实现综合机械化采煤，年产量由50万吨提高到100万吨。

本矿位于吕梁山南麓，赵家湾勘察区，井田面积14.6平方公里，矿区含煤三层，其中2#为全国稀有低灰、低硫、高热值的优质焦煤，地质保有储量2505万吨。本矿所产佳宁牌优质主焦煤远销日本和我国上海、安徽、山东等地。现拥有8000万元资产，1500名干部职工。全矿有三个生产坑口，一个机械制造股份有限公司，附设四个后勤服务单位。2001年实现利税2618万元，比上年提高86%；上缴利税1450万元，比上年同期提高29%。先后获得“部级质量标准化矿井”、“省级文明单位”、“山西省管理优秀企业”、“山西省模范纳税户”、“临汾市利税大户”荣誉称号。

台头煤矿具有广阔的发展前景。计划在管头建设一座设计能力90万吨现代化矿井和年吞吐量90万吨的坑口洗煤厂，力争两年内做到原煤不出矿。在三五年内，台头煤矿将会跨越一个新的管理平台，创造出更加辉煌的业绩。

矿长：王水金

领导班子在一起研究工作

乡宁台头煤矿大门

标准化的生产矿井

中央储备粮洪洞直属库

← 主任 马跃彬

库领导班子在一起研究工作

大型平房仓 →

↑ 办公室

↑ 库区

国家煤炭部表彰安全文明生产28年无事故
乡宁县七一煤矿

刘耀狮，会计师，男，1964年8月出生，乡宁县管头镇人，1985年3月加入中国共产党，山西省委党校毕业。

1979年参加工作以来，谦虚好学，团结进取，先后担任七一煤矿会计、财务科长、县乡镇企业管理局办公室主任、七一煤矿副矿长等职。乡宁县工商联合会副会长，临汾市企业家协会副会长，山西省企业家协会常务理事，中国成长企业CEO理事会理事。

一份耕耘，一份收获。刘耀狮先后被授予“优秀共产党员”、“临汾市劳模”、“山西省优秀企业家”等称号。同时，录入《中国当代杰出共产党人》、《中华世纪魂》、《华夏英杰》、《中国专家名人辞典》等大型丛书、文献，并被授予“百佳改革新闻模范人物”、“中国当代杰出共产党人”、“中华英才”等荣誉。

矿长 刘耀狮

七一煤矿

乡宁县七一煤矿是县营集体企业，建成投产于1971年7月1日，故以党的生日命名。井田面积1.7579KM²，拥有固定资产1060余万元，年实现利税360余万元，现有干部职工235人，设“七科、一室、一口、一队”。七一人团结进取、奋勇拼搏、开创安全生产28年无事故，死亡率为零的好成绩，先后被原国家煤炭部授予“乡煤之星”荣誉称号，被山西省煤炭工业厅授予“长周期安全，无事故矿井”、“文明生产矿井”“质量标准化矿井”、被山西省乡镇企业管理局授予“安全生产先进企业”等多项荣誉称号。

①

②

③

④

⑤

⑥

图片说明

①刘耀狮出席21世纪生产与中国经济发展大会，同全国政协副主席万国权合影
②矿领导班子在一起研究工作
③刘耀狮获山西省优秀企业家称号
④刘耀狮连年获奖荣誉
⑤2002年春节文艺演出获“金奖”
⑥七一煤矿春节文艺表演

山西鼎立化工有限公司

SHAN XI DING LI HUA GONG YOU XIAN GONG SI

董事长 总支书记 李广琴

省委书记田成平、副省长杨志明于2000年12月在公司视察工作

★获奖荣誉

① ② ③

①“古槐”牌商标为山西省著名商标

②主导产品连续被评为山西省名牌产品

③“古槐”牌复混肥料为国家监督抽查合格产品

公司生产的山西名牌产品

公司办公区夜景

WONGEF

万佳福仓储超市

宿青平区长（右二）在万佳福仓储超市考察工作

商界强军——万佳福仓储超市军训英姿

万佳福仓储超市一周年店庆文艺晚会

万佳福副总经理率队慰问环卫职工

翼城尧森农工商实业有限公司

荣获国际名人交流中心
（世界杰出人士）奖杯

董事长 总经理 李殿普

公司领导陪省、市、县领导视察工作

公司办公区全貌

连年荣获部、省、市级嘉奖

工作人员执行标准化生产

公司大型冷藏库一角

公司的系列食品

保鲜食品

果脯食品

冻干食品

各种饮料

翼城县财政局

授予：翼城县财政局
2000年度财政工作
先进单位
临汾市财政局
二○○一年二月

翼城县财政局党支部
先进基层党组织
中共临汾市委
二○○一年七月一日

局长 王玉柱

临汾市财政局局长张传华在翼城基层调研

领导班子

省、市、县财政局领导考察财政建设项目

局领导到宏阳钢铁公司调研

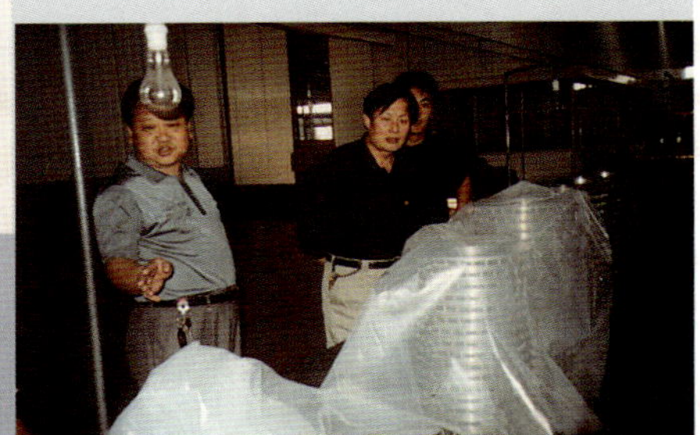
局领导到丰昆铸造公司调研

办公大楼

中国信合

存款超五亿　　全省第一家

尧都区城区信用社

尧都区城区信用社位于市中心北洪家楼繁华地段，下设一个营业部和胜利、大众、五一路、东关等四个分社，网点布局适中，服务环境优越，业务范围广泛，资金实力雄厚，全社96名职工素质高、业务精、文明服务、屡创佳绩，五个营业网点已创出了四个亿元分社，各项存款突破了五亿元大关，被区联社授予"全区存款之冠"奖匾。临汾日报以"存款超五亿，全省第一家"为题作了报道。进入新世纪以来，又启动信合快车，提供精品服务，开创特色品牌，推进跨越发展，并且达到了服务宾馆化、操作电子化、管理规范化的高标准，实现了新世纪的新突破，各项存款已达到5.74亿元，连续四年被授予全省消费者信得过单位和文明单位。理事长、主任冯晋山及领导班子成员，带领全体员工开拓进取，团结奋进，打造信合品牌，迎接入世挑战，向着更新、更强、更高的目标前进。

理事长 主任 冯晋山

领导班子在研究工作

贵在诚信 全优服务

相同的业务，不同的服务，我们会做得更好

曲沃县人民法院

QUWO

院长 武国界

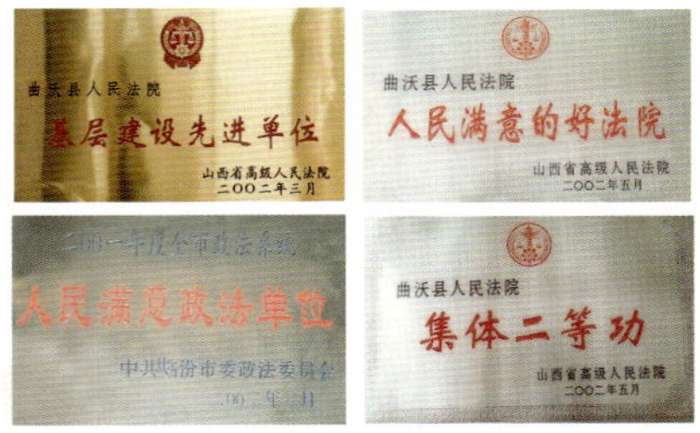

市委副书记刘合心(右四),省高院副院长左世忠(右二),市政法委书记李平郎(右一),市中院院长张远光(右三),在曲沃法院院长武国界 (左二)陪同下视察曲沃法院。

曲沃县人民法院党组一班人

参加县委组织的文体活动

曲沃法院大门

QUWOXIANRENMINFAYUAN

曲沃县水利局

水利局领导班子：
局　长　李清湖（右二）
副局长　原建新（左一）
　　　　南文臣（左二）
纪检组长　王天明（右一）

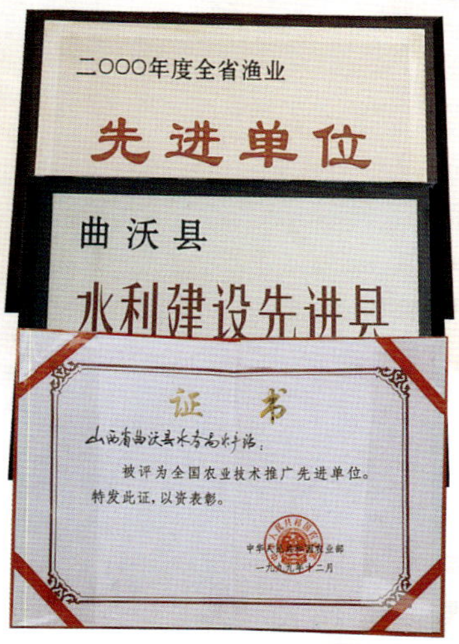

市水利局局长张建（右二）检查节水工作

拔河比赛

曲村供水站

文敬扬水处

翼城县农业局

团结、奋进的农业局领导班子（左三为农业局局长侯刚）

隆化镇两坂村在山坡上建起日光温室

天然绿色食品——隆化小米

万亩日光温室南梁园中园

农业局班子成员在南唐垣下万亩布郎李子基地调研。

我尽力　你方便　信合人就在你身边

中国信合
zhongguo xinhe

坂下信用社

领导班子在研究工作

主任　理事长　邓瑾

坂下信用社地处临汾市城郊结合部，下设11个分社，1个营业部2个代办站。现有职工８４人，是全省较大的农村信用社之一。自1984年建社以来，历届领导班子都紧紧围绕“外树形象，内强素质，强化管理，稳健经营”的指导思想，改革创新人事、财务、信贷三项管理，优化服务，占领市场，深化改革，增加效益。截止2001年末，各项存款余额30039万元，各项贷款21521万元，累计盈余654万元，累年上缴税款1145万元，荣获“全区信用社经营管理典范”、“全省信用社第一创利大户”称号。建社18年来，先后109次受到省、地、市、区党政和上级管理部门的奖励。1988年农总行副行长王景师到信用社座谈，给予高度评价；1997年在全区农村合作社金融管理工作现场会上所作的《效益靠管理管理靠效益》的典型材料受到与会领导好评；2001年，执行“计提费用法”创效益的财务管理经验受到全市信合同仁赞同并被推广。

上门服务　吸取存款

装饰一新的营业大厅

办公楼

翼城县农业综合开发办公室

NONGYEZONGHEKAIFA

翼城县二期（1998—2001年）农业综合开发土地治理项目共涉及20个行政村。四年累计改造中低产田3.5万亩，完成总投资4102万元，其中土地治理项目完成投资973万元，多种经营项目完成投资3129万元。主要工程实施为：修建电灌站6座，新打井27眼，修复配套机电井12眼，架设输变电线路26.5公里，衬砌渠道42公里，埋设管道44.5公里，新建渠系建筑物609座，发展喷灌面积0.1万亩；改良土壤3.5万亩，新开、拓宽、整修机耕路53公里；营造防护林0.18万亩；技术培训1.01万人次，示范推广0.32万亩。多种经营项目4年共投入3129万元，完成2个多种经营项目，年实现总产值1707万元，增加值853.5万元。

二期农业综合开发，根据当地水资源现状分年度实施东水西引、南水北调中线、南水北调东线三大水利工程。99年我们实施了东水西引工程，利用东高西低的自然落差，铺设地下输水管道13.5公里，从利民灌区的故城水库把水引到了项目区，保证了沿途四村200个大棚用上了自来水；2000年实施南水北调中线工程，新打机井3眼，建中线管理站一处，埋设输水管道10公里，并在沿途新建300立方米调节池5座和12个出水口，保证沿线915个日光温室用上了自来水，解决了 5个村人畜饮水，同时灌溉农田4000亩；2001年又实施了南水北调东线工程，新打机井4眼，建东线管理站一处，埋设地下输水管道18公里，沿途新建300立方米畜水池4座，保证了1550个大棚正常用水，解决了4个村人畜饮水，同时灌溉农田5000亩。

在实施土地治理项目的同时，按照"大棚标准统一化、道路沙石化、灌溉节水化、管理科学化、园区公园化"的"五化"标准在项目区的西王至武池地段建设日光温室蔬菜精品区。四年间，引导项目区新发展日光温室2300余座，使全项目区日光温室达到2845座，品种由单一的西红柿发展到拥有西红柿、茄子、豆角、草莓、伊丽莎白甜瓜等多个新品种。

翼城县武池项目南水北调中线管理站

中线管理提水泵房

万亩日光温室南梁园中园

安泽县林业局

局长李峰

ANZEXIAN

LINYEJU

① 2000年3月29日国家林业局森林病虫害防治总站领导在本县检查防虫工作。

② 1999年8月28日，省林业厅厅长曹振声在安泽检查工作。

③ 局领导班子在讨论造林工作

永和县黄河天然食品有限公司

办公楼

永和县黄河天然食品有限公司系永和县红枣系列产品和豆制品系列产品开发的龙头企业，主要从事研究红枣种植、豆制品开发和技术指导。是公司加农户、购加销一体化的生产经营企业。

公司位于城北河口路3号，占地面积16000平方米，建筑面积6500平方米，拥有国定资产500万，现有管理和生产技术人员48人（其中专业技术人员10人），主要生产线五条，即：制干生产线、蜜枣生产线、蒸枣生产线、分级包装生产线、豆制品系列生产线。年生产规模1550吨，5个系列，29个品种。其中黄河滩枣、蜜枣、马牙枣、酸枣、豆粉等产品，1996年经中国绿色食品发展中心批准使用绿色食品标志，1998年获省名优土特产品，2000年申请注册“寿昌”牌永和红枣系列产品，2000年获红枣系列产品金奖，1991年、2001年获中国国际农业博览会“名优产品”奖。

本公司豆制品获“植物豆制品系列名牌产品”

红枣系列产品以永和特产纯天然、无公害大红枣精制而成，个大、皮薄、肉厚、核小、无虫、质脆、味甜、品质上乘、风味独特、古代曾为皇室贡品，素有“枣中之王”美名，是不可多得的食品和馈赠佳品。

豆制品有速溶高蛋白豆浆晶、豆腐花、豆粉，选用纯天然、无公害优质黄豆，经现代化之科学方法精制而成，不含任何添加剂，具有人体所需的八种氨基酸，实为植物高蛋白质健身佳品。

永和红枣获中国国际农业博览会名牌产品

永和县芝泉饮品有限公司

芝全饮品有限公司

本公司生产的酸枣汁获“中国国际博览会名牌产品奖”

永和县芝泉饮品有限公司地处城南经济开发区，占地2.5万平方米，建筑面积1.2万平方米，固定资产1500万元，员工150人，(其中有高级工程师18名)，现有白酒和饮料两大生产线，具备年生产白酒3000吨，饮料5000吨的能力，主要产品：白酒类，有清香型和农香型两大类，分高中低档十几个品牌，其中楼山春、高粱王、芝河宴白酒被评为山西省优质产品；饮料类、有酸枣汁、苹果等十个品牌，其中酸枣汁荣获2002年世界农业博览会金奖。该饮品采用国内最新设备生产线，以省食品工业研究所为技术依托单位，以当地纯天然绿色野生酸枣为主要原料，利用低温萃取等现代工艺生产，系风味独特的果汁型天然保健饮料。

董事长兼总经理李贵有携全体员工热忱欢迎国内外各界朋友和有志之士来本公司参观考察，加盟芝泉，共同开发永和绿色资源，共创美好明天。

临汾卫校

山西省文明学校

山西省教育委员会

中等职业学校（中专）

国家级重点

中华人民共和国教育部

山西省

绿色学校

山西省环境保护局
山西省教育厅
二〇〇一年六月

团结奋进的领导班子

副省长王昕在微机室指导工作

解放路小学

JIEFANGLUXIAOXUE

校长 李敏才

军校学员在进行轻武器射击

勇于创新的领导集体

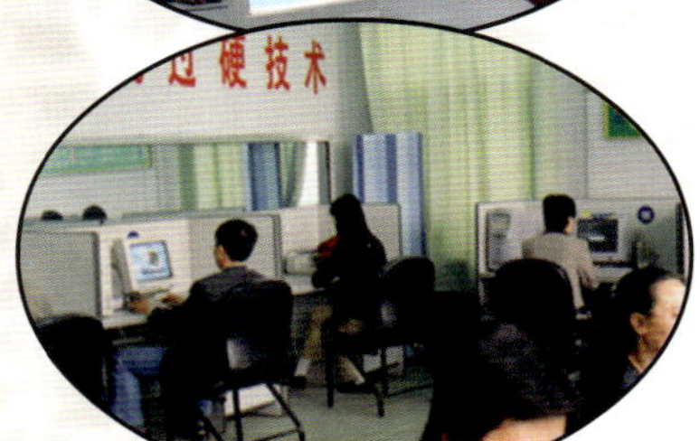

年轻教师在电子备课室研制教学软件

学生在多媒体计算机室上信息课

赴京参加申奥活动

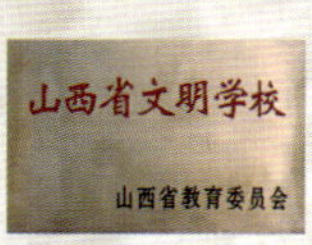

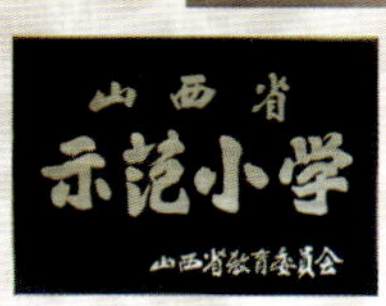

战场上有我 您将赢得更精彩！

广告工程　门头广告牌、楼顶广告牌、立柱广告牌、跨街龙门架广告牌等钢架结构的制作。

户外广告　霍候路沿线广告代理、滨河路两侧灯箱广告代理。公司在火车站、祥和大厦、柏松大厦、各小区均设有广告位。

《今朝广告》　公司自创媒体、发行量大、费用低、版面灵活、图文并茂。

印刷品广告　纸质印刷、布质印刷、塑料印刷等业务的设计、印刷及发布。

墙体广告　公路沿线墙面、村镇现有墙面广告的书写、发布。

礼仪　提供会议、开业、庆典、小型礼仪活动所需礼仪小姐、拱柱、拱门、舞星、氢气球等。

其他　装订、塑封、烫金、PVC卡

今朝廣告

图书在版编目（CIP）数据

临汾年鉴．2001／临汾年鉴编纂委员会　编．北京：
方志出版社，2002．12
ISBN　7－80122－888－X
Ⅰ．临...　Ⅱ．临...　Ⅲ．临汾市－2001－年鉴
Ⅳ．Z522．53
中国版本图书馆 CIP 数据核字（2002）第 094257 号

方志出版社出版发行

地址：北京市丰台区角门北路甲 8 号院 1 号楼 106 室
通讯信箱：丰台区西罗园邮电局 7713 信箱　（邮政编码：100077）

印　刷：北京国彩印刷有限公司印刷　　经　销：新华书店
版　别：2002 年 12 月第 1 版　　版　次：2002 年 12 月第 1 次
开　本：889 × 1194(mm)　1/16　　印　张：32
字　数：600 千字　　印　数：1－1000 册

ISBN7－80122－888－X／K·502
定价：198.00 元